GRANDE ENCYCLOPÉDIE DES PLANTES & FLEURS DE JARDIN

GRANDE ENCYCLOPÉDIE
DES
PLANTES
& FLEURS
DE JARDIN

Directeur de la publication

CHRISTOPHER BRICKELL

Directeur de la Royal Horticultural Society

BORDAS  Sélection
du Reader's Digest

Édition originale

The Royal Horticultural Society Gardeners' Encyclopedia of Plants and Flowers
A Dorling Kindersley Book
© 1989 by Dorling Kindersley Limited, London
ISBN 0-86 318-386-7

Directeur de la publication	Christopher Brickell
Éditeur Senior	Jane Aspden
Directeur d'édition	Jackie Douglas
Directeurs artistiques	Roger Bristow, Alex Arthur
Maquettiste	Amanda Lunn

Édition française

Supervision de la traduction et adaptation pour la version française
Alain Madec

Édition	Catherine Delprat
Révision générale, corrections et index	Trudi Strub
Traduction	Daniel Alibert-Kouraguine, Valérie Garnaud-d'Ersu, Alain Madec, Sabine Rzepka
Dessins	Les planches de dessins des pages 31 à 35 ont été élaborées avec la participation de Joëlle Neveu
Fabrication	Nadine Grimaud
Responsable d'édition	Christian Dorémus

© Bordas, Paris, 1990 et © Sélection du Reader's Digest, Paris, 1990
ISBN 2-04-012977-4
Dépôt légal de la première édition : octobre 1990
Dépôt légal en avril 1993
Imprimé et relié en mars 1993
par Grafica Editoriale, Bologne. Italie.

Préface

Référence scientifique, guide pratique, œuvre d'art, cet ouvrage est une grande première, qui comble une attente. Après une trop longue période de négligence, les jardins émergent à nouveau dans notre société française. Aujourd'hui est engagé un mouvement de sauvegarde et de mise en valeur d'un patrimoine exceptionnel de jardins anciens. Des collectivités publiques et privées de plus en plus nombreuses prennent des initiatives visant à maintenir, réhabiliter, créer des espaces de qualité. Enfin plus de la moitié des Français pratique le jardinage, qui vient largement en tête de toutes les activités de loisir.

L'amateur éclairé, le technicien, le scientifique trouveront dans ce livre la rigueur et la précision botaniques indispensables pour se situer avec exactitude dans cet immense univers des plantes : il existe en effet plus de 250 000 espèces naturelles et un nombre incalculable de cultivars produits par l'homme depuis plus de 2000 ans, auxquels s'ajoutent les possibilités de création ouvertes par les découvertes scientifiques contemporaines.

Le jardinier, l'amateur de jardins, qui ne connaissent pas encore les subtilités botaniques et les noms scientifiques sont introduits dans cet univers par une pédagogie accueillante et originale fondée sur la couleur des végétaux, leur taille, leur intérêt saisonnier.

Pour tous la *Grande Encyclopédie des Plantes et Fleurs de jardin* est aussi une œuvre d'art : quatre mille portraits de plantes... l'harmonie des couleurs et des formes est source de plaisir, de rêve et d'inspiration.

L'histoire de ce livre se confond avec celle de la *Société Royale,* née de la *Société d'Horticulture de Londres,* fondée en 1804 et dont la vocation est d'encourager et de perfectionner l'horticulture aussi bien ornementale qu'utilitaire. C'est dans le cadre du programme ambitieux d'éducation de la Société Royale que se situe la publication en 1989 de la *Royal Horticultural Society Gardeners' Encyclopedia of Plants and Flowers.* Une telle réussite est le fruit d'un patient travail de plusieurs années, conduit à l'initiative de Christopher Brickell, directeur général de la *Société Royale d'Horticulture* avec le concours de nombreux botanistes, horticulteurs, écrivains et photographes de renommée internationale. La publication de la *« Grande Encyclopédie des Plantes et Fleurs de jardin »,* qui met à la disposition du public francophone cette somme de travail et d'histoire, est due enfin à l'initiative des éditeurs et à l'action d'Alain Madec, responsable de l'adaptation française. Et ce n'est pas un hasard si Alain Madec est ingénieur horticole, ancien élève de l'École Nationale supérieure d'horticulture située au Potager du Roi à Versailles, haut lieu international de l'horticulture depuis plus de 300 ans.

À tous j'adresse le témoignage de mon admiration.

Raymond Chaux
Directeur de l'École Nationale Supérieure
d'Horticulture de Versailles
Directeur de l'École Nationale Supérieure du Paysage

Versailles, juin 1990

Sommaire

Les plantes citées sur fonds grisés correspondent à des genres particulièrement intéressants présentés dans des pages spéciales du catalogue.

CONTRIBUTIONS
à la rédaction des textes
Susyn Andrews *Houx*
Larry Barlow *Chrysanthèmes*
Kenneth A. Beckett *Le guide du créateur de jardins, Arbustes, Plantes grimpantes, Broméliacées*
John Brookes *Créer son jardin*
Eric Catterall *Bégonias*
Allen J. Coombes *L'origine et le nom des plantes, Arbres, Arbustes*
Philip Damp *Dahlias*
Kate Donald *Pivoines, Narcisses*
Kath Dryden *Plantes de rocaille*
Raymond Evison *Clématites*
Diana Grenfell *Hostas*
Peter Harkness *Rosiers*
David Hitchcock *Œillets*
Terry Hewitt *Cactées et succulentes*
Hazel Key *Pélargoniums*
Sidney Linnegar *Iris*
Brian Mathew *Iris, plantes bulbeuses*
Victoria Matthews *Plantes grimpantes, Lis, Tulipes*
David McClintock *Bambous, Herbes, Joncs et Roseaux*
Diana Miller *Plantes vivaces, Saintpaulias*
John Paton *Plantes vivaces*
Charles Puddle *Camellias*
Wilma Rittershausen (avec Sabina Knees) *Orchidées*
Peter Q. Rose *Lierres*
Keith Rushforth *Conifères*
A.D. Schilling *Rhododendrons et Azalées*
Arthur Smith *Glaïeuls*
Philip Swindells *Fougères, Primevères*
Kath Dryden (avec Jack Wemyss-Cooke), *Plantes aquatiques, Nénuphars*
John Thirkell *Delphiniums*
Alan Toogood *Plantes annuelles et bisannuelles*
Major General Patrick Turpin *Bruyères*
Michael Upward *Plantes vivaces*
John Wright *Fuchsias*

Comment utiliser ce livre

Cette encyclopédie est idéale pour concevoir un jardin, choisir des plantes, ou identifier un végétal. Elle fournit tout type d'informations sur l'apparence et la culture de milliers de plantes.

Comment concevoir un jardin

La partie de l'ouvrage consacrée à ce sujet vous explique les styles de jardins, les méthodes de choix de végétaux en fonction de leurs couleurs, textures, et l'art de les placer habilement. *Le guide du créateur de jardin* donne des listes de plantes ayant des exigences ou tolérances particulières, avec des renvois au *Dictionnaire* et le cas échéant au *Catalogue* pour obtenir des informations détaillées.

Comment identifier ou choisir des plantes

Si vous connaissez une plante dont vous ne pouvez vous rappeler le nom, si vous avez en main un spécimen que vous voulez identifier ou si vous désirez tout simplement choisir des plantes pour votre jardin, reportez-vous au *Catalogue des plantes* qui apportera une réponse à chacune de ces situations. Recherchez d'abord le chapitre approprié. Puis décidez de la hauteur et de la saison qui, à priori, vous intéresse. Dans chaque section, vous trouverez des plantes regroupées par couleur, à partir desquelles vous pourrez faire votre choix. En comparant un spécimen avec la photo et sa description, une plante pourra

être facilement identifiée. La liste des autres plantes présentant les mêmes caractéristiques (hauteur, intérêt saisonnier et couleur) apparaît en bas de chaque page. Ces autres plantes sont elles-mêmes ou photographiées ou décrites dans une autre section de l'ouvrage.

Comment trouver une plante particulière

Le *Dictionnaire des plantes* décrit à la fois toutes les plantes photographiées dans le *Catalogue* et des milliers d'autres, toutes classées par ordre alphabétique des genres, avec des renvois aux photos, s'il y a lieu. Les plantes qui ne sont pas illustrées dans le *Catalogue* y sont également lar-

Le Catalogue des plantes

Catégories (basées sur la hauteur de la plante)

	GRANDE	MOYENNE	PETITE
ARBRES	au-dessus de 15 m	10-15 m	jusqu'à 10 m
CONIFÈRES	au-dessus de 15m	10-15m	jusqu'à 10 m
ARBUSTES	au-dessus de 3 m	1,5-3 m	jusqu'à 1,5 m
VIVACES	au-dessus de 1,2 m	60 cm-1,2 m	jusqu'à 60 cm
PLANTES DE ROCAILLE	au-dessus de 15 cm	–	jusqu'à 15 cm
BULBES (y compris cormus et tubercules)	au-dessus de 60 cm	25-60 cm	jusqu'à 25 cm
CACTÉES et SUCCULENTES	au-dessus de 1 m	de 25 cm-1m	jusqu'à 25 cm

Le cercle des couleurs

Dans chaque section, les plantes sont groupées suivant la couleur de leur partie la plus intéressante, et toujours dans le même ordre : du blanc aux rouges et bleus, puis au jaune et à l'orange. Les plantes panachées sont classées selon la couleur de la panachure, les cactées et autres succulentes selon la couleur de leurs fleurs éventuelles.

Les symboles

☼ Aime le soleil
☽ Préfère la mi-ombre
● Supporte l'ombre

pH Plante de sol acide

�֍ Semi-rustique
�֍ �֍ Assez rustique
✷ ✷ ✷ Rustique

◌ Préfère un sol bien drainé
◐ Préfère un sol humide
● Préfère un sol très humide

TITRES
Chaque chapitre est subdivisé en sections, en fonction de la taille adulte, et de la saison la plus intéressante.

CARRÉS DE COULEURS
Ils indiquent en haut de page la gamme de couleurs des plantes illustrées.

PHOTOGRAPHIE EN COULEURS

TEXTE DE PRÉSENTATION

TAILLE ET FORME
Pour arbres, conifères et arbustes, schéma coté indiquant taille et forme. Pour les autres plantes, leur hauteur (H.) et leur envergure (E.) est notée (pour les grimpantes ou traînantes, H. désigne la longueur des tiges).

NOM BOTANIQUE
Le cas échéant, synonymes (syn.) et noms communs sont ajoutés.

PLANTES NON RUSTIQUES
Une température minimale souhaitable pendant la plus grande partie de l'année pour un bon développement est donnée.

CULTURE ET RUSTICITÉ
Indication au moyen de symboles ; la lettre A dans un texte du Catalogue désigne une plante non rustique.

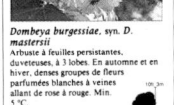

Arbustes/taille moyenne
■ BLANC, ROSE

Dombeya burgessiae, syn. *D. mastersii*
Arbuste à feuilles persistantes, duveteuses, à 3 lobes. En automne et en hiver, denses groupes de fleurs parfumées blanches à veines allant de rose à rouge. Min. 5 °C.

Chamelaucium uncinatum
[À fleurs roses.] Arbuste touffu, à raides. Feuilles persistantes, rappelant des aiguilles, à minuscule pointe crochue. Fin hiver au printemps fleurs allant du rose pourpre foncé au rose. Min. 5 °C.

Acokanthera oblongifolia, syn. *A. spectabilis, Carissa spectabilis*
Arbuste arrondi, à feuilles persistantes. Fleurs parfumées, blanches ou rosâtres, de la fin de l'hiver au printemps, suivies de fruits rouges puis noirs, toxiques. Min. 10 °C.

Viburnum x bodnantense 'Da...
Viorne x bodnantense 'Da...
Arbuste dressé, à feuillage caduc, d... bronze, puis vert sombre. Fin... douce, de fin automne à début pri... grappes de boutons rose foncé donnant des fleurs roses parfumées.

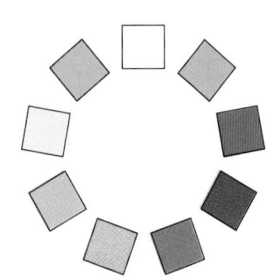

Euphorbia pulcherrima
Poinsettia
Arbuste ramifié, à feuilles persistantes. De la fin de l'automne au printemps, il porte de petites fleurs verdâtres, entourées de bractées rouge vif ou rose foncé. Min. 15 °C.

8

gement décrites. Pour chaque genre, de nombreux détails de culture et des descriptions d'espèces et de cultivars sont donnés. Les synonymes sont éventuellement indiqués. Si vous ne connaissez que le nom commun d'une plante, reportez-vous à l'*Index des noms communs* qui vous donnera son nom botanique et vous indiquera les pages où elle est photographiée.

Comment trouver les plantes rares en France

Un important effort a été fait pour présenter, à côté des végétaux banals, des plantes plus rares, et pourtant, dans bien des cas, faciles à cultiver. Si vous avez du mal à trouver un végétal, renseignez-vous auprès d'un jardin botanique, d'un arboretum, ou du service des espaces verts d'une ville (notamment Rennes, Nantes ou Bourges). Vous pouvez également, pour les arbustes et les plantes vivaces, demander à un pépiniériste de se mettre en rapport avec le correspondant français des pépinières anglaises Hillier.

INTÉRÊT HIVERNAL

ROUGE, VIOLET   □ JAUNE

us alba 'Sibirica'
ouiller blanc 'Sibirica'
à jeunes pousses écarlates et
ant. En fin d'été, d'un début du
printemps, grappes pendantes de fleurs
jaune verdâtre pâle avant que
n'apparaissent les feuilles
caduques vert foncé,
pointues.

Stachyurus praecox
Arbuste ouvert, étalé à pousses rouge
violacé. En fin d'hiver et au début du
... in de printemps et en début blanc
, suivies de fruits

ia crenata, syn. *A. crenulata*
te dressé, peu dense et à feuillage
feuilles persistantes. De la fin de
... blanches parfumées en forme
... Ses fruits rouge vif persistent
... temps. Min. 18 °C.

Duranta repens, syn. *D. plumieri*
Arbuste à croissance rapide, touffu,
dressé à l'état jeune et à feuilles le plus
souvent persistantes. Il porte, en été
surtout, des grappes terminales lâches
de fleurs bleu-lilas, suivies de
fruits jaunes. Min. 18 °C.

roma cyaneum, syn. *I.
olosum*
iste semi-dressé, à branches minces
ant. De la fin de
omme au début de l'été, bouquets
... tubulaires et évasées
ommet. Min. 5-10 °C.

YÈRES, pp. 146-147
... ystachys coccinea
... mia japonica 'Rubella'., p. 142

Cornus alba
BRUYÈRES, pp. 146-147
Pachystachys coccinea
Skimmia japonica 'Rubella', p. 142

RENVOIS
Liste de plantes indiquées ailleurs dans le livre, mais possédant les mêmes caractères principaux (type de plante, taille, couleur).

Les plantes « vedettes »

Des groupes de plantes ou des genres particulièrement intéressants sont présentés dans des pages spéciales du catalogue.

CARACTÉRISTIQUES DU GROUPE
Introduction soulignant les mérites de chaque groupe de plantes et précisant leurs meilleures utilisations.

FORMES DES FLEURS
Description détaillée des formes des fleurs et classification horticole.

CROQUIS
Très clairs, ils montrent les différentes formes de fleurs.

PHOTOGRAPHIES EN GROS PLAN
Elles permettent une sélection ou une identification rapide.

NOMS BOTANIQUES
Le cas échéant, le groupe est indiqué. Les descriptions et conseils se trouvent dans le Dictionnaire.

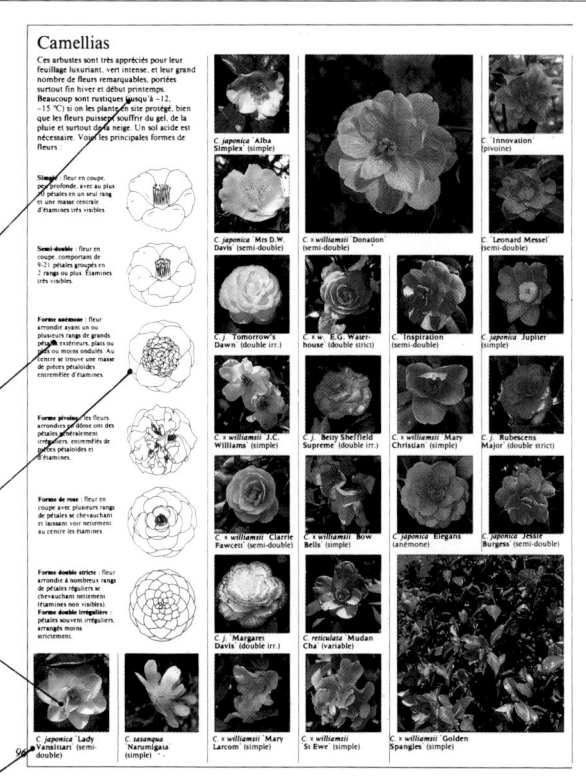

Le Dictionnaire des plantes

Le *Dictionnaire* répertorie tous les articles correspondant à tous les genres cités dans le livre. Il décrit, en plus des 4 000 espèces du *Catalogue*, environ 2 000 autres plantes cultivables en milieu tempéré. Il sert également d'index pour le *Catalogue*.

NOM DE GENRE
Il est suivi du nom de famille et, le cas échéant, de noms communs.

PRÉSENTATION DU GENRE
Caractéristiques, rusticité, utilité, mode de multiplication, éventuellement maladies.

SYNONYMES
Ils renvoient au nom botanique considéré comme correct.

DESCRIPTION DE PLANTES
Des entrées par espèces ou cultivars donnent les noms botaniques et les noms communs, suivis de détails spécifiques. Pour les cultivars, le cas échéant, les caractères essentiels les différenciant de l'espèce type sont donnés.

SAGITTARIA (Alismacées)

Genre de plantes aquatiques vivaces submergées ou poussant au bord de l'eau, que l'on cultive pour leur feuillage et leurs fleurs. De rustiques à non rustiques. Ont besoin d'une bonne et importante luminosité. Éliminer le feuillage fané. Multiplication: division au printemps ou en été, ou par éclats des turions au printemps.
S. japonica, voir *S. sagittifolia* 'Flore Pleno'.
S. latifolia, ill. p. 372.
S. sagittifolia (Flèche d'eau américaine). Espèce à feuilles caduques. H. 45 cm, E. 30 cm. Rustique. Feuilles aériennes dressées, triangulaires, vert assez clair. Donne en été des fleurs à 3 pétales, blanc rosé. Peut pousser dans l'eau jusqu'à 25 cm de profondeur. **'Flore Pleno'** (syn. *S. japonica*) est à fleurs doubles.

L'origine et le nom des plantes

Noms communs

Bien que de nombreuses plantes aient des noms communs familiers, c'est sous leur nom botanique qu'on les désigne le plus souvent. Il y a à cela plusieurs raisons. Beaucoup de plantes n'ont en effet pas de nom commun ou le partagent avec d'autres. Dans certains cas, le même nom commun est utilisé dans différentes régions pour décrire des plantes différentes. Contrairement au nom botanique qui regroupe uniquement des plantes affines sous le même nom de genre, le même mot est souvent employé dans les noms communs pour désigner des plantes tout à fait différentes. C'est le cas de la rose trémière *(Althaea rosea)* et de la rose de Noël *(Helleborus niger)* qui n'ont aucun lien de parenté avec les véritables roses appartenant toutes au genre *Rosa*. Par ailleurs, une plante peut avoir plusieurs noms communs : « rosage », « laurier rose des Alpes », « rose des Alpes » désignent tous le *Rhodendendron ferrugineum*. Les choses se compliquent encore lorsque le nom vernaculaire est malais, chinois ou arabe. En botanique, comme dans d'autres disciplines scientifiques, l'utilisation du latin a permis d'adopter un langage universel, précis et pratique.

Le système binominal

Les savants grecs et romains ont ébauché notre méthode de dénomination des plantes ; leurs techniques d'observation et de description de la nature furent reprises dans les monastères et les universités d'Europe, lieux où l'on utilisait communément le latin. Cependant, c'est essentiellement au célèbre botaniste suédois Carl Linnaeus (1707-1778) que l'on doit le système actuel, appelé système binominal. Dans ses derniers travaux, *Genera plantarum* et *Species plantarum*, Linné classe chaque plante en utilisant deux mots latins à la place des phrases descriptives couramment utilisées par les botanistes et les herboristes de l'époque. Le premier terme, écrit avec une majuscule, indique le nom du genre (p. ex. *Ilex*), et le second, l'épithète spécifique *(aquifolium)*. Ces deux termes permettent de reconnaître partout dans le monde la plante (ou l'espèce) désignée *(Ilex aquifolium*, houx commun). Les autres espèces du même genre sont indiquées par différents épithètes *(Ilex crenata, Ilex pernyi*, etc.).

La signification du nom des plantes

Les noms botaniques sont plus faciles à utiliser si l'on a une idée de leur signification. Un nom peut rappeler une personnalité, comme *fuchsia*, qui rend hommage au physicien et herboriste allemand Leonhard Fuchs. Il peut aussi indiquer l'origine d'une plante : *Parrotia persica*, p. ex., est une espèce qui vient de Perse. Une plante peut également porter le nom du collecteur qui l'a introduite en culture : *Primula forrestii* fut découverte par George Forrest. Enfin, le nom botanique peut évoquer certaines caractéristiques : ainsi, le nom de genre *Pelargonium* (du grec *pelargos*, cigogne) rappelle la forme des fruits en bec de cigogne ; le nom d'espèce *quinquefolia* vient du latin *quinque* (cinq) et *folium* (feuille) et indique que la feuille de *Parthenocissus quinquefolia* est divisée en 5 folioles.

Les noms de genre, comme tous les substantifs latins, sont masculins, féminins ou neutres ; les noms d'espèces sont assez souvent des adjectifs qui s'accordent avec le premier terme.

Les introductions de plantes

L'origine de certains noms de plantes peut remonter aux civilisations antiques – il en est de même des premières introductions. À son apogée, l'Empire romain allait de l'ouest de l'Europe à l'Asie ; à l'occasion de leurs voyages, les Romains ramenaient avec eux des plantes alimentaires et ornementales, comme le châtaignier, le pêcher, le figuier, et de nombreuses « herbes ». Plus tard, le nord de l'Amérique fut une importante source de découvertes végétales. À la fin du 16e siècle, on pouvait déjà trouver quelques espèces américaines en culture dans des jardins britanniques. En 1824, la Société royale d'Horticulture de Grande-Bretagne envoya l'Écossais David Douglas sur la côte ouest de l'Amérique, d'où il rapporta une grande quantité de graines provenant d'espèces jusqu'alors inconnues en Europe.

Ce fut cependant l'Orient qui, avec sa riche flore très diversifiée, constitua le plus grand trésor végétal pour les collecteurs. L'accès à la Chine fut limité jusqu'au traité de Nankin en

DICENTRA SPECTABILIS
Robert Fortune introduisit cette gracieuse plante lorsqu'il revint, en 1846, du nord de la Chine, région où le Dicentra *a toujours été très cultivé. Depuis, cette espèce est populaire en Europe.*

1824 ; l'année suivante, l'Écossais Robert Fortune y entreprit une expédition dans le but de collecter de nombreuses plantes ornementales. Il fut suivi de missionnaires-botanistes français, dont Armand David, à qui l'on doit la découverte du ravissant arbre du genre *Davidia*. Le Japon fut également une «mine» pour l'introduction de plantes nouvelles.

L'âge d'or de la «chasse» aux plantes se situe dans la première partie de notre siècle, période durant laquelle des milliers d'espèces furent introduites et acclimatées. Ernest Henry Wilson est l'un des plus célèbres collecteurs de plantes de cette époque. Envoyé en Orient par le jardin botanique de Kew et par le Arnold Arboretum de Boston, il y découvrit plus de 3 000 espèces. De nos jours, on continue à parrainer des expéditions de collecte dans des lieux restés longtemps inaccessibles aux Occidentaux, situés dans la région sino-himalayenne. De nouvelles plantes sont introduites, mais en quantités nettement moins importantes qu'au début du siècle.

Codes internationaux

Au cours des siècles, le système de classification de Linné a été perfectionné par les botanistes. De nos jours, l'ensemble du règne végétal se trouve divisé et subdivisé en une sorte d'organigramme très ramifié, tenant compte des caractéristiques botaniques de chaque plante. Une coopération internationale a été indispensable pour permettre à ce système d'être utilisé de manière fiable à des fins scientifiques, commerciales et horticoles. Il existe

MAGNOLIA WILSONII
Bel arbuste à floraison printanière, découvert en 1904 dans le Sichuan, en Chine, par Ernest Henry Wilson, qui collectait pour le compte des pépiniéristes Veitch. Wilson rapporta plus tard des milliers d'espèces pour le Arnold Arboretum de Boston.

Organigramme d'une famille

Éricacées
FAMILLE

Daboecia
GENRE — Kalmia GENRE — Vaccinium GENRE — Rhododendron GENRE

D. azorica ESPÈCE — *D. cantabrica* ESPÈCE

D. x *scotica*
HYBRIDE INTERSPÉCIFIQUE

'William Buchanan' CULTIVAR — 'Jack Drake' CULTIVAR — 'Silverwells' CULTIVAR

f. *alba* FORME — 'Bicolor' CULTIVAR — 'Praegerae' CULTIVAR

'Alba Globosa' CULTIVAR

maintenant des règles fixées par le *Code international de nomenclature des plantes cultivées* (1980) et par le *Code international de nomenclature botanique* (1988).

Le règne végétal

Le règne végétal est tout d'abord divisé en 2 parties : les plantes vasculaires et les non vasculaires. Pour les jardiniers, les végétaux vasculaires présentent un plus grand intérêt. La présence de tissus conducteurs spécialisés leur permet notamment de croître dans une plus large gamme d'habitats et d'atteindre une taille supérieure par rapport aux plantes non vasculaires (algues, champignons, mousses et lichens). Les plantes vasculaires sont classées en plusieurs groupes en fonction de la façon dont sont portées les graines. Ainsi, les conifères, appartenant au groupe des Gymnospermes, se caractérisent par leurs graines nues, portées sur des écailles. Ces différents groupes sont divisés en familles.

La famille

Elle peut regrouper des plantes spécifiques et nettement voisines, comme c'est le cas des Orchidacées, ou, à l'inverse, réunir des plantes d'aspect très différent : les Rosacées, p. ex., offrent une palette très diverse – les genres *Alchemilla, Cotoneaster, Crataegus, Geum, Malus, Prunus, Pyracantha, Sorbus, Spiraea*, etc. Les familles de plantes sont définies en fonction de la structure des fleurs, des fruits et d'autres organes.

Le genre et ses espèces

Une famille peut être représentée par un seul genre (*Eucryphia* est l'unique genre de la famille des Euryphiacées) ou par de nombreux genres (la famille des Composées en comprend plus de 1 000). Chaque genre regroupe des plantes affines, présentant plusieurs caractères communs, comme les chênes (*Quercus*), les érables (*Acer*) ou les lis (*Lilium*). Un genre peut être constitué d'une ou de plusieurs espèces. Certains genres peuvent former des groupes horticulturaux distincts au sein d'une même famille. Les bruyères, p. ex., représentées par 2 genres (*Calluna* et *Erica*), constituent un groupe particulier au sein de la famille des Éricacées qui, par ailleurs, comprend aussi les genres *Rhododendron, Kalmia* et *Vaccinium*.

Sous-espèces, variétés et formes

À l'état sauvage, les espèces présentent généralement une certaine variabilité de caractères, que l'on peut grouper dans 3 subdivisions botaniques. La sous-espèce (subsp. ou ssp.) représente une variation de l'espèce souvent d'origine géographique ; la variété (var.) possède des caractères particuliers au sein de l'espèce ; la forme (f.) se caractérise par des

CARL LINNAEUS
Linnaeus en costume de Lapon : gravure d'après un portrait de M. Hoffman, vers 1737.

DAVID DOUGLAS
Dessin au crayon, par Sir Daniel Macnee, 1828.

variations mineures, p. ex. du port, de la couleur des feuilles, des fleurs ou des fruits.

Les cultivars

Les variantes obtenues en culture à la suite de croisements, de mutations ou par le jeu du hasard, sont regroupées sous le terme cultivar (contraction de « variété cultivée »). Les cultivars présentent un intérêt horticole considérable : on apprécie, p. ex., leurs feuilles panachées ou les couleurs de leurs fleurs, etc. Pour conserver leurs caractères, la plupart des cultivars doivent être multipliés végétativement (par bouturage, greffage ou division), ou, parfois, à partir de graines sélectionnées.

La dénomination des cultivars est réglementée par le *Code international de nomenclature des plantes cultivées.* Depuis 1959, chaque cultivar est désigné par un nom encadré de guillemets simples et écrit en caractères romains (*Phygelius aequalis* 'Yellow Trumpet'), alors que les variétés sont désignées par un nom latin écrit en italique.

Les hybrides

Le produit du croisement entre 2 espèces ou 2 genres botaniquement différents est un hybride ; un signe de multiplication (×) indique l'hybridation. Si le croisement a lieu entre des espèces de genres différents, on obtient un hybride intergénérique, désigné par un nom composé formé des 2 (occasionnellement 3) noms de genres qui sont croisés : × *Cupressocyparis,* p. ex., désigne les hybrides obtenus par croisement d'espèces des genres *Chamaecyparis* et *Cupressus.* Si l'on croise plus de 3 genres, l'hybride obtenu est désigné sous le nom d'une personnalité, terminé par le suffixe -*ara.* Ainsi les hybrides de *Brassavola, Cattleya, Laelia* et *Sophonitis* sont appelés × *Potinara,* en souvenir de M. Potin de la Société orchidophile de France. Toutefois, les hybrides entre espèces du même genre ou hybrides interspécifiques sont les plus courants ; on leur attribue un nom collectif semblable à un nom d'espèce, précédé d'un signe de multiplication : *Epimedium* × *rubrum,* p. ex., désigne un hybride issu du croisement de *E. alpinum* avec *E. grandiflorum.*

Lorsqu'une plante est greffée sur une autre, il arrive parfois qu'une nouvelle plante, contenant des tissus des deux parents, émerge du point de greffe. Ces chimères sont désignées comme les hybrides sexuels, mais un signe plus (+) remplace le signe de multiplication. + *Laburnocytisus adamii,* p. ex., désigne une chimère entre une espèce du genre *Laburnum* et une espèce de *Cytisus.* Les cultivars d'hybrides sont désignés par le nom botanique de l'hybride si celui-ci est connu (*Viburnum* × *bodnantense* 'Dawn'). Lorsque la parenté est complexe ou obscure, on indique uniquement le nom de genre suivi du nom de cultivar (*Rosa* 'Buff Beauty').

Noms de groupes

Des noms botaniques d'hybrides sont parfois utilisés pour désigner une série de cultivars de même parenté, comme c'est le cas des formes cultivées de *Camellia* × *williamsii.* Là où il n'est pas possible d'utiliser une telle dénomination, notamment dans le cas de certaines orchidées et de nombreuses plantes annuelles, les groupes de cultivars sont désignés par un terme appartenant au langage courant, écrit en caractères romains, sans guillemets. Ainsi, p. ex., le groupe des *Dahlias,* série Disco, rassemble des cultivars d'hybrides de même parenté. Les différents membres du groupe peuvent être reconnus en tant que cultivars, p. ex. *Viola,* série Imperial 'Orange Prince'.

Changements de noms

Il est ennuyeux de rencontrer des changements de noms dans de nouvelles publications. Il y a cependant souvent de bonnes raisons à ces modifications. Une plante peut avoir été mal identifiée à l'origine. Où des recherches peuvent découvrir une appellation antérieure différente (d'après le *Code international de nomenclature botanique,* le nom véritable est le premier correctement publié). Ou encore, un même nom peut avoir été donné à deux plantes différentes. Enfin, de nouvelles connaissances peuvent modifier la classification d'une plante

(le genre, p. ex.). Nous avons, dans ce livre, mentionné de nombreux synonymes afin de limiter les erreurs lors de l'identification ou de l'achat de plantes.

GENTIANA SINO-ORNATA
George Forrest s'intéressait particulièrement aux gentianes; il en collecta des centaines de spécimens lors de ses voyages en Chine. Il découvrit cette belle espèce en 1904, lors d'une aventureuse expédition dans les montagnes situées au nord-ouest du Yunnan. On apprécie sa délicate beauté ainsi que sa floraison automnale prolongée.

CRÉER
son JARDIN

Comment disposer habilement vos plantes, dessiner et
structurer votre jardin et utiliser la couleur, la lumière et
les textures, pour obtenir un maximum d'effet et
d'intérêt esthétique.

Styles

Les jardins, comme les maisons, peuvent avoir de nombreux styles différents. Certains nous sont familiers, comme l'élégante simplicité des jardins japonais ou le charme « naturel » des jardins anglais. D'autres, comme celui des jardins « sauvages », sont plus difficiles à définir.

Les sources d'inspiration

Chaque époque a marqué différemment le style des jardins. C'est le cas de la Renaissance italienne, avec ses terrasses en pierre, ou de la noble élégance classique des jardins à la française, dont l'exemple type est Versailles, ou encore de l'exotisme très coloré et exubérant de certains jardins anglais du règne d'Édouard VII.

Ces exemples, s'ils n'ont pas grand-chose à voir avec les préoccupations du jardinier moyen, peuvent cependant fournir une source d'inspiration et être adaptés dans une large mesure à un site particulier. S'il paraît, en effet, impossible ou même ridicule de vouloir reproduire dans un petit jardin urbain le tracé d'un jardin classique à la française ou de reconstituer l'élégant paysage d'un flanc de coteau italien, on peut néanmoins apporter au jardin une petite note classique en utilisant simplement quelques marches d'escalier en pierre, une petite fontaine et une jolie auge remplie d'annuelles, ou en choisissant un arbuste de forme architecturale ou encore un arbre taillé. Dans tous les cas, lorsque vous choisissez un style, n'oubliez pas de tenir compte du climat, de l'espace disponible et du type de sol de votre jardin.

Proportions

Pour créer un style dans un jardin, il est important d'être sensible à l'échelle et à l'ambiance du paysage et des bâtiments environnants. Une maison de style classique s'accommodera d'un jardin au tracé régulier, bien équilibré ; les proportions entre les fenêtres et les portes pourront influencer la répartition dans l'espace des allées, bassins, terrasses, parterres et pelouses composant le jardin. Les relations entre ces différents éléments doivent être étudiées en tenant compte du jardin et de la maison. Ainsi, de vastes taches de couleurs et de larges allées donnent de l'élégance à un grand jardin présentant des vues dégagées. En revanche, des parterres étroits et de petites allées sinueuses risquent de se perdre dans un espace trop grand et sont mieux adaptés à un petit jardin tout simple.

Perspective

Vous pouvez modifier la forme apparente de votre jardin en créant de fausses perspectives. Les contours des allées, parterres ou terrasses

sont utilisés comme « lignes » ; le jardin semblera plus large ou plus long selon que l'on favorisera respectivement les lignes horizontales ou verticales. Une répartition habile des arbres et des arbustes au port dressé ou prostré permet d'accentuer cet effet.

L'attention peut être attirée sur un endroit particulier par une ligne dynamique, comme la courbure d'une allée, qui conduit le regard vers un centre d'intérêt – un bassin, une tonnelle, un bel arbre ou une vue magnifique. Dans les jardins ne possédant pas l'élément prédominant, une répartition « statique » des éléments est préférable, comme, par exemple, l'utilisation de haies taillées entourant des parterres géométriques.

Matériaux

La forme et le choix des matériaux utilisés pour les allées, les zones pavées, les clôtures et les constructions de jardin devraient s'harmo-niser avec la maison et son environnement. Si vous avez des difficultés pour faire un bon choix, procédez par élimination. À titre d'exemple, un dallage irrégulier ne met pas en valeur une maison de ville du style 18ᵉ siècle.

Essayez d'établir une continuité entre votre intérieur et le jardin en harmonisant couleurs et style. Les plantes sont, bien sûr, les « matériaux » les plus importants pour créer un style dans un jardin. Votre choix est limité par la situation, le type de sol et le climat de la région. La floraison éclatante des plantes méditerranéennes ne s'accommodera pas d'un sous-bois ombragé ; de même, les bruyères ou les camellias ne fleuriront pas en terrain dégagé et calcaire. Évitez de contrecarrer la nature. Les plantes ne se développent pas bien en situation inappropriée ; de plus, leur présence est souvent ressentie comme déplacée dans un milieu différent de leur habitat naturel.

TERRASSE DE STYLE ITALIEN
Ci-dessus : cette élégante terrasse a été conçue à une modeste échelle avec des vases en terre cuite et une petite fontaine murale. Les fortes lignes horizontales de la pergola sont adoucies par des rosiers grimpants, un chèvrefeuille et le feuillage décoratif de Vitis coignetiae.

JARDIN EXOTIQUE
À gauche : une ambiance japonaise est évoquée ici par le voisinage d'une petite cascade et d'un érable japonais nain judicieusement placé.

JARDIN SEMI-CLASSIQUE
À droite : le petit bâtiment donne à ce jardin de campagne une touche classique. Des arbustes et des haies taillés présentent des formes « architecturales ». Cet ensemble de végétaux conduit le regard vers le centre d'intérêt : le bâtiment et son bonsaï posé sur un piédestal. Le dessin et les matériaux ont été choisis en harmonie avec le pavillon.

Un style propre à chacun

Il est important de ne pas oublier les relations qui vous lient à votre jardin – laissez-le refléter votre personnalité. Si vous êtes non conformiste, vous pourrez, par exemple, permettre à une vivace de sortir un peu de son territoire prévu, ou laisser germer quelques graines arrivées spontanément, afin de rompre la monotonie d'un jardin planifié. En revanche, si vous aimez les choses ordonnées et soignées, vous apprécierez les tracés géométriques, avec peut-être des parterres d'annuelles, et vous vous laisserez certainement davantage tenter par un choix de rosiers modernes que par le charme « sauvage » des roses anciennes.

Ne négligez pas cependant certaines exigences pratiques. Si vous avez des enfants, il est préférable d'aménager de vastes étendues de gazon et de planter des arbres et des arbustes particulièrement robustes. Si quelqu'un doit se déplacer en fauteuil roulant, la mise en place de rampes de faible pente permet d'éviter les escaliers. Et des parterres surélevés sont appréciés des jardiniers handicapés ou âgés.

Considérez de façon réaliste le temps que vous pourrez consacrer à l'entretien de votre jardin. Si vous disposez de peu de temps, il est conseillé de planter des arbres, des arbustes et des couvre-sol. Les vivaces et les bulbes apportent une vaste gamme de couleurs, de formes et de textures dans le jardin, mais demandent généralement plus de soins et de temps. Les jardiniers les plus disponibles peuvent, en revanche, s'intéresser à la culture de plantes plus spécifiques, comme les plantes de rocaille, particulièrement exigeantes en soins, ou encore planter des annuelles et des bisannuelles.

La recherche de la simplicité

Beaucoup de jardiniers commettent l'erreur d'utiliser un trop grand nombre de variétés de plantes sur une faible superficie. Les jardiniers spécialisés, comme les passionnés de roses ou les partisans enthousiastes de bruyères ou de conifères, ont quelque chose à nous apprendre : leurs jardins ont le plus souvent un aspect esthétique satisfaisant parce que le choix de genres de plantes y est restreint et l'ensemble donc relativement simple.

Si, toutefois, vous ne voulez pas vous limiter à tel point et désirez planter un mélange de végétaux, qui, malgré tout, ne soit pas trop

JARDIN DE STYLE CAMPAGNARD
Ci-dessous, à gauche : un choix de végétaux comprenant surtout des plantes vivaces disposées au hasard, est ici associé à un arbuste (Piptanthus nepalensis) *grimpant le long d'un mur de vieilles pierres. Au premier plan,* Corydalis ochroleuca, Hypericum 'Hidcote' *et* Alchemilla mollis *se mélangent librement. La gamme de couleurs limitée de cette plantation évite à l'ensemble un aspect confus.*

JARDIN DE STYLE JAPONAIS
Ci-dessous : bambous, pierres plates disposées sur le sol, plantes à feuillage décoratif donnent à ce jardin une atmosphère sereine. Un aménagement de ce style peut s'adapter à des situations ensoleillées ou ombragées et demande peu d'entretien.

confus ni trop compliqué, quelques conseils sont utiles : fixez-vous une gamme particulière de couleurs, aussi bien du feuillage que des fleurs, et accordez beaucoup d'attention à la façon dont vous groupez vos plantes.

Les détails dans le jardin

Une fois choisis le style général, le tracé de votre jardin et la gamme de plantes, assurez-vous que le mobilier et les accessoires de jardin ne nuisent pas à l'ensemble. Un banc en fer forgé peut paraître trop sophistiqué dans de nombreux jardins, alors qu'un simple banc en bois choque rarement. Une urne italienne finement travaillée est souvent trop prétentieuse dans un jardin sans style particulier, même si on y plante de modestes marguerites. N'oubliez pas qu'un ensemble de bacs et de poteries simples peut créer un effet très réussi, spécialement dans de petits terrains clos. De plus, ce système présente l'avantage d'être pratique et de convenir à une assez grande variété de plantes. Lorsque vous avez décidé d'adopter un style pour le mobilier de jardin et les accessoires, ne vous éloignez plus de votre idée d'origine, car des « déviations » même légères peuvent créer une sensation de désordre.

JARDIN ROMANTIQUE
À gauche : un siège circulaire a été placé à l'ombre dans ce jardin de campagne. De l'herbe et un joli rosier arbustif aux branches étalées donnent une note romantique à cet aménagement paysager.

JARDIN « INFORMEL »
Ci-dessous : la simplicité de cette plantation d'herbacées, de vivaces, de bulbes, d'annuelles et d'arbustes n'est qu'apparente. En effet, chaque espèce a été soigneusement choisie de façon à présenter une texture, une forme et une couleur équilibrées par rapport à celles des autres végétaux. Le berbéris (Berberis) et les élégantes inflorescences arquées du sceau de Salomon (Polygonatum × hybridum) donnent une certaine cohésion à cette composition végétale.

Structure

«Structurer» un jardin ne signifie pas placer de la terre ou poser des dalles, mais le créer à partir d'un terrain initial en utilisant les éléments végétaux et les réalisations humaines, comme des allées ou des zones gravillonnées, toujours en tenant compte du cadre environnant.

Un jardin à plusieurs niveaux

Une fois décidé le style du jardin à créer et défini son tracé, vous pouvez commencer à visualiser le projet en trois dimensions. Tenez compte des différences de niveau qui se présentent ou qui pourraient être introduites dans le site, puis déterminez les masses végétales, leurs relations avec le paysage environnant et les autres éléments du jardin, sans oublier les rapports entre elles-mêmes.

S'il existe déjà des variations du niveau du sol, il est possible de les mettre en valeur en construisant des marches d'escalier aux points stratégiques, conduisant, par exemple, à un bassin ou à un site agréable ou à un pavillon. Clôtures, murs, pergolas ou tonnelles accentuent les lignes verticales. L'utilisation de parterres surélevés est intéressante dans des petits terrains plats : on peut y établir notamment

L'UTILISATION DE PLANTES ARCHITECTURALES

Un arbre dressé, par exemple un genévrier, peut dominer un groupe de plantes de trop faible hauteur (A): il peut aussi permettre d'établir une jonction entre ce groupe et un mur assez haut situé derrière (B). Le même arbre peut cacher partiellement une vue (C) ou, placé sur le côté, la mettre en valeur (D). En ajoutant un groupe de végétaux semblable au premier mais décalé, on peut créer une impression dynamique (E); situés parallèlement au mur, ils forment un ensemble statique (F).

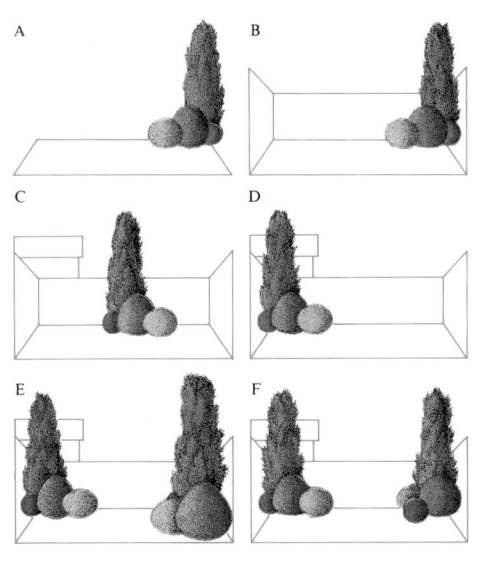

MODELAGE VISUEL D'UN ESPACE PLAT

Ci-dessus : les formes des arbres et des arbustes peuvent permettre d'introduire plusieurs niveaux dans un site. Les formes naines ou prostrées des conifères contrastent notamment avec les branches horizontales du sapin (Abies) à feuillage doré et avec les ramifications ouvertes et aérées du robinier (Robinia pseudoacacia).

VARIATIONS DE NIVEAU

Ci-contre : des marches d'escalier et un muret permettent de mettre en valeur le changement de niveau du sol. La sobriété des ifs (Taxus) taillés en dôme contraste avec le naturel du pommier en fleur (Malus).

une grande variété de plantes disposées en fonction de leur hauteur.

Plantation bien proportionnée

Lorsque vous établissez votre plan, évitez de surcharger l'espace d'un mélange de plantes de toutes sortes. Pensez plutôt en termes de masses proportionnées et accentuez la structure en ajoutant judicieusement des plantes plus typées par leur allure ou leurs couleurs. C'est la vue d'ensemble du jardin qui compte, et non la somme des plantes présentes ; pour créer un ensemble harmonieux, une plante doit s'accorder avec les plantes voisines. À un niveau supérieur, chaque groupe de plantes doit être proportionné au parterre auquel il appartient, et chaque parterre doit, à son tour, être en harmonie avec l'ensemble du jardin.

L'aspect du jardin en trois dimensions est en grande partie déterminé par l'emplacement des masses de plantes. On s'aperçoit alors que l'aspect satisfaisant de l'ensemble dépend surtout des proportions entre les masses végétales.

L'utilisation de plantes « architecturales »

Aucun choix de plantes ne doit se faire isolément. Le style et les plantations du jardin doivent s'intégrer intelligemment dans l'environnement. De par leur forte structure, les plantes « architecturales » sont amenées à jouer un rôle essentiel, lorsqu'elles sont plantées à des points stratégiques sur le plan esthétique. Elles seules peuvent donner du corps à un jardin, créer des centres d'intérêt, souvent en contrepoint de taches fleuries intenses. Cependant il ne faut pas abuser de ces plantes, et sauf dans des cas particuliers (par exemple jardin de cactées), elles doivent ressortir sur un écrin de plantes de formes plus lâches et de couleur neutre, plus propices à créer des liaisons douces, particulièrement avec l'extérieur.

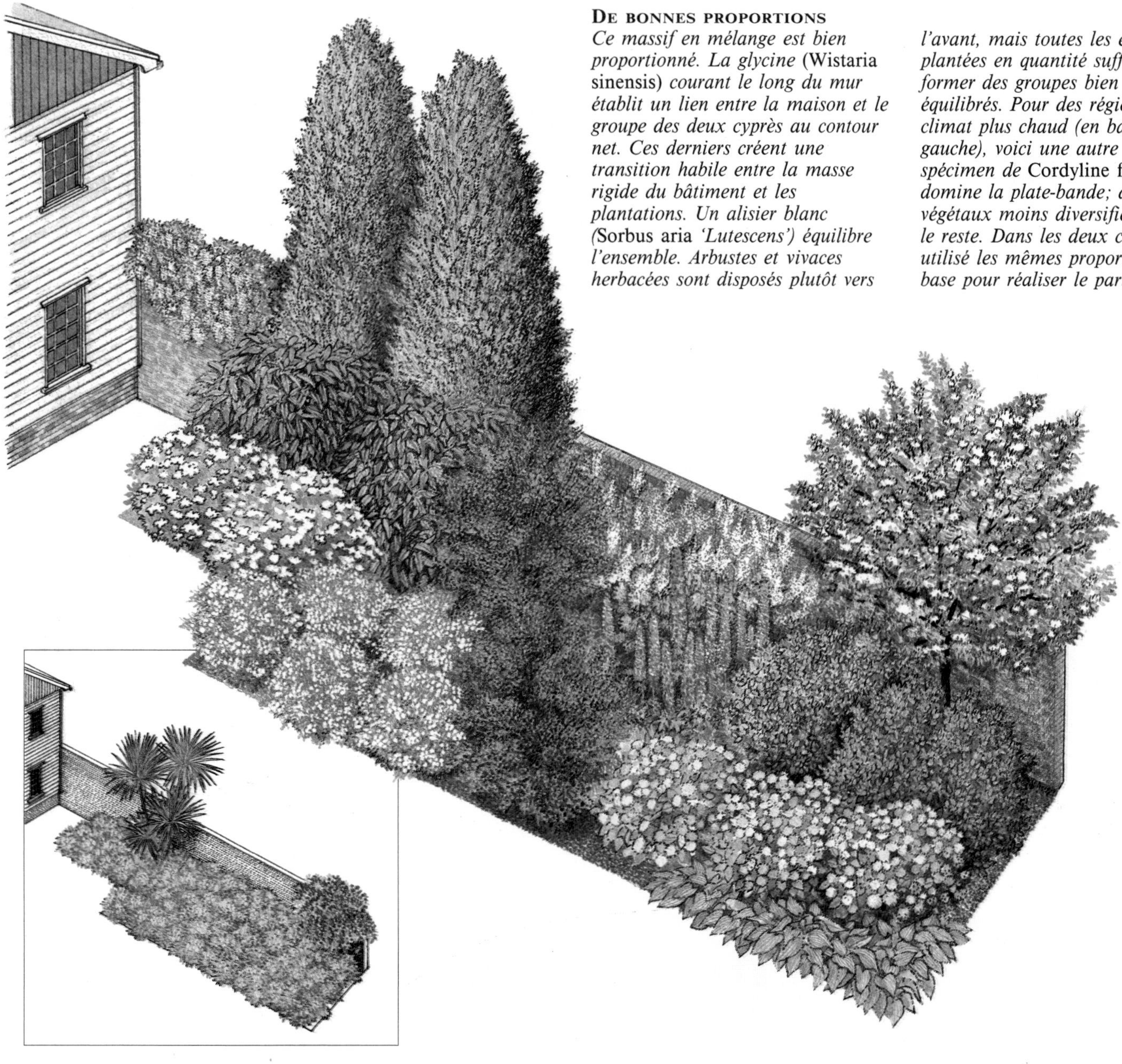

CRÉATION D'UNE HARMONIE
Un sureau à feuilles pourpres relie les arbres du fond avec le premier plan composé de vivaces, dont Salvia officinalis *'Purpurascens'.*

DE BONNES PROPORTIONS
Ce massif en mélange est bien proportionné. La glycine (Wistaria sinensis) courant le long du mur établit un lien entre la maison et le groupe des deux cyprès au contour net. Ces derniers créent une transition habile entre la masse rigide du bâtiment et les plantations. Un alisier blanc (Sorbus aria 'Lutescens') équilibre l'ensemble. Arbustes et vivaces herbacées sont disposés plutôt vers l'avant, mais toutes les espèces sont plantées en quantité suffisante pour former des groupes bien fournis et équilibrés. Pour des régions au climat plus chaud (en bas, à gauche), voici une autre idée. Un spécimen de Cordyline fruticosa domine la plate-bande ; des végétaux moins diversifiés couvrent le reste. Dans les deux cas, on a utilisé les mêmes proportions de base pour réaliser le parterre.

Un jardin pour toute l'année

Les jardins les plus réussis sont ceux qui présentent un intérêt toute l'année. Aucune plante n'est à son apogée durant douze mois : son impact esthétique au sein d'un groupe va évoluer au cours du temps. Ainsi, un arbre peut être spectaculaire au printemps, époque de sa floraison, et se fondre avec les autres végétaux le reste de l'année. L'aspect d'ensemble du groupe va donc évoluer avec les saisons.

Lorsque vous choisissez des plantes, tenez compte de ces variations saisonnières affectant leur apparence et assurez-vous que cha-cun de vos groupements présentera un intérêt tout au long de l'année. Évaluez chaque plante pour l'ensemble de ses qualités, et pas seulement pour la beauté de sa floraison. La taille, le port, la forme et la couleur des feuilles, les caractéristiques de l'écorce, etc. représentent des qualités durables, utiles lorsque la principale saison d'intérêt est passée.

L'idéal est d'installer devant un fond d'arbres et d'arbustes présentant un aspect relativement constant, une succession de plantes « vedettes » ; ainsi, lorsque la floraison d'une espèce ne capte plus le regard, une autre prend le relais. Prévoyez une succession de ces plantes « vedettes », réparties dans l'ensemble du jardin. De cette façon, les centres d'intérêt vont, au cours de l'année, se déplacer d'un point à l'autre du jardin.

Printemps
Au jardin de rocaille, fleurs de Narcissus cyclamineus *et* Euphorbia myrsinites.

Mi-été
Ci-dessus : dans ce jardin de campagne, évoquant une prairie naturelle, des coquelicots rouges sont disséminés parmi des campanules blanches et quelques delphiniums bleu pâle.

Fin d'automne
*Ci-contre : à cette époque de l'année, on apprécie les arbres et arbustes à feuillage persistant et à fructification tardive. Le vert sombre des conifères au port dressé contraste avec les feuilles blanc argenté d'*Elaeagnus umbellata. *Les* Cotoneaster horizontalis *avec leurs baies rouges forment, au premier plan, un massif très coloré.*

De l'hiver au printemps

En hiver, les plantes de jardin intéressantes pour leur floraison sont peu nombreuses : c'est l'époque où l'on apprécie les végétaux à feuilles persistantes pour leur silhouette et la couleur de leur feuillage. Certains arbres et arbustes à feuilles caduques peuvent également jouer un rôle durant ces mois d'hiver : pensez à la couleur et la texture de leurs ramilles, de leurs branches, de leur écorce et de leurs fruits. Les branches des saules présentent, sous un soleil hivernal, des reflets brillants ; le bouleau blanc est un arbre gracieux et léger dont l'écorce blanche est lumineuse même durant les jours les plus gris. De façon générale, la silhouette des plantes joue un rôle important à cette époque de l'année.

Avec l'arrivée du printemps, le jardin est bientôt inondé de couleurs. Certains arbres et arbustes, comme les cerisiers à fleurs et les magnolias, fleurissent au printemps, de même qu'une multitude de plantes de rocaille. Beaucoup de couleurs proviennent de l'abondante floraison des plantes à bulbes et à cormes, puis des camellias, forsythias, rhododendrons, azalées, pivoines, accompagnées par la couleur tendre des jeunes frondaisons. La fin du printemps voit s'épanouir les fleurs parfumées des viornes et des lilas.

De l'été à l'automne

En début d'été, une profusion de plantes vivaces vient enrichir la gamme de couleurs du jardin : pour certaines espèces, la floraison dure jusqu'en automne. L'intérêt des arbustes diminue au fur et à mesure que la saison progresse et c'est au tour des plantes annuelles d'apporter leur contribution, égayant le vert intense du feuillage estival. Leurs fleurs sont souvent très colorées, mais malheureusement, elles ne durent que peu de temps. On observe parfois, dans des endroits inattendus, des explosions de couleurs ; le semis naturel des plantes annuelles, qui s'effectue chaque année tout à fait au hasard, en est responsable. En fin d'été, il existe une telle profusion de plantes intéressantes pour leur floraison – clématites, rosiers remontants, plantes annuelles et vivaces herbacées – qu'on risque d'être submergé par une trop grande abondance.

Alors que l'été se termine, le feuillage caduc commence à prendre des teintes flamboyantes : l'intensité des couleurs et leur durée de maintien varient selon le temps qu'il fait. Dans votre plantation, incluez des arbres et arbustes au feuillage automnal spectaculaire, comme par exemple des érables. Les plantes vivaces à floraison tardive, tels les chrysanthèmes et asters d'automne, vont égayer le jardin jusqu'à l'arrivée des premiers froids. Puis les feuilles commencent à tomber, et le jardin retrouve son décor hivernal.

AMBIANCES SAISONNIÈRES
Dans cette petite parcelle (un carré de 9 m², les variations d'un groupe d'arbustes, de plantes vivaces et de bulbes peuvent être suivies au cours des saisons. Chaque plante joue un rôle différent selon l'époque de l'année : chaque espèce a été choisie pour s'accorder harmonieusement avec l'ensemble de la plantation ainsi qu'avec l'espèce voisine.

HIVER
Les feuilles persistantes du romarin contrastent avec le feuillage en partie pourpré des Bergenia, les feuilles panachées des Iris foetidissima et les ramifications d'Acer palmatum 'Senkaki'. En fin d'hiver, le sol sera parsemé de perce-neige et d'aconit d'hiver (Eranthis hyemalis).

PRINTEMPS
Les bouquets rouges et compacts des Bergenia s'épanouissent, de même que les fleurs parfumées de la viorne obier (Viburnum opulus). Les jeunes feuilles de l'érable et les pousses de Delphinium forment des taches d'un vert frais.

ÉTÉ
Au début de la saison dominent les grappes bleues des Delphinium. Au premier plan, l'intérêt passe des feuilles grises des achillées à leurs capitules jaunes, persistant longtemps.

AUTOMNE
Le regard est surtout attiré par le jaune des feuilles d'érable et le rouge bronzé de la viorne obier qui, un peu plus tard, s'orne de fruits rouges. Les capsules des iris, en s'ouvrant, révèlent des graines orange, et les chrysanthèmes s'épanouissent sur le devant.

Concevoir un jardin

Une composition végétale visuellement satisfaisante comporte plusieurs éléments. Considérez les caractéristiques de chaque plante, isolément et dans son contexte. La forme et la nature des feuilles, des fleurs ainsi que leur couleur et leur texture sont toutes importantes. Pensez également à l'évolution de la taille : un arbuste, petit à la plantation, dominera peut-être le jardin cinq ans plus tard.

Une combinaison de plantes doit tenir compte de l'ensemble du jardin, de la maison et des environs. Un petit arbre ou un grand arbuste servant de fond à un petit groupe de vivaces, composé d'iris, de ballotas et de rues des jardins, peut former un ensemble agréable. Si l'on remplace l'arbre ou l'arbuste isolé par une rangée d'arbres, ces petites plantes paraîtront submergées. De la même façon, un groupe composé de deux iris, trois ballotas et d'un seul spécimen de rue des jardins paraîtra maigrichon, placé contre une maison à deux étages.

Restreindre le choix des plantes

Beaucoup de personnes hésitent à acheter plus d'un ou deux exemplaires d'une plante, ou alors, à l'inverse, elles ne peuvent résister à la tentation d'acquérir encore une espèce supplémentaire lorsqu'on leur propose une vaste gamme de végétaux. Ces deux comportements ont généralement un effet négatif sur l'esthétique d'ensemble d'une plantation, qui doit obéir à des lignes simples et fortes. Le collectionneur et le paysagiste ont souvent du mal à faire bon ménage !

Pour commencer, créez de simples masses végétales bien définies ; puis, si l'effet d'ensemble vous paraît trop austère, élargissez légèrement la gamme de végétaux afin d'obtenir un peu plus de variété. Maintenez une gamme restreinte. Avant de faire votre choix final, essayez de voir le comportement des plantes en culture, en allant visiter un bon établissement horticole ou un parc.

Les plantations à grande échelle que l'on peut admirer dans les massifs de certains jardins historiques célèbres, se composent en fait d'un assez grand nombre d'exemplaires de quelques espèces : reproduire cet effet général à l'échelle domestique est fort difficile. Il en est de même en ce qui concerne les plantations de

FORME ET ÉCHELLE
Ci-dessus, à gauche : Gunnera
manicata *aux énormes feuilles,
lis géants (*Cardiocrinum
giganteum), *fougères et iris des
marais (*Iris pseudacorus)
*composent un ensemble qui, bien
que varié en formes et
dimensions, est très harmonieux.*

GAMMES DE COULEURS
*Ci-dessus : ici, la transition entre
le jaune orangé des Rudbeckia,
le rouge orangé des montbretias
(*Crocosmia) *et la couleur dorée
du genévrier (*Juniperus × media
'Pfitzeriana') *se fait en douceur.
Dans une gamme de couleurs
vives, un grand nombre d'espèces
en quelques exemplaires serait
mal assimilé.*

MASSES SIMPLES ET FORTES
*Ci-contre, à gauche : la masse
érigée bleu argenté du cyprès de
l'Arizona (*Cupressus glabra *var.*
arizonica) *est équilibrée par le
feuillage horizontal d'*Acer
japonicum *'Aureum'. Les masses
végétales basses donnent une
base solide à l'ensemble.*

L'INFORMEL STRUCTURÉ
*Ci-contre : ce coin de jardin,
planté entre autres d'*Alchemilla
mollis, *de cornouillers panachés
et de rosiers, est structuré par de
vieilles dalles de pierre et des
zones de gravier, sans lesquelles
il pourrait paraître confus.*

23

bulbes – des groupes de deux ou trois font un ensemble confus ; essayez de les regrouper ou de les laisser s'étoffer librement.

L'emplacement des végétaux

Lorsque vous choisissez et placez vos plantes, commencez par les végétaux les plus grands et terminez par les plus petits. Mettez d'abord en place les plantations formant l'arrière-plan, arbres ou arbustes selon les dimensions de l'espace à aménager. Des arbres forestiers peuvent établir un lien avec un bois situé à proximité. Cependant, pour la plupart des jardins urbains, ces derniers sont généralement trop grands ; préférez des arbres de taille moyenne qui, plantés au fond, vous abriteront et vous assureront une certaine intimité. Des plantes grimpantes peuvent pousser sur les arbres ou être palissées sur les murs ou des clôtures. Devant cet arrière-plan, placez éventuellement une plante remarquable (un petit arbre ou un grand arbuste particulièrement décoratif).

Appliquez la même règle pour les arbustes. En plantation groupée, ils permettent de garnir une clôture, de réaliser un écran ou de dissimuler des constructions inesthétiques. Des arbustes à feuilles persistantes sont évidemment préférables. Groupez-les – dans les petits jardins par deux ou trois, dans les grands jardins de campagne par sept ou huit.

Devant ces plantations d'arbustes, installez des végétaux intéressants pour leur floraison. Introduisez de tout petits arbustes (thym, sauge, lavande, etc.) parmi les vivaces et les bisannuelles, et étudiez attentivement l'emplacement des plantes vedettes.

CRÉER UN ARRIÈRE-PLAN
Ci-dessus : des plantes grimpantes, comme la clématite (Clematis 'Nelly Moser') *que l'on distingue ici en compagnie d'un rosier* (Rosa 'American Pillar'), *peuvent être utilisées pour habiller ou dissimuler des constructions et mettre en valeur d'autres plantes.*

UN FOND CONTRASTÉ
Ci-contre : les grands arbustes, Chimonanthus praecox *et* Corokia cotoneaster, *forment ici un arrière-plan riche devant lequel sont installées de petites plantes à fleurs très décoratives, notamment sauge pourpre, campanules* (Campanula persicifolia) *et alchémille* (Alchemilla mollis). *Le mur de pierre participe harmonieusement à cet arrière-plan.*

De l'espace pour se développer

Il est important, lorsque vous décidez de l'emplacement des végétaux, d'estimer l'évolution de leurs dimensions au cours des années à venir. Évitez de choisir des arbres qui deviendront par la suite trop grands pour les dimensions de votre jardin, même s'il s'agit d'espèces particulièrement séduisantes.

Si, au départ, vos plantations vous semblent trop espacées, vous pourrez momentanément combler les intervalles entre les massifs en installant des bulbes, des annuelles ou des vivaces de courte durée de vie. Vous créerez ainsi un centre d'intérêt temporaire qui vous permettra d'attendre que les spécimens de grande taille atteignent leur maturité.

UN MASSIF TRADITIONNEL
*Le feuillage d'*Elaeagnus pungens, *les roses rouges et les fleurs jaune d'or de* Potentilla fruticosa *forment un arrière-plan traditionnel pour une plantation de vivaces de petite taille et de* Viola.

PLANTER POUR L'AVENIR
*Il arrive souvent qu'on oublie la rapidité de croissance des arbres et des arbustes et qu'on ne les espace pas assez. Délimitez donc des parcelles d'1 m avec de la ficelle. Ce massif a été conçu pour son intérêt hivernal. Le cerisier à fleurs (*Prunus subhirtella *'Autumnalis') domine l'ensemble; la floraison de l'oranger du Mexique (*Choisya ternata), *arbuste à feuilles persistantes, contraste avec la masse plus sombre de* Sarcococca humilis, *à floraison parfumée en fin d'hiver. Au premier plan, des iris à feuilles panachées (*Iris foetidissima). *Sous le cerisier, quelques* Bergenia *'Silberlicht' à fleurs blanches. Au fond, 3 pieds d'*Helleborus corsicus.

1ʳᵉ ANNÉE

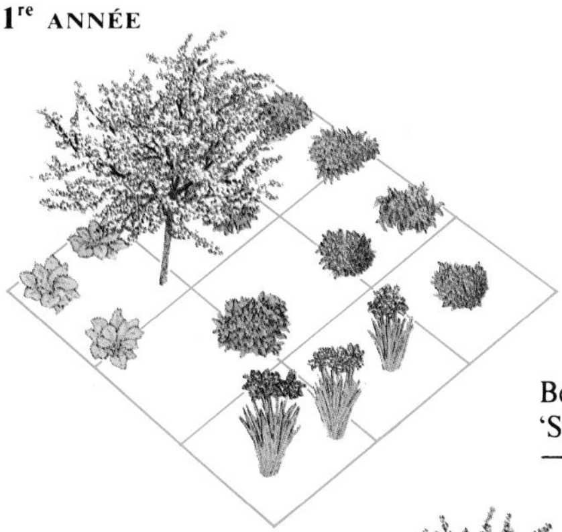

3ᵉ ANNÉE

UN ENTRETIEN RÉGULIER
Ce massif atteindra son apogée 5 ans après sa mise en place. Une taille assez stricte sera nécessaire dans les 6 à 10 ans suivant la plantation.

5ᵉ ANNÉE

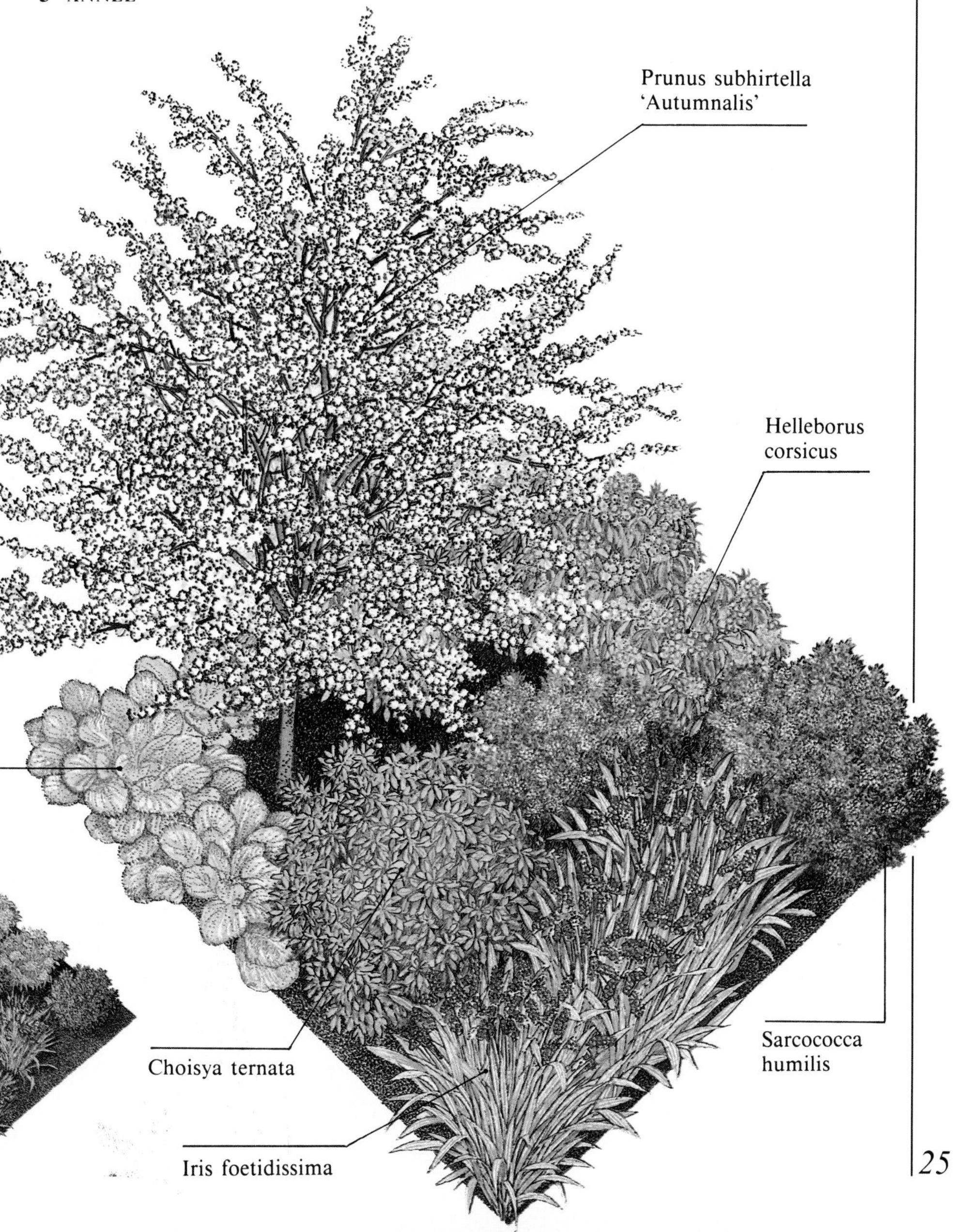

Prunus subhirtella
'Autumnalis'

Helleborus
corsicus

Bergenia
'Silberlicht'

Sarcococca
humilis

Choisya ternata

Iris foetidissima

La couleur

Les ambiances créées par les couleurs sont appréciées différemment selon les individus qui, du reste, changent d'avis en fonction du temps qu'il fait, du moment de la journée ou de leur état émotionnel. De plus, même avec une vision normale des couleurs, celles-ci sont perçues différemment par différentes personnes, et la non perception des couleurs est, curieusement, un phénomène courant.

Le choix des couleurs est tout d'abord une question de préférences personnelles. Il existe cependant quelques principes de base, mais qui ne constituent qu'un guide sommaire. Souvent ils n'ont que peu de chose à voir avec les réalités d'un jardin où interviennent des facteurs aussi variés que la texture des plantes, l'éclairement changeant, les variations de nuances au sein d'une gamme de couleurs, la saison et le lieu.

La complexité de la perception des couleurs

Notre perception de la couleur varie en fonction de la lumière. Les couleurs « lumineuses » (jaune, orange, blanc, et dans une moindre mesure, rouge) restent assez visibles en lumière faible ou par temps très couvert, alors que les violets et les bleus perdent tout leur impact. En forte luminosité, les couleurs lumineuses resplendissent, et les autres ont un impact maximum. En région souvent peu ensoleillée, le blanc, le jaune, l'orange ont donc un rôle essentiel.

La lumière atténuée des régions au climat tempéré, la lumière crue du désert, la lumière subtile d'un jour d'hiver, la lumière vibrante d'une belle journée d'été en plein midi, la lumière du soir – toutes ces lumières ont des effets différents sur les couleurs.

Les conditions climatiques ne sont cependant pas seules en jeu – d'autres facteurs déterminent la façon dont nous voyons la couleur. La mer, par exemple, en réfléchissant la lumière à une certaine distance à l'intérieur des terres, modifie notre perception de la couleur. Un arrière-plan constitué d'un bâtiment ou d'une clôture fait varier également les nuances, en réfléchissant ou en absorbant la lumière. De manière générale, tout écran – qu'il soit mat ou brillant, en verre, en pierre, en brique ou en bois – nous fait apprécier différemment la couleur d'une plantation de végétaux disposée devant lui.

Les couleurs elles-mêmes interfèrent entre elles. Ainsi, les nombreuses nuances de vert ou la riche gamme de bruns d'un paysage hivernal

DES ROSES VIFS
Ci-contre : les roses et les violets de ce parterre de fin d'été se mettent réciproquement en valeur. La clé de cette réussite est la plantation d'une armoise (Artemisia ludoviciana *'Silver Queen') et d'une agapanthe* (Agapanthus) *entre deux masses d'un rose soutenu –* Aster novae-angliae *'Alma Potschke' et* Sedum spectabile *'Brilliant'.*

COULEURS D'AUTOMNE
À droite : même sous une lumière brumeuse automnale, le rouge somptueux de l'érable japonais (Acer palmatum) *et le jaune subtil de* Fothergilla major *illuminent cet espace du jardin.*

DES COULEURS SUBTILES
Ci-contre à gauche : les couleurs pastel de Nepeta × faassenii *et de* Campanula lactiflora *'Loddon Anna' donnent à l'arrière-plan un caractère subtil, mettant particulièrement en valeur le rouge carminé vif du phlox.*

COULEUR ET TEXTURE
Ci-contre : dans cette plantation, des couleurs et des textures extrêmes sont juxtaposées. Les feuilles en forme de glaive et les fleurs rouge orangé des montbretias (Crocosmia) *contrastent avec les fines inflorescences jaunes du fenouil et les hampes florales érigées de la molène* (Verbascum). *La couleur jaune, dans cette composition, établit une correspondance entre le premier plan et le fond.*

DES COMPOSITIONS FORTES
Ci-dessous : l'opposition du jaune des hémérocalles (Hemerocallis) *et du violet pourpré des hortensias* (Hydrangea) *et des agapanthes* (Agapanthus) *crée un contraste frappant.*

modifient sensiblement toute couleur émanant d'un objet ou d'un végétal placé au premier plan.

Au sein d'un groupe de végétaux, les masses colorées agissent les unes sur les autres, ainsi que sur l'ensemble de la plantation, en fonction de leurs volumes respectifs.

Les particularités locales

Initialement, avant l'époque des introductions d'espèces exotiques et des hybridations nombreuses, il existait pour chaque région toute une gamme indigène de couleurs. Pour réaliser un jardin harmonieux, vous pouvez vous inspirer de cette palette végétale spontanée. Il faut tenir compte de certaines caractéristiques de votre région, telles que le climat, les types de sol, la forme et la couleur des espèces indigènes, etc.

Il faut se rappeler que les espèces sauvages et les variétés et cultivars anciens ont la plupart du temps des fleurs plus petites et des couleurs moins extrêmes que bien des cultivars modernes, quoique l'on assiste depuis quelques années au développement de variétés à coloris moins criards.

Associations saisonnières de couleurs

Comme pour les facteurs géographiques, il existe une progression naturelle des couleurs dominantes en fonction des saisons. Les couleurs du printemps font place, en début d'été, à une plus forte présence des bleus ; les roses et les rouges du milieu de l'été précèdent les jaunes et le bronze du début de l'automne ; puis ce sont les marrons caractéristiques de l'hiver qui dominent à leur tour. Un arrière-plan de végétaux présentera des couleurs variables selon les saisons. Devant lui, vous ne pouvez pas disposer n'importe quelle couleur, car certaines associations risquent de choquer à un moment donnée de l'année.

Même dans un jardin urbain, avec un arrière-plan de briques ou de ciment, votre choix des couleurs devra toujours être influencé par les saisons. En zone tempérée, pour garder un aspect naturel, essayez une dominante de blancs et de jaune citron pâle au début du printemps ; les roses, les bleus et les gris, au milieu de l'été ; un peu de rouge avec une dominante de jaune vers la fin de l'été ; et en automne, un peu de bronze, de cuivré et de pourpre.

FLEURS ET FEUILLAGE
Ci-dessous, à droite : on peut former des combinaisons de végétaux où la couleur du feuillage intervient autant que celle des fleurs. Dans cette plantation, les feuilles panachées de Brunnera macrophylla *'Dawson's White' sont mises en valeur par les fleurs roses des potentilles (*Potentilla nepalensis *'Miss Willmott') et des astilbes ainsi que par le feuillage doré des* Lamium maculatum *'Aureum'.*

DES CONTRASTES AGRÉABLES
Ci-dessous : les feuilles de Carex elata *'Aurea' et des deux hostas forment une association heureuse, pas uniquement par leurs textures complémentaires : leurs formes et leurs couleurs s'harmonisent également.*

Le sens des couleurs

Il y a, bien sûr, une grande part de goût personnel dans les choix des couleurs. Les couleurs vives et fortes sont souvent appréciées des enfants, des jeunes et des hommes. Dans un jardin, on les utilisera de préférence à proximité de zones destinées à des activités de loisir. Les couleurs plus douces, comprenant des nuances de gris et de rose et les teintes pastel créent une atmosphère de calme et de sérénité. Les teintes pastel se mélangent bien entre elles, mais il est souvent opportun d'y ajouter du rose vif, qui est doux sans être fade.

Votre marque personnelle

Pour de petits espaces, le fait d'accorder les couleurs du jardin avec celles de la maison peut avoir un effet très positif sur l'ensemble. Au point de rencontre de la maison et du jardin, évitez les chocs de couleurs, comme l'association d'un rosier à fleurs roses avec des rideaux rouge orangé. Si le jardin est plus grand, changez les couleurs graduellement ; proches de la maison, elles doivent s'accorder avec l'intérieur de celle-ci, alors qu'au fond du jardin, on recherchera un accord avec l'arrière-plan (clôture, haie ou paysage).

La couleur peut également être utilisée pour créer des illusions d'optique. Les gammes de couleurs les plus chaudes, qui donnent l'impression qu'un objet de volume donné est plus proche (rouges, oranges, jaunes) sont utiles près de la maison, alors que les couleurs froides (bleus et blancs), disposées loin de celle-ci, donnent une impression d'espace. Une fois vos gammes de couleurs choisies, écartez systématiquement les végétaux qui ne s'y conforment pas.

Une impression de calme
Ci-dessus : ce site ombragé abrite un mélange harmonieux de couleurs et de formes. Au premier plan, le pourpre des feuilles d'Ajuga et le rose des minuscules fleurs de Lamium maculatum *font écho à la couleur mauve rosâtre des hortensias situés plus en arrière. Les frondes délicates des fougères s'accordent bien avec les vigoureuses feuilles bleuâtres de l'*Hosta sieboldiana *var.* elegans.

Des rapports d'harmonie
À droite : ce coin humide d'un jardin de campagne présente une gamme de couleurs volontairement limitée, ayant cependant un effet tonique. Devant un arrière-plan composé de fougères et de graminées, les inflorescences jaunes de Primula florindae *et de* Ligularia przewalskii *ont une affinité naturelle avec le caractère du site.*

La texture

Une composition végétale particulièrement réussie n'est pas qu'un simple mélange de couleurs ; la texture des plantes intervient également.

Le caractère doux et léger des feuilles de fenouil, la surface dense et veloutée des feuilles grises de *Stachys,* les aiguillons de nombreuses cactées, la surface lisse de certaines feuilles persistantes, sont des caractéristiques décrivant la texture d'un végétal. Il est intéressant de disposer des plantes de textures différentes proches les unes des autres pour mieux les mettre en valeur. Groupez des plantes rêches ou poilues avec des végétaux lisses ou épineux.

Les variations de texture foliaire influent sur la qualité de la lumière réfléchie ou diffusée par une plante : ainsi, l'effet d'une masse de feuilles mates et ternes sera différent de celui d'un groupe de feuilles brillantes et vives. Pour un endroit humide, un contraste agréable peut être créé avec les fougères aux frondes plumeuses et des hostas au feuillage coriace.

Disposez vos plantes pour que, quelle que soit la saison, elles forment un ensemble équilibré et intéressant de textures et de formes. Pensez également à la texture des objets présents dans le jardin. Une grande pierre lisse, placée dans une composition végétale, peut permettre de l'enrichir notablement.

JOUER AVEC LES TEXTURES
Ci-dessus : les tiges épineuses d'Onopordum acanthium *mettent en valeur les feuilles luisantes du lierre, les feuilles douces du* Nicotiana *et le feuillage fin des marguerites de jardin et des lis. Le dallage, le pot lisse en terre cuite (planté de marguerites) et le bac en pierre sculptée (contenant de* l'Helichrysum petiolare *'Aureum') enrichissent l'ensemble.*

TEXTURES CARACTÉRISTIQUES
*Ci-contre, à gauche : l'herbe des pampas (*Cortaderia selloana*) avec ses panaches de couleur crème peut apporter une texture intéressante à certains jardins.*

DES ASSOCIATIONS HEUREUSES
*Ci-contre : ce mélange de fleurs et de feuilles joue habilement avec les textures et les couleurs. Le feuillage doré d'un carex (*Carex elata *'Aurea'), les inflorescences plumeuses rouge foncé des astilbes et les fleurs rose tendre des* Primula *se détachent sur un fond de* Gunnera manicata *aux énormes feuilles.*

Formes de fleurs

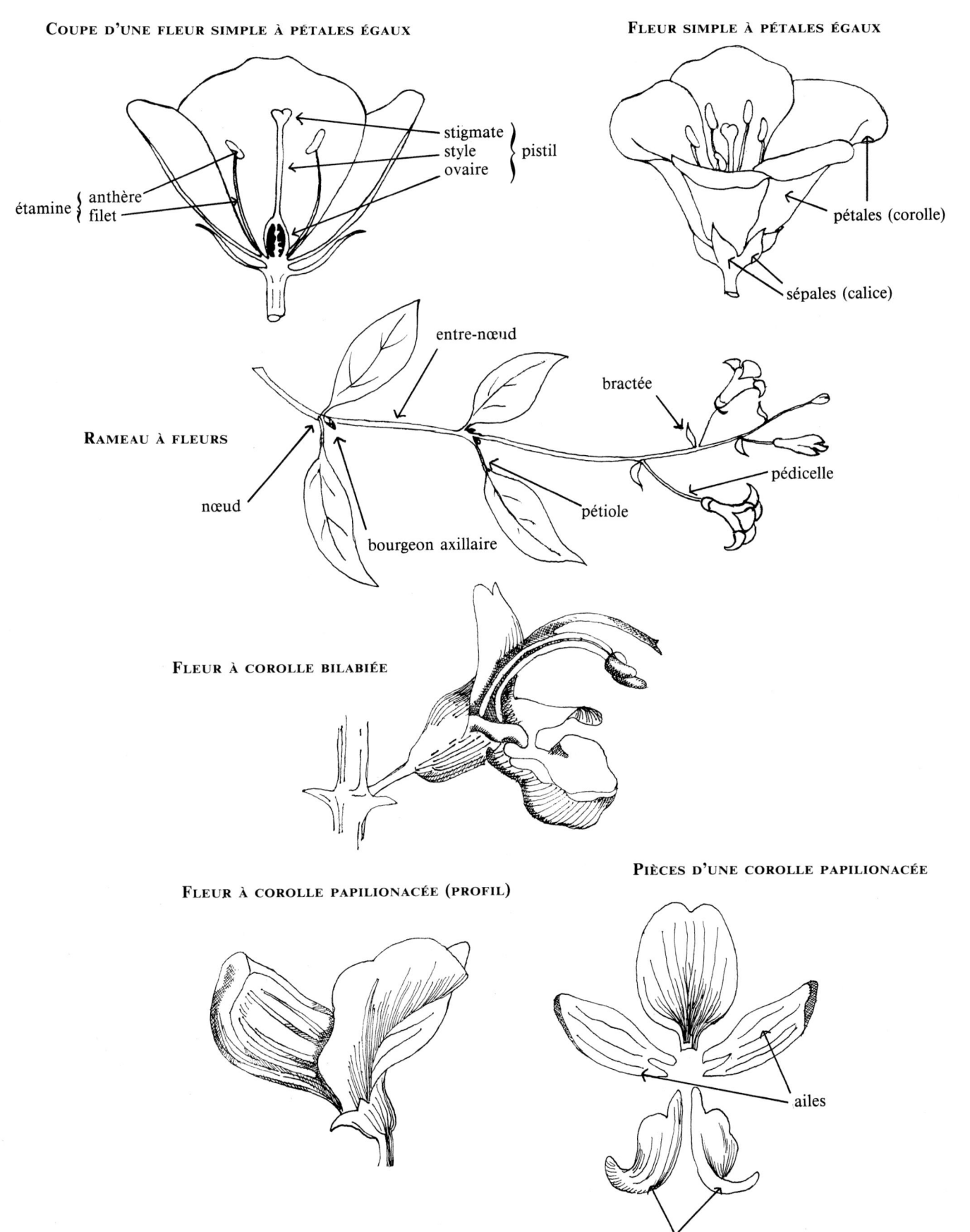

COUPE D'UNE FLEUR SIMPLE À PÉTALES ÉGAUX

stigmate
style } pistil
ovaire

étamine { anthère
filet

FLEUR SIMPLE À PÉTALES ÉGAUX

pétales (corolle)

sépales (calice)

RAMEAU À FLEURS

entre-nœud

bractée

nœud

bourgeon axillaire

pétiole

pédicelle

FLEUR À COROLLE BILABIÉE

PIÈCES D'UNE COROLLE PAPILIONACÉE

FLEUR À COROLLE PAPILIONACÉE (PROFIL)

ailes

carènes

31

Schémas d'inflorescences

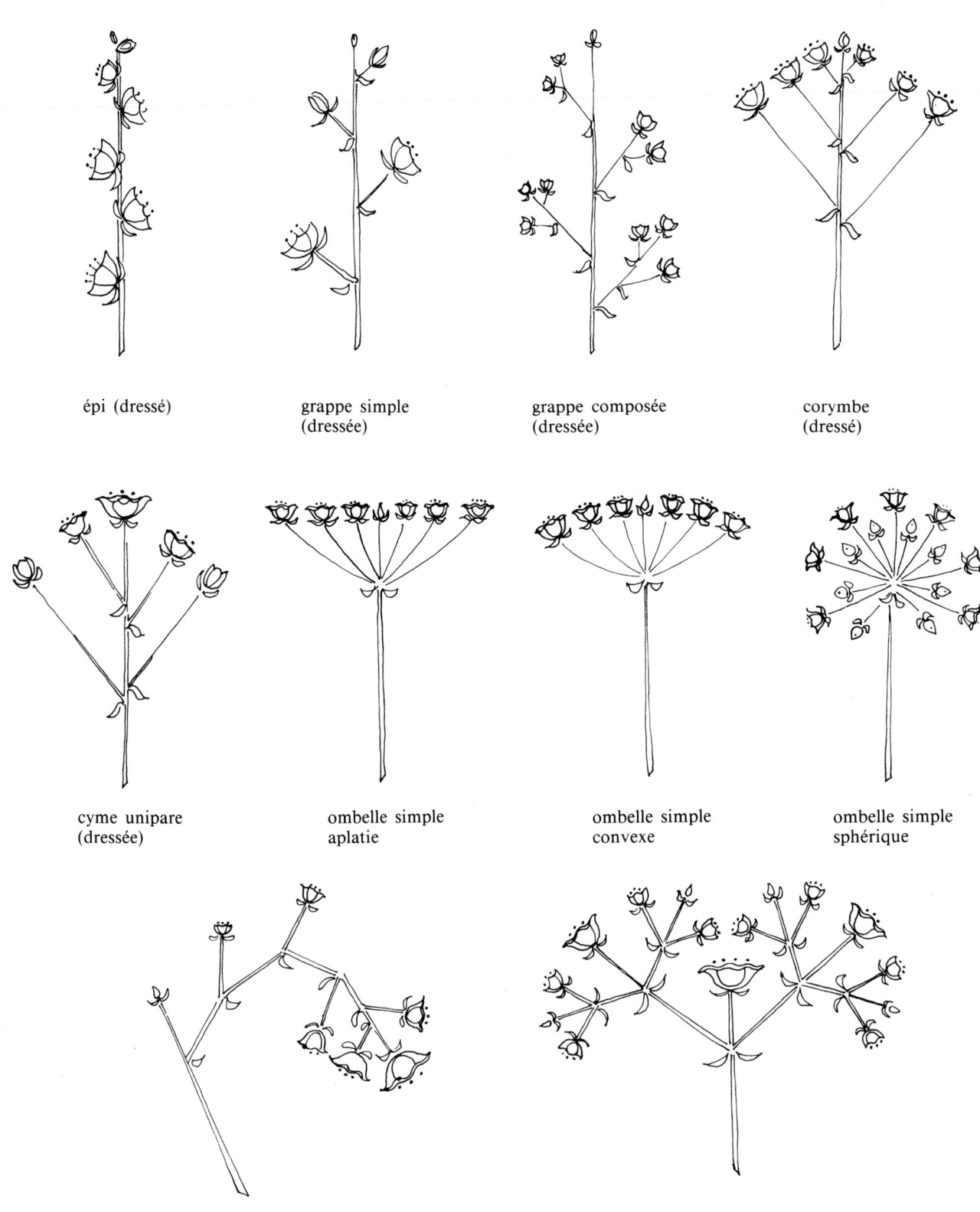

épi (dressé)

grappe simple
(dressée)

grappe composée
(dressée)

corymbe
(dressé)

cyme unipare
(dressée)

ombelle simple
aplatie

ombelle simple
convexe

ombelle simple
sphérique

cyme unipare scorpioïde

cyme bipare

Formes de feuilles

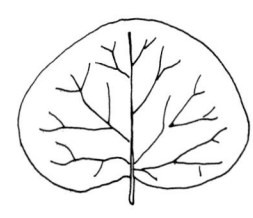
réniforme

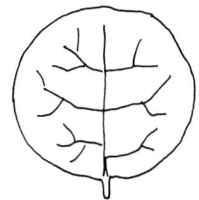
orbiculaire

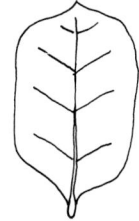
oblongue

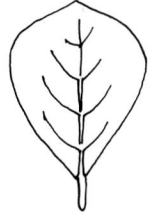
obovale

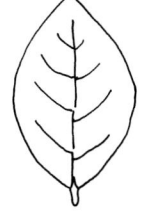
elliptique

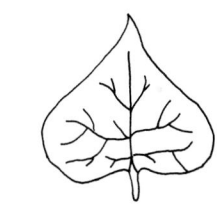
deltoïde

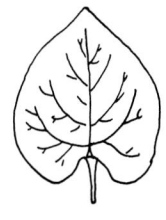
cordiforme

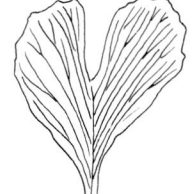
bilobée

imparipennée

bipennée

pennatifide

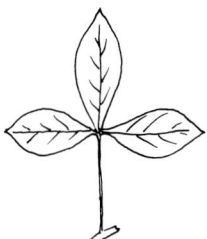
trifoliolée

palmatilobée à bord denté

composée-palmée

palmatifide

palmatilobée

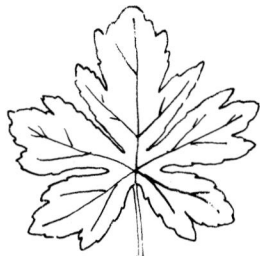
palmatipartite

palmatiséquée

Bords de feuilles

feuille entière

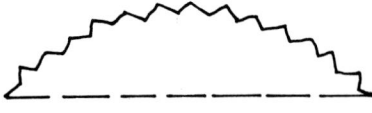

feuille denticulée

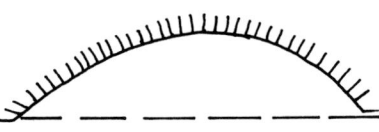

feuille ciliée

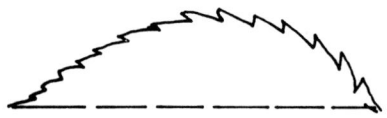

feuille serrulée

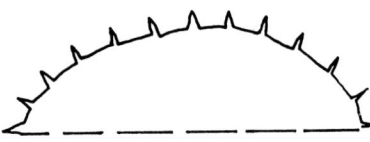

feuille pectinée

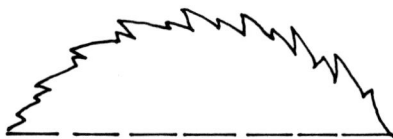

feuille doublement serrulée

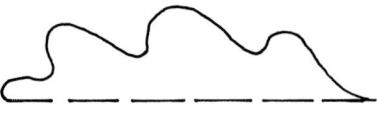

feuille à lobes arrondis

feuille incisée

feuille dentée en scie

feuille crénelée

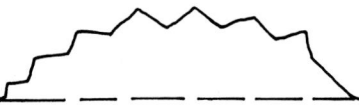

feuille dentée

feuille crénelée finement

feuille à lobes profonds incisés

Extrémités de feuilles

entière

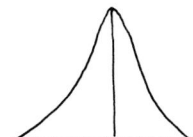

acuminée

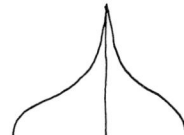

aristée

cuspidée

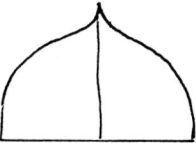

mucronée

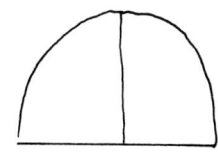

obtuse

rétuse

échancrée

Bases de feuilles

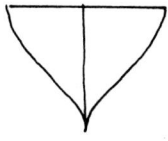

cunéiforme

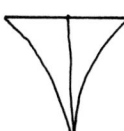

atténuée

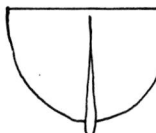

obtuse

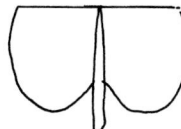

cordée

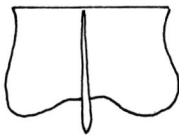

auriculée

sagittée

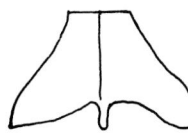

hastée

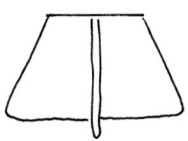

tronquée

Définitions préliminaires

Couleurs de feuilles et de fleurs

Pour des feuilles, quand une seule indication de couleur et d'aspect est donnée sans autres commentaires (par exemple feuilles vert brillant), il s'agit du dessus des feuilles ; quand, pour des fleurs, une seule indication de couleur, brillance ou texture est donnée (par exemple : fleurs rose mat), il s'agit de la partie la plus visible qui domine parmi les pétales ou les pièces pétaloïdes ou colorées.

Plantes vivaces

L'expression « plante vivace » ou le terme « vivace », selon l'usage assez courant, désigne une plante vivace herbacée, sauf si le texte fait explicitement allusion au fait qu'une plante vivace est ligneuse au moins en partie.

Plantes bulbeuses

Pour des raisons de place disponible, dans le Catalogue, le mot « bulbe » désigne une plante bulbeuse. L'expression « plante bulbeuse » est alors utilisée dans son sens le plus large (celui du commerce horticole pour les catalogues de plantes bulbeuses), c'est-à-dire désignant des plantes à bulbes vrais, mais aussi des plantes à cormes et des plantes à tubercules.

En revanche, dans le Dictionnaire, les plantes à tubercule sont clairement indiquées, et le terme « bulbe » et l'expression « plante bulbeuse » sont appliqués aux bulbes au sens strict, scientifique, sauf dans le cas particulier des cormes qui sont indiqués clairement et systématiquement. L'expression « plante tubéreuse » désigne une plante comportant au moins un organe tubérisé, renflé, qui peut être une racine, un rhizome, ou une base de tige aérienne.

Bouturage

Le mot bouturage employé sans détail complémentaire indique dans ce livre un bouturage de partie de tige feuillée.

Adaptations climatiques, taille des plantes, exigences ou tolérances pour le sol

Les différents signes conventionnels et les petits croquis cotés du Catalogue sont, pour des raisons techniques, identiques à ceux de la version originale britannique. Ils représentent seulement des indications (surtout ceux concernant la rusticité, la taille des végétaux, et leur besoin en lumière) valables pour le climat moyen des îles Britanniques, et surtout transposables en Bretagne et en Normandie. C'est dans les textes du *Dictionnaire* que l'on trouvera plus de détails d'adaptation aux climats français.

La France métropolitaine, la « douce France », est célèbre pour sa clémence. Elle est en général épargnée par l'air provenant des régions arctiques, et dans la plupart des régions, les vents dominants, chargés d'humi-dité, viennent de directions proches de l'ouest. Les climats régionaux sont extrêmement variés, mais l'on peut distinguer plusieurs « blocs » climatiques.

NORMANDIE ET BRETAGNE

Le climat y est doux, océanique. Les végétaux, pour lesquels le type de climat le plus rude supportable à l'extérieur est celui de la Normandie ou de la Bretagne, sont appelés « semi-rustiques » dans ce livre.

BASSIN PARISIEN

Le climat est déjà plus continental. Les végétaux, pour lesquels le type de climat le plus rude supportable à l'extérieur toute l'année est celui du Bassin parisien, sont appelés « assez rustiques ». Il est important de noter qu'une infinité de microclimats existe partout, mais surtout en France ; chacun sait par exemple que la pluviométrie peut varier notablement en différents points de Paris. D'autre part, la France est peut-être clémente, mais certains végétaux canadiens, aptes à supporter – 40 °C en hiver, apprécient peu une de nos « spécialités maison » : les gelées tardives, fréquentes dans de nombreuses régions françaises. Ces végétaux ne sont pas adaptés aux gelées printanières, quand ils sont en feuilles : certains, pour la France, ne sont donc qu'assez peu rustiques.

RÉGIONS DU NORD ET DU PAS-DE-CALAIS

Elles sont en général un peu plus rudes que le Bassin parisien, mais seulement un peu ; l'on a bien tort de négliger ces régions sur le plan touristique ; on peut bien sûr y implanter de remarquables jardins.

RÉGIONS DE L'EST DE LA FRANCE

Elles présentent un climat assez continental. Il s'agit d'un des climats contrastés les plus rudes de la métropole : les plantes le supportant sont considérées comme rustiques (elles doivent supporter du froid en hiver, mais aussi des étés souvent assez chauds).

RÉGIONS DU SUD-OUEST

Elles bénéficient de climats méridionaux, certes, mais de nombreux contrastes de températures et de pluviométrie existent.

RÉGIONS DU CENTRE

Elles sont nettement plus continentales.

RÉGIONS MÉDITERRANÉENNES

Les climats y sont en général très doux, surtout sur la Côte d'Azur. Les végétaux pour lesquels le type de climat le plus rude supporté à l'extérieur toute l'année est celui de la Côte d'Azur sont appelés « peu rustiques ».

Les végétaux ne supportant même pas ce climat de la Côte d'Azur sont appelés « non rustiques ». Le signe A dans le Catalogue désigne un végétal non rustique devant être cultivé, au moins en hiver, sous abri.

Les chiffres de température indiqués derrière l'abréviation « min. » désignent, pour un végétal non rustique, le minimum à choisir pour température moyenne annuelle de l'abri ou de la serre utilisée, afin d'obtenir un développement excellent de la plante. On a intérêt à ne pas trop laisser de changement important se produire par rapport à cette température. Cependant, quelques degrés en moins la nuit par rapport au jour sont généralement appréciés, et il faut tenir compte du climat d'origine d'une plante pour lui donner de bonnes conditions de température, de lumière et d'humidité. Après tout, les végétaux ne sont pas en sucre, et la plupart d'entre eux peuvent supporter un certain temps des températures proches de 0 °C. Le palmier-dattier supporte bien certaines basses températures à certains moments de son cycle végétatif.

Au contraire, obliger un végétal indiqué avec un min. de 18 °C (température d'une serre tempérée) à être en permanence à 27 °C causera certainement des problèmes.

Enfin, le climat méditerranéen, même dans sa version française, est caractérisé par un fort ensoleillement et de la sécheresse en été. Certaines plantes peuvent adorer le soleil direct à Glasgow ou Quimper, et risquer de mourir sous celui de Nice (notamment beaucoup de végétaux d'origine japonaise qui aiment la douceur et l'humidité). L'indication des plantes aimant le soleil doit donc dans certains cas être prise seulement comme une indication générale.

LES RÉGIONS DE MONTAGNE

Elles constituent un cas tout à fait particulier. Au-delà d'une certaine altitude, variable selon les espèces de végétaux et suivant les régions, et les microclimats, les plantes considérées comme rustiques (et qui le sont partout ailleurs en France métropolitaine ou en Corse) ne peuvent plus être cultivées dehors toute l'année, ou même ne plus du tout être cultivables.

En conclusion, le végétal est un être vivant, capable d'évoluer, et dans une certaine mesure, de « s'endurcir » progressivement pour résister à des conditions difficiles. Après tout, si les lapins et le petit gibier adorent les aéroports malgré le bruit, les talus du boulevard périphérique de Paris sont plantés de nombreux végétaux qui résistent assez vaillamment. De plus, si les clones possèdent un patrimoine génétique très constant et stable, donc très peu susceptible d'évoluer, les plantes d'une même espèce naturelle reproduites par semis au hasard ne se ressemblent que comme des sœurs, et peuvent donc parfois réserver quelques surprises, et se révéler un peu différentes de ce qui est considéré comme normal pour elles.

Pour utiliser une plante de cette encyclopédie à l'étranger, on peut dans une certaine mesure, à partir des données climatiques et écologiques fournies, en déduire qu'elle convient ou non à un autre climat. Par exemple, une orchidée décrite ainsi : « non rustique, min. 20 °C, aime l'humidité et une ombre légère en été », pourra être cultivée dans les zones assez humides de Basse-Terre, à la Guadeloupe, en zone un peu ombragée.

Nos indications de saison (comme « fleurit en automne ») sont également valables pour l'hémisphère Sud, et de toute façon, elles peuvent souvent varier légèrement selon les années et les microclimats même en France. En revanche, les indications de mois sont valables pour l'hémisphère Nord uniquement (le lys de la St-Jean, qui fleurit en juin en France pour le solstice d'été, fleurit vers Noël dans le sud du Chili : un simple calcul suffit pour transposer dans l'hémisphère Sud les indications de mois).

Le CATALOGUE DES PLANTES

Un guide tout en photos de 4000 plantes de jardin, classées par catégories, par taille, par saison et par couleur.

ARBRES/GRANDE TAILLE

▢▢ BLANC, ROSE

▢ ROSE

Aesculus hippocastanum
Marronnier d'Inde
Arbre vigoureux, à port étalé. Larges feuilles vert foncé à 5 ou 7 folioles, caduques; panicules de fleurs blanches au printemps, teintées de rose et jaune au centre. Fruits épineux contenant les marrons.

Magnolia campbellii var. **mollicomata**
Arbre à feuilles caduques très proche de *Magnolia campbellii*, mais produisant des fleurs rose lilas un peu plus tôt dans l'année, sur les arbres âgés de 10 ans et plus.

Magnolia × veitchii 'Peter Veitch'
Arbre à croissance rapide, feuillage caduc, port étalé, portant au milieu du printemps de grandes fleurs odorantes rose pâle et rose très pâle. Fleurit habituellement avant 10 ans d'âge.

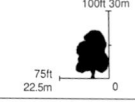

Magnolia campbellii
Arbre à feuilles caduques; port dressé au début, puis s'étalant. Fleurs un peu parfumées rose pâle à rose foncé, sur les branches sans feuilles de fin hiver à mi-printemps, sur les arbres de 15-20 ans ou plus.

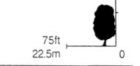

Magnolia sprengeri 'Wakehurst'
Arbre à feuillage caduc, port étalé; grandes fleurs parfumées, rose intense à l'intérieur, rose pourpre foncé à l'extérieur apparaissant sur les branches sans feuilles à mi-printemps.

Magnolia campbellii 'Darjeeling'
Arbre à feuilles caduques semblable à *M. campbellii*, mais portant de grandes fleurs rose très foncé de la fin de l'hiver au début du printemps sur les arbres de 15-20 ans ou plus.

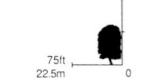

AUTRES PLANTES CONSEILLÉES :
Aesculus hippocastanum 'Baumannii'
Brachychiton populneus
Malus baccata var. *mandschurica*, p. 48

Tristania conferta 'Variegata'

Magnolia campbellii 'Charles Raffill'
Magnolia campbellii 'Kew's Surprise'

◼ ROUGE, JAUNE   ☐ BLANC   ◼ ROUGE, VIOLET

Aesculus × carnea 'Briotii'
Marronnier à fleurs rouges
Arbre à feuilles caduques, à cime
arrondie. Feuilles luisantes vert foncé,
généralement à 5 folioles. Porte des
panicules de fleurs rouges en
fin de printemps.

 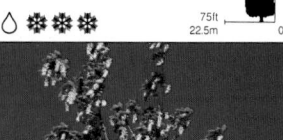

Acer macrophyllum
Érable macrophyllum
Arbre à feuillage caduc, cime arrondie.
Grandes feuilles vert foncé à lobes
profonds devenant rouges et orange en
automne. Petites fleurs vert
jaunâtre au printemps,
suivies de fruits vert pâle.

Fraxinus excelsior 'Jaspidea'

Aesculus chinensis
Marronnier de Chine
Arbre à croissance lente, feuilles
caduques, port étalé. Feuilles luisantes
vert foncé à 7 folioles. Produit des
panicules étroites de fleurs
blanches à mi-été.

Populus alba
Peuplier blanc
Arbre à feuilles caduques, port étalé.
Feuilles à bord ondulé, ou lobées, vert
foncé dessus, blanches duveteuses
dessous, virant au jaune en
automne.

Magnolia hypoleuca, syn.
M. obovata
Arbre vigoureux, à port dressé; feuillage
caduc. Grandes fleurs parfumées rosées,
blanches ou crème pâle, à filet des
étamines cramoisi,
apparaissant en début d'été.

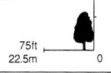

AUTRES PLANTES CONSEILLÉES :
Acer platanoides 'Drummondii'
Aesculus indica
Castanea sativa

Populus maximowiczii
Peuplier maximowiczii
Arbre conique, poussant vite. Feuilles
caduques ovales, certaines cordiformes,
à dessous plus pâle, devenant jaunes en
automne; fruits capsulaires à
graines dans un duvet blanc
cotonneux en fin d'été.

Liriodendron tulipifera
Tulipier de Virginie
Arbre vigoureux, port étalé. Feuilles
caduques, lobées, vert foncé, à
l'extrémité tronquée, virant au jaune en
automne. À mi-été, fleurs en
tulipe, blanc verdâtre avec
une tache orange.

Castanea sativa 'Albomarginata'
Châtaignier 'Albomarginata'
Arbre à port étalé; feuilles caduques
luisantes vert foncé à bord blanc,
devenant jaunes en automne. Fleurs
jaune crème en été suivies de
fruits comestibles.

Robinia pseudoacacia
Schima wallichii

Prunus serotina
Cerisier noir
Arbre à feuilles caduques; port étalé.
Grappes de fleurs blanches parfumées
en début d'été, suivies de fruits passant
du rouge au noir. Feuilles vert
foncé devenant jaunes en
automne.

Brachychiton acerifolius,
syn. *Sterculia acerifolia*
Arbre à petites panicules de fleurs
rouges en fin d'hiver, printemps ou été,
avant le développement de feuilles
lustrées de 3 à 7 lobes.
Min. 7-10 °C.

Fagus sylvatica f. *purpurea*
Hêtre pourpre
Arbre à cime arrondie; feuilles pourpres
caduques, ovales, à bord ondulé, virant
au cuivré intense en automne.

Acer platanoides 'Royal Red'
Knightia excelsa
Lagerstroemia speciosa

■■ POURPRE, VERT

□ VERT

Acer platanoides 'Crimson King'
Érable plane 'Crimson King'
Arbre vigoureux ; port étalé. Larges feuilles caduques, lobées, pourpre rougeâtre profond, devenant orange en automne. Petites fleurs jaune foncé teinté de rouge à mi-printemps.

☀ ◊ ❄❄❄

Populus canescens
Peuplier grisard
Arbre vigoureux ; port étalé. Feuilles caduques légèrement lobées, grises au début, luisantes, vert foncé en été, jaunes en automne. En général chatons rouge grisâtre au printemps.

☀ ◊ ❄❄❄

Populus × *canadensis* 'Serotina de Selys', syn. *P.* × *canadensis* 'Serotina erecta'
Peuplier 'Serotina erecta'
Arbre poussant vite, à port érigé. Feuilles caduques d'abord vert pâle, puis vert-gris. Chatons rouges au printemps.

☀ ◊ ❄❄❄

Fagus sylvatica f. *pendula*
Hêtre pleureur
Arbre pleureur. Feuilles caduques ovales à bord ondulé, vert moyen, qui prennent de riches teintes de jaune et brun orangé en automne.

☀ ◊ ❄❄❄

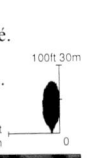

Quercus macranthera
Chêne macranthera
Arbre élégant à feuillage caduc, port étalé, fortement branchu, avec de grandes feuilles profondément lobées, vert foncé.

☀ ◊ ❄❄❄

Populus × *canadensis* 'Robusta'
Peuplier robusta
Arbre à port subconique, aux branches dressées. Croissance rapide, feuilles caduques, d'abord bronzées, puis vert foncé, luisantes. Longs chatons rouges au printemps.

☀ ◊ ❄❄❄

Alnus incana
Aulne blanc
Arbre conique ; feuillage caduc. Convient aux régions froides, humides, aux sols pauvres. Chatons jaune-brun en fin d'hiver et début de printemps, suivis de feuilles ovales vert foncé.

☀ ◊ ❄❄❄

Quercus robur f. *fastigiata*
Chêne pédonculé pyramidal
Arbre à port dressé, en colonne, à feuillage caduc, de constitution dense, portant des feuilles lobées vert foncé.

☀ ◊ ❄❄❄

Cedrela sinensis, p. 52
Fagus sylvatica 'Dawyck Purple'
Fagus sylvatica 'Riversii'
Fagus sylvatica 'Rohanii'

Salix alba 'Caerulea'

Acer platanoides
Acer platanoides 'Emerald Queen'
Acer platanoides 'Summershade'
Acer saccharinum

Acer velutinum
Ailanthus altissima
Magnolia acuminata
Sorbus thibetica

Alnus cordata
Aulne à feuilles en cœur
Arbre conique, à croissance rapide, à feuilles caduques. Chatons jaunes en fin d'hiver et début de printemps, suivis de feuilles vert foncé, ovales et luisantes, en forme de cœur à la base de l'arbre.

 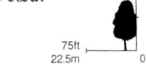

Populus nigra 'Italica'
Peuplier d'Italie
Arbre poussant très vite, en colonne étroite, à branches érigées. Feuilles caduques losangées vert vif, et chatons rouges à mi-printemps.

Quercus canariensis
Chêne Zeen
Arbre étroit, s'élargissant avec l'âge. Grandes feuilles vert intense caduques ou semi-caduques, à lobes peu profonds, devenant brun jaunâtre à l'automne, persistant souvent jusqu'à fin hiver.

Acer lobelii
Érable de Lobel
Arbre dressé à feuillage caduc, de constitution étroite, bien adapté pour pousser en espace restreint. Feuilles vert sombre à bord ondulé, lobées, virant au jaune en automne.

Juglans regia
Noyer commun
Arbre à feuillage caduc, à cime arrondie. Feuilles à 5 ou 7 folioles, aromatiques, pourpre bronzé pour les jeunes, vert moyen luisant pour les feuilles adultes. Produit des noix comestibles.

Tilia oliveri
Tilleul oliveri
Arbre à feuillage caduc, à port étalé, ouvert, à feuilles pointues, en cœur, vert vif sur le dessus, et blanc argenté en dessous. Petites fleurs parfumées jaune verdâtre en été, suivies de fruits ailés.

Quercus muehlenbergii
Chêne muehlenbergii
Arbre à feuillage caduc, à cime arrondie, avec des feuilles vert foncé, fortement dentelées.

Celtis australis
Micocoulier
Arbre à feuillage caduc, port étalé. Feuilles ovales, vert foncé, pointues, fortement dentelées, et de petits fruits noir-pourpre.

 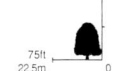

Betula maximowicziana
Castanea dentata
Celtis occidentalis
Fagus orientalis

Fagus sylvatica 'Dawyck'
Fagus sylvatica f. laciniata
Fraxinus americana
Fraxinus angustifolia

Fraxinus excelsior f. diversifolia
Fraxinus oxycarpa 'Raywood'
Fraxinus pennsylvanica
Fraxinus pennsylvanica 'Patmore'

Gleditsia triacanthos 'Shademaster'
Gleditsia triacanthos 'Skyline'
Gymnocladus dioica
Juglans cathayensis

□ VERT

Platanus × *acerifolia*
Platane acerifolia
Arbre vigoureux; feuillage caduc, port
étalé; écorce ornementale s'exfoliant en
plaques. Grandes feuilles profondément
lobées vert vif. En automne,
groupes de fruits sphériques
pendants.

Nothofagus procera
Arbre conique, à croissance rapide, à
feuillage caduc. Les feuilles, beaucoup et
fortement nervurées, sont vert sombre,
tournant à l'orange et au rouge en
automne.

Juglans nigra
Noyer noir
Bel arbre à croissance rapide, à feuilles
caduques, à port étalé, avec de larges
feuilles aromatiques aux nombreuses
folioles pointues, luisantes,
vert sombre. Produit des
noix comestibles.

  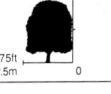

Sassafras albidum
Arbre à port dressé puis s'étalant.
Feuilles caduques aromatiques vert
foncé, luisantes, à formes variées allant
d'ovales à profondément lobées, virant
au jaune ou au rouge en automne.
Au printemps, fleurs
insignifiantes vert jaunâtre.

Juglans ailantifolia
var. *cordiformis*
Noyer ailantifolia
var. **cordiformis**
Arbre à port étalé; feuilles caduques
luisantes vert vif. Chatons
mâles longs, vert jaune en
début d'été.

Quercus nigra
Chêne nigra
Arbre à port étalé, avec un feuillage
brillant, caduc, vert vif, retenu sur
l'arbre jusqu'à ce que l'hiver soit bien
arrivé.

Nothofagus obliqua
Arbre élégant, à croissance rapide, à
feuillage caduc et branches arquées.
Feuilles vert foncé devenant orange et
rouges en automne.

Firmiana simplex, syn. *F.
platanifolia, Sterculia p.*
Parasol chinois
Arbre robuste à grandes feuilles
caduques lobées. Petites fleurs d'un
jaune citron éclatant, et fruits en
forme de feuille, à l'aspect
du papier. Min. 2 °C.

Tilia petiolaris
Tilleul petiolaris
Arbre à port étalé et branches
pendantes. Feuilles pointues caduques,
cordiformes, vert sombre dessus,
argentées dessous.
Fleurs très parfumées,
jaune crème, en fin d'été.

 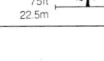

Quercus petraea 'Columna'
Chêne rouvre 'Columna'
Arbre dressé et étroit; feuilles lobées
caduques, à bord ondulé, coriaces,
d'abord teintées de bronze, puis vert
sombre.

Quercus castaneifolia
Chêne à feuilles de châtaignier
Arbre à feuillage caduc, à port étalé,
avec des feuilles fortement dentelées,
lustrées, vert sombre sur le dessus, grises
en dessous.

Fagus sylvatica
Hêtre commun
Arbre à port étalé. Feuilles caduques
ovales à bord ondulé; jeunes, elles sont
vert pâle, puis vert moyen à sombre,
enfin jaune profond et brun
orangé en automne quand
apparaissent les faines.

Quercus frainetto
Chêne de Hongrie
Arbre à croissance rapide, feuillage
caduc, port étalé avec une large cime en
dôme, et de grandes belles feuilles vert
sombre, profondément lobées.

 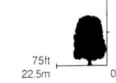

Populus alba 'Raket'
Peuplier blanc 'Raket'
Arbre dressé, étroit, à feuillage caduc.
Les feuilles, souvent lobées, sont vert
sombre avec le dessous blanc. En
automne, le feuillage devient
jaune.

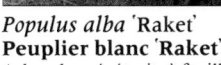

Quercus palustris
Chêne des marais
Arbre à croissance rapide, à port étalé;
branches minces, pendantes à leur
extrémité. Les feuilles caduques lobées,
brillantes, vert vif, virent à
l'écarlate ou au rouge-brun
en automne.

Quercus laurifolia
Chêne laurifolia
Arbre à feuillage caduc, cime arrondie,
avec des feuilles étroites, lustrées, vert
vif, retenues tard dans l'année.

 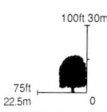

Carya ovata
Noyer blanc d'Amérique
Arbre à feuillage caduc, avec une écorce
grise partant en plaques. Feuilles vert
sombre, comprenant habituellement
5 folioles étroites, qui
deviennent jaune d'or en
automne.

VERT, JAUNE   ROSE, ROUGE

Quercus rubra
Chêne rouge
Arbre à croissance rapide, feuillage caduc, port étalé. Les feuilles lobées, souvent larges, sont vert foncé devenant d'un beau rouge brunâtre à l'automne.

☀ ◊ ❊ ❊ ❊   100ft 30m / 75ft 22.5m / 0

Liriodendron tulipifera 'Aureomarginatum'
Tulipier 'Aureomarginatum'
Arbre vigoureux. Feuilles caduques lobées, tronquées, vert foncé à marge jaune. En été, fleurs blanc verdâtre teinté d'orange, en forme de coupe.

☀ ◊ ❊ ❊ ❊   100ft 30m / 75ft 22.5m / 0

Pterocarya × *rehderiana*
Arbre à croissance très rapide, port étalé. Feuilles caduques, luisantes, imparipennées, à folioles étroites qui deviennent jaunes en automne. Longs chatons de fruits ailés en fin d'été et automne.

☀ ◊ ❊ ❊ ❊   100ft 30m / 75ft 22.5m / 0

Chorisia speciosa
Arbre à croissance rapide, à feuillage caduc vert pâle, au tronc et aux branches cloutés d'épines épaisses et coniques; les fleurs, de rose à rouge bourgogne, apparaissent au moment de la chute des feuilles. Min. 15 °C.

☀ ◊   100ft 30m / 75ft 22.5m / 0

Acer rubrum 'Scanlon'
Érable rouge 'Scanlon'
Arbre à port dressé. Feuilles caduques vert sombre devenant rouge éclatant en automne, surtout en sol acide ou neutre. Au printemps, bouquets de petites fleurs rouges sur les branches nues.

☀ ◊ ❊ ❊ ❊   100ft 30m / 75ft 22.5m / 0

Liquidambar styraciflua
Copalme d'Amérique
Arbre au port allant de conique à étalé. Les pousses développent des côtes liégeuses. Feuilles lobées, lustrées, vert sombre, virant au pourpre, rouge, orange brillant en automne.

☀ ◊ ❊ ❊ ❊   100ft 30m / 75ft 22.5m / 0

Quercus ellipsoidalis
Chêne ellipsoidalis
Arbre à feuillage caduc, à port étalé, avec des feuilles lustrées, profondément lobées, vert sombre, qui virent au rouge pourpré sombre en automne.

☀ ◊ ❊ ❊ ❊   100ft 30m / 75ft 22.5m / 0

Quercus coccinea
Chêne écarlate
Arbre à cime arrondie. Feuilles caduques lustrées, vert sombre, à lobes très découpés se terminant en dents étroites, virant au rouge vif en automne et persistant plusieurs semaines.

☀ ◊ ❊ ❊ ❊   100ft 30m / 75ft 22.5m / 0

Acer pseudoplatanus f. *erythrocarpum*
Érable sycomore erythrocarpum
Arbre vigoureux, à port étalé; feuilles caduques, lobées, vert foncé. En automne, ailes des jeunes fruits rouge vif.

☀ ◊ ❊ ❊ ❊   100ft 30m / 75ft 22.5m / 0

Acer rubrum 'Schlesingeri'
Érable rouge 'Schlesingeri'
Arbre à feuillage caduc, cime arrondie. En début d'automne, les feuilles vert sombre virent au rouge foncé. Minuscules fleurs rouges sur le bois nu au printemps.

☀ ◊ ❊ ❊ ❊   100ft 30m / 75ft 22.5m / 0

Acer rubrum
Plaine rouge
Arbre à cime ronde. Feuilles caduques vert sombre virant au rouge vif en automne; meilleure couleur en sol acide ou neutre. Au printemps, minuscules fleurs rouges sur les branches nues.

☀ ◊ ❊ ❊ ❊   100ft 30m / 75ft 22.5m / 0

Cercidiphyllum japonicum

Arbre poussant vite; port étalé. Feuilles caduques qui, jeunes, sont bronzées, puis vert intense, enfin jaunes puis pourpres au automne, surtout en sol acide. Les feuilles tombées sentent le caramel brûlé.

Spathodea campanulata

Arbre spectaculaire, de grande taille. Feuilles persistantes à folioles (de 9 à 19) vert foncé. Bouquets de fleurs en tulipe, écarlates ou rouge orangé, par intermittence. Min. 16-18 °C.

Quercus phellos
Chêne saule

Arbre élégant à feuillage caduc, à port étalé. Les feuilles étroites, ressemblant à celles des saules, vert pâle, virent au jaune puis au brun en automne.

Zelkova serrata

Arbre à feuillage caduc, à port étalé, avec des feuilles vert sombre finement pointues, fortement dentelées, qui deviennent jaunes ou orange en automne.

Nyssa sylvatica
Tupélo

Arbre à feuillage caduc, à port en cône large, avec des feuilles ovales luisantes, vert sombre à moyen, prenant de brillantes couleurs en automne (jaune, orange et rouge).

Prunus avium
Merisier des oiseaux

Arbre à feuillage caduc, à port étalé; écorce à bandes rouges. Fleurs blanches au printemps, fruits rouge foncé et feuilles vert sombre devenant rouges en automne.

Quercus alba
Chêne blanc d'Amérique

Arbre à feuillage caduc, à port étalé. Les feuilles profondément lobées, luisantes, vertes, deviennent pourpre rougeâtre en automne.

Acer platanoides 'Lorbergii'
Érable plane 'Lorbergii'

Arbre vigoureux, à port étalé. Les feuilles caduques vert pâle, très divisées, avec des lobes étroits, virent au jaune ou à l'orange à l'automne. Petites fleurs jaunes à mi-printemps.

Sophora japonica 'Violacea'
**Sophora du Japon 'Violacea',
Arbre des pagodes**

Arbre à croissance rapide, à feuillage caduc, à cime arrondie. De grosses panicules de fleurs blanches teintées de rose lilas, ressemblant à celles du pois de senteur, apparaissent en fin d'été et début d'automne.

Arbres/grande taille

☐☐ BLANC, VERT

☐ VERT

Betula ermanii
Bouleau ermanii
Arbre élégant à feuillage caduc, à la ramification étalée; écorce blanc rosâtre pelant à larges lenticelles typiques. Feuilles luisantes, vertes, donnant une excellente couleur d'automne.

☼ ◊ ❄❄❄

Ficus benghalensis
Figuier des Banyans
Arbre à feuillage persistant, à port très étalé, avec racines adventives rappelant des troncs. Feuilles ovales, coriaces, vert intense, aux nervures pâles, allant jusqu'à 20 cm de long. Min. 15-18 °C.

☼ ◊

Eucalyptus coccifera
Arbre à feuillage persistant; écorce gris-bleu et blanche, qui pèle, et feuilles pointues, aromatiques, gris bleuté. En été, bouquets de fleurs blanches comportant de nombreuses étamines.

☼ ◊ ❄❄

Eucalyptus dalrympleana
Arbre vigoureux; feuilles persistantes. Jeune écorce blanc crème devenant gris rosâtre, puis pelant. Feuilles longues, étroites, pendantes. Fleurs blanches apparaissant fin été et en automne.

☼ ◊ ❄❄

Eucalyptus gunnii
Arbre conique à feuillage persistant; écorce s'exfoliant, de couleur crème, rosâtre, et brun. Jeunes feuilles bleu argenté, feuilles adultes bleu-vert. Fleurs blanches avec de nombreuses étamines à la mi-été.

☼ ◊ ❄❄

Betula papyrifera
Bouleau à canots
Arbre vigoureux, à ramification ouverte et cime arrondie. Écorce luisante, blanche, qui s'exfolie. Au printemps, chatons jaunâtres. Feuilles caduques fortement dentées, jaune clair en automne.

☼ ◊ ❄❄❄

Ficus elastica 'Doescheri'
Caoutchouc 'Doescheri'
Arbre à forte croissance, port dressé puis étalé. Feuilles persistantes d'oblongues à ovales, coriaces, lustrées, vert foncé, marquées de vert-gris, jaune et blanc. Min. 10 °C.

☼ ◊

Archontophoenix alexandrae
Palmier à feuilles persistantes en forme de plumes arquées. Les arbres adultes portent des petites fleurs de couleur blanche ou crème. Min. 15 °C.

☼ ◊

AUTRES PLANTES CONSEILLÉES :
Betula pendula
Betula utilis
Betula utilis var. *jacquemontii*, p. 56

Eucalyptus globulus
Ficus elastica 'Decora'
Metrosideros robusta
Tilia platyphyllos 'Princes Street'

Ficus benjamina

Quercus × turneri
Chêne × turneri
Arbre dense à feuillage semi-persistant, à cime arrondie. Les feuilles lobées, coriaces, vert sombre, tombent juste avant l'apparition du nouveau feuillage.

Nothofagus dombeyi
Arbre à feuillage persistant, de forme vaguement conique, de constitution élégante, avec des pousses tombantes à leur extrémité. Feuilles brillantes vert foncé, fortement dentées.

Betula pendula 'Dalecarlica'
Bouleau lacinié 'Dalecarlica'
Arbre frêle, élégant, à feuillage caduc. Écorce blanche et branchettes légèrement pendantes. Feuilles en dents de scie, donnant une belle couleur dorée en automne.

Macadamia integrifolia
Noyer du Queensland
Arbre à feuillage persistant, à port étalé. Noix brunes comestibles en automne. Verticilles de feuilles coriaces, semi-brillantes, et panicules de petites fleurs jaune crème au printemps. Min. 10-13 °C.

Quercus suber
Chêne-liège
Arbre à feuillage persistant, à cime arrondie, avec une écorce épaisse à liège. Les feuilles ovales sont coriaces, brillantes, vert sombre sur le dessus et grisâtres en dessous.

Washingtonia robusta
Palmier à croissance rapide avec de larges feuilles persistantes en forme d'éventail. En été, minuscules fleurs blanc crème à longs pédoncules. Drupes noires en hiver-printemps. Min. 10 °C.

Arecastrum romanzoffianum
Cocos romanzoffianum
Palmier majestueux, à feuillage persistant. Feuilles arquées ou pendantes, en forme de plume, avec des folioles lustrées. À maturité, gros amas de petites fleurs jaunes en été. Min. 18 °C.

Quercus × hispanica 'Lucombeana'
Chêne 'Lucombeana'
Arbre à feuillage semi-persistant, à port étalé, avec des feuilles à bord denté, brillantes, vert sombre dessus, grises en dessous.

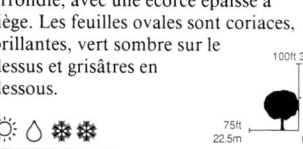

Arbres/grands
HIVER/TOUTE L'ANNÉE

■ VERT
☐ JAUNE

ARBRES/MOYENS
PRINTEMPS

☐ BLANC

Betula albo-sinensis
Bouleau albo-sinensis
Arbre à ramification ouverte, élégant, aux feuilles caduques à bord en dents de scie, d'ovales à lancéolées, vert pâle. Écorce de couleur miel ou rouge marron, légèrement grise et pruineuse, s'exfoliant.

Nothofagus betuloides
Arbre à feuillage persistant, en forme de colonne, avec une croissance dense de feuilles ovales, luisantes, vert foncé sur des pousses rouge bronzé.

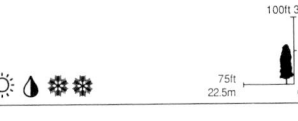

Umbellularia californica
Laurier de Californie
Arbre à port étalé; feuilles persistantes, aromatiques, coriaces, luisantes, vert foncé; fin printemps, fleurs jaune crème; feuilles irritantes pouvant causer nausée et céphalées si on les écrase.

Salix alba var. *vitellina*
Saule blanc vitellina
Arbre à feuillage caduc, à port étalé, habituellement étêté fortement pour favoriser la croissance de jeunes pousses fortes qui sont jaune orangé vif en hiver.

Salix 'Chrysocoma' syn.
S. alba 'Tristis'
Saule blanc 'Tristis'
Arbre à feuillage caduc, à port très étalé, aux pousses frêles, pleureuses, jaunes, tombant en rideau. Feuilles d'abord vert jaune, puis vert moyen.

Alnus incana 'Aurea'
Alnus incana 'Ramulis Coccineis'
Betula maximowicziana
Corylus colurna

Malus hupehensis
Pommier hupehensis
Arbre vigoureux, port étalé. Feuilles caduques vert foncé. Grandes fleurs blanches (roses en bouton) de mi- à fin printemps. Fin été et automne, petites pommes sauvages jaune teinté de rouge.

Salix daphnoides
Saule daphnoides
Arbre à croissance rapide; port étalé. Feuilles caduques lancéolées, luisantes, vert sombre; chatons mâles argentés au printemps; pousses pourpres à revêtement cireux blanc bleuâtre en hiver.

Magnolia kobus
Arbre en cône large, à feuillage caduc. Porte une profusion de fleurs blanc pur en milieu de printemps avant l'apparition des petites feuilles vert sombre, légèrement aromatiques.

AUTRES PLANTES CONSEILLÉES :
Magnolia denudata
Magnolia salicifolia, p. 59
Malus baccata

Malus baccata var. *mandschurica*
Pommier à petits fruits 'mandschurica'
Arbre vigoureux, à port étalé. Feuilles caduques vert sombre. Profusion de fleurs blanches (mi-printemps), suivies de pommes sauvages rouges ou jaunes.

Pyrus calleryana 'Chanticleer'
Poirier calleryana 'Chanticleer'
Arbre conique, à feuilles caduques luisantes, devenant pourprées en automne. Ramilles de petites fleurs blanches au printemps. Résiste au feu bactérien.

Magnolia 'Charles Coates'
Arbre à feuillage caduc, de forme arrondie, ouverte, étalée. Fleurs très parfumées blanc crème avec des étamines rougeâtres très apparentes, apparaissant fin printemps et début été au milieu des feuilles larges vert clair.

Malus prattii

Cornus nuttallii
Cornouiller nuttallii
Arbre conique; feuillage caduc. Grandes bractées blanches entourant des fleurs minuscules, apparaissant en fin de printemps. Feuilles ovales vert foncé.

Prunus mahaleb
Cerisier de Sainte-Lucie
Arbre touffu, à cime arrondie. Profusion de fleurs blanches odorantes de mi- à fin printemps. Feuilles caduques arrondies, luisantes, vert sombre, devenant jaunes en automne.

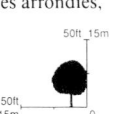

Halesia monticola
Arbre à croissance rapide; port conique ou étalé, feuilles caduques. Profusion de fleurs blanches pendantes en forme de cloche en fin de printemps avant les feuilles ovales. En automne, fruits à 4 ailes.

Prunus avium 'Plena'
Merisier 'Plena'
Arbre à feuillage caduc, port étalé, écorce brun rougeâtre, avec des masses de fleurs doubles blanc pur au printemps. Le feuillage vert sombre devient rouge en automne.

Fraxinus ornus
Frêne à fleurs
Arbre à feuillage caduc, cime arrondie. Feuilles vert foncé comportant de 5 à 9 folioles. Des groupes de fleurs odorantes blanc crème apparaissent en fin de printemps et début d'été.

Prunus padus
Cerisier à grappes
Arbre à port d'abord conique, puis étalé. Grappes pendantes de fleurs blanches en fin de printemps, suivies fin été de petits fruits noirs. Feuilles caduques vert sombre virant au jaune en automne.

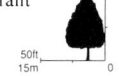

Paulownia tomentosa, syn. *P. imperialis*
Paulownia impérial
Arbre à port étalé. Feuilles larges caduques lobées, et panicules coniques de fleurs bleu-lilas au printemps, en forme de digitales. (Voir *Dictionnaire*)

Melia azedarach
Lilas des Indes
Arbre à feuillage caduc, à port étalé. Feuilles vert foncé à nombreuses folioles; au printemps, fleurs roses odorantes, en étoile, suivies en automne par des fruits jaune orangé pâle.

Prunus serulata var. *spontanea*
Cerisier à fleurs japonais spontanea
Arbre à port étalé; fleurs blanches ou roses en forme de coupe de mi- à fin printemps. Feuilles caduques d'abord bronzées, puis vert foncé.

ROSE, JAUNE

Prunus 'Kanzan'
Cerisier du Japon 'Kanzan'
Arbre à feuillage caduc, forme évasée.
Profusion de grandes fleurs doubles,
roses, du milieu à la fin du printemps,
parmi les feuilles jeunes bronzées qui deviennent
vert foncé au stade adulte.

Malus 'Profusion'
Pommier 'Profusion'
Arbre à port étalé. Feuilles caduques
d'abord pourpres, puis vert sombre. En
fin de printemps, abondance de fleurs
rose pourpré foncé, suivies de
petites pommes sauvages
pourpre rougeâtre.

Gleditsia triacanthos 'Sunburst'
Févier d'Amérique 'Sunburst'
Arbre à feuillage caduc; port étalé avec
des feuilles luisantes en forme de
fougères; feuilles jeunes jaune d'or;
feuilles vert foncé en été.

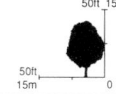

Aesculus × neglecta 'Erythroblastos', p. 62
Catalpa × erubescens 'Purpurea'
Cercis siliquastrum, p. 61
Magnolia dawsoniana

Magnolia sprengeri var. *diva*
Prunus 'Okame'
Tabebuia rosea

BLANC

Styrax japonica
Arbre à feuillage caduc, port étalé,
portant en début d'été, parmi les feuilles
luisantes vert foncé, une profusion de
fleurs parfumées blanches pendantes, en
forme de cloche.

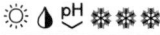

Ostrya virginiana
Ostryer
Arbre conique à écorce brun sombre et
feuilles luisantes caduques, vert foncé,
jaunes en automne. Chatons jaunâtres
au printemps, suivis de
groupes de fruits blanc
verdâtre.

Oxydendrum arboreum
Arbre à port étalé; feuillage caduc
luisant vert sombre, virant au rouge vif
en automne. Des rameaux de fleurs
blanches apparaissent en fin d'été et en
automne.

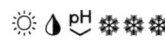

Davidia involucrata
Arbre aux mouchoirs
Arbre conique, à feuilles caduques vert
vif, feutrées en dessous. L'arbre adulte
porte de grandes bractées blanches à
partir de la fin du printemps.

Magnolia fraseri
Arbre à feuillage caduc, à port étalé,
ouvert. Des fleurs parfumées blanches
ou jaune pâle s'ouvrent en fin de
printemps et début d'été au milieu des
grandes feuilles vert pâle.

Sorbus cuspidata
Sorbier cuspidata
Arbre en cône large. Grandes feuilles
caduques gris-vert, d'abord à poils
blancs. Bouquets de fleurs blanches à
étamines roses fin printemps,
suivis de fruits roux ou
rouge jaunâtre.

AUTRES PLANTES CONSEILLÉES :
Acer rufinerve f. *albolimbatum*
Catalpa ovata
Cladrastis lutea, p. 55

Cornus controversa
Eucryphia cordifolia

Catalpa bignonioides
Catalpa commun
Arbre à port étalé. Grandes feuilles caduques vert clair, d'abord pourprées. En été, fleurs blanches marquées de jaune et de pourpre, suivies de gousses longues, cylindriques, pendantes.

Catalpa speciosa
Arbre à feuillage caduc, port étalé. Porte en milieu d'été parmi les feuilles luisantes vert moyen des panicules terminales de grandes fleurs blanches marquées de jaune et pourpre.

Stuartia pseudocamellia
Arbre à feuillage caduc, à port étalé, avec une écorce ornementale qui s'exfolie. Porte des fleurs blanches en milieu d'été. Feuillage vert moyen, devenant orange et rouge en automne.

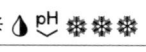

Cornus macrophylla
Cornouiller macrophylla
Arbre à port étalé, feuillage caduc. En été, cymes aplaties de petites fleurs blanc crème. Les feuilles sont luisantes, vert vif, grandes, pointues et ovales.

Magnolia tripetala
Magnolia parasol
Arbre à port d'abord conique, puis étalé. Grandes feuilles caduques vert sombre groupées au bout des pousses. Fin printemps début été, fleurs crème à pétales étroits; odeur assez désagréable.

Drimys winteri
Arbre conique à feuillage persistant, parfois à allure d'arbuste. Feuilles longues luisantes, vert pâle ou foncé, habituellement blanc bleuté en dessous. En début d'été, bouquets de fleurs blanches en forme d'étoile, parfumées.

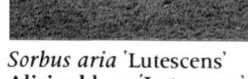

Sorbus aria 'Lutescens'
Alisier blanc 'Lutescens'
Arbre à port d'abord dressé, puis étalé. Feuilles caduques argentées, devenant gris-vert. Fleurs blanches de fin printemps à début été, suivies en automne de fruits rouge orangé.

Magnolia grandiflora 'Exmouth'
Magnolia à grandes fleurs 'E'
Arbre à feuillage dense persistant; port conique ou arrondi. Grandes fleurs très parfumées blanc crème apparaissant par intermittence de mi-été à début automne. Feuilles coriaces, étroites, vert sombre.

Quercus cerris 'Variegata'
Chêne chevelu 'Variegata'
Arbre à feuillage caduc, à port étalé. Les feuilles, à bord fortement denté ou lobé, luisantes, vert sombre, sont panachées de blanc crème.

 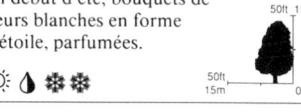

Gevuina avellana
Hoheria populnea
Magnolia macrophylla
Malus trilobata

Pterostyrax hispida
Stuartia monadelpha, p. 55
Stuartia sinensis
Styrax obassia

Weinmannia trichosperma

☐☐ BLANC, ROSE

Acer pseudoplatanus 'Simon Louis Frères'
Érable sycomore 'Simon Louis Frères'
Arbre à feuilles caduques, à port étalé. Feuilles d'abord marquées de blanc crème et de rose, puis vert pâle marqué de blanc.

Acer negundo 'Variegatum'
Érable negundo panaché
Arbre à croissance rapide, port étalé. Feuilles caduques vert vif panachées de rose, puis de blanc, à 3 ou 5 folioles. À la fin du printemps, fleurs insignifiantes jaune verdâtre.

■■ VIOLET, VERT

Jacaranda mimosifolia, syn. **J. ovalifolia**
Arbre à croissance rapide, port arrondi; feuilles caduques à allure de fougère, à folioles vert vif. Panicules de fleurs spectaculaires de bleu à bleu violacé au printemps et début d'été. Min. 7 °C.

Sorbus thibetica 'John Mitchell'
Sorbier 'John Mitchell'
Arbre conique à forte croissance, avec des feuilles caduques vert sombre, à dessous argenté; fleurs blanches au printemps et fruits bruns en fin d'été.

Cedrela sinensis, syn. **Toona sinensis**
Arbre à port étalé; écorce se desquamant en larges lamelles. Feuilles caduques à nombreuses folioles vert sombre, jaunes en automne. À mi-été, fleurs parfumées blanches.

Broussonetia papyrifera
Mûrier à papier
Arbre à cime arrondie. Feuilles caduques vert terne, grandes, largement ovales, dentées, parfois lobées. En début d'été, de petites boules de fleurs pourpres apparaissent sur les plantes femelles.

Hovenia dulcis
Arbre à port étalé, à grandes feuilles caduques luisantes vert sombre. En été, il peut porter de petites fleurs jaune verdâtre, dont les pédoncules deviennent rouges, charnus et comestibles.

Populus tremula 'Pendula'
Peuplier tremble pleureur
Arbre pleureur vigoureux. Feuilles caduques, tremblant au vent, rougeâtres au début, gris-vert en été, jaunes en automne. Chatons pourprés fin hiver et printemps.

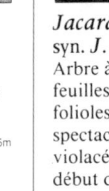

Aesculus indica 'Sydney Pearce'
Marronnier 'Sydney Pearce'
Arbre à port étalé, avec des feuilles caduques luisantes vert foncé, d'abord bronzées, orange ou jaunes en automne. Fleurs blanc rosâtre, marquées de rouge et de jaune, du début au milieu de l'été.

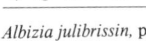

Albizia julibrissin, p. 63
Lagunaria patersonii
Robinia × *ambigua* 'Decaisneana'

Acer negundo var. *violaceum*
Olea europaea
Populus tremula
Pyrus amygdaliformis

Salix alba f. *argentea*

Quercus marilandica
Chêne marylandica
Arbre à port étalé. Grandes feuilles caduques, souvent avec 3 lobes au bout, luisantes, vert sombre dessus, plus pâles dessous, devenant jaunes, rouges ou brunes en automne.

Meliosma veitchiorum
Arbre à port étalé, à pousses grises vigoureuses, et grandes feuilles caduques vert sombre, à pétiole rouge, à 9 ou 11 folioles. Fin printemps, petites fleurs blanches, parfumées, suivies en automne de fruits violets.

Kalopanax pictus, syn. **K. ricinifolius, Acanthopanax ricinifolium**
Arbre à port étalé, à branches épineuses. Grandes feuilles caduques à 5 ou 7 lobes, luisantes, vert foncé. Fleurs blanches, petites. Fruits noirs en automne.

Fraxinus velutina
Frêne velutina
Arbre à feuillage caduc, port étalé. Les feuilles sont variables, mais comprennent habituellement 3 ou 5 folioles étroites, veloutées, gris-vert.

Gleditsia japonica
Févier du Japon
Arbre conique à feuilles caduques, au tronc armé d'épines. Les feuilles ressemblant à des fougères comprennent de nombreuses petites folioles vert moyen; jeunes pousses pourprées.

Quercus macrocarpa
Chêne à gros fruits
Arbre à croissance lente, feuillage caduc, port étalé, grandes feuilles luisantes vert sombre, virant au jaune ou au brun en automne.

Quercus garryana
Chêne garryana
Arbre à croissance lente, feuillage caduc, port étalé, avec des feuilles profondément lobées, luisantes, d'un vert éclatant.

Emmenopteris henryi
Arbre à port étalé. Grandes feuilles caduques pointues vert sombre (jeunes feuilles : pourpre bronzé). Des panicules de fleurs blanches (certaines portant une grande bractée blanche) sont rarement produites, sauf en été chaud.

Quercus macrolepis
Chêne Vélani
Arbre à feuillage caduc ou semi-caduc, port étalé. A des feuilles gris-vert avec des lobes anguleux.

Tilia cordata 'Rancho'
Tilleul à petites feuilles 'Rancho'
Arbre dense, à port étalé puis conique. Petites feuilles ovales, caduques, luisantes, vert foncé. Bouquets de fleurs jaunâtres à la mi-été.

Idesia polycarpa
Arbre à port étalé. Grandes feuilles caduques cordiformes, à long pétiole, vert sombre luisant. À mi-été, panicules de petites fleurs jaune-vert, parfumées. En automne, sur les plantes femelles, groupes de fruits rouges pendants.

Quercus rubra 'Aurea'
Chêne rouge 'Aurea'
Arbre à croissance lente, port étalé. Grandes feuilles caduques lobées, d'abord jaune clair, vertes à mi-été. Donne la meilleure couleur en situation dégagée mais abritée.

Acer giraldii
Acer monspessulanum
Aesculus glabra
Alnus glutinosa 'Imperialis'

Eucommia ulmoides
Fagus grandifolia
Nothofagus antarctica
Ostrya carpinifolia

Platycarya strobilacea
Pyrus calleryana 'Bradford'
Quercus aliena
Quercus dentata

Ulmus parvifolia

◻◻ VERT, JAUNE

◼◻ BLANC, ROSE, ROUGE

Phellodendron chinense
Arbre à port étalé. Feuilles caduques aromatiques vert sombre avec de 7 à 13 folioles oblongues, virant au jaune en automne. Début été, grappes pendantes de fleurs verdâtres, suivies de fruits noirs sur les arbres femelles.

☼ ◐ ◊ ❋ ❋ ❋

Robinia pseudoacacia 'Frisia'
Robinier faux-acacia 'Frisia'
Arbre à port étalé; feuillage caduc luxuriant, jaune d'or quand il est jeune, vert jaune en été et jaune orangé en automne. Fleurs blanches parfumées.

☼ ◊ ❋ ❋ ❋

Ulmus 'Dicksonii', syn.
U. carpinifolia 'Sarniensis Aurea', *U.* 'Wheatleyi Aurea'
Orme doré
Arbre conique à croissance lente, de constitution dense. Feuilles petites, caduques, jaune d'or vif.

☼ ◊ ❋ ❋ ❋

Alnus glutinosa 'Aurea'
Catalpa bignonioides 'Aurea'
Quercus robur 'Concordia'

Eucryphia × *nymansensis*
Arbre en colonne, à feuillage persistant. Certaines des feuilles vert sombre, coriaces, luisantes, sont simples, les autres comprennent 3 folioles (rarement 5). De grandes fleurs blanches s'ouvrent en fin d'été ou début d'automne.

☼ ◐ ◊ ❋ ❋

Syzygium paniculatum, syn.
Eugenia australis, E. paniculata
Arbre de forme arrondie au feuillage persistant brillant vert foncé (jeunes feuilles cuivrées). Fleurs blanc crème à sépales rougeâtres. Fruits parfumés rose pourpré.
Min. 10 °C.

☼ ◊

AUTRES PLANTES CONSEILLÉES :
Chorisia speciosa, p. 44
Cornus capitata
Magnolia delavayi

Acer davidii 'Madeline Spitta'
Érable davidii 'Madeline Spitta'
Arbre aux branches dressées striées de vert et de blanc. Le feuillage caduc luisant vert sombre devient orange en automne; fruits ailés verts, puis bruns.

☼ ◊ ❋ ❋ ❋

Sorbus hupehensis 'Rosea'
Sorbier hupehensis 'Rosea'
Arbre à port étalé. Feuilles caduques composées de 4 à 8 paires de folioles bleu-vert devenant rouge orangé en fin d'automne. Fleurs blanches printanières suivies de fruits roses persistants.

☼ ◊ ❋ ❋ ❋

Sorbus commixta
Sorbier commixta
Arbre vigoureux à port étalé. Feuilles caduques imparipennées vert foncé, devenant orange et rouge en automne. Fleurs printanières blanches et fruits rouge vif.

☼ ◊ ❋ ❋ ❋

Sorbus americana
Sorbus hupehensis
Sorbus scalaris

Sorbus aucuparia
Sorbier des oiseleurs
Arbre à feuillage caduc, port étalé. Feuilles à folioles vert moyen virant au rouge ou jaune en automne. Fleurs printanières blanches, et fruits rouges en automne.

☼ ◊ ❋ ❋ ❋

Acer rubrum 'Columnare'
Plaine rouge 'Columnare'
Arbre frêle à port dressé, avec un feuillage caduc vert sombre, lobé, devenant une colonne ardente de rouge et de jaune en automne.

☼ ◊ ❋ ❋ ❋

Acer rufinerve
Érable rufinerve
Arbre à feuillage caduc avec des branches arquées striées de vert et de blanc. En automne, les feuilles lobées vert sombre deviennent rouge et orange brillants.

Stuartia monadelpha
Arbre à feuillage caduc, à port étalé, avec une écorce qui s'exfolie, et des feuilles brillantes vert sombre qui deviennent orange et rouges en automne. Petites fleurs blanches à anthères violettes en milieu d'été.

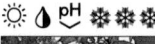

Acer saccharum 'Temple's Upright'
Érable à sucre 'Temple's Upright'
Arbre en forme de colonne. En automne, les grandes feuilles lobées caduques deviennent orange et rouge brillants.

 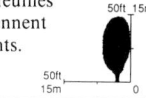

Aesculus flava, syn. *A. octandra*
Marronnier jaune
Arbre à port étalé. Les feuilles caduques luisantes vert sombre, à 5 ou 7 folioles, rougissent en automne. Des fleurs jaunes apparaissent en fin de printemps et début d'été.

Acer henryi
Érable henryi
Arbre à feuillage caduc, à port étalé. Les feuilles dentées vert sombre à 3 folioles ovales deviennent orange et rouge éclatants en automne.

Parrotia persica
Arbre à feuillage caduc, port étalé, tronc court; écorce gris et fauve qui s'exfolie. Feuilles vert intense devenant jaune, orange et rouge pourpré en automne. Petites fleurs sur le bois nu début printemps.

Nyssa sinensis
Tupélo sinensis
Arbre à feuillage caduc, à port étalé. Longues feuilles pointues, pourprées quand elles sont jeunes, vert sombre à l'état adulte, et écarlate vif en automne.

Acer capillipes
Érable capillipes
Arbre à feuillage caduc, à port étalé. Feuilles lobées vert vif qui deviennent rouge et orange brillants en automne. Les branches âgées sont striées de bandes vertes et blanches.

 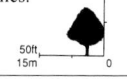

Quercus × *heterophylla*
Chêne × heterophylla
Arbre à feuillage caduc, à port étalé. Feuilles luisantes vert vif à bord denté, qui virent au rouge orangé et jaune à l'automne.

Sorbus 'Joseph Rock'
Sorbier 'Joseph Rock'
Arbre à port dressé. Feuilles caduques vert vif à nombreuses folioles devenant orange, rouges et pourpres en automne. Fleurs blanches au printemps, suivies de gros groupes de petites baies jaunes.

Cladrastis lutea
Virgilier à bois jaune
Arbre à cime arrondie. Feuilles caduques à 7 ou 9 folioles vert sombre, devenant jaunes en automne. Grappes de fleurs parfumées blanches marquées de jaune, début été.

 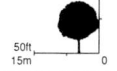

Arbres/taille moyenne

⬜ BLANC, JAUNE

◼ ROUGE

Betula utilis var. *jacquemontii*
Bouleau utilis var. **jacquemontii**
Arbre élégant à la ramification ouverte,
avec une écorce blanc éclatant. Feuilles
caduques ovales à bord en dent de scie,
virant au jaune clair en
automne.

Michelia doltsopa
Arbre arrondi à feuilles persistantes
ovales brillantes vert sombre, à dessous
plus pâle. Fleurs très odorantes, proches
de celles des magnolias, à pétales de
blanc à jaune, apparaissant en
hiver-printemps.

Acacia dealbata
Mimosa
Arbre à croissance rapide, port étalé, à
feuilles persistantes plumeuses bleu-
vert, composées de nombreuses folioles.
Glomérules de fleurs jaune vif
en hiver-printemps.

AUTRES PLANTES CONSEILLÉES :
Bauhinia purpurea
Salix daphnoides, p. 48
Tabebuia chrysotricha, p. 69

Arbutus × andrachnoides
Arbousier × andrachnoides
Arbre à feuillage vert sombre persistant,
touffu, à port étalé, avec une écorce brun
rougeâtre s'exfoliant. Panicules
terminales de petites fleurs
blanches en automne
jusqu'au printemps, puis
petits fruits orange ou
rouges en forme de fraise.

Metrosideros excelsa
Arbre robuste; port très étalé. Feuilles
persistantes luisantes vert sombre
dessus, blanc feutré au-dessous. Touffes
voyantes d'étamines cramoisies
apparaissant en gros groupes
terminaux. Min. 5 °C.

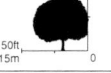

☐ BLANC, VERT

Ficus benjamina 'Variegata'
Arbre dense, pleureur, à cime arrondie, avec souvent des racines aériennes. Feuilles caduques étroites, pointues, lustrées qui sont vert intense panaché de blanc. Min. 10 °C.

Trochodendron aralioides
Arbre à port étalé, à feuillage persistant brillant vert foncé. En fin de printemps et début d'été, porte des grappes de fleurs vertes, sans pétales.

Schefflera actinophylla
Arbre ombrelle
Arbre à port dressé. Larges feuilles persistantes à folioles, digitées; grands rameaux de petites fleurs rouge terne en été ou automne. Min. 16 °C.

Acer pensylvanicum
Érable jaspé
Arbre à feuillage caduc, à port dressé. Les pousses sont fortement zébrées de vert et blanc. Grandes feuilles lobées vert moyen, virant au jaune vif en automne.

Eucalyptus pauciflora
Arbre à feuilles persistantes, à port étalé, avec une jeune écorce blanche qui s'exfolie et des jeunes pousses rouges. En été, des ombelles de fleurs blanches apparaissent au milieu du feuillage lustré gris-vert.

Trachycarpus fortunei
Palmier de Chine
Arbre à tronc sans branches, avec une tête de grandes feuilles persistantes profondément divisées, en forme d'éventail, vert moyen. Amas de fleurs parfumées jaune crème en début d'été.

Eucalyptus niphophila
Arbre à feuillage persistant, à port étalé. Écorce s'exfoliant et ressemblant à un patchwork. Feuilles gris-vert à bord rouge, et fleurs blanches estivales.

Quercus myrsinifolia
Chêne myrsinifolia
Arbre à feuilles persistantes, cime arrondie, avec des feuilles étroites, pointues, brillantes, vert sombre (pourpre rougeâtre quand elles sont jeunes).

Prunus maackii
Cerisier maackii
Arbre à feuillage caduc, port étalé, à écorce brun jaunâtre qui s'exfolie. Grappes de petites fleurs blanches en milieu de printemps. Feuilles pointues vert sombre virant au jaune en automne.

AUTRES PLANTES CONSEILLÉES :
Acer davidii
Betula 'Jermyns'
Cinnamomum camphora

Cyathea medullaris
HOUX, pp. 70-71
Laurus nobilis
Lithocarpus densiflorus

Magnolia grandiflora
Salix × rubens 'Basfordiana'

VERT, ORANGE

Jubaea chilensis, syn. *J. spectabilis*
Cocotier du Chili
Palmier poussant lentement, à tronc
massif, à grandes feuilles persistantes
vert argenté. Petites fleurs
marron et jaune au
printemps, et fruits jaunes
ligneux en automne. Min. 10 °C.

50ft_15m
50ft 15m 0

Livistona chinensis
Palmier à croissance lente, à tronc fort.
Feuilles persistantes luisantes, en
éventail, de 1 à 3 m d'envergure. En
automne, les arbres adultes portent des
groupes lâches de fruits noirs
ressemblant à des baies.
Min. 7 °C.

50ft_15m
50ft 15m 0

Quercus agrifolia
Chêne agrifolia
Arbre à port étalé, portant des feuilles
persistantes rigides, brillantes, vert
sombre, à bord armé de dents épineuses.

50ft_15m
50ft 15m 0

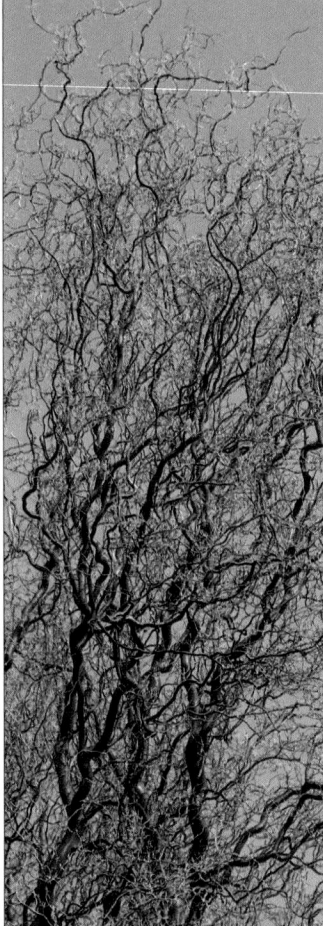

Salix matsudana 'Tortuosa'
Saule matsudana 'Tortuosa'
Arbre à croissance rapide; feuillage
caduc, port étalé, avec des pousses
curieusement tordues, et des feuilles
étroites effilées tordues vert
vif.

50ft_15m
50ft 15m 0

Corynocarpus laevigata
Arbre à port dressé, puis s'étalant avec
l'âge. Feuilles persistantes coriaces et
groupes de petites fleurs verdâtres au
printemps-été. Fruits orange,
ressemblant à des prunes,
apparaissant en hiver. Min.
7-10 °C.

 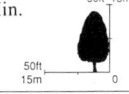
50ft_15m
50ft 15m 0

Betula alleghaniensis
HOUX, pp. 70-71
Prunus serrula

BLANC

Mespilus germanica
Néflier commun
Arbre ou arbrisseau à feuillage caduc,
port étalé. Feuilles vert sombre,
devenant brun orangé en automne;
fleurs blanches au printemps et
en été, et fruits comestibles
après blettissement.

30ft_10m
30ft 10m 0

Amelanchier laevis
Arbre ou grand arbrisseau à port étalé.
Les feuilles caduques ovales sont
d'abord bronzées, puis vert foncé en été,
rouges et orange en automne. Au
printemps, bouquets de fleurs
blanches, suivies de fruits
rouges ronds et charnus.

 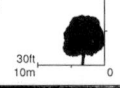
30ft_10m
30ft 10m 0

Crataegus laciniata, syn.
C. orientalis
Aubépine orientalis
Arbre à port étalé. Feuilles caduques
bien lobées, gris foncé. Profusion de
fleurs blanches fin printemps
ou début été, suivies de fruits
rouges teintés de jaune.

30ft_10m
30ft 10m 0

Cornus florida 'White Cloud'
**Cornouiller à fleurs
'White Cloud'**
Arbre à port étalé. Au printemps,
masses de grandes bractées blanches
autour de petites fleurs;
feuilles caduques, virant
au rouge en automne.

30ft_10m
30ft 10m 0

Aesculus californica
Marronnier californica
Arbre à port étalé, parfois touffu. Au
printemps et début été, panicules denses
de fleurs blanches parfumées, parfois
teintées de rose. Petites
feuilles caduques vert foncé
de 5 à 7 folioles.

30ft_10m
30ft 10m 0

AUTRES PLANTES CONSEILLÉES :
Agonis flexuosa, p. 63
Amelanchier arborea
Amelanchier asiatica
Arbutus andrachne
Bauhinia variegata 'Candida', p. 69
Cornus 'Eddie's White Wonder', p. 68
Crataegus crus-galli

Magnolia salicifolia
Arbre conique avec des feuilles
caduques ovales, aromatiques, vert
moyen en dessus, blanc gris en dessous.
Fleurs parfumées blanc pur s'ouvrant au
milieu du printemps avant
l'apparition du feuillage.

☼ ◊ ❊ ❊ ❊

Magnolia cylindrica
Arbre ou grand arbrisseau à feuillage
caduc, port étalé. Fleurs parfumées
dressées, blanc crème, produites au
milieu du printemps avant que les
feuilles jeunes ne virent au
vert sombre.

☼ ◊ ❊ ❊ ❊

Prunus serrulata 'Shirotae'
Cerisier japonais 'Shirotae'
Arbre à port étalé, aux branches
légèrement arquées. À mi-printemps,
grandes fleurs simples ou semi-doubles,
blanc pur. Feuilles caduques
virant au rouge orangé en
automne.

☼ ◊ ❊ ❊ ❊

Magnolia 'Wada's Memory'
Arbre en forme de cône dense, au
feuillage caduc aromatique vert sombre,
et portant une profusion de grandes
fleurs blanches parfumées de milieu à
fin printemps avant
l'apparition des feuilles
ovales.

☼ ◊ ❊ ❊ ❊

Prunus serrulata 'Tai Haku'
Cerisier japonais 'Tai Haku'
Arbre vigoureux, à feuillage caduc, port
étalé. Porte de très grandes fleurs
simples blanc pur au milieu du
printemps parmi les feuilles
d'abord rouge bronzé, puis
vert sombre.

☼ ◊ ❊ ❊ ❊

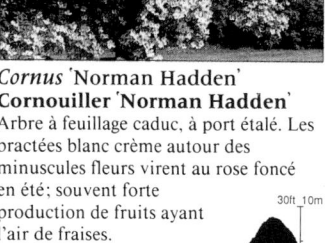

Cornus 'Norman Hadden'
Cornouiller 'Norman Hadden'
Arbre à feuillage caduc, à port étalé. Les
bractées blanc crème autour des
minuscules fleurs virent au rose foncé
en été; souvent forte
production de fruits ayant
l'air de fraises.

☼ ◊ ❊ ❊ ❊

Prunus incisa
Cerisier incisa
Arbre à feuillage caduc, à port étalé.
Fleurs blanches ou rose pâle en début de
printemps. Feuilles vert sombre
fortement dentées, rougeâtres
au printemps, rouge orangé
en automne.

☼ ◊ ❊ ❊ ❊

Prunus serrulata 'Ukon'
Cerisier japonais 'Ukon'
Arbre vigoureux, à port étalé. À mi-
printemps, boutons roses s'épanouissant
en fleurs semi-doubles verdâtre pâle et
blanc parmi les feuilles
caduques d'abord bronze
pâle, puis vert sombre.

☼ ◊ ❊ ❊ ❊

Prunus serrulata 'Shimidsu'
Cerisier japonais 'Shimidsu'
Arbre à cime arrondie. Boutons roses,
puis, en fin de printemps, grandes fleurs
doubles blanches, à longs pédoncules,
pendant en corymbes. Feuilles
caduques, orange et rouge à
l'automne.

☼ ◊ ❊ ❊ ❊

■ ROSE

Prunus × yedoensis
Cerisier × yedoensis
Arbre à feuillage caduc, cime arrondie, aux branches étalées, arquées. Des rameaux de boutons roses s'ouvrent en fleurs blanches ou rose pâle en début de printemps.

Prunus × hillieri 'Spire'
Cerisier 'Spire'
Arbre à forme d'abord conique, puis évasée. Profusion de fleurs rose tendre de début à mi-printemps. Feuilles caduques, d'abord bronzées, puis vert sombre, enfin rouge orangé en automne.

Prunus serrulata 'Hokusai'
Cerisier japonais 'Hokusai'
Arbre à feuillage caduc; port étalé. Feuilles jeunes bronzées, adultes vert sombre, devenant orange et rouges à l'automne. Porte des fleurs semi-doubles rose pâle en milieu de printemps.

Prunus subhirtella 'Stellata',
syn. *P*. 'Pink Star'
Cerisier 'Stellata'
Arbre à port étalé. De début à mi-printemps, fleurs roses à pétales étroits pointus, rouges en bouton. Feuillage caduc vert, jaune en automne.

Malus × arnoldiana
Pommier × arnoldiana
Arbre bas, port étalé, branches arquées, feuillage caduc. À mi- et fin printemps, fleurs parfumées roses, rouges en bouton, se décolorant en blanc. Petites pommes jaunes et rouges en automne.

Prunus serrulata 'Shirofugen'
Cerisier japonais 'Shirofugen'
Arbre à port étalé; feuilles caduques rouge bronzé, en automne rouge orangé. Boutons rose pâle donnant des fleurs parfumées doubles, blanches, qui rosissent avant de se faner fin printemps.

Prunus 'Pandora'
Cerisier 'Pandora'
Arbre à port dressé s'étalant ensuite. Groupes denses de fleurs rose pâle en début de printemps. Feuilles caduques, d'abord bronzées, vert foncé en été, et souvent orange et rouges en automne.

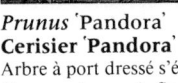

Prunus sargentii
Cerisier sargentii
Arbre à port étalé. Feuillage caduc d'abord rouge, puis vert sombre, devenant rouge orangé brillant en début d'automne. Bouquets de fleurs rose-rouge à mi-printemps.

Prunus 'Pink Perfection'
Cerisier japonais 'Pink Perfection'
Arbre à port dressé. Fleurs doubles rose pâle en fin de printemps. Feuillage caduc, d'abord bronzé, vert sombre en été.

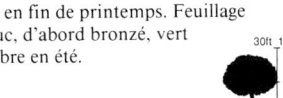

Prunus 'Accolade'
Cerisier 'Accolade'
Arbre à port étalé. Bouquets de boutons rose foncé s'ouvrant en fleurs semi-doubles rose pâle début printemps. Feuilles caduques dentées vert moyen, rouge orangé en automne.

Prunus subhirtella 'Pendula Rubra'
Cerisier 'Pendula Rubra'
Arbre à port pleureur. Fleurs rose foncé au printemps avant l'apparition des feuilles caduques vert sombre, qui deviennent jaunes en automne.

Malus 'Magdeburgensis'
Pommier 'Magdeburgensis'
Arbre à feuillage caduc, vert sombre, port étalé. Bouquets denses de grandes fleurs semi-doubles, rose foncé, en fin de printemps, parfois suivies de petites pommes sauvages jaunes.

Cercis siliquastrum
Arbre de Judée
Arbre à port étalé, allure touffue. Bouquets de fleurs rose vif à mi-printemps, avant ou avec les feuilles caduques en forme de cœur, suivies fin été de longues gousses rouge pourpré.

Prunus persica 'Prince Charming'
Pêcher 'Prince Charming'
Arbre à feuilles caduques étroites vert vif, port étalé, cime touffue. Fleurs doubles rose foncé produites en milieu de printemps.

Prunus 'Kiku-shidare'
Cerisier japonais 'Kidu-shidare'
Arbre pleureur à feuillage caduc. Fleurs rose vif qui couvrent les branches pendantes du milieu à la fin du printemps.

Malus floribunda
Pommier floribunda
Arbre à feuilles caduques, port étalé, cime dense. Fleurs rose pâle, rouges en bouton, de milieu à fin printemps, suivies en automne de minuscules pommes sauvages jaunes.

Dombeya × *cayeuxii*
Arbre touffu à feuilles persistantes, cordiformes, dentées, entières ou trilobées. Fleurs roses apparaissant en ombelles pendantes, globuleuses, en hiver ou au printemps. Min. 10-13 °C.

Prunus 'Yae-murasaki'
Cerisier japonais 'Yae-murasaki'
Arbre à port étalé. Feuilles caduques, d'abord bronzées, puis vert vif, enfin rouge orangé. Fleurs semi-doubles rose foncé au milieu du printemps.

 ROUGE, JAUNE

Malus 'Royalty'
Pommier 'Royalty'
Arbre à feuillage caduc pourpre vif, port étalé. Fleurs pourpre cramoisi de milieu à fin printemps, suivies en automne de petites pommes sauvages rouge sombre.

Acer pseudoplatanus 'Brilliantissimum'
Érable sycomore 'Brilliantissimum'
Arbre à croissance lente, à port étalé. Feuilles caduques lobées, rose saumon, puis jaunes, enfin vert sombre en été.

Malus 'Lemoinei'
Pommier 'Lemoinei'
Arbre à port étalé. Feuilles caduques, d'abord pourpre rougeâtre foncé se teintant plus tard de bronze. Fleurs rouges en fin de printemps, suivies de petites pommes pourpre rougeâtre foncé.

Michelia figo
Arbre ou arbrisseau arrondi à feuilles persistantes ovales brillantes, vert intense; fleurs jaune crème bordé de marron, à odeur de banane, au printemps et en été. Min. 5 °C.

Aesculus × neglecta 'Erythroblastos'
Marronnier × neglecta 'Erythroblastos'
Arbre à feuilles caduques à 5 folioles, d'abord rose vif, puis jaunes, vert foncé en été, orange et jaunes en automne.

Sophora tetraptera
Arbre à port étalé ou gros arbrisseau à feuilles semi-persistantes vert sombre, composées de nombreuses petites folioles. Les fleurs jaune d'or apparaissent en fin de printemps.

 BLANC

Cornus alternifolia 'Argentea'
Cornouiller alternifolia panaché
Arbre à port étalé, cultivé pour son feuillage caduc, panaché de blanc. Petites cymes de fleurs blanches au printemps.

Acer crataegifolium 'Veitchii'
Érable 'Veitchii'
Arbre touffu aux branches striées de vert et blanc. Petites feuilles caduques pointues vert sombre panaché de blanc et de vert plus pâle, devenant rose foncé et pourpre rougeâtre en automne.

Cornus controversa 'Variegata'
Cornouiller controversa 'V.'
Arbre à branches étagées; en été, fleurs blanches en cymes. Feuilles caduques vert vif largement panachées de blanc crème, devenant jaunes en automne.

Magnolia × wieseneri, syn. M. × watsonii

Arbre ou arbrisseau à feuilles caduques, port étalé, ouvert. Boutons blancs arrondis puis, fin printemps et début été, fleurs parfumées blanc crème, rosées à l'extérieur, à étamines cramoisies.

Eucryphia glutinosa

Arbre à port dressé ou étalé. Feuilles caduques brillantes vert sombre, composées de 3-5 folioles virant au rouge orange en automne. De grandes fleurs parfumées blanches apparaissent de mi- à fin été.

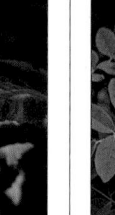

Maackia amurensis

Arbre à port étalé, avec des feuilles caduques vert foncé formées de 7 à 11 folioles. Des épis denses érigés de fleurs blanches apparaissent de mi- à fin été.

Crataegus flava
Épine à fruits jaunes

Arbre à port étalé, avec de petites feuilles caduques vert sombre, et des fleurs blanches en fin de printemps et début d'été, suivies de fruits jaune verdâtre.

Magnolia wilsonii

Arbre ou arbrisseau à port étalé. En fin de printemps et début d'été, des fleurs blanches en forme de coupe, avec des étamines cramoisies, pendent des branches arquées au milieu des feuilles lancéolées.

Agonis flexuosa

Arbre pleureur, aux feuilles persistantes lancéolées coriaces, aromatiques, d'abord rouge bronzé. Au printemps, jusqu'en été, les arbres adultes portent en abondance de petites fleurs blanches. Min. 10 °C.

Albizia julibrissin
Arbre de soie

Arbre à feuillage caduc, port étalé. Grandes feuilles vert clair divisées en nombreuses folioles; des bouquets de fleurs roses apparaissent en fin d'été et en automne.

Hoheria angustifolia

Arbre à port columnaire, à feuilles persistantes étroites vert sombre. Porte des fleurs blanches en forme de coupe peu profonde de mi- à fin été.

Hoheria lyallii

Arbre à port étalé, à feuilles caduques vertes à bord denté. Porte des bouquets de fleurs blanches au milieu de l'été.

Eucryphia lucida

Arbre touffu à port dressé, avec des feuilles persistantes vert sombre, étroites et brillantes, et des fleurs blanches parfumées en début et en milieu d'été.

Cornus florida 'Spring Song'
Cornouiller à fleurs 'Spring Song'

Arbre à port étalé. Printemps et été, bractées roses entourant de minuscules fleurs. Feuilles caduques ovales, pointues, vertes, puis rouges et pourpres.

Crataegus prunifolia
Crataegus tanacetifolia
Elaeocarpus reticulatus
Franklinia alatamaha

Fraxinus mariesii
Hoheria 'Glory of Amlwch'
Hoheria sexstylosa
Magnolia sieboldii

Magnolia virginiana
Sophora japonica 'Pendula'
Xanthoceras sorbifolium, p. 87

Arbres/petite taille

ROSE, ROUGE, POURPRE

POURPRE, VERT

Lagerstroemia indica
Lilas d'été
Arbre de forme arrondie ou grand
arbrisseau, à feuillage caduc. En été,
touffes de fleurs à pétales fortement
ondulés, roses, blancs ou
pourpres.

Crataegus laevigata 'Paul's
Scarlet'
Aubépine 'Paul's Scarlet'
Arbre à port étalé. Feuilles caduques
brillantes vert sombre à bord denté, et
une profusion de fleurs
doubles rouges en fin de
printemps et début d'été.

 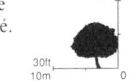

Acer palmatum 'Atropurpureum', p. 89
Aesculus pavia
Corylus maxima 'Purpurea', p. 89
Prunus spinosa 'Purpurea', p. 89

Malus yunnanensis 'Veitchii'
Pommier yunnanensis 'Veitchii'
Arbre à port dressé. Feuilles caduques
cordiformes lobées, duvet gris en
dessous. Fin printemps, fleurs blanches
parfois teintées de rose. Fin été et
automne, abondance de petites
pommes brun rougeâtre.

Aesculus pavia 'Atrosanguinea'
**Marronnier rouge
'Atrosanguinea'**
Arbre à cime arrondie, parfois à port
arbustif. En été, panicules de fleurs
rouge foncé. Feuilles caduques
à 5 folioles étroites, vert
foncé, brillantes.

Cercis canadensis 'Forest Pansy'
**Gainier du Canada
'Forest Pansy'**
Arbre ou arbrisseau à port étalé. À
mi-printemps, fleurs rose violacé en
bouton, puis rose pâle, avant les
feuilles caduques cordiformes
pourpre rougeâtre.

Punica granatum

Prunus cerasifera 'Nigra'
Prunier myrobolan 'Nigra'
Arbre à cime arrondie, à feuilles
caduques pourpre foncé, rouges quand
elles sont jeunes. Porte des fleurs roses à
profusion du début au milieu
du printemps.

Ehretia dicksonii
Arbre à port étalé, aux fortes branches
cannelées et aux grandes feuilles
caduques vert sombre. Porte de grosses
têtes aplaties de petites fleurs parfumées
blanches, en milieu d'été.

Acer platanoides 'Globosum'
Elaeagnus angustifolia, p. 90
Fagus sylvatica 'Purpurea Pendula'
Morus alba 'Pendula'

Pyrus salicifolia 'Pendula'
**Poirier pleureur à feuilles
de saule**
Arbre pleureur, en forme de monticule.
Fleurs blanches au milieu du printemps,
et feuilles caduques étroites
grises.

Pyrus elaeagrifolia
Pyrus salicifolia
Salix pentandra

Juglans microcarpa,
syn. *J. rupestris*
Noyer rupestris
Arbre à cime touffue. Grandes feuilles caduques aromatiques à nombreuses folioles étroites, pointues, vert sombre virant au jaune en automne.

☀ ◊ ❄❄❄

Acer carpinifolium
Érable à feuilles de charme
Arbre élégant, souvent à plusieurs troncs. Feuilles caduques à nervures proéminentes, rappelant celles du charme, vert sombre, devenant brun doré en automne.

☀ ◊ ❄❄❄

Koelreuteria paniculata
Savonnier
Arbre à port étalé; feuilles caduques vert moyen devenant jaune en automne. Porte des ramilles de fleurs jaunes en été, suivies de fruits renflés rose bronzé en automne.

☀ ◊ ❄❄

Pseudopanax ferox
Arbre à port dressé. Feuilles persistantes, longues, étroites, rigides, fortement dentées, de couleur vert bronze sombre, recouvert de blanc ou de gris.

☀ ◊ ❄❄

Cydonia oblonga 'Vranja'
Cognassier commun 'Vranja'
Arbre à port étalé. Grandes fleurs blanches ou rose pâle en fin de printemps, suivies de fruits jaune d'or très parfumés, parmi les feuilles caduques vert foncé à dessous gris feutré.

☀ ◊ ❄❄❄

Acer japonicum 'Aureum'
Érable doré du Japon
Arbre touffu ou grand arbrisseau dont les feuilles caduques jaune pâle ont de nombreux lobes.

☀ ◊ ❄❄❄

Ulmus glabra 'Camperdownii'
Orme blanc 'Camperdownii'
Arbre à port fortement pleureur, à branches sinueuses. Les très grandes feuilles caduques sont rugueuses, vert terne.

☀ ◊ ❄❄❄

Betula pendula 'Youngii'
Bouleau pleureur 'Youngii'
Arbre pleureur dont les branchettes filiformes présentent un dôme en forme de champignon. Feuilles caduques dentées; écorce blanche lisse avec des fissures noires à maturité.

☀ ◊ ❄❄❄

Morus alba 'Laciniata'
**Mûrier commun
à feuilles laciniées**
Arbre à port étalé. Feuilles lobées, brillantes, caduques, virant au jaune en automne; en été, fruits comestibles roses, rouges ou pourpre foncé.

☀ ◊ ❄❄❄

Laburnum × *watereri* 'Vossii'
Arbre à port étalé. Feuilles caduques luisantes, vert foncé, comprenant 3 folioles; porte des grappes de grandes fleurs jaunes en fin de printemps et début d'été.

☀ ◊ ❄❄❄

65

Genista aetnensis
Genêt de l'Etna
Arbre presque sans feuilles, arrondi,
avec de nombreuses branches fines vert
vif, et une profusion de fleurs parfumées
jaune d'or à mi-été.

Albizia distachya,
syn. *A. lophanta*
Arbre à croissance rapide, port étalé.
Feuilles caduques vert sombre, en
fougère, à nombreuses folioles. Épis de
fleurs crème,
apparaissant en
printemps-été.

Thevetia peruviana,
syn. *T. neriifolia*
Laurier rose à fleurs jaunes
Arbre à port érigé; feuilles persistantes
étroites, lancéolées, vert intense; fleurs
jaunes en entonnoir en
printemps-été. Min. 16-
18 °C.

Laburnum alpinum
Arbre à port étalé. Feuilles caduques
luisantes vert sombre comprenant
3 folioles. Des grappes longues et fines
de fleurs jaune vif apparaissent en fin de
printemps ou début été.

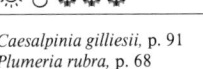

Embothrium coccineum
Arbre drageonnant à port dressé, à
feuilles vert foncé persistantes ou
semi-persistantes, luisantes. Porte des
inflorescences voyantes de fleurs
rouge orangé brillant, en fin
de printemps et début d'été.

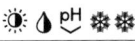

Caesalpinia gilliesii, p. 91
Plumeria rubra, p. 68
Tecoma stans, p. 68

Sorbus cashmiriana
Sorbier cashmiriana
Arbre à port étalé, aux feuilles caduques
comprenant de 6 à 9 paires de folioles
vert intense. Fleurs blanches rosissantes,
en début d'été, suivies en
automne de gros fruits
blancs.

Arbutus unedo
Arbousier
Arbre à port étalé. Écorce brune
rugueuse. Feuilles persistantes luisantes
vert foncé. Fleurs blanches en automne-
hiver alors que mûrissent les
fruits rouges en forme de
fraises de la saison précédente.

Cornus florida ʹWelchiiʹ
Cornouiller à fleurs ʹWelchiiʹ
Arbre à port étalé, feuillage caduc.
Bractées blanches entourant de
minuscules fleurs au printemps. Feuilles
vert bordé de blanc et rose,
virant au rouge et pourpre
en automne.

AUTRES PLANTES CONSEILLÉES :
HOUX, pp. 70-71
Lagerstroemia indica, p. 64
Schinus molle

Sorbus vilmorinii
Sorbier vilmorinii
Arbre à port étalé; branches s'arquant.
Feuilles caduques de 9 à 14 paires de
folioles, vert sombre devenant orange
ou rouge bronzé. Fleurs
blanches fin printemps;
petits fruits rose foncé.

Malus ʹVeitch's Scarletʹ
Pommier ʹVeitch's Scarletʹ
Arbre à port étalé, à feuillage caduc vert
sombre. Fleurs blanches en fin de
printemps; en automne, petites pommes
sauvages écarlates teintées de
cramoisi.

Sorbus insignis
Sorbus prattii

Crataegus macrosperma var. *acutiloba*
Aubépine 'Acutiloba'
Arbre à port étalé, à larges feuilles caduques dentées, vert sombre. Fleurs blanches à anthères rouges en fin de printemps, suivies de fruits rouge vif.

Stranvaesia davidiana
Arbre ou arbrisseau à port étalé, à feuilles persistantes vert sombre, étroites, brillantes, les plus anciennes virant au rouge en automne. Ramilles de fleurs blanches début été; groupes de fruits rouge vif en automne.

Malus 'Cowichan'
Pommier 'Cowichan'
Arbre à port étalé, à feuillage caduc vert sombre (d'abord pourpre rougeâtre). Fleurs roses en milieu de printemps, suivies de pommes sauvages pourpre rougeâtre.

Crataegus pedicellata
Aubépine pedicellata
Arbre à port étalé. Feuilles caduques dentées vert sombre, devenant orange et rouges en automne. Fleurs blanches à anthères rouges en fin de printemps; fruits rouge vif en automne.

Malus 'John Downie'
Pommier 'John Downie'
Arbre d'abord étroit et dressé, puis conique. Fleurs blanches au milieu du feuillage caduc vert vif en fin de printemps; pommes 'sauvages' comestibles orange teinté de rouge en automne.

Acer palmatum var. *coreanum*
Érable paluratum G.
Arbre ou grand arbrisseau à cime touffue. Feuilles caduques lobées, vert moyen virant au rouge brillant en automne. Petites fleurs rouge pourpre au printemps.

 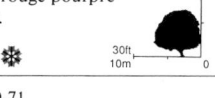

Acer japonicum 'Aconitifolium'
Érable du Japon 'Aconitifolium'
Arbre touffu ou grand arbrisseau. Feuilles caduques profondément divisées, vert moyen, rouges en automne. Fleurs pourpre rougeâtre à mi-printemps.

Malus prunifolia
Pommier prunifolia
Arbre à port étalé, feuilles caduques vert sombre, et fleurs blanches parfumées au printemps. En automne, petites pommes sauvages rouges, parfois jaunâtres, très persistantes.

Acer japonicum 'Vitifolium'
Érable du Japon 'Vitifolium'
Arbre touffu ou grand arbrisseau vigoureux, à grandes feuilles caduques lobées, vert moyen, virant au rouge, orange et pourpre brillants en automne.

 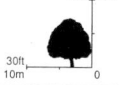

Cotoneaster frigidus
Crataegus crus-galli
Crataegus laevigata 'Punicea'
Crataegus monogyna

HOUX, pp. 70-71
Malus × purpurea
Rhus typhina
Sorbus sargentiana

Arbres/petite taille

■ ROUGE

Rhus trichocarpa
Sumac trichocarpa
Arbre à port étalé; grandes feuilles caduques à folioles (de 13 à 17), rappelant celles du frêne, d'abord rosâtres, vert sombre en été, rouge pourpré en automne. Fruits pendants jaunes.

Acer ginnala
Érable ginnala
Arbre ou grand arbrisseau à port étalé. Porte des bouquets de fleurs blanc crème parfumées en début d'été parmi les feuilles caduques vert vif virant au rouge en automne.

Cornus 'Eddie's White Wonder'
Cornouiller 'Eddie's White Wonder'
Arbre à port étalé. Fin printemps, grandes bractées blanches entourant des fleurs insignifiantes. Feuilles caduques vert moyen, rouges et pourpres en automne.

Malus × *zumi* 'Calocarpa'
Pommier × zumi 'Calocarpa'
Arbre à port étalé; feuilles caduques vert sombre parfois bien lobées. Fleurs blanches au printemps, suivies de groupes denses de petites pommes sauvages en forme de cerise, très persistantes.

Malus 'Marshall Oyama'
Pommier 'Marshall Oyama'
Arbre à port dressé. Feuilles caduques vert sombre. Fleurs blanches rosissantes fin printemps. En automne, profusion de grandes pommes sauvages arrondies, colorées de cramoisi et jaune.

Malus 'Professor Sprenger'
Pommier 'Professor Sprenger'
Arbre arrondi, dense. Feuilles caduques vert sombre devenant jaunes fin automne. Fleurs blanches (roses en bouton) de mi- à fin printemps, suivies de petites pommes sauvages rouge orangé.

Plumeria rubra
Frangipanier
Arbre ou grand arbrisseau, peu branchu, à port étalé; feuillage caduc. Fleurs parfumées, teintées de jaune, rose, rouge et blanc, en été-automne. Min. 13 °C.

Tecoma stans, syn. *Bignonia stans, Stenolobium stans*
Arbre ou grand arbrisseau érigé. Feuilles persistantes avec de 5 à 13 folioles. Fleurs jaunes, en entonnoir, du printemps à l'automne. Min. 13 °C.

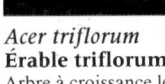

Acer triflorum
Érable triflorum
Arbre à croissance lente, port étalé; écorce gris-brun s'exfoliant. Feuilles caduques à 3 folioles, vert sombre, rouge orangé brillant en automne. Fleurs minuscules jaune-vert fin printemps.

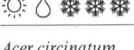

Acer circinatum
Acer palmatum
Cornus florida
Crataegus prunifolia

HOUX, pp. 70-71
Malus niedzwetskyana
Malus 'Royalty', p. 62
Sorbus aucuparia 'Sheerwater Seedling'

Stranvaesia nussia

Acer crataegifolium
Acer palmatum 'Senkaki', p. 92

□ JAUNE

Picrasma quassioides
Arbre à port étalé, à feuilles caduques
vert vif, composées de 9 à 13 folioles,
qui deviennent jaune, orange et rouge
brillants en automne.

☼ ◊ ✽ ✽ ✽

Malus 'Golden Hornet'
Pommier 'Golden Hornet'
Arbre à port étalé, au feuillage caduc
vert sombre. Fleurs blanches en fin de
printemps. En automne, les branches
ploient sous une profusion de
petites pommes sauvages
jaune d'or.

☼ ◊ ✽ ✽ ✽

Crataegus tanacetifolia
Cydonia oblonga 'Lusitanica'
Cydonia oblonga 'Vranja', p. 65
HOUX, pp. 70-71

□ BLANC, ROSE

Bauhinia variegata 'Candida'
Arbre d'abord à port arrondi, s'étalant
avec l'âge. Feuilles profondément
entaillées caduques, en forme d'ovale
large; fleurs blanches de 10 cm
d'envergure, en hiver-
printemps, parfois plus tard.
Min. 15-18 °C.

☼ ◊

Bauhinia variegata
Arbre arrondi à feuilles caduques en
forme d'ovale large, très entaillées.
Fleurs allant de rose violacé à lavande,
ayant jusqu'à 10 cm d'envergure, en
hiver-printemps, parfois plus
tard. Min. 15-18 °C.

☼ ◊

AUTRES PLANTES CONSEILLÉES :
Dombeya × cayeuxii, p. 61
Prunus incisa 'February Pink'
Prunus subhirtella 'Autumnalis'

□ JAUNE

Acacia pravissima
Arbre ou arbrisseau à feuillage
persistant, port étalé, aux branches
arquées. Phyllodes gris argenté
triangulaires à extrémités en épine.
Petits glomérules de fleurs
jaune vif en fin d'hiver-
début printemps.

☼ ◊ ✽

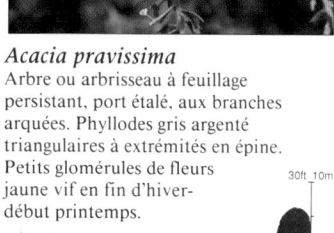

Acacia baileyana
Arbre gracieux à port étalé, aux
branches arquées et aux feuilles
persistantes bleu-gris à divisions fines.
Grappes de petits glomérules de fleurs
jaune d'or apparaissant en
hiver et au printemps.

☼ ◊ ✽

Tabebuia chrysotricha
Arbre à cime ronde, à feuilles caduques
vert sombre divisées en folioles (de 3 à
5), et fleurs jaune intense de 7 cm de
long, portées en fin d'hiver ou début
printemps. Min. 16-18 °C.

☼ ◊

Azara microphylla, p. 93

Houx

Le houx commun, *Ilex aquifolium*, est l'un des arbres ou arbustes persistants les plus connus, mais beaucoup d'autres houx sont des plantes de jardin intéressantes. Leur taille varie, des grands spécimens aux petites espèces pour rocailles et cultures en pot. Les houx supportent bien la taille et peuvent constituer de bonnes haies ; les feuilles des différentes espèces et cultivars peuvent être à bords soit épineux, soit lisses, et variées en couleur (beaucoup sont panachées de jaune crème, blanc ou gris). Les plantes sont unisexuées ; pour voir apparaître les jolies baies rouges, jaunes ou noires, sur les pieds femelles, il faut donc normalement cultiver des pieds des deux sexes. La plupart des houx sont rustiques.

I. fargesii var. *brevifolia*

I. aquifolium 'Pyramidalis'

I. aquifolium 'Argentea Marginata Pendula'

I. × altaclerensis 'Camelliifolia'

I. aquifolium 'Argentea Marginata'

I. ciliospinosa

I. pernyi

I. crenata var. *paludosa*

I. fargesii

I. aquifolium 'Scotica'

I. × altaclerensis 'Lawsoniana'

I. macrocarpa

I. × koehneana

I. crenata 'Helleri'

I. × altaclerensis 'Balearica'

I. crenata 'Latifolia'

I. cornuta 'Burfordii'

I. × altaclerensis 'N.N. Barnes'

I. verticillata

I. aquifolium

I. opaca

I. × aquipernyi

I. × meserveae 'Blue Princess'

I. aquifolium 'Silver Milkmaid'

I. crenata 'Convexa'

I. × altaclerensis 'Belgica'

I. aquifolium 'Silver Queen'

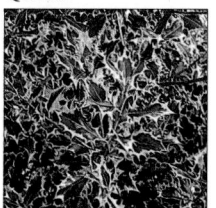

I. aquifolium 'Elegantissima'

I. aquifolium 'Mme Briot'

I. × altaclerensis 'Belgica Aurea'

I. aquifolium 'Crispa Aurea Picta'

I. aquifolium 'Ovata Aurea'

I. aquifolium 'Aurifodina'

I. aquifolium 'Watereriana'

I. serrata f. *leucocarpa*

I. aquifolium 'Pyramidalis Aurea Marginata'

I. × altaclerensis 'Camelliifolia Variegata'

I. chinensis

I. crenata 'Variegata'

I. pedunculosa

Pittosporum crassifolium 'Variegatum'

Arbre dense à cime touffue, à feuilles persistantes, gris-vert bordé de blanc. Au printemps, corymbes de petites fleurs parfumées, pourpre rougeâtre foncé.

Pittosporum eugenioides 'Variegatum'

Arbre en colonne à feuilles persistantes, brillantes, à bords ondulés marginés de blanc. Au printemps, fleurs jaune pâle à odeur de miel.

Acer laxiflorum
Érable laxiflorum

Arbre à port étalé, à branches arquées rayées de vert et blanc. En fin d'été, fruits ailés, rouge pâle. Feuilles à pétioles rouges, caduques, vert foncé, devenant orange en automne.

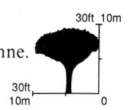

Grevillea banksii

Arbre ou arbuste buissonnant. Ses feuilles persistantes pennées sont duveuteuses au-dessous. Des fleurs rouges, groupées en grappes denses, apparaissent tout au long de l'année. A

Dracaena marginata 'Tricolor'

Plante arborescente dressée, à croissance lente et à feuilles étroites en rosette vert vif, rayées de crème et bordées de rouge. A

Cordyline australis 'Atropurpurea'

Arbre à croissance lente, à feuilles persistantes de pourpre à vert pourpré. En été, panicules terminales de fleurs blanches, suivies, en automne, de fruits blancs globuleux. A

AUTRES PLANTES CONSEILLÉES
Eriobotrya japonica
Kigelia pinnata
Pittosporum tenuifolium, p. 95

Polyscias guilfoylei 'Victoriae', p. 94

Arbres/petite taille

GRIS, VERT

INTÉRÊT TOUTE L'ANNÉE

Leucadendron argenteum
Arbre d'argent
Arbre de conique à columnaire, s'étalant avec l'âge. Feuilles persistantes à longs poils blancs soyeux. Fleurs insignifiantes entourées de bractées argentées en automne-hiver. Min. 7 °C.

Eucalyptus perriniana
Arbre à croissance rapide, à port étalé. Feuilles persistantes; celles du jeune arbre, bleu-gris, arrondies, se rejoignent autour de la tige. Feuilles longues et pendantes sur l'arbre adulte. Fleurs blanches fin été.

Dracaena draco
Dragonnier
Arbre à croissance lente, à cime largement ramifiée. Feuilles persistantes lancéolées rigides grises ou bleu-vert. Sur l'arbre adulte, groupes de baies orange. Min. 18 °C.

Butia capitata, syn. Cocos capitata
Palmier croissant lentement. Feuilles coriaces persistantes en forme de plume, composées de nombreuses folioles fortement arquées ou récurvées, ayant 2 m ou plus de long. Min. 5 °C.

Meryta sinclairii
Arbre à cime arrondie, à grandes feuilles persistantes vert foncé brillant. Fleurs verdâtres apparaissant de façon sporadique du printemps à l'automne, suivies de fruits noirs ressemblant à des baies. Min. 5 °C.

Lithocarpus henryi
Arbre à croissance lente, largement conique, avec des feuilles persistantes brillantes vert pâle qui sont longues, étroites et pointues.

Carpinus betulus 'Fastigiata'
Charme fastigié
Arbre à port dressé, à silhouette caractéristique de flamme, devenant plus ouverte avec l'âge. Feuilles vert sombre à nervures très marquées, devenant jaunes et orange en automne.

Pittosporum dallii
Arbre ou arbrisseau arrondi, dense, ayant des tiges pourprées et des feuilles persistantes vert foncé fortement dentées. Porte des bouquets de petites fleurs blanches parfumées en été.

Chrysalidocarpus lutescens, syn. Areca lutescens
Palmier drageonnant, formant des masses compactes de tiges robustes rappelant des cannes. Longues feuilles arquées à folioles étroites vert jaunâtre. Min. 16 °C.

Cyathea australis
Fougère arborescente au tronc solide presque noir. Feuilles persistantes très divisées, de 2 à 4 m de long, vert clair, à dessous bleuâtre. Min. 10 °C.

Beaucarnea recurvata, syn. Nolina recurvata, N. tuberculata
Arbre ou arbrisseau à croissance lente, au tronc peu branchu. Feuilles récurvées, de 1 m de long, restant en place même après être devenues brunes. Min. 10 °C.

Acer griseum
Érable griseum
Arbre à feuillage caduc, port étalé, avec une remarquable écorce brun orangé qui s'exfolie. Les feuilles vert foncé ont 3 folioles et deviennent rouges et orange en automne.

Eucalyptus ficifolia
HOUX, pp. 70-71
Ligustrum lucidum 'Excelsum Superbum', p. 95

Pittosporum crassifolium
Quercus alnifolia
Quercus coccifera

■■ BLEU, VERT

Abies concolor 'Candicans'
Sapin concolor 'Candicans'
Conifère conique ayant un feuillage glauque argenté contrastant bien avec l'écorce gris foncé. Cônes bleu pâle ou verts mesurant de 8 à 12 cm de long.

Pinus x holfordiana
Pin x holfordiana
Conifère à port ouvert, largement subconique, à gros cônes, bruns à maturité. Feuilles pendantes bleu-vert glauque, réunies par 5.

Cupressus cashmeriana
Cyprès cashmeriana
Conifère élégant, en cône large, s'étalant avec l'âge, à ramules plats, pendants, de feuilles bleu glauque, et à petits cônes globuleux, brun foncé à maturité.

x Cupressocyparis leylandii
«Cyprès» de Leyland
Conifère vigoureux, à port dressé, en colonne s'amenuisant au sommet. Grandit d'1 m par an, donc très utilisé pour faire des écrans. Feuillage vert sombre ou gris-vert, en ramules plats.

Cedrus atlantica f. glauca
Cèdre bleu de l'Atlas
Conifère conique à feuillage bleu argenté très vif, surtout au printemps. Cônes dressés cylindriques produits en automne. Largement planté en isolé.

Pinus peuce
Pin de Macédoine
Conifère à port dressé, formant une pyramide. Feuillage dense vert-gris; cônes verts avec une résine blanche qui devient brune en automne. Bel arbre qui pousse bien en toute situation.

Conifères/grande taille

Pinus coulteri
Pin coulteri
Conifère poussant vite, à gros cônes épineux pesant chacun de 1 à 2 kg. Feuilles réunies en groupes répartis de façon peu dense sur les branches. Tous les sols, même très argileux.

☀ ● ❄ ❄ ❄   100ft 30m / 75ft 22.5m / 0

Abies veitchii
Sapin de Veitch
Conifère à port dressé, aux feuilles vert sombre à dessous argenté, aux cônes bleu violacé cylindriques.

☀◐ ● ❄ ❄ ❄   100ft 30m / 75ft 22.5m / 0

Chamaecyparis lawsoniana ´Intertexta´
« Cyprès » de Lawson ´I.´
Conifère élégant, pleureur, aux ramules lâches, pendantes, à feuillage gris-vert. Vieux arbres en colonne, avec quelques branches divergentes.

☀ ● ❄ ❄ ❄   100ft 30m / 75ft 22.5m / 0

Pseudotsuga menziesii var. *glauca*
Douglas bleu
Conifère conique à croissance rapide; écorce épaisse, cannelée, comme liégeuse, gris-brun; feuilles bleu glauque; bourgeons très pointus. Cônes à bractées saillantes à 3 pointes terminales.

☀◐ ● ❄ ❄ ❄   100ft 30m / 75ft 22.5m / 0

Pinus strobus
Pin Weymouth
Conifère à la cime s'arrondissant avec l'âge. Feuillage gris-vert, cônes cylindriques. L'écorce lisse grise se fissure avec l'âge. Ne supporte pas la pollution.

☀ ● ❄ ❄ ❄   100ft 30m / 75ft 22.5m / 0

Metasequoia glyptostroboides
Conifère poussant vite, à port dressé, à l'écorce fibreuse rougeâtre. Feuilles caduques souples bleu-vert, devenant jaunes, roses et rouges en automne. Cônes de globuleux à ovoïdes, de 2 cm de long.

☀◐ ● ❄ ❄ ❄   100ft 30m / 75ft 22.5m / 0

Pinus montezumae
Pin de Montezuma
Majestueux conifère à cime arrondie, à touffes gris-vert ou bleu-gris de longues feuilles étalées ou pendantes. Cônes ovoïdes allant jusqu'à 15 cm de long.

☀◐ ○ ❄ ❄   100ft 30m / 75ft 22.5m / 0

Sequoiadendron giganteum
Conifère conique à croissance rapide. Écorce épaisse, fibreuse, brun rouge; feuilles pointues. L'un des plus gros arbres du monde quand il est adulte.

☀ ● ❄ ❄ ❄   100ft 30m / 75ft 22.5m / 0

Cedrus libani
Cèdre du Liban
Conifère à port étalé, souvent avec plusieurs branches maîtresses arquées. Les branches portent en couches plates le feuillage gris-vert sombre et les cônes gris rosâtre de 8 à 15 cm de long.

Pinus muricata
Pin d'Anthony
Conifère poussant vite, souvent à cime plate. Feuilles bleu-vert ou gris-vert, réunies par 2. Cônes ovoïdes de 7 à 9 cm de long s'ouvrant rarement. Se plaît particulièrement en sol pauvre, sableux.

Picea omorika
Épicéa de Serbie
Conifère étroit, conique; feuilles vert foncé, blanches en dessous. Branches pendantes, à extrémité arquée. Cônes violet-pourpre, devenant brun luisant. Croît avec régularité en tous sols.

Araucaria araucana
Désespoir des singes
Conifère à port ouvert, étalé, à écorce grise, ridée comme une peau d'éléphant. Feuilles brillantes, vert sombre, aplaties et aiguës; cônes de 15 cm de long. Bon arbre à isoler.

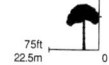

Pinus ponderosa
Pin jaune
Conifère à port conique ou dressé, cultivé pour son écorce caractéristique fissurée, avec des plaques brunes lisses; feuillage rigide vert. Porte des cônes ovoïdes brun pourpre.

Pinus jeffreyi
Pin jeffreyi
Conifère à port dressé, cime étroite, aux feuilles robustes gris-vert de 12 à 26 cm de long. Écorce noire avec des fissures étroites et profondes; jeunes pousses glauques.

Pinus excelsa, syn. *P. griffithii*
Pin de l'Himalaya
Conifère conique, à longues feuilles tombantes bleu vert, réunies par 5. Écorce lisse, gris-vert sur les jeunes arbres, ensuite sombre et fissurée; cônes cylindriques.

Pinus pinaster
Pin maritime, Pin des Landes
Conifère vigoureux, en dôme, avec un tronc en bonne partie sans branches. Feuilles gris-vert; cônes brun intense. Écorce brun-pourpre très fissurée. Bien adapté aux sols secs, sableux.

Ginkgo biloba
Arbre aux 40 écus
Arbre de très grande longévité. D'abord port dressé, puis étalé. Feuilles caduques en éventail, jusqu'à 8 cm de haut, à long pétiole, vert vif; magnifique couleur jaune d'or en automne.

Conifères/grande taille

■ VERT

Pinus nigra subsp. *nigra*
Pin noir d'Autriche
Conifère à cime large, à branches
espacées, parfois à plusieurs troncs.
Feuilles vert sombre très denses réunies
par 2. Tolère des situations
exposées (sol calcaire, aride,
hivers froids).

☀ ◊ ✽✽✽
100ft 30m
75ft 22.5m
0

Pinus radiata, syn. *P. insignis*
Pin de Monterey
Conifère poussant vite, conique dans sa
jeunesse, en dôme plus tard. Écorce
noire contrastant bien avec les feuilles
souples vert vif. Excellent
brise-vent.

☀ ◊ ✽✽✽
100ft 30m
75ft 22.5m
0

Abies grandis
Sapin de Vancouver
Conifère conique, étroit, très vigoureux,
à croissance régulière. Bon arbre à
isoler. Feuilles vert moyen à odeur
d'orange quand on les écrase.
Cônes de 7 à 8 cm de long,
rouge-brun à maturité.

☀ ◊ ✽✽✽
100ft 30m
75ft 22.5m
0

Pinus leucodermis,
syn. *P. heldreichii* var. *leucodermis*
Pin de Bosnie
Conifère dense, conique; feuilles vert
sombre réunies par 2. Cônes de 5 à
10 cm de long, bleu cobalt
dans leur 2e été, bruns à
maturité.

☀ ◊ ✽✽✽
100ft 30m
75ft 22.5m
0

Picea abies
**Épicéa commun, Sapin de
Norvège**
Conifère poussant vite. Feuilles vert
foncé. Cônes luisants pendants, bruns,
longs de 10 à 20 cm. Bon
arbre de Noël, moins utile
en arbre d'ornement.

☀ ◊ ✽✽✽
100ft 30m
75ft 22.5m
0

x *Cupressocyparis leylandii*
'Harlequin'
« Cyprès » de Leyland 'H.'
Conifère en colonne à sommet conique,
poussant vite. Feuillage
gris-vert marqué de blanc
ivoire porté en ramules
plumeux.

☀ ◊ ✽✽
100ft 30m
75ft 22.5m
0

x *Cupressocyparis leylandii*
'Castlewellan'
**« Cyprès » de Leyland
'Castlewellan'**
Conifère dressé, vigoureux, à croissance
un peu plus lente que l'espèce
type. Cultivé pour son
feuillage bronzé.

☀ ◊ ✽✽✽
100ft 30m
75ft 22.5m
0

Picea orientalis 'Skylands'
Sapinette d'Orient 'Skylands'
Conifère dense, dressé, gardant la
couleur dorée des feuilles courtes
lustrées tout au long de l'année. Cônes
oblongs, pourpre sombre.
Fleurs mâles virant au rouge
brique au printemps.

☀ ◊ ✽✽✽
100ft 30m
75ft 22.5m
0

Taxodium distichum
Cyprès chauve
Conifère largement conique. Cônes de
globuleux à ovoïdes. Feuilles caduques
vertes, souples, linéaires, brun intense
fin automne. En sites très
humides, émet des
émergences pneumatophores.

☀ ◊ ✽✽✽
100ft 30m
75ft 22.5m
0

x *Picea orientalis* 'Aurea'
Thuja plicata 'Aurea'

CONIFÈRES/TAILLE MOYENNE

■ BLEU, VERT

Abies procera 'Glauca'
Sapin noble 'Glauca'
Conifère à port dressé, à écorce lisse
argentée, et à feuillage bleu. En cas de
sécheresse, craquelures sur écorce et
bois. Cônes brun pourpré,
cylindriques, de 15 à 25 cm
de long.

Picea glauca 'Coerulea'
Sapinette ou Épinette blanche
Conifère dense, à port en cône dressé,
avec des feuilles très pointues, allant du
bleu-vert à l'argenté, et des cônes
ovoïdes brun clair.

Juniperus chinensis 'Keteleeri'
Genévrier de Chine 'K.'
Conifère dense, à port étroit régulier, en
colonne. Feuilles squamiformes vert
grisâtre, écorce brune s'exfoliant.
Végétal fructifiant bien.
Convient à un jardin de
style formel.

Picea breweriana
Épicéa de Brewer
Conifère conique, à branches presque
horizontales, et rameaux pendants allant
jusqu'à 2 m de long. Feuilles robustes,
bleu vert. Cônes pourprés de 6
à 8 cm de long.

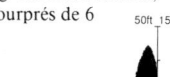

Picea pungens 'Koster'
Sapin du Colorado 'Koster'
Conifère à port dressé, à branches
verticillées; écorce grise d'aspect
écailleux. Belles aiguilles pointues, bleu
argenté, se décolorant en vert
avec l'âge. Sujet aux attaques
d'araignées rouges.

Chamaecyparis lawsoniana
'Pembury Blue'
**« Cyprès » de Lawson
'Pembury Blue'**
Magnifique conifère conique portant un
feuillage bleu-gris vif sur des
ramules pendants.

Picea engelmannii
Épicéa d'Engelmann
Conifère en cône large, à croissance
rapide. Les feuilles, qui entourent les
pousses, sont glauques ou vert bleuté,
piquantes ou molles. Petits cônes
cylindriques. Convient
à des situations médiocres.

 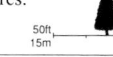

Cupressus sempervirens
Cyprès, Cyprès de Provence
Conifère très étroit, dressé, poussant
rapidement dans sa jeunesse, portant
son feuillage sur des rameaux érigés. Les
cônes sont luisants, gris-brun,
globuleux ou ovoïdes.

Pinus parviflora
Pin blanc du Japon
Conifère à croissance lente, à port
conique ou étalé. Beau feuillage bleuté;
écorce brun pourpré. Les feuilles sont
réunies par 5. Il porte des
cônes ovoïdes de 5 à 10 cm
de long.

Conifères/taille moyenne

Fitzroya cupressoides,
syn. *F. patagonica*
Alerge
Conifère à port allant d'évasé à étalé;
écorce rouge-brun qui s'exfolie en longs
lambeaux. Feuilles vert
sombre portées sur des
rameaux pendants, raides.

Podocarpus salignus
Conifère à port dressé ou arbustif.
Feuilles rappelant celles des saules, de 5
à 11 cm de long, brillantes sur le dessus.
Écorce intéressante, fibreuse, rouge-
brun, s'exfoliant en lambeaux.

Pinus thunbergii
Pin thunbergii
Conifère d'abord conique, puis arrondi;
feuilles vert sombre et cônes gris-brun
de 4 à 6 cm de long. Bourgeons couverts
d'une « toile d'araignée » de
poils blancs. Supporte bien
les embruns.

Pinus rigida
Pin rigida
Conifère conique, émettant souvent des
pousses à partir de la souche. Feuilles
vert sombre réunies par 3. Cônes
rouge-brun, ovoïdes à globuleux,
de 3 à 8 cm de long, persistants, ouverts, sur l'arbre.

Austrocedrus chilensis,
syn. *Libocedrus chilensis*
Conifère à port conique, avec des
rameaux aplatis portant de petites
feuilles vertes en écailles, blanches en
dessous, portées par groupes
de 2 paires opposées.

Cunninghamia lanceolata
Sapin chinois
Conifère à port dressé, à cime en forme
de balai dans les endroits secs; écorce
rouge-brun caractéristique, épaisse et
profondément ridée. Feuilles
très pointues, lancéolées,
d'un vert brillant.

Phyllocladus trichomanoides
Conifère à croissance lente, conique
dâns sa jeunesse, développant une cime
plus ronde avec l'âge. Cladodes (pousses
modifiées ressemblant à des feuilles)
vert sombre, de 10 à 15 cm de
long, comprenant de 5 à
10 segments lobés.

Sciadopitys verticillata
Conifère conique à écorce brun
rougeâtre. Cladodes vert sombre, à
dessous jaunâtre, verticillées à
l'extrémité des pousses, comme des
baleines de parapluie. Les
cônes ovoïdes mûrissent en
plus de 2 ans.

Calocedrus decurrens, syn.
Libocedrus decurrens
Conifère dressé, à branches courtes
horizontales et écorce écailleuse grise.
Porte ses feuilles vert sombre en
ramules plats. Résiste à
l'*Armillaria mellea.*

Pinus cembra
Pin cembro, Arolle
Conifère dense, conique, avec des
feuilles vert sombre ou vert bleuté
groupées par 5. Cônes bleutés ou
pourprés, de 6 à 8 cm de long,
devenant bruns à maturité.

Pinus contorta var. *latifolia*
Pin contorta var. **latifolia**
Conifère conique convenant aux sites
côtiers ou humides. Feuilles vert vif de
6 à 9 cm de long. Les petits cônes ovales
restent fermés sur l'arbre.

Abies amabilis
Abies delavayi
Abies veitchii, p. 74
Chamaecyparis lawsoniana 'Kilmacurragh'

Juniperus chinensis
Picea omorika, p. 75
Pinus coulteri, p. 74
Pinus leucodermis, p. 76

Pinus wallichiana, p. 75
Saxegothaea conspicua
Taxus baccata
Taxus baccata 'Fastigiata'

Thuja orientalis
Tsuga caroliniana
Tsuga diversifolia

Pseudolarix amabilis, syn. *P. kaempferi*
Conifère à cime étalée, d'abord à croissance lente. Rosettes de feuilles caduques linéaires vertes de 2,5 à 6 cm de long, virant peu à peu à l'orange doré en automne.

 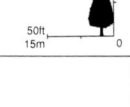

Chamaecyparis lawsoniana 'Green Pillar'
« Cyprès » de Lawson 'Green Pillar'
Conifère conique aux branches dressées. Feuilles vert vif, se teintant de doré au printemps. Peu de taille, utile pour haies.

 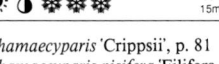

Pinus banksiana
Pin de Banks
Conifère étroit, conique, d'allure rabougrie avec feuilles vert frais en paires tordues, divergentes. Cônes arqués, de 3 à 6 cm de long, pointant vers l'extérieur le long des ramules.

Chamaecyparis thyoides
Conifère dressé aux feuilles vertes ou gris-bleu en ramules plutôt irréguliers; en éventail, sur des pousses très fines. Cônes petits, ronds, d'un bleu-gris glauque.

Pinus contorta
Pin contorta
Conifère dense, conique ou en dôme, bien adapté aux sites arides et ventés, supportant la terre saturée d'eau. Feuilles en paires, vert vif; cônes allant de coniques à ovoïdes.

 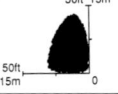

Picea morrisonicola
Épicéa morrisonicola
Conifère à port dressé, conique, puis en colonne en vieillissant. Feuilles pointues vert foncé, presque couchées sur les ramules brun pâle. Cônes cylindriques de 5 à 7 cm de long.

Tsuga canadensis
Tsuga du Canada, Pruche
Conifère en cône large, parfois à plusieurs troncs. Pousses grises avec feuilles subdistiques vert foncé, souvent renversées, montrant les lignes argentées du dessous. Cônes ovoïdes brun clair.

Pinus halepensis
Pin d'Alep
Conifère conique, à cime s'élargissant, avec des feuilles vert vif de 6 à 11 cm de long; cônes bruns brillants. Les arbres jeunes gardent les aiguilles juvéniles glauques pendant plusieurs années.

Torreya californica
Conifère dressé, avec des feuilles très piquantes, brillantes, vert foncé, vert jaunâtre en dessous, rappelant celles de l'if. Fruit ressemblant à une olive.

Chamaecyparis lawsoniana 'Lanei'
« Cyprès » de Lawson 'Lanei'
Conifère dressé formant une belle colonne de feuillage à bout jaune doré. Vitesse de croissance assez modérée.

Pinus virginiana
Pin virginiana
Conifère d'allure désordonnée; feuilles vert-jaune de 4 à 7 cm de long. Jeunes pousses à bourgeon blanc rosâtre. Porte des cônes de 6 cm de long, rouge-brun, de forme oblongue à conique.

☐ VERT

Picea mariana 'Doumetii'
Sapinette noire 'Doumetii'
Conifère très ramifié, de forme
globuleuse ou en cône large; feuilles
courtes pointues, vert sombre argenté;
Cônes pendants, ovoïdes,
pourprés.

☀◐ ◌ ❋❋❋

Pinus aristata
Pin aristata
Conifère touffu poussant lentement.
Feuilles groupées par 5, très denses, de
blanc bleuté à gris, tachetées de résine
blanche. Cônes de 4 à 10 cm
de long, à épines hérissées.

☀ ◌ ❋❋❋

Juniperus virginiana 'Burkii'
Genévrier de Virginie 'Burkii'
Conifère dense, dressé, à croissance
lente. Feuillage bleu-gris se teintant de
pourpré en hiver. Feuilles en forme
d'écaille et d'aiguille sur les
mêmes pousses. Petits fruits
très pruineux.

☀ ◌ ❋❋❋

Juniperus chinensis
'Robusta Green'
**Genévrier de Chine
'Robusta Green'**
Conifère en cône étroit. Variété à
croissance lente (7 à 8 cm par
an); feuillage vert, petites
baies gris-vert.

☀◐ ◌ ❋❋❋

Chamaecyparis lawsoniana
'Columnaris'
**« Cyprès » de Lawson
'Columnaris'**
Conifère dressé, en colonne étroite,
gris-bleu. Tolère un sol pauvre
et un peu de taille. Bon
arbre à isoler.

☀◐ ◌ ❋❋❋

Pinus sylvestris f. *fastigiata*
Pin sylvestre fastigié
Conifère dressé, à branches érigées, en
forme d'obélisque étroit. Écorce rouge-
brun partant en morceaux, feuillage
bleu-vert, cônes coniques. Peu
résistant au vent en sites
exposés.

☀ ◌ ❋❋❋

Pinus bungeana
Pin Napoléon
Conifère à croissance lente, touffu, au
feuillage vert foncé, planté pour son
écorce gris-vert, qui part en lambeaux,
révélant des parties jaune
crème, s'assombrissant en
rouge ou pourpre.

☀◐ ◌ ❋❋❋

Juniperus chinensis 'Obelisk'
Genévrier de Chine 'Obelisk'
Conifère étroit, en colonne irrégulière.
Branches ascendantes. Feuilles vert
foncé, longues, pointues. Supporte des
sols et des conditions très
variés, convient bien à un
endroit chaud et sec.

☀ ◌ ❋❋❋

Pinus cembroides
Pin cembroides

Conifère touffu à croissance lente, dépassant rarement 6 ou 7 m. Remarquable écorce écailleuse gris argenté ou brun grisâtre. Feuilles clairsemées, vert foncé à vert-gris, groupées par 2 ou 3.

Thujopsis dolabrata 'Variegata'

Conifère touffu, en cône large, poussant lentement. Feuilles robustes en forme de hachette, avec des plages de couleur crème irrégulières dessus, et une couleur argentée dessous.

Taxus cuspidata
If du Japon

Conifère étalé. Feuilles persistantes vert sombre dessus, vert jaunâtre dessous, parfois teintées de rouge-brun par temps froid. Supporte la sécheresse et l'ombre.

Chamaecyparis obtusa 'Crippsii'
Hinoki 'Crippsii'

Beau conifère conique, pour petit jardin, cultivé pour son feuillage doré vif. Écorce brun-rouge, fibreuse. Cônes ronds (1 cm de diamètre).

Abies koreana
Sapin de Corée

Conifère en forme de cône large. Produit des cônes bleu violacé, cylindriques, même quand il mesure moins d'1 m de haut. Feuilles vert sombre dessus, argentées dessous.

Cryptomeria japonica 'Pyramidata'
Sugi 'Pyramidata'

Conifère en forme de colonne étroite ou d'obélisque. Jeune feuillage bleu-vert devenant vert foncé ensuite.

Cedrus deodara 'Aurea'
Cèdre de l'Himalaya 'Aurea'

Conifère à croissance lente; bout des branches pendant. Feuilles jaune d'or début printemps, devenant plus verdâtres ensuite. Végétal intéressant pour jardin moyen.

Cryptomeria japonica 'Cristata'
Sugi 'Cristata'

Conifère conique avec des pousses tordues, incurvées, une écorce souple, fibreuse. Feuillage vert vif, devenant brun avec l'âge.

Pinus pinea
Pin parasol

Conifère à cime arrondie, en parasol, tronc court. Feuilles vert foncé, mais le feuillage juvénile bleu-vert subsiste sur les arbres jeunes. Cônes mûrs brun luisant. Graines comestibles.

Cupressus macrocarpa 'Goldcrest'
Cyprès de Monterey 'Goldcrest'

Conifère conique à croissance rapide: feuillage jaune d'or sur des ramules en forme de plume, utiles pour l'art floral. N'aime pas la taille.

Chamaecyparis obtusa 'Tetragona Aurea'
Taxus baccata 'Aurea', p. 83
Taxus baccata 'Semperaurea'
Thuja koraiensis

Thuja occidentalis 'Rheingold'
Tsuga canadensis 'Aurea', p. 83

Conifères nains

Les conifères nains sont des plantes intéressantes demandant peu de soins. On peut les planter pour eux-mêmes, en les répartissant en fonction de leur forme et de leur couleur parfois vive, ou comme fond dans des rocailles ou des massifs de fleurs. Beaucoup de ces conifères peuvent être cultivés dans des conditions de sol et de climat variées, bien que les *Juniperus* supportent mal l'ombre, et que les *Pinus* et *Juniperus* préfèrent nettement des sols sableux, secs, bien drainés. La plupart des *Abies, Taxus, Thuja* et *Tsuga* supportent bien l'ombre. Certaines espèces peuvent former des haies.

Picea pungens 'Montgomery'

Abies lasiocarpa var. *arizonica* 'Compacta'

Juniperus squamata 'Holger'

Pinus sylvestris 'Doone Valley'

Picea omorika 'Gnom'

Juniperus scopulorum 'Springbank'

Juniperus squamata 'Blue Star'

Juniperus horizontalis 'Douglasii'

Juniperus squamata 'Chinese Silver'

Abies concolor 'Glauca Compacta'

Juniperus virginiana 'Grey Owl'

Juniperus × *media* 'Pfitzeriana Glauca'

Juniperus sabina 'Mas'

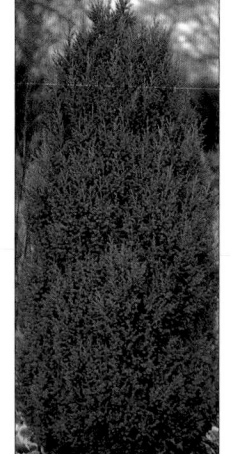

Juniperus chinensis 'Stricta'

Thuja occidentalis 'Caespitosa'

Microbiota decussata

Juniperus procumbens

Juniperus scopulorum 'Skyrocket'

Juniperus procumbens 'Nana'

Juniperus horizontalis 'Turquoise Spreader'

Abies balsamea 'Nana'

Abies cephalonica 'Meyer's Dwarf'

Pseudotsuga menziesii 'Fretsii'

Abies lasiocarpa 'Roger Watson'

Picea mariana 'Nana'

Podocarpus nivalis

Juniperus sabina 'Cupressifolia'

Juniperus recurva 'Densa'

Juniperus sabina var. *tamariscifolia*

Picea abies 'Ohlendorffii'

Picea abies 'Reflexa'

Pinus sylvestris 'Nana'

Pseudotsuga menziesii 'Oudemansii'

Chamaecyparis lawsoniana 'Gnome'

Chamaecyparis lawsoniana 'Minima'

Picea abies 'Gregoryana'

Chamaecyparis obtusa 'Intermedia'

Juniperus × media 'Pfitzeriana'

Pinus leucodermis 'Schmidtii'

Chamaecyparis obtusa 'Nana Pyramidalis'

Juniperus communis 'Hibernica'

Picea glauca var. *albertiana* 'Conica'

Cedrus libani 'Sargentii'

Pinus leucodermis 'Compact Gem'

Thuja orientalis 'Aurea Nana'

Thuja orientalis 'Semperaurea'

Thuja occidentalis 'Filiformis'

Thuja plicata 'Hillieri'

Juniperus davurica 'Expansa Variegata'

Juniperus × media 'Pfitzeriana Aurea'

Juniperus × media 'Plumosa Aurea'

Cryptomeria japonica 'Spiralis'

Juniperus × media 'Blue Gold'

Cryptomeria japonica 'Sekkan-sugi'

Taxus baccata 'Dovastonii Aurea'

Chamaecyparis obtusa 'Nana Aurea'

Chamaecyparis pisifera 'Filifera Aurea'

Thuja plicata 'Collyer's Gold'

Taxus baccata 'Aurea'

Tsuga canadensis 'Aurea'

Pinus sylvestris 'Aurea'

Abies nordmanniana 'Golden Spreader'

Thuja plicata 'Stoneham Gold'

Cryptomeria japonica 'Elegans Compacta'

Pinus sylvestris 'Gold Coin'

☐ BLANC

Osmanthus delavayi
syn. *Siphonosmanthus delavayi*
Arbuste touffu, arrondi, aux branches arquées. Petites feuilles persistantes luisantes, vert sombre; profusion de fleurs blanches très parfumées de milieu à fin printemps.

Pieris japonica
Andromède du Japon
Arbuste arrondi, touffu, dense, ayant un feuillage persistant vert sombre qui commence par être bronzé. Produit des panicules pendantes de fleurs blanches au printemps.

Amelanchier lamarckii
Arbuste à port étalé. De mi- à fin printemps apparaissent d'abondantes grappes de fleurs blanches parmi les jeunes feuilles bronzées. Feuillage adulte vert sombre, devenant rouge et orange brillants en automne.

Osmanthus x burkwoodii, syn.
x *Osmarea burkwoodii*
Arbuste arrondi, dense. Feuillage brillant, persistant, vert sombre; il en sort une profusion de petites fleurs blanches très parfumées de mi- à fin printemps.

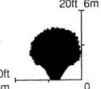

Malus sargentii
Pommier sargentii
Arbrisseau à feuillage caduc, port étalé. Profusion de fleurs blanches en fin de printemps, suivies par des fruits rouge foncé qui durent longtemps. Feuilles vert sombre parfois lobées.

Anopterus glandulosus
Arbuste possédant des feuilles persistantes brillantes, étroites, vert sombre, au milieu desquelles des grappes de fleurs en forme de coupe, blanches ou roses, apparaissent à mi-printemps.

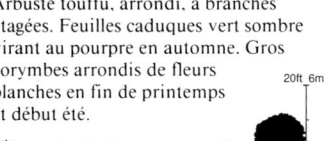

Viburnum plicatum ´Mariesii`
Viorne ´Mariesii`
Arbuste touffu, arrondi, à branches étagées. Feuilles caduques vert sombre virant au pourpre en automne. Gros corymbes arrondis de fleurs blanches en fin de printemps et début été.

Dipelta yunnanensis
Arbuste à branches arquées, avec une écorce qui s'exfolie et des feuilles caduques brillantes. En fin de printemps, il produit des fleurs tubuleuses blanc crème maculé d'orange à l'intérieur.

Staphylea pinnata
Faux pistachier
Arbuste à port dressé, à feuilles caduques vert vif, divisées. En fin de printemps, grappes de fleurs blanches rosissant avec l'âge, suivies de fruits verts en forme de vessie.

AUTRES PLANTES CONSEILLÉES :
Amelanchier canadensis
Amelanchier laevis, p. 58
BRUYÈRES, pp. 146-147

CAMELLIAS, pp. 96-97
Exochorda racemosa
Halesia carolina
Magnolia cylindrica, p. 59

Parrotiopsis jacquemontiana
Pieris formosa ʿHenry Priceʾ
Poncirus trifoliata
Prunus laurocerasus

RHODODENDRONS, pp. 100-102
Staphylea colchica

Dipelta floribunda
Arbuste vigoureux, dressé; écorce brun pâle qui s'exfolie. Fleurs parfumées rose pâle, avec une macule jaune à l'intérieur, s'épanouissant en fin de printemps et début d'été. Les feuilles caduques sont pointues.

Enkianthus campanulatus
Arbuste buissonnant, étalé; pousses rouges et groupes de feuilles caduques vert terne virant au rouge vif en automne. Petites fleurs en forme de cloche, jaune crème veiné de rouge, en fin de printemps.

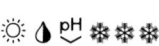

Viburnum x carlcephalum
Viorne x carlcephalum
Arbuste arrondi, touffu. En fin de printemps, gros glomérules arrondis de fleurs blanches parfumées (roses en bouton), parmi le feuillage caduc vert foncé, souvent rouge en automne.

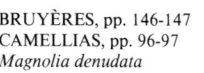

BRUYÈRES, pp. 146-147
CAMELLIAS, pp. 96-97
Magnolia denudata
Magnolia sieboldii

Staphylea holocarpa 'Rosea'
Arbuste dressé ou arbrisseau étalé. De milieu à fin de printemps, porte des fleurs roses, suivies de fruits vert pâle en forme de vessie. Les jeunes feuilles bronzées deviennent bleu-vert à maturité.

Magnolia x loebneri 'Leonard Messel'
Arbuste ou arbrisseau à port dressé, à feuillage caduc vert sombre. En milieu de printemps apparaissent des fleurs parfumées ayant de nombreux pétales rose lilas.

Magnolia x soulangeana
Arbuste ou arbrisseau arrondi, étalé. Grandes fleurs parfumées blanc inondé de pourpre, en forme de tulipe, de mi-printemps à début été, les premières avant l'apparition du feuillage vert moyen à vert sombre.

RHODODENDRONS, pp. 100-102
Viburnum plicatum

Magnolia x soulangeana 'Rustica Rubra', syn. M. x s. 'Rubra'
Arbuste arrondi, à port étalé. Grosses fleurs, en forme de coupe, rouge pourpré teinté de rose, de mi-printemps à début été, avant et après l'apparition des feuilles caduques.

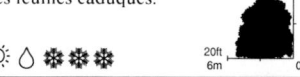

Photinia x fraseri 'Birmingham'
Arbuste buissonnant, dense, avec des feuilles persistantes brillantes vert sombre qui sont rouge pourpre vif quand elles sont jeunes. Porte de grosses panicules de petites fleurs blanches en fin de printemps.

Magnolia liliiflora 'Nigra'
Magnolia à fleurs pourpres 'Nigra'
Arbuste dressé, compact; de mi-printemps à mi-été, grosses fleurs pourpre foncé à intérieur rose pâle ou blanc. Feuilles caduques vert foncé.

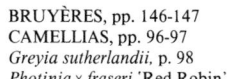

BRUYÈRES, pp. 146-147
CAMELLIAS, pp. 96-97
Greyia sutherlandii, p. 98
Photinia x fraseri 'Red Robin'

Prunus triloba 'Multiplex'
RHODODENDRONS, pp. 100-102

■■□ POURPRE, JAUNE, ORANGE
□ BLANC

Daphniphyllum macropodum
Arbuste touffu, dense, avec des pousses vigoureuses et des feuilles persistantes vert sombre à pétiole rouge. En fin de printemps, petites fleurs, vertes sur les plantes femelles, pourprées sur les plantes mâles.

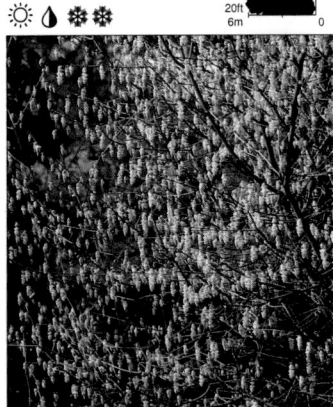

Corylopsis glabrescens
Arbuste à port ouvert, étalé, à feuilles finement dentelées, vert sombre dessus, bleu-vert en dessous. Des chatons pendants de fleurs parfumées jaune pâle apparaissent en milieu de printemps.

Berberis darwinii
Arbuste vigoureux, à branches arquées; petites feuilles persistantes brillantes vert sombre, et de milieu à fin de printemps, une profusion de fleurs jaune orangé foncé, suivies de baies bleuâtres.

Ceanothus thyrsiflorus
RHODODENDRONS, pp. 100-102

Syringa 'Mme Lemoine'
Lilas 'Mme Lemoine'
Arbuste buissonnant, d'abord dressé puis s'étalant. De fin printemps à début été, panicules compactes de grosses fleurs parfumées, doubles, blanches; feuilles caduques en cœur, vert moyen.

Ligustrum sinense
Troène de Chine
Arbuste touffu, dressé; feuilles ovales, vert pâle, caduques ou semi-persistantes. Longues panicules de fleurs blanches parfumées en milieu d'été, suivies de petits fruits noir pourpré.

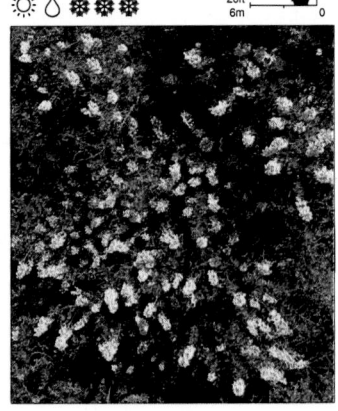

Escallonia leucantha
Arbuste arrondi. En milieu d'été, des groupes de petites fleurs blanches contrastent avec les feuilles persistantes, étroites, brillantes.

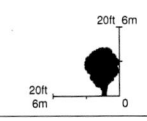

AUTRES PLANTES CONSEILLÉES :
BRUYÈRES, pp. 146-147
Clethra arborea
Clethra barbinervis, p. 106

Buddleia davidii 'Peace'
« Arbre » aux papillons 'Peace'
Arbuste vigoureux, aux branches arquées. De mi-été à l'automne, grandes grappes de fleurs blanches parmi les feuilles caduques longues, pointues, vert sombre à dessous blanc feutré.

Escallonia 'Iveyi'
Arbuste portant de mi- à fin été d'assez grosses panicules de fleurs parfumées blanc pur qui ressortent du feuillage persistant, brillant, vert sombre.

Hydrangea paniculata 'Floribunda'
Arbuste à port ouvert, portant en fin d'été des panicules denses et coniques de petites fleurs centrales, fertiles, entourées de grosses fleurs stériles blanches. Feuilles caduques, vert sombre.

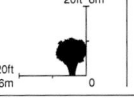

Cotoneaster lacteus, p. 93
Cotoneaster × watereri 'John Waterer'
Deutzia scabra, p. 104
Elaeocarpus reticulatus

Olearia virgata
Arbuste gracieux, aux branches arquées, avec des feuilles persistantes gris-vert sombre, très étroites. Produit une abondance de petites fleurs blanchâtres en début d'été.

Styrax officinalis
Arbuste ou arbrisseau à port étalé. Des fleurs parfumées campanulées blanches apparaissent en début d'été parmi les feuilles caduques ovales, vert sombre à dessous gris-blanc.

Viburnum rhytidophyllum
Viorne rhytidophyllum
Arbuste vigoureux à port étalé; longues feuilles étroites persistantes vert foncé; cymes denses de petites fleurs blanc crème fin printemps et début été, suivies de fruits rouges, noirs à maturité.

Eucryphia milliganii, p. 105
Hibiscus syriacus 'Diana'
Hydrangea heteromalla

Sparmannia africana

Arbuste ou arbrisseau érigé, à feuilles persistantes. Grandes feuilles aux lobes peu profonds, et bouquets de fleurs blanches avec des étamines jaunes et rouge pourpre, en fin de printemps jusqu'à l'été. Min. 7 °C.

Chionanthus virginicus
Arbre de neige, Arbre à franges

Arbuste ou arbrisseau touffu, à feuillage caduc. Grandes feuilles brillantes, vert foncé, virant au jaune en automne. Bouquets pendants de fleurs parfumées blanches en début d'été.

Myrtus luma, syn. M. apiculata, Myrceugenia apiculata
Myrte luma

Arbuste à port dressé. Écorce brun doré et gris-blanc qui s'exfolie. Feuilles aromatiques vert foncé. persistantes. Fleurs blanches de mi-été à mi-automne.

Abutilon vitifolium 'Album'

Arbuste à croissance rapide, feuillage caduc, port dressé. Porte avec souplesse de grosses fleurs en coupe, blanches, teintées de rose au début, en fin de printemps et début d'été, au milieu des feuilles lobées et dentées.

Xanthoceras sorbifolium

Arbuste ou arbrisseau à feuilles caduques, port dressé. Feuilles à nombreuses folioles étroites, vert vif. De fin printemps à début été, bouquets de fleurs blanches avec des taches rouges à l'intérieur, à la base des pétales.

Hydrangea heteromalla 'Bretschneideri'

Arbuste aux branches légèrement arquées. Groupes de fleurs blanches (celles de l'extérieur virant au rose foncé avec l'âge) du milieu à la fin de l'été. Feuilles caduques assez étroites, vert foncé.

Datura x candida, syn. Brugmansia x candida
Stramoine en arbre

Arbuste à longues feuilles semi-caduques. Fleurs pendantes très parfumées, blanches, parfois crème ou rosâtres, en été et automne. Min. 10 °C.

Cornus mas 'Variegata'
Cornouiller mâle panaché

Arbuste touffu, dense. Petites fleurs jaunes sur les branches nues en début de printemps, avant le développement de feuilles caduques vert foncé panaché de blanc.

Holodiscus discolor

Arbuste à croissance rapide, feuillage caduc, branches arquées. A des feuilles lobées, ou dentées, vert foncé, et des panicules pendantes de petites fleurs blanc crème en milieu d'été.

☐ BLANC

☐ ROSE

Abelia triflora
Arbuste vigoureux à feuillage caduc, port dressé, avec des feuilles pointues vert foncé; fleurs petites, très parfumées, blanc rosé, apparaissant au milieu de l'été.

Clethra delavayi
Arbuste à port ouvert; feuilles caduques vert intense, lancéolées, à bord denté. Des inflorescences denses et étalées de boutons roses s'ouvrant en fleurs blanches apparaissent au milieu de l'été.

Kolkwitzia amabilis 'Pink Cloud'
Arbuste à feuilles caduques, aux branches arquées, portant parmi les feuilles une masse de fleurs roses en forme de cloche en fin de printemps et début d'été.

Abelia x grandiflora
Arbuste vigoureux, à branches arquées. A un feuillage semi-persistant, brillant, vert sombre, et une abondance de fleurs blanc rosé parfumées, de mi-été à mi-automne.

Tamarix ramosissima, syn. T. pentandra
Tamaris pentandra
Arbuste gracieux à branches arquées. Feuilles caduques minuscules, bleu vert. Fin été et début automne, grappes étroites de petites fleurs roses.

Aesculus parviflora
Marronnier parviflora
Arbuste à port ouvert étalé, à feuillage caduc. Feuilles jeunes bronzées, puis vert foncé en été, jaunes en automne. Panicules de fleurs blanches à centre rouge du milieu à la fin de l'été.

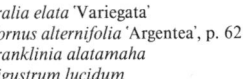

Syringa yunnanensis
Lilas de Yunnan
Arbuste à port dressé. En début d'été, panicules étroites de fleurs rose pâle ou blanches parmi les feuilles caduques ovales, pointues, vert foncé.

Nerium oleander
Laurier rose
Arbuste touffu, à port dressé, à feuilles persistantes, coriaces, vertes. Des fleurs roses, blanches, rouges, abricot ou jaunes apparaissent du printemps à l'automne. Min. 10 °C.

Syringa vulgaris 'Maréchal Foch'
Lilas 'Maréchal Foch'
Arbuste touffu, à port d'abord dressé, puis s'étalant. Grosses panicules de fleurs simples rose carminé, parfumées, de fin printemps à début été. Feuilles caduques cordiformes, vert moyen.

Buddleia davidii 'Royal Red'
«Arbre» aux papillons 'Royal Red'
Arbuste vigoureux, à branches arquées. Longues feuilles caduques pointues, vert foncé, blanc feutré en dessous. De mi-été à l'automne, fleurs rouge pourpré intense.

Buddleia davidii 'Harlequin'
«Arbre» aux papillons 'Harlequin'
Arbuste vigoureux, aux branches arquées. Feuilles caduques pointues, vertes, marginées de crème. Grappes de fleurs rouge pourpré de mi-été à l'automne.

 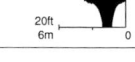

Cestrum elegans, p. 110
Lagerstroemia indica, p. 64
RHODODENDRONS, pp. 100-102

Malvaviscus arboreus
Arbuste vigoureux, à feuillage persistant, de forme arrondie. Les feuilles à bord en dent de scie, vert vif, ont des poils souples. Fleurs rouge vif en été et automne.
Min. 13-16 °C.

Acer palmatum 'Atropurpureum'
Érable palmatum 'Atropurpureum'
Arbrisseau à cime touffue; feuilles caduques lobées pourpre rougeâtre virant au rouge brillant en automne. À mi-printemps, petites fleurs pourpre rougeâtre.

Buddleia colvilei
Arbuste aux branches arquées, peu rustique. En début d'été, panicules pendantes de grosses fleurs, de rose intense à rouge pourpre, à centre blanc. Feuilles caduques vert foncé.

 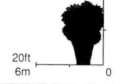

BRUYÈRES, pp. 146-147
Buddleia colvilei 'Kewensis'
Cercis canadensis 'Forest Pansy', p. 64
Cotinus coggygria 'Royal Purple'

Cotinus coggygria 'Notcutt's Variety'
Arbre à perruques 'Notcutt's Variety', Fustet
Arbuste buissonnant à feuillage caduc pourpre rougeâtre. Fin été, plumets persistants de petites fleurs rose pourpré.

Acer palmatum var. heptalobum 'Rubrum'
Érable palmatum 'Rubrum'
Arbrisseau à cime touffue, à feuilles caduques, larges, lobées, d'abord rouges, puis bronzées en été, et rouge, orange ou jaune brillant en automne.

Prunus spinosa 'Purpurea'
Prunellier pourpre
Arbuste dense, épineux. Feuilles caduques d'abord rouge vif puis pourpre rougeâtre foncé. Du début au milieu du printemps, fleurs rose pâle, suivies par des fruits noirs à pruine bleutée.

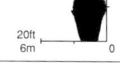

Erythrina × *bidwillii*, p. 111
Erythrina crista-galli, p. 111
Feijoa sellowiana, p. 111
Melaleuca hypericifolia

Corylus maxima 'Purpurea'
Noisetier pourpre
Arbuste ou arbrisseau vigoureux, à port ouvert. Feuilles caduques pourpre profond. Chatons pendant des branches nues à la fin de l'hiver; les noisettes comestibles mûrissent en automne.

Buddleia alternifolia
Arbuste à branches arquées, qui peut être conduit comme un arbuste pleureur. Pousses minces, pendantes, et feuilles caduques étroites, gris-vert. Grappes de fleurs parfumées, pourpre lilas, en début d'été.

Syringa vulgaris 'Esther Staley'
Lilas 'Esther Staley'
Arbuste touffu, dressé d'abord, puis s'étalant. De mi-printemps à début été, panicules coniques de fleurs parfumées rose lilas, rouges en bouton. Feuilles caduques vert moyen, larges et cordiformes.

RHODODENDRONS, pp. 100-102
Syringa × *prestoniae* 'Isabella'

▣ POURPRE, VIOLET, VERT

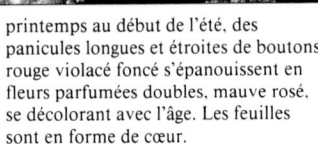

Syringa vulgaris 'Mme Antoine Buchner'
Lilas 'Mme Antoine Buchner'
Arbuste touffu à feuilles caduques, à port dressé quand il est jeune, s'étalant ensuite. De la fin du printemps au début de l'été, des panicules longues et étroites de boutons rouge violacé foncé s'épanouissent en fleurs parfumées doubles, mauve rosé, se décolorant avec l'âge. Les feuilles sont en forme de cœur.

☼ ◊ ❀❀❀

Syringa vulgaris 'Charles Joly'
Lilas 'Charles Joly'
Arbuste touffu, d'abord dressé, s'étalant ensuite. De mi-printemps à début été, panicules denses de fleurs parfumées doubles, rouge violacé foncé, parmi des feuilles caduques vert sombre, en cœur.

☼ ◊ ❀❀❀❀

Tibouchina urvilleana, syn. *T. semidecandra*
Arbuste à branches frêles; feuilles persistantes à poils veloutés et à nervures saillantes. De l'été jusqu'en début d'hiver, fleurs satinées bleu violacé. Min. 7 °C.

☼ ◊ pH

Syringa vulgaris 'Blue Hyacinth'
Lilas 'Blue Hyacinth'
Arbuste touffu d'abord à port dressé, puis étalé. De mi-printemps à début été, grosses panicules lâches de fleurs bleu pâle. Larges feuilles cordiformes, vert moyen.

☼ ◊ ❀❀❀

Acer palmatum var. *heptalobum* 'Lutescens'
Érable palmatum 'Lutescens'
Arbrisseau à sommet touffu. Feuilles caduques larges, lobées, devenant jaune clair. A mi-printemps, petites fleurs violet rougeâtre, suivies de fruits ailés.

☼ ◊ ❀❀❀

Decaisnea fargesii
Arbuste dressé, ouvert, à pousses pruineuses robustes. Feuilles larges, caduques, vert foncé. Début été, grappes de fleurs verdâtres, suivies de fruits pendants bleuâtres en forme de saucisse.

☼ ◊ ❀❀

Elaeagnus angustifolia
Olivier de Bohême
Arbuste touffu ou petit arbre étalé. Feuilles caduques étroites, gris argenté; au début de l'été, petites fleurs jaunes parfumées, suivies par des fruits ambrés.

☼ ◊ ❀❀❀

Syringa vulgaris 'Primrose'
Lilas 'Primrose'
Arbuste touffu, d'abord à port dressé, puis étalé. De fin printemps à début été, panicules petites et denses de fleurs jaune pâle, à peine parfumées. Feuilles caduques vert moyen, cordiformes.

☼ ◊ ❀❀❀

Paliurus spina-christi
Argalou, Épine du Christ
Arbuste touffu à feuillage caduc, avec des pousses étroites, épineuses. Feuilles brillantes vert vif; petites fleurs jaunes en été, et fruits curieux, ligneux, avec des « ailes ».

☼ ◊ ❀❀

Datura 'Grand Marnier'
Stramoine 'Grand Marnier'
Arbuste robuste à feuilles persistantes
larges, d'ovales à elliptiques. En été, des
fleurs pendantes, en trompette, évasées,
de couleur pêche, s'ouvrant
à partir d'un calice
enflé. Min. 7-10 °C.

Datura sanguinea,
syn. *Brugmansia sanguinea*
Arbuste à port d'érigé à arrondi, à
feuilles semi-persistantes faiblement
lobées. Grandes fleurs en forme de
trompette, jaune et rouge
orangé, de fin été à début
d'hiver. Min. 10 °C.

Caesalpinia gilliesii
Oiseau de Paradis
Arbuste à feuilles caduques finement
découpées, vert foncé; fleurs jaunes avec
de longues étamines rouges du milieu à
la fin de l'été.

Crotalaria agatiflora
Arbuste à feuillage persistant, à port
souple, s'étalant quelque peu, avec des
feuilles gris-vert. Des fleurs jaune
verdâtre apparaissent en été, et aussi, de
façon intermittente, pendant
le reste de l'année. Min.
15 °C.

Genista cinerea
Arbuste à branches arquées; abondance
de fleurs parfumées jaunes, ressemblant
à des pois de senteur, du début à la fin
de l'été. Jeunes pousses soyeuses et
feuilles caduques étroites gris
vert.

 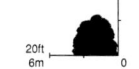

Cytisus battandieri
Arbuste étalé; feuilles semi-persistantes
à 3 folioles, gris argenté. Des groupes
denses de fleurs jaunes à odeur d'ananas
apparaissent du milieu à la fin de l'été.

Buddleia globosa
Arbuste à port ouvert, à feuillage caduc
ou semi-persistant de couleur vert foncé.
Porte des têtes globuleuses denses de
fleurs jaune orangé au début de l'été.

 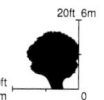

Fremontodendron 'California
Glory'
Arbuste très vigoureux, à feuillage
persistant ou semi-persistant, à port
dressé. Feuilles lobées vert foncé, et très
grandes fleurs jaune vif de la
fin du printemps au milieu
de l'automne.

ROUGE, ORANGE, JAUNE

Cotoneaster 'Cornubia'
Arbuste vigoureux, à feuillage vert foncé semi-persistant, branches arquées. Inflorescences de fleurs blanches en début d'été, suivies par de larges groupes retombants de fruits décoratifs rouge vif.

☼ ◊ ❄❄

Rhus typhina 'Laciniata', syn. *R. t.* 'Dissecta'
Sumac de Virginie 'Laciniata'
Arbuste à port étalé, à pousses veloutées. Feuilles caduques vert foncé, virant au rouge orangé brillant en automne; fruits d'un rouge profond.

☼ ◊ ❄❄❄

Cotinus coggygria 'Flame'
Arbre à perruques 'Flame'
Arbuste à allure d'arbre, touffu. Feuilles caduques vert foncé virant au rouge orangé en automne. Fin été, au-dessus du feuillage, panicules de fleurs voyantes, rose violacé, rappelant des plumes.

☼ ◊ ❄❄❄

Hippophae rhamnoïdes
Argousier
Arbuste touffu, à branches arquées, à feuilles caduques étroites, argentées. À mi-printemps, petites fleurs jaunes, suivies en automne sur les plantes femelles par des baies orange vif.

☼ ◊ ❄❄❄

Acer palmatum var. *heptalobum*
Érable palmatum heptalobum
Arbrisseau à sommet touffu; feuilles caduques larges, lobées, vert moyen virant au rouge brillant, orange ou jaune en automne. À mi-printemps, petites fleurs pourpre rougeâtre.

☼ ◊ ❄❄❄

Hamamelis vernalis 'Sandra'
Arbuste à port dressé, ouvert. Fin hiver et début printemps, petites fleurs parfumées jaune foncé, «en araignée». Feuilles caduques d'abord pourpres, vert moyen en été, pourpres, rouges, orange et jaunes en automne.

☼ ◊ pH ❄❄❄

Acer palmatum 'Senkaki', syn. *A. p.* 'Sango Kaku'
Érable palmatum 'Senkaki'
Arbrisseau à sommet touffu. En hiver, jeunes pousses rose corail vif. Feuilles caduques d'abord jaune orangé, puis vert moyen, enfin roses puis jaunes en automne.

☼ ◊ ❄❄❄

Euonymus myrianthus
Fusain myrianthus
Arbuste touffu. Feuilles persistantes pointues, coriaces, vert moyen. En été, groupes denses de petites fleurs jaune verdâtre; fruits jaunes qui, ouverts, montrent des graines rouge orangé.

☼ ◊ ❄❄

Pyracantha atalantioides 'Aurea'
Buisson ardent 'Aurea'
Arbuste épineux vigoureux, port dressé, s'arquant avec l'âge. Feuillage persistant brillant, vert foncé; fleurs blanches en début d'été, suivies par de larges groupes de petites baies jaunes en début d'automne.

☼ ◊ ❄❄

AUTRES PLANTES CONSEILLÉES :
Acer ginnala, p. 68
Acer japonicum 'Vitifolium', p. 67
Cotinus coggygria 'Royal Purple'

Cotinus obovatus
Cotoneaster × *watereri* 'John Waterer'
Decaisnea fargesii, p. 90
Pyracantha 'Golden Charmer', p. 117

Pyracantha 'Mohave'
Sorbus scopulina
Stranvaesia davidiana, p. 67
Tibouchina urvilleana, p. 90

Viburnum betulifolium, p. 116

Arbustes/grande taille

□ JAUNE

Mahonia x *media* 'Charity'
Arbuste dense à port dressé; larges feuilles persistantes à nombreuses folioles épineuses vert foncé. De début automne à début printemps, grappes étroites de fleurs parfumées jaunes, d'abord dressées, puis s'étalant.

Mahonia x *media* 'Buckland'
Arbuste touffu, à port dressé. Larges feuilles persistantes à nombreuses folioles épineuses vert foncé. De fin automne à début printemps, longues grappes de fleurs jaunes parfumées, dressées, puis s'étalant.

Hamamelis virginiana
Arbuste à port étalé. De petites fleurs jaunes à pétales étroits, en «araignée», parfumées, s'ouvrent en automne quand les feuilles caduques tombent après avoir viré au jaune.

HOUX, pp. 70-71
Tecoma stans, p. 68

■ ROUGE

Cotoneaster lacteus
Arbuste aux branches arquées, pouvant former des haies. Fleurs blanches contrastant avec le feuillage persistant vert sombre, du début au milieu de l'été. En automne-hiver, gros bouquets de fruits rouges persistants.

Hamamelis x *intermedia* 'Diane'
Arbuste à port ouvert et étalé. Du milieu à la fin de l'hiver, fleurs parfumées, en forme d'araignée, rouge profond, sur les branches nues. Feuilles caduques larges, ovales, vert moyen, devenant jaunes et rouges en automne.

Cyphomandra betacea
Tomate en arbre
Arbuste peu ramifié, d'abord à port dressé. Larges feuilles persistantes vert intense, cordiformes. De l'été à l'hiver, fruits rouges comestibles ressemblant à des tomates.
Min. 10 °C.

AUTRES PLANTES CONSEILLÉES :
BRUYÈRES, pp. 146-147
Euphorbia pulcherrima, p. 118

□ VERT, JAUNE

Garrya elliptica
Arbuste dense, touffu. Feuilles persistantes coriaces, à bord ondulé, vert foncé. Porte des chatons gris-vert, plus longs sur les sujets mâles, du milieu de l'hiver au début du printemps.

Azara microphylla
Arbuste élégant. Feuilles persistantes petites, brillantes, vert foncé; en fin d'hiver et au début du printemps, petits bouquets de fleurs à odeur de vanille, jaune foncé.

Corylus avellana 'Contorta'
Noisetier tortueux
Arbuste touffu à pousses curieusement tordues, à larges feuilles fortement dentées. À la fin de l'hiver, les branches nues sont couvertes de chatons pendants jaune pâle.

Cornus mas
Hamamelis japonica
Hamamelis mollis 'Pallida'
Mahonia acanthifolia

□ JAUNE

□□ BLANC, VERT

Hamamelis x intermedia 'Arnold Promise'
Arbuste à port ouvert et étalé. Grandes fleurs jaunes en araignée, à pétales étroits, parfumées, du milieu à la fin de l'hiver. Feuilles caduques vert moyen virant au jaune en automne.

Hamamelis japonica 'Sulphurea'
Arbuste à port assez étalé. Au milieu de l'hiver, fleurs jaune pâle, en araignée, aux étroits pétales gaufrés, parfumées, sur les branches nues. Larges feuilles ovales caduques, vert foncé, virant au jaune à l'automne.

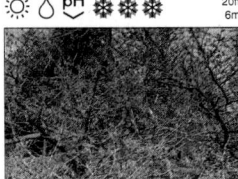

Hamamelis mollis 'Coombe Wood'
Arbuste à port étalé. Du milieu à la fin de l'hiver, fleurs en araignée très parfumées, jaune d'or, aux pétales étroits. Feuilles caduques vert moyen, virant au jaune en automne.

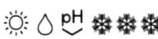
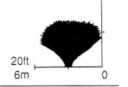

94

Dracaena deremensis 'Warneckii'
Arbuste à croissance lente; port d'abord dressé, peu ramifié, finissant par s'étaler. Feuilles persistantes lancéolées, allant d'érigées à arquées, bordées de blanc crème et gris-vert. Min. 15-18 °C.

Ligustrum ovalifolium
Troène de Californie
Arbuste vigoureux et dense, persistant ou semi-persistant, port dressé. Feuilles luisantes vert moyen. A mi-été, grappes de petites fleurs blanches à odeur caractéristique, suivies de fruits noirs.

Prunus lusitanica 'Variegata'
Laurier du Portugal 'Variegata'
Arbuste à croissance lente, touffu, à pousses pourpre rougeâtre. Feuilles persistantes brillantes, vert foncé, bordées de blanc; en été, fleurs blanc crème, parfumées, suivies de fruits pourpres.

Prunus lusitanica subsp. azorica
Laurier du Portugal azorica
Arbuste touffu avec des pousses pourpre rougeâtre. Feuilles persistantes vert vif, rouges quand elles sont jeunes. En été, petites fleurs blanches parfumées, suivies de fruits pourpres.

Tetrapanax papyriferus, syn. Fatsia papyrifera
Arbuste à port dressé, drageonnant. Feuilles persistantes à long pétiole, rondes, à lobes profonds. Vigoureux rameaux à petites fleurs blanc crème en été, baies noires en automne-hiver.

Griselinia littoralis 'Variegata'
Arbuste dressé de constitution dense et touffue. Feuilles persistantes coriaces gris-vert, marquées de vert vif et de blanc crème. Pour bord de mer, régions tempérées et chaudes.

Pittosporum tenuifolium 'Garnettii'
Arbuste dense et touffu, en colonne ou en cône. Feuilles persistantes arrondies, gris-vert, bordées irrégulièrement de blanc crème, se teintant de rose foncé dans les régions froides.

Polyscias guilfoylei 'Victoriae'
Arbuste à croissance lente, de forme arrondie, avec des feuilles persistantes divisées en plusieurs folioles de forme ovale à ronde, à bord denté, vert foncé marginé de blanc. Min. 15-18 °C.

▨ VERT, JAUNE

☐ BLANC

Dizygotheca elegantissima, syn. *Aralia elegantissima*

Arbuste à port dressé, ouvert. Les longues feuilles persistantes ont de 7 à 10 folioles grossièrement dentées, lustrées, gris-vert, parfois bronzées. Min. 18 °C.

☼ ◊   20ft 6m / 20ft 6m / 0

Ligustrum lucidum 'Excelsum Superbum'

Arbuste à port arrondi. Feuilles persistantes larges, brillantes, vert vif, marquées de vert pâle et bordées de jaune. Fleurs petites, blanches, en fin d'été ou début d'automne.

☼ ◊ ❄❄   20ft 6m / 20ft 6m / 0

Pieris floribunda

Arbuste à feuilles persistantes, touffu, dense, très feuillu. Feuillage brillant vert foncé. Des boutons floraux vert-blanc apparaissent en hiver, s'épanouissant du début au milieu du printemps en fleurs blanches.

☼ ◊ pH ❄❄❄   10ft 3m / 10ft 3m / 0

Enkianthus perulatus

Arbuste à feuilles caduques, touffu, dense. Feuilles vert foncé devenant rouge vif en automne. Au milieu du printemps, porte beaucoup de petites fleurs, pendantes, blanches, en forme de coupe.

☼ ◊ pH ❄❄❄   10ft 3m / 10ft 3m / 0

Brachyglottis repanda

Arbuste à feuilles persistantes, touffu; port dressé dans sa jeunesse. Tiges robustes, duveteuses, blanches. Feuilles nervurées, blanches en dessous. Têtes de fleurs blanches, parfumées, en été. Min. 3 °C.

☼ ◊   20ft 6m / 20ft 6m / 0

Osmanthus heterophyllus 'Aureomarginatus'

Arbuste à port dressé. Feuilles persistantes fortement dentées, rappelant le houx, brillantes, vert vif, marginées de jaune. En automne, petites fleurs blanches parfumées.

☼ ◊ ❄❄   20ft 6m / 20ft 6m / 0

Fothergilla major, syn. *F. monticola*

Arbuste dressé. Feuilles caduques brillantes vert foncé, légèrement blanc bleuté en dessous, devenant rouge, orange et jaune en automne. En fin de printemps, touffes de fleurs blanches parfumées.

☼ ◊ pH ❄❄❄   10ft 3m / 10ft 3m / 0

Pieris japonica 'Scarlett O'Hara' **Andromède du Japon 'S.O'H.'**

Arbuste à feuilles persistantes, arrondi, touffu et dense. Le feuillage jeune et les pousses sont rouge bronzé, les feuilles devenant vert foncé brillant. Rameaux de fleurs blanches au printemps.

☼ ◊ pH ❄❄❄   10ft 3m / 10ft 3m / 0

Pittosporum tenuifolium

Arbuste d'abord en colonne puis arrondi, avec des pousses pourpres et des feuilles persistantes à bord ondulé, ovales, brillantes, vert moyen. En fin de printemps, fleurs pourpres à odeur de miel.

☼ ◊ ❄❄   20ft 6m / 20ft 6m / 0

Elaeagnus pungens 'Maculata' **Chalet pungens 'Maculata'**

Arbuste à feuilles persistantes, touffu, un peu épineux. Les feuilles brillantes, vert foncé, sont marquées d'une large tache centrale jaune profond. De mi- à fin automne, fleurs blanc crème très parfumées.

☼ ◊ ❄❄   20ft 6m / 20ft 6m / 0

Choisya ternata **Oranger du Mexique**

Arbuste arrondi, dense, avec des feuilles persistantes aromatiques, brillantes, vert clair, à 3 folioles. Au printemps et souvent de nouveau en automne, bouquets de fleurs blanches parfumées.

☼ ◊ ❄❄   10ft 3m / 10ft 3m / 0

Camellias

Ces arbustes sont très appréciés pour leur feuillage luxuriant, vert intense, et leur grand nombre de fleurs remarquables, portées surtout fin hiver et début printemps. Beaucoup sont rustiques (jusqu'à –12, –15 °C) si on les plante en site protégé, bien que les fleurs puissent souffrir du gel, de la pluie et surtout de la neige. Un sol acide est nécessaire. Voici les principales formes de fleurs :

Simple : fleur en coupe, peu profonde, avec au plus 10 pétales en un seul rang et une masse centrale d'étamines très visibles.

Semi-double : fleur en coupe, comportant de 9-21 pétales groupés en 2 rangs ou plus. Étamines très visibles.

Forme anémone : fleur arrondie ayant un ou plusieurs rangs de grands pétales extérieurs, plats ou plus ou moins ondulés. Au centre se trouve une masse de pièces pétaloïdes entremêlée d'étamines.

Forme pivoine : les fleurs arrondies en dôme ont des pétales généralement irréguliers, entremêlés de pièces pétaloïdes et d'étamines.

Forme de rose : fleur en coupe avec plusieurs rangs de pétales se chevauchant et laissant voir nettement au centre les étamines.

Forme double stricte : fleur arrondie à nombreux rangs de pétales réguliers se chevauchant nettement (étamines non visibles).
Forme double irrégulière : pétales souvent irréguliers, arrangés moins strictement.

C. japonica 'Lady Vansittart' (semi-double)

C. sasanqua 'Narumigata' (simple)

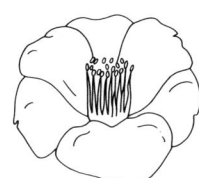
C. japonica 'Alba Simplex' (simple)

C. japonica 'Mrs D.W. Davis' (semi-double)

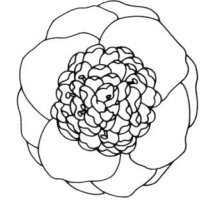
C. j. 'Tomorrow's Dawn' (double irr.)

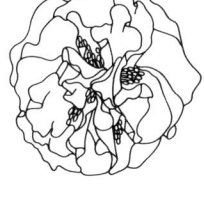
C. × williamsii 'J.C. Williams' (simple)

C. × williamsii 'Clarrie Fawcett' (semi-double)

C. j. 'Margaret Davis' (double irr.)

C. × williamsii 'Mary Larcom' (simple)

C. × williamsii 'Donation' (semi-double)

C. × w. 'E.G. Waterhouse' (double strict)

C. j. 'Betty Sheffield Supreme' (double irr.)

C. × williamsii 'Bow Bells' (simple)

C. reticulata 'Mudan Cha' (variable)

C. × williamsii 'St Ewe' (simple)

C. 'Inspiration' (semi-double)

C. × williamsii 'Mary Christian' (simple)

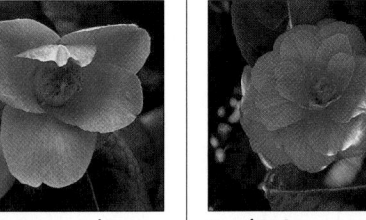
C. japonica 'Elegans' (anémone)

C. 'Innovation' (pivoine)

C. 'Leonard Messel' (semi-double)

C. japonica 'Jupiter' (simple)

C. j. 'Rubescens Major' (double strict)

C. japonica 'Jessie Burgess' (semi-double)

C. × williamsii 'Golden Spangles' (simple)

C. japonica 'Gloire de Nantes' (semi-double)

C. japonica 'Julia Drayton' (variable)

C. j. 'Guilio Nuccio' (semi-double)

C. 'William Hertrich' (semi-double)

C. reticulata 'Houye Diechi' (semi-double)

C. japonica 'R.L. Wheeler' (variable)

C. 'Anticipation' (pivoine)

C. japonica 'Adolphe Audusson' (semi-double)

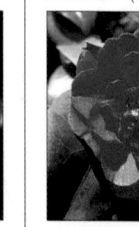

C. j. 'Alexander Hunter' (simple)

C. reticulata 'Zaotaohung' (variable)

C. 'Dr Clifford Parks' (variable)

C. japonica 'Althaeiflora' (pivoine)

C. reticulata 'Early Peony' (double irr.)

C. × *williamsii* 'Caerhays' (variable)

C. japonica 'Mathotiana' (double strict)

Arbustes/moyens

■ BLANC, ROSE

Aronia arbutifolia
Arbuste d'abord dressé puis à branches arquées. Son feuillage vert foncé vire au rouge en automne ; feuilles vertes, simples, caduques. Fin printemps, corymbes de petites fleurs blanches, suivies de baies rouges.

Magnolia stellata
Magnolia étoilé
Arbuste touffu dont les fleurs blanches en étoile, parfumées, à nombreux pétales étroits, s'ouvrent de début à mi-printemps. Les feuilles caduques sont étroites et vertes.

Myrtus communis
Myrte
Arbuste touffu au feuillage persistant aromatique, vert, luisant. De mi-printemps à début été, fleurs blanches parfumées suivies de baies noir pourpré.

Malus sieboldii
Pommier sieboldii
Arbuste étalé à branches arquées, à feuilles vertes souvent lobées, caduques, virant au rouge ou au jaune en automne. À mi-printemps, fleurs blanches ou roses ; petits fruits rouges ou jaunes.

Prunus mume 'Omoi-no-mama'
Abricot japonais
Arbuste dressé à fleurs blanches parfumées, doubles, teintées de rose, apparaissant sur les jeunes pousses en début de printemps avant les feuilles ovales, dentées.

Viburnum plicatum 'Pink Beauty'
Viorne 'Pink Beauty'
Arbuste touffu à feuilles caduques vertes, devenant pourpre rougeâtre en automne. En fin de printemps et début été, fleurs blanches puis roses suivies de fruits rouges puis noirs.

RHODODENDRONS, pp. 100-102
Skimmia japonica, p. 143
Spiraea 'Arguta'
Spiraea prunifolia

Viburnum × *burkwoodii* 'Park Farm Hybrid'
Viburnum carlesii 'Diana'

 ROSE, ROUGE

Chaenomeles speciosa
'Moerloosii'
Cognassier du Japon
'Moerloosii'
Arbuste vigoureux, touffu. Feuilles caduques luisantes vert foncé. Au printemps, fleurs blanc rosé ; fruits jaune verdâtre.

Prunus mume 'Beni-shi-don'
Abricot japonais 'Beni-shidon'
Arbuste à port étalé, feuillage caduc. Début printemps, avant l'apparition des feuilles caduques pointues vert sombre, fleurs simples parfumées, rouge carminé.

Enkianthus cernuus var. **rubens**
Arbuste touffu dont les feuilles caduques vertes réunies en groupes denses virent au rouge pourpré foncé en automne. De petites fleurs campanulées rouge foncé s'épanouissent en fin de printemps.

Greyia sutherlandii
Arbuste arrondi, dont les feuilles coriaces, caduques ou semi-persistantes, à bord grossièrement denté, virent au rouge en automne. Grappes denses de petites fleurs rouge vif au printemps, avec les nouvelles feuilles. Min. 16 °C.

Cotoneaster divaricatus
Arbuste touffu, étalé, dont les feuilles caduques, brillantes, vert sombre, virent au rouge en automne. Les fleurs roses en fin de printemps et début été, sont suivies de fruits rouge foncé.

Leucospermum reflexum
Arbuste érigé, à branchettes ascendantes. Feuilles persistantes petites, bleu-gris ou gris-vert. Au printemps et en été, têtes arrondies, serrées, de fleurs étroites tubulaires, cramoisies, à longs styles. Min. 10 °C.

Ribes sanguineum 'Pulborough Scarlet'
Groseillier à fleurs 'Pulborough Scarlet'
Arbuste à feuilles caduques vert foncé, aromatiques. Au printemps, fleurs rouge foncé pendantes ; parfois fruits noirs.

Acer palmatum 'Corallinum'
Érable palmatum 'Corallinum'
Arbrisseau à croissance très lente, à cime touffue. Feuilles caduques lobées d'abord rose rougeâtre vif, puis vert moyen, enfin rouge éclatant, orange ou jaunes en automne.

Telopea truncata
Arbuste dressé devenant touffu avec l'âge, ayant des feuilles persistantes vert foncé, et en fin de printemps et début d'été, des fleurs petites, tubulaires, cramoisies, réunies en grappes compactes.

Banksia coccinea
Arbuste dense, à feuilles persistantes, dentées, vert foncé, à dessous gris-vert. En fin d'hiver et au printemps, têtes d'inflorescences réunissant des fleurs rouge vif à styles et stigmates proéminents.

Leptospermum scoparium 'Red Damask'

Arbuste buissonnant, dont les fleurs rouge foncé contrastent, en fin de printemps et en été, avec les feuilles persistantes vert foncé.

Berberis thunbergii f. atropurpurea

Arbuste dense, à branches arquées, dont le feuillage caduc rouge pourpré vire au rouge vif en automne. En milieu de printemps, fleurs jaune pâle teinté de rouge, suivies de fruits rouges.

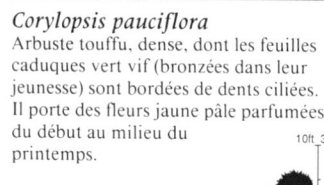

Corylopsis pauciflora

Arbuste touffu, dense, dont les feuilles caduques vert vif (bronzées dans leur jeunesse) sont bordées de dents ciliées. Il porte des fleurs jaune pâle parfumées du début au milieu du printemps.

Syringa x persica
Lilas de Perse

Arbuste touffu, dense, à feuillage caduc, produisant des thyrses nombreux de fleurs violet bleuâtre en fin de printemps. Les feuilles sont étroites, pointues, vert sombre.

Berberis gagnepainii

Arbuste touffu, dense, à feuillage persistant. Des groupes de fleurs jaunes apparaissent, en fin de printemps, parmi les feuilles longues, étroites, pointues, suivies en automne par des baies noires à pruine bleuâtre.

Kerria japonica
Corète du Japon

Arbuste élégant à branches arquées, à feuillage caduc vert vif, portant du milieu à la fin du printemps des fleurs jaune d'or ressemblant à des pompons, le long de pousses vertes.

Lindera benzoin
Laurier benzoin

Arbuste touffu dont les feuilles caduques aromatiques virent au jaune en automne. Fleurs minuscules jaune verdâtre, en milieu de printemps, suivies de baies rouges sur les plantes femelles.

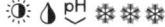

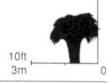

Forsythia suspensa

Arbuste élégant, à pousses fines arquées, dont les fleurs jaune vif, inclinées vers le bas, s'épanouissent en début de printemps, avant l'apparition des feuilles caduques vert moyen.

Ceanothus papillosus
Cestrum 'Newellii'
Daphne genkwa
Iochroma cyaneum, p. 118

RHODODENDRONS, pp. 100-102
Rosmarinus officinalis, p. 135

Berberis aggregata
Berberis sargentiana
Corokia × virgata
Corylopsis spicata

Lonicera morrowii
RHODODENDRONS, pp. 100-102

Rhododendrons et azalées

Les rhododendrons et azalées appartiennent tous au genre *Rhododendron.* Azalée est le nom commun utilisé principalement pour les arbustes nains à petites feuilles. La taille des rhododendrons varie des plantes alpines hautes de quelques centimètres jusqu'à certains arbres de 10 m. Beaucoup peuvent être cultivés en pot, dans lesquels il est facile de leur fournir des conditions adéquates. Les rhododendrons doivent être cultivés en sol acide, riche en matières organiques et bien drainé. Ils préfèrent les situations mi-ombragées ou non exposées au soleil et un terrain frais et même humide. Une fois établis, ils demandent peu de soins, à part un paillis annuel et un peu d'engrais de temps en temps. (Voir Dictionnaire des plantes.)

R. ´Palestrina´ (azalée)

R. occidentale (azalée)

R. ´Sevens Stars´ (rhododendron)

R. souliei (rhododendron)

R. ´Mrs G.W. Leak´ (rhododendron)

R. auriculatum (rhododendron)

R. yakushimanum (rhododendron)

R. argyrophyllum (rhododendron)

R. yunnanense (rhododendron)

R. ´Azuma-kagami´ (azalée)

R. fictolacteum (rhododendron)

R. ´Silver Moon´ (azalée)

R. fulvum (rhododendron)

R. sutchuenense (rhododendron)

R. ´Seta´ (azalée)

R. ´Strawberry Ice´ (azalée)

R. calophytum (rhododendron)

R. ´Nobleanum´ (rhododendron)

R. ´Corneille´ (azalée)

R. ´Kirin´ (azalée)

R. ´Beauty of Littleworth´ (rhododendron)

R. racemosum (azalée)

R. schlippenbachii (azalée)

R. williamsianum (rhododendron)

R. orbiculare (rhododendron)

R. ´Percy Wiseman´ (rhododendron)

R. ´Pink Pearl´
(rhododendron)

R. ´Elizabeth´
(rhododendron)

R. davidsonianum
(rhododendron)

R. ´Queen Elizabeth II´
(rhododendron)

R. ´Rosalind´
(rhododendron)

R. ´Hinodegiri´
(azalée)

R. ´May Day´
(rhododendron)

R. oreotrephes
(rhododendron)

R. wardii
(rhododendron)

R. calostrotum
(azalée)

R. ´Hinomayo´
(azalée)

R. ´President Roose-
velt´ (rhododendron)

R. thomsonii
(rhododendron)

R. ´John Cairns´
(azalée)

R. kaempferi (azalée)

R. cinnabarinum
(rhododendron)

R. ´Iro-hayama´
(azalée)

R. ´Blue Peter´
(rhododendron)

R. hippophaeoides
(azalée)

R. augustinii
(rhododendron)

R. lutescens (azalée)

R. xanthocodon
(rhododendron)

R. ´Hatsugiri´
(azalée)

R. arboreum
(rhododendron)

R. ´Cynthia´
(rhododendron)

R. ´Vuyk's Scarlet´
(azalée)

R. ´Homebush´
(azalée)

R. ´Susan´
(rhododendron)

Rhododendrons et azalées (suite)

R. 'Narcissiflorum'
(azalée)

R. 'Freya' (azalée)

R. 'Hawk Crest'
(rhododendron)

R. luteum (azalée)

R. 'Medway'
(azalée)

R. 'Curlew' (azalée)

R. 'George Reynolds'
(azalée)

R. 'Fabia'
(rhododendron)

R. 'Yellowhammer'
(azalée)

R. 'Glory of Little-
worth' (azalée x rhodo.)

R. 'Frome' (azalée)

R. 'Moonshine
Crescent' (rhodo.)

R. macabeanum
(rhododendron)

R. 'Gloria Mundi'
(azalée)

□ JAUNE

Berberis verruculosa
Arbuste dense à croissance lente, à
feuilles persistantes vert foncé, lustrées,
à dessous grisâtre. Fin printemps et
début été, petites fleurs jaune vif, en
forme de coupe, suivies de
fruits bleu-noir.

☼ ◊ ❄ ❄ ❄

Berberis julianae
Arbuste dense, à feuilles persistantes
vert foncé, lustrées ; fleurs jaunes en fin
de printemps et début d'été et fruits
oblongs bleu noirâtre en automne.

☼ ◊ ❄ ❄ ❄

Forsythia x intermedia
'Spectabilis'
Arbuste étalé, à pousses vigoureuses.
Une profusion d'assez grandes fleurs
jaunes s'épanouit de début à mi-
printemps, avant l'apparition
des feuilles vertes dentées.

☼ ◊ ❄ ❄ ❄

Hibbertia cuneiformis, p. 114
Kerria japonica 'Pleniflora'
Ochna serrulata
Ribes odoratum

Azara serrata
Arbuste dressé, ayant un feuillage persistant brillant vert vif, et en fin de printemps ou début d'été, des glomérules de fleurs jaunes parfumées.

Berberis × stenophylla
Arbuste à branches arquées, à pousses fines. Feuilles persistantes étroites à pointe épineuse, vert foncé, à dessous bleu-gris. Masses de fleurs jaune d'or de milieu à fin printemps, suivies de petits fruits noir bleuâtre.

Carissa grandiflora 'Tuttlei'
Arbuste compact, étalé, à tiges épineuses, et à feuilles persistantes coriaces, brillantes, vert intense. Fleurs parfumées blanches en printemps-été; en automne, fruits rouges comestibles, ressemblant à des prunes. Min. 13 °C.

Philadelphus 'Beauclerk'
Seringat 'Beauclerk'
Arbuste à branches légèrement arquées. Feuilles caduques vert sombre. De début à mi-été, grosses fleurs parfumées blanches avec une petite tache centrale pourpre pâle.

Forsythia 'Beatrix Farrand'
Arbuste vigoureux, touffu, à pousses arquées et fortes. Profusion de grosses fleurs, jaune assez foncé, s'épanouissant de début à mi-printemps, avant l'apparition des feuilles vert moyen grossièrement dentées.

Berberis × lologensis 'Stapehill'
Arbuste vigoureux, à branches arquées. De milieu à fin printemps, des grappes abondantes de fleurs orange contrastent avec le feuillage persistant, luisant, vert sombre.

Acacia cultriformis
Mimosa couteau
Arbuste à branches arquées, produisant de petits glomérules de fleurs jaune vif début printemps. Le feuillage gris argenté se compose en fait de pétioles aplatis triangulaires persistants.

Berberis linearifolia 'Orange King'
Arbuste à port dressé, à branches raides. à feuilles persistantes, rigides, vert sombre. En fin de printemps, il porte de grosses fleurs orange intense.

Exochorda × macrantha 'The Bride'
Arbuste dense, formant un dôme de branches arquées, pendantes. En fin de printemps et début d'été, nombreuses fleurs blanches assez grosses parmi les feuilles caduques vert sombre.

☐ BLANC

Deutzia scabra

Arbuste à branches érigées, dont les fleurs blanches étoilées, réunies en grappes érigées denses, ressortent du feuillage caduc vert foncé. Fleurit du début jusqu'à la fin de l'été.

Philadelphus 'Belle Étoile'
Seringat 'Belle Étoile'

Arbuste à branches arquées; en fin de printemps et début d'été, profusion de fleurs très parfumées, blanches avec une tache purpurine à la base, au milieu des feuilles caduques vertes.

Pyracantha × watereri

Arbuste épineux, dense, au feuillage persistant, brillant, vert sombre. Aux fleurs blanches du début de l'été succèdent des baies rouge vif en automne.

Spiraea canescens
Spirée canescens

Arbuste à pousses dressées, arquées au sommet. Du début au milieu de l'été, profusion de petits corymbes bombés de fleurs blanches, au milieu des feuilles caduques gris-vert.

Deutzia × magnifica 'Staphyleoides'

Arbuste vigoureux, dressé. En début d'été, grappes denses de fleurs simples blanc pur, assez grosses, à pétales largement ouverts. Feuilles caduques vert vif.

Aronia melanocarpa

Arbuste touffu, dont les nombreuses fleurs blanches apparaissent en fin de printemps et début d'été, suivies de fruits noirs. Ses feuilles caduques sont vert foncé lustré, virant au rouge en automne.

Fallugia paradoxa

Arbuste touffu qui porte des fleurs blanches en milieu d'été, suivies de fruits verts teintés de rose et de rouge, gardant des styles plumeux à leur sommet. Les feuilles caduques vert foncé sont finement découpées.

Rubus 'Tridel'

Arbuste à branches arquées, sans épine, dont l'écorce s'exfolie. En fin de printemps et début d'été, il porte d'assez grosses fleurs blanc pur, en forme de rose simple, parmi les feuilles caduques lobées vert foncé.

Olearia nummulariifolia

Arbuste à port arrondi, dont les pousses dressées rigides sont couvertes d'une façon dense de petites feuilles persistantes très épaisses, vertes. Des petites fleurs blanches parfumées apparaissent en milieu d'été.

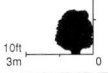

Sorbaria sorbifolia, syn. *Spiraea sorbifolia*

Arbuste à tiges érigées formant des massifs car il drageonne. Feuilles vertes caduques composées de nombreuses folioles. Grosses panicules de petites fleurs blanches en été.

Yucca gloriosa

Arbuste à tige épaisse couronnée d'une touffe de longues feuilles persistantes pointues, vert foncé (bleu-vert quand elles sont jeunes). En été-automne, très longues panicules de fleurs blanches en forme de cloche.

Prinsepia uniflora

Arbuste épineux, à branches arquées. Feuilles caduques étroites, brillantes, vert foncé. De fin printemps à été, petites fleurs blanches parfumées, suivies de fruits rouge foncé en forme de cerise. Aime le soleil et la chaleur.

Philadelphus 'Boule d'Argent'
Seringat 'Boule d'Argent'

Arbuste touffu à branches arquées dont les cymes de fleurs doubles blanc pur légèrement parfumées contrastent avec le feuillage caduc vert foncé du début au milieu de l'été.

Hydrangea arborescens 'Grandiflora'
Hortensia de Virginie 'Grandiflora'

Arbuste touffu. De mi-été à début automne, gros corymbes de fleurs blanches. Feuilles vertes caduques, ovales.

Philadelphus 'Dame Blanche'
Seringat 'Dame Blanche'

Arbuste touffu, compact, ayant une écorce sombre qui s'exfolie. De début à milieu d'été, profusion de fleurs doubles ou semi-doubles blanc pur, un peu parfumées, parmi le feuillage caduc vert foncé.

Escallonia virgata

Arbuste gracieux, étalé, à pousses arquées et à petites feuilles brillantes caduques vert sombre. Il porte des grappes de petites fleurs blanches de début à milieu d'été. Climat maritime doux.

Eucryphia milliganii

Arbuste dressé, étroit, dont les petites feuilles vert sombre à dessous blanc bleuté sont persistantes. Les fleurs qu'il porte en milieu d'été sont petites et blanches.

☐ BLANC

Osteomeles schweriniae
Arbuste à branches arquées, à pousses longues, frêles. Feuilles persistantes vert sombre, à nombreuses petites folioles. Corymbes de petites fleurs blanches en début d'été, suivies de fruits rouges puis noir bleuté.

Carpenteria californica
Arbuste touffu à feuillage persistant. Porte en été des fleurs blanches parfumées à centre jaune, contrastant avec le feuillage vert sombre brillant.

Zenobia pulverulenta
Arbuste à branches légèrement arquées, souvent avec des pousses à pruine blanc bleuâtre. Feuilles caduques ou semi-persistantes brillantes, d'abord à revers blanc bleuté. Fleurs blanches, parfumées, en forme de cloche, de début à mi-été.

Hydrangea quercifolia
Hortensia à feuilles de chêne
Arbuste touffu en forme de dôme, à feuilles caduques profondément lobées, vert sombre, devenant rouges et pourpres en automne. Panicules de fleurs blanches de mi-été à mi-automne.

Styrax wilsonii
Arbuste touffu, aux pousses frêles, produisant en début d'été une abondance de fleurs blanches à centre jaune. Petites feuilles caduques, vert foncé.

Symplocos paniculata
Arbuste touffu, ayant des panicules de petites fleurs blanches parfumées en fin de printemps et début été, suivies de petites baies bleu métallisé. Les feuilles caduques sont vertes.

Ceanothus incanus
Céanothe incanus
Arbuste touffu à feuillage persistant avec des pousses épineuses qui s'étalent et de grosses inflorescences de fleurs blanches en fin de printemps et début d'été.

Ozothamnus rosmarinifolius, syn.
Helichrysum rosmarinifolium
Arbuste dense à port dressé, à pousses blanches laineuses; feuilles persistantes étroites vert sombre; fleurs blanches parfumées s'ouvrant en début d'été, en capitules groupés en corymbes.

Philadelphus × lemoinei
Seringat × lemoinei
Arbuste dressé à feuillage caduc, à branches légèrement arquées, qui, de début à mi-été, produit à profusion des groupes de petites fleurs blanches extrêmement parfumées.

Cornus alba 'Elegantissima'
Cornouiller blanc 'E.'
Arbuste vigoureux; jeunes pousses rouge vif en hiver. Feuilles caduques gris-vert à bordure blanche; fin printemps et début d'été, grappes de fleurs blanc crème, suivies de fruits blancs.

Clethra barbinervis
Arbuste à port dressé, avec une écorce qui s'exfolie. Ses feuilles caduques ovales, à bord denté, virent au rouge et au jaune en automne. Grappes de fleurs blanches parfumées fin été et début automne.

Hydrangea paniculata
'Brussels Lace'
Arbuste peu dense ayant de grandes feuilles caduques pointues, vert sombre. En fin d'été et début d'automne, panicules peu compactes, délicates, de fleurs blanches.

Spiraea nipponica
Spiraea veitchii
Stachyurus chinensis 'Magpie'
Viburnum dilatatum

Viburnum plicatum
Viburnum plicatum 'Nanum Semperflorens'
Weigelia 'Candida'
Weigelia florida 'Variegata', p. 128

Weigelia praecox 'Variegata'

Viburnum dilatatum 'Catskill'
Viorne dilatatum 'Catskill'
Arbuste à port étalé; feuilles caduques
très dentées vert foncé, virant au jaune,
orange et rouge en automne. Fin
printemps et début été, têtes
plates de fleurs blanc crème,
suivies de fruits rouge vif.

☼ ◊ ❄❄❄

Olearia x *haastii*
Arbuste touffu, dense, bon pour faire
des haies. Petites feuilles persistantes
lustrées vert foncé; du milieu à la fin
d'été, il est couvert de fleurs blanches
parfumées ressemblant à des
marguerites.

☼ ◊ ❄❄

Philadelphus coronarius
'Variegatus'
**Seringat des jardins
'Variegatus'**
Arbuste touffu. Fin printemps-début été,
grappes de fleurs blanc crème
parfumées. Feuilles caduques
marginées de blanc.

☼ ◊ ❄❄❄

Spiraea nipponica 'Snowmound'
Spirée nipponica 'Snowmound'
Arbuste à port étalé, à branches solides,
rougeâtres, arquées. Début été, bouquets
denses, abondants, de petites fleurs
blanches, contrastant avec les
petites feuilles caduques
étroites, vert sombre.

☼ ◊ ❄❄❄

Eriogonum giganteum
Arbuste à port arrondi, à feuilles
persistantes blanches «laineuses» de
forme oblongue à ovale. Il porte des
groupes (mesurant 30 cm ou plus de
large) d'inflorescences
constituées de petites fleurs
blanches. Min. 5 °C.

☼ ◊

Viburnum x *pragense*
Viorne x pragense
Arbuste buissonnant, à port arrondi, au
feuillage persistant vert sombre. En fin
de printemps et début d'été, cymes de
fleurs blanches, roses en
bouton.

☼ ◊ ❄❄❄❄

Leptospermum flavescens
Arbuste gracieux, à branches arquées, à
petites feuilles persistantes, brillantes,
vert vif. En milieu d'été, il porte en
abondance de petites fleurs blanches
teintées de rose.

☼ ◊ ❄❄

Philadelphus delavayi
f. *melanocalyx*
Seringat melanocalyx
Arbuste à port dressé, cultivé pour ses
fleurs très parfumées, à pétales blanc
pur, à sépales pourpre foncé,
de début à mi-été. Feuilles
caduques vertes.

☼ ◊ ❄❄❄

Hibiscus syriacus 'Red Heart'
Arbuste à port dressé, portant de fin
d'été à mi-automne de grosses fleurs
blanches à centre rouge très apparent.
Ses feuilles caduques ovales sont lobées
et vert foncé.

☼ ◊ ❄❄❄

Arbustes/taille moyenne

☐☐ BLANC, ROSE

☐ ROSE

Stephanandra tanakae
Arbuste à branches arquées, à pousses brun orangé; feuilles caduques, fortement dentées, vert moyen devenant orange et jaune en automne. Du début à la mi-été, fleurs blanches issues de petits boutons jaune-vert.

Lonicera tatarica
Chèvrefeuille de Tartarie
Arbuste touffu. À la fin du printemps et en début d'été, fleurs blanches, roses et rouges parmi le feuillage caduc vert sombre. Elles sont suivies de baies rouges.

Syringa microphylla 'Superba'
Lilas microphylla 'Superba'
Arbuste touffu produisant d'abondantes petites panicules étalées de fleurs roses, très parfumées, de fin printemps à début automne. Feuilles caduques vert moyen, ovales et pointues.

Protea neriifolia
Arbuste touffu, dressé et à feuilles persistantes, étroites. Au printemps et en été, inflorescences de 13 cm de long environ, rouges, roses ou blanches, à bractées terminées par des touffes de poils noirs. Min. 5-7 °C.

Lonicera xylosteum
Chèvrefeuille des haies
Arbuste dressé, dense, touffu et à feuillage caduc gris-vert. Les fleurs, blanc crème, apparaissent vers la fin du printemps et en début d'été. Elles sont suivies de fruits rouges.

Escallonia 'Donard Seedling'
Arbuste vigoureux à branches arquées. Feuilles persistantes petites, vert sombre, brillantes. De début à mi-été, masses de fleurs blanc rosé, roses en bouton. Climat maritime doux.

Acer palmatum 'Butterfly'
Érable palmatum 'Butterfly'
Arbrisseau à croissance lente et à feuilles caduques, lobées, gris-vert bordées de crème et de rose. Au milieu du printemps, petites fleurs pourpre rougeâtre.

Deutzia longifolia 'Veitchii'
Arbuste à branches arquées, à feuilles caduques, étroites et pointues, et à grands corymbes de fleurs rose foncé, en forme d'étoile, du début à la mi-été.

 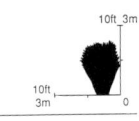

Neillia thibetica
Arbuste à branches arquées et à feuilles caduques fortement dentées. Vers la fin du printemps et au début de l'été, il porte une profusion de grappes étroites de fleurs roses.

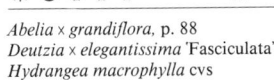 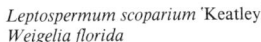

Escallonia 'Apple Blossom'
Arbuste touffu, dense. De début à mi-été, abondantes fleurs roses, ressemblant à celles du pommier, parmi les feuilles persistantes vert sombre, brillantes. Climat maritime doux.

☼ ◊ ❊❊

Robinia hispida
«Acacia» rose
Arbuste d'allure souple. Ses branches cassantes et poilues portent des feuilles caduques vert sombre, composées de 7 à 13 folioles. Grappes pendantes de fleurs rose pourpré fin printemps et début d'été.

☼ ◊ ❊❊❊

Indigofera gerardiana
Indigotier gerardiana
Arbuste à branches légèrement arquées. Feuilles caduques, vert grisâtre, composées de nombreuses petites folioles. Grappes de petites fleurs rose pourpré du début de l'été au début de l'automne.

☼ ◊ ❊❊

Lavatera olbia 'Rosea'
Lavatère d'Hyères 'Rosea'
Arbuste érigé, produisant tout l'été d'abondants bouquets de fleurs rose foncé, ressemblant à des roses trémières. Feuilles semi-persistantes lobées, vert cendré.

☼ ◊ ❊❊

Kalmia latifolia
Laurier des montagnes
Arbuste touffu, dense et à feuilles persistantes, brillantes, d'un vert intense. Au début de l'été, grands corymbes de fleurs roses, issues de boutons plissés bien caractéristiques.

☼ ◊ pH ❊❊❊

Medinilla magnifica
Arbuste dressé, à feuilles persistantes très nervurées, avec de rares tiges robustes, quadrangulaires. Printemps-été, fleurs, de roses à rouge corail, pendant en longues touffes sous de grandes bractées roses. Min. 16-18 °C.

☼ ◊

Hibiscus rosa-sinensis 'The President'
Arbuste touffu, à feuilles persistantes, vert sombre, dentées, ovales et luisantes. En été, grandes fleurs rose vif à centre rouge violacé et à anthères jaunes, saillantes. Min. 10-13 °C.

☼ ◊

Hibiscus syriacus 'Woodbridge'
Arbuste dressé. De la fin de l'été à la mi-automne, de larges fleurs, rose rougeâtre à centre plus foncé, apparaissent parmi les feuilles caduques, lobées et vert sombre.

☼ ◊ ❊❊❊

Lavatera assurgentiflora
Lavatère assurgentiflora
Arbuste à tiges grises tortueuses. À mi-été, bouquets de fleurs roses veinées de sombre, rappelant la rose trémière. Feuilles semi-persistantes palmées, vert moyen, dessous à poils blancs.

☼ ◊ ❊❊

■■ ROSE, ROUGE

■ ROUGE

Melaleuca elliptica
Arbuste arrondi, à feuilles coriaces
persistantes, le plus souvent vert
grisâtre. Les fleurs, constituées
d'étamines rouges en brosse,
apparaissent en épis denses
terminaux, du printemps à
l'été.

Cestrum elegans
Arbuste vigoureux, à branches arquées.
Pousses inclinées, à feuilles persistantes,
duveteuses, vert foncé. Vers la fin du
printemps et en été, bouquets denses de
fleurs rouge violacé, suivies de
fruits rouge foncé.

Pieris formosa var. **forrestii**
'Wakehurst'
Arbuste dense, touffu. Feuilles
persistantes d'un rouge éclatant au
début de l'été, puis roses, jaune crème et
enfin vert sombre. Fleurs
blanches urcéolées au
printemps et en été.

Lonicera ledebourii
Arbuste touffu, à feuillage caduc, vert
sombre. Fin printemps et début été,
fleurs jaune orangé teintées de rouge,
suivies de baies noires, entourées de
grandes bractées rouges qui
s'élargissent
progressivement.

Escallonia 'Langleyensis'
Arbuste à branches arquées, à petites
feuilles persistantes ou semi-
persistantes, brillantes, vert vif; fleurs
rose carminé en abondance du début au
milieu de l'été. Climat
maritime doux.

Calycanthus occidentalis
Calycanthe occidentalis
Arbuste touffu, à grandes feuilles
caduques aromatiques, vert sombre. Les
fleurs, rouge violacé, odorantes et
composées de nombreux
pétales en forme de ruban,
apparaissent en été.

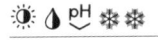

Crinodendron hookerianum
Arbre aux lanternes
Arbuste dressé, à branches rigides et à
feuilles persistantes, étroites et vert
sombre. À la fin du printemps et en
début d'été, fleurs rouges,
pendantes, en forme de
lanterne.

Bauhinia punctata, syn. **B. galpinii**
Arbuste étalé, parfois un peu grimpant.
Les feuilles sont semi-caduques ou
persistantes et composées de 2 lobes.
En été, fleurs parfumées rouge
brique vif. Min. 16 °C.

Telopea speciosissima
Arbuste érigé, assez touffu et à feuilles
persistantes, grossièrement dentées. Au
printemps et en été, fleurs rouges,
tubulaires, formant de denses
glomérules entourés de
bractées rouge vif.

Erythrina crista-galli
Érythrine crête de coq
Arbuste plutôt dressé, à feuilles caduques, divisées en 3 folioles. En été et en automne, grappes feuillées de fleurs cramoisies. En hiver, dans les zones froides, la partie aérienne meurt.

Erythrina × bildwillii
Érythrine × bildwillii
Arbuste dressé, à feuilles caduques, atteignant 10 cm de long et divisées en 3 folioles. Il porte, à la fin de l'été ou en automne, des grappes de fleurs rouge vif.

Feijoa sellowiana
Arbuste touffu. Feuilles persistantes gris-vert à dessous blanc. Au milieu de l'été, grandes fleurs rouge sombre et blanc, suivies de fruits verts teintés de rouge, comestibles.

Acalypha wilkesiana
Arbuste touffu. Les feuilles persistantes sont ovales, à bord en dents de scie, de 10 cm ou plus de long, vert cuivré intense et irrégulièrement marquées de différentes teintes de rouge.
Min. 18 °C.

Desfontainea spinosa
Arbuste touffu et dense. Les feuilles persistantes vert sombre, épineuses, brillantes, ressemblent à celles du houx. De la mi-été à la fin de l'automne, longues fleurs tubulaires pendantes, rouges à extrémité jaune.

Callistemon citrinus 'Splendens'
Arbuste à branches arquées et à larges feuilles persistantes, à odeur de citron, rouge bronze à l'état jeune puis gris-vert. Au début de l'été, fleurs rouge vif, formant des épis ressemblant à des écouvillons.

Aloysia triphylla, syn. *Lippia citriodora*
Citronnelle verveine
Arbuste touffu, à feuilles caduques, vert pâle, à l'odeur de citron. Début été, minuscules fleurs blanches teintées de lilas.

Callistemon rigidus
Arbuste touffu, à branches légèrement arquées, à longues feuilles persistantes vert sombre, étroites, à pointe fine. Vers la fin du printemps et au début de l'été, il porte des épis denses de fleurs rouge foncé.

Rhus glabra
Sumac à bois glabre
Arbuste touffu, à rameaux pourpre pruineux. Feuilles caduques bleu-vert foncé rougissant en automne. En été, panicules de fleurs rouge verdâtre ; fruits rouges sur les plantes femelles.

Acer palmatum 'Bloodgood'
Érable palmatum 'Bloodgood'
Arbrisseau à cime touffue et à feuilles caduques, pourpre rougeâtre foncé virant au rouge vif en automne. À mi-printemps, petites fleurs pourpres ; souvent fruits ailés rouges, décoratifs.

Buddleia crispa
Arbuste touffu, dressé, à feuillage caduc. Du milieu à la fin de l'été, il porte des grappes de petites fleurs parfumées lilas. Les pousses et les feuilles sont blanches et tomenteuses.

FUCHSIAS, pp. 132-133
Hibiscus rosa-sinensis
Phygelius capensis 'Coccineus'
Weigelia 'Bristol Ruby'

Buddleia 'Lochinch'
Calycanthus floridus
Chordospartium stevensonii
RHODODENDRONS, pp. 100-102

■ POURPRE

Hibiscus sinosyriacus 'Lilac Queen'
Arbuste étalé et peu dense. De la fin de l'été à la mi-automne, il produit de grandes fleurs lilas pâle à centre rouge. Feuilles caduques vert sombre assez larges, lobées.

Hydrangea macrophylla 'Lilacina'
Hortensia 'Lilacina'
Arbuste touffu. Fin été, têtes aplaties ouvertes de fleurs stériles rose pourpré, entourant les petites fleurs centrales lilas foncé. Feuilles caduques.

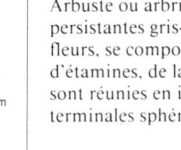

Hydrangea aspera subsp. *aspera*
Arbuste dressé, à feuilles caduques. Son écorce s'exfolie. De fin été à mi-automne, têtes composées de petites fleurs centrales bleues ou pourpres, entourées de fleurs plus grandes, blanches parfois teintées de rose pourpré.

Prostanthera ovalifolia
Arbuste touffu, arrondi. Minuscules feuilles persistantes, agréablement aromatiques, à texture épaisse. Au printemps et en été, grappes feuillées de fleurs pourpres, campanulées à 2 lèvres. Min. 5 °C.

Melaleuca nesophylla
Arbuste ou arbrisseau touffu, à feuilles persistantes gris-vert, ovales. En été, les fleurs, se composant d'une touffe d'étamines, de lavande à rose carminé, sont réunies en inflorescences terminales sphériques.

Abutilon × suntense 'Violetta'
Arbuste dressé, à croissance rapide et à branches arquées. Fin printemps et début été, abondance de grandes fleurs violettes en forme de coupe. Feuilles caduques vert sombre, très dentées, rappelant celles de la vigne.

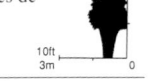

BRUYÈRES, pp. 146-147
FUCHSIAS, pp. 132-133
RHODODENDRONS, pp. 100-102

Prostanthera rotundifolia
Arbuste touffu, arrondi et à minuscules feuilles persistantes, agréablement aromatiques, vert foncé. Vers la fin du printemps ou en été, des grappes feuillées de fleurs lavande ou bleu-pourpre s'épanouissent.

Sophora davidii, syn. S. viciifolia
Arbuste touffu, à pousses arquées et à feuilles caduques gris-vert, à nombreuses folioles. Vers la fin du printemps et en début d'été, inflorescences de petites fleurs pourpres et blanches, ressemblant à des pois de senteur.

Hibiscus syriacus 'Blue Bird'
Arbuste dressé, à feuilles caduques vert foncé, lobées. De la fin de l'été à la mi-automne, s'épanouissent de grandes fleurs bleu-lilas à centre rouge.

Acanthopanax sieboldianus
Élégant arbuste touffu. Ses feuilles caduques sont brillantes, vert vif, divisées en 5 folioles et munies d'épines. Au début de l'été, il porte de petites fleurs verdâtres en ombelle.

Solanum rantonnetii 'Royal Robe'
Arbuste vaguement arrondi, à feuilles persistantes, lisses, vert vif. En été, il porte des cymes de petites fleurs bleu-pourpre intense, presque aplaties. Min. 10 °C.

Fabiana imbricata 'Violacea'
Arbuste dressé, à pousses densément couvertes de minuscules feuilles persistantes, vert foncé, ressemblant à celles de la bruyère. Au début de l'été, il porte une profusion de fleurs tubulaires lilas.

Ceanothus impressus
Céanothe impressus
Arbuste touffu, s'étalant à maturité. Il est couvert de petites feuilles persistantes vert sombre, gaufrées. De mi-printemps à début été, petits bouquets de fleurs bleu foncé.

Zanthoxylum piperitum
Poivrier du Japon
Arbuste ou arbrisseau touffu et épineux. Feuilles caduques vert sombre, à nombreuses folioles, brillantes et aromatiques. Minuscules fleurs printanières jaune verdâtre, donnant de petits fruits rouges.

Hydrangea macrophylla 'Veitchii'
Hortensia 'Veitchii'
Arbuste touffu. Feuilles caduques ovales, dentées et brillantes. De mi- à fin été, têtes aplaties, de grandes fleurs stériles blanches puis roses entourant les fleurs centrales bleu-lilas.

Hydrangea macrophylla 'Blue Wave'
Hortensia 'Blue Wave'
Arbuste touffu, à feuilles caduques vert clair, ovales, dentées et brillantes. De mi- à fin été, têtes aplaties, ouvertes, de fleurs allant de bleu intense ou lilas à rose.

Hydrangea macrophylla 'Blue Bonnet'
Hortensia 'Blue Bonnet'
Arbuste touffu, à feuillage caduc vert sombre. De mi- à fin été, fleurs d'un bleu intense ou roses, formant des têtes denses.

Ptelea trifoliata 'Aurea'
Orme de Samarie
Arbuste ou arbrisseau dense et touffu. Ses feuilles caduques sont composées de 3 folioles d'abord jaune vif, puis vert pâle. En été, fleurs verdâtres, suivies de fruits verts ailés.

Arbustes/taille moyenne

■ VERT, JAUNE

Itea ilicifolia
Arbuste touffu, à feuilles persistantes
vert sombre, brillantes, rappelant celles
du houx. Vers la fin de l'été et en début
d'automne, petites fleurs verdâtres,
regroupées en longues grappes
ressemblant à des chatons.

Cornus alba 'Spaethii'
Cornouiller blanc 'Spaethii'
Arbuste vigoureux, à jeunes pousses
rouge vif en hiver. Feuilles caduques
vert vif panachées de jaune. Fin
printemps et début été, fleurs
blanc crème suivies de fruits
blancs.

Piptanthus nepalensis, syn. *P. laburnifolius*
Arbuste peu dense. Feuilles caduques ou
semi-persistantes à grandes folioles
bleu-vert sombre. Au printemps et en
été, grappes de fleurs jaune
vif, ressemblant à des pois
de senteur.

Hibbertia cuneiformis, syn.
Candollea cuneiformis
Arbuste touffu, dressé, à petites feuilles
persistantes. Il porte des fleurs jaune vif
au printemps et en été. Min 10 °C.

Callistemon pallidus
Arbuste à branches arquées et à feuillage
persistant gris-vert, teinté de rose à l'état
jeune. En début d'été, il se couvre de
fleurs jaune crème, regroupées en épis
denses ressemblant à des
écouvillons.

Bupleurum fruticosum
Oreille de lièvre
Arbuste touffu, à tiges frêles. Du milieu
de l'été au début de l'automne, des
ombelles convexes de petites fleurs
jaunes apparaissent parmi le
feuillage persistant brillant,
vert bleuâtre sombre.

Physocarpus opulifolius 'Dart's Gold'
Arbuste compact, à feuilles caduques,
lobées, jaune doré. Son écorce s'exfolie.
Vers la fin du printemps, il produit des
corymbes de fleurs blanches
ou rose pâle.

Colutea arborescens
Baguenaudier commun
Arbuste peu dense et à croissance
rapide. Feuilles caduques à nombreuses
folioles vert pâle, des fleurs jaunes tout
l'été et gousses vésiculeuses
fin été et automne.

Jasminum humile
Jasmin d'Italie
Arbuste touffu, à feuilles presque
persistantes vert vif, composées de 5 ou
7 folioles. De début printemps à fin
automne, longues et minces
pousses vertes portant des
fleurs jaune vif.

JAUNE, ORANGE

BLANC, ROSE, ROUGE

Colutea × media
Baguenaudier × media
Arbuste peu dense, vigoureux. Feuilles caduques, composées de nombreuses folioles gris-vert. En été, fleurs jaunes, teintées d'orange cuivré, suivies de gousses vésiculeuses.

Dendromecon rigida
Arbuste vigoureux, dressé, poussant le mieux le long d'un mur. Du printemps à l'automne, de grandes fleurs jaune d'or, parfumées, apparaissent parmi le feuillage persistant gris-vert.

Colletia armata
Arbuste à branches arquées et robustes, presque sans feuilles et munies d'épines rigides gris-vert. À la fin de l'été, les boutons roses donnent des fleurs blanches et parfumées, qui persistent jusqu'en automne.

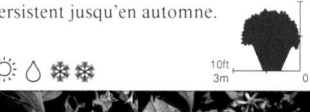

Calliandra haematocephala
[À fleurs roses.] Arbuste étalé. Feuilles persistantes à nombreuses folioles. De la fin de l'automne au printemps, glomérules constitués de nombreuses fleurs roses. Min. 7 °C.

Cassia corymbosa
Séné corymbosa
Arbuste vigoureux, à feuilles persistantes ou semi-persistantes, composées de 4 à 6 folioles ovales, vert vif. Fin été, ramilles de fleurs jaune intense, en forme de coupe. Min. 7 °C.

Cassia didymobotrya
Séné didymobotrya
Arbuste arrondi, parfois étalé; feuilles persistantes à plusieurs folioles. Toute l'année, les boutons floraux brillants, brun noirâtre, donnent des fleurs d'un jaune intense. Min. 13 °C.

Clerodendrum trichotomum
Arbrisseau dressé, touffu au sommet. Feuillage caduc, d'un vert moyen. De la fin de l'été à la mi-automne, des fleurs blanches et odorantes s'épanouissent à partir de boutons rose foncé, suivies de baies décoratives bleues.

Euonymus hamiltonianus var. sieboldianus 'Red Elf'
Fusain 'Red Elf'
Arbuste dressé; feuillage caduc, vert sombre. Début été, petites fleurs vertes; profusion de fruits décoratifs rose foncé, montrant des graines rouges.

Spartium junceum
Genêt d'Espagne
Arbuste dressé, s'arquant avec l'âge, presque dépourvu de feuilles. De début été à début automne, fleurs jaune d'or, parfumées et rappelant des pois de senteur sur des pousses vert sombre.

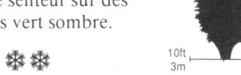

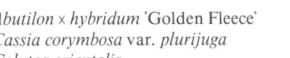

Abutilon pictum 'Thompsonii'
Arbuste dressé et robuste. Ses feuilles persistantes sont d'un vert intense, fortement tachetées de jaune, dentées et divisées en 3 ou 5 lobes. De l'été à l'automne, fleurs jaune orangé à veines cramoisies. Min. 5-7 °C.

Viburnum farreri, syn. V. fragrans
Viorne farreri
Arbuste dressé; feuillage caduc, d'abord bronzé puis vert foncé. Fin automne, en périodes hivernales douces et début printemps, fleurs parfumées rose pâle.

Euonymus europaeus 'Red Cascade'
Fusain d'Europe 'Red Cascade'
Arbuste touffu. En automne, les feuilles caduques, vert moyen, rougissent et les fruits rouges s'ouvrent, montrant leurs graines orange.

Abutilon × hybridum 'Golden Fleece'
Cassia corymbosa var. plurijuga
Colutea orientalis
Juanulloa aurantiaca, p. 139

Justicia spicigera, p. 140
Ochna serrulata

AUTRES PLANTES CONSEILLÉES :
Berberis 'Rubrostilla', p. 140
Datura arborea
Eupatorium ligustrinum

Symphoricarpus albus var. laevigatus
Turraea obtusiolia, p. 140
Viburnum opulus 'Compactum', p. 140

Arbustes/taille moyenne

■ ROUGE

Viburnum betulifolium
Viorne betulifolium
Arbuste dressé, à branches légèrement arquées et à feuilles caduques, vert vif. En début d'été, cymes de petites fleurs blanches, suivies d'abondants groupes de fruits pendants, rouge vif, décoratifs.

Euonymus latifolius
Fusain latifolius
Arbuste peu dense. Le feuillage caduc, d'un vert moyen, devient rouge éclatant vers la fin de l'automne. Parallèlement, de grands fruits rouge foncé s'ouvrent, découvrant leurs graines orange.

Euonymus alatus
Fusain ailé
Arbuste dense, touffu. Feuilles caduques, vert sombre devenant rouge éclatant en automne. Pousses à côtes ailées, subéreuses. Discrètes fleurs verdâtres; petits fruits rouges et pourpres.

Nymania capensis
Arbuste plus ou moins arrondi, à branches rigides et à feuilles persistantes. Au printemps, fleurs à pétales roses à rose-pourpre. En automne, fruits rouges, gonflés, ayant l'aspect du papier. Min. 7-10 °C.

Cornus alba 'Kesselringii'
Cornouiller blanc 'Kesselringii'
Arbuste vigoureux, à pousses violacé foncé et à feuilles caduques vert foncé. Fin printemps et début été, fleurs blanc crème, suivies de fruits blancs.

■■ POURPRE, BLEU

Callicarpa bodinieri var. giraldii
Arbuste touffu. Les feuilles, caduques, sont vert pâle et souvent teintées de bronze à l'état jeune. De minuscules fleurs lilas apparaissent à la mi-été. Elles sont suivies de petites baies violettes.

Clerodendrum bungei
Arbuste dressé, drageonnant. Feuilles persistantes ou caduques, cordiformes, grossièrement dentées. Fin été et début automne, inflorescences globuleuses de petites fleurs odorantes, rouge-pourpre à rose foncé.

Ceanothus 'Autumnal Blue'
Céanothe 'Autumnal Blue'
Arbuste touffu, à croissance rapide. Son feuillage persistant est vert vif et brillant. De la fin du printemps à l'automne, grandes inflorescences de fleurs d'un bleu pâle à moyen.

□ ORANGE

Berberis 'Barbarossa'
Arbuste à branches arquées et à feuillage semi-persistant, vert sombre. Vers la fin du printemps et en début d'été, il porte des grappes de fleurs jaunes, suivies de fruits orange écarlate.

Zanthoxylum simulans
Arbuste touffu, à grosses épines. Feuilles caduques vert vif à 5 folioles, aromatiques, brillantes. Vers la fin du printemps et en début d'été, minuscules fleurs vert jaunâtre, suivies de fruits rouge orangé.

Cotoneaster simonsii
Arbuste dressé, utilisable pour les haies. Feuilles caduques ou semi-persistantes, brillantes, vert sombre; fleurs blanches en début d'été, fruits rouge orangé en automne, se maintenant longtemps.

ORANGE, JAUNE

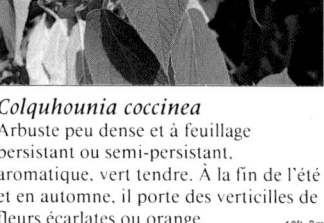

Colquhounia coccinea
Arbuste peu dense et à feuillage persistant ou semi-persistant, aromatique, vert tendre. À la fin de l'été et en automne, il porte des verticilles de fleurs écarlates ou orange.

Leonotis leonorus
Queue de lion
Arbuste érigé, modérément ramifié. Feuilles persistantes lancéolées, et verticilles de fleurs tubulaires, orange vif, de la fin de l'automne au début de l'hiver.

Pyracantha 'Golden Charmer'
Arbuste touffu, épineux, à branches arquées. Ses feuilles persistantes sont vert vif, brillantes. En début d'été, fleurs blanches donnant, en début d'automne, de grandes baies orange vif.

Cotoneaster franchetii var. sternianus
Arbuste à branches arquées. Feuilles persistantes ou semi-persistantes, gris-vert au-dessus et blanches au-dessous. En début d'été, fleurs blanches teintées de rose; fruits rouge orangé.

Pyracantha 'Golden Dome'
Arbuste arrondi, très dense et épineux. En début d'été, le feuillage persistant vert sombre met en valeur les fleurs blanches, suivies, en début d'automne, de baies jaune orangé.

Stephanandra incisa

BLANC

Rubus biflorus
Arbuste dressé, à jeunes pousses d'un blanc crayeux en hiver. Feuilles caduques vert sombre au-dessus et blanches au-dessous. Vers la fin du printemps et en début d'été, fleurs blanches, suivies de fruits jaunes comestibles.

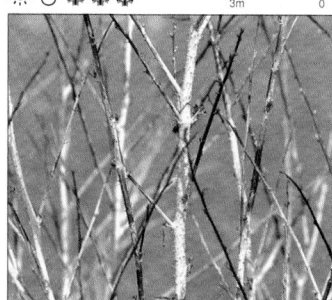

Rubus thibetanus
Arbuste à branches arquées et à jeunes pousses pourpre brunâtre en hiver. Feuilles caduques vert foncé à dessous blanc, rappelant des frondes de fougères. De mi- à fin été, petites fleurs roses, suivies de fruits noirs.

Viburnum foetens
Viorne foetens
Arbuste touffu, à feuillage caduc vert sombre, aromatique. Du milieu de l'hiver au début du printemps, fleurs blanches très parfumées issues de boutons roses.

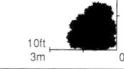

Viburnum tinus
Laurier-tin
Arbuste dense, touffu et à feuillage persistant, vert sombre. En fin d'hiver et au printemps, il produit d'abondantes cymes terminales de petites fleurs blanches, issues de boutons roses.

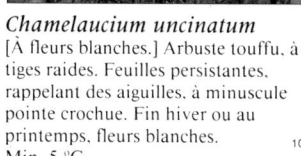

Chamelaucium uncinatum
[À fleurs blanches.] Arbuste touffu, à tiges raides. Feuilles persistantes, rappelant des aiguilles, à minuscule pointe crochue. Fin hiver ou au printemps, fleurs blanches. Min. 5 °C.

Calliandra haematocephala
[À fleurs blanches.] Arbuste étalé; feuilles persistantes à nombreuses folioles. De fin automne au printemps, inflorescences formées de nombreuses fleurs blanches. Min. 7 °C.

Salix irrorata

Arbustes/taille moyenne

■□ BLANC, ROSE ■■ ROUGE, VIOLET □ JAUNE

Dombeya burgessiae, syn. *D. mastersii*
Arbuste à feuilles persistantes, duveteuses, à 3 lobes. En automne et en hiver, denses groupes de fleurs parfumées blanches à veines allant de rose à rouge. Min. 5 °C.

Chamelaucium uncinatum
[À fleurs roses.] Arbuste touffu, à tiges raides. Feuilles persistantes, rappelant des aiguilles, à minuscule pointe crochue. Fin hiver ou au printemps, fleurs allant du rose pourpre foncé au rose. Min. 5 °C.

Cornus alba 'Sibirica'
Cornouiller blanc 'Sibirica'
Arbuste à jeunes pousses écarlates en hiver. Feuilles caduques vert sombre. Vers la fin du printemps et en début d'été, cymes de fleurs blanc crème, suivies de fruits blancs.

Stachyurus praecox
Arbuste ouvert, étalé et à pousses rouge violacé. En fin d'hiver et au début du printemps, grappes pendantes de fleurs jaune verdâtre pâle avant que n'apparaissent les feuilles caduques vert foncé, pointues.

Acokanthera oblongifolia, syn. *A. spectabilis, Carissa spectabilis*
Arbuste arrondi, à feuilles persistantes. Fleurs parfumées, blanches ou rosâtres, de la fin de l'hiver au printemps, suivies de fruits rouges puis noirs, toxiques. Min. 10 °C.

Viburnum × bodnantense 'Dawn'
Viorne × bodnantense 'Dawn'
Arbuste dressé, à feuillage caduc, d'abord bronze, puis vert sombre. En période douce, de fin automne à début printemps, grappes de boutons rose foncé donnant des fleurs roses parfumées.

Ardisia crenata, syn. *A. crenulata*
Arbuste dressé, peu dense et à feuillage persistant. En début d'été, il porte des fleurs blanches parfumées en forme d'étoile. Ses fruits rouge vif persistent longtemps. Min. 18 °C.

Daphne bholua
Arbuste dressé, à feuilles persistantes, parfois caduques, coriaces et vert sombre. Il porte en hiver des fleurs très parfumées, rose violacé et blanches.

Euphorbia pulcherrima
Poinsettia
Arbuste ramifié, à feuilles persistantes. De la fin de l'automne au printemps, il porte de petites fleurs verdâtres, entourées de bractées rouge vif ou rose foncé. Min. 15 °C.

Iochroma cyaneum, syn. *I. tubulosum*
Arbuste semi-dressé, à branches minces et à feuilles persistantes. De la fin de l'automne au début de l'été, bouquets denses de fleurs pourpre foncé, tubulaires et évasées au sommet. Min. 5-10 °C.

Duranta repens, syn. *D. plumieri*
Arbuste à croissance rapide, touffu, dressé à l'état jeune et à feuilles le plus souvent persistantes. Il porte, en été surtout, des grappes terminales lâches de fleurs bleu-lilas, suivies de fruits jaunes. Min. 18 °C.

CAMELLIAS, pp. 96-97
Daphne odora
Viburnum × bodnantense 'Deben'
Viburnum farreri 'Candidissimum'

Viburnum grandiflorum

BRUYÈRES, pp. 146-147
Cornus alba
Pachystachys coccinea
Skimmia japonica 'Rubella', p. 142

Chimonanthus praecox
Chimonanthus praecox 'Luteus'
Mahonia lomariifolia

□ JAUNE

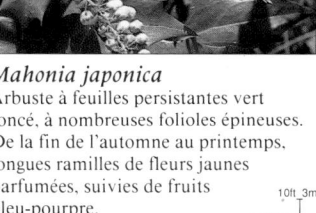
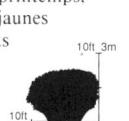

Mahonia japonica
Arbuste à feuilles persistantes vert foncé, à nombreuses folioles épineuses. De la fin de l'automne au printemps, longues ramilles de fleurs jaunes parfumées, suivies de fruits bleu-pourpre.

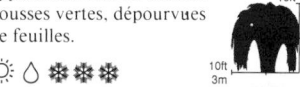

Jasminum nudiflorum
Jasmin d'hiver
Arbuste à branches arquées, à feuillage caduc vert sombre. En hiver et au début du printemps, les fleurs, jaune vif, apparaissent sur de minces pousses vertes, dépourvues de feuilles.

Euonymus japonicus 'Macrophyllus Albus'
Fusain du Japon 'Macrophyllus albus'
Arbuste dressé, touffu. Feuilles persistantes vert sombre, bordées de blanc.

Fatsia japonica 'Variegata'
syn. *Aralia japonica* 'Variegata'
Arbuste arrondi, dense et touffu. Feuilles persistantes palmées, brillantes, vert sombre panaché de blanc crème. En automne, grandes ramilles de petites fleurs blanches.

x *Citrofortunella mitis*, syn. *Citrus mitis*
Arbuste touffu, à feuilles persistantes, coriaces et brillantes. Toute l'année, par intermittence, minuscules fleurs blanches parfumées, suivies de fruits jaune orangé. Min. 5-10 °C.

Euonymus fortunei 'Silver Queen'
Fusain fortunei 'Silver Queen'
Arbuste touffu, parfois grimpant. Abondantes feuilles persistantes vert sombre, largement panachées de blanc. Au printemps, insignifiantes fleurs blanc verdâtre.

Nandina domestica 'Firepower'
Élégant arbuste. Feuilles persistantes ou semi-persistantes, à folioles vert sombre, rouge pourpre à l'état jeune et en automne-hiver. En été, petites fleurs blanches, suivies de fruits rouge orangé dans les régions chaudes.

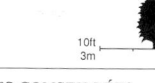

Dracaena sanderiana
Arbuste dressé, à tiges rarement ramifiées, ressemblant à des cannes. Les feuilles persistantes, de 15 à 25 cm de long, lancéolées, sont vert pâle à gris-vert nettement marginées de blanc crème. Min. 18 °C.

Dodonaea viscosa 'Purpurea'
Arbre ou arbuste touffu. Feuilles persistantes à texture ferme, teintées de pourpre cuivré. En fin d'été ou en automne, groupes de capsules rougeâtres ou violacées. Bonne plante de haie en situation ventée. Min. 5 °C.

Acacia podalyriifolia
BRUYÈRES, pp. 146-147
Edgeworthia chrysantha
Stachyurus chinensis

AUTRES PLANTES CONSEILLÉES :
Acalypha hispida
Cleyera japonica 'Tricolor'
Pandanus veitchii, p. 143

Polyscias filicifolia 'Marginata'
Rhamnus alaternus 'Argenteovariegata'

■ VERT

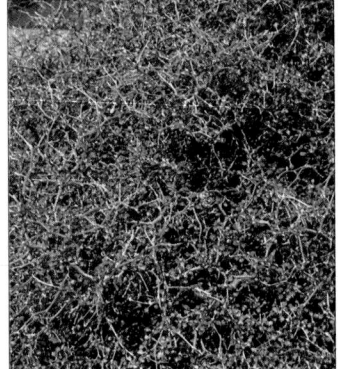

Corokia cotoneaster
Arbuste peu dense, à rameaux enchevêtrés. Petites feuilles persistantes vert sombre en forme de cuillère, fleurs jaunes parfumées à la fin du printemps et fruits rouges en automne.

Encephalartos ferox
Plante à allure de palmier, à croissance lente. Feuilles persistantes, pennées, de 60 à 180 cm de long, à nombreuses folioles grisâtres, dentées, coriaces à pointe épineuse. Min. 10-13 °C.

Cycas revoluta
Plante à allure de palmier, à croissance lente, parfois à plusieurs troncs. Feuilles pennées persistantes, à bords révolutés et à pointes épineuses. En automne, groupes compacts de fruits rougeâtres entre les rosettes de feuilles. Min. 13 °C.

Aucuba japonica
Aucuba du Japon
Arbuste touffu, dense, à pousses vertes, vigoureuses; feuilles persistantes vert sombre, brillantes. À mi-printemps, petites fleurs pourprées sur les pieds femelles, suivies de fruits rouge vif.

Arctostaphylos patula
Arbuste arrondi, à écorce brun rougeâtre et à feuillage persistant, gris-vert vif. Du milieu à la fin du printemps, fleurs blanches ou rose pâle. Elles sont suivies de fruits marron.

Rhapis excelsa
Palmier-éventail formant des touffes en vieillissant. Feuilles persistantes, de 20 à 30 cm de long, composées d'au moins 20 lobes vert foncé, brillants, étroits et formant un éventail. Min. 15 °C.

Buxus sempervirens 'Handsworthensis'
Buis 'Handsworthensis'
Arbuste touffu, dressé et vigoureux. Larges feuilles persistantes, d'un vert très sombre. De par son port dense, il est idéal pour former des haies ou des écrans.

x Fatshedera lizei
Arbuste à branches souples, à abondant feuillage persistant vert foncé, brillant et à lobes marqués. Peut être palissé comme une plante grimpante. Ramilles de petites fleurs blanches en automne. Sensible aux fortes gelées.

Ficus deltoidea, syn. F. diversifolia
Arbuste touffu, à croissance lente et à feuilles persistantes, vert vif au-dessus, teintées de rouge marron au-dessous. Petits fruits blanc verdâtre devenant jaune terne à maturité. Min. 15-18 °C.

Philodendron selloum
Arbuste non ramifié, à tiges robustes et érigées. Feuilles persistantes vert foncé, d'au moins 60 cm de long, brillantes et divisées en nombreux lobes en forme de doigt, eux-mêmes lobés. Parfois spathes blanc verdâtre. Min. 15-18 °C.

Polyscias filicifolia
Arbuste érigé et peu ramifié. Les feuilles persistantes, de 30 cm de long, sont divisées en nombreuses petites folioles en dents de scie, vert vif. Min. 15-18 °C.

Chamaedorea elegans, syn. Neanthe bella
Palmier à stipe élancé, drageonnant avec l'âge. Les feuilles pennées, brillantes, ont de 60 à 100 cm de long. Min. 18 °C.

Portulacaria afra
Pourpier en arbre
Arbuste dressé à branches horizontales
et à minuscules feuilles semi-
persistantes, charnues, vert vif. De la fin
du printemps à l'été, groupes
de fleurs rose pâle. Min.
18 °C.

Buxus balearica
Buis de Mahon
Arbuste à feuilles persistantes,
ressemblant à un arbre. On l'utilise pour
former des haies dans les climats doux.
Il a de larges feuilles vert vif.

Yucca aloifolia
Arbuste ou petit arbre à croissance
lente, peu ramifié. Feuilles persistantes,
de 50 à 75 cm de long, vert foncé, en
forme d'épée. Panicules de fleurs
blanches teintées de pourpre
en été et en automne. Min.
7 °C.

 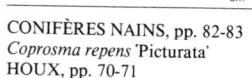

CONIFÈRES NAINS, pp. 82-83
Coprosma repens 'Picturata'
HOUX, pp. 70-71
Sanchezia speciosa, p. 145

Elaeagnus x *ebbingei* 'Limelight'
Arbuste touffu et dense. Les feuilles sont
persistantes, brillantes, vert sombre,
argentées au-dessous et à centre marqué
de jaune et de vert pâle. En automne,
petites fleurs blanches
parfumées.

Ligustrum 'Vicaryi'
Troène 'Vicaryi'
Arbuste touffu, dense, à feuilles semi-
persistantes jaune doré, larges et ovales.
Au milieu de l'été, grappes denses de
petites fleurs blanches.

Aucuba japonica 'Crotonifolia'
Aucuba du Japon 'C.'
Arbuste touffu, dense, à vigoureuses
pousses vertes. Grandes feuilles
persistantes brillantes, vert sombre
tacheté de jaune. Petites fleurs
pourprées à la miprintemps,
suivies de baies rouge vif.

Salix hastata 'Wehrhahnii'
Saule hastata 'Wehrhahnii'
Arbuste à rameaux dressés. Au début du
printemps, avant l'apparition du
feuillage caduc vert vif, tiges pourpre
foncé, contrastant avec les
chatons gris argenté. Ces
tiges jaunissent ensuite.

Deutzia gracilis
Arbuste touffu. Vers la fin du printemps
et au début de l'été, il porte des fleurs en
forme d'étoile, d'un blanc pur,
regroupées en courtes grappes. Les
feuilles caduques sont vert vif.

 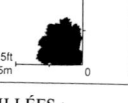

Prunus glandulosa 'Alba Plena'
Arbuste peu dense, à feuillage caduc,
d'un vert moyen. Il porte, à la fin du
printemps, des fleurs doubles blanches.

AUTRES PLANTES CONSEILLÉES :
BRUYÈRES, pp. 146-147
Chamaedaphne calyculata
Fothergilla gardenii

RHODODENDRONS, pp. 100-102
Westringia fruticosa, p. 126

☐ BLANC

◻◻ BLANC, ROSE

Ledum groenlandicum
«Thé» du Labrador
Arbuste touffu. Feuillage persistant vert sombre, aromatique. Petites fleurs blanches, groupées en glomérules arrondis, de la mi-printemps au début de l'été.

Azorina vidalii, syn. **Campanula vidalii**
Campanule vidalii
Sous-arbrisseau à tiges érigées. feuilles persistantes vert sombre. Au printemps et en été, grappes de fleurs campanulées blanches ou roses. Min. 5 °C.

x **Gaulnettya** 'Wisley Pearl'
Arbuste dense, touffu, à feuilles persistantes vert sombre, fortement nervurées. À la fin du printemps et en début d'été, fleurs blanches suivies de fruits décoratifs rouge pourpre.

Viburnum x **juddii**
Viorne x juddii
Arbuste arrondi, touffu et à feuillage caduc vert sombre. Du milieu à la fin du printemps, fleurs blanches teintées de rose, très parfumées, issues de boutons roses.

Prunus laurocerasus 'Zabeliana'
Laurier-cerise 'Zabeliana'
Arbuste s'étalant largement. Feuilles persistantes vert sombre, étroites et brillantes. Fin printemps, grappes de fleurs blanches, suivies de fruits rouges, puis noirs, rappelant des cerises.

Deutzia x **rosea**
Arbuste dense, touffu et à feuillage caduc, vert sombre. Vers la fin du printemps et en début d'été, il produit des bouquets de larges grappes de fleurs rose pâle en forme d'étoile.

Viburnum carlesii
Viorne carlesii
Arbuste dense, touffu. Feuillage caduc vert sombre rougissant en automne. De mi- à fin printemps, fleurs blanches et roses, très parfumées, issues de boutons roses. Fruits décoratifs noirs.

Spiraea x **vanhouttei**
Spirée x vanhouttei
Arbuste compact à minces pousses arquées. Feuilles caduques vert sombre, en forme de losange. Fin printemps et début été, abondantes ombelles, denses et petites, de fleurs blanches.

Prunus laurocerasus 'Otto Luyken'
Laurier-cerise 'Otto Luyken'
Arbuste très dense. Feuilles persistantes, étroites, vert brillant. Fin printemps, épis de fleurs blanches. Fruits rouges puis noirs en forme de cerises.

Prunus x **cistena**
Arbuste dressé, à croissance lente et à feuillage caduc, d'abord rouge, puis pourpre rougeâtre sombre. De mi- à fin printemps, petites fleurs blanc rosâtre, parfois suivies de fruits pourpres.

Daphne x **burkwoodii** 'Somerset'
Arbuste dressé, à feuilles semi-persistantes, lancéolées, vert moyen ou pâle. À la fin du printemps, denses bouquets de fleurs très parfumées, blanches et roses. Parfois deuxième floraison en automne.

Bauera rubioides
BRUYÈRES, pp. 146-147
RHODODENDRONS, pp. 100-102
Vinca minor 'Bowles' White'

Daphne retusa
Arbuste densément ramifié, arrondi et couvert de feuilles persistantes, coriaces, brillantes. Fin printemps et début été, têtes de fleurs blanches teintées de rose, très parfumées, issues de boutons pourpre foncé.

Menziesia ciliicalyx var. *purpurea*
Arbuste touffu, à feuillage caduc vert vif. À la fin du printemps et en début d'été, petites fleurs pendantes, rose pourpré, groupées en bouquets terminaux.

Euphorbia milii, syn. *E. splendens*
Arbuste à croissance assez lente, épineux, semi-succulent. Feuillage le plus souvent persistant. Toute l'année, par intermittence, groupes de minuscules fleurs entourées de bractées rouge vif.
Min. 5-7 °C.

Chaenomeles x *superba* 'Rowallane'
Arbuste bas et étalé. Il a un feuillage caduc vert sombre et brillant. Il porte une profusion de grandes fleurs rouges au printemps.

Prunus tenella
Amandier nain de Russie
Arbuste touffu, à rameaux dressés et à feuillage caduc et brillant. Les fleurs, rose vif, apparaissent du milieu à la fin du printemps.

Ribes sanguineum 'Brocklebankii'
Groseillier à fleurs 'B.'
Arbuste étalé à feuilles caduques jaunes, aromatiques. Au printemps, il porte de petites fleurs rose pâle, suivies de fruits noirs à pruine blanche.

Epacris impressa
Arbuste le plus souvent érigé, assez peu dense, à feuillage persistant ressemblant à de la bruyère. À la fin de l'hiver et au printemps, il porte des fleurs tubulaires roses ou rouges. Min 5 °C.

Cantua buxifolia, syn. *C. dependens*
Arbuste touffu, à feuillage persistant gris-vert. Il a des corymbes pendants de fleurs magenta et rouge vif du milieu à la fin du printemps.

BRUYÈRES, pp. 146-147
Chaenomeles speciosa 'Simonii'
Kalmiopsis leachiana 'M. Le Piniec'
RHODODENDRONS, pp. 100-102

■□ ROUGE, VERT

Chaenomeles × superba 'Nicoline'

Arbuste touffu, dense. Feuilles caduques vert sombre, brillantes; profusion de grandes fleurs écarlates au printemps, suivies de fruits jaunes.

Boronia megastigma

Arbuste bien ramifié. Petites feuilles persistantes, de 3 à 5 folioles étroites. À la fin de l'hiver et au printemps, fleurs en forme de grelots, jaune et pourpre brunâtre, pendant à l'aisselle des feuilles. Min. 7-10 °C.

Arctostaphylos 'Emerald Carpet'

Arbuste bas, excellent couvre-sol. Grande densité de pousses pourpres et de feuilles persistantes vert émeraude. Petites fleurs blanches au printemps.

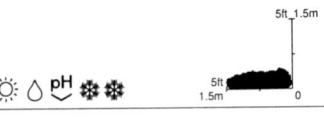

Barleria obtusa
Boronia elatior
Brunfelsia pauciflora
BRUYÈRES, pp. 146-147

Salix lanata
Saule lanata

Arbuste touffu, dense, à vigoureuses pousses grises, duveteuses. Fin printemps, grands chatons vert jaunâtre, apparaissant en même temps que les feuilles caduques gris argenté.

Euphorbia characias subsp. characias

Arbuste dressé, à groupes de feuilles persistantes étroites, gris-vert. Au printemps et en début d'été, masses denses de fleurs d'un vert jaunâtre pâle à centre pourpre foncé.

Daphne laureola var. philippi
Lauréole var. philippi

Arbuste nain, à feuillage persistant vert sombre. Des fleurs vert pâle, légèrement parfumées, apparaissent à la fin de l'hiver et au début du printemps, suivies de fruits noirs.

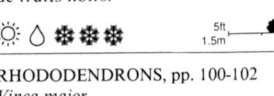

RHODODENDRONS, pp. 100-102
Vinca major
Xanthorhiza simplicissima

Euphorbia characias subsp. wulfenii

Arbuste dressé, à feuillage persistant. Tiges bisannuelles, produisant la première année des groupes de feuilles gris-vert, et au printemps suivant, des fleurs jaune-vert à centre pourpre.

Salix repens
Saule argenté

Arbuste prostré, touffu. Du milieu à la fin du printemps, chatons d'abord gris et soyeux, puis jaunes, apparaissant avant les feuilles caduques gris-vert, à dessous argenté.

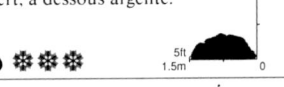

Cytisus × praecox
Genêt

Arbuste très ramifié. Du milieu à la fin du printemps, une profusion de fleurs jaune crème apparaît parmi le feuillage caduc gris-vert, couvert de poils soyeux.

Mahonia aquifolium

Arbuste peu dense et à feuilles persistantes, brillantes, vert vif, tournant au rouge ou au pourpre en hiver. Au printemps, grappes terminales de petites fleurs jaunes, suivies de baies bleu-noir.

Caragana arborescens «Nana»

Arbuste nain touffu, à feuilles caduques vert moyen, composées de plusieurs folioles. Les fleurs jaunes, ressemblant à des pois de senteur, apparaissent à la fin du printemps.

Pachystachys lutea

Arbuste plus ou moins arrondi. Le plus souvent, il est cultivé en annuelle à partir de boutures. Au printemps et en été, fleurs blanches tubulaires, dans des épis compacts de bractées jaunes. Min. 18 °C.

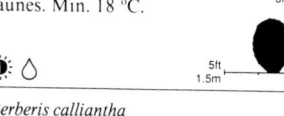

Berberis calliantha
Caragana frutex 'Globosa'
Genista tinctoria 'Royal Gold'
Mahonia 'Heterophylla'

Cytisus × praecox 'Allgold'
Genêt 'Allgold'

Arbuste très ramifié, à feuilles caduques à 3 folioles, gris-vert, soyeuses. Fleurs jaunes en profusion du milieu à la fin du printemps.

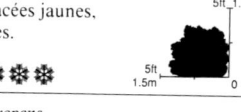

Ulex europaeus
Ajonc commun

Arbuste touffu, pratiquement sans feuilles, gardant toute l'année ses pousses et ses épines vert foncé. Au printemps, masses de fleurs papilionacées jaunes, parfumées.

Mahonia repens
RHODODENDRONS, pp. 100-102

Berberis empetrifolia

Arbuste épineux, à branches arquées, à feuilles persistantes gris-vert, étroites. Fleurs jaune doré à la fin du printemps et fruits noirs en automne.

Coronilla valentina subsp. *glauca*
Coronille v. snbp. g.

Arbuste touffu et dense. Feuilles persistantes bleu-gris, composées de 5 ou 7 folioles. Les fleurs jaunes, parfumées, s'épanouissent de la mi-printemps au début de l'été.

Acacia pulchella

Arbuste peu dense, à ramilles épineuses. Feuilles semi-persistantes ou caduques, vert intense. Au printemps, minuscules fleurs jaune foncé, formant de denses inflorescences globulaires. Min. 5-7 °C.

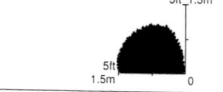

Genista tinctoria
Genêt des teinturiers

Arbuste nain, étalé, portant au printemps et en été des grappes denses et dressées de fleurs jaune doré. Les feuilles caduques vert sombre sont étroites.

Chorizema ilicifolium

Arbuste à port diffus, à feuilles persistantes, coriaces, à bords dentés et munis d'épines. Au printemps et en été, il porte des groupes de fleurs bicolores, orange et rouge rosâtre. Min. 7 °C.

Nematanthus gregarius, syn.
N. radicans, Hypocyrta radicans

Arbuste prostré ou légèrement dressé, à feuilles persistantes brillantes et charnues. Fleurs tubulaires enflées, colorées d'orange et de jaune, surtout du printemps à l'automne. Min. 15 °C.

Daphne giraldii
Halimium lasianthum
Laniana camara

□ BLANC

Deutzia monbeigii
Élégant arbuste, à branches arquées. Du début à la mi-été, abondants bouquets de petites fleurs blanches, en forme d'étoile, au milieu de petites feuilles caduques vert sombre.

Hebe brachysiphon 'White Gem'
Véronique 'White Gem'
Arbuste formant un buisson dense de petites feuilles persistantes et brillantes. Au début de l'été, il est couvert de grappes compactes de petites fleurs blanches.

Rhodotypos scandens
Arbuste dressé ou à branches légèrement arquées. Fin printemps et début été, fleurs blanches, en forme de coupe peu profonde, suivies de petits fruits noirs ressemblant à des pois. Feuilles caduques vert foncé, très dentées.

Olearia phlogopappa var. *subrepanda*
Arbuste compact, dressé, à feuilles persistantes gris-vert, étroites et dentées. De mi-printemps à début été, abondants capitules de fleurs blanches, ressemblant à des marguerites.

Cuphea hyssopifolia
Arbuste arrondi, touffu. Ses feuilles persistantes vert foncé sont minuscules, étroites, lancéolées. Des fleurs, de couleur allant du rose-pourpre au lilas ou blanc, apparaissent en été et en automne.

Westringia rosmariniformis
Arbuste compact et arrondi. Feuilles persistantes serrées, verticillées par 4 et feutrées de blanc au-dessous. Au printemps et en été, fleurs allant du blanc au bleu le plus pâle. Min. 5-7 °C.

Gardenia jasminoides 'Fortuniana'
Arbuste à croissance assez lente. Il est couvert de feuilles persistantes brillantes atteignant 10 cm de long. De l'été à l'hiver, fleurs blanches doubles, parfumées. Min. 15 °C.

Philadelphus 'Manteau d'Hermine'
Seringat 'Manteau d'Hermine'
Arbuste touffu et compact. De début à mi-été, bouquets de fleurs doubles blanc crème, parfumées. Petites feuilles caduques d'un vert pâle à moyen.

Potentilla 'Abbotswood'
Potentille 'Abbotswood'
Arbuste touffu, à feuillage caduc, bleu-vert sombre. Grandes fleurs d'un blanc pur s'épanouissant pendant tout l'été et l'automne.

Potentilla mandschurica
Potentille mandschurica
Arbuste à pousses rose rougeâtre prostrées. De fin printemps à début automne, fleurs d'un blanc pur parmi le feuillage caduc gris argenté.

Convolvulus cneorum
Liseron cneorum
Arbuste touffu, dense et arrondi. De la fin du printemps à la fin de l'été, fleurs blanches à centre jaune, issues de boutons roses. Feuilles persistantes argentées, étroites et soyeuses.

AUTRES PLANTES CONSEILLÉES :
Boenninghausenia albiflora
BRUYÈRES, pp. 146-147
Cytisus albus

FUCHSIAS, pp. 132-133
Hebe macrantha
Hebe ochracea
Hebe rakaiensis

Helichrysum splendidum
RHODODENDRONS, pp. 100-102
Rubus tricolor

Halimium umbellatum
Arbuste dressé, à feuilles persistantes, étroites, brillantes, vert sombre au-dessus et blanches au-dessous. Au début de l'été, fleurs blanches tachées de jaune au centre, issues de boutons rougeâtres.

☼ ◊ ❋ ❋   5ft 1.5m

Potentilla 'Farrer's White'
Potentille 'Farrer's White'
Arbuste touffu, à feuillage caduc, gris-vert. En été et en automne, il porte d'abondantes fleurs blanches.

☼ ◊ ❋ ❋ ❋   5ft 1.5m

× _Halimiocistus sahucii_
Arbuste dense, touffu. À la fin du printemps et au début de l'été, les feuilles persistantes vert sombre, étroites, mettent en relief d'abondantes fleurs d'un blanc pur.

☼ ◊ ❋ ❋   5ft 1.5m

Chamaebatiaria millefolium
Sibiraea laevigata

Cistus salviifolius
Ciste salviifolius
Arbuste dense, touffu et à feuilles persistantes ridées, gris-vert. Les fleurs blanches marquées de jaune au centre, apparaissent en profusion au début de l'été.

☼ ◊ ❋ ❋   5ft 1.5m

Cistus monspeliensis
Ciste monspeliensis
Arbuste touffu, à feuilles persistantes vert sombre, étroites, ridées. Du début à la mi-été, il s'embellit d'abondantes petites fleurs blanches.

☼ ◊ ❋ ❋   5ft 1.5m

Cistus × _corbariensis_
Ciste × corbariensis
Arbuste dense et touffu. Feuilles persistantes vert sombre, ridées, à bord ondulé. À la fin du printemps et au début de l'été, masses de fleurs blanches à centre taché de jaune.

☼ ◊ ❋ ❋   5ft 1.5m

Cistus × _cyprius_
Ciste × cyprius
Arbuste touffu, à pousses visqueuses et à feuilles persistantes étroites gris-vert sombre. Au début de l'été, ses grandes fleurs blanches, tachées de rouge à la base de chaque pétale apparaissent successivement pendant quelques semaines, chaque fleur ne se maintenant qu'une journée.

☼ ◊ ❋ ❋   5ft 1.5m

Cistus × _aguilari_ 'Maculatus'
Ciste × aguilari 'Maculatus'
Arbuste touffu. Feuilles persistantes vert vif, étroites, à bord ondulé, légèrement visqueuses. Grandes fleurs blanches à taches rouge foncé et jaune au centre du début à la mi-été.

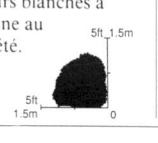

☼ ◊ ❋ ❋   5ft 1.5m

Cistus ladanifer
Ciste à gomme
Arbuste arrondi. Feuilles persistantes vert foncé, étroites et visqueuses. Début été, profusion de grandes fleurs blanches, à taches brun rougeâtre autour de la touffe centrale d'étamines.

☼ ◊ ❋ ❋   5ft 1.5m

127

Vaccinium corymbosum
Myrtille de jardin
Arbuste dressé à branches légèrement
arquées. Feuilles caduques, rougissant
en automne. Petites fleurs blanches ou
rosâtres de fin printemps à
début été; baies sucrées
bleu-noir, comestibles.

Leptospermum humifusum
Arbuste semi-prostré; branches
largement arquées, à pousses rougeâtres.
Petites feuilles persistantes vert sombre,
devenant bronze pourpre en hiver. Au
début de l'été, abondantes
petites fleurs blanches.

Yucca whipplei
Arbuste formant une touffe dense de
feuilles persistantes bleu-vert, minces et
pointues. Très longues panicules de
fleurs parfumées d'un blanc verdâtre, à
la fin du printemps et au
début de l'été.

Yucca flaccida 'Ivory'
Arbuste à tige très courte, produisant
des touffes de feuilles persistantes
étroites, vert sombre, et de longues
panicules de fleurs blanches en forme de
cloche du milieu à la fin de
l'été.

Vinca rosea
Pervenche de Madagascar
Arbuste étalé, devenant «désordonné»
avec l'âge, à feuilles persistantes. Fleurs
de blanches à rose carminé du
printemps à l'automne, ainsi
qu'en hiver en climat doux.
Min. 5-7 °C.

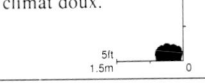

Raphiolepis umbellata
Arbuste touffu, à feuilles persistantes
vert sombre, arrondies et coriaces. Au
début de l'été, il porte des grappes de
fleurs blanches parfumées.

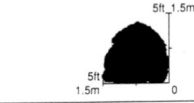

Weigelia florida 'Variegata'
Arbuste dense et touffu. À la fin du
printemps et en début d'été, il porte
d'abondantes fleurs roses en forme
d'entonnoir. Il a des feuilles caduques
d'un vert moyen, largement
bordées de blanc crème.

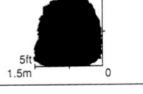

Ozothamnus ledifolius
Arbuste dense et arrondi. Pousses
jaunes, dressées, couvertes de petites
feuilles persistantes, aromatiques,
brillantes, vert sombre au-dessus et
jaunes au-dessous. Corymbes
de petits capitules de fleurs
blanches au début de l'été.

Bouvardia longiflora
BRUYÈRES, pp. 146-147
FUCHSIAS, pp. 132-133
Philadelphus 'Sybille'

RHODODENDRONS, pp. 100-102
Spiraea trilobata

Lomatia silaifolia
Arbuste touffu. Du milieu à la fin de
l'été, des grappes de fleurs blanc crème
apparaissent parmi les feuilles
persistantes vert sombre, profondément
divisées.

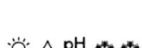

Cassinia vauvilliersii
Arbuste dressé. Les pousses blanchâtres
sont couvertes de minuscules feuilles
persistantes vert sombre. Des corymbes
de petites fleurs blanches s'épanouissent
du milieu à la fin de l'été.

Viburnum acerifolium
Viorne à feuilles d'érable
Arbuste aux branches dressées et à
feuillage caduc vert vif, devenant
orange, rouge et pourpre en automne.
Début été, fleurs blanc crème;
fruits décoratifs rouges
puis pourpre-noir.

Eriogonum arborescens
Arbuste modérément ramifié. Petites
feuilles persistantes à bords recourbés,
blanches et duveteuses en dessous.
Corymbes feuillés de petites fleurs
blanches ou roses du
printemps à l'automne.
Min. 5 °C.

Hebe recurva
Véronique recurva
Arbuste ouvert et étalé. Les feuilles
persistantes bleu-gris sont étroites et
recourbées. De petits épis de fleurs
blanches apparaissent du
milieu à la fin de l'été.

Hebe albicans
Véronique albicans
Arbuste formant un dense monticule de
feuillage persistant gris-bleu, couvert de
petits épis compacts de fleurs blanches
du début à la mi-été.

Deutzia 'Mont Rose'
Arbuste touffu, produisant en début
d'été des grappes de fleurs allant de rose
à rose pourpré, à anthères jaunes,
parfois à taches blanches. Les feuilles
caduques sont vert sombre et
finement dentées.

Hydrangea involucrata
'Hortensis'
Arbuste ouvert, à larges feuilles
caduques poilues, en forme de cœur.
Bouquets de fleurs crème, rose et vert
à la fin de l'été et en automne.

Potentilla 'Daydawn'
Potentille 'Daydawn'
Arbuste touffu, aux branches plutôt
arquées. Du début de l'été à la mi-
automne, fleurs jaune crème teintées de
rose orange, parmi les feuilles
persistantes d'un vert
moyen.

Azorina vidalii, p. 122
BRUYÈRES, pp. 146-147
Dorycnium hirsutum
FUCHSIAS, pp. 132-133

Protea cynaroides
Arbuste touffu, arrondi, à feuillage
persistant. Au printemps et en été,
capitules floraux de 13–20 cm de large,
entourés de bractées roses ou rouges, à
poils soyeux et ressemblant à
des pétales. Min. 5-7 °C.

Abelia 'Edward Goucher'
Arbuste à branches arquées. Les feuilles,
caduques ou semi-persistantes, sont
bronze à l'état jeune puis vert vif. Il
porte d'abondantes fleurs rose-lilas, de
la mi-été à l'automne.

RHODODENDRONS, pp. 100-102

Arbustes/petite taille
■ ROSE

Abelia schumannii
Arbuste aux branches arquées. Les
feuilles caduques sont pointues, bronze
à l'état jeune, puis d'un vert moyen. Les
fleurs rose-pourpre apparaissent de la
mi-été à la mi-automne.

Myoporum parvifolium
Arbuste d'étalé à prostré, à feuillage
persistant semi-succulent. En été,
bouquets de petites fleurs à odeur de
miel, blanches ou roses à points
pourpres et, en automne,
minuscules fruits pourpres.
Min. 2-5 °C.

Cistus × skanbergii
Ciste × skanbergii
Arbuste touffu. Du début à la mi-été,
une profusion de fleurs rose pâle
apparaît parmi les feuilles persistantes
gris-vert, étroites.

Pimelea ferruginea
Arbuste dense, arrondi, à minuscules
feuilles persistantes vert foncé,
recourbées. Au printemps ou en début
d'été, petites fleurs tubulaires d'un rose
intense, regroupées en denses
inflorescences. Min. 13 °C.

Gaultheria shallon
Arbuste touffu. Les pousses rouges
portent de larges feuilles persistantes
vertes, à pointe aiguë. À la fin du
printemps et en début d'été, fleurs roses
suivies de baies pourpres.

Indigofera dielsiana
Indigotier dielsiana
Arbuste dressé et ouvert. Feuilles
caduques vertes, composées de 7 à 11
folioles ovales. Du début de l'été au
début de l'automne, grappes
érigées et minces de fleurs
rose pâle.

Hydrangea macrophylla ´Générale
Vicomtesse de Vibraye´
**Hortensia ´Générale Vicomtesse
de Vibraye´**
Arbuste touffu à feuillage caduc. De mi-
à fin été, têtes denses,
arrondies, de fleurs bleu
pâle ou roses.

Deutzia × elegantissima
´Rosealind´
Arbuste touffu, dense, arrondi, à feuilles
caduques. Il produit des fleurs rose
foncé, en forme d'étoile, de la fin du
printemps au début de l'été.

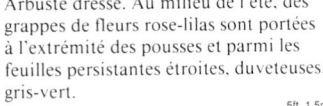

Phlomis italica
Arbuste dressé. Au milieu de l'été, des
grappes de fleurs rose-lilas sont portées
à l'extrémité des pousses et parmi les
feuilles persistantes étroites, duveteuses,
gris-vert.

Weigelia florida 'Foliis Purpureis'
Arbuste bas et touffu. À la fin du printemps et en début d'été, fleurs en forme d'entonnoir, rose foncé à l'extérieur et de rose pâle à blanc à l'intérieur. Feuilles caduques pourpre terne ou vert violacé.

Spiraea japonica 'Little Princess'
Spirée japonica 'Little Princess'
Arbuste à croissance lente, en forme de monticule. Abondants petits corymbes de fleurs rose carminé du milieu à la fin de l'été. Petites feuilles caduques d'abord bronze, puis vert foncé.

Spiraea japonica 'Goldflame'
Spirée japonica 'Goldflame'
Arbuste dressé, aux branches légèrement arquées. Feuilles caduques d'abord rouge orangé, puis jaune vif et enfin vert pâle. Corymbes de fleurs rose carminé foncé de mi- à fin été.

Ceanothus 'Perle Rose'
Céanothe 'Perle Rose'
Arbuste touffu. Du milieu de l'été au début de l'automne, panicules de fleurs rose carminé vif. Feuilles caduques vert moyen, ovales.

Hebe 'Great Orme'
Véronique 'Great Orme'
Arbuste arrondi, à pousses pourpre foncé et à feuillage persistant vert sombre, brillant. De la mi-été à la mi-automne, épis minces de fleurs rose foncé, qui blanchissent en se fanant.

Justicia carnea, syn. *Jacobinia carnea, J. pohliana*
Carmantine carnea
Arbuste peu ramifié et à feuilles persistantes poilues et veloutées. En été et en automne, épis de fleurs de rose à rose-pourpre. Min. 10-15 °C.

Penstemon isophyllus
Arbuste ou sous-arbrisseau un peu désordonné, portant du milieu à la fin de l'été de longues ramilles de grandes fleurs rose sombre, à gorge blanche et rouge. Feuilles caduques vert moyen, brillantes et lancéolées.

Pentas lanceolata, syn. *P. carnea*
Arbuste arrondi, à feuilles le plus souvent persistantes, poilues, vert vif. En été et en automne, il produit de denses inflorescences de fleurs roses, lilas, rouges ou blanches. Min. 25 °C.

Spiraea japonica 'Antony Waterer'
Spirée japonica 'Anthony Waterer'
Arbuste dressé, compact. Feuillage caduc d'abord rouge, puis vert foncé. Fleurs rose écarlate de mi- à fin été.

BRUYÈRES, pp. 146-147
FUCHSIAS, pp. 132-133
Hydrangea macrophylla cvs
Indigofera decora

RHODODENDRONS, pp. 100-102

131

Fuchsias

Avec leurs fleurs généralement très colorées et leurs longues périodes de floraison (habituellement tout l'été et début d'automne), les fuchsias constituent des arbustes de tout premier plan pour les serres et le jardin. Dans les climats doux, ils peuvent être cultivés à l'extérieur toute l'année. Dans des climats plus froids, la plupart doivent être cultivés en serre ou utilisés en massif d'été, bien qu'un certain nombre soient rustiques. Les fuchsias supportent toutes les expositions et notamment l'ombre. On peut les cultiver en buisson, en «standard» sur demi-tige (de 50 cm à 1 m de haut), ou en jardinières. (Voir détails et conseils de culture dans le Dictionnaire des plantes.)

F. 'Jack Shahan'

F. arborescens

F. 'Lady Thumb'

F. 'Peppermint Stick'

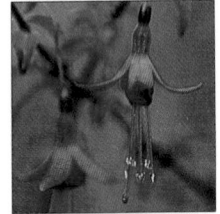

F. 'Autumnale'

F. 'Harry Gray'

F. 'Pink Galore'

F. 'Swingtime'

F. 'White Ann'

F. 'Rufus'

F. 'Riccartonii'

F. 'Annabel'

F. 'Leonora'

F. 'Nellie Nuttall'

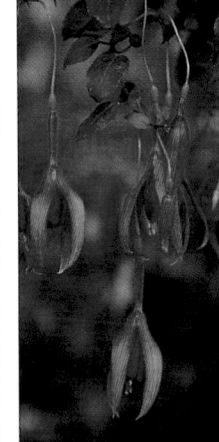

F. 'Red Spider'

F. 'Dollar Princess'

F. 'Gruss aus dem Bodenthal'

F. 'Ann Howard Tripp'

F. 'Golden Dawn'

F. 'Other Fellow'

F. 'Jack Acland'

F. 'Kwintet'

F. 'Tom Thumb'

F. magellanica

F. 'White Spider'

132

F. ´Mrs Popple´

F. ´Cascade´

F. ´La Campanella´

F. ´Golden Marinka´

F. ´Mary Poppins´

F. ´Rose of Castile´

F. ´Celia Smedley´

F. × bacillaris

F. ´Estelle Marie´

F. boliviana ´Alba´

F. ´Thalia´

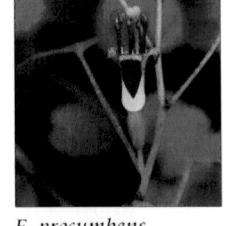

F. procumbens

F. ´Lye's Unique´

F. fulgens

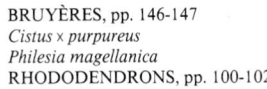

F. ´Koralle´

■■ ROSE, ROUGE

Cistus creticus
Ciste de Crète
Arbuste touffu. Ses fleurs, roses ou rose pourpré, avec une tache centrale jaune, apparaissent parmi les feuilles persistantes, vert grisâtre, de début à mi-été.

Escallonia rubra ´Woodside´
Arbuste dense, touffu, à petites feuilles persistantes luisantes, vert sombre. Il porte en été et début automne des panicules lâches de petites fleurs tubulaires rouge rosé.

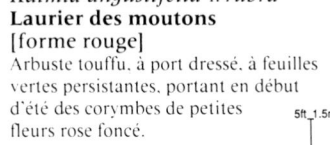

Kalmia angustifolia f. *rubra*
Laurier des moutons
[forme rouge]
Arbuste touffu, à port dressé, à feuilles vertes persistantes, portant en début d'été des corymbes de petites fleurs rose foncé.

Sutherlandia frutescens
Baguenaudier d'Éthiopie
Arbuste dressé. Feuilles persistantes à nombreuses folioles vert foncé, soyeuses. Fin printemps et été, fleurs rouge vif, suivies de gousses vésiculeuses vert pâle, puis teintées de rouge. [A]

Crossandra nilotica
Arbuste très feuillu, à port de dressé à étalé. Feuilles persistantes ovales, pointues, vert intense. En hiver, petites fleurs tubulaires, de couleur abricot à rouge brique pâle, à pétales étalés. [A]

Ixora coccinea
Arbuste arrondi, à feuilles persistantes vert foncé, luisantes, ayant jusqu'à 10 cm de long. En été, corymbes denses de fleurs rouges, roses, orange, jaunes ou blanches. [A]

BRUYÈRES, pp. 146-147
Cistus × purpureus
Philesia magellanica
RHODODENDRONS, pp. 100-102

■ ROUGE

Salvia microphylla var. neurepia
Sauge microphylla var. **neurepia**
Arbuste bien ramifié, dressé, à feuilles persistantes de vert pâle à moyen. À la fin de l'été et en automne, fleurs bilabiées rouge vif, à calice vert teinté de pourpre.

Justicia brandegeana, syn.
Beloperone guttata, Drejerella guttata
Carmantine brandegeana
Arbuste arrondi, à feuilles persistantes. Surtout en été, fleurs blanches entourées de bractées rose crevette. Min. 10-15 °C.

Potentilla 'Red Ace'
Potentille 'Red Ace'
Arbuste touffu, dense et étalé. De la fin du printemps à la mi-automne, les fleurs, à pétales vermillon vif au-dessus

et jaune pâle au-dessous, s'épanouissent parmi les feuilles caduques d'un vert moyen. Les fleurs fanent rapidement en plein soleil.

Grevillea 'Robyn Gordon'
Arbuste étalé, à feuilles persistantes vert foncé, coriaces, bipennées. De début printemps à fin été, sur les rameaux arqués, par intermittence, grappes de fleurs écarlates à style proéminent, recourbé. Min. 5-10 °C.

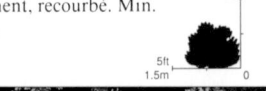

Acer palmatum 'Chitoseyama'
Érable palmatum 'Chitoseyama'
Arbrisseau en forme de monticule; branches arquées, feuillage caduc lobé, vert moyen, devenant rouge éclatant en fin d'été. Petites fleurs pourpre rougeâtre à mi-printemps.

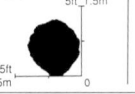

Phygelius aequalis
Sous-arbrisseau dressé, à feuillage persistant ou semi-persistant vert sombre. Des grappes de fleurs tubulaires, rouge pâle à gorge jaune, apparaissent du milieu de l'été au début de l'automne.

Salvia fulgens
Sauge fulgens
Sous-arbrisseau dressé. Feuilles persistantes ovales, poilues au-dessus et à duvet blanc au-dessous. Fleurs écarlates, tubulaires et bilabiées, à la fin de l'été.

Acer palmatum 'Dissectum Atropurpureum'
Érable palmatum 'Dissectum Atropurpureum'
Arbuste formant un monticule de feuillage caduc, profondément

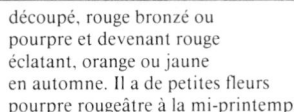

découpé, rouge bronzé ou pourpre et devenant rouge éclatant, orange ou jaune en automne. Il a de petites fleurs pourpre rougeâtre à la mi-printemps.

Bouvardia ternifolia, p. 141
FUCHSIAS, pp. 132-133
Grevillea alpina
RHODODENDRONS, pp. 100-102

Hebe hulkeana 'Lilac Hint'
Véronique hulkeana 'L.H.'
Arbuste dressé, à ramification ouverte, à feuilles persistantes vert pâle, dentées et brillantes. Profusion de petites fleurs lilas pâle, associées en grandes panicules, à la fin du printemps et en début d'été.

Rosmarinus officinalis
Romarin
Arbuste dense et touffu, à feuilles persistantes étroites et aromatiques. Petites fleurs, de bleu violacé à bleu, de la mi-printemps au début de l'été, et parfois en automne. Plante culinaire.

Desmodium tiliifolium
Sous-arbrisseau dressé. Les feuilles caduques sont d'un vert moyen et composées de 3 grandes folioles. De larges grappes de fleurs, de lilas pâle à rose foncé, apparaissent de la fin de l'été à la mi-automne.

Hebe 'E.A. Bowles'
Véronique 'E.A. Bowles'
Arbuste touffu, arrondi, à feuilles persistantes vert pâle, étroites et brillantes. Il produit de fins épis de fleurs lilas du milieu de l'été à la fin de l'automne.

Hydrangea macrophylla subsp. *serrata*
Hortensia subsp. **serrata**
Arbuste touffu, dense, à tiges minces. Feuilles persistantes. De mi- à fin été, têtes de fleurs centrales roses, lilas ou blanches, entourées de fleurs roses ou bleues.

Lantana montevidensis, syn.
L. delicatissima, L. sellowiana
Arbuste traînant ou tapissant, à feuilles persistantes dentées. Par intermittence toute l'année, mais surtout en été, bouquets de fleurs rose-pourpre à tache jaune. Min. 10-13 °C.

Heliotropium arborescens, syn.
H. peruvianum
Héliotrope du Pérou
Arbuste touffu, à feuilles persistantes vert sombre, gaufrées. De fin printemps à l'hiver, corymbes denses de fleurs, de violet à lavande. Min. 7 °C.

Polygala myrtifolia 'Grandiflora'
Arbuste érigé, à petites feuilles persistantes vert grisâtre. Les fleurs, d'un pourpre intense, apparaissent de la fin du printemps à l'automne. Min. 7 °C.

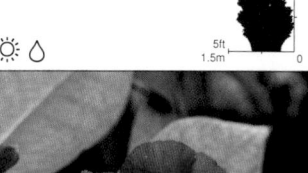

Brunfelsia pauciflora 'Macrantha'
Arbuste étalé, à feuilles persistantes et coriaces. De l'hiver à l'été, il porte des fleurs bleu-violet qui deviennent blanches au bout d'environ 3 jours. Min. 18 °C.

Lavandula stoechas
Lavande stoechas
Arbuste touffu et dense. Fin printemps et été, épis de minuscules fleurs violet foncé, parfumées, surmontées de bractées violettes. Feuilles gris argenté, persistantes, aromatiques à maturité.

Hebe 'Autumn Glory'
Véronique 'Autumn Glory'
Arbuste formant un monticule de pousses rouge violacé et de feuilles arrondies persistantes, vert foncé; denses grappes de fleurs bleu-violet de la mi-été au début de l'hiver.

Lavandula angustifolia 'Hidcote'
Lavande 'Hidcote'
Arbuste touffu, à feuilles persistantes gris argenté, étroites et aromatiques. De denses épis de fleurs parfumées violet foncé apparaissent du milieu à la fin de l'été.

Amorpha canescens
Barleria cristata
Berberis thunbergii 'Atropurpurea Nana'
Berberis thunbergii 'Rose Glow'

BRUYÈRES, pp. 146-147
FUCHSIAS, pp. 132-133
Lavandula dentata
Perovskia atriplicifolia

RHODODENDRONS, pp. 100-102

Arbustes/petite taille

■ POURPRE, VIOLET, BLEU

Hebe 'Purple Queen'
Véronique 'Purple Queen'
Arbuste compact, touffu et à feuilles
persistantes brillantes, vert foncé,
teintées de pourpre à l'état jeune.
Épis denses de fleurs violet
foncé du début de l'été à la
mi-automne.

Felicia amelloides 'Santa Anita'
Marguerite du Cap 'S.A.'
Arbuste étalé et touffu. De fin de
printemps à l'automne, capitules de
fleurs jaune vif, entourées de bractées
bleues, sur de longues tiges parmi les
feuilles persistantes
vert vif, ovales.

Symphoricarpos orbiculatus
'Foliis Variegatis'
Symphorine orbiculatus
'Foliis Variegatis'
Arbuste dense, touffu, à feuillage caduc,
vert vif bordé de jaune.
Parfois fleurs blanches ou
roses en été-automne.

Hyssopus officinalis
Hysope
Arbuste touffu, à feuillage semi-
persistant ou caduc, vert foncé,
aromatique. Petites fleurs bleues du
milieu de l'été au début de
l'automne. Parfois utilisé
comme plante culinaire.

Caryopteris x *clandonensis*
'Arthur Simmonds'
Sous-arbrisseau touffu. De la fin de l'été
à l'automne, masses de fleurs, de bleues
à bleu pourpré, parmi le feuillage caduc
gris-vert.

Ceanothus 'Gloire de Versailles'
Céanothe 'Gloire de Versailles'
Arbuste touffu et vigoureux. Larges
feuilles caduques vert moyen, ovales;
grandes panicules de fleurs bleu pâle du
milieu de l'été au début de
l'automne.

Justicia brandegeana
'Chartreuse'
Arbuste aux branches arquées et à
feuilles persistantes. Fleurs blanches
entourées de bractées jaune vert pâle
surtout en été, mais aussi par
intermittence toute l'année.
Min 10-15 °C.

Ceanothus thyrsiflorus var.
repens
Céanothe thyrsiflorus
var. repens
Arbuste dense à larges feuilles vert
foncé, devenant rouge en automne.
Fleurs bleues fin printemps
et début été.

Hydrangea macrophylla subsp.
serrata 'Bluebird'
Hortensia 'Bluebird'
Arbuste touffu, à feuillage caduc vert
clair, devenant rouge en automne. De
mi- à fin été, têtes plates,
ouvertes, de fleurs rose pâle,
pourpre pâle ou bleues.

Perovskia atriplicifolia 'Blue
Spire'
Sous-arbrisseau dressé, à tiges gris-
blanc. De la fin de l'été à la mi-
automne, abondantes panicules de fleurs
bleu-violet au-dessus du feuillage
caduc gris-vert profondément
découpé, aromatique.

Weigelia middendorffiana
Arbuste touffu, à branches arquées. Du
milieu du printemps au début de l'été,
des fleurs en forme d'entonnoir, jaune
soufre tachetées d'orange à l'intérieur,
apparaissent parmi les feuilles
caduques vert vif.

Brunfelsia pauciflora
Hebe x *franciscana* 'Blue Gem'
Hebe hulkeana
Hydrangea involucrata

Hydrangea macrophylla cvs
Lavandula 'Munstead'
Perovskia 'Hybrida'
Phlomis cashmeriana

RHODODENDRONS, pp. 100-102

Berberis 'Parkjuwel'

Potentilla 'Vilmoriniana'
Potentille 'Vilmoriniana'
Arbuste dressé, portant des fleurs jaune pâle ou blanc crème de la fin du printemps à la mi-automne. Le feuillage caduc est gris argenté.

Phygelius aequalis
'Yellow Trumpet'
Sous-arbrisseau dressé, à feuillage persistant ou semi-persistant. Inflorescences de fleurs pendantes, tubulaires, jaune crème pâle, du milieu de l'été au début de l'automne.

Potentilla 'Friedrichsenii'
Potentille 'Friedrichsenii'
Arbuste vigoureux, dressé. De la fin du printemps à la mi-automne, des fleurs jaune pâle s'épanouissent au milieu des feuilles caduques gris-vert.

Potentilla 'Elizabeth'
Potentille 'Elizabeth'
Arbuste touffu, dense, à petites feuilles caduques et à grandes fleurs jaune vif de la fin du printemps à la mi-automne.

Halimium ocymoides 'Susan'
Arbuste étalé, à feuilles persistantes gris-vert, étroites et ovales. En été, petits bouquets, le long des branches, de nombreuses fleurs simples ou semi-doubles, jaune vif maculé de rouge pourpre foncé au centre.

Santolina pinnata subsp.
neapolitana 'Sulphurea'
Arbuste touffu, arrondi, à feuillage persistant gris-vert, profondément découpé, plumeux et aromatique. Au milieu de l'été, capitules de fleurs jaune pâle.

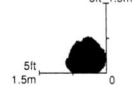

Lupinus arboreus
Lupin en arbre
Arbuste étalé, à croissance rapide. Le plus souvent en début d'été, courtes grappes de fleurs jaune clair, parfumées, au-dessus de feuilles semi-persistantes ayant de 6 à 9 folioles vert pâle, poilues.

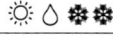

Grevillea sulphurea
Arbuste touffu, arrondi, à feuilles persistantes, rappelant des aiguilles, recourbées, vert sombre, à poils soyeux en dessous. Au printemps-été, grappes de petites fleurs jaune pâle, en «araignée».

Halimium lasianthum subsp.
formosum
Arbuste étalé, touffu. Son feuillage persistant est gris-vert. Vers la fin du printemps et en début d'été, il porte des fleurs jaune doré à taches rouge foncé au centre.

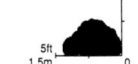

□ JAUNE

Phlomis fruticosa
Sauge de Jérusalem
Arbuste étalé, à pousses dressées. Du début à la mi-été, verticilles de fleurs jaune d'or foncé parmi le feuillage persistant gris-vert, ressemblant à celui de la sauge.

Berberis thunbergii ´Aurea´
Arbuste touffu, épineux, à petites feuilles caduques jaune doré. Au milieu du printemps, il porte des bouquets de petites fleurs jaune pâle teinté de rouge, évoluant en baies rouges.

Cytisus nigricans
Arbuste dressé, à feuilles caduques, composées de 3 folioles vert sombre. En été, ses longues et minces grappes de fleurs jaunes persistent longtemps.

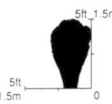

Genista hispanica
Genêt d'Espagne
Arbuste touffu, très épineux, ayant quelques feuilles caduques. De denses bouquets de fleurs jaune d'or apparaissent en profusion vers la fin du printemps et en début d'été.

Senecio ´Sunshine´
Séneçon ´Sunshine´
Arbuste touffu à feuilles persistantes d'abord gris argenté, puis vert sombre. De début à mi-automne, sur des pousses tomenteuses, grandes panicules de fleurs jaune vif.

Hypericum calycinum
Millepertuis à grandes fleurs
Arbuste nain, à feuilles persistantes ou semi-persistantes vert sombre. Bon couvre-sol. De la mi-été à la mi-automne, il porte de grandes fleurs jaune vif.

Hypericum patulum ´Hidcote´
Millepertuis patulum ´Hidcote´
Arbuste dense, touffu, à feuillage persistant ou semi-persistant vert sombre. Du milieu de l'été au début de l'automne, il porte une profusion de grandes fleurs jaune d'or.

Hypericum × *inodorum* ´Elstead´
Millepertuis × **inodorum ´Elstead´**
Arbuste dressé. De mi-été à début automne, nombreuses petites fleurs jaunes; fruits rouge orangé. Feuilles caduques ou semi-persistantes vert sombre.

Hypericum kouytchense
Millepertuis kouytchense
Arbuste à branches arquées, à feuillage caduc ou semi-persistant. Fleurs jaune d'or à étamines très visibles de mi-été à début automne, suivies de capsules décoratives rouge bronzé.

Reinwardtia indica,
syn. *R. trigyna*
Sous-arbrisseau, se ramifiant à la base. Feuilles persistantes vert grisâtre; petits bouquets de fleurs jaunes toute l'année, mais surtout en été. Min. 10 °C.

Euryops pectinatus
Arbuste dressé, à feuilles persistantes gris-vert, profondément découpées. Vers la fin du printemps, en début d'été et souvent de nouveau en hiver, grands capitules de fleurs jaune vif, ressemblant à des marguerites. Min. 5-7 °C.

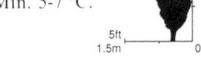

Hypericum × *moserianum*
Lantana camara
Potentilla arbuscula
Potentilla ´Beesii´

Potentilla fruticosa
Potentilla parvifolia ´Gold Drop´
Santolina chamaecyparissus
Senecio compactus

Senecio monroi
Séneçon monroi

Arbuste dense, touffu, excellent brise-vent en climat maritime doux. Petites feuilles persistantes, à bords ondulés, vert sombre à dessous blanc. À mi-été, capitules de fleurs jaune vif.

Abutilon 'Kentish Belle'

Arbuste à branches arquées, à pousses pourpres et à feuilles semi-persistantes, profondément lobées, vert sombre veiné de pourpre. En été et en automne, grandes fleurs pendantes, en forme de cloche, jaune orangé et rouge.

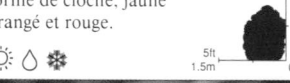

Isoplexis canariensis,
syn. *Digitalis canariensis*

Arbuste arrondi, peu ramifié, à feuillage persistant. En été, fleurs jaunes, rouges ou orange brunâtre rappelant des digitales, en denses inflorescences dressées de 30 cm de haut. Min. 7 °C.

Potentilla fruticosa 'Sunset'
Potentille 'Sunset'

Arbuste d'abord touffu, puis à branches arquées. Feuilles caduques vertes divisées en folioles étroites. Du début de l'été à la mi-automne, fleurs orange foncé, se fanant en plein soleil.

Grindelia chiloensis,
syn. *G. speciosa*

Arbuste touffu, à pousses visqueuses. Feuilles presque persistantes, visqueuses, lancéolées, dentées et atteignant 12 cm de long. En été, grands capitules de fleurs jaunes.

Juanulloa aurantiaca

Arbuste dressé et peu ramifié. Il vaut mieux le tuteurer. Feuilles persistantes, tomenteuses en dessous. En été, fleurs orange tubulaires, à calice urcéolé et côtelé, portées en courtes inflorescences inclinées. Min. 13-15 °C.

Cytisus scoparius f. *andreanus*
Genêt à balai f. **andreanus**

Arbuste à branches arquées et à feuillage caduc vert sombre. En début d'été, il porte le long de gracieuses ramilles vertes une profusion de fleurs rouge et jaune vif.

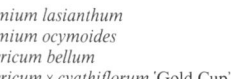

Mimulus aurantiacus, syn. M. *glutinosus, Diplacus glutinosus*

Arbuste arrondi, à feuilles persistantes, visqueuses, lancéolées, brillantes, d'un vert intense. De la fin du printemps à l'automne, fleurs orange, jaunes ou rouge-pourpre.

Lantana 'Spreading Sunset'

Arbuste d'arrondi à étalé, à feuilles persistantes vert foncé, finement plissées. Du printemps à l'automne, minuscules fleurs tubulaires dans toute une gamme de couleurs, en denses glomérules arrondis. Min. 10-13 °C.

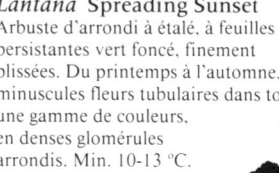

Halimium lasianthum
Halimium ocymoides
Hypericum bellum
Hypericum × cyathiflorum 'Gold Cup'

Hypericum patulum
Nematanthus gregarius, p. 125
Potentilla 'Jackman's Variety'
RHODODENDRONS, pp. 100-102

⬜ ORANGE

🔲⬛ BLANC, ROSE, ROUGE

Cuphea ignea
Sous-arbrisseau touffu, étalé, à feuilles persistantes vert vif. Du printemps à l'automne, il porte des fleurs tubulaires rouge orange foncé à bande sombre et à anneau blanc au sommet.
Min. 2 °C.

Turraea obtusifolia
Arbuste touffu, arrondi, à branches arquées et à feuilles persistantes, d'ovales à lancéolées. De l'automne au printemps, il porte des fleurs blanches parfumées, suivies de fruits jaune orangé rappelant de minuscules mandarines pelées. Min. 15 °C.

Cotoneaster horizontalis
Arbuste étalé, à rameaux rigides. Les feuilles caduques brillantes, vert sombre, rougissent à la fin de l'automne. De la fin du printemps au début de l'été, il porte des fleurs blanc rosâtre, donnant des fruits rouges.

Viburnum opulus 'Compactum'
Viorne obier 'Compactum'
Arbuste dense. Ses feuilles caduques vert foncé rougissent en automne. Au printemps et en début d'été, abondantes fleurs blanches, suivies de baies rouge vif.

Cuphea cyanea
Sous-arbrisseau arrondi, à feuilles persistantes ovales, étroites, à poils visqueux. Des fleurs tubulaires rouge orangé, jaunes ou bleu-violet, s'épanouissent en été.

Calliandra eriophylla
Arbuste dense et rigide. Feuilles persistantes à nombreuses folioles minuscules. De la fin du printemps à l'automne, minuscules fleurs blanches à anthères roses, regroupées en pompons, suivies de gousses marron. Min. 13 °C.

Justicia spicigera, syn.
J. ghiesbreghtiana, Jacobinia spicigera
Arbuste bien ramifié, à feuillage persistant et à grappes de fleurs tubulaires, orange ou rouges, en été et parfois en d'autres saisons. Min. 10-15 °C.

Potentilla 'Tangerine'

Berberis × rubrostilla
Arbuste à branches arquées et à feuillage caduc vert, devenant rouge éclatant vers la fin de l'automne. Les fleurs jaune pâle, apparues en début d'été, sont suivies d'une profusion de grands fruits rouge corail.

Vaccinium angustifolium var. laevifolium
Myrtille laevifolium
Arbuste touffu à feuilles caduques vert vif, rougissant en automne. Des fruits bleus, comestibles, succèdent aux fleurs printanières blanches, parfois rosâtres.

AUTRES PLANTES CONSEILLÉES :
Bouvardia longiflora
BRUYÈRES, pp. 146-147
Cuphea hyssopifolia, p. 126

Pentas lanceolata, p. 131
Salvia leucantha

ROUGE

Bouvardia ternifolia,
syn. *B. triphylla*
Arbuste touffu, dressé, à feuilles presque persistantes, verticillées par 3. Il porte des fleurs tubulaires rouge écarlate vif, de l'été au début de l'hiver.
Min. 7-10 °C.

Vaccinium corymbosum 'Pioneer'
Myrtille de jardin 'Pioneer'
Arbuste dressé, à branches peu arquées. Feuillage caduc vert sombre, devenant rouge vif en automne. Petites fleurs blanches ou rosâtres fin printemps; baies comestibles bleu-noir.

Vaccinium parvifolium
Myrtille parvifolium
Arbuste dressé, à petites feuilles caduques vert sombre, devenant rouge vif en automne. Vers la fin du printemps et au début de l'été. Fruits comestibles rouge vif.

Cotoneaster adpressus
Cotoneaster microphyllus
Crossandra infundibuliformis
Salvia microphylla

POURPRE, BLEU, JAUNE

Elsholtzia stauntonii
Sous-arbrisseau étalé. Feuilles caduques, dentées, à odeur de menthe, vert sombre devenant rouge en automne. De minces épis de fleurs violacé pâle apparaissent à la fin de l'été et en automne.

Ceratostigma willmottianum
Arbuste ouvert. Ses feuilles caduques rougissent vers la fin de l'automne. Il porte des fleurs d'un bleu intense de la fin de l'été jusqu'en automne.

Coriaria terminalis var.
xanthocarpa
Sous-arbrisseau à branches arquées. Ses feuilles caduques rougissent en automne. Vers la fin du printemps, fleurs verdâtres suivies de fruits jaunes, charnus et décoratifs.

BRUYÈRES, pp. 146-147
Ceratostigma griffithii
Heliotropium arborescens, p. 135
Rosmarinus officinalis 'Severn Sea'

BLANC

Skimmia japonica 'Fructu-albo'
Arbuste nain, touffu et dense. Il porte des feuilles persistantes vert sombre, aromatiques, de denses grappes de petites fleurs blanches du milieu à la fin du printemps, puis des baies blanches.

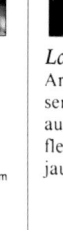

Pernettya mucronata
'Wintertime'
Arbuste dense, touffu, à feuilles persistantes vert sombre, brillantes et épineuses. Fin printemps et début été, fleurs blanches suivies de grandes baies blanches, persistant longtemps.

AUTRES PLANTES CONSEILLÉES :
BRUYÈRES, pp. 146-147
Daphne mezereum var. *alba*
Sarcococca confusa

Lonicera x **purpusii**
Arbuste dense, touffu, à feuillage semi-persistant vert sombre. En hiver et au début du printemps, il porte des fleurs parfumées blanches à anthères jaunes.

Turraea obtusifolia, p. 140

Arbustes/petite taille

■☐ BLANC, ROSE

■ ROUGE

Sarcococca humilis
Arbuste bas, drageonnant, formant un massif dense. Vers la fin de l'hiver, parmi le feuillage persistant vert sombre et brillant, minuscules fleurs parfumées, blanches à anthères roses, suivies de fruits noirs.

Sarcococca hookeriana var. digyna
Arbuste drageonnant formant un massif dense, à feuilles persistantes étroites, vert vif. De minuscules fleurs, blanches et parfumées, s'ouvrent en hiver, suivies de baies noires.

Pernettya mucronata 'Mulberry Wine'
Arbuste dense, touffu, à feuillage persistant vert sombre, brillant. Les fleurs blanches apparaissent au printemps et en été, suivies de grandes baies roses devenant pourpre foncé à maturité.

Skimmia japonica 'Rubella'
Arbuste dense, dressé, à feuilles persistantes aromatiques, vert vif bordé de rouge. Boutons floraux rouge foncé en automne et en hiver, donnant de milieu à fin printemps des grappes denses de petites fleurs blanches.

Correa pulchella
Arbuste assez touffu portant de minces tiges et des feuilles persistantes ovales. De petites fleurs rose-rouge, pendantes et tubulaires, apparaissent de l'été à l'hiver et parfois aux autres saisons.

Daphne odora 'Aureo-marginata'
Arbuste touffu à feuilles persistantes, brillantes, vert sombre, étroitement marginées de jaune. Du milieu de l'hiver au début du printemps, fleurs très parfumées, blanches et rose pourpré foncé.

Daphne mezereum
Bois gentil, Bois joli
Arbuste dressé. Vers la fin de l'hiver et au début du printemps, fleurs très parfumées, roses ou pourpres, sur les tiges nues, suivies de fruits rouges. Feuillage caduc gris-vert terne à maturité.

Skimmia japonica subsp. reevesiana, syn. S. reevesiana
Arbuste touffu, à croissance plutôt faible et à feuilles aromatiques persistantes vert sombre, pointues. Les grappes de petites fleurs printanières blanches sont suivies de baies écarlate foncé.

BRUYÈRES, pp. 146-147

Pernettya mucronata 'Cherry Ripe'
Solanum pseudocapsicum 'Balloon', p. 285

⬜ ROUGE, VERT

⬜ BLANC, GRIS, VERT

Viburnum davidii
Viorne davidii
Arbuste en forme de dôme, à feuillage persistant vert sombre. Petites fleurs blanches fin printemps. S'il y a des sujets des 2 sexes, fruits décoratifs bleu métallique sur les pieds femelles.

☼ ◊ ❄ ❄ ❄

Vinca major 'Variegata'
Grande Pervenche 'Variegata'
Sous-arbrisseau étalé et prostré, à branches arquées. Feuilles persistantes vert vif, largement bordées de blanc crème. De fin printemps à début automne, grandes fleurs bleu vif.

☼ ◊ ❄ ❄ ❄

Helichrysum petiolatum
Immortelle petiolatum
Arbuste à monticule de pousses rampantes vert argenté et de feuilles persistantes feutrées de gris. En été, fleurs jaune crème. Souvent cultivé en annuelle comme couvre-sol ou bordure.

☼ ◊ ❄

Skimmia japonica
Arbuste dense et touffu. Feuilles persistantes aromatiques. Denses grappes de petites fleurs blanches de mi- à fin printemps, suivies, sur les pieds femelles, de fruits rouge vif, si l'on cultive des sujets des 2 sexes.

☼ ◐ ◊ ❄ ❄ ❄ ❄

Breynia disticha, syn. *B. nivosa*, *Phyllanthus nivosus*
Arbuste bien ramifié, à tiges minces. Feuilles persistantes vertes à marbrures blanches. Les fleurs sont minuscules, verdâtres, dépourvues de pétales. Min. 13 °C.

☼ ◐ ◊

Pandanus veitchii, syn. *P. tectorius* 'Veitchii'
Arbuste dressé, à branches arquées et à rosettes de longues feuilles persistantes vert clair, à bord épineux de blanc à crème. Min. 18 °C.

☼ ◊

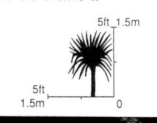

Calocephalus brownii
Arbuste à branches grises veloutées et enchevêtrées. Feuilles persistantes minuscules, en forme d'écaille. En été, groupes d'inflorescences insignifiantes, argentées en bouton, devenant jaunâtres en s'épanouissant. Min. 7-10 °C.

☼ ◊

Ribes laurifolium
Arbuste étalé, à feuilles persistantes coriaces, vert foncé. Fin hiver et début printemps, grappes pendantes de fleurs jaune verdâtre. Si l'on plante des arbustes des 2 sexes, baies noires comestibles sur les pieds femelles.

☼ ◊ ❄ ❄

Coprosma × *kirkii* 'Variegata'
Arbuste très ramifié, d'abord prostré, puis presque érigé. Feuilles marginées de blanc, persistantes, solitaires ou en petits bouquets. Minuscules fruits blancs, translucides, sur les pieds femelles, s'il y a des sujets des 2 sexes.

☼ ◊ ❄

Artemisia arborescens
Armoise arborescente
Arbuste dressé, planté pour son feuillage persistant blanc argenté finement découpé. Des capitules de petites fleurs jaune vif apparaissent en été et en début d'automne.

☼ ◊ ❄

Brunfelsia pauciflora 'Macrantha', p. 135
BRUYÈRES, pp. 146-147
Vinca difformis

AUTRES PLANTES CONSEILLÉES :
Artemisia arborescens 'Faith Raven'
CONIFÈRES NAINS, pp. 82-83
Euonymus fortunei 'Coloratus'

Euonymus fortunei 'Emerald Gaiety'
Pseudowintera colorata
Ruta graveolens 'Jackman's Blue', p. 145
Ursinia sericea

Arbustes/petite taille

■ VERT

Ballota acetabulosa
Sous-arbrisseau en forme de monticule, à feuilles persistantes gris-vert, arrondies. Des verticilles de petites fleurs roses apparaissent du milieu à la fin de l'été.

Vaccinium glauco-album
Arbuste à feuilles persistantes vert foncé, d'abord vert pâle au-dessus et blanc bleuâtre au-dessous. Vers la fin du printemps et au début de l'été, fleurs blanches teintées de rose, suivies de fruits bleu-noir à pruine blanche.

Hebe cupressoides
Véronique cupressoides
Arbuste dense et dressé. Les feuilles persistantes ressemblent à celles du cyprès. À maturité, les pieds portent du début à la mi-été de minuscules fleurs lilas pâle.

Ruscus hypoglossum
Fragon hypoglossum
Arbuste persistant, formant un massif de pousses arquées. Cladodes vert vif, brillantes, ressemblant à des «feuilles» pointues. Petites fleurs jaunes, printanières, suivies de grandes baies rouge vif.

Vinca minor
Petite Pervenche
Plante prostrée, formant de vastes tapis de feuilles vert foncé persistantes, brillantes. Petites fleurs violettes, bleues ou blanches, surtout de mi-printemps à début été.

Mimosa pudica
Sensitive
Arbuste à pousses épineuses. Ses feuilles persistantes, ressemblant aux frondes des fougères, se replient au contact. Minuscules fleurs rose mauve pâle en été-automne. Min. 13-16 °C.

Eurya emarginata
Arbuste arrondi très ramifié, à croissance lente. Petites feuilles persistantes vert foncé, coriaces. Les petites fleurs, d'un blanc verdâtre, sont suivies de minuscules baies pourpre-noir.

Lonicera pileata
Arbuste bas, dense et étalé. Feuilles persistantes étroites, vert sombre; minuscules fleurs blanc crème vers la fin du printemps, suivies de baies pourpre-violet. Bon couvre-sol.

Chamaerops humilis
Palmier à croissance lente, drageonnant avec l'âge. Feuilles persistantes, en forme d'éventail, de 60 à 90 cm de large, à lobes de vert à gris-vert. Il porte de minuscules fleurs jaunes en été. Craint les gelées fortes.

Artemisia abrotanum
Citronnelle, Aurone
Arbuste moyennement touffu. Feuilles caduques ou semi-persistantes gris-vert, aromatiques, à nombreux lobes très fins. Vers la fin de l'été, panicules de petits capitules de fleurs jaunâtres.

Buxus microphylla 'Green Pillow'
Buis à petites feuilles 'Green Pillow'
Arbuste nain et compact, formant une masse dense et arrondie de petites feuilles persistantes vert sombre.

Sabal minor
Palmier-éventail drageonnant, à tiges en grande partie souterraines. Feuilles persistantes vertes ou gris-vert, de 20 à 30 lobes. Petites fleurs blanches, portées sur des rameaux érigés, suivies de baies noires et luisantes. Min. 5 °C.

| CONIFÈRES NAINS, pp. 82-83

Buxus sempervirens
'Suffruticosa'
Buis commun 'Suffruticosa'
Arbuste nain, formant une masse dense
et compacte de feuilles persistantes
vertes. Très utilisé pour
bordures, taillé à environ
15 cm de haut.

Ruta graveolens 'Jackman's
Blue'
Rue fétide 'Jackman's Blue'
Sous-arbrisseau compact et touffu.
Feuilles persistantes bleues, aromatiques
et finement divisées. En été,
groupes de petites fleurs
jaune moutarde.

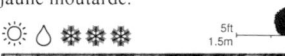

Leucothoë fontanesiana
'Rainbow'
Arbuste à branches arquées, à feuilles
persistantes dentées, coriaces, vert
sombre se panachant de crème ou rose
avec l'âge. Au printemps,
grappes de fleurs blanches
au-dessous des pousses.

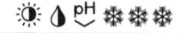

Lonicera nitida 'Baggesen's
Gold'
Arbuste touffu, à longues pousses
arquées et couvertes de minuscules
feuilles persistantes jaune vif. À mi-
printemps, fleurs insignifiantes
vert jaunâtre, suivies parfois
de fruits mauves.

Salvia officinalis 'Icterina'
Sauge officinale 'Icterina'
Arbuste touffu, utilisé comme plante
culinaire. Feuilles persistantes ou
semi-persistantes aromatiques, gris-vert
panaché de vert pâle et de
jaune.

Codiaeum variegatum
Croton panaché
Arbuste érigé, peu ramifié. Les feuilles
persistantes, coriaces et brillantes,
varient beaucoup en taille et en forme et
sont panachées de rouge, de
rose, d'orange ou de jaune.
Min. 10-13 °C.

Sanchezia nobilis
Arbuste érigé, à tiges souples. Feuilles
persistantes vert foncé, brillantes, à
nervures principales marquées de blanc
ou de jaune. En été, bouquets de fleurs
jaunes tubulaires à l'aisselle de
bractées rouges.
Min. 15-18 °C.

CONIFÈRES NAINS, pp. 82-83

Euonymus fortunei 'Emerald
and Gold'
**Fusain fortunei 'Emerald
and Gold'**
Arbuste touffu. Feuilles persistantes vert
vif, panachées de jaune vif,
teintées de rose en hiver.

Pittosporum tenuifolium 'Tom
Thumb'
Arbuste dense et arrondi. Les feuilles
persistantes sont vert pâle à l'état jeune
puis deviennent marron rougeâtre
foncé. Climat maritime doux.

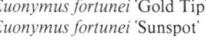

Euonymus fortunei 'Gold Tip'
Euonymus fortunei 'Sunspot'

Bruyères

Les bruyères regroupent toute une gamme d'espèces et de cultivars présentant un intérêt tout au long de l'année. Certaines sont cultivées pour leur feuillage doré, devenant souvent orange brunâtre en hiver, d'autres pour la longue période de leur floraison en été, en automne ou en hiver. Les fleurs, d'une grande variété de couleurs, sont parfois bicolores. Le port va de la forme arborescente, atteignant 6 m de haut, à la forme naine et prostrée, donnant de bons couvre-sol. Les bruyères regroupent 3 genres : *Calluna, Daboecia* et *Erica*. Tous les cultivars des genres *Calluna* et *Daboecia* et la plupart des espèces d'*Erica* doivent être cultivés dans un sol au pH acide. À part cette exigence, les bruyères nécessitent peu de soins. Pour chaque plante, les principales saisons présentant un intérêt sont indiquées.

E. vagans 'Lyonesse' (été-aut.)

E. arborea var. *alpina* (hiv.-prin.)

E. ciliaris 'David McClintock' (été)

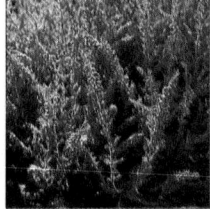

C. vulgaris 'Silver Queen' (été-aut.)

E. × *darleyensis* 'Darley Dale' (hiv.-prin.)

C. vulgaris 'Kinlochruel' (été-aut.)

E. cinerea 'Hookstone White' (été)

E. canaliculata (hiv.-prin.)

C. vulgaris 'My Dream' (été-aut.)

C. vulgaris 'J.H. Hamilton' (été-aut.)

E. mackaiana 'Plena' (été)

C. vulgaris 'Spring Cream' (prin.-aut.)

E. mackaiana 'Dr Ronald Gray' (été)

E. × *darleyensis* 'White Perfection' (hiv.-prin.)

E. × *veitchii* 'Exeter' (hiv.-prin.)

D. cantabrica 'Snowdrift' (prin.-aut.)

E. tetralix 'Alba Mollis' (été-aut.)

E. × *darleyensis* 'White Glow' (hiv.-prin.)

C. vulgaris 'Anthony Davis' (été-aut.)

E. × *darleyensis* 'Ghost Hills' (hiv.-prin.)

E. × *veitchii* 'Pink Joy' (hiv.-prin.)

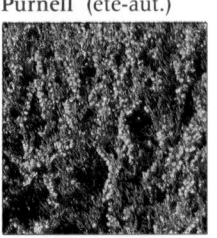

E. carnea 'Springwood White' (hiv.-prin.)

E. × *darleyensis* 'Archie Graham' (hiv.-prin.)

D. cantabrica 'Bicolor' (prin.-aut.)

E. ciliaris 'White Wings' (été)

C. vulgaris 'County Wicklow' (été-aut.)

E. × *watsonii* 'Dawn' (été)

D. × *scotica* 'William Buchanan' (prin.-aut.)

E. × *williamsii* 'P.D. Williams' (été)

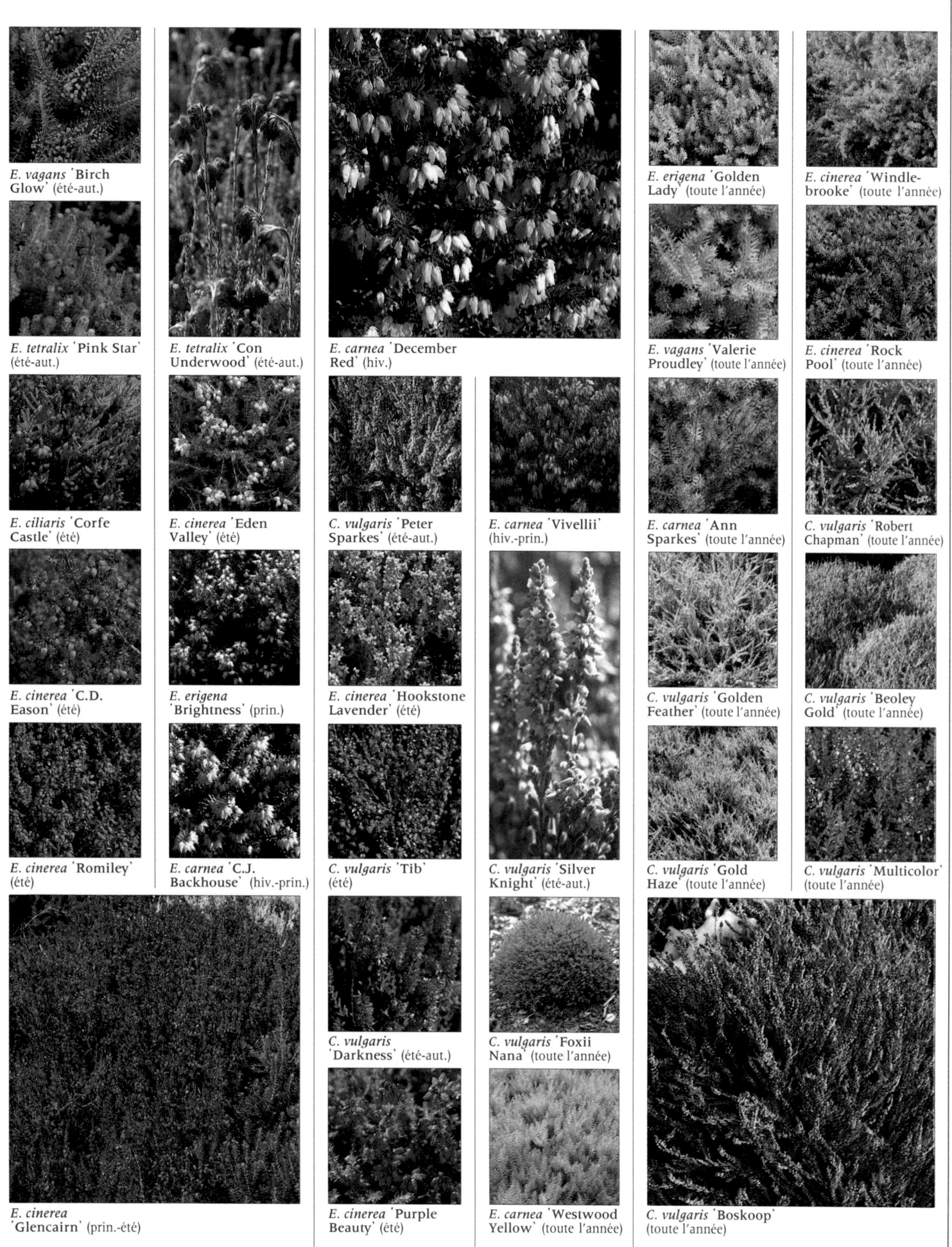

E. vagans 'Birch Glow' (été-aut.)

E. tetralix 'Pink Star' (été-aut.)

E. tetralix 'Con Underwood' (été-aut.)

E. carnea 'December Red' (hiv.)

E. erigena 'Golden Lady' (toute l'année)

E. cinerea 'Windle-brooke' (toute l'année)

E. ciliaris 'Corfe Castle' (été)

E. cinerea 'Eden Valley' (été)

C. vulgaris 'Peter Sparkes' (été-aut.)

E. carnea 'Vivellii' (hiv.-prin.)

E. vagans 'Valerie Proudley' (toute l'année)

E. cinerea 'Rock Pool' (toute l'année)

E. cinerea 'C.D. Eason' (été)

E. erigena 'Brightness' (prin.)

E. cinerea 'Hookstone Lavender' (été)

E. carnea 'Ann Sparkes' (toute l'année)

C. vulgaris 'Robert Chapman' (toute l'année)

E. cinerea 'Romiley' (été)

E. carnea 'C.J. Backhouse' (hiv.-prin.)

C. vulgaris 'Tib' (été)

C. vulgaris 'Silver Knight' (été-aut.)

C. vulgaris 'Golden Feather' (toute l'année)

C. vulgaris 'Beoley Gold' (toute l'année)

C. vulgaris 'Gold Haze' (toute l'année)

C. vulgaris 'Multicolor' (toute l'année)

E. cinerea 'Glencairn' (prin.-été)

C. vulgaris 'Darkness' (été-aut.)

C. vulgaris 'Foxii Nana' (toute l'année)

E. cinerea 'Purple Beauty' (été)

E. carnea 'Westwood Yellow' (toute l'année)

C. vulgaris 'Boskoop' (toute l'année)

147

□ BLANC

Rosa 'Mme Hardy'
Rosier de Damas, dressé, vigoureux, à feuilles abondantes, mates et coriaces. En été, il porte des fleurs blanches à œil vert, très parfumées, en forme de rosette à quartiers, très doubles, de 10 cm de diamètre. H. 1,5 m ; E. 1,2 m.

☼ ◊ ❀❀❀

Rosa 'Boule de Neige'
Rosier de l'île Bourbon, dressé, à tiges arquées. En été et en automne, fleurs blanches parfois teintées de rose, très parfumées, en forme de coupe ou de rosette, très doubles, de 8 cm de diamètre. Feuilles brillantes, vert sombre. H. 1,5 m ; E. 1,2 m.

☼ ◊ ❀❀❀

Rosa pimpinellifolia, syn. **R. spinosissima**
Rosier pimprenelle
Rosier dense, étalé et épineux. Début été, fleurs crème, simples, en forme de coupe, de 4 cm de diamètre. Petites feuilles vert foncé, très divisées. Fruits noirâtres. H. 1 m ; E. 1,2 m.

☼ ◊ ❀❀❀

Rosa 'Penelope'
Rosier arbustif, touffu, dense, à feuillage abondant vert sombre. En été et en automne, nombreuses fleurs doubles rose crème, parfumées, en forme de coupe, de 8 cm de diamètre, associées en bouquets. H. et E. 1,10 m.

☼ ◊ ❀❀❀

Catégories de rosiers

Appréciés pour la beauté de leurs fleurs, les rosiers sont cultivés depuis des centaines d'années. Un grand nombre d'hybridations a permis d'obtenir une vaste gamme d'arbustes utilisables en plantation isolée, en plate-bande, en haie ou comme plante grimpante. Les rosiers sont classés en 3 groupes principaux :

Espèces de rosiers

Ce sont les **espèces botaniques** (ou rosiers sauvages) et certains **hybrides entre espèces** qui présentent la plupart des caractéristiques de leurs parents, ne fleurissent en général qu'une fois par an, en été, et fructifient en automne.

Rosiers anciens

Rosiers Alba – grands arbustes, très ramifiés, à feuillage abondant vert terne, portant au milieu de l'été des bouquets de fleurs.

Rosiers de l'île Bourbon – arbustes à floraison remontante, certains cultivars pouvant grimper. Les fleurs, souvent associées en bouquets par 3, apparaissent en été-automne.

Rosiers du Bengale – arbustes à floraison remontante. Les fleurs, solitaires ou en bouquets, apparaissent en été-automne.

Rosiers de Damas – arbustes à port ouvert, portant principalement en été des bouquets de fleurs souvent très parfumées.

Rosiers de Provins – arbustes assez denses, produisant durant les mois d'été des fleurs très colorées, souvent associées en bouquets par 2 ou 3.

Rosiers hybrides remontants – arbustes vigoureux, à floraison remontante. Les fleurs, solitaires ou associées par 2 ou 3, apparaissent en été-automne.

Rosiers mousseux – arbustes au port généralement souple, portant en été des fleurs à calice et à pédoncule recouverts d'un tissu mousseux.

Rosiers de Noisette – rosiers grimpants ou arbustifs à floraison remontante. Les fleurs au léger parfum épicé, associées en grands bouquets,

Formes de la fleur

Le nombre important d'hybridations de ces dernières années a permis d'obtenir une gamme de rosiers présentant une grande variété de caractéristiques. La forme des fleurs, en particulier, a été l'objet d'une sélection. Les types de fleurs, illustrés ici, donnent une indication générale de la forme de la fleur développée. Les conditions de culture peuvent affecter la forme de la fleur. Les fleurs peuvent être simples (de 4-7 pétales), semi-doubles (de 8-14 pétales), doubles (de 15-30 pétales) ou très doubles (plus de 30 pétales).

Forme plate – les fleurs ouvertes, le plus souvent simples ou semi-doubles, ont des pétales presque aplatis.

En coupe – les fleurs ouvertes, de simples à très doubles, ont des pétales incurvés, donnant à la fleur une forme générale de coupe.

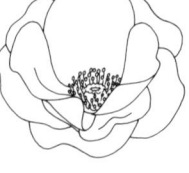

À cœur en pointe – les fleurs, de semi-doubles à très doubles, à centre saillant et compact, ont la forme élégante des Hybrides de Thé.

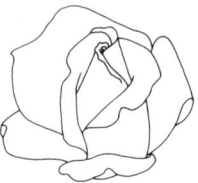

En urne – forme classique de type Hybrides de Thé : les fleurs, de semi-doubles à très doubles, sont aplaties au sommet, à pétales incurvés.

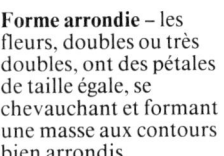

Forme arrondie – les fleurs, doubles ou très doubles, ont des pétales de taille égale, se chevauchant et formant une masse aux contours bien arrondis.

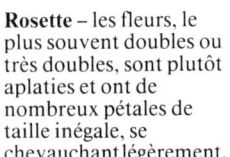

Rosette – les fleurs, le plus souvent doubles ou très doubles, sont plutôt aplaties et ont de nombreux pétales de taille inégale, se chevauchant légèrement.

Rosette à quartiers – les fleurs, le plus souvent doubles ou très doubles, sont plutôt aplaties et ont des pétales de taille inégale, délimitant des quartiers au centre de la fleur.

Pompon – les petites fleurs, de forme arrondie, doubles ou très doubles, le plus souvent réunies en bouquets, ont des masses de petits pétales.

apparaissent en été-automne. Ils ont besoin d'une situation abritée.

Rosiers de Portland – arbustes dressés, plutôt denses, à floraison remontante, portant en été-automne des fleurs associées en bouquets.

Rosiers Cent-feuilles – arbustes d'allure souple, épineux, portant des fleurs parfumées en été.

Rosiers toujours verts – rosiers grimpants à feuillage semi-persistant ou persistant, portant

de nombreuses fleurs vers la fin de l'été.

Rosiers Thé – arbustes et rosiers grimpants à floraison remontante. D'élégants boutons floraux, en pointe, donnent naissance à des fleurs au parfum épicé. Ils ont besoin d'une situation abritée.

Rosiers modernes

Se reporter au Dictionnaire des plantes.

Rosa 'Fantin Latour'
Rosier cent feuilles, arbustif et vigoureux. En été, fleurs rose rougissant à œil plus foncé, parfumées, en forme de coupe ou aplaties, très doubles, de 10 cm de diamètre. Feuilles larges, vert sombre. H. 1,5 m; E. 1,2 m.

☼ ◊ ✿✿✿

Rosa 'Conrad Ferdinand Meyer'
Rosier arbustif, vigoureux, à rameaux arqués. Fleurs roses très parfumées, en forme de coupe de 7 cm de diamètre, très doubles. Elles sont nombreuses en été, plus rares en automne. Le feuillage est coriace et sujet à la rouille. H. 2,5 m; E. 1,2 m.

☼ ◊ ✿✿✿

Rosa 'Dupontii'
Rosier arbustif, touffu, dressé, à feuillage abondant, grisâtre. Au milieu de l'été, il porte de nombreux bouquets de fleurs blanches teintées de rose rougissant, parfumées, simples, aplaties, de 6 cm de diamètre. H. et E. 2,2 m.

☼ ◊ ✿✿✿

Rosa 'Great Maiden's Blush',
syn. R. 'Cuisse de Nymphe'
Rosier de la race des Alba, vigoureux et dressé. À la mi-été, fleurs blanc rosâtre très parfumées, en forme de rosette, très doubles, de 8 cm de diamètre. H. 2 m; E. 1,3 m.

☼ ◊ ✿✿✿

Rosa 'Céleste', syn. R. 'Celestial'
Rosier de la race des Alba, arbustif, vigoureux et étalé. En été, fleurs rose clair, agréablement parfumées, en forme de coupe, doubles, de 8 cm de diamètre. Il peut faire une bonne haie. H. 1,5 m; E. 1,2 m.

☼ ◊ ✿✿✿

Rosa 'Nevada'
Rosier arbustif, dense, à rameaux arqués, ayant un abondant feuillage vert clair. Fleurs blanc crème parfumées, aplaties, semi-doubles, de 10 cm de diamètre, en profusion en été et un peu en automne. H. et E. 2 m.

☼ ◊ ✿✿✿

Rosa 'Pearl Drift', syn. R. 'Leggab'
Rosier arbustif, touffu, étalé, produisant, en été et en automne, des bouquets de fleurs rose rougissant légèrement parfumées, en forme de coupe de 10 cm de diamètre, doubles. Abondant feuillage brillant. H. 1 m; E. 1,2 m.

☼ ◊ ✿✿✿

Rosa 'Felicia'
Rosier arbustif, vigoureux. Son feuillage abondant est vert grisâtre et sain d'aspect. Les fleurs parfumées, en forme de coupe de 8 cm de diamètre, doubles, sont rose clair teinté d'abricot. Elles s'épanouissent en été et en automne. H. 1,5 m; E. 2,2 m.

☼ ◊ ✿✿✿

Rosa eglanteria, syn. R. rubiginosa
Églantier odorant
Rosier vigoureux, épineux, à rameaux arqués. Feuillage à odeur rappelant celle de la pomme. Au milieu de l'été, fleurs simples roses, en forme de coupe de 3 cm de diamètre; fruits rouges en automne. H. et E. 2,4 m.

☼ ◊ ✿✿✿

R. 'Aimée Vibert'
R. x alba 'Semi-plena'
R. 'Blanche Moreau'
R. 'Blush Noisette'

R. 'Jacqueline du Pré'
R. 'Mousseline'
R. 'Souvenir de la Malmaison'

R. 'Félicité Parmentier'
R. 'Omar Khayyám'

149

Rosiers

■ ROSE

Rosa 'Rosy Cushion',
syn. *R.* 'Interall'
Rosier arbustif dense, étalé, à feuillage
vert foncé, brillant et abondant. En été
et en automne, bouquets de fleurs
parfumées semi-doubles, roses à centre
ivoire, en forme de coupe de 6 cm de
diamètre. H. 1 m ; E. 1,2 m.

Rosa glauca, syn. *R. rubrifolia*
Rosier vigoureux, planté pour ses fines
feuilles pourpre grisâtre et ses rameaux
arqués rouges. En début d'été, fleurs
aplaties simples, rose cerise à centre
pâle et à anthères dorées, de 4 cm de
diamètre, suivies en automne de fruits
rouges. H. 2 m ; E. 1,5 m.

Rosa 'Marguerite Hilling', syn. *R.*
'Pink Nevada'
Rosier arbustif, dense, à rameaux arqués.
Des fleurs rose incarnat parfumées,
aplaties, semi-doubles, de 10 cm de
diamètre, s'épanouissent en grand nombre
en été, parfois en automne. Feuillage
abondant vert clair. H. et E. 2,2 m.

Rosa 'Reine Victoria'
Rosier de l'île Bourbon, d'allure souple,
à minces tiges et à feuilles vert clair. En
été et en automne, fleurs doubles, en
forme de rosette, agréablement
parfumées, de 8 cm de diamètre,
colorées dans des nuances de rose.
H. 2 m ; E. 1,2 m.

Rosa 'Königin von Dänemark'
syn. *R.* 'Belle Courtisane'
Rosier de la race des Alba, vigoureux,
au port plutôt ouvert et aéré. À la
mi-été, fleurs d'un rose chaud à œil rose
foncé, fortement parfumées, en forme
de rosette à quartiers, très doubles, de
8 cm de diamètre. H. 1,5 cm ; E. 1,2 m.

Rosa 'Pink Grootendorst'
Rosier arbustif, touffu, dressé, portant
d'abondantes petites feuilles. En été et
en automne, fleurs doubles, en forme de
rosette de 5 cm de diamètre, à pétales
rose clair, à bord en dents de scie,
regroupées sur des ramilles.
H. 2 m ; E. 1,5 m.

Rosa 'Complicata'
Rosier de Provins, très vigoureux,
épineux, à rameaux arqués. Il est
utilisable pour faire de grandes haies. Au
milieu de l'été, il porte des fleurs roses à
centre pâle légèrement parfumées,
simples, en forme de coupe de 11 cm de
diamètre. H. 2,2 m ; E. 2,5 m.

Rosa 'Bonica 82',
syn. *R.* 'Meidonomac'
Rosier arbustif, vigoureux, étalé. En été et
en automne, grandes ramilles de fleurs
rose incarnat légèrement parfumées, très
doubles, en forme de coupe de 7 cm de
diamètre. Feuillage brillant et abondant.
H. 90 cm ; E. 1,1 m.

Rosa 'Constance Spry'
Rosier arbustif, au port arqué, grimpant
s'il est soutenu. Les fleurs roses, en forme
de coupe de 12 cm de diamètre, très
doubles, au parfum épicé, s'épanouissent
en abondance en été, sur des rameaux
inclinés. Les feuilles sont grandes et
abondantes. H. 2 m ; E. 1,5 m.

R. × *centifolia* 'Muscosa'
R. 'Cristata'
R. 'Frühlingsmorgen'
R. 'Gloire des Mousseux'

R. 'Ispahan'
R. 'Louise Odier'
R. 'Mme Pierre Oger'
R. 'Perle d'Or'

R. 'Tricolore de Flandres'

Rosa 'Mrs John Laing'
Rosier de la race des hybrides
remontants, touffu, à feuillage abondant
vert clair. Sa floraison est importante en
été, faible en automne. Les fleurs roses
sont très parfumées, de forme arrondie,
très doubles, et ont 12 cm de diamètre.
H. 1 m; E. 80 cm.

Rosa 'Old Blush China',
syn. *R.* 'Parson's Pink China'
Rosier de Bengale, touffu, pouvant être
utilisé comme plante grimpante contre
un mur abrité; fleurs doubles, roses, en
forme de coupe de 6 cm de diamètre, en
abondance de l'été à la fin de l'automne.
H. 1 m; E. 80 cm ou plus.

Rosa gallica 'Versicolor'
Rosier de Provins, de belle allure,
touffu. En été, il produit des fleurs
remarquables, légèrement parfumées,
aplaties, semi-doubles, de 5 cm de
diamètre, d'un rose rougissant pâle, à
rayures cramoisies. H. 75 cm; E. 1 m.

Rosa chinensis 'Mutabilis'
Rosier au port ouvert et aéré, au jeune
feuillage cuivré. Fleurs d'abord jaune
clair puis rose cuivré ou cramoisi, en
coupe peu profonde de 6 cm de diamètre,
simples, abondantes en été et automne.
Préfère un mur ensoleillé et abrité. H. et
E. 1 m, jusqu'à 2 m contre un mur.

Rosa moyesii 'Geranium'
Rosier vigoureux, à tiges arquées. En
été, les fleurs aplaties, simples, écarlate
foncé, à anthères jaunes, de 5 cm de
diamètre, s'épanouissent près des
rameaux. Petites feuilles vert sombre;
grands fruits rouges en automne.
H. 3 m; E. 2,5 m.

Rosa 'Mme Isaac Pereire'
Rosier de l'île Bourbon, vigoureux, à
rameaux arqués. Fleurs rose pourpre
foncé, de 15 cm de diamètre,
parfumées, très doubles, avec une forme
allant de la coupe à la rosette à
quartiers; très nombreuses en été et en
automne. H. 2,2 m; E. 2 m.

Rosa rugosa
Rosier rugueux
Rosier dense, vigoureux, à feuilles ridées
et à grands fruits rouges. Les fleurs
simples, blanches ou rouge pourpré, en
forme de coupe de 9 cm de diamètre,
apparaissent successivement en été et en
automne. H. et E. 1-2 m.

Rosa 'Roseraie de l'Haÿ'
Rosier arbustif, dense et vigoureux. En
été et en automne, nombreuses fleurs
pourpre rougeâtre fortement parfumées,
en forme de coupe ou aplaties, doubles,
de 11 cm de diamètre. Feuilles
abondantes, résistantes aux maladies.
H. 2,2 m; E. 2 m.

Rosa 'Henri Martin',
syn. *R.* 'Red Moss'
Rosier mousseux, vigoureux, dressé. En
été, fleurs écarlate pourpré, en rosette,
doubles, légèrement parfumées, de 9 cm
de diamètre. Sous le calice, elles sont
couvertes de «poils» verts formant un
tissu mousseux. H. 1,5 m; E. 1 m.

Rosiers

■■ ROUGE, POURPRE

☐ JAUNE

Rosa 'Empereur du Maroc'
Rosier de la race des hybrides
remontants, arbustif et compact. Fleurs
cramoisi pourpré intense, parfumées, en
forme de rosette à quartiers, très
doubles, de 8 cm de diamètre. Elles
s'épanouissent abondamment en été, un
peu en automne. H. 1,2 m; E. 1 m.

☼ ◊ ❀❀❀

Rosa 'Belle de Crécy'
Rosier de Provins, à croissance plutôt
souple, peu épineux. Ses fleurs estivales
en forme de rosette, de 8 cm de
diamètre, sont très doubles, rose teinté
de pourpre grisâtre, avec un œil vert.
Leur parfum est fort et épicé.
H. 1,2 m; E. 1 m.

☼ ◊ ❀❀❀

Rosa primula
Rosier à rameaux arqués, au port souple.
À la fin du printemps, fleurs parfumées
simples, jaune primevère, en forme de
coupe de 4 cm de diamètre. Feuilles
abondantes, aromatiques, très divisées.
La partie aérienne peut mourir durant les
hivers rigoureux. H. et E. 2 m.

☼ ◊ ❀❀❀

Rosa 'Cardinal Hume',
syn. *R.* 'Harregale'
Rosier arbustif, touffu et étalé. Des
fleurs pourpre rougeâtre en forme de
coupe, de 7,5 cm de diamètre, très
doubles, apparaissent en denses
bouquets en été et en automne. Elles ont
un parfum musqué. H. 90 cm; E. 1 m.

☼ ◊ ❀❀❀

Rosa 'William Lobb',
syn. *R.* 'Duchesse d'Istrie'
Rosier mousseux, à tiges robustes,
arquées et épineuses, pouvant grimper si
on les maintient. En été, fleurs cramoisi
pourpré foncé en forme de rosette, de
9 cm de diamètre, doubles, devenant
lilas-gris en se fanant. H. et E. 2 m.

☼ ◊ ❀❀❀

Rosa 'Cardinal de Richelieu'
Rosier de Provins, vigoureux, compact
et à feuillage vert foncé, abondant. En
été, il porte des fleurs parfumées, de
forme arrondie, très doubles, couleur
vin de Bourgogne foncé, de 8 cm de
diamètre. H. 1,2 m; E. 1 m.

☼ ◊ ❀❀❀

Rosa 'Tour de Malakoff'
Rosier cent feuilles au port ouvert et
aéré. Ses fleurs magenta à veines
violettes, parfumées, en forme de rosette
de 12 cm de diamètre, doubles,
apparaissent en été. Elles deviennent
pourpre grisâtre en se fanant.
H. 2 m; E. 1,5 m.

☼ ◊ ❀❀❀

Rosa foetida 'Persiana',
syn. *R.* 'Persian Yellow'
Rosier dressé, à rameaux arqués. Début
été, fleurs doubles jaunes de 2,5 cm de
diamètre. Feuillage sujet à la maladie
des taches noires. Tailler le vieux bois
seulement et protéger des hivers
rigoureux. H. et E. 1,5 m.

☼ ◊ ❀❀❀

Rosa ecae
Rosier érigé et vigoureux. Fin printemps,
fleurs simples, d'un jaune lumineux, en
forme de coupe de 2 cm de diamètre, au
parfum musqué, s'épanouissant près des
tiges rougeâtres. Feuillage gracieux très
divisé. Nécessite une situation abritée.
H. 1,5 m; E. 1,2 m.

☼ ◊ ❀❀❀

R. 'Assemblage des Beautés'
R. 'Charles de Mills'
R. 'Robert le Diable'
R. 'Souvenir d'Alphonse Lavallée'

R. 'Golden Wings'

Rosa 'Iceberg',
syn. *R*. 'Schneewittchen'
Rosier buisson à fleurs en bouquets. En été
et automne, nombreuses fleurs blanches
en forme de coupe, très doubles, de 7 cm
de diamètre. Feuilles abondantes,
brillantes. H. 75 cm ; E. 65 cm, plus s'il
n'est pas taillé sévèrement.

☼ ◊ ✽✽✽

Rosa 'Canary Bird'
Rosier vigoureux, dense, à rameaux
arqués ; petites feuilles très divisées.
Fleurs jaunes simples, en forme de
coupe de 5 cm de diamètre, au parfum
musqué, à la fin du printemps et un peu
en automne. La partie aérienne meurt si
l'hiver est rigoureux. H. et E. 2,1 m.

☼ ◊ ✽✽✽

Rosa 'Margaret Merril'
Rosier buisson à fleurs en bouquets,
dressé. Floraison en été et en automne. Les
fleurs sont très parfumées, doubles,
blanches ou d'un blanc rougissant, avec
10 cm de diamètre et une belle forme
d'urne. Elles sont solitaires ou en
bouquets. H. 1 m ; E. 60 cm.

☼ ◊ ✽✽✽

Rosa 'Elizabeth Harkness'
Rosier buisson à grandes fleurs, dressé, de
belle allure et à abondant feuillage vert
sombre. Les fleurs parfumées, à cœur en
pointe, très doubles, de 12 cm de
diamètre, sont rose crème pâle teintées de
chamois et apparaissent en été et en
automne. H. 80 cm ; E. 60 cm.

☼ ◊ ✽✽✽

Rosa 'Graham Thomas',
syn. *R*. 'Ausmas'
Rosier arbustif, vigoureux, à rameaux
arqués, au port souple, au feuillage
brillant, vert vif. En été et en automne,
fleurs jaunes en forme de coupe, très
doubles, de 11 cm de diamètre, un peu
parfumées. H. 1,2 m ; E. 1,5 m.

☼ ◊ ✽✽✽

Rosa 'Grouse', syn. *R*. 'Korimro'
Rosier couvre-sol, rampant, au feuillage
brillant, très abondant. Ses fleurs aplaties,
simples, d'un rose rougissant, de 4 cm de
diamètre, s'épanouissent près des tiges, en
été et en automne. Leur parfum est
agréable. H. 45 cm ; E. 3 m.

☼ ◊ ✽✽✽

Rosa 'The Fairy'
Rosier buisson nain à fleurs en bouquets,
dense et formant un coussin. Abondantes
petites feuilles brillantes. Fleurs roses, en
forme de rosette, doubles, de 2,5 cm de
diamètre, abondantes à la fin de l'été et en
automne. H. et E. 60 cm.

☼ ◊ ✽✽✽

Rosa 'Nozomi', syn. *R*.
'Heideröslein'
Rosier couvre-sol, rampant. En été, ses
fleurs aplaties, simples, blanches et rose
rougissant, de 2,5 cm de diamètre,
s'épanouissent près des tiges. Petites
feuilles vert sombre. Peut être planté en
pot. H. 45 cm ; E. 1,2 m.

☼ ◊ ✽✽✽

AUTRES PLANTES CONSEILLÉES :
R. 'City of London'
R. 'Ophelia'
R. 'Pascali'

R. 'Peaudouce'
R. 'Yvonne Rabier'

ROSE

Rosa 'Pink Bells', syn. *R.*
'Poulbells'
Rosier couvre-sol, très dense, étalé, à
petites feuilles vert sombre, abondantes.
De nombreuses fleurs roses, ayant une
forme de pompon, très doubles, de 2,5
cm de diamètre, s'épanouissent, en
bouquets, en été. H. 75 cm; E. 1,2 m.

Rosa 'Queen Elizabeth'
Rosier buisson dressé, à fleurs en
bouquets. En été et en automne, sur de
longues tiges, fleurs roses de forme
arrondie, très doubles, de 10 cm de
diamètre, solitaires ou en bouquets.
Feuilles grandes et coriaces. H. 1,5 m;
E. 75 cm ou plus.

Rosa 'Iced Ginger'
Rosier buisson dressé, à fleurs en
bouquets. Feuillage rougeâtre peu dense.
Fleurs allant de rose chamois à rose
cuivré, très doubles, de 11 cm de
diamètre, à cœur en pointe, en été et en
automne, solitaires ou en bouquets.
H. 1 m; E. 70 cm.

Rosa 'Alpine Sunset'
Rosier buisson compact, à grandes
fleurs. Grandes feuilles luisantes. Fleurs
rose pêche, parfumées, arrondies, très
doubles, de 20 cm de diamètre, à
courtes tiges, en été et en automne. La
partie aérienne peut mourir durant les
hivers rigoureux. H. et E. 60 cm.

Rosa 'Peek-a-boo', syn. *R.* 'Brass
Ring', *R.* 'Dicgrow'
Rosier buisson nain, à fleurs en bouquets,
dense, en forme de coussin. De l'été au
début de l'hiver, nombreuses fleurs rose
abricot, en forme d'urne, doubles, de 4 cm
de diamètre. Feuillage étroit, vert sombre.
H. et E. 45 cm.

Rosa 'Rosemary Harkness',
syn. *R.* 'Harrowbond'
Rosier buisson vigoureux, à grandes
fleurs; feuilles brillantes, abondantes. En
été-automne, fleurs parfumées, à cœur en
pointe, doubles, de 10 cm de diamètre,
rose saumon et orange, en bouquets ou
solitaires. H. 1 m; E. 75 cm.

Rosa 'Sexy Rexy', syn. *R.*
'Macrexy'
Rosier buisson, touffu et compact, à
fleurs en bouquets. En été et en
automne, fleurs roses très doubles
légèrement parfumées, en forme de
coupe de 8 cm de diamètre. Feuilles vert
sombre. H. et E. 60 cm.

Rosa 'Lovely Lady',
syn. *R.* 'Dicjubell'
Rosier buisson, dense et de forme
arrondie, à grandes fleurs. En été et en
automne, abondance de fleurs rose
incarnat, légèrement parfumées, à cœur
en pointe, très doubles, de 10 cm de
diamètre. H. 80 cm; E. 70 cm.

Rosa 'Blessings'
Rosier buisson dressé, à grandes fleurs.
Ses grandes feuilles sont vert sombre. Il
fleurit en été et en automne. Les fleurs
rose saumon, solitaires ou en bouquets,
sont légèrement parfumées, en forme
d'urne, très doubles, et ont 10 cm de
diamètre. H. 1 m; E. 75 cm.

R. 'Pink Parfait'

Rosa 'Silver Jubilee'
Rosier buisson, dense et dressé, à grandes
fleurs. En été et en automne, il porte un
très grand nombre de fleurs d'un rose
saumon atténué, légèrement parfumées,
à cœur en pointe, très doubles, de 12 cm
de diamètre. Son abondant feuillage est
luisant. H. 1,1 m; E. 75 cm.

☼ ◊ ✿✿✿

Rosa 'Anisley Dickson',
syn. *R.* 'Dicky', *R.* 'Münchner
Kindl', R. 'Dickimono'
Rosier buisson vigoureux, à fleurs en
bouquets. En été et en automne, fleurs
rose saumon légèrement parfumées, à
cœur en pointe, doubles, de 8 cm de
diamètre. H. 1 m; E. 75 cm.

☼ ◊ ✿✿✿

Rosa 'Keepsake', syn. *R.*
'Kormalda'
Rosier buisson de belle allure, touffu, à
grandes fleurs. Le feuillage est brillant et
abondant. En été et en automne fleurs
roses légèrement parfumées, de forme
arrondie, très doubles, de 12 cm de
diamètre. H. 75 cm; E. 60 cm.

☼ ◊ ✿✿✿

Rosa 'Escapade'
Rosier buisson à fleurs en bouquets,
dense. En été et en automne, il porte des
ramilles de fleurs rose-violet, à œil
blanc, parfumées, en forme de coupe,
semi-doubles, de 8 cm de diamètre. Le
feuillage est vert clair et brillant.
H. 75 cm; E. 60 cm.

☼ ◊ ✿✿✿

Rosa 'Paul Shirville', syn.
R. 'Harqueterwife', *R.*
'Heartthrob'
Rosier buisson étalé, à grandes fleurs. En
été et en automne, fleurs rose saumon
parfumées, à cœur en pointe, très
doubles, de 9 cm de diamètre. Feuillage
abondant, rougeâtre. H. et E. 75 cm.

☼ ◊ ✿✿✿

R. 'Congratulations'

Rosa 'Double Delight'
Rosier buisson à grandes fleurs, à
croissance dressée, inégale. La floraison a
lieu en été et en automne. Ses fleurs,
blanc crème bordé de rouge, sont
parfumées, de forme arrondie, très
doubles, de 12 cm de diamètre.
H. 1 m; E. 60 cm.

☼ ◊ ✿✿✿

Rosa 'Anna Ford',
syn. *R.* 'Harpiccolo'
Rosier buisson nain, à fleurs en
bouquets. Nombreuses petites feuilles
vert sombre. En été et en automne fleurs
rouge orangé en forme d'urne, doubles,
de 4 cm de diamètre, s'aplatissant en
s'ouvrant. H. 45 cm; E. 40 cm.

☼ ◊ ✿✿✿

R. 'Rose Gaujard'

Rosa 'Trumpeter', syn. *R.* 'Mactru'
Rosier buisson touffu, de belle allure, à
fleurs en bouquets. Il porte, en été et en
automne, de nombreuses fleurs rouge vif
en forme de coupe, très doubles, de 6 cm
de diamètre. Les feuilles sont vert foncé
et luisantes. H. 60 cm; E. 50 cm.

☼ ◊ ✿✿✿

Rosiers

■ ROUGE

□ JAUNE

**Rosa 'Royal William', syn.
R. 'Duftzauber 84', R. 'Korzaun'**
Rosier buisson vigoureux, à grandes
fleurs. Grandes feuilles vert sombre. En
été et en automne, fleurs cramoisi foncé,
légèrement parfumées, à cœur en pointe,
très doubles, de 12 cm de diamètre, à
longues tiges. H. 1 m ; E. 75 cm.

☀ ◊ ❋❋❋

**Rosa 'Precious Platinum',
syn. R. 'Opa Potschke'**
Rosier buisson vigoureux, à grandes
fleurs. Abondant feuillage brillant.
Fleurs cramoisi foncé, légèrement
parfumées, de forme arrondie, très
doubles, de 10 cm de diamètre, en été et
en automne. H. 1 m ; E. 60 cm.

☀ ◊ ❋❋❋

**Rosa 'Wee Jock',
syn. R. 'Cocabest'**
Rosier buisson nain, dense et touffu, à
fleurs en bouquets. Feuilles abondantes,
petites, vert sombre. En été et en
automne, fleurs cramoisies en forme de
rosette, très doubles, de 4 cm de
diamètre. H. et E. 45 cm.

☀ ◊ ❋❋❋

**Rosa 'Champagne Cocktail',
syn. R. 'Horflash'**
Rosier buisson dressé, à fleurs en
bouquets. Il fleurit en été et en automne.
Fleurs jaune-rose, parfumées, en forme
de coupe, doubles, de 9 cm de diamètre,
s'élargissant en s'ouvrant. H. 1 m,
E. 60 cm.

☀ ◊ ❋❋❋

**Rosa 'Alexander',
syn. R. 'Alexandra'**
Rosier buisson vigoureux, dressé, à
grandes fleurs. Feuillage abondant vert
sombre. En été et en automne, fleurs
rouge vif légèrement parfumées, à cœur
en pointe, doubles, de 12 cm de diamètre,
à longues tiges. H. 1,5 m ; E. 75 cm.

☀ ◊ ❋❋❋

R. 'Blue Moon'
R. 'Ingrid Bergman'
R. 'Malcolm Sargent'

**Rosa 'The Times', syn. R.
'Korpeahn'**
Rosier buisson étalé, à fleurs en bouquets.
Abondant feuillage vert sombre. En été et
en automne, fleurs cramoisi foncé,
légèrement parfumées, en forme de coupe
de 8 cm de diamètre, doubles, en de larges
bouquets. H. 60 cm ; E. 75 cm.

☀ ◊ ❋❋❋

Rosa 'Alec's Red'
Rosier buisson vigoureux, à grandes
fleurs. Celles-ci sont rouge cerise foncé,
à cœur en pointe, très doubles et ont
15 cm de diamètre. Leur parfum est
fort. Elles s'épanouissent en été et en
automne. H. 1 m ; E. 60 cm.

☀ ◊ ❋❋❋

Rosa 'Mme A. Meilland'
Rosier buisson à grandes fleurs,
vigoureux. En été et en automne,
bouquets de nombreuses fleurs jaunes
teintées de rose carminé, parfumées, de
15 cm de diamètre, globuleuses ou
arrondies, doubles. Abondantes feuilles
grandes et brillantes. H. 1,2 m ; E. 1 m.

☀ ◊ ❋❋❋

**Rosa 'Rugul', syn. R. 'Guletta',
R. 'Tapis Jaune'**
Rosier buisson nain, compact, dense, à
fleurs en bouquets. Feuillage d'un vert
intense. En été et en automne, fleurs
jaunes, en forme de coupe ou aplaties,
doubles, de 5 cm de diamètre.
H. 30 cm ; E. 40 cm.

☀ ◊ ❋❋❋

Rosa 'Korresia', syn. **R.** 'Friesia'
Rosier buisson touffu, dressé, à fleurs en bouquets. Il porte, en été et en automne, des ramilles ouvertes de fleurs doubles fortement parfumées, en forme d'urne, de 8 cm de diamètre, à pétales ondulés jaunes. H. 75 cm; E. 60 cm.

☼ ◊ ❄❄❄

Rosa 'Glenfiddich'
Rosier buisson dressé, à fleurs en bouquets. La floraison a lieu en été et en automne. Les fleurs ambre jaune sont légèrement parfumées, en forme d'urne, doubles, de 10 cm de diamètre. Elles sont solitaires ou en bouquets.
H. 75 cm; E. 60 cm.

☼ ◊ ❄❄❄

Rosa 'Bright Smile',
syn. **R.** 'Dicdance'
Rosier buisson bas, touffu, à fleurs en bouquets, et à feuilles vert vif, brillantes. En été et en automne, bouquets de fleurs jaunes légèrement parfumées, aplaties, semi-doubles, de 8 cm de diamètre. H. et E. 45 cm.

☼ ◊ ❄❄❄

Rosa 'Grandpa Dickson',
syn. **R.** 'Irish Gold'
Rosier buisson dressé, à grandes fleurs. Feuillage brillant peu dense, vert clair. En été et en automne, nombreuses fleurs jaune clair, légèrement parfumées, à cœur en pointe, très doubles, de 18 cm de diamètre. H. 80 cm; E. 60 cm.

☼ ◊ ❄❄❄

Rosa 'Simba', syn. **R.** 'Goldsmith, R.** 'Korbelma'
Rosier buisson dressé, à grandes fleurs. Grandes feuilles vert foncé. En été-automne, abondantes fleurs jaunes, parfumées, en forme d'urne, très doubles, de 9 cm de diamètre, sur tiges rigides. H. 75 cm; E. 60 cm.

☼ ◊ ❄❄❄

Rosa 'Mountbatten',
syn. **R.** 'Harmantelle'
Rosier buisson à fleurs en bouquets, au feuillage résistant aux maladies. En été et en automne, fleurs jaunes parfumées, de forme arrondie, très doubles, de 10 cm de diamètre, solitaires ou en bouquets. H. 1,2 m; E. 75 cm.

☼ ◊ ❄❄❄

Rosa 'Freedom', syn. **R.** 'Dicjem'
Rosier buisson à grandes fleurs. Nombreuses pousses et abondant feuillage brillant. En été et en automne, très nombreuses fleurs jaune vif, légèrement parfumées, arrondies, doubles, de 9 cm de diamètre.
H. 75 cm; E. 60 cm.

☼ ◊ ❄❄❄

Rosa 'Amber Queen',
syn. **R.** 'Harroony'
Rosier buisson étalé, à fleurs en bouquets. Abondant feuillage rougeâtre. Fleurs de couleur ambrée, parfumées, de forme arrondie, très doubles et de 8 cm de diamètre, en été et en automne. H. et E. 50 cm.

☼ ◊ ❄❄❄

R. 'Arthur Bell'
R. 'Goldstar'
R. 'Princess Alice'
R. 'Princess Michael of Kent'

 JAUNE, ORANGE

Rosa 'Pot o' Gold',
syn. *R.* 'Dicdivine'
Rosier buisson à grandes fleurs, à
croissance uniforme et ordonnée. En été
et en automne, fleurs jaune doré
parfumées, de forme arrondie, très
doubles, de 9 cm de diamètre, solitaires
ou en bouquets. H. 75 cm; E. 60 cm.

☼ ◊ ❀ ❀ ❀

Rosa 'Sweet Magic',
syn. *R.* 'Dicmagic'
Rosier buisson nain, touffu, à fleurs en
bouquets. En été et en automne,
ramilles de fleurs orange doré teinté de
rose, légèrement parfumées, en forme
d'urne, doubles, de 4 cm de diamètre.
H. 40 cm; E. 30 cm.

☼ ◊ ❀ ❀ ❀

Rosa 'Troïka',
syn. *R.* 'Royal Dane'
Rosier buisson dense, vigoureux, à
grandes fleurs. Feuilles abondantes et
luisantes. En été et en automne, fleurs
rouge orangé teinté de rose, parfumées,
à cœur en pointe, doubles, de 15 cm de
diamètre. H. 1 m; E. 75 cm.

☼ ◊ ❀ ❀ ❀

Rosa 'Piccadilly'
Rosier buisson touffu, vigoureux, à
grandes fleurs. En été et en automne,
profusion de fleurs solitaires ou en
bouquets. Elles sont rouge et jaune,
doubles, à cœur en pointe, et ont 12 cm
de diamètre. Abondant feuillage
rougeâtre, brillant. H. 1 m; E. 60 cm.

☼ ◊ ❀ ❀ ❀

Rosa 'Southampton',
syn. *R.* 'Susan Ann'
Rosier buisson dressé, à fleurs en
bouquets. En été-automne, fleurs couleur
abricot, parfumées, de forme arrondie,
doubles, de 8 cm de diamètre, solitaires
ou en bouquets. Feuillage résistant aux
maladies. H. 1 m; E. 60 cm.

☼ ◊ ❀ ❀ ❀

Rosa 'Doris Tysterman'
Rosier buisson vigoureux, dressé, à
grandes fleurs. Ses feuilles sont grandes,
brillantes et vert foncé. En été et en
automne, fleurs rouge orangé,
légèrement parfumées, à cœur en pointe,
de 10 cm de diamètre, très doubles.
H. 1,2 m; E. 75 cm.

☼ ◊ ❀ ❀ ❀

Rosa 'Anne Harkness',
syn. *R.* 'Harkaramel'
Rosier buisson dressé, à fleurs en
bouquets. À la fin de l'été et en
automne, ramilles portant de
nombreuses fleurs de couleur ambrée en
forme d'urne, doubles, de 8 cm de
diamètre. H. 1,2 m; E. 60 cm.

☼ ◊ ❀ ❀

Rosa 'Remember Me',
syn. *R.* 'Cocdestin'
Rosier buisson dense, vigoureux, à
grandes fleurs. Feuilles abondantes et
brillantes. En été et en automne,
profusion de fleurs orange cuivré, à
cœur en pointe, très doubles, de 9 cm de
diamètre. H. 1 m; E. 75 cm.

☼ ◊ ❀ ❀ ❀

Rosa 'Just Joey'
Rosier buisson, ramifié, au port ouvert
et aéré, à grandes fleurs, à feuillage vert
sombre, coriace. En été et en automne,
fleurs rose cuivré, à pétales ondulés, à
cœur en pointe, très doubles, de 12 cm
de diamètre, légèrement parfumées.
H. 75 cm; E. 60 cm.

☼ ◊ ❀ ❀ ❀

R. 'Clarissa'
R. 'Sweet Dream'
R. 'Typhoon'
R. 'Whisky Mac'

ROSIERS

BLANC, ROSE

■ ROUGE

Rosa 'Snowball', syn. R. 'Angelita', R. 'Macangel'
Rosier buisson miniature compact et rampant. En été et en automne, fleurs blanches très doubles, en forme de pompon, de 2,5 cm de diamètre. Feuilles petites, brillantes et abondantes. H. 20 cm; E. 30 cm.

☼ ◊ ❀❀❀

Rosa 'Baby Masquerade', syn. R. 'Baby Carnival'
Rosier buisson miniature dense, à feuillage abondant, coriace. En été et en automne, bouquets de fleurs en forme de rosette, doubles, jaune et rose, de 2,5 cm de diamètre. H. et E. 40 cm, plus s'il n'est pas taillé.

☼ ◊ ❀❀❀

Rosa 'Sheri Anne'
Rosier buisson miniature dressé, à feuillage brillant et coriace. Des fleurs rouge clair, légèrement parfumées, en forme de rosette, doubles, de 2,5 cm de diamètre, s'épanouissent en été et en automne. H. 45 cm; E. 30 cm.

☼ ◊ ❀❀❀

Rosa 'Angela Rippon', syn. R. 'Ocarina', R. 'Ocaru'
Rosier buisson miniature à nombreuses petites feuilles vert foncé. En été et en automne, fleurs rose saumon, légèrement parfumées, en forme d'urne, très doubles, de 4 cm de diamètre. H. 45 cm; E. 30 cm.

☼ ◊ ❀❀❀

Rosa 'Stacey Sue'
Rosier buisson miniature étalé, à feuillage abondant, vert foncé. D'abondantes fleurs roses en forme de rosette, très doubles, de 2,5 cm de diamètre, apparaissent en été et en automne. H. et E. 40 cm.

☼ ◊ ❀❀❀

Rosa 'Hula Girl'
Rosier buisson miniature large, touffu, à feuillage brillant, vert sombre. Abondantes fleurs orange saumoné, légèrement parfumées, en forme d'urne, très doubles, de 2,5 cm de diamètre, en été et en automne. H. 45 cm; E. 40 cm.

☼ ◊ ❀❀❀

Rosa 'Fire Princess'
Rosier buisson miniature dressé, à petites feuilles brillantes. Il porte, en été et en automne, des ramilles de fleurs rouge écarlate, en forme de rosette, très doubles, de 4 cm de diamètre. H. 45 cm; E. 30 cm.

☼ ◊ ❀❀❀

Rosa 'Red Ace', syn. R. 'Amruda'
Rosier buisson miniature compact, portant, en été et en automne, des fleurs rouge foncé en forme de rosette, doubles, de 4 cm de diamètre. H. 35 cm; E. 30 cm.

☼ ◊ ❀❀❀

AUTRES PLANTES CONSEILLÉES :
R. 'Snow Carpet'

Rosiers MINIATURES
◼◻ ROUGE, ORANGE

ROSIERS
◻ BLANC

Rosa 'Orange Sunblaze',
syn. R. 'Meijikitar', R. 'Sunblaze'
Rosier buisson miniature compact. En
été et en automne, profusion de fleurs
rouge orangé vif en forme de rosette,
très doubles, de 4 cm de diamètre.
Abondant feuillage vert sombre.
H. et E. 30 cm.

☀ ◊ ✻✻✻

Rosa 'Rise'n Shine',
syn. R. 'Golden Sunblaze'
Rosier buisson miniature, touffu, dressé,
à feuilles vert sombre. En été et en
automne, fleurs jaunes en forme de
rosette, très doubles, de 2,5 cm de
diamètre. H. 40 cm; E. 25 cm.

☀ ◊ ✻✻✻

Rosa 'Colibri 79',
syn. R. 'Meidanover'
Rosier buisson miniature, dressé, au
port plutôt ouvert et aéré. Fleurs orange
veiné de rouge, en forme d'urne,
doubles, de 4 cm de diamètre, en été et
en automne. H. 40 cm; E. 25 cm.

☀ ◊ ✻✻✻

R. 'Baby Gold Star'

Rosa 'Albéric Barbier'
Rosier sarmenteux, vigoureux. En été,
bouquets de fleurs blanc crème,
légèrement parfumées, en forme de
rosette, très doubles, de 8 cm de
diamètre. Feuilles semi-persistantes
petites, vert vif. Il peut tolérer un mur
exposé au nord. H. jusqu'à 5 m; E. 3 m.

☀ ◊ ✻✻✻

Rosa 'Paul's Lemon Pillar'
Rosier grimpant dressé et raide, à
grandes feuilles. En été s'épanouissent
des fleurs blanc citronné, parfumées, à
cœur en pointe ou de forme arrondie,
très doubles, de 15 cm de diamètre. Il
préfère les murs ensoleillés et abrités.
H. 5 m; E. 3 m.

☀ ◊ ✻✻✻

Rosa filipes 'Kiftsgate'
Rosier grimpant et rampant, à feuillage
abondant, brillant, vert clair. À la fin de
l'été, spectaculaires bouquets de fleurs
blanc crème, en forme de coupe ou
aplaties, simples, de 2,5 cm de diamètre.
H. et E. 10 m ou plus.

☀ ◊ ✻✻✻

AUTRES PLANTES CONSEILLÉES :
R. banksiae
R. 'White Cockade'

Rosa 'Félicité et Perpétue'
Rosier grimpant à longues et minces
tiges. À la mi-été, bouquets de fleurs, de
couleur allant du blanc au rose
rougissant, en forme de rosette, très
doubles, de 4 cm de diamètre. Petites
feuilles semi-persistantes. Tailler le
vieux bois seulement. H. 5 m; E. 4 m.

☀ ◊ ✻✻✻

Rosa 'Mme Alfred Carrière'
Rosier de Noisette grimpant, à tiges
lisses et minces. En été et en automne, il
porte des fleurs blanc crème teinté de
rose, très parfumées, de forme arrondie,
doubles, de 4 cm de diamètre.
H. jusqu'à 5,5 m; E. 3 m.

☀ ◊ ✻✻✻

Rosa 'Gloire de Dijon'
Rosier grimpant bien ramifié. En été et
en automne s'épanouissent des fleurs de
couleur crème rosé, parfumées, en forme
de rosette à quartiers, très doubles, de
10 cm de diamètre. H. 4 m; E. 2,5 m.

☀ ◊ ✻✻✻

Rosa 'New Dawn', syn. **R.** 'Everblooming Dr W. van Fleet'
Rosier grimpant très rustique, vigoureux. Bouquets de fleurs rose pâle nacré, parfumées, en forme de coupe, doubles, de 8 cm de diamètre en été et en automne. Il peut tolérer les murs exposés au nord. H. et E. 5 m.

Rosa 'Handel'
Rosier grimpant dressé et raide, à feuillage vert foncé, brillant. En été et en automne, des fleurs crème bordées de rouge rosâtre, légèrement parfumées, en forme d'urne, doubles, de 8 cm de diamètre s'épanouissent en bouquets. H. 3 m; E. 2,2 m.

Rosa 'Mme Grégoire Staechelin', syn. **R.** 'Spanish Beauty'
Rosier grimpant vigoureux, à rameaux arqués. En été, grands bouquets de fleurs à pétales ridés, rose clair, nuancé de carmin, très doubles, en forme de coupe ou arrondies, de 13 cm de diamètre. H. jusqu'à 6 m; E. jusqu'à 4 m.

Rosa 'Pink Perpétue'
Rosier grimpant aux branches rigides, pouvant être taillé pour former un arbuste. En été et en automne, bouquets de fleurs rose foncé ayant une forme allant de la coupe à la rosette, doubles, de 8 cm de diamètre. Abondant feuillage coriace. H. 2,8 m; E. 2,5 m.

Rosa 'Breath of Life', syn. **R.** 'Harquanne'
Rosier grimpant dressé et rigide. En été et en automne, grandes fleurs abricot rosâtre, légèrement parfumées, de forme arrondie, très doubles, de 10 cm de diamètre. Feuilles luisantes. H. 2,8 m; E. 2,2 m.

Rosa 'Zéphirine Drouhin'
Rosier de l'île Bourbon, aux branches arquées et souples, pouvant grimper s'il est soutenu. En été et en automne, fleurs rose foncé parfumées, doubles, en forme de coupe, de 8 cm de diamètre. Sujet à l'oïdium. Peut être planté en haie. H. 2,5 m; E. 2 m.

Rosa 'Albertine'
Rosier sarmenteux, vigoureux, à tiges rougeâtres, arquées et épineuses. En été, abondants bouquets de fleurs roses parfumées, en forme de coupe, très doubles, de 8 cm de diamètre. Sujet à l'oïdium dans les endroits secs. H. jusqu'à 5 m; E. 3 m.

Rosa 'Chaplin's Pink Companion'
Rosier grimpant vigoureux, à feuillage brillant, vert sombre. En été, abondants et grands bouquets de fleurs rose clair, légèrement parfumées, de forme arrondie, doubles, de 5 cm de diamètre. H. et E. 3 m.

Rosa 'Rosy Mantle'
Rosier grimpant, à ramifications ouvertes et rigides. Il porte, en été et en automne, des fleurs rose incarnat très parfumées, à cœur en pointe, très doubles, de 10 cm de diamètre. Son feuillage vert sombre est assez peu abondant. H. 2,5 m; E. 2 m.

R. 'Aimée Vibert'
R. 'Aloha'
R. 'Belle Portugaise'
R. 'Blush Noisette'

R. 'Blush Rambler'
R. 'Compassion'
R. 'Paul's Himalayan Musk Rambler'
R. 'Paul Transon'

Rosiers

 ROUGE, VIOLET, JAUNE

Rosa 'Dortmund'
Rosier grimpant pouvant être taillé pour former un arbuste. En été et en automne, abondants bouquets de fleurs rouges à œil blanc, aplaties, simples, de 10 cm de diamètre, au parfum léger. Feuilles vert sombre.
H. 3 m; E. 1,8 m.

☼ ◊ ✿✿✿

Rosa 'Danse du Feu',
syn. *R.* 'Spectacular'
Rosier grimpant vigoureux, à ramifications rigides et à abondant feuillage brillant. En été et en automne, fleurs écarlates de forme arrondie, doubles, de 8 cm de diamètre. H. et E. 2,5 m.

☼ ◊ ✿✿✿

Rosa 'Dublin Bay'
Rosier grimpant dense, pouvant être taillé pour former un arbuste. En été et en automne, bouquets de fleurs cramoisi vif, en forme de coupe, doubles, de 10 cm de diamètre. Abondant feuillage brillant vert sombre. H. et E. 2,2 m.

☼ ◊ ✿✿✿

R. 'Climbing Ena Harkness'
R. 'Fellenberg'
R. 'Sympathie'

Rosa 'Guinée'
Rosier grimpant vigoureux, à ramifications rigides. Il porte, en été, des fleurs rouge foncé à rouge noirâtre, parfumées, en forme de coupe, très doubles, de 11 cm de diamètre. Les feuilles sont grandes et coriaces.
H. 5 m; E. 2,2 m.

☼ ◊ ✿✿✿✿

Rosa 'Veilchenblau',
syn. *R.* 'Blue Rambler'
Rosier sarmenteux, vigoureux. En été, bouquets de fleurs violettes, rayées de blanc, en forme de rosette, doubles, de 2,5 cm de diamètre, à parfum fruité.
H. 4 m; E. 2,2 m.

☼ ◊ ✿✿✿

Rosa 'Mermaid'
Rosier grimpant à croissance lente. En été et en automne, fleurs jaune primevère plates, simples, de 12 cm de diamètre. Tiges rigides, rougeâtres, à grandes épines crochues et feuillage vert foncé, brillant. Préfère les murs ensoleillés et abrités. H. et E. jusqu'à 6 m.

☼ ◊ ✿✿

□ JAUNE

Rosa 'Golden Showers'
Rosier grimpant, rigide, pouvant être taillé pour former un arbuste. En été et en automne, nombreuses fleurs jaunes parfumées, à cœur en pointe, doubles, de 10 cm de diamètre, s'aplatissant en s'ouvrant.
H. 2 m; E. 2,2 m ou plus.

☼ ◊ ✿✿✿

Rosa banksiae 'Lutea'
Rosier grimpant vigoureux, portant, à la fin du printemps, des bouquets de nombreuses fleurs jaunes inodores, en forme de rosette, très doubles, de 2 cm de diamètre. Nécessite un mur ensoleillé, abrité; taille sur vieux bois seulement. H. et E. 10 m.

☼ ◊ ✿✿✿

Rosa 'Maigold'
Rosier grimpant vigoureux, à tiges arquées et épineuses, pouvant être taillé pour former un arbuste. Fleurs jaune bronze, parfumées, en forme de coupe, semi-doubles, de 10 cm de diamètre, abondantes au début de l'été, plus rares en automne. H. et E. 2,5 m.

☼ ◊ ✿✿✿

R. 'Alister Stella Gray'
R. 'Goldfinch'
R. 'Maréchal Niel'

PLANTES GRIMPANTES

☐ BLANC   ◨■ ROSE, ROUGE

Beaumontia grandiflora
Plante volubile, ligneuse, vigoureuse, à feuilles persistantes, d'un vert intense, poilues en dessous. De la fin du printemps à l'été, grandes fleurs blanches, parfumées. H. 8 m. [A]

☼ ◌

Mandevilla splendens
Plante volubile, ligneuse, à feuilles persistantes, brillantes. Fleurs rose incarnat, à centre jaune, en forme de trompette, à la fin du printemps ou au début de l'été.
H. 3 m. [A]

◐ ◌

Clianthus puniceus
Plante sarmenteuse, ligneuse, à feuilles persistantes ou semi-persistantes, composées de nombreuses folioles. Au printemps et en début d'été, grappes pendantes de fleurs d'un rouge éclatant, ayant une forme peu commune de griffe. H. 4 m.

☼ ◌ ❄

Kennedia rubicunda
Plante volubile, ligneuse, à croissance rapide. Ses feuilles persistantes sont divisées en 3 folioles. Les fleurs, rouge corail, s'épanouissent en petites touffes, au printemps et en été. H. jusqu'à 3 m. [A]

☼ ◌

Stephanotis floribunda
Plante volubile, ligneuse, moyennement vigoureuse, à feuilles persistantes, coriaces et brillantes. De petits bouquets de fleurs blanches, cireuses et parfumées, apparaissent du printemps à l'automne.
H. 5 m ou plus. [A]

☼ ◌

Passiflora coccinea
Passiflore coccinea
Plante à vrilles, ligneuse, vigoureuse, à feuilles persistantes, arrondies et oblongues. Du printemps à l'automne, fleurs rouge écarlate, à couronne rouge, rose et blanche. H. 3-4 m. [A]

☼ ◌

Clianthus puniceus f. albus
Plante sarmenteuse, ligneuse, cultivée pour ses fleurs blanc crème en forme de griffe, regroupées en grappes pendantes, apparaissant au printemps et en début d'été. Feuilles persistantes ou semi-persistantes, vert moyen, à nombreuses petites folioles. H. 4 m.

☼ ◌ ❄

Distictis buccinatoria,
syn. *Phaedranthus buccinatorius*
Plante à vrilles, ligneuse, vigoureuse, à feuillage persistant. Du début du printemps jusqu'en été, fleurs en forme de trompette, rose cramoisi, jaune orangé à l'intérieur.
H. 5 m ou plus. [A]

☼ ◌

Tropaeolum tricolorum
Capucine tricolore
Plante herbacée, à petits tubercules, à tiges délicates ; feuilles à 5 ou 7 lobes. De début printemps à début été, petites fleurs orange ou jaunes à sépales orange rougeâtre à extrémités noires. H. jusqu'à 1 m. [A]

☼ ◌

AUTRES PLANTES CONSEILLÉES :
CLÉMATITES, pp. 170-171
Decumaria sinensis

CLÉMATITES, pp. 170-171
Pandorea jasminoides, p. 166
Podranea ricasoliana
Thunbergia coccinea

Plantes grimpantes

■■■ ROUGE, VIOLET, BLEU ▫▫ VERT, JAUNE

Agapetes serpens
Arbuste aux branches arquées ou
pendantes, à cultiver comme une plante
vivace, grimpant à l'aide d'un support.
Petites feuilles persistantes, lancéolées et
brillantes. Au printemps, fleurs
pendantes, vermillon à veines
plus sombres. H. 2-3 m. [A]

Hardenbergia comptoniana
Plante volubile, ligneuse, à feuilles
persistantes, composées de 3 ou
5 folioles lancéolées. Au printemps,
grappes de fleurs bleu-pourpre foncé,
ressemblant à des pois de senteur.
H. jusqu'à 2,5 m.

Strongylodon macrobotrys
Plante volubile, ligneuse, à croissance
rapide. Feuilles persistantes, composées
de 3 folioles ovales et brillantes. En
hiver et au printemps, longues
inflorescences de fleurs lumineuses
bleu-vert, en forme de
griffe. H. jusqu'à 20 m. [A]

Mitraria coccinea
Plante sarmenteuse, ligneuse, à feuilles
persistantes ovales, dentées. Fleurs
solitaires, petites, tubulaires, rouge
orangé, à l'aisselle des feuilles, de la fin
du printemps à l'été.
H. jusqu'à 2 m.

Akebia quinata
Plante volubile et ligneuse. Feuilles à 5
folioles, semi-persistantes durant les
hivers doux et dans les régions chaudes.
À la fin du printemps, fleurs pourpre
brunâtre, sentant la vanille, suivies de
fruits pourprés, en forme de saucisse.
H. 10 m ou plus.

Petrea volubilis
Plante volubile, ligneuse, à forte
croissance. Feuilles persistantes,
elliptiques, rugueuses au toucher. De la
fin de l'hiver à la fin de l'été, fleurs
violet foncé ou bleu-lilas, en
grappes. H. 6 m ou plus. [A]

Humulus lupulus 'Aureus'
Houblon commun 'Aureus'
Plante volubile, herbacée, à tiges poilues
et rugueuses. Feuilles jaunâtres, dentées
et divisées en 3 ou 5 lobes. En automne,
inflorescences femelles verdâtres,
formant des cônes pendants. H. jusqu'à
6 m.

Manettia inflata,
syn. M. bicolor
Plante volubile, semi-ligneuse, à
croissance rapide et à feuilles
persistantes brillantes. Au printemps et
en été apparaissent de petites fleurs,
en forme d'entonnoir, rouges à
extrémités jaunes. H. 2 m. [A]

Clytostoma callistegioides
Plante à vrilles, ligneuse, à croissance
rapide. Feuilles composées de 2 folioles
ovales et d'une vrille, persistantes. Au
printemps et en été, petits bouquets
inclinés de fleurs lavande à veines
pourpres, devenant rose pâle en
se fanant. H. jusqu'à 5 m. [A]

Sollya heterophylla
Plante volubile, ligneuse à la base, à
feuilles persistantes de 2 à 6 cm de long,
de forme allant d'étroite et lancéolée à
ovale. Du printemps à l'automne,
corymbes inclinés, composés de
4 à 9 fleurs bleu ciel en forme de
cloche évasée. H. jusqu'à 3 m.

Solandra maxima
Plante sarmenteuse, ligneuse, à forte
croissance. Feuilles persistantes
brillantes. Au printemps et en été, fleurs
parfumées jaune pâle, devenant, par la
suite, jaune doré. H. 7-10 m
ou plus. [A]

☐ JAUNE

☐ BLANC

Thunbergia mysorensis
Plante volubile, ligneuse, à feuilles persistantes étroites. Du printemps à l'automne, grappes pendantes de fleurs en forme de tube, jaunes, à lobes brun rougeâtre recourbés. H. 6 m. [A]

☼ ◊

Bougainvillea glabra 'Snow White'
Bougainvillée glabra 'Snow White'
Plante sarmenteuse; feuilles presque persistantes, ovales et arrondies. En été, grappes de fleurs à bractées blanches veinées de vert. H. 5 m. [A]

☼ ◊

Wistaria sinensis 'Alba'
Glycine de Chine 'Alba'
Plante volubile, ligneuse, vigoureuse; feuilles caduques de 25 à 30 cm de long, divisées en 11 folioles. Au début de l'été, fleurs papilionacées blanches, fortement parfumées, en grappes de 20 à 30 cm de long. H. jusqu'à 30 m.

☼ ◊ ❋ ❋ ❋

Araujia sericofera, syn. A. sericifera
Plante volubile, ligneuse; feuilles persistantes, à duvet blanc en dessous. De la fin de l'été à l'automne, fleurs parfumées blanches, souvent rayées à l'intérieur de marron pourpre pâle. H. jusqu'à 7 m.

☼ ◊ ❋

Solanum jasminoides 'Album'
Plante grimpante sarmenteuse, ligneuse, à feuilles semi-persistantes, d'ovales à lancéolées et parfois lobées ou divisées en folioles. En été et en automne, fleurs blanches en forme d'étoile, de 2 à 2,5 cm de diamètre. H. jusqu'à 6 m.

☼ ◊ ❋

Jasminum mesnyi, syn. J. primulinum
Jasmin mesnyi
Plante sarmenteuse, ligneuse, à feuilles persistantes ou semi-persistantes, composées de 3 folioles. Les fleurs jaunes, semi-doubles, apparaissent au printemps. H. jusqu'à 3 m.

☼ ◊ ❋

Trachelospermum jasminoides
Jasmin étoilé
Plante volubile, ligneuse, à feuilles persistantes. En été, fleurs blanches très parfumées, suivies de follicules doubles de 15 cm de long et contenant des graines munies d'aigrettes. H. jusqu'à 9 m.

☼ ◊ ❋ ❋

Wistaria floribunda 'Alba'
Glycine du Japon 'Alba'
Plante volubile, ligneuse, à feuilles caduques, comportant de 11 à 19 folioles ovales. En début d'été, fleurs papilionacées blanches, parfumées, en grappes pendantes atteignant 50 cm de long. H. jusqu'à 9 m.

☼ ◊ ❋ ❋ ❋

Canarina canariensis, p. 177
Macfadyena unguis-cati, p. 174
Pyrostegia venusta, p. 176
Tecomaria capensis

AUTRES PLANTES CONSEILLÉES :
Actinidia chinensis
Anredera cordifolia
Beaumontia grandiflora, p. 163

CLÉMATITES, pp. 170-171
Clianthus puniceus f. *albus*, p. 163
Cobaea scandens f. *alba*
Ipomaea alba

Jasminum angulare
Jasminum grandiflorum

Plantes grimpantes

☐ BLANC

☐☐ BLANC, ROSE

Hydrangea anomala subsp. **petiolaris**, syn. *H. petiolaris*
Hortensia grimpant
Plante à tiges radicantes, ligneuse, à feuilles caduques dentées. En été, têtes délicates de petites fleurs blanches, peu nombreuses sur les pieds jeunes.
H. jusqu'à 15 m.

Clerodendrum thomsoniae
Arbuste vigoureux, à feuilles persistantes ovales, d'un vert intense. En été, panicules de fleurs à pétales cramoisis et à calice d'un blanc pur, en forme de cloche. H. 3 m ou plus. [A]

Hoya bella
Arbuste à longues tiges pendantes et à feuilles persistantes étroites, ovales, pointues, vert vif. En été, ombelles aplaties et pendantes de minuscules fleurs en forme d'étoile, blanches à centre rouge. H. 45 cm. [A]

Hoya australis
Plante à tiges volubiles et radicantes, ligneuse, moyennement vigoureuse, à feuilles persistantes succulentes, d'un vert intense. En été, touffes de 20 à 50 fleurs parfumées, blanches à taches rouge-pourpre, en forme d'étoile. H. jusqu'à 5 m. [A]

Pandorea jasminoides, syn. *Bignonia jasminoides*
Plante volubile, ligneuse, à feuilles persistantes composées de 5 à 9 folioles. De la fin de l'hiver à l'été, panicules de fleurs en forme d'entonnoir, blanches à gorge inondée de rose. H. 5 m. [A]

Hoya carnosa
Plante à tiges volubiles et radicantes, ligneuse, assez vigoureuse. Les fleurs parfumées, en forme d'étoile, blanches à centre rose foncé, devenant roses en se fanant, s'épanouissent en denses touffes en été et en automne.
H. 5 m ou plus. [A]

Pileostegia viburnoides, syn. *Schizophragma viburnoides*
Plante à tiges radicantes, ligneuse, à croissance lente et à feuilles persistantes. De la fin de l'été à l'automne, corymbes de minuscules fleurs blanches ou crème, à nombreuses étamines saillantes.
H. jusqu'à 6 m.

Schizophragma integrifolium
Plante à tiges radicantes, ligneuse; feuilles caduques, ovales ou cordiformes. En été, corymbes plats, atteignant 30 cm de diamètre, de fleurs blanches, avec en périphérie des fleurs stériles ayant chacune une grande bractée blanche.
H. jusqu'à 12 m.

Jasminum officinale
Jasmin commun
Plante volubile, ligneuse, à feuilles semi-persistantes ou caduques, composées de 7 ou 9 folioles. Cymes de fleurs blanches, parfumées, à 4 ou 5 lobes, en été et en automne. H. jusqu'à 12 m.

Lathyrus odoratus 'Selana'
Pois de senteur 'Selana'
Plante à vrilles, annuelle, vigoureuse, à feuilles ovales, d'un vert moyen. De l'été au début de l'automne, grandes fleurs parfumées blanches teintées de rose. H. 2 m.

Mandevilla laxa
Polygonum baldschuanicum, p. 175
Stephanotis floribunda, p. 163
Wistaria venusta

Wistaria venusta 'Alba Plena'

CLÉMATITES, pp. 170-171
Passiflora × allardii

Lathyrus grandiflorus
Gesse à grandes fleurs
Plante à vrilles, herbacée. De beaux
bouquets de fleurs, rose pourpre et
rouge, apparaissent en été. H. jusqu'à
1,5 m.

☼ ◊ ❀ ❀ ❀

Actinidia kolomikta
Plante volubile, ligneuse. Feuilles
caduques, de 8 à 16 cm de long, souvent
panachées de blanc crème et de rose à
l'extrémité supérieure. En été, petites
fleurs blanches, en forme de coupe,
fleurs mâles et femelles sur des pieds
séparés. H. 4 m.

☼ ◊ ❀ ❀ ❀

Mandevilla × *amabilis* 'Alice du
Pont'
Plante volubile, ligneuse, vigoureuse, à
feuilles persistantes, ovales, fortement
nervurées. En été, grandes grappes de
fleurs d'un rose rougeoyant, en forme
de trompette. H. 3 m. [A]

☼ ◖ ◊

Lonicera × *heckrottii*,
syn. *L.* 'Gold Flame'
Chèvrefeuille 'Gold Flame'
Plante à vrilles, ligneuse, nécessitant un
support. Feuilles caduques oblongues ou
ovales, glauques au-dessous. En été,
bouquets de fleurs parfumées roses à
gorge orange. H. jusqu'à 5 m.

☼ ◊ ❀ ❀

Lathyrus odoratus 'Xenia Field'
Pois de senteur 'Xenia Field'
Plante à vrilles, annuelle, à croissance
moyennement rapide, mince, à feuilles
ovales, d'un vert moyen. De grandes
fleurs roses ou crème apparaissent
de l'été jusqu'au début de l'automne.
H. 2 m.

☼ ◊ ❀ ❀ ❀

Antigonon leptopus
Plante à vrilles, ligneuse, à croissance
rapide; feuilles persistantes ridées, vert
pâle. Denses grappes de fleurs rose vif,
parfois rouges ou blanches, le plus
souvent en été, mais aussi toute l'année.
H. 6 m. [A]

☼ ◊

Asarina erubescens
Plante parfois ligneuse, vivace mais
souvent cultivée comme une annuelle, à
feuillage persistant. Tiges et feuilles
duveteuses. En été et en automne, fleurs
incarnates de 7 cm de long. H.
jusqu'à 3 m ou plus. [A]

☼ ◊

Ipomaea horsfalliae
Ipomée horsfalliae
Plante volubile, ligneuse, à forte
croissance. Feuilles digitées persistantes,
à 5 ou 7 lobes ou folioles. De l'été
jusqu'à l'hiver, fleurs incarnat foncé
ou rose pourpre, de 6 cm de long, formant
des bouquets pédonculés. H. 2-3 m. [A]

☼ ◊

Plantes grimpantes
▪ ROSE, ROUGE

Lonicera sempervirens
Chèvrefeuille de Virginie
Plante volubile, ligneuse. Feuilles
persistantes ou caduques, ovales,
glauques au-dessous. En été, au sommet
des pousses, verticilles de fleurs rouge
saumoné ou orange, jaunes à l'intérieur.
H. jusqu'à 4 m.

Lapageria rosea
Plante volubile, ligneuse, à feuilles
persistantes, d'oblongues à ovales,
coriaces. De l'été à la fin de l'automne,
fleurs de 7 à 9 cm de long, charnues,
pendantes, de roses à rouges, à
petites taches plus pâles.
H. jusqu'à 5 m.

Lathyrus odoratus 'Red Ensign'
Pois de senteur 'Red Ensign'
Plante à vrilles, annuelle, vigoureuse.
Feuilles ovales, d'un vert moyen. De
l'été au début de l'automne, grandes
fleurs rouge écarlate intense,
agréablement parfumées. H. 2 m.

Lonicera × brownii 'Dropmore
Scarlet'
**Chèvrefeuille × brownii
'Dropmore Scarlet'**
Plante volubile, ligneuse, à feuilles
caduques, ovales, bleu-vert. Tout l'été,
petites fleurs parfumées rouges à gorge
orange. H. jusqu'à 4 m.

Bougainvillea 'Miss Manila'
Bougainvillée 'Miss Manila'
Plante sarmenteuse, ligneuse,
vigoureuse. Feuilles de forme arrondie-
ovale, presque persistantes. En été,
bouquets de fleurs à bractées roses.
H. jusqu'à 5 m. [A]

Mina lobata, syn. *Ipomaea
versicolor, Quamoclit lobata*
Plante volubile, d'habitude cultivée en
annuelle. Feuilles caduques ou semi-
persistantes trilobées. En été, petites
fleurs tubulaires rouge foncé,
devenant orange puis jaune crème
en se fanant. H. jusqu'à 5 m.

Bougainvillea 'Dania'
Bougainvillée 'Dania'
Plante sarmenteuse, ligneuse,
vigoureuse, à feuilles presque
persistantes, de forme arrondie-ovale,
vert moyen. En été, bouquets de fleurs à
bractées rose foncé. H. jusqu'à
5 m. [A]

Ipomaea quamoclit,
syn. *Quamoclit pinnata*
Ipomée quamoclit
Plante volubile, annuelle. Feuilles ovales
vert vif, très découpées. En été et en
automne, fleurs minces, tubulaires,
rouge écarlate ou orange. H. 2-4 m.

Tropaeolum speciosum
Capucine élégante
Plante volubile, herbacée, à rhizome
rampant et à feuilles lobées, vert
glauque. En été, fleurs rouge écarlate,
suivies de fruits bleu vif entourés du
calice rouge foncé. H. jusqu'à 3 m.

Quisqualis indica
Arbuste à croissance assez rapide, souvent cultivé comme une annuelle, à feuillage caduc ou semi-persistant. De la fin du printemps à la fin de l'été, fleurs parfumées, de couleur allant de l'orange au rouge, parfois roses. H. 3-5 m. [A]

Rhodochiton atrosanguineum, syn. *R. volubile*
Plante grimpant par le pétiole des feuilles qui s'enroule. Feuilles dentées persistantes. De fin printemps à fin automne, fleurs tubulaires pourpre noirâtre, à calice campanulé rouge-pourpre. H. jusqu'à 3 m. [A]

Aristolochia elegans
Plante volubile, ligneuse, à croissance rapide. Feuilles persistantes, de cordiformes à réniformes. Des fleurs rouge foncé marbré de blanc, de 12 cm de large, en forme de cœur, apparaissent en été. H. jusqu'à 7 m. [A]

Lathyrus latifolius
Pois vivace
Plante à vrilles, herbacée. Les feuilles ont un large stipule et 2 paires de folioles. Petits bouquets de fleurs rose-pourpre en été et en début d'automne. H. 2 m ou plus.

Schisandra rubrifolia
Plante volubile, ligneuse, à feuilles caduques, coriaces, dentées, de couleur plus pâle au-dessous. Petites fleurs cramoisies au printemps ou en début d'été, suivies de fruits rouges pendants, en fin d'été. H. jusqu'à 6 m.

Berberidopsis corallina
Plante volubile, ligneuse, à feuilles persistantes, d'ovales à cordiformes, coriaces et bordées de petites épines. Grappes pendantes de fleurs globulaires, rouge foncé, en été et jusqu'au début de l'automne. H. 4,5 m.

Dolichos lablab
Dolique d'Égypte
Plante volubile, ligneuse, à feuilles caduques, souvent cultivée comme une annuelle. En été, fleurs pourpres, rosâtres ou blanches, suivies de longues gousses à graines comestibles. H. 10 m. [A]

Bougainvillea glabra 'Variegata'
Bougainvillée glabra 'Variegata'
Plante sarmenteuse, ligneuse, vigoureuse. Feuilles presque persistantes vert sombre, bordées de blanc crème, de forme arrondie-ovale. En été, abondantes fleurs à bractées d'un pourpre vif. H. jusqu'à 5 m. [A]

Bougainvillea × buttiana 'Mrs Butt'
Bougainvillea spectabilis
CLÉMATITES, pp. 170-171
Ipomaea horsfalliae, p. 167

Ipomaea horsfalliae 'Briggsii'
Lathyrus rotundifolius
Lonicera henryi
Lonicera periclymenum 'Serotina'

Clématites

Parmi les plantes grimpantes, les clématites sont remarquables pour leurs longues périodes de floraison ainsi que la variété des formes et des couleurs des fleurs ; elles sont très tolérantes, notamment pour le climat. Quelques espèces et cultivars à floraison printanière sont vigoureux et peuvent couvrir rapidement un petit bâtiment, une pergola ou de vieux arbres. D'autres, moins vigoureuses, produisent de grandes fleurs (de fin printemps à automne), dans une large gamme de couleurs. On peut laisser éventuellement certains cultivars peu vigoureux ramper sur le sol. Les différents types de clématites (voir Dictionnaire) sont divisés en trois groupes, avec système de taille différent. Une taille incorrecte peut modifier considérablement la quantité de fleurs produites.

Groupe 1

Espèces à floraison précoce, à petites fleurs de type Alpina, Macropetala et Montana, etc. Pédoncules et fleurs sont produits directement sur les tiges lignifiées de la saison précédente. Tailler après la floraison, printanière, pour permettre la croissance de tiges nouvelles pour la prochaine saison. Enlever également les tiges mortes, endommagées ou trop longues.

Pédoncule floral directement sur les tiges de l'année précédente

Groupe 2

Clématites à grandes fleurs produites surtout sur bois de l'année précédente : tailler légèrement fin hiver (supprimer les tiges faibles, raccourcir éventuellement un peu les autres).

Petite tige florale émise sur tige de l'année précédente

Fleur terminale fanée (à éliminer)

Feuilles de la saison précédente (à éliminer)

Groupe 3

Clématites à fleurs produites sur les jeunes pousses (Clématites à grandes fleurs ou petites fleurs et Clématites herbacées). Fin hiver, éclaircir, et rabattre les tiges conservées à 1 ou 2 nœuds.

Fleurs élaborées sur jeunes pousses de l'année

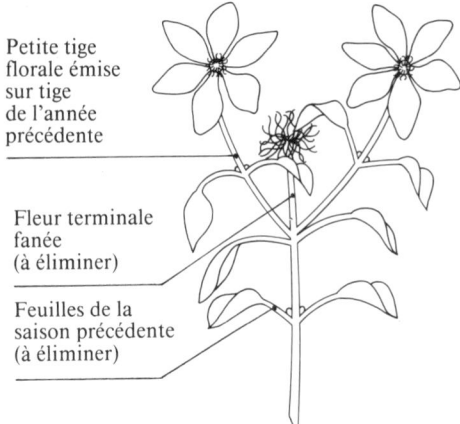
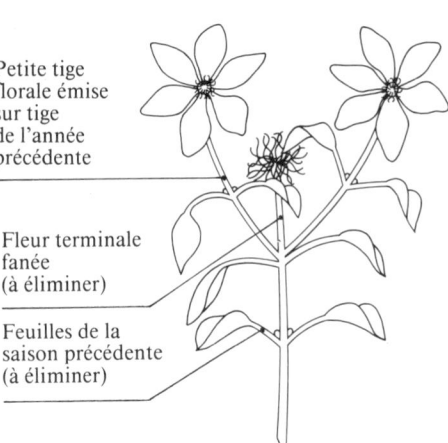

C. florida 'Sieboldii' (groupe 3)

C. recta (groupe 3)

C. montana var. *rubens* (groupe 1)

C. 'Huldine' (groupe 3)

C. montana 'Tetra-rose' (groupe 1)

C. macropetala 'Markham's Pink' (groupe 1)

C. 'Hagley Hybrid' (groupe 3)

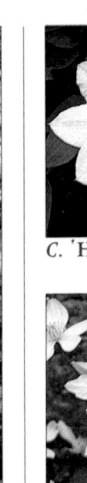

C. montana (groupe 1)

C. 'Henry' (groupe 2)

C. armandii (groupe 1)

C. 'Mrs George Jackman' (groupe 2)

C. flammula (groupe 3)

C. 'Nelly Moser' (groupe 2)

C. 'Lincoln Star'
(groupe 2)

C. 'Duchess of Albany'
(groupe 3)

C. viticella 'Purpurea
Plena Elegans' (gr. 3)

C. viticella 'Mme Julia
Correvon' (groupe 3)

C. 'Ascotiensis'
(groupe 3)

C. 'Star of India'
(groupe 3)

C. 'Jackmanii'
(groupe 3)

C. 'Perle d'Azur'
(groupe 3)

C. macropetala
(groupe 1)

C. 'Gravetye Beauty'
(groupe 3)

C. 'The President'
(groupe 2)

C. 'Beauty of
Worcester' (groupe 2)

C. integrifolia
(groupe 3)

C. rehderiana
(groupe 3)

C. 'Proteus'
(groupe 2)

C. 'Richard Pennell'
(groupe 2)

C. 'Elsa Spath'
(groupe 2)

C. viticella 'Etoile
Violette' (groupe 3)

C. 'Lasurstern'
(groupe 2)

C. heracleifolia
'Wyevale' (groupe 3)

C. 'William Kennett'
(groupe 2)

C. cirrhosa
(groupe 1)

C. viticella 'Abun-
dance' (groupe 3)

C. 'Ernest Markham'
(groupe 3)

C. 'H.F. Young'
(groupe 2)

C. 'Ville de Lyon'
(groupe 3)

C. 'Countess of
Lovelace' (groupe 2)

C. 'Vyvyan Pennell'
(groupe 2)

C. alpina 'Frances
Rivis' (groupe 1)

C. tangutica
(groupe 3)

C. orientalis
'Bill MacKenzie'
(groupe 3)

■ POURPRE, VIOLET

Bougainvillae glabra
Bougainvillée glabra
Plante sarmenteuse, ligneuse, vigoureuse, à feuilles persistantes ou semi-persistantes, de forme arrondie-ovale. En été, bouquets de fleurs à bractées colorées dans des nuances de pourpre cyclamen. H. jusqu'à 5 m. [A]

Lathyrus odoratus 'Lady Diana'
Pois de senteur 'Lady Diana'
Plante à vrilles, annuelle, mince, à croissance moyennement rapide et à feuilles ovales, d'un vert moyen. Fleurs bleu-violet pâle, en été et jusqu'au début de l'automne. H. 2 m.

Solanum crispum 'Glasnevin'
Plante sarmenteuse, ligneuse, vigoureuse, à feuilles persistantes ou semi-persistantes, ovales. En été, corymbes de fleurs de lilas à pourpre, ayant 2,5 cm de diamètre chacune. H. jusqu'à 6 m.

Passiflora × *caponii* 'John Innes'
Plante à vrilles, ligneuse, à forte croissance et à feuilles persistantes trilobées. En été et en automne, fleurs en forme de coupe, inclinées, blanches teintées de pourpre bordeaux, à couronne blanche rayée de pourpre. H. 8 m. [A]

Ipomaea hederacea
Ipomée à feuilles de lierre
Plante volubile, annuelle, à feuilles cordiformes ou trilobées, vert moyen ou vif. D'été à début automne, fleurs rouges, pourpres, roses ou bleues, en forme d'entonnoir. H. 3-4 m.

Codonopsis convolvulacea, syn. *C. vinciflora*
Plante volubile, herbacée, à feuilles ovales ou lancéolées, de 5 cm de long. En été, fleurs violet bleuâtre, en forme de cloche très évasée ou de soucoupe, de 2,5 à 5 cm de diamètre, H. jusqu'à 2 m.

Cobaea scandens
Cobée grimpante
Plante à vrilles, ligneuse, cultivée en annuelle. Feuilles plus ou moins persistantes. De la fin de l'été aux premiers gels, fleurs d'abord jaune-vert, devenant pourpres avec l'âge. H. 5 m. [A]

Solanum wendlandii
Plante sarmenteuse, robuste, à tiges épineuses et à feuilles presque persistantes, oblongues, variablement lobées. À la fin de l'été et en automne, des fleurs lavande apparaissent. H. 3-6 m. [A]

Passiflora caerulea
Fleur de la Passion, Passiflore
Plante à vrilles, ligneuse, à croissance rapide; feuilles persistantes ou semi-persistantes. En été et en automne, fleurs blanches, parfois teintées de rose, à couronne rayée de bleu ou de pourpre. H. 10 m.

Passiflora quadrangularis
Barbadine
Plante volubile, ligneuse, à forte
croissance, à feuilles persistantes. Tiges
ailées, anguleuses. Fleurs blanches, roses,
rouges ou violet pâle, à couronne rayée
de blanc et de pourpre foncé,
principalement en été. H. 5-8 m. A

☼ ◊

Convolvulus tricolor 'Heavenly
Blue', syn. *Ipomaea
rubrocaerulea* 'Heavenly Blue'
Belle de jour 'Heavenly Blue'
Plante volubile, annuelle, à croissance
rapide, à feuilles cordiformes. De l'été
au début de l'automne, grandes fleurs
bleu ciel en entonnoir. H. jusqu'à 3 m.

☼ ◊ ✽

Lonicera × *americana*
Chèvrefeuille × americana
Plante volubile, ligneuse, à floraison très
abondante. Feuilles caduques ovales. En
été, bouquets de fleurs jaunes teintées
de rouge-pourpre, fortement
parfumées. H. jusqu'à 7 m.

☼ ◊ ✽✽✽

Lonicera japonica 'Halliana'
Chèvrefeuille du Japon 'H.'
Plante volubile, ligneuse, à tiges
duveteuses. Feuilles persistantes ou semi-
persistantes, ovales, parfois lobées, vert
vif. En été et en automne, fleurs très
parfumées blanches devenant jaune pâle
avec l'âge. H. jusqu'à 10 m.

☼ ◊ ✽✽✽

Wistaria × *formosa*
Glycine × formosa
Plante volubile, ligneuse, à feuilles
caduques de 9 à 15 folioles. Début été,
fleurs papilionacées parfumées, mauve et
lilas pâle, en grappes pendantes de 25 cm
de long, suivies de gousses
veloutées. H. 25 m ou plus.

☼ ◊ ✽✽✽

Plumbago auriculata,
syn. *P. capensis*
Dentelaire du Cap
Plante sarmenteuse, ligneuse, à
croissance rapide à feuilles persistantes.
Des touffes de fleurs bleu ciel se
succèdent de l'été au début
de l'hiver. H. 3-6 m. A

☼ ◊

Wistaria sinensis
Glycine de Chine
Plante volubile, ligneuse, vigoureuse;
feuilles caduques à 11 folioles. Début
été, fleurs parfumées lilas ou violet pâle,
en grappes de 20 à 30 cm de long,
suivies de gousses veloutées.
H. jusqu'à 30 m.

☼ ◊ ✽✽✽

Oxypetalum caeruleum,
syn. *Tweedia caerulea*
Plante volubile, herbacée, à tiges
couvertes de poils blancs. Petites fleurs
charnues bleu pâle, devenant pourpres,
en été et en début d'automne, suivies de
fruits verts atteignant 15 cm
de long. H. jusqu'à 1 m. A

☼ ◊

Lonicera periclymenum 'Graham
Thomas'
**Chèvrefeuille des bois
'Graham Thomas'**
Plante grimpante volubile, ligneuse.

☼ ◊ ✽✽✽

Feuilles caduques ovales oblongues,
glauques au-dessous. En été, fleurs
parfumées blanches, devenant
jaunes avec l'âge. H. jusqu'à 7 m.

Plantes grimpantes
JAUNE, ORANGE

Allamanda cathartica
'Hendersonii'
Plante sarmenteuse, ligneuse, à
croissance rapide et à feuilles
persistantes, lancéolées, verticillées. Des
fleurs d'un jaune intense en forme de
trompette, se succèdent en été et en
automne. H. jusqu'à 5 m. [A]

Thunbergia alata
Plante volubile, annuelle, à croissance
moyennement rapide. Feuilles dentées,
ovales et cordiformes. Du début de l'été
au début de l'automne, petites fleurs, de
forme arrondie, plutôt plates, jaune
orangé à centre marron très sombre.
H. 3 m.

Thladiantha dubia
Plante à vrilles, herbacée, à croissance
rapide. Les feuilles, caduques, sont
ovales, cordiformes, d'un vert moyen,
de 10 cm de long et poilues au-dessous.
En été, des fleurs jaunes en forme de
cloche se succèdent. H. 3 m.

Stigmaphyllon ciliatum
Plante volubile, ligneuse, à croissance
rapide. Ses feuilles persistantes sont
cordiformes, vert pâle et bordées de
poils. Des fleurs, jaune vif, à pétales
ridés, apparaissent au printemps et en
été. H. 5 m ou plus. [A]

Macfadyena unguis-cati
Plante à vrilles, ligneuse, à croissance
rapide. Feuilles persistantes à 2 folioles,
avec une vrille. Fleurs jaunes, de 10 cm
de long, à la fin du printemps ou en début
d'été. H. 8-10 m. [A]

Tropaeolum tuberosum
'Ken Aslet'
Capucine tubéreuse 'Ken Aslet'
Plante herbacée, à feuilles glauques. De
mi-été à l'automne, fleurs à sépales rouges
et à pétales orange. En région froide,
rentrer les tubercules jaunâtres rayés de
rouge. H. jusqu'à 2,5 m.

Bougainvillea × buttiana 'Golden Glow'
Gelsemium sempervirens
Gloriosa superba
Hibbertia scandens

Lonicera etrusca
Lonicera hildebrandiana
Merremia tuberosa
Thunbergia mysorensis, p. 165

Tropaeolum peregrinum
Tropaeolum tuberosum, p. 176

◻ ORANGE

◻■ BLANC, ROSE, ROUGE

Bomarea caldasii,
syn. *B. kalbreyeri*

Plante volubile, herbacée. En été, elle porte des bouquets de forme arrondie et composés de 5 à 40 fleurs en forme d'entonnoir, rouge orangé, tachetées de cramoisi à l'intérieur. H. 3-4 m.

☼ ◌ ❄

Lonicera × tellmanniana
Chèvrefeuille x tellmanniana

Plante volubile, ligneuse. Feuilles caduques ovales. À la fin du printemps et en été, fleurs orange jaunâtre vif, en verticilles, à l'extrémité des tiges. H. jusqu'à 5 m.

◐ ◌ ❄❄

Eccremocarpus scaber
Bignone du Chili

Plante à vrilles, à feuilles persistantes, souvent cultivée en annuelle. En été, grappes de petites fleurs rouge orangé, suivies de gousses enflées contenant de nombreuses graines ailées. H. 2-3 m.

☼ ◌ ❄

Thunbergia gregorii

Plante volubile ligneuse, souvent cultivée comme une annuelle. Ses feuilles persistantes sont ovales-triangulaires et ont un pétiole ailé. En été, fleurs d'un orange rougeoyant. H. jusqu'à 3 m. ☐A

☼ ◌

Polygonum baldschuanicum,
syn. *Bilderdykia baldschuanica,*
Fallopia baldschuanica

Plante grimpante volubile, ligneuse, vigoureuse, à feuilles caduques, cordiformes. En été et en automne, cymes pendantes de fleurs roses ou blanches. H. 12 m ou plus.

☼ ◌ ❄❄❄

Senecio confusus
Séneçon confusus

Plante volubile ligneuse, à feuilles persistantes. Principalement en été, corymbes de capitules floraux, ressemblant à des marguerites, jaune orangé devenant rouge orangé avec l'âge. H. 3 m ou plus. ☐A

☼ ◌

Mutisia decurrens

Plante à vrilles. Feuilles persistantes étroites, oblongues, de 7 à 13 cm de long. Capitules floraux, de 10 à 13 cm de diamètre, rouges ou orange, à partir de l'été. Reprise parfois longue, mais plante intéressante. H. jusqu'à 3 m.

☼ ◌ ❄❄

Campsis × tagliabuana 'Mme Galen'

Plante à tiges radicantes, ligneuse; feuilles caduques, à 7 folioles ou plus, dentées, étroites et ovales. De fin été à automne, panicules pendantes de fleurs en forme de trompette, rose orangé. H. jusqu'à 10 m.

☼ ◌ ❄❄

Passiflora manicata
Passiflore manicata

Plante à vrilles, ligneuse, à croissance rapide, à tiges minces et anguleuses. Feuilles persistantes trilobées. En été et en automne, fleurs rouges, à couronne pourpre foncé et blanche. H. 3-5 m. ☐A

☼ ◌

Bignonia capreolata
Campsis radicans
Mitraria coccinea, p. 164
Streptosolen jamesonii, p. 178

Tecomaria capensis

AUTRES PLANTES CONSEILLÉES :
Asarina erubescens, p. 167
Cobaea scandens f. *alba*
Lapageria rosea, p. 168

Pileostegia viburnoides, p. 166
Stephanotis floribunda, p. 163

Plantes grimpantes

Parthenocissus tricuspidata,
syn. *Ampelopsis veitchii*
**Vigne vierge de Veitch,
Lierre japonais**
Plante grimpante à vrilles, ligneuse,
vigoureuse. Ses feuilles caduques ont, en

automne, une couleur cramoisie
spectaculaire. Elle porte des baies
d'un bleu terne. S'utilise pour couvrir
de grandes étendues de mur.
H. jusqu'à 20 m.

☀◐ ◊ ❋❋❋

**Parthenocissus tricuspidata
'Lowii'**
Vigne vierge japonaise 'Lowii'
Plante à vrilles, ligneuse, robuste. Feuilles
caduques très découpées, ridées, ayant de
3 à 7 lobes, devenant cramoisies en
automne. Fleurs insignifiantes, suivies
de baies bleu terne. H. jusqu'à 20 m.

☀◐ ◊ ❋❋❋

Vitis coignetiae
Plante grimpante à vrilles, ligneuse,
vigoureuse. Grandes feuilles caduques, à
poils marron en dessous, se colorant
vivement en automne. Fleurs
minuscules vert pâle en été, suivies de
baies pourprées, devenant noires. H.
jusqu'à 15 m.

◐ ◊ ❋❋❋

Parthenocissus thompsonii,
syn. *Vitis thompsonii*
Plante à vrilles, ligneuse. Feuilles
caduques vertes, à 5 folioles, brillantes,
devenant rouge pourpre en automne.
Baies noires. Prévoir un peu d'ombre
pour une meilleure coloration
automnale. H. jusqu'à 10 m.

☀◐ ◊ ❋❋

Vitis vinifera 'Purpurea'
Vigne vraie 'Purpurea'
Plante à vrilles, ligneuse. Feuilles
caduques de 3 à 5 lobes, dentées,
pourprées, à poils blancs à l'état jeune.
En été, minuscules fleurs vert pâle,
suivies de baies de petite taille, vertes ou
pourpres. H. jusqu'à 7 m.

☀ ◊ ❋❋❋

**Parthenocissus tricuspidata
'Veitchii'**
Vigne vierge japonaise 'Veitchii'
Plante à vrilles, ligneuse, robuste. Feuilles
caduques d'une couleur lie-de-vin
spectaculaire en automne. Fleurs
verdâtres insignifiantes, donnant des
baies d'un bleu terne. H. 20 m.

◐ ◊ ❋❋❋

Billardiera longiflora
Plante volubile ligneuse, à feuilles
persistantes, étroites. En été, à l'aisselle
des feuilles, petites fleurs solitaires
jaune-vert, parfois teintées de pourpre,
en forme de cloche, suivies en automne
de fruits violets. H. jusqu'à 2 m.

☀ ◊ ❋

Tropaeolum tuberosum
Capucine tubéreuse
Plante herbacée, grimpant à l'aide des
pétioles qui s'enroulent. De mi-été à fin
automne, fleurs en coupe, à pétales jaune
orangé, à sépales rouge orangé, à long
éperon. Feuilles vert grisâtre, à 3
ou 5 lobes. H. 2-3 m.

☀ ◊ ❋

Pyrostegia venusta
Plante à vrilles, ligneuse, à croissance
rapide et à feuilles persistantes. Elle
porte, de l'automne au printemps, des
grappes denses de fleurs tubulaires
d'un orange doré rougeoyant.
H. 10 m ou plus. [A]

☀ ◊

BLANC, ROSE, ORANGE

Jasminum polyanthum
Jasmin polyanthum
Plante volubile, ligneuse, à feuilles persistantes, vert sombre, composées de 5 ou 7 folioles. De la fin de l'été à l'hiver, grandes grappes de fleurs parfumées, à 5 lobes, blanches, parfois rougeâtres à l'extérieur. H. 3 m ou plus.

Agapetes macrantha
Arbuste d'allure relâchée, pouvant grimper à l'aide de supports. Feuilles persistantes ou semi-persistantes lancéolées. En hiver, fleurs, en forme d'urne étroite, blanches ou blanc rosâtre et à motifs rouges. H. 1-2 m. [A]

Canarina canariensis,
syn. *C. campanula*
Plante sarmenteuse, herbacée, à racines tubéreuses; feuilles triangulaires, à bord en dents de scie. De la fin de l'automne au printemps, fleurs cireuses orange, veinées de rouge. H. 2-3 m. [A]

AUTRES PLANTES CONSEILLÉES :
Pyrostegia venusta, p. 176
Senecio macroglossus
Senecio mikanioides

Strongylodon macrobotrys, p. 164
Thunbergia coccinea

BLANC, VERT

Asparagus scandens
Plante sarmenteuse, à feuilles persistantes. Tiges souples et courtes, pousses courbées, verticillées par 3, ressemblant à des feuilles. En été, minuscules fleurs blanches, inclinées, regroupées par 2 ou 3, suivies de baies rouges. H. 1 m ou plus. [A]

Senecio macroglossus
'Variegatus'
Séneçon m. panaché
Plante grimpante volubile, ligneuse, à feuilles persistantes, succulentes, triangulaires, à bordure blanche ou crème. Surtout en hiver, capitules floraux, crème. H. 3 m. [A]

Epipremnum aureum 'Marble Queen', syn. *Scindapsus aureus* 'Marble Queen'
Plante à tiges radicantes, ligneuse, à croissance assez rapide. Feuilles persistantes rayées et marbrées de blanc. Elle est moins robuste que l'espèce type. H. 3-10 m. [A]

Epipremnum pictus 'Argyraeus',
syn. *Scindapsus pictus*
'Argyraeus'
Plante grimpante, à tiges radicantes, ligneuse, à croissance lente. Ses feuilles persistantes sont cordiformes, vert sombre à taches argentées.
H. 2-3 m ou plus. [A]

Syngonium podophyllum
'Trileaf Wonder'
Plante à tiges radicantes, ligneuse. Feuilles persistantes, sagittées à l'état jeune, puis composées de 3 folioles brillantes, à nervures vert pâle ou gris argenté. H. 2 m ou plus. [A]

Discorea discolor
Igname discolor
Plante volubile, ligneuse. Les feuilles persistantes, cordiformes, de 12 à 15 cm de long, sont vert olive marbré d'argent, de vert plus pâle et de marron; leur dessous est rouge.
H. jusqu'à 2 m. [A]

AUTRES PLANTES CONSEILLÉES :
LIERRES, p. 179
Lonicera japonica 'Aureo-reticulata'

VERT, ORANGE

Syngonium podophyllum, syn.
Nephthytis triphylla
Plante à tiges radicantes, ligneuse,
formant une touffe. Feuilles
persistantes, sagittées à l'état jeune, puis
composées de 7 à 9 folioles brillantes,
atteignant 30 cm de long. H. 2 m. [A]

Philodendron melanochrysum
Plante à tiges radicantes, ligneuse,
robuste, à croissance assez lente. Les
feuilles persistantes, cordiformes,
atteignent 75 cm de long et sont
lustrées, vert olive foncé, à reflets
cuivrés et à nervures pâles. H. 3 m ou
plus. [A]

Gynura aurantiaca
Arbuste au port relâché ou plante
semi-sarmenteuse, à base ligneuse.
Feuilles persistantes et tiges souples
couvertes de poils pourpres. En hiver,
bouquets de capitules floraux jaune
orangé, rappelant des marguerites.
H. 3 m.

Tetrastigma voinierianum,
syn. ***Cissus voinieriana***
Plante à vrilles, ligneuse, à forte
croissance; feuillage persistant. Tiges et
feuilles rousses et poilues à l'état jeune;
feuilles adultes vert foncé et lustrées
au-dessus. H. 10 m ou plus. [A]

Cissus antarctica
Plante à vrilles, ligneuse, moyennement
vigoureuse. Ses feuilles persistantes vert
intense sont ovales, pointues, à bords
grossièrement dentés, lustrées.
H. jusqu'à 5 m. [A]

Monstera deliciosa
Plante à tiges radicantes, ligneuse,
robuste. Feuilles persistantes à grands
lobes creusés, de 40 à 90 cm de long.
Sur les plantes adultes, spathes crème,
suivies de fruits comestibles parfumés.
H. jusqu'à 6 m. [A]

Philodendron scandens
Plante à tiges radicantes, ligneuse, à
croissance assez rapide et à feuillage
persistant. Les feuilles, d'un vert
intense, ont de 10 à 15 cm de long à
l'état jeune et atteignent 30 cm de long
sur des pieds adultes. H. 4 m
ou plus. [A]

Cissus rhombifolia
Plante à vrilles, ligneuse, moyennement
vigoureuse. Ses feuilles persistantes sont
lustrées et divisées en 3 folioles
grossièrement dentées. H. 3 m
ou plus. [A]

Streptosolen jamesonii
Plante sarmenteuse. Ses feuilles
persistantes ou semi-persistantes sont
ovales, finement ondulées. Elle porte de
nombreuses fleurs orange vif, surtout au
printemps et en été.
H. 2-3 m. [A]

Ercilla volubilis
Holboellia coriacea
Lardizabala biternata
Philodendron cordatum

Philodendron pinnatifidum
Philodendron sagittifolium
Rubus henryi var. *bambusarum*

Lierres

Les lierres *(Hedera)* sont des plantes grimpantes, à feuilles persistantes, utiles pour tapisser des murs et des clôtures ou comme couvre-sol. Il y a un très grand nombre de cultivars disponibles parmi lesquels toutes les formes à feuilles non panachées supportent bien l'ombre. Beaucoup de lierres sont parfaitement rustiques.

H. helix 'Gracilis'

H. helix 'Digitata'

H. helix 'Adam'

H. helix 'Eva'

H. helix 'Erecta'

H. helix 'Merion Beauty'

H. helix 'Nigra'

H. helix 'Heise'

H. helix 'Ivalace'

H. helix 'Woerner'

H. helix 'Glacier'

H. helix 'Angularis Aurea'

H. colchica 'Dentata'

H. helix 'Telecurl'

H. helix 'Lobata Major'

H. helix 'Glymii'

H. helix 'Anna Marie'

H. helix 'Goldheart'

H. helix 'Pedata'

H. helix 'Deltoidea'

H. helix var. *hiber-nica* 'Sulphurea'

H. helix 'Manda's Crested'

H. helix 'Buttercup'

H. helix 'Green Ripple'

H. helix var. *hibernica*

H. canariensis 'Ravensholst'

H. helix 'Parsley Crested'

H. helix 'Atropurpurea'

H. colchica 'Sulphur Heart'

◻◻ BLANC, VERT

Cortaderia selloana
'Silver Comet'
Herbe des pampas 'Silver Comet'
Graminée vivace, formant une touffe. Feuilles persistantes d'1 m de long, à bords tranchants. Fin été, grandes panicules soyeuses. H. 1,5 m; E. 1 m.

Phalaris aurundinacea var. *picta*
Graminée vivace qui s'étend, à feuilles persistantes, larges, à bandes blanches. Elle produit, en été, des panicules étroites, regroupant des épillets. Elle peut être envahissante.
H. 1 m; E. variable.

Holcus mollis 'Variegatus'
Graminée vivace, ayant tendance à s'étaler; feuilles persistantes à bandes blanches et à nœuds poilus. En été, elle porte des épis de fleurs blanc violacé. H. 30-45 cm; E. variable.

Pleioblastus variegatus, syn. *Arundinaria fortunei, A. variegata*
Bambou s'étendant lentement. Feuilles persistantes, étroites, légèrement duveteuses, à bandes blanches. Les tiges sont ramifiées près de la base.
H. 80 cm; E. variable.

Arundo donax 'Versicolor', syn. *A. d.* 'Variegata'
Canne de Provence 'Versicolor'
Graminée herbacée, vivace, rhizomateuse, à fortes tiges. Larges feuilles à bandes crème. Fin été, parfois denses panicules érigées d'épillets jaune blanchâtre. H. 3 m; E. 60 cm.

Sasa veitchii, syn. *S. albomarginata*
Bambou s'étendant lentement. Feuilles persistantes de 25 cm de long, très tôt à bordure blanche. Tiges souvent pourpres, avec une seule ramification à chaque nœud. Poudre blanche en dessous des nœuds. H. jusqu'à 1,5 m; E. variable.

Lagurus ovatus
Queue de lièvre, Gros minet
Graminée annuelle, formant une touffe. Début été, panicules blanches, denses, en forme d'œuf, douces, se maintenant jusqu'en automne. Feuilles longues, étroites et aplaties. Se reproduit vite par ses graines. H. 45 cm; E. 15 cm.

Cortaderia selloana 'Sunningdale Silver'
Herbe des pampas 'Sunningdale Silver'
Graminée vivace, en touffe. Feuilles persistantes étroites de 1,5 m de long, à bord tranchant. Fin été, plumets blanc crème persistants. H. 2,1 m; E. 1,2 m.

Glyceria maxima 'Variegata', syn. *G. aquatica* 'Variegata'
Glycérie aquatique 'Variegata'
Graminée herbacée, vivace, qui s'étend. Feuilles à bandes crème, souvent teintées de rose à la base. En été, amples panicules d'épillets verdâtres.
H. 80 cm; E. variable.

Miscanthus sinensis 'Zebrinus'
Graminée herbacée vivace, formant une touffe. Feuilles à dessous poilu, à taches blanc jaunâtre en forme d'anneau transversal. En automne, parfois épillets blancs, poilus, barbus, réunis en panicules en forme d'éventail.
H. 1,2 m; E. 45 cm.

Scirpus lacustris subsp. *tabernaemontani* 'Zebrinus'
Jonc des chaisiers
Scirpe vivace, qui s'étend, à feuilles persistantes, rayées horizontalement de blanc; épillets marron en été. Supporte les eaux saumâtres. H. 1,5 m; E. variable.

AUTRES PLANTES CONSEILLÉES :
Arrhenatherum elatius 'Variegatum'
Arundo donax
Carex riparia 'Variegata'

Chionochloa conspicua
Cortaderia selloana
Cyperus albostriatus 'Variegatus'
Dactylis glomerata 'Variegata'

Scirpus holoschoenus 'Variegatus'

Luzula nivea
Luzule nivea
Plante vivace, s'étendant lentement, à feuilles persistantes, bordées de poils blancs. En début d'été, bouquets assez denses de fleurs d'un blanc brillant. H. 60 cm ; E. 45-60 cm.

☼ ◊ ❄ ❄ ❄

Hordeum jubatum
Orge barbue
Graminée vivace à courte durée de vie, formant une touffe. De l'été au début de l'automne, épis floraux aplatis, arqués, à barbes soyeuses, ressemblant à des plumes. H. 30-60 cm ; E. 30 cm.

☼ ◊ ❄ ❄ ❄

Pennisetum villosum,
syn. *P. longistylum*
Graminée vivace, herbacée, formant une touffe, à tiges couvertes de longs poils. En automne, panicules d'épillets rose crème, devenant marron pâle en se fanant et munies de très longues barbes soyeuses. H. jusqu'à 1 m ; E. 50 cm.

☼ ◊ ❄ ❄

Stipa gigantea
Graminée vivace, formant une touffe, à feuilles persistantes, étroites, de 45 cm ou plus de long. En été, élégantes panicules ouvertes et aérées d'épillets argentés à longues barbes et à anthères dorées qui pendillent, persistant bien jusqu'en hiver. H. 2,5 m ; E. 1 m.

☼ ◊ ❄ ❄

Cyperus papyrus
Papyrus
Plante vivace, formant une touffe, à feuilles persistantes. Tiges vigoureuses, triangulaires, sans feuilles ; en été, immenses ombelles d'épillets, comptant jusqu'à 100 rais. Pousse bien dans l'eau. H. 3-5 m ; E. 1 m. ☐A

☼ ◉

Helictotrichon sempervirens, syn.
Avena candida, A. sempervirens
Graminée vivace, en touffe, à feuilles persistantes, rigides, bleu argenté, atteignant 30 cm, ou plus, de long. En été, panicules érigées d'épillets couleur paille. H. 1 m ; E. 60 cm.

☼ ◊ ❄ ❄ ❄

Bambusa multiplex,
syn. *B. glaucescens*
Bambou formant une touffe, à feuilles persistantes, étroites, de 10 à 15 cm de long. Utilisable pour réaliser des haies ou des coupe-vent. H. jusqu'à 15 m ; E. variable.

☼ ◊ ❄

Bouteloua gracilis,
syn. *B. oligostachya*
Graminée vivace, formant une touffe, à feuilles étroites semi-persistantes. En été, épis floraux en forme de peigne, de 4 cm de long, formant un angle droit avec les tiges. H. 50 cm ; E. 20 cm.

☼ ◊ ❄ ❄ ❄

Melica altissima 'Atropurpurea'
Mélique
Graminée vivace, formant une touffe, à feuilles persistantes, couvertes de petits poils en dessous. En été, des épillets pourpres, associés en panicules étroites, de 10 cm de long, pendent du sommet des tiges. H. et E. 60 cm.

☼ ◊ ❄ ❄ ❄

Bambous, herbes, joncs et laîches

Arundinaria anceps, syn. *A. jaunsarensis, Sinarundinaria jaunsarensis*
Bambou qui s'étend, à feuilles persistantes et à tiges d'abord érigées puis arquées, portant à chaque nœud plusieurs ramifications. H. 2-3 m; E. variable.

☼ ◊ ❄

Phyllostachys nigra var. **henonis,** syn. *P. 'Henonis'*
Bambou formant une touffe, portant une profusion de feuilles persistantes et des auricules velues sur les gaines des chaumes. H. 10 m; E. 2-3 m.

☼ ◊ ❄ ❄ ❄

Pseudosasa japonica, syn. *Arundinaria japonica*
Bambou formant une touffe, à gaines marron, couvertes d'une pubescence rugueuse, persistant longtemps, et à larges feuilles persistantes, de 35 cm de long. H. 5 m; E. variable.

☼ ◊ ❄ ❄ ❄

Semiarundinaria fastuosa, syn. *Arundinaria fastuosa*
Bambou formant une touffe, à feuilles persistantes, de 15 cm de long et à courtes ramifications en touffe à chaque nœud. Les gaines des chaumes s'ouvrent, découvrant leur intérieur poli et pourpré. H. 6 m; E. variable.

☼ ◊ ❄ ❄ ❄

Juncus effusus f. **spiralis**
Jonc épars f. spiralis
Jonc vivace, formant une touffe, à feuilles persistantes. Les tiges se tordent, s'enroulent et sont souvent prostrées. En été, panicules de fleurs assez denses, marron verdâtre. H. 1 m; E. 60 cm.

☼ ◊ ❄ ❄ ❄

Phyllostachys bambusoides
Bambou formant une touffe, à tiges érigées, vertes et vigoureuses. Il porte des gaines foliaires à soies proéminentes et de larges et longues feuilles persistantes. H. 6-8 m; E. variable.

☼ ◊ ❄ ❄ ❄

Shibataea kumasasa
Bambou formant une touffe, à larges feuilles persistantes, de 5 à 10 cm de long et à tiges marron verdâtre portant des ramifications latérales tronquées. H. 1-1,5 m; E. 30 cm.

☼ ◊ ❄ ❄

Chusquea culeou
Bambou formant une touffe, à croissance lente et à feuilles persistantes. Les tiges, vigoureuses et solides, portent, au niveau des nœuds, des gaines de chaume d'un blanc brillant à l'état jeune, se maintenant longtemps. H. jusqu'à 5 m; E. 2,5 m ou plus.

☼ ◊ ❄ ❄ ❄

Coix lacryma-jobi
Larme de Job
Graminée annuelle, formant une touffe, à larges feuilles. Épillets insignifiants, suivis de fruits durs, ressemblant à des perles, verts devenant mauve verdâtre et brillants en automne. H. 50 cm-1 m; E. 10-15 cm.

☼ ◊ ❄

Panicum capillare
Herbe de Guinée
Graminée annuelle, formant une touffe, à larges feuilles. Tiges poilues portant en été sur leur moitié supérieure une panicule dense de minuscules épillets marron verdâtre à fins pédoncules. H. 60 cm-1 m; E. 30 cm.

☼ ◊ ❄ ❄ ❄

Cyperus involucratus, syn. *C. alternifolius*
Plante vivace, formant une touffe, à feuilles persistantes. Bractées, ressemblant à des feuilles, formant un verticille sous le petits épis floraux disposés en une sorte d'ombelle. H. jusqu'à 1 m; E. 30 cm. A

☼ ◊

Phyllostachys flexuosa
Bambou formant une touffe, à tiges minces, zigzagant nettement et noircissant avec l'âge. Les gaines foliaires n'ont pas de soie. Les feuilles persistantes restent d'un vert frais tout l'hiver. H. 6-8 m; E. variable.

☼ ◊ ❄ ❄ ❄

Miscanthus sinensis 'Gracillimus'
Graminée herbacée, vivace, formant
une touffe, à feuilles très étroites,
poilues au-dessous, devenant souvent
bronze. Parfois, en début d'automne,
panicules en forme d'éventail,
regroupant des épillets blancs, poilus,
munis de barbes. H. 1,2 m; E. 45 cm.

☼ ◊ ✳✳

Carex pendula
Laîche pendante
Plante vivace, gracieuse, formant une
touffe, à feuilles vertes persistantes,
étroites, de 45 cm de long. Tiges solides,
triangulaires, produisant en été
d'abondants épis floraux pendants, brun
verdâtre. H. 1 m; E. 30 cm.

☼ ◊ ✳✳✳

Phyllostachys viridiglaucescens
Bambou formant une touffe, à feuilles
persistantes et à tiges brun verdâtre,
s'arquant à la base. Il a de la poudre
blanche sous les nœuds. H. 6-8 m;
E. variable.

☼ ◊ ✳✳

Spartina pectinata 'Aureo
Marginata'
Graminée herbacée, rhizomateuse, qui
s'étend. Longues feuilles arquées, à
bandes jaunes, devenant orange marron
à la fin de l'automne et jusqu'en hiver.
H. jusqu'à 2 m; E. variable.

☼ ● ✳✳✳

Carex oshimensis 'Evergold'
Plante vivace, formant une touffe, à
feuilles persistantes de 20 cm de long,
étroites, à bandes jaunes. Les tiges,
solides et triangulaires, peuvent porter,
en été, d'insignifiants épis floraux.
H. 20 cm; E. 15-20 cm.

☼ ◊ ✳✳✳

Carex elata 'Aurea',
syn. *C. stricta* 'Aurea'
Plante vivace, formant une touffe, à
feuilles persistantes, jaune doré. Ses
tiges, solides et triangulaires, portent en
été des épis floraux brun noirâtre. H.
jusqu'à 40 cm; E. 15 cm.

☼ ● ✳✳✳

Pleioblastus viridistriatus,
syn. *Arundinaria auricoma,*
A. viridistriata
Bambou s'étendant lentement, à tiges
pourpres et à larges feuilles persistantes,
couvertes d'un duvet doux, jaune vif à
bandes vertes. H. 1,5 m; E. variable.

☼ ◊ ✳✳✳

Hakonechloa macra 'Aureola'
Graminée herbacée, à rhizomes courts, à
croissance lente, à tiges pourpres. Feuilles
jaunes à bandes vertes, devenant brun
rougeâtre avec l'âge. Parfois, début
automne, panicules ouvertes d'épis
floraux brun rougeâtre, persistant
jusqu'en hiver. H. 40 cm; E. 45-60 cm.

☼ ◊ ✳✳✳

Alopecurus pratensis 'Aureomarginatus', syn. *A.p.* 'Aureus'
Graminée herbacée, vivace, formant
une touffe, à feuilles jaunes ou
jaunâtres, rayées de vert; denses épis
floraux en été. H. et E. 25-30 cm.

☼ ◊ ✳✳✳

FOUGÈRES

Phlebodium aureum
'Mandaianum'
Fougère à feuilles persistantes et à rhizome traçant. Frondes arquées, à lobes profonds, glauques avec, sur le revers, des sporanges jaune orangé; pennes profondément découpées et ondulées. H. 1,5 m; E. 60 cm. [A]

Dryopteris filix-mas
Fougère mâle
Fougère à feuilles caduques ou semi-persistantes. Frondes élégamment arquées, dressées, larges, vert moyen, disposées en corbeille, s'élevant au-dessus d'un grand rhizome dressé à écailles brunes. H. 1,2 m; E. 1 m.

❋ ◐ ◊ ✻✻✻

Platycerium bifurcatum
Fougère épiphyte, à feuillage persistant. Frondes stériles larges ressemblant à des assiettes. Frondes fertiles longues, arquées ou pendantes, fourchues, gris-vert, portant en dessous des groupes de spores brunâtres velouteuses. H. et E. 1 m. [A]

❋ ◐ ◊

Dicksonia antarctica
Fougère ressemblant à un arbre, à feuillage persistant. Tronc vigoureux, couvert de fibres brunes et couronné de frondes étalées, quelque peu arquées, larges, lancéolées, très divisées et ressemblant à des palmes. H. 10 m ou plus; E. 4 m.

❋ ◐ ◊ ✻

Polystichum aculeatum
'Pulcherrimum'
Fougère à feuillage persistant ou semi-persistant. Frondes larges, lancéolées, finement découpées, à bord tranchant, vert jaunâtre au printemps, puis vert foncé intense, brillant. H. 60 cm; E. 75 cm.

❋ ◐ ◊ ✻✻✻

Polystichum lonchitis
Polystic lonchitis
Fougère à feuilles persistantes. Le rhizome, érigé, porte des frondes dressées, lancéolées, vert sombre, munies d'épines rigides. On peut l'utiliser pour un jardin de rocaille. H. 45 cm; E. 30 cm.

❋ ◐ ◊ ✻✻✻

Polystichum munitum
Polystic munitum
Fougère à feuilles persistantes. Ses frondes sont érigées, coriaces, lancéolées, vert sombre. Elles sont composées de petites pennes à bord épineux. H. 1,2 m; E. 30 cm.

❋ ◐ ◊ ✻✻✻

Polypodium glycyrrhiza
Polypode glycyrrhiza
Fougère à feuilles caduques. Frondes vert moyen, à forme oblongue-triangulaire ou ovale et étroite. Elles sont divisées en pennes lancéolées ou oblongues. La souche racinaire a une odeur de réglisse. H. et E. 45 cm.

❋ ◐ ◊ ✻✻✻

Microlepia strigosa
Fougère à feuillage persistant. De la souche racinaire, traçante, s'élèvent des frondes larges, irrégulièrement lancéolées, profondément découpées et divisées, vert pâle. H. 90 cm; E. 60 cm. [A]

❋ ◐ ◊

Polypodium scouleri
Polypode scouleri
Fougère rampante, à feuilles persistantes. Les frondes, de forme allant de triangulaire à ovale, coriaces et divisées, s'élèvent de la souche racinaire étalée. H. et E. 30-40 cm.

Selaginella martensii
Selaginelle martensii
Vivace ressemblant à une mousse, à feuillage persistant. Les ramilles, denses, très ramifiées, portant des feuilles brillantes d'un vert intense, rappellent les frondes de fougères. H. et E. 25 cm. [A]

Cyrtomium falcatum
Fougère à feuilles persistantes. Les frondes sont lancéolées et se composent de pennes ressemblant à du houx, brillantes et vert sombre. Les jeunes frondes sont souvent couvertes d'écailles blanchâtres ou brunes. H. 30-60 cm ; E. 30-45 cm.

Pteris cretica
Fougère à feuilles persistantes ou semi-persistantes. Les frondes ont une forme allant de triangulaire à ovale et large. Elles sont vert pâle et divisées en pennes ressemblant à des doigts. H. 45 cm ; E. 30 cm. [A]

Ceterach officinarum
Fougère à feuilles semi-persistantes. Frondes lancéolées, coriaces, vert sombre, divisées en lobes alternes arrondis. Revers des jeunes frondes couvert d'écailles argentées, devenant à maturité brun rougeâtre. H. et E. 15 cm.

Asplenium trichomanes
Fausse capillaire
Fougère à feuillage semi-persistant. Frondes longues et minces, à rachis d'abord noirs et brillants, puis marron ; nombreuses pennes de forme arrondie-oblongue, vert vif. Pousse en sol calcaire. H. 15 cm ; E. 15-30 cm.

Adiantum pedatum var. *aleuticum*
Capillaire pedatum var. **aleuticum**
Fougère à feuilles semi-persistantes et à courte souche racinaire. Tiges foncées brillantes. Délicates frondes à pennes bleu-vert serrées. Pousse bien en sols alcalins. H. et E. jusqu'à 45 cm.

Phlebodium aureum,
syn. *Polypodium aureum*
Fougère à feuillage persistant, à rhizome traçant pourvu d'écailles dorées. Frondes arquées, profondément lobées, vert moyen ou glauques. Sur le revers, sporanges intéressants, jaune orangé. H. 90 cm-1,5 m ; E. 60 cm. [A]

Polystichum setiferum
Polystic setiferum
Fougère à feuilles persistantes ou semi-persistantes. Frondes vert moyen, larges et lancéolées ou ovales, douces au toucher, très divisées, à écailles brunes à la base. Rhizome dressé. H. 60 cm ; E. 45 cm.

Adiantum raddianum 'Fritz-Luthii'
Cheilanthes lanosa
Lygodium japonicum
Lygodium palmatum

Polypodium polypodioides

Fougères
◻ VERT

Thelypteris palustris
Fougère à feuillage caduc. Vigoureuses frondes érigées, lancéolées, vert pâle, à pennes très espacées et profondément découpées. Le rhizome, traçant, est vigoureux et noirâtre. Elle pousse bien près d'une mare ou d'un cours d'eau. H. 75 cm; E. 30 cm.

☼ ◉ ❄❄❄

Nephrolepis exaltata
Fougère à feuillage persistant. De vigoureuses tiges portent des frondes érigées, parfois étalées, lancéolées, divisées, vert pâle. H. et E. 90 cm ou plus. [A]

☼ ◐

Polypodium vulgare 'Cornubiense'
Polypode commun 'Cornubiense'
Fougère à feuillage persistant. Frondes étroites, lancéolées, divisées, vert frais, à pennes également divisées, ce qui donne un aspect de dentelle. H. et E. 30 cm.

☼ ◉ ❄❄❄

Osmonda regalis
Osmonde royale
Fougère à feuilles caduques. Élégantes frondes allant de large et ovale à oblongue, divisées, d'abord rosâtres puis vert vif. À maturité, parties fertiles brun rouille à l'extrémité des frondes les plus grandes. H. 2 m; E. 1 m.

☼ ◉ ❄❄❄

Onoclea sensibilis
Onoclée sensibilis
Fougère rampante, à feuillage caduc. Belles frondes arquées, presque triangulaires, divisées, vert pâle frais, souvent teintées de brun rosâtre au printemps. En automne, elles se colorent d'un joli brun jaunâtre. H. et E. 45 cm.

☼ ◉ ❄❄❄

Selaginella kraussiana 'Aurea'
Lycopode des jardiniers 'Aurea'
Vivace ressemblant à une mousse, rampante, plus ou moins prostrée et à feuillage persistant vert jaunâtre vif. H. 1 cm; E. variable. [A]

☼ ◐

Adianthum pedatum
Capillaire pedatum
Fougère à feuilles semi-persistantes et à vigoureuse souche racinaire traçante. Délicates frondes divisées, vert moyen, ressemblant à des doigts, sur des tiges brillantes, marron sombre ou noirâtres. H. et E. jusqu'à 45 cm.

☼ ◉ pH ❄❄

Matteuccia struthiopteris
Fougère à feuilles caduques. Les frondes lancéolées, divisées, érigées, sont disposées en corbeille. Les frondes stériles, d'un vert frais, sont à l'extérieur, entourant les frondes fertiles, plus denses, marron foncé, disposées au centre. H. 1 m; E. 45 cm.

☼ ◉ ❄❄❄

Polypodium virginianum
Polypodium vulgare 'Cristatum'
Thelypteris hexagonoptera
Thelypteris oreopteris

Woodsia alpina
Woodsia ilvensis
Woodwardia radicans

Polystichum setiferum 'Densum'
Polystic s. 'Densum'
Fougère à feuillage persistant ou semi-persistant, à rhizome dressé. Frondes vert moyen, larges et lancéolées ou ovales, finement divisées, rappelant la mousse au toucher, à écailles brunes à la base. H. 30-60 cm; E. 10 cm.

☀ ◊ ❄❄❄

Asplenium nidus
Fougère à feuilles persistantes. Elle produit des frondes larges, lancéolées, brillantes, d'un vert vif, disposées en corbeille. H. 60 cm-1,2 m; E. 30-60 cm. [A]

☀ ◊

Athyrium nipponicum,
syn. *A. goeringianum*
Fougère à feuillage caduc. De larges frondes triangulaires, divisées, vert grisâtre, teinté de pourpre, s'élèvent de la souche racinaire traçante, écailleuse, brunâtre ou rougeâtre.
H. et E. 30 cm.

☀ ◊ ❄❄

Cryptogramma crispa
Fougère à feuilles caduques. Frondes de forme large et ovale ou triangulaire, finement divisées, vert pâle vif, ressemblant à des feuilles de persil. En automne, elles deviennent brun rouille vif et restent en place tout l'hiver.
H. 15-25 cm; E. 15-30 cm.

☀ ◊ pH ❄❄❄

Polypodium vulgare
Polypode commun
Fougère à feuilles persistantes. Rhizome traçant, couvert d'écailles brun cuivré, portant des frondes vert moyen, étroites, lancéolées, divisées. Convient à un jardin de rocaille. H. et E. 25-30 cm.

☀ ◊ ❄❄❄

Phyllitis scolopendrium,
syn. *Asplenium scolopendrium*,
Scolopendrium vulgare
Langue de cerf, Scolopendre
Fougère à feuilles persistantes; rhizome trapu; frondes en forme de langue, coriaces, vert vif. Convient aux sols alcalins. H. 45-75 cm; E. jusqu'à 45 cm.

☀ ◊ ❄❄❄

Phyllitis scolopendrium
'Crispum'
Scolopendre 'Crispum'
Fougère à feuilles persistantes et à rhizome dressé et trapu. Les frondes vert vif sont longues, fortement plissées, en forme de langue, coriaces. Convient aux sols alcalins. H. et E. 30 cm ou plus.

☀ ◊ ❄❄❄

Adiantum venustum
Capillaire venustum
Fougère à feuilles caduques. Les tiges brillantes portent de délicates frondes vert pâle, teintées de brun à l'état jeune et composées de nombreuses petites pennes triangulaires. H. 25 cm; E. 30 cm.

☀ ◊ pH ❄❄

Adiantum capillus-veneris
Adiantum raddianum
Adiantum raddianum 'Grandiceps'
Athyrium filix-femina

Cystopteris bulbifera
Dryopteris erythrosora
Dryopteris goldiana
Lunathyrium japonicum

Osmunda cinnamomea
Pteris cretica 'Albo-lineata'
Pteris cretica 'Mayi'
Selaginella kraussiana 'Variegata'

□ BLANC

Epilobium angustifolium
f. *album*
Laurier de Saint-Antoine
f. album
Plante dressée, vigoureuse. Fin été,
ramilles de fleurs blanc pur. Feuilles
petites, lancéolées. S'étend rapidement.
H. 1,2-1,5 m; E. 50 cm ou plus.

Nicotiana sylvestris
Tabac sylvestris
Plante ramifiée, souvent cultivée en
annuelle, portant à l'extrémité
des tiges, à la fin de l'été, des panicules
de fleurs blanches tubulaires parfumées.
Ses longues feuilles sont rugueuses,
vert moyen. H. 1,5 m; E. 75 cm.

Romneya coulteri
Plante touffue, vigoureuse, sous-
ligneuse. Elle est cultivée pour ses
grandes fleurs parfumées, blanches à
étamines centrales dorées et saillantes,
s'épanouissant à la fin de l'été. Feuilles
grises profondément découpées.
H. et E. 2 m.

Crambe cordifolia
Crambé à feuilles en cœur
Plante robuste. Des nuages de petites
fleurs blanches apparaissent en été :
elles s'épanouissent sur des tiges
ramifiées, au-dessus d'une masse de
grandes feuilles vert foncé, ridées et
lobées. H. jusqu'à 2 m; E. 1,2 m.

Eryngium eburneum
Panicaut eburneum
Plante aux tiges arquées. Fin été, sur des
tiges ramifiées, capitules floraux de
fleurs vertes à étamines blanches.
Feuilles persistantes arquées et
épineuses. H. 1,5-2 m; E. 60 cm.

Echinops sphaerocephalus
Plante touffue, massive, à feuilles
profondément découpées, vert moyen et
gris pâle au-dessous. À la fin de l'été, ses
tiges grises portent des capitules floraux
ronds, blanc grisâtre. H. 2 m; E. 1 m.

Eremurus himalaicus
Plante dressée, portant, en début d'été,
d'immenses hampes florales, densément
couvertes de fleurs en forme de coupe,
ouvertes, d'un blanc pur, à longues
étamines. Feuilles en forme de ruban.
En hiver, couvrir la souche. Nécessite
un tuteur. H. 2,5 m; E. 1 m.

Sanguisorba canadensis
Plante formant une touffe. À la fin de
l'été, des inflorescences légèrement
pendantes, ressemblant à des
écouvillons, à fleurs blanches,
s'épanouissent sur des tiges qui s'élèvent
au-dessus des feuilles vert moyen dentées
et divisées. H. 1,2-2 m; E. 60 cm.

Aruncus dioicus, syn. *A. sylvester*,
Spiraea aruncus
Barbe de bouc
Plante touffue. Sur de hautes tiges,
grandes feuilles à folioles lancéolées.
Au-dessus, à la mi-été, inflorescences
ramifiées, plumeuses, de minuscules
fleurs blanc crème. H. 2 m; E. 1,2 m.

AUTRES PLANTES CONSEILLÉES :
Aconitum napellus f. *album*
Campanula pyramidalis
Veratrum album

Artemisia lactiflora
Armoise lactiflora
Plante vigoureuse, érigée. En été, nombreuses ramilles de capitules floraux blancs, blanc crème en boutons. Feuilles vert foncé, à bord déchiqueté. Nécessite un tuteur. Met en valeur les couleurs vives. H. 1,2-1,5 m; E. 50 cm.

Alpinia zerumbet,
syn. *A. nutans, A. speciosa*
Plante formant une touffe, à feuilles persistantes. En été principalement, elle porte des grappes de fleurs blanches à lèvres jaunes et à gorge marquée de rose ou de rouge. H. 3 m; E. 1 m. [A]

Macleaya microcarpa 'Coral Plume'
Plante formant une touffe. En été, inflorescences composées de fleurs d'un rose beige intense. Grandes feuilles arrondies, lobées, gris-vert au-dessus et blanc-gris au-dessous. H. 2-2,5 m; E. 1-1,2 m.

Lavatera cachemiriana, syn. *L. cachemirica*
Lavatère cachemiriana
Plante ligneuse à la base, à tiges vigoureuses. En été, panicules de fleurs soyeuses en forme de trompette, rose clair. Feuillage duveteux, vert moyen. H. 1,5-2 m; E. 1 m.

Eremurus robustus
Plante dressée. Ses feuilles, ressemblant à des rubans, meurent en été, alors qu'apparaissent de très grandes hampes de fleurs roses en forme de coupe. Couvrir les souches en hiver avec du compost ou des fougères. Tuteurage nécessaire. H. 2,2 m; E. 1 m.

Filipendula rubra
Plante dressée, vigoureuse. Grandes feuilles à bord déchiqueté. À la mi-été, sur de longues tiges ramifiées, inflorescences plumeuses de fleurs minuscules d'un rose doux. Elle peut coloniser rapidement des sites marécageux. H. 2-2,5 m; E. 1,2 m.

Meconopsis napaulensis
Plante vivace à courte durée de vie ou plante bisannuelle, formant une touffe. À la fin du printemps et en début d'été, fleurs bleu pâle à foncé, roses ou rouges. Le feuillage, profondément découpé, est couvert de poils bronze. H. 2 m; E. 1 m.

Rheum palmatum 'Atrosanguineum'
Plante formant une touffe, à feuilles très grandes, lobées, profondément découpées, rouge pourpre foncé à l'état jeune. En début d'été, grandes panicules duveteuses de fleurs cramoisies. H. et E. 2 m.

Plantes vivaces/grande taille

■■ VIOLET, BLEU

▫▫ VERT, JAUNE

Veratrum nigrum
Vératre noir
Plante imposante; en fin d'été longues panicules de fleurs pourpre chocolat au bout de robustes tiges dressées, portant des feuilles ovales plus ou moins étroites. H. 2 m; E. 60 cm.

☼ ◊ ❋❋❋

Verbena patagonica,
syn. *V. bonariensis*
Verveine patagonica
Plante avec une touffe de feuilles vert foncé à la base. Tiges dressées d'allure raide portant des touffes de fleurs minuscules bleu violacé en été et automne. H. 1,5 m; E. 50 cm.

☼ ◊ ❋

Cynara cardunculus
Cardon
Plante imposante. Gros groupes de feuilles gris argent arquées, pointues, divisées. Robustes tiges grises avec, en été, de gros capitules solitaires bleu violacé, qui sèchent bien. H. 2 m; E. 1 m.

☼ ◊ ❋❋

Campanula lactiflora 'Prichards Variety'
Campanule 'Prichards Variety'
Plante dressée dont les tiges frêles portent des inflorescences ramifiées de fleurs campanulées, assez grosses, dressées ou légèrement inclinées, bleu violacé, de début d'été à fin d'automne. Tuteurage parfois utile. H. 1,2-1,5 m; E. 60 cm.

☼ ◊ ❋❋❋

Echinops bannaticus
Plante dressée à feuilles étroites profondément découpées; tiges ramifiées avec, en fin d'été, des têtes globuleuses de fleurs bleu pâle à moyen, séchant bien. H. 1,2-1,5 m; E. 75 cm.

☼ ◊ ❋❋❋

Galega x *hartlandii* 'Lady Wilson'
Rue de chèvre 'Lady Wilson'
Plante vigoureuse, dressée; en été, grappes de petites fleurs papilionacées bleu et blanc rosâtre, surmontant des feuilles divisées en folioles ovales. Tuteurage nécessaire. H. jusqu'à 1,5 m; E. 1 m.

☼ ◊ ❋❋❋

Gunnera manicata
Plante très structurée, à feuilles à bord épineux ayant jusqu'à 1,5 m d'envergure. En début d'été, inflorescences coniques de fleurs vert clair, suivies de cosses brun orangé. En hiver, couvrir la base avec un paillis. Planter en lieu abrité. H. 2 m; E. 2,2 m.

☼ ◊ ❋❋

Angelica archangelica
Angélique
Plante dressée, à feuilles vert vif profondément divisées; ombelles de fleurs blanchâtres ou verdâtres en fin d'été. Tiges confites utilisées en confiserie. H. 1,5-2 m; E. 1 m.

☼ ◊ ❋❋❋

Ferula communis
Férule
Plante dressée, portant de la fin du printemps à l'été de grosses ombelles de fleurs jaunes au sommet de tiges ressortant d'une masse de feuilles vert moyen, finement divisées. H. 2-2,3 m; E. 1-1,2 m.

☼ ◊ ❋❋

Heliopsis 'Light of Loddon'
Plante dressée portant en fin d'été des capitules de fleurs doubles orange vif sur de fortes tiges. Les feuilles vert foncé sont de texture rude, à bord découpé en dents de scie. H. 1,2-1,5 m; E. 60 cm.

☼ ◊ ❄❄❄

Verbascum olympicum
Molène
Plante vivace à vie courte. Feuillage semi-persistant, en rosette à la base, gris feutré. A la mi-été et au-delà, ramilles de fleurs jaune d'or sur des tiges ramifiées. H. 2 m; E. 1 m.

☼ ◊ ❄❄❄

Ligularia przewalskii
Ligulaire przewalskii
Plante formant une touffe, avec des tiges entourées de feuilles à limbe profondément divisé. «Flèches» de capitules de petites fleurs jaunes ressemblant à des marguerites de milieu à fin été. H. 1,2-2 m; E. 1 m.

☼ ◊ ❄❄❄

Hedychium densiflorum
Plante rhizomateuse, touffue, portant en fin d'été une profusion de fleurs parfumées orange ou jaunes à vie courte, groupées en grappes denses. Les feuilles larges lancéolées sont brillantes, vert moyen. H. 1,2-2 m; E. 60 cm.

☼ ◊ ❄❄

Rudbeckia laciniata 'Goldquelle'
Plante érigée. En fin d'été et en automne, capitules solitaires jaune vif à centre vert sur des tiges robustes. Les feuilles vertes ont un limbe profondément découpé. H. 1,5-2 m; E. 60-75 cm.

☼ ◊ ❄❄❄

Inula magnifica
Aunée magnifica
Plante robuste, dressée, avec une masse de feuilles rudes, larges, ovales. Des tiges feuillées portent de gros capitules terminaux de fleurs jaunes en fin d'été. Tuteurage nécessaire. H. 1,8 m; E. 1 m.

☼ ◊ ❄❄❄

Ligularia stenocephala
Ligulaire stenocephala
Plante formant une touffe de forme peu définie; feuilles vert moyen, arrondies, à bord fortement denté. Des capitules jaune orangé s'épanouissent sur des tiges pourprées de milieu à fin d'été. H. 1,2 m et plus; E. 60 cm.

☼ ◊ ❄❄❄

Heliconia psittacorum
Plante en touffe, avec des feuilles lancéolées à long pétiole. En été, les plantes adultes portent des fleurs orange à extrémité verte, entourées de bractées étroites, luisantes, rouge orangé, H. jusqu'à 2 m; E. 1 m.

☼ ◊

Achillea filipendulina 'Gold Plate', p. 215
CHRYSANTHÈMES, pp. 218-219
Helianthus atrorubens 'Monarch'
Helianthus 'Loddon Gold', p. 194

Rudbeckia 'Herbstsonne', p. 194
Rudbeckia laciniata 'Golden Glow'
Silphium laciniatum
Thalictrum flavum

Delphiniums

Avec leurs hampes florales en forme de flèche, les delphiniums sont de magnifiques plantes herbacées, annuelles ou vivaces. Les variétés de taille moyenne ont une allure souvent élégante, celles de grande taille font merveille dans les « mixed-borders ». En plus des bleus classiques, il existe des hybrides de couleurs variées : blanc, crème, rose, lilas, pourpre et mauve.

D. 'Butterball'

D. 'Emily Hawkins'

D. 'Bruce'

D. belladonna 'Blue Bees'

D. 'Loch Leven'

D. 'Lord Butler'

D. 'Blue Nile'

D. 'Sandpiper'

D. 'Strawberry Fair'

D. 'Fanfare'

D. 'Gillian Dallas'

D. 'Mighty Atom'

D. 'Spindrift'

D. grandiflorum 'Blue Butterfly'

D. 'Chelsea Star'

D. 'Olive Poppleton'

D. 'Langdon's Royal Flush'

D. 'Blue Dawn'

D. 'Sungleam'

▢▢ BLANC, ROSE

▢▢ ROSE, POURPRE

Cimicifuga simplex
Plante dressée, avec, en automne, des grappes, arquées, de minuscules fleurs blanches en étoile, légèrement parfumées. Les feuilles sont brillantes, divisées. Tuteurage nécessaire. H. 1,2-1,5 m; E. 60 cm.

☼ ◐ ◊ ✽✽✽

Eupatorium purpureum
Eupatoire purpureum
Plante dressée de grand gabarit; têtes terminales de fleurs tubulaires rose pourpré en fin d'été et début d'automne. Feuilles rudes, ovales, verticillées le long de tiges pourprées. H. 2,2 m; E. 1 m.

☼ ◐ ◊ ✽✽✽

Anemone hybrida 'Honorine Jobert'
Anémone du Japon 'H. J.'
Plante ramifiée; fin été et début automne, fleurs blanches en coupe peu profonde, à étamines jaunes bien visibles, sur des tiges raides. Feuilles profondément découpées, vert sombre. H. 1,5 m; E. 60 cm.

◐ ◊ ✽✽✽

Aster novae-angliae 'Harrington's Pink'
Plante dressée portant en automne des groupes serrés de capitules rose clair à centre jaune. Feuilles lancéolées vert terne. Tuteurage parfois utile. H. 1,2 m-1,5 m; E. 60 cm.

☼ ◊ ✽✽✽

Salvia involucrata 'Bethellii'
Sauge 'Bethellii'
Plante sous-ligneuse, produisant, en fin d'été et automne, des grappes longues de fleurs rose cramoisi à bractées roses. Les feuilles vont d'ovale à cordiforme. H. 1,2-1,5 m; E. 1 m.

☼ ◊ ✽

Anemone hybrida 'Bressingham Glow'
Anémone du Japon 'B G.'
Plante vigoureuse, très ramifiée; fleurs rose pourpré, en coupe peu profonde, de fin d'été à début d'automne, sur des tiges raides. Feuilles vert sombre, très découpées. H. 1,2-1,5 m; E. 60 cm.

◐ ◊ ✽✽✽

AUTRES PLANTES CONSEILLÉES :
Anemone x hybrida 'Max Vogel'
Anemone x hybrida 'Prince Henry'
Aster cordifolius 'Silver Spray', p. 217

Aster vimineus 'Delight', p. 217
CHRYSANTHÈMES, pp. 218-219
Chrysanthemum uliginosum
Cimicifuga simplex var. ramosa

Aster novi-belgii 'Climax'
Campanula lactiflora 'Prichard's Variety', p. 190
Phytolacca americana

Verbena patagonica, p. 190

Vivaces/grandes

AUTOMNE

 VERT, JAUNE

Asclepias physocarpa
Plante sous-ligneuse, érigée, à feuilles caduques lancéolées de 10 cm de long. En été, ombelles de fleurs blanc crème à 5 pétales réfléchis, suivies de gros fruits renflés, en capsule à poils souples. H. jusqu'à 2 m; E. jusqu'à 60 cm.

☼ ◊ ❊

Hedychium gardenerianum
Plante herbacée, rhizomateuse, dressée. En fin d'été et début d'automne, de nombreux épis regroupent des fleurs parfumées, jaune citron et rouge, fanant vite. Feuilles lancéolées légèrement grisâtres à l'état jeune. H. 1,5-2 m; E. 75 cm. Ⓐ

☼ ◖

Heliantus × multiflorus
Soleil hybride multiflorus
Plante dressée, portant des capitules à grands rayons jaunes en fin d'été et début d'automne. Tuteurage nécessaire. Plante dont l'envergure peut augmenter rapidement. H. 1,5 m; E. 60 cm.

☼ ◊ ❊❊❊

Helianthus 'Loddon Gold'
Soleil 'Loddon Gold'
Plante dressée, portant de gros capitules 9voyants jaune vif, doubles, en fin d'été et début d'automne. Tuteurage nécessaire. Plante s'étalant vite. H. 1,5 m; E. 60 cm.

☼ ◊ ❊❊❊

Rudbeckia 'Herbstsonne'
Plante portant en solitaire des capitules jaunes à centre conique vert sur de hautes tiges en fin d'été et en automne. Les feuilles vert moyen sont légèrement découpées. H. 1,5-3 m; E. 60-75 cm.

☼ ◊ ❊❊❊

CHRYSANTHÈMES, pp. 218-219
Helianthus salicifolius
Kniphofia caulescens, p. 221
Rudbeckia laciniata 'Golden Glow'

Vivaces/grandes

HIVER, TOUTE L'ANNÉE

 ROSE, POURPRE, VIOLET

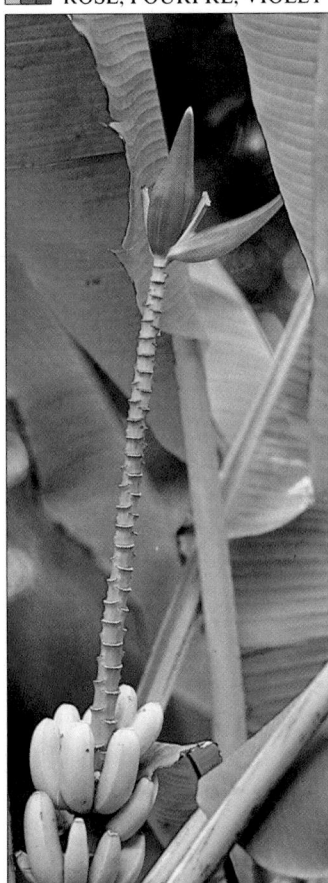

Musa ornata
Bananier à fleurs décoratives
Plante drageonnante: ses feuilles persistantes oblongues, cireuses, vert légèrement bleuté, ont jusqu'à 2 m de long. En été, fleurs jaune orangé à bractées rosées, suivies de fruits jaune verdâtre. H. 3 m; E. 2,2 m. Ⓐ

☼ ◊

Doryanthes palmeri
Plante à rosette de feuilles persistantes arquées allant jusqu'à 2 m de long. Ses fleurs petites, rouges à centre blanc, à bractées rouges, sont disposées sur une longue inflorescence spiciforme. Belle plante d'orangerie mais fleurissant rarement. H. 2-2,5 m; E. 2,5 m. Ⓐ

☼ ◊

Strelitzia nicolai
Oiseau de paradis nicolai
Plante à feuilles persistantes, à tige robuste; feuilles de 1,5 m et plus de long, à longs pétioles. De façon intermittente, fleurs blanches et bleu pâle en forme de bec, sortant de bractées pourpre foncé. H. 8 m; E. 5 m. Ⓐ

☼ ◊

Calathea ornata 'Sanderiana'
Plante formant une touffe. Feuilles luisantes, largement ovales, coriaces, ayant jusqu'à 60 cm de long, à dessus vert sombre strié de rose clair, à dessous pourpre foncé. Les fleurs pouvant aller de blanc à mauve sont groupées en épis courts. H. 1,2-1,5 m; E. 1 m. Ⓐ

☼ ◊

Phormium tenax 'Purpureum'
Plante à feuilles persistantes vigoureuses, rigides, pointues, allant du pourpre rougeâtre intense au cuivré foncé. En été, fleurs rougeâtres sur de longues hampes bleu pourpré. Presque rustique dans Sud et Ouest de la France. H. 2-2,5 m; E. 1 m.

☼ ◊ ❊❊

AUTRES PLANTES CONSEILLÉES :
ORCHIDÉES, pp. 252-255

■ BLEU, VERT

Pycnostachys dawei
Plante touffue à forte croissance ;
feuilles oblongues de 12 à 30 cm de
long, à dessous rougeâtre. Épis compacts
de fleurs tubulaires bilabiées bleu vif en
hiver et printemps. H. 1,2-1,5 m ;
E. 30-90 cm. [A]

☼ ◊

Musa basjoo, syn. *M. japonica*
Bananier japonais
Plante drageonnante, à feuilles
persistantes arquées de 1 m de long au
maximum. En été, fleurs penchées jaune
pâle à bractées brunâtres, suivies de
fruits verts. H. 3-5 m ; E. 2-2,5 m. [A]

☼ ◊ ❀

Ranunculus aconitifolius 'Flore Pleno'
Bouton d'argent 'Flore Pleno'
Plante formant une touffe. Feuilles vert
sombre assez découpées. En printemps-
été, fleurs doubles blanc pur sur de
fortes tiges ramifiées. H. 60-75 cm ;
E. 50 cm.

☼ ◊ ❀❀❀

Ranunculus aconitifolius
Bouton d'argent
Plante vigoureuse formant une touffe ;
feuilles assez découpées, vert sombre.
Au printemps et en début d'été, fleurs
blanches simples d'environ 3 cm
d'envergure. H. et E. 1 m.

☼ ◊ ❀❀❀

Ensete ventricosum, syn. *Musa arnoldiana, M. ensete*
Bananier d'Abyssinie
Grande plante à feuilles persistantes,
avec de petits fruits en forme de banane.
Ses feuilles de plusieurs mètres de

longueur ont des nervures centrales
rougeâtres. Des fleurs vert rougeâtre à
bractées rouge sombre apparaissent de
façon intermittente. H. jusqu'à 5 m ;
E. 3 m ou plus. [A]

☼ ◊

Smilacina racemosa
Plante aux tiges devenant arquées. Du
printemps à la mi-été, des inflorescences
d'allure très légère, constituées de fleurs
blanches, ressortent du feuillage vert
assez clair ; des fruits charnus rougeâtres
suivent occasionnellement.
H. 75-90 cm ; E. 45 cm.

◐ ◊ ᵖᴴ ❀❀❀

Artemisia ludoviciana var. *albula*, p. 223
Phormium cookianum
Phormium cookianum 'Tricolor'
Phormium cookianum 'Variegatum'

Phormium tenax

AUTRES PLANTES CONSEILLÉES :
Asphodelus aestivus
Asphodelus albus, p. 200
Dicentra spectabilis f. *alba*, p. 200

IRIS, pp. 196-197
PIVOINES, pp. 198-199
Polygonatum hirtum

Iris

Ces fleurs aux formes et aux couleurs très belles doivent leur nom à Iris, la déesse de l'arc-en-ciel pour les anciens Grecs. Les sépales de leurs fleurs ont parfois des « barbes » (poils courts) ou des crêtes près du centre. Le genre est classé en de nombreuses divisions, en fonction de caractères proches ou d'exigences culturales. Les plus faciles à cultiver sont les *Iris germanica,* Iris des jardins, Iris de Hollande et les Iris nains. Les *Iris sibirica* poussent partout mais préfèrent les terrains frais. Les Iris japonais ont besoin d'un jardin marécageux ou du voisinage de l'eau. Les autres iris, notamment les types Juno et Regelia, sont moins faciles à cultiver, mais leurs fleurs sont parmi les plus belles. (Pour tous les détails et les conseils de culture, voir le Dictionnaire des plantes.)

I. 'Bold Print' (à barbes)

I. 'Dreaming Yellow' (Sibirica)

I. 'Geisha Gown' (japonais)

I. pallida 'Aurea Variegata' (à barbes)

I. 'Annabel Jane' (à barbes)

I. 'Paradise Bird' (à barbes)

I. 'Rippling Rose' (à barbes)

I. tenax (I. américain)

I. bucharica (Juno)

I. magnifica (Juno)

I. iberica (Oncocyclus)

I. missouriensis (I. américain)

I. cristata (Evansia)

I. versicolor (sans barbes)

I. tectorum (Evansia)

I. rosenbachiana (Juno)

I. 'Krasnia' (à barbes)

I. 'Fulvala' (sans barbes)

I. chrysographes (Sibirica)

I. 'Matinata' (à barbes)

I. latifolia (Xiphium)

I. 'Mary Frances' (à barbes)

I. douglasiana (I. californien)

I. 'Sapphire Star' (japonais)

I. hoogiana (Regelia)

I. xiphium 'Wedgwood' (Xiphium)

I. reticulata 'Cantab' (Reticulata)

I. 'Mountain Lake' (Sibirica)

I. 'Joyce' (Reticulata)

I. laevigata (japonais)

I. innominata
(I. américain)

I. 'Peach Frost'
(à barbes)

I. setosa
(sans barbes)

I. danfordiae
(Reticulata)

I. 'Carnaby'
(à barbes)

I. 'Harmony'
(Reticulata)

I. pseudacorus
(sans barbes)

I. histrioides 'Major'
(Reticulata)

I. 'Early Light'
(à barbes)

I. 'Sun Miracle'
(à barbes)

I. fulva (sans barbes)

I. variegata
(à barbes)

I. 'Eye Bright'
(à barbes)

*I. 'Blue-eyed
Brunette'* (à barbes)

I. forrestii
(Sibirica)

I. 'Shepherd's Delight'
(à barbes)

I. 'Flamenco'
(à barbes)

Polygonatum × *hybridum*
Sceau de Salomon
Vivace de forme arquée, à rhizomes charnus. Au printemps, des groupes de petites fleurs pendantes, tubulaires, blanc verdâtre, s'épanouissent à partir de l'aisselle de feuilles ovales et pointues. H. 1,2 m ; E. 1 m.

☀ ◊ ❅❅❅

Peltiphyllum peltatum
Vivace étalée, à grandes feuilles arrondies. Au printemps, groupes de fleurs blanches ou rose pâle, sur des tiges à poils blancs, avant l'apparition du feuillage. H. 1,2 m ; E. 60 cm.

☀ ◑ ❅❅❅

Geranium phaeum
Vivace en touffe, à feuilles vert tendre, lobées ; fleurs violacées à pétales réfléchis, portées par des tiges d'allure lâche en fin de printemps. H. 75 cm ; E. 45 cm.

☀ ◊ ❅❅❅

Symphytum caucasicum
Consoude caucasicum
Vivace en touffe, portant au printemps des bouquets de fleurs pendantes, bleu azur. Son feuillage est rugueux, poilu, vert moyen. Plante à conseiller pour un jardin « sauvage ». H. et E. 90 cm.

☀ ◑ ❅❅❅

Tanacetum coccineum 'Brenda'
Pyrèthre 'Brenda'
Vivace érigée, à feuilles un peu aromatiques, d'allure plumeuse. Des capitules simples, rouge magenta, s'épanouissent en fin de printemps et début d'été. H. 60 cm ; E. 45 cm.

☀ ◊ ❅❅❅

197

Pivoines

Les pivoines sont connues depuis longtemps pour la belle allure de leur feuillage et les magnifiques couleurs de leurs fleurs, en fin de printemps et début d'été. Certaines pivoines sont herbacées, d'autres ligneuses, pouvant parfois dépasser 2 m de haut. Les fleurs peuvent être simples, doubles, ou en forme d'anémone (avec des pétales extérieurs larges et une masse de pièces pétaloïdes au centre).

P. emodi (simple)

P. suffruticosa 'Rock's Variety' (semi-double)

P. 'White Wings' (simple)

P. 'Krinkled White' (simple)

P. 'Whitleyi Major' (simple)

P. 'Baroness Schroeder' (double)

P. 'Duchesse de Nemours' (double)

P. 'Cornelia Shaylor' (double)

P. 'Shirley Temple' (double)

P. 'Mother of Pearl' (simple)

P. 'Kelway's Supreme' (double)

P. 'Avant Garde' (simple)

P. suffruticosa 'Reine Elizabeth' (double)

P. 'Sarah Bernhardt' (double)

P. 'Ballerina' (double)

P. 'Bowl of Beauty' (anémone)

P. 'Globe of Light' (anémone)

P. mascula (simple)

P. veitchii (simple)

P. 'Kelway's Gorgeous' (simple)

P. 'Magic Orb' (double)

P. officinalis 'China Rose' (simple)

P. 'Silver Flare' (simple)

P. 'Auguste Dessert' (semi-double)

P. 'Instituteur Doriat'
(anémone)

P. peregrina 'Sunshine'
(simple)

P. lutea var. ludlowii
(simple)

P. 'Knighthood'
(double)

P. wittmanniana
(simple)

P. 'Souvenir de Maxime
Cornu' (double)

P. tenuifolia
(simple)

P. 'Laura Dessert'
(double)

P. 'Mme Louis Henri'
(semi-double)

P. 'Sir Edward Elgar'
(simple)

P. delavayi (simple)

P. 'Argosy' (simple)

P. officinalis 'Rubra
Plena' (double)

P. mlokosewitschii
(simple)

Vivaces/moyennes PRINTEMPS
■■ BLEU, JAUNE

***Symphytum* × *uplandicum*
'Variegatum'**
**Consoude uplandicum
'Variegatum'**
Vivace à feuilles poilues vert grisâtre,
marginées de crème. Fin printemps et
début été, fleurs tubulaires bleues ou
bleu pourpré. H. 1 m.; E. 60 cm.

☼ ◗ ❀❀❀

Aciphylla aurea
Vivace formant une rosette de feuilles
persistantes vert jaunâtre. Elle porte des
hampes de fleurs jaunes, ayant jusqu'à
2 m de haut, de fin printemps à début
été. H. et E. 75 cm pour le
feuillage.

☼ ◊ ❀❀

Anigozanthos flavidus, p. 213
Euphorbia palustris
Hemerocallis lilio-asphodelus, p. 214
Trollius 'Alabaster', p. 229

***Doronicum pardalianches*,
syn. *D. cordatum***
Doronic pardalianches
Vivace en touffe, à feuilles vert vif
cordiformes. Au printemps, petits
capitules jaunes sur des tiges
frêles. S'étend facilement.
H. 75 cm; E. 60 cm.

☼◐ ◊ ❀❀❀

***Chelidonium majus* 'Flore Pleno'**
Chélidoine majus 'Flore Pleno'
Vivace à feuilles découpées vert vif. Fin
printemps et début été, fleurs doubles
jaunes, en forme de coupe, sur des tiges
ramifiées. Se ressème spontanément.
H. 90 cm; E. 30 cm.

☼ ◊ ❀❀❀

Asphodeline lutea
Bâton de Jacob
Vivace en touffe, portant en fin de
printemps des grappes denses de fleurs
jaunes en étoile, parmi les feuilles
gris-vert. H. 1,2 m; E. 1 m.

☼ ◊ ❀❀

Trollius europaeus, p. 232

199

☐ BLANC

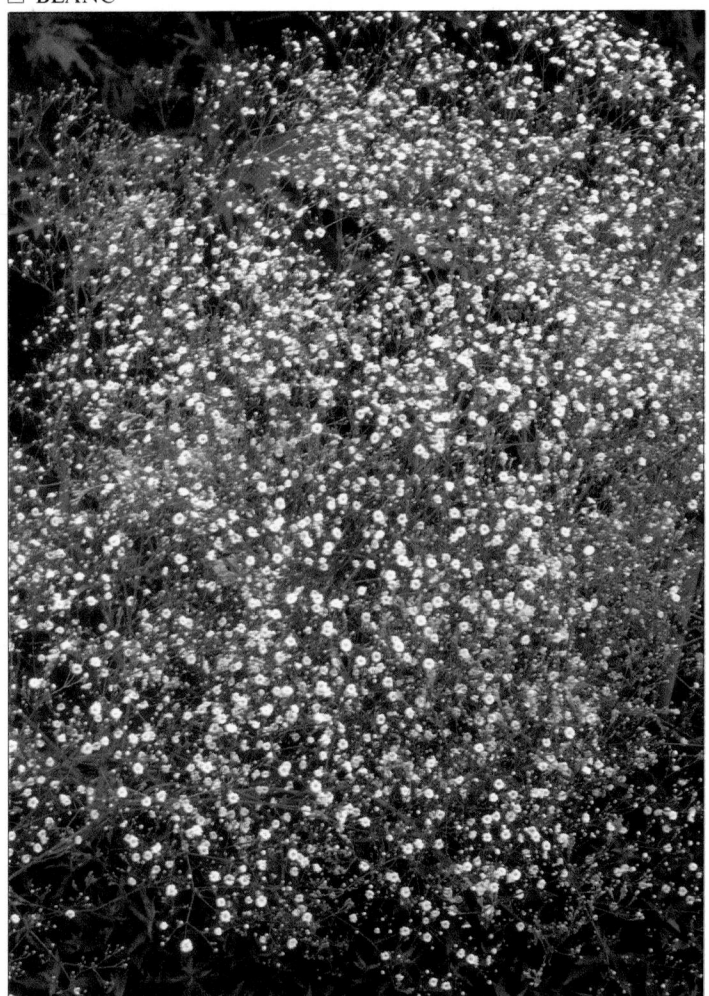

Gypsophila paniculata 'Bristol Fairy'
Gypsophile brouillard
Plante à petites feuilles vertes, et à tiges ramifiées d'allure raide portant en été des panicules de minuscules fleurs doubles blanches. H. 60-75 cm; E. 1 m.

☼ ◊ ❀ ❀ ❀

Achillea ptarmica 'The Pearl'
Bouton d'argent 'The Pearl'
Plante à tiges dressées, portant en été des groupes de capitules blancs en forme de pompons. Les feuilles sont lancéolées, pointues, vert sombre. Plante pouvant s'étendre rapidement. H. et E. 75 cm.

☼ ◊ ❀ ❀ ❀

Nicotiana alata
Tabac blanc odorant
Plante vivace souvent cultivée en annuelle. Fin été, groupes de fleurs blanc crème à extérieur brun violacé pâle, odorantes la nuit. Feuilles en rosette, vert moyen. H. 75 cm; E. 30 cm.

☼ ◊ ❀ ❀

Libertia grandiflora
Plante rhizomateuse formant une touffe; en début d'été, petites inflorescences compactes de fleurs blanches au-dessus de feuilles graminiformes, vert foncé brunissant à leur extrémité. En automne, fruits en capsules, décoratifs. H. 75 cm; E. 60 cm.

☼ ◊ ❀ ❀

Hesperis matronalis
Julienne des jardins,
Julienne des dames
Plante dressée; en été, grappes de nombreuses fleurs blanches ou violettes, à 4 pétales, très odorantes le soir. Feuilles lisses, ovales et étroites. H. 75 cm; E. 60 cm.

☼ ◊ ❀ ❀ ❀

Asphodelus albus
Asphodèle albus
Plante dressée, portant des grappes de fleurs blanches en forme d'étoile en fin de printemps ou début d'été. Les feuilles étroites, vert moyen, sont groupées en touffe à la base. H. 1 m; E. 45 cm.

☼ ◊ ❀ ❀

Anaphalis margaritacea,
syn. *A. yedoensis*
Immortelle de Virginie
Plante touffue; feuilles lancéolées gris-vert ou gris argenté à bordure blanche; fin été, sur tiges érigées, nombreux capitules de petites fleurs blanches séchant bien. H. 60-75 cm; E. 60 cm.

☼ ◊ ❀ ❀ ❀

Dicentra spectabilis f. alba
Cœur de Jeannette, Cœur de
Marie à fleurs blanches
Plante au feuillage très découpé vert clair. En fin de printemps et en été, grappes pendantes de fleurs blanc pur en forme de cœur. Il existe une variété à fleurs roses. H. 60-75 cm; E. 60 cm.

◑ ◊ ❀ ❀ ❀

Salvia argentea
Sauge argentée
Plante cultivée pour son feuillage argenté d'allure laineuse, formant une rosette. En été, inflorescences ramifiées de fleurs blanches de sauge sur des tiges fortes, dressées. H. 60 cm-1 m ; E. 45 cm.

Thalictrum aquilegiifolium 'White Cloud'
Pigamon 'White Cloud'
Plante aux feuilles vert grisâtre très divisées. En été, inflorescences de fleurs blanches délicates, légères. H. 1-1,2 m ; E. 30 cm.

Chrysanthemum x *superbum* 'Elizabeth'
Chrysanthème 'Elizabeth'
Plante robuste portant des capitules solitaires semblables à des marguerites blanches. Diviser la souche et replanter tous les 2 ans. H. 1 m ; E. 60 cm.

Rodgersia podophylla
Plante à rhizomes, formant une touffe. Les grandes feuilles fortement nervurées sont bronzées dans leur jeunesse, puis vertes, et enfin cuivrées. En été, longues panicules de fleurs blanc crème au-dessus du feuillage. H. 1,2 m ; E. 1 m.

Dictamnus albus
Fraxinelle
Plante dressée, portant en début d'été des grappes de fleurs blanches parfumées en forme d'étoile, avec de longues étamines. Les feuilles vert clair sont composées de folioles ovales. H. 1 m ; E. 60 cm.

Rodgersia sambucifolia
Plante rhizomateuse formant une touffe. Ses feuilles composées de grandes folioles sont vert, parfois teinté de bronze. Des panicules de fleurs blanc crème apparaissent au-dessus du feuillage en été. H. 1-1,2 m ; E. 1 m.

Myrrhis odorata
Cerfeuil musqué
Plante gracieuse ressemblant au cerfeuil. Ses feuilles vertes en forme de fougère sont aromatiques. En début d'été, fleurs blanc crème assez vif, odorantes. H. 60 cm-1 m ; E. 60 cm.

Chrysanthemum frutescens
Anthémis
Plante touffue portant en été de nombreux capitules blancs, jaunes ou roses ressemblant à des marguerites à centre jaune. Les feuilles d'un vert frais ont un limbe divisé. H. et E. 1 m.

Aruncus dioicus 'Kneiffii'
Barbe de bouc 'Kneiffii'
Plante à feuilles profondément découpées, d'allure plumeuse, à folioles lancéolées, sur des tiges élégantes. À mi-été, plumets ramifiés de minuscules fleurs blanc crème en forme d'étoile. H. 1 m ; E. 50 cm.

☐ BLANC

Rodgersia aesculifolia
Plante formant une touffe, excellente pour terrains marécageux ou bords d'étangs. À mi-été, plumets de fleurs parfumées blanc rosâtre au-dessus des feuilles gaufrées, légèrement bronzées, rappelant celles d'un marronnier. H. et E. 1 m.

☼ ⬤ ❈ ❈ ❈

Lysimachia clethroides
Lysimaque
Plante vigoureuse, en touffe, traçante, portant des épis de petites fleurs blanches s'élevant au-dessus du feuillage vert en fin d'été. H. 1 m; E. 60 cm-1 m.

☼ ⬤ ❈ ❈ ❈

Morina longifolia
Plante avec rosettes de longues feuilles persistantes dentées et épineuses, vert intense. À mi-été, verticilles de fleurs blanches envahies de rose, à corolle à tube recourbé, bien au-dessus du feuillage. H. 60-75 cm; E. 30 cm.

☼ ⬤ ❈ ❈

Veronica virginica f. alba
Véronique virginica, forme blanche
Plante dressée. Fin été, flèches de petites fleurs blanches au sommet de tiges entourées de feuilles verticillées, étroites, vert sombre. H. 1,2 m; E. 45 cm.

☼ ⬤ ❈ ❈ ❈

Papaver orientale 'Perry's White'
Pavot d'Orient 'Perry's White'
Plante à feuilles poilues, à racines profondes, charnues. En début d'été, fleurs blanc satiné au centre pourpre au sommet de forts pédoncules. Support parfois nécessaire. H. 80 cm; E. 60 cm.

☼ ⬤ ❈ ❈ ❈

Gillenia trifoliata
Plante dressée. En été, fleurs blanches délicates à calice brun rougeâtre, sur de nombreuses tiges raides. Feuilles lancéolées, vert foncé. Tuteurage nécessaire. Se plaît dans la plupart des situations, sauf en plein soleil. H. 1-1,2 m; E. 60 cm.

☼ ⬤ ❈ ❈ ❈

Valeriana officinalis
Valériane officinale
Plante formant une souche, et portant en été des inflorescences de fleurs allant du blanc au rose foncé. Feuilles profondément dentées, vertes. Plante attirant les chats. H. 1-1,2 m; E. 1 m.

☼ ⬤ ❈ ❈ ❈

Digitalis ferruginea
Digitale ferruginea
Plante souvent cultivée en bisannuelle. En été, longues flèches de fleurs à corolle en entonnoir, jaune très pâle avec des points rouge rouille; à la base, feuilles ovales en rosette. Multiplication par graines. H. 1-1,2 m; E. 30 cm.

☼ ⬤ ❈ ❈ ❈

Phlox maculata 'Omega'
Plante érigée. Elle porte, en été, de nombreuses grandes panicules, à peu près cylindriques, de fleurs blanches à centre violacé, sur des tiges robustes, entourées de nombreuses feuilles. H. 1 m; E. 45 cm.

☼ ⬤ ❈ ❈ ❈

Campanula persicifolia 'Fleur de Neige'
Chrysanthemum × superbum 'Aglaia'
Chrysanthemum × superbum 'Wirral Supreme'

Gaura lindheimeri
Ranunculus aconitifolius 'Flore Pleno', p. 195
Smilacina racemosa, p. 195

Xerophyllum tenax

Linaria purpurea 'Canon Went'
Linaire 'Canon Went'
Plante dressée; épis de fleurs roses à
taches orangées sur les lèvres en forme
de gueules-de-loup, de mi- à fin été.
Feuilles étroites gris-vert.
H. 60 cm-1 m; E. 60 cm.

Geranium x *oxonianum*
'Winscombe'
Plante tapissante à nombreuses feuilles
semi-persistantes, délicates, lobées; en
été, fleurs rose foncé se décolorant en
rose pâle. H. 60-75 cm; E. 45 cm.

Malva moschata
Mauve moschata
Plante touffue, ramifiée; en début d'été,
succession de bouquets de fleurs roses
en forme de coupe. Feuilles étroites,
incisées, lobées, légèrement odorantes.
H. 60 cm-1 m; E. 60 cm.

Dictamnus albus var. *purpureus*
Fraxinelle var. purpureus
Plante dressée. En début d'été, grappes
raides de fleurs parfumées, en étoile,
rose pourpré ou parfois plus pâles, à
longues étamines. Feuilles vert clair à
folioles ovales. H. 1 m; E. 60 cm.

Polygonum bistorta 'Superbum'
Renouée bistorte 'Superbum'
Plante sous-ligneuse vigoureuse formant
une touffe, produisant pendant tout l'été
des épis de fleurs rose tendre au-dessus
des feuilles ovales. H. 60-75 cm;
E. 60 cm.

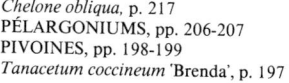

Monarda didyma 'Croftway Pink'
Monarde 'Croftway Pink'
Plante formant une touffe, et portant
pendant tout l'été des verticilles de
fleurs rose tendre à nombreuses
bractées, au-dessus de la masse du
feuillage aromatique. H. 1 m; E. 45 cm.

Sidalcea 'Jimmy Whittet'
Sidalcée 'Jimmy Whittet'
Plante portant, à la base, des masses de
feuilles vert vif. En été, elle porte des
fleurs roses sur des tiges érigées.
H. 1-1,2 m; E. 1 m.

Chrysanthemum frutescens 'Mary
Wootton'
Anthémis 'Mary Wootton'
Plante sous-arbustive, portant des
capitules roses tout l'été. Feuillage
persistant intéressant vert pâle, très
divisé. H. et E. jusqu'à 1 m. [A]

■ ROSE

Astilbe 'Venus'
Plante très feuillue, portant en été des
plumets légers de minuscules fleurs rose
pâle. Feuilles assez grandes composées
de folioles. Les fleurs sèches et brunes
restent sur la plante jusqu'en hiver. Elle
préfère un sol humifère.
H. et E. jusqu'à 1 m.

☼◖ ◊ ✾✾✾

Astilbe 'Ostrich Plume'
Plante à nombreuses feuilles divisées,
élégantes. En été, plumets légers, arqués,
de minuscules fleurs rose corail qui,
sèches, brunies, restent sur la plante
jusqu'en hiver. Préfère un sol humifère.
H. et E. jusqu'à 1 m.

☼◖ ◊ ✾✾✾

**Echinacea purpurea 'Robert
Bloom'**
Plante à tiges dressées, à feuilles vert
sombre lancéolées. En été, capitules
solitaires rose cramoisi à centre conique
brun, sur des tiges robustes. A besoin
d'un sol humifère. H. 1,2 m; E. 50 cm.

☼ ◊ ✾✾✾

Lupinus 'The Chatelaine'
Lupin 'The Chatelaine'
Plante formant une touffe, et portant en
début d'été des grappes de fleurs rose et
blanc au-dessus des feuilles composées.
H. 1,2 m; E. 45 cm.

☼ ◊ ✾✾✾

Centaurea pulcherrima
Centaurée pulcherrima
Plante érigée; feuilles argentées à limbe
profondément divisé. Des capitules
roses, dont le centre est plus pâle que le
tour, sont portés, en solitaires, sur des
tiges frêles en été. H. 75 cm; E. 60 cm.

☼ ◊ ✾✾✾

Phlox paniculata 'Eva Cullum'
Plante dressée, portant en milieu d'été
des panicules pyramidales de fleurs rose
clair à œil rose pourpre. H. 80 cm;
E. 60 cm.

☼ ◊ ✾✾✾

Physostegia virginiana
'Variegata'
Plante dressée; en fin d'été, épis de
fleurs en tube élargi, rose violacé.
Feuilles dentées vertes, panachées de
blanc. H. 1-1,2 m; E. 60 cm.

☼ ◊ ✾✾✾

Rehmannia elata
Plante portant de début à mi-été à
l'aisselle des feuilles des fleurs rose
pourpré à gorge jaune, à corolle
tubuleuse bilabiée; feuilles entaillées,
serrées contre les tiges.
H. 1 m; E. 45 cm. [A]

☼ ◊

Kohleria digitaliflora
Plante rhizomateuse érigée, touffue, à
tiges à poils blancs. Feuilles poilues; en
été-automne, groupes de fleurs poilues à
corolle tubulaire rose élargie, terminée
par des lobes verts à points pourpres.
H. 60 cm et plus;
E. 45 cm. [A]

☼◖ ◊

Dicentra spectabilis
Cœur de Jeannette ou de Marie
Plante formant une masse de feuilles
vert moyen à limbe profondément
divisé; tiges arquées portant des fleurs
pendantes, en cœur, rouge rosâtre et
blanc, en fin de printemps et en été.
H. 75 cm; E. 50 cm.

Phlox paniculata 'Harlequin'
Plante dressée produisant des
inflorescences coniques de fleurs
pourpre rougeâtre en fin d'été. Le
feuillage vert est panaché de blanc
ivoire. H. 1-1,2 m; E. 45 cm.

Lythrum salicaria 'Firecandle',
Salicaire 'Firecandle'
Plante en touffe pour le bord de l'eau ou
les jardins marécageux. Étroits épis de
fleurs rouge rosé intense du milieu à la
fin d'été, au-dessus du feuillage vert.
H. 1 m; E. 45 cm.

Mirabilis jalopa
Belle de nuit
Plante touffue. En été, le feuillage vert
moyen est couvert de fleurs parfumées,
en forme de trompette, de couleur
cramoisie ou rose, blanche ou jaune,
s'épanouissant le soir. H. 60 cm-1,2 m;
E. 60-75 cm.

Lythrum virgatum 'The Rocket'
Plante formant une touffe et portant en
été d'étroits épis de fleurs rouge rosé
au-dessus du feuillage vert. Bonne
plante pour sols saturés d'eau. H. 1 m;
E. 45 cm.

Geranium psilostemon,
syn. *G. armenum*
Plante en touffe, dont les feuilles larges,
très découpées, ont une belle couleur
d'automne; en milieu d'été, nombreuses
fleurs rouge violacé à centre noir.
H. et E. 1,2 m.

Phlox paniculata 'Brigadier'
Plante dressée, portant en fin d'été des
inflorescences coniques de fleurs rose
rougeâtre envahi en partie d'orange,
au-dessus de feuilles lancéolées vert
sombre. H. 1,2 m; E. 60 cm.

Lupinus 'Inverewe Red'
Lupin 'Inverewe Red'
Plante dressée, à feuilles composées vert
vif. En début d'été, longues grappes
dressées de fleurs rouges. Rabattre la
plante après la floraison. Sa vie est
parfois courte.
H. 1-1,2 m; E. 60 cm.

Pélargoniums

Les pélargoniums (appelés souvent improprement « géranium ») sont parmi les plantes les plus populaires. Assez tolérants, ils peuvent être cultivés en pot ou en massif. Sous abris vitrés, ils fleurissent de façon presque continue. Ils ont besoin de chaleur, de soleil, d'un sol bien drainé. Ils craignent l'humidité excessive.

1. P. zonale et p. des jardins : ce sont les plus communs (feuilles arrondies à zone plus foncée, fleurs simples ou doubles).

2. P. des fleuristes : feuilles à bords en dent de scie et fleurs en trompette très ouverte. Plante réservée à la culture en pot.

3. P. à feuilles de lierre : plante sarmenteuse, retombante, à feuilles lobées, un peu charnues et à fleurs simples ou doubles.

4. P. à feuilles aromatiques et autres espèces : plante à petites fleurs souvent un peu irrégulières en forme d'étoile.

P. ´Alberta´
(groupe 1)

P. ´Lesley Judd´
(groupe 2)

P. ´Ivalo´
(groupe 1)

P. peltatum ´Lachs-königin´ (groupe 3)

P. ´Mini Cascade´
(groupe 3)

P. × *fragrans*
(groupe 4)

P. ´Mauritania´
(groupe 1)

P. ´Dale Queen´
(groupe 1)

P. ´Purple Emperor´
(groupe 2)

P. ´Irene´
(groupe 1)

P. peltatum ´Tavira´
(groupe 3)

P. ´Fraicher Beauty´
(groupe 1)

P. ´Timothy Clifford´
(groupe 1)

P. ´Schöne Helena´
(groupe 1)

P. ´Francis Parrett´
(groupe 1)

P. ´Tip Top Duet´
(groupe 2)

P. ´Rollinson's Unique´

P. ´Mr Henry Cox´
(groupe 1)

P. frutetorum ´The Boar´ (groupe 1)

P. ´Autumn Festival´
(groupe 2)

P. peltatum ´Amethyst´
(groupe 3)

P. ´Manx Maid´
(groupe 2)

P. ´Rouletta´
(groupe 3)

P. ´Friesdorf´
(groupe 1)

P. ´Paul Humphris´
(groupe 1)

P. ´Bredon´
(groupe 2)

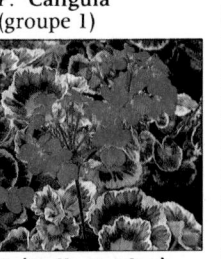
P. 'Mme Fournier'
(groupe 1)

P. 'Caligula'
(groupe 1)

P. 'Royal Oak'
(groupe 4)

P. 'Dolly Varden'
(groupe 1)

P. capitatum
(groupe 4)

P. 'Élégante'
(groupe 3)

P. 'Flower of Spring'
(groupe 1)

P. 'Purple Unique'

P. tomentosum
(groupe 4)

P. 'Mrs Pollock'
(groupe 1)

P. 'Mabel Grey'
(groupe 4)

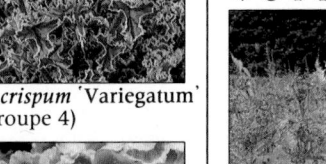
P. crispum 'Variegatum'
(groupe 4)

P. 'Orange Ricard'
(groupe 1)

P. 'Mrs Quilter'
(groupe 1)

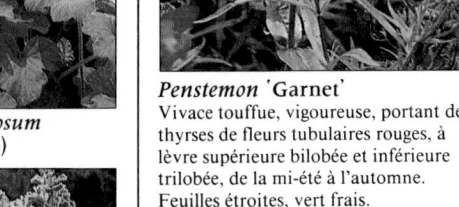
Penstemon 'Garnet'
Vivace touffue, vigoureuse, portant des
thyrses de fleurs tubulaires rouges, à
lèvre supérieure bilobée et inférieure
trilobée, de la mi-été à l'automne.
Feuilles étroites, vert frais.
H. 75 cm ; E. 60 cm.

☼ ◊ ❄❄

Filipendula purpurea
Filipendule purpurea
Vivace dressée, à feuilles profondément
lobées. Elle produit des bouquets
terminaux de très nombreuses petites
fleurs pourpre vif. Bonne
plante pour le bord des
eaux. H. 1,2 m ; E. 60 cm.

◐ ◊ ❄❄❄

Centranthus ruber
Valériane rouge
Vivace formant des touffes de feuilles
charnues ; de fin printemps à automne,
bouquets ramifiés de petites fleurs rouge
rosé foncé, au-dessus du feuillage. Se
développe bien en sol pauvre et
exposition ventée. H. et E. 60 cm.

☼ ◊ ❄❄❄

Cirsium rivulare 'Atropurpureum'
Geranium maderense
Lobelia 'Dark Crusader'
Phormium tenax 'Dazzler', p. 223

Sanguisorba officinalis 'Rubra'

Plantes vivaces/taille moyenne

■ ROUGE

Aquilegia vulgaris 'Nora Barlow'
Ancolie 'Nora Barlow'
Plante ayant, en été, des fleurs doubles, rouges à extrémités vertes, portées par de longues tiges. Les pétales en cornet ont de petits éperons. Feuilles gris-vert, profondément divisées. H. 60-75 cm; E. 50 cm.

☼ ◊ ✿✿✿

Polygonum amplexicaule 'Firetail'
Renouée amplexicaule 'Firetail'
Plante en touffe; étroits épis de fleurs rouge vif au-dessus des feuilles en forme de cœur, en été et automne. H. et E. 1-1,2 m.

☼ ◊ ✿✿✿

Astilbe 'Montgomery'
Plante très feuillue; plumets légers de petites fleurs rouge saumoné foncé en été. Feuilles larges à folioles. Les fleurs sèches, devenues brunes, restent sur la plante jusqu'en hiver. Préfère un sol humifère. H. 75 cm; E. jusqu'à 1 m.

☽ ◊ ✿✿✿

Knautia macedonica, syn.
Scabiosa rumelica
Scabieuse rumelica
Plante dressée à feuilles très divisées; en été, têtes globuleuses de fleurs cramoisies doubles sur de nombreuses tiges ramifiées plutôt molles. Tuteurage nécessaire. H. 75 cm; E. 60 cm.

☼ ◊ ✿✿✿

Cosmos atrosanguineus,
syn. *Bidens atrosanguinea*
Plante dressée; ses capitules marron cramoisi, à odeur de chocolat, s'épanouissent fin été. Dans les endroits assez chauds, les tubercules peuvent supporter l'hiver avec un paillis protecteur. H. 60 cm ou plus; E. 45 cm.

☼ ◊ ✿

Polygonum milletii
Renouée milletii
Plante compacte produisant d'étroits épis de fleurs cramoisi intense au-dessus de feuilles étroites, de mi-été à début d'automne. H. et E. 60 cm ou plus.

☼ ◊ ✿✿✿

Lobelia 'Cherry Ripe'
Plante en touffe, portant des fleurs écarlates de milieu à fin été. Les feuilles, habituellement d'un vert frais, sont assez souvent teintées de rouge bronzé. H. 1 m; E. 25 cm.

☼ ◊ ✿

Hemerocallis 'Stafford'
Hémérocalle 'Stafford'
Plante vigoureuse formant une touffe; de mi- à fin été, fleurs en forme de trompette, rouge vif à gorge marron et jaune, à nervure jaune médiane sur chaque pétale. Feuilles en forme de ruban. H. 75 cm; E. 60 cm.

☼ ◊ ✿✿✿✿

Lobelia 'Queen Victoria'
Plante en touffe. De fin été à mi-automne, grappes de fleurs rouge éclatant disposées sur des tiges ramifiées au-dessus du feuillage pourpre foncé situé à la base. H. 1 m; E. 30 cm.

☼ ◊ ✿

Ruellia graecizans, syn. *R. amoena*
Plante suffrutescente touffue, à tiges très étalées. Feuilles ovales, pointues, persistantes, de 10 cm de long. Par intermittence, groupes de petites fleurs tubulaires écarlates, sur des pédoncules ayant jusqu'à 10 cm de long. H. et E. 60 cm ou plus. [A]

☼ ◊

Hedysarum coronarium
**Sainfoin d'Espagne, ou
à bouquets**
Plante vivace ou bisannuelle étalée,
arbustive. En été, grappes de fleurs
rouge vif ressemblant à des pois de
senteur, au-dessus des feuilles vert
moyen à limbe divisé. H. et E. 1 m.

☼ ◊ ❀❀❀

Monarda didyma 'Cambridge
Scarlet'
Monarde 'Cambridge Scarlet'
Plante formant une touffe, et portant
durant l'été des verticilles de fleurs
rouge intense à bractées, au-dessus de la
masse du feuillage poilu aromatique.
H. 1 m; E. 45 cm.

☼ ◊ ❀❀❀

Columnea × *banksii*
Plante rampante; feuilles ovales
charnues à dessus brillant et à dessous
rouge pourpré. Fleurs tubulaires, ayant
jusqu'à 8 cm de long, rouge vif, du
printemps à l'hiver. Plante utile pour
paniers suspendus. H. 90 cm;
E. variable. A

☼ ◊

Russelia equisetiformis,
syn. *R. juncea*
Plante corail
Plante touffue, ramifiée, à tiges rappelant
celles des joncs, à petites feuilles
persistantes. En été et en automne,
panicules pendantes de fleurs tubulaires
écarlates. H. 1 m ou plus; E. 60 cm. A

☼ ◊

Papaver orientale 'Allegro Viva'
Pavot d'Orient 'Allegro Viva'
Plante à feuilles poilues, à racines
charnues très profondes. Elle porte en
été des fleurs écarlate vif sur de robustes
pédoncules. H. 60-75 cm; E. 45 cm.

☼ ◊ ❀❀❀

Anigozanthos manglesii
Plante vigoureuse, touffue, portant des
corymbes de grandes fleurs tubulaires
laineuses, rouge et vert, au printemps et
en début d'été. Feuilles longues et
étroites, gris-vert. H. 1 m; E. 45 cm.

☼ ◊ pH ❀

Kohleria eriantha
Plante robuste, touffue dont les tiges
portent des poils rougeâtres. Feuilles
ovales, jusqu'à 13 cm de long, bordées
de poils rouges. En été, fleurs réunies en
groupes inclinés, tubulaires, rouges, à
lobes parsemés de taches jaunes. H. et
E. 1 m ou plus. A

◐ ◊

Glycyrrhiza glabra
Réglisse
Plante dressée; en fin d'été, racèmes de
fleurs papilionacées bleu violacé et
blanc, sur des tiges érigées. Grandes
feuilles à folioles ovales. Elle est cultivée
pour la production de la réglisse.
H. 1,2 m; E. 1 m.

☼ ◊ ❀❀❀

Acanthus hungaricus,
syn. *A. longifolius*
Acanthe longifolius
Plante à longues feuilles basales vert
foncé, très découpées. En été, épis de
fleurs violet et blanc, ou teintées de rose,
entourées de bractées épineuses rouge
pourpre. H. 60 cm-1 m; E. 1 m.

☼ ◊ ❀❀❀

Asclepias curassavica
Calceolaria integrifolia
Gaillardia × *grandiflora* 'Dazzler', p. 240
ORCHIDÉES, pp. 252-255

Papaver orientale

PÉLARGONIUMS, pp. 206-207

■ POURPRE, VIOLET

Acanthus spinosus
Acanthe spinosus
Plante d'allure imposante; très grandes feuilles arquées, à pointes épineuses et à limbe vert sombre brillant très découpé. En été, nombreux épis de fleurs en entonnoir, pourpre et blanc. H. 1,2 m; E. 60 cm ou plus.

Monarda fistulosa
Monarde fistulosa
Plante formant une touffe et produisant de milieu à fin été de petites têtes de fleurs de couleur violet-lilas à bractées. H. 1,2 m; E. 45 cm.

Geranium sylvaticum
´Mayflower´
Plante dressée dont la touffe de la base est formée de feuilles à lobes profonds. Au-dessus du feuillage, en début d'été, s'élèvent des tiges ramifiées portant des fleurs bleu violacé en forme de coupe. H. 1 m; E. 60 cm.

Campanula glomerata ´Superba´
Campanule glomerata ´Superba´
Plante vigoureuse formant une touffe. En été, têtes denses, arrondies, d'assez grosses fleurs pourpres en cloche. Il faut régulièrement diviser les touffes et replanter. H. 75 cm; E. 1 m ou plus.

Phlox paniculata ´Norah Leigh´
Plante dressée, portant en été des inflorescences coniques de fleurs couleur lilas pâle, au-dessus des feuilles vert moyen panaché d'ivoire. H. 1 m; E. 60 cm.

Linaria triornithophora
Linaire triornithophora
Plante dressée; du début à la fin d'été verticilles de fleurs violettes à palais orangé ressemblant à des mufliers, au-dessus des feuilles étroites gris-vert. H. 1 m; E. 60 cm.

Thalictrum aquilegiifolium
Pigamon aquilegiifolium
Plante formant une touffe, avec une masse de feuilles gris-vert finement divisées. En été, elle porte des grappes de fleurs pourpre-lilas sur des tiges robustes. H. 1-1,2 m; E. 45 cm.

Veronica longifolia ´Romiley Purple´
Véronique longifolia ´Romiley Purple´
Plante formant une touffe. En été, profusion de grandes grappes de fleurs violettes. Feuilles verticillées vert moyen. H. 1-1,2 m; E. 30-60 cm.

Campanula trachelium
Gantelée
Vivace dressée à feuilles rugueuses, dentées, lancéolées, la plupart basales ; assez grandes fleurs campanulées bleu ou bleu violacé erspacées le long de tiges érigées, en été. H. 1 m ; E. 30 cm.

Dichorisandra reginae
Vivace érigée formant une touffe. Feuilles persistantes luisantes, à dessous pourpré, souvent tachées et à bandes argentées. En été et en automne, elle porte de petites grappes de fleurs bleu violacé. H. 75 cm ; E. 30 cm. A

Echinops ritro 'Veitch's Blue'
Vivace dressée portant des glomérules bleu pourpré en fin d'été sur des tiges argentées. Ses feuilles très découpées ont un dessous pâle et cotonneux. H. 1,2 m ; E. 75 cm.

Galega orientalis
Vivace dressée, vigoureuse, portant en été des grappes de fleurs papilionacées bleu violacé au-dessus des feuilles délicates divisées en folioles ovales. Tuteurage utile. Plante s'étendant facilement. H. 1,2 m ; E. 60 cm.

Campanula trachelium 'Bernice'
Gantelée 'Bernice'
Vivace dressée portant en été des fleurs larges, doubles, bleu violacé, le long de tiges érigées. Les feuilles rugueuses, dentées, lancéolées, sont pour la plupart basales. H. 75 cm ; E. 30 cm.

Aconitum × bicolor
Aconit hybride bicolor
Vivace tubéreuse, à fleurs bleu violacé et blanc s'épanouissant en été le long de tiges dressées parfois ramifiées. Feuilles très divisées et découpées, luisantes, vert foncé. Racine toxique. H. 1,2 m ; E. 50 cm.

Baptisia australis
Vivace dressée portant en été des grappes de fleurs papilionacées bleu violacé. Feuilles vert vif à folioles ovales pointues ; gousses gris foncé utiles pour les décorations d'hiver. H. 75 cm ; E. 60 cm.

Salvia nemorosa 'May Night'
syn. *S.* × *superba* 'May Night'
Sauge 'May Night'
Vivace élégante formant une touffe, à feuilles ridées. Fin printemps et en été, grappes un peu raides de fleurs bleu violacé. H. 1 m ; E. 45 cm.

■■■ VIOLET, BLEU

Dianella tasmanica
Vivace dressée portant en été des panicules de fleurs bleu vif ou bleu violacé, suivies de baies bleu foncé en automne. Feuilles persistantes linéaires. H. 1,2 m ; E. 50 cm.

☼ ◊ ❀❀

Eryngium alpinum
Chardon bleu des Alpes
Vivace dressée à rosettes basales de feuilles en cœur, dentées. En été, fortes tiges portant des feuilles sessiles et des ombelles de fleurs bleu violacé, entourées de bractées bleues et d'épines souples. H. 1 m ; E. 60 cm.

☼ ◊ ❀❀❀

Eryngium tripartitum
Panicaut tripartitum
Vivace dont les tiges raides surgissent d'une rosette basale de feuilles dentées gris-vert. En été et automne, ombelles de fleurs bleu métallisé sur des tiges bleutées, utiles pour les bouquets secs. H. 1,2 m ; E. 50 cm.

☼ ◊ ❀❀❀

Meconopsis grandis 'Branklyn'
Pavot bleu 'Branklyn'
Vivace érigée portant en début d'été de grandes fleurs inclinées bleues, en forme de pavot, sur des tiges robustes. Feuilles oblongues poilues, légèrement dentées, groupées pour la plupart à la base. H. 1,2 m ; E. 45 cm.

☀ ◊ pH ❀❀❀

Eryngium x *oliverianum*
Panicaut hybride oliverianum
Vivace dressée produisant des ombelles de fleurs bleu lavande, en fin d'été. Feuilles radicales arrondies, feuilles caulinaires trilobées vertes. H. 1 m ; E. 60 cm.

☼ ◊ ❀❀❀

Campanula persicifolia 'Telham Beauty'
Campanule persicifolia 'Telham Beauty'
Vivace à rosette basale de feuilles étroites vert vif. En été, grappes de grandes fleurs inclinées bleu clair. H. 1 m ; E. 30 cm.

☼ ◊ ❀❀❀

Meconopsis betonicifolia
Pavot bleu de l'Himalaya
Vivace en touffe. Fin printemps et début d'été, fleurs bleues. Feuilles oblongues vert moyen groupées en rosette basale, puis réparties le long des tiges florales. H. 1,2 m ; E. 45 cm.

☀ ◊ pH ❀❀❀

Cichorium intybus
Chicorée sauvage, Endive
Vivace en touffe, avec des rosettes basales de feuilles vert clair, et, en été, des capitules de fleurs bleu intense situées sur la partie supérieure des tiges. Fleurs au maximum de leur beauté le matin. H. 1,2 m ; E. 45 cm.

☼ ◊ ❀❀❀

Agapanthus 'Dorothy Palmer'
Agapanthe 'Dorothy Palmer'
Vivace en touffe. En fin d'été, ombelles de fleurs bleu intense, virant au mauve, sur des tiges érigées. Feuilles étroites vert légèrement grisâtre. Protéger la souche en hiver par un paillis. H. 1 m ; E. 50 cm.

☼ ◊ ❀❀

Aster x *frikartii* 'Mönch', p. 220
Campanula lactiflora
Campanula persicifolia 'Pride of Exmouth'
DELPHINIUMS, p. 192

Dianella caerulea
Eryngium giganteum
Geranium pratense
Linaria purpurea

Salvia haematodes
Trachelium caeruleum, p. 274

Agapanthus praecox subsp.
orientalis
Agapanthe orientalis
Vivace à touffes de feuilles vert foncé
persistantes. Fin été, ombelles denses de
fleurs bleues sur de fortes tiges. Bonne
plante à cultiver en pot. H. 1 m ;
E. 60 cm.

☼ ◊ ❀

Rheum alexandrae
Vivace en touffe. Début été, fleurs
crème, groupées en panicules et cachées
en partie par de grandes bractées, de
blanc verdâtre à crème.
Feuilles luisantes vert foncé.
H. 1 m ; E. 60 cm.

☼ ◊ ❀❀❀

Verbascum 'Gainsborough'
Molène 'Gainsborough'
Vivace à vie assez courte formant une
rosette, et portant en été des racèmes
ramifiés de fleurs jaune soufre pâle,
au-dessus des feuilles semi-persistantes
ovales du bas des tiges florales.
H. 1,2 m ; E. 60 cm.

☼ ◊ ❀❀❀

Anigozanthos flavidus
Vivace touffue portant au printemps et
en été des corymbes de grandes fleurs
tubulaires laineuses, vert jaunâtre
parfois teinté de rouge, à anthères
rougeâtres. Feuilles linéaires vert moyen
ayant jusqu'à 60 cm de long. H. 1,2 m ;
E. 45 cm.

☼ ◊ pH ❀

Cynoglossum nervosum
Cynoglosse nervosum
Vivace en touffe. En été, petits groupes
de fleurs bleu vif, ressemblant à des
Myosotis, sur des tiges ramifiées,
au-dessus des feuilles étroites
vert moyen. H. 75 cm ;
E. 50 cm.

☼ ◊ ❀❀❀

Anchusa azurea 'Loddon
Royalist'
Buglosse 'Loddon Royalist'
Vivace dressée portant en début d'été des
grappes de fleurs bleu foncé. La plupart
des feuilles lancéolées, poilues, sont groupées à la base de la plante. Support nécessaire. H. 1,2 m ; E. 60 cm.

☼ ◊ ❀❀❀

Nepeta govaniana
Vivace dressée et ramifiée. En été, elle
porte des grappes de longues fleurs à
corolle bilabiée jaune pâle au-dessus
d'une masse de feuilles pointues gris-
vert. H. 1 m ; E. 60 cm.

☼ ◊ ❀❀❀

Thalictrum lucidum
Pigamon lucidum
Vivace à feuilles luisantes composées de
nombreuses folioles. En été, de fortes
tiges portent des panicules lâches de
fleurs jaunâtres plumeuses.
H. 1,2 m ; E. 50 cm.

☼ ◊ ❀❀❀

DELPHINIUMS, p. 192
Gentiana asclepiadea, p. 220
IRIS, pp. 196-197
Meconopsis grandis

Salvia nemorosa
Veronica exaltata
Veronica longifolia

Artemisia pontica, p. 245
HOSTAS, p. 244
ORCHIDÉES, pp. 252-255
Tovara virginiana 'Painter's Palette', p. 245

Chrysanthemum frutescens
'Jamaica Primrose'
Anthémis 'Jamaica Primrose'
Vivace touffue à feuilles vert pâle, à
limbe divisé «en fougère». En été,
nombreux capitules jaune tendre.
Prélever les boutures début automne.
H. et E. 1 m.

Anthemis tinctoria 'E.C. Buxton'
Œil de bœuf 'E.C. Buxton'
Vivace en touffe. En été, masses de
capitules jaune citron, solitaires, sur des
tiges frêles. Tailler sévèrement après
floraison pour avoir une bonne rosette
de feuilles pour l'hiver. H. et E. 1 m.

Aconitum vulparia,
syn. *A. lycoctonum*
Aconit tue-loup
Vivace dressée. En été, fleurs jaune
paille sur des tiges raides ramifiées.
Feuilles vert sombre, profondément
divisées. Tuteurage nécessaire. H.
1,2 m.; E. 60 cm.

Gentiana lutea
Grande Gentiane
Vivace érigée à tiges simples, dont les
feuilles ovales sans pétiole ont jusqu'à
30 cm de long. En été, verticilles denses
de fleurs tubulaires jaunes à l'aisselle de
bractées verdâtres. H. 1,2 m.; E. 60 cm.

Phlomis russeliana
Vivace qui est un bon couvre-sol avec
ses grandes feuilles rugueuses en forme
de cœur. En été, des tiges robustes
portent des verticilles de fleurs à
nombreuses bractées jaune «beurre
frais». H. 1 m.; E. 60 cm ou plus.

Hemerocallis 'Marion Vaughn'
Hémérocalle 'Marion Vaughn'
Vivace en touffe. A mi-été, fleurs
parfumées, en trompette, jaune citron
pâle à gorge verte, durant un seul jour.
Pétales à nervure médiane en relief
presque blanche. Feuilles en lanière,
vert moyen. H. 1 m; E. 60 cm.

Hemerocallis flava
Hémérocalle jaune
Vivace robuste, en touffe, qui s'étale.
Fin printemps et début été, fleurs, de
jaune citron à jaune chrome, parfumées,
en trompette, ne durant qu'1 jour ou 2.
Feuilles étroites vert moyen. H. et E.
60 cm ou plus.

Lysimachia punctata
Lysimaque punctata
Vivace en touffe produisant en été des
verticilles feuillés de fleurs jaune vif
au-dessus de feuilles vert moyen.
H. 75 cm; E. 60 cm.

Solidago 'Laurin'
Verge d'or 'Laurin'
Vivace compacte portant des grappes de capitules de fleurs jaunes en fin d'été. Son feuillage est vert moyen. H. 75 cm ; E. 45 cm.

Thermopsis montana
Vivace dressée portant en été des grappes de fleurs jaune vif, au-dessus des feuilles composées, vert moyen. H. 1 m ; E. 60 cm.

Rudbeckia fulgida 'Goldsturm'
Vivace dressée, portant en fin d'été et en automne des capitules jaune d'or à centre conique noir, au sommet de tiges robustes. Feuilles étroites, rudes, vert moyen. H. 75 cm ; E. 30 cm ou plus.

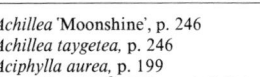

Inula hookeri
Vivace en touffe à feuilles lancéolées ou elliptiques, poilues. En été, elle porte des masses de capitules jaune verdâtre, légèrement odorants, ressemblant à des marguerites. H. 75 cm ; E. 45 cm.

Achillea 'Coronation Gold'
Achillée 'Coronation Gold'
Vivace dressée, à feuilles plumeuses argentées. Larges capitules plats de petites fleurs jaunes, en été (à utiliser, secs, en décoration d'hiver). Diviser et replanter tous les 3 ans. H. 1 m ; E. 60 cm.

Aphelandra squarrosa 'Louisae'
Vivace érigée. Feuilles longues, ovales, brillantes, un peu ridées, vert foncé, à nervures blanches. Épis denses de fleurs jaune d'or à l'aisselle de bractées jaunes en fin d'été jusqu'à l'automne. H. 1 m ; E. 60 cm. A

Solidago 'Goldenmosa'
Verge d'or 'Goldenmosa'
Vivace en touffe portant des capitules de fleurs jaunes en fin d'été et en automne, au-dessus des feuilles lancéolées, dentées, poilues, vert jaunâtre. H. 1 m ; E. 60 cm.

Verbascum nigrum
Molène nigrum
Vivace en touffe. En été et en automne, épis étroits de petites fleurs jaunes à centre pourpre. Feuilles semi-persistantes oblongues, vert moyen à dessous duveteux. H. 1 m ; E. 60 cm.

Hemerocallis citrina
Hémérocalle citrina
Vivace formant une touffe. En milieu d'été, nombreuses fleurs assez grandes, très parfumées, en trompette, jaune citron, s'ouvrant la nuit pour ne durer qu'une journée. Feuilles en lanière vert foncé. H. et E. 75 cm.

Berkheya macrocephala
Vivace dressée, portant de grands capitules jaunes, ressemblant à des marguerites, sur des tiges à feuilles épineuses, pendant tout l'été. Préfère un sol fertile et une situation chaude abritée. H. et E. 1 m.

Achillea filipendulina 'Gold Plate'
Achillée filipendulina 'Gold Plate'
Vivace dressée. En été, larges capitules plats de fleurs jaunes gardant bien leur couleur en séchant. Plante à diviser régulièrement. H. 1,2 m ou plus ; E. 60 cm.

□ JAUNE

□ ORANGE

Sphaeralcea ambigua
Vivace ramifiée, sous-ligneuse. Elle produit des fleurs solitaires orange corail à l'aisselle de feuilles à partir de l'été jusqu'aux premiers froids. Feuilles souples, velues, vert moyen. H. et E. 1 m.

☼ ◊ ✱

Asclepias tuberosa
Vivace tubéreuse érigée, à feuilles lancéolées jusqu'à 15 cm de long. En été, petites fleurs rouge orangé vif, à 5 cornes, suivies de capsules étroites et pointues jusqu'à 15 cm de long. H. 75 cm; E. 45 cm.

☼ ◊ ✱✱✱

Kniphofia snowdenii
Vivace dressée dont le feuillage, basal, ressemble à de l'herbe. En été, fleurs rose corail à intérieur jaunâtre, réparties le long de grappes terminales. A protéger en hiver. H. 1 m; E. 50 cm.

☼ ◊ ✱✱

Euphorbia griffithii 'Fireglow'
Euphorbe griffithii 'Fireglow'
Vivace touffue. Au début de l'été, ombelles terminales de fleurs rouge orangé. Feuilles lancéolées, vert moyen, à nervure médiane rouge pâle. H 1 m.; E. 50 cm.

☼ ◊ ✱✱✱

Heliopsis 'Ballet Dancer'
Vivace dressée à floraison estivale abondante. Capitules doubles, jaunes, à pétales plissés. Feuilles vert sombre à bord denté et à texture grossière. H. 1,2 m; E. 60 cm.

☼ ◊ ✱✱✱

Hemerocallis 'Golden Chimes'
Hémérocalle 'Golden Chimes'
Vivace en touffe, d'allure élégante. Fleurs délicates jaune d'or, en trompette, à revers brun, qui durent 1 jour seulement, de début à mi-été. Feuilles étroites en lanière, vert moyen. H. 75 cm; E. 60 cm.

☼ ◊ ✱✱✱

Kniphofia 'Royal Standard'
Vivace dressée dont les feuilles, basales, ressemblent à des touffes d'herbe. En fin d'été, grappes terminales de boutons écarlates, s'ouvrant en fleurs jaune citron, sur des tiges érigées. Protéger par un paillis en hiver. H. 1,2 m; E. 60 cm.

☼ ◊ ✱✱

Hemerocallis fulva 'Kwanso Flore Plena'
Hémérocalle 'Kwanso Flore Plena'
Vivace vigoureuse, en touffe. De mi- à fin été, fleurs doubles, en trompette, orange fauve, durant 1 jour. Feuilles vert clair en lanière, H. 1 m; E. 75 cm.

☼ ◊ ✱✱✱

Lychnis chalcedonica
Croix de Malte
Vivace en touffe, portant des glomérules plats de petites fleurs vermillon au sommet de tiges robustes, en début d'été. Feuillage vert moyen. H. 1,2 m; E. 45 cm.

☼ ◊ ✱✱✱

Plantes vivaces/taille moyenne

BLANC, ROSE

Aster vimineus 'Delight'
Vivace qui a tendance à s'étendre. Groupes de petits capitules blancs en automne. Feuilles étroites, lancéolées. Tuteurage nécessaire. H. 1,2 m ; E. 1 m ou plus.

Actaea pachypoda, syn. *A. alba*
Actée pachypoda
Vivace compacte, en touffe, portant en été des grappes de petites fleurs duveteuses blanches, suivies en automne de baies blanches, sur des tiges charnues, raides, écarlates. H. 1 m ; E. 50 cm.

Aster ericoides 'White Heather'
Vivace touffue, à ramilles de jolis capitules blancs qui durent longtemps, en fin d'automne. Petites feuilles vertes, lancéolées. Tiges ramifiées, d'allure raide, ayant parfois besoin d'un support. H. 75 cm ; E. 50 cm.

Polygonum campanulatum
Renouée campanulatum
Vivace compacte, formant un tapis, et portant des inflorescences élégantes et ramifiées de fleurs campanulées, roses ou blanches, de mi-été à début automne. Feuilles ovales, à dessous brun feutré. H. et E. 1 m.

Aster novae-angliae 'Herbst Schnee'
Vivace compacte, dressée. En automne, groupes denses de capitules blancs à centre jaune. Feuilles lancéolées vert terne. Tuteurage parfois nécessaire.
H. 1,2 m ; E. 60 cm.

Aster cordifolius 'Silver Spray'
Vivace touffue, avec une grande densité de tiges arquées produisant des ramilles de petits capitules blancs teintés de rose, en automne. Feuilles vert moyen, cordiformes à la base, les autres lancéolées. Tuteurage nécessaire. H. 1,2 m ; E. 1 m.

AUTRES PLANTES CONSEILLÉES :
Aster lateriflorus 'Horizontalis', p. 249
CHRYSANTHÈMES, pp. 218-219
Cimicifuga simplex 'Elstead'
PÉLARGONIUMS, pp. 206-207

ROSE

Chrysanthemum rubellum
'Clara Curtis'
Marguerite d'automne 'Clara Curtis'
Vivace touffue. Nombreux capitules plats rose clair, de l'été jusqu'à l'automne. Diviser les plantes tous les 2 printemps. H. 75 cm ; E. 45 cm.

Anemone hupehensis
Vivace ramifiée, portant des fleurs rose tendre, à pétales arrondis, en fin d'été et début d'automne. Feuilles vert sombre, composées de folioles dentées. H. 70 cm ; E. 45 cm.

Chelone obliqua
Galane obliqua
Vivace dressée, portant des épis terminaux de fleurs roses en fin d'été et en automne. Feuilles vert sombre, lancéolées. H. 1 m ; E. 50 cm.

Centranthus ruber, p. 207
Kohleria digitaliflora, p. 204
PÉLARGONIUMS, pp. 206-207
Schizostylis coccinea 'Sunrise', p. 249

Chrysanthèmes

Les chrysanthèmes hybrides sont d'excellentes fleurs pour le jardin et les bouquets. Ils sont classés en fonction des différentes formes de fleurs, de la saison de floraison (été et début, milieu, ou fin d'automne) et de leur aspect. Les groupes les plus intéressants pour le jardin sont les petits chrysanthèmes à massifs, les pompons et les chrysanthèmes récurvés à floraison précoce. La plupart ont simplement un grand capitule par tige mais les chrysanthèmes à massifs (dont certains sont utilisés en fleurs coupées sous le nom de « chrysanthèmes décoratifs ») et les pompons en ont plusieurs par tige. Voici les différentes formes des fleurs.

1. Forme incurvée : les capitules doubles, denses, sphériques, ont des pétales incurvés, partant de la base du capitule et se refermant étroitement sur le sommet.

2. Très récurvée : capitules très doubles à pétales pointus recourbés, récurvés vers l'extérieur et vers la base en partant du centre vers la tige.

3. Récurvée : proche des précédents, mais les pétales sont moins fortement récurvés.

4. Récurvée-incurvée : capitules très doubles à peu près sphériques, à pétales incurvés de façon lâche, qui sont souvent incurvés au sommet du capitule et souvent récurvés sur la moitié inférieure.

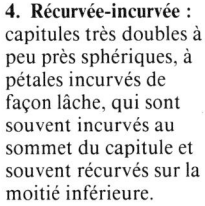

5. Alvéolée : les capitules simples ont chacun un disque central en forme de dôme mesurant la moitié du diamètre du capitule, et jusqu'à 5 rangs de pétales plats ligulés, tubulés, spatulés, à angle droit avec la tige.

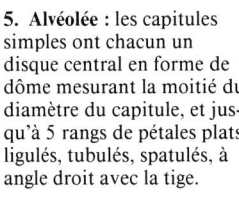

6. Simple : chaque capitule a environ 5 rangs de pétales aplatis, portés à angle droit par rapport à la tige, incurvés ou récurvés au bout. Disque central proéminent entièrement jaune ou à petit centre vert.

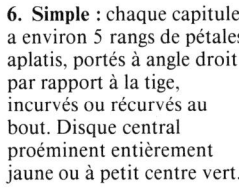

7. Pompon : petites fleurs très doubles, denses, sphériques ou parfois semi-sphériques ; pétales tubulaires, à extrémités plates ou arrondies, tournés vers l'extérieur par rapport au sommet de la fleur.

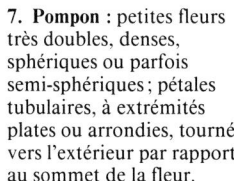

8. Tubulée-spatulée : les capitules sont semblables à ceux des formes simples mais les pétales extérieurs sont tubulaires et ouverts seulement à leur extrémité en forme de cuiller.

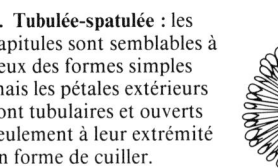

C. 'Salmon Fair-weather' (groupe 1)

C. 'Madeleine' (gr. 3, C. à massifs)

C. 'Roblush' (gr. 3, C. à massifs)

C. 'Brietner' (groupe 3)

C. 'Dorridge Dream' (groupe 1)

C. 'Pavilion' (groupe 4)

C. 'Dawn Mist' (gr. 6, C. à massifs)

C. 'Alison Kirk' (groupe 1)

C. 'Duke of Kent' (groupe 3)

C. 'Marian Gosling' (groupe 3)

C. 'Pennine Flute' (gr. 8, C. à massifs)

C. 'Cloudbank' (gr. 5, C. à massifs)

C. 'Michael Fish' (groupe 4)

C. 'Pennine Oriel' (gr. 5, C. à massifs)

C. 'Ringdove' (C. à massifs)

218

C. 'Talbot Jo'
(gr. 6, C. à massifs)

C. 'Chippendale'
(groupe 3)

C. 'Rose Yvonne
Arnaud' (groupe 3)

C. 'Yellow John
Hughes' (groupe 1)

C. 'Wendy'
(gr. 3, C. à massifs)

C. 'Bronze Hedgerow'
(groupe 6)

C. 'Edwin Painter'
(groupe 6)

C. 'Sally Ball'
(gr. 5, C. à massifs)

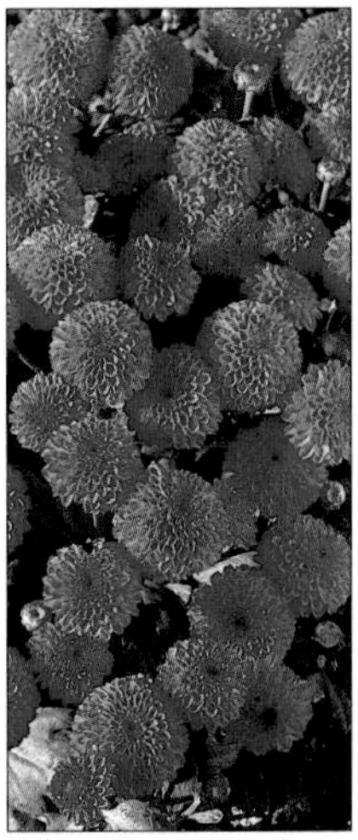

C. 'Peach Margaret'
(gr. 3, C. à massifs)

C. 'Skater's Waltz'
(groupe 4)

C. 'Sentry'
(groupe 3)

C. 'Discovery'
(groupe 4)

C. 'Yellow Brietner'
(groupe 3)

C. 'Peach Brietner'
(groupe 3)

C. 'Yvonne Arnaud'
(groupe 3)

C. 'George Griffiths'
(groupe 3)

C. 'Marlene Jones'
(groupe 4)

C. 'Pennine Alfie'
(gr. 8, C. à massifs)

C. 'Bronze Fairie'
(groupe 7)

C. 'Salmon Margaret'
(gr. 3, C. à massifs)

C. 'Purple Pennine
Wine' (gr. 3, à massifs)

C. 'Redwing'
(gr. 6, C. à massifs)

C. 'Primrose West
Bromwich' (gr. 3)

C. 'Golden Woolman's
Glory' (groupe 6)

C. 'Bronze Yvonne
Arnaud' (groupe 3)

C. 'Autumn Days'
(groupe 4)

C. 'Maria'
(groupe 7)

C. 'Green Satin'
(groupe 4)

C. 'Salmon Fairie'
(groupe 7)

C. 'Oracle'
(groupe 4)

C. 'Cherry Chintz'
(groupe 3)

C. 'Marion'
(gr. 3, C. à massifs)

C. 'Pennine Jewel'
(gr. 8, C. à massifs)

C. 'Rytorch'
(gr. 6, C. à massifs)

C. 'Buff Margaret'
(gr. 3, C. à massifs)

Plantes vivaces/taille moyenne

■ ROSE, POURPRE, VIOLET   □ BLEU, JAUNE

Aster novi-belgii 'Orlando'
Vivace dressée portant en automne
des panicules de capitules rose vif à
centre jaune d'or. Traiter
régulièrement contre l'oïdium.
Tuteurage parfois nécessaire.
H. 1 m; E. 45 cm.

☼ ◊ ❄ ❄ ❄

Strobilanthes atropurpureus
Vivace dressée ramifiée, à feuilles
ovales dentées. Des épis de
nombreuses fleurs, allant de bleu
violacé à pourpre, apparaissent en été
et en automne. H. 1,2 m; E. 60 cm.

☼ ◊ ❄ ❄

**Aster novi-belgii 'Marie
Ballard'**
Vivace dressée, portant en automne
des panicules d'assez gros capitules
doubles bleus. Traiter régulièrement,
car elle est sensible à l'oïdium.
Tuteurage parfois nécessaire. H. 1 m;
E. 45 cm.

☼ ◊ ❄ ❄ ❄

**Gentiana asclepiadea
Gentiane asclepiadea**
Vivace à feuilles étroites, ovales,
ayant jusqu'à 8 cm de long. Fin été
et en automne, grappes feuillées de
fleurs en trompette, bleu foncé, dont
l'intérieur est ponctué de violet. H.
90 cm; E. 60 cm.

☼ ◊ ❄ ❄ ❄

Aster novi-belgii 'Carnival'
Vivace portant en automne des
panicules d'assez gros capitules
doubles rouges à centre jaune. Traiter
régulièrement car elle est sensible à
l'oïdium. Tuteurage parfois nécessaire.
H. 75 cm; E. 45 cm.

☼ ◊ ❄ ❄ ❄

Aster × frikartii 'Mönch'
Vivace touffue portant
continuellement de mi-été à fin
automne des capitules bleu lavande
tendre à centre vert jaunâtre. Feuilles
ovales, rudes. Tuteurage parfois
nécessaire. H. 75 cm; E. 45 cm.

☼ ◊ ❄ ❄ ❄

Kniphofia 'Percy's Pride'
Vivace dressée portant en automne
d'assez grandes grappes de fleurs
couleur crème, teintées de vert et de
jaune, sur des tiges érigées. Protéger
le rhizome en hiver par un paillis. H.
1 m; E. 50 cm.

☼ ◊ ❄ ❄

Tricyrtis formosana,
syn. *T. stolonifera*
Vivace rhizomateuse dressée. Début
automne, groupes de fleurs campanulées
à éperon, marquées de rose pourpré,
à gorge teintée de jaune, au sommet
de tiges habillées de feuilles vert
sombre brillant. H. 1 m; E. 45 cm.

☼ ◊ ❄ ❄ ❄

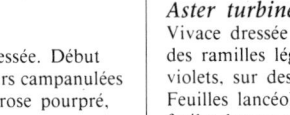

Aster turbinellus
Vivace dressée portant en automne
des ramilles légères de petits capitules
violets, sur des tiges d'allure raide.
Feuilles lancéolées, étroites. Culture
facile; bonne résistance aux maladies.
H. 1,2 m; E. 60 cm.

☼ ◊ ❄ ❄ ❄

◻️ JAUNE, ORANGE

◻️ BLANC, ROSE

Kirengeshoma palmata
Vivace dressée à feuilles arrondies, lobées, vert vif, au-dessus desquelles des tiges robustes portent des bouquets de fleurs jaune crème en forme d'entonnoir étroit, en fin d'été et automne. H. 1 m ; E. 60 cm.

◐ ⬠ ✿✿✿

Helenium 'Wyndley'
Vivace touffue, avec des tiges ramifiées portant des capitules orangés pendant une longue période en fin d'été et en automne. Feuillage vert foncé. Plante à diviser régulièrement au printemps ou en automne. H. 80 cm ; E. 50 cm.

☼ ⬠ ✿✿✿

Kniphofia caulescens
Vivace dressée, assez imposante, avec, à la base, des touffes de feuilles étroites bleu vert ; en automne, de robustes tiges portent des grappes terminales de fleurs rouge saumoné. H. 1,2 m ; E. 60 cm.

☼ ⬠ ✿✿

Kniphofia triangularis,
syn. K. galpinii
Vivace dressée à feuilles basales fines, ressemblant à de l'herbe En automne, des tiges raides érigées portent des grappes terminales de fleurs rouge feu. Protéger les rhizomes avec un paillis en hiver. H. 1 m ; E. 50 cm.

☼ ⬠ ✿✿

Helenium 'Moerheim Beauty'
Vivace dressée, au feuillage vert sombre. Capitules orange rougeâtre vif sur des tiges robustes ramifiées en début d'automne. A diviser régulièrement au printemps ou en automne. H. 1 m ; E. 60 cm.

☼ ⬠ ✿✿✿

Ctenanthe oppenheimiana
'Tricolor'
Vivace robuste, touffue. Ses feuilles persistantes, coriaces, lancéolées, à grandes taches crème, ont jusqu'à 30 cm de long et parfois plus. Ses fleurs blanches à 3 pétales sont groupées en épis. H. et E. 1 m. [A]

☼ ⬠

Plectranthus coleoides
'Variegatus'
Vivace touffue. Feuilles ovales, jusqu'à 6 cm de long, vert grisâtre à bord blanc festonné. Irrégulièrement, fleurs tubulaires de blanc à mauve pâle. H. et E. 60 cm ou plus. [A]

☼ ⬠

Dieffenbachia seguine 'Exotica'
Vivace parfois ligneuse à la base. Les feuilles persistantes larges, lancéolées, ayant jusqu'à 45 cm de long, ont de grandes taches blanc crème. H. et E. 1 m ou plus. [A]

☼ ⬠

Anthurium crystallinum
Vivace érigée, en touffe. Ses longues feuilles veloutées vert sombre ont des veines caractéristiques, dont la couleur va de vert pâle à blanc. Les spathes vertes teintées de rouge durent longtemps. H. 75 cm ; E. 60 cm. [A]

☼ ⬠

Hypoestes phylostachya,
syn. H. sanguinolenta
Vivace ou sous-ligneuse touffue. Feuilles ovales vert sombre couvertes de taches roses irrégulières. Elle porte de petites fleurs tubulaires, lavande, de façon intermittente toute l'année. H. et E. 75 cm. [A]

☼ ⬠

Caladium × hortulanum 'Pink Beauty'
Vivace tubéreuse, en touffe. Ses feuilles vertes marbrées de rose, veinées de rose plus foncé, presque triangulaires, à long pétiole, ont jusqu'à 45 cm de long. Spathes blanches en été. H. et E. 90 cm. [A]

☼ ⬠

Aphelandra squarrosa 'Danis'
Aphelandra squarrosa 'Louisae', p. 215
CHRYSANTHÈMES, pp. 218-219
Helenium 'Bressingham Gold'

Solidago 'Goldenmosa', p. 215
Verbascum nigrum, p. 215

AUTRES PLANTES CONSEILLÉES :
Alpinia calcarata
BROMÉLIACÉES, p. 222
Dieffenbachia seguine 'Memoria Corsii'

ORCHIDÉES, pp. 252-255

Bromeliacées

Les broméliacées se distinguent par leur feuillage, d'habitude en rosette, et la forme et la couleur de leurs fleurs. La plupart sont épiphytes, ou aériennes (absorbant leur nourriture par l'humidité de l'atmosphère et non pas par la plante-hôte sur laquelle elles vivent). Elles ne peuvent pousser en plein air que dans les régions tropicales et devront donc être cultivées à l'intérieur en France.

Aechmea fasciata

Billbergia nutans

Bromelia balansae

Tillandsia lindenii

Cryptanthus zonatus 'Zebrinus'

Puya alpestris

Tillandsia caput-medusae

Ananas bracteatus 'Tricolor'

Aechmea distichantha

Neoregelia carolinae f. *tricolor*

Guzmania monostachia

Dyckia remotiflora

Tillandsia argentea

Cryptanthus 'Pink Starlight'

Aechmea recurvata

Aechmea 'Foster's Favorite'

Guzmania lingulata var. *minor*

Guzmania lingulata

Tillandsia fasciculata

Cryptanthus bivittatus

Tillandsia usneoides

Tillandsia stricta

Vriesea splendens

Neoregelia concentrica

Tillandsia cyanea

Puya chilensis

Anthurium andreanum
Plante érigée. Feuilles persistantes cordiformes (30 cm de long), à longs pétioles. Spathes rouge vif, spadices jaunes. H. 75 cm ; E. 50 cm. [A]

Browallia speciosa
Plante touffue à feuilles lancéolées (jusqu'à 10 cm de long), et à fleurs bleu violet à centre blanc ; floraison presque continue en serre. H. 75 cm ; E. 45 cm. [A]

Artemisia ludoviciana var. **albula**
Armoise ludoviciana var. albula
Plante touffue ; feuilles lancéolées aromatiques à dessus et dessous blanc argenté laineux à bord dentelé. En été, groupes de petites panicules blanc grisâtre. H. 1,2 m ; E. 60 cm.

Aciphylla squarrosa
Plante à feuilles persistantes pointues, portant en été des ombelles de fleurs blanc jaunâtre. H. et E. 1,2 m.

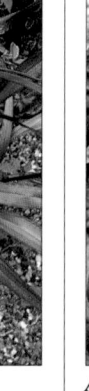

Phormium tenax 'Dazzler'
Lin de Nouvelle-Zélande 'Dazzler'
Plante érigée à feuilles persistantes linéaires, rigides, plates, teintées de jaune, saumon, rouge orangé, et bronze. En été, hampe de fleurs rougeâtres. H. 2,5 m (hampe comprise) ; E. 1 m.

Alocasia cuprea
Plante à feuilles persistantes ovales de 30 cm de long, à reflets métalliques, à dessous pourpre. Des spathes pourprées apparaissent par intermittence. H. et E. 1 m. [A]

Asparagus densiflorus syn. **A. sprengeri**
Plante à rameaux retombants, portant des cladodes persistants linéaires vert vif. Petites fleurs blanches suivies de baies rouges. Intéressant en pot suspendu. H. 50 cm ; E. 1 m. [A]

Nepenthes hookeriana
Plante épiphyte insectivore ; feuilles persistantes à limbe ovale prolongé par un filament courbé, vrillé, portant une expansion foliaire en urne piégeant les insectes. H. 75 cm ; E. 40 cm. [A]

Xanthosoma sagittifolium
Plante touffue à tiges épaisses. Feuilles vertes sagittées, longuement pétiolées. Spathes vertes par intermittence. H. 2 m ; E. 2 m ou plus. [A]

Columnea microphylla 'Variegata'
Plante rampante ou pendante, à feuilles persistantes arrondies bordées de crème ; au printemps-été, fleurs tubulaires écarlates à gorge jaune. H. 1,2 m ; E. variable. [A]

Calathea zebrina
Plante robuste, à feuilles veloutées vert foncé, zébrées de vert clair. Épis courts de fleurs violettes. H. et E. 90 cm. [A]

223

Asparagus densiflorus 'Myersii',
syn. *A. meyeri*, *A. myersii*
Vivace érigée portant des groupes serrés,
plumeux, de tiges ressemblant à des
feuilles, réunies en épis, et, en été, des
fleurs blanc rosâtre, suivies de baies
rouges. H. 1 m ; E. 50 cm. Ⓐ

☀◐ ◊

Globba winitii
Vivace en touffe, à feuilles persistantes
lancéolées ayant jusqu'à 20 cm de long.
Par intermittence, grappes pendantes de
fleurs tubulaires jaunes, à grandes
bractées réfléchies pourpre rougeâtre.
H. 1 m ; E. 30 cm. Ⓐ

☀◐ ◊

Epimedium × youngianum
'Niveum'
Vivace couvre-sol compacte : feuilles à
folioles en cœur, à bord denté, bronzées
virant au vert fin printemps, quand elle
porte de petites fleurs en forme de
coupe, blanches comme la neige.
H. 30 cm ; E. 30 cm.

☀◐ ◊ ❋❋❋

Pachyphragma macrophyllum,
syn. *Thlaspi macrophyllum*
Vivace rampante, formant un tapis de
rosettes de feuilles arrondies ayant
jusqu'à 10 cm de long, vert vif brillant,
à long pétiole. Au printemps,
nombreuses grappes de petites fleurs
blanches. H. 30 cm ; E. variable.

☀◐ ◊ ❋❋❋

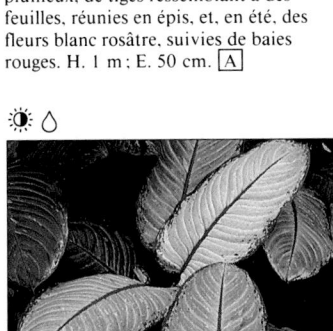

Dieffenbachia seguine 'Rudolph
Roehrs', syn. *D.s.* 'Roehrsii'
Vivace en touffe, parfois ligneuse à la
base. Feuilles persistantes lancéolées,
ayant jusqu'à 45 cm de long, vert
jaunâtre ou blanches, avec une côte
médiane et une bordure blanche.
H. et E. 1 m ou plus. Ⓐ

☀◐ ◊

Peristrophe hyssopifolia
'Aureo-variegata'
Vivace touffue. Feuilles persistantes
lancéolées, avec des extrémités pointues,
et des taches centrales jaune crème.
Fleurs tubulaires roses en hiver.
H. 60 cm et plus ; E. 1,2 m. Ⓐ

☀ ◊

Lamium maculatum 'White
Nancy'
Lamier 'White Nancy'
Vivace formant un tapis, à feuilles
semi-persistantes vert moyen panaché
de blanc. Verticilles denses de fleurs
blanches bilabiées de fin printemps
jusqu'en été. H. 15 cm ; E. 1 m.

☀ ◊ ❋❋❋

Trillium cernuum f. *album*
Vivace formant une touffe. Au
printemps, fleurs inclinées blanches à
centre marron, au-dessous des feuilles
vert moyen, verticillées par 3.
H. 45 cm ; E. 30 cm.

☀ ◊ ❋❋❋

Sansevieria trifasciata 'Laurentii'
Vivace acaule, à rosette d'environ 5
feuilles persistantes érigées, lancéolées,
pointues, bordées de jaune. Parfois
fleurs vert pâle. Propager par division
de touffes. H. 1,2 m ; E. 10 cm. Ⓐ

☀ ◊

Strelitzia reginae
Oiseau de paradis
Vivace en touffe, à feuilles persistantes
vert bleuâtre, à long pétiole. Surtout au
printemps, fleurs en bec, orange et bleu,
dans des bractées en forme de bateau, à
bord rouge. H. plus d'1 m ;
E. 75 cm. Ⓐ

☀ ◊

Pulmonaria 'Sissinghurst White'
Pulmonaire 'Sissinghurst White'
Vivace en touffe, portant des fleurs
blanches en entonnoir au printemps
au-dessus de longues feuilles semi-
persistantes elliptiques, vert moyen à
taches plus pâles. H. 30 cm ; E. 60 cm.

☀◐ ◊ ❋❋❋

Lamium maculatum 'Album'
Lamier 'Album'
Vivace tapissante à feuilles semi-
persistantes vert sombre à marques
blanches centrales. Groupes de fleurs
blanches bilabiées au printemps et en
été. H. 20 cm ; E. 1 m.

☀◐ ◊ ❋❋❋

Convallaria majalis
Muguet
Vivace rhizomateuse à feuilles ovales pointues, de vert moyen à foncé : fin printemps, épis de petites fleurs campanulées blanches, très parfumées : aime les sols légers, humifères. H. 15 cm : E. variable.

☼◗ ✲✲✲

Trillium ovatum
Vivace formant une touffe. Au printemps, fleurs solitaires blanches virant au rose, au-dessus des feuilles verticillées par 3, vert foncé, à pétioles rouges. H. 40 cm : E. 20 cm.

☼◗ ✲✲✲

Adonis brevistyla
Adonide brevistyla
Vivace en touffe. Au début du printemps, fleurs solitaires blanches, teintées de bleu à l'extérieur. Feuilles vert moyen, finement découpées. H. et E. 25 cm.

☼◗ ✲✲✲

Trillium chloropetalum
Vivace en touffe dont les tiges vert rougeâtre portent des feuilles vert foncé verticillées par 3. Les fleurs printanières vont du rose violacé au blanc et apparaissent au-dessus du feuillage. H. et E. 45 cm.

☼◗ ✲✲✲

Trillium grandiflorum
Vivace en touffe, dont les grandes fleurs blanches printanières, d'abord blanches, puis rosées, solitaires, s'épanouissent au-dessus du feuillage vert foncé. H. 40 cm : E. 30 cm.

☼◗ ✲✲✲

Podophyllum emodi,
syn. P. hexandrum
Vivace portant des paires de feuilles à 3 lobes, à taches brunes, et des fleurs printanières blanches ou roses, suivies de fruits rouges charnus en été. H. 45 cm : E. 30 cm.

☼◗ ✲✲✲

Anemone sylvestris
Anémone sylvestre
Vivace tapissante, parfois envahissante. Ses fleurs parfumées, inclinées, blanches à centre jaune, s'épanouissent au printemps et en début été. Feuillage découpé, vert moyen. H. et E. 30 cm.

☼◌ ✲✲✲

Epimedium pubigerum
Vivace tapissante cultivée pour ses feuilles persistantes en forme de cœur, denses, lisses, découpées, et ses grappes de fleurs printanières, blanc crème ou roses. H. et E. 45 cm.

☼◌ ✲✲✲

Bergenia ´Silberlicht´,
syn. B. ´Silver Light´
Vivace à feuilles persistantes plates, ovales, à bord denté. Au printemps, des tiges érigées portent des groupes de fleurs blanches parfois teintées de rose. H. 30 cm : E. 50 cm.

☼◌ ✲✲✲

Plantes vivaces/petite taille

■ ROSE

■ ROUGE

Bergenia ciliata
Vivace formant une touffe, à feuilles
arrondies poilues, persistantes. Au
printemps, grappes de fleurs blanches,
rosissant ensuite. Les feuilles sont
souvent abîmées par le gel, mais de
nouvelles apparaissent au printemps.
H. 30 cm ; E. 50 cm.

☀ ◊ ❀❀

Geranium macrorrhizum
'Ingwersen's Variety'
Vivace tapissante compacte, bon
couvre-sol, dont les petites fleurs rose
tendre apparaissent fin printemps et
début été. Les feuilles aromatiques se
teintent de bronze et d'écarlate en
automne. H. 30 cm ; E. 60 cm.

☀ ◊ ❀❀❀

Heloniopsis orientalis
Vivace formant une touffe, à rosette
basale de feuilles lancéolées étroites,
au-dessus desquelles s'élèvent au
printemps des fleurs roses inclinées.
H. et E. 30 cm.

☀ ◊ ❀❀❀

Bergenia cordifolia 'Purpurea'
Vivace formant une touffe, à grandes
feuilles persistantes arrondies vert
pourpré, utiles comme couvre-sol. Des
hampes rouges portent des grappes de
fleurs roses de fin hiver à début
printemps. H. et E. 50 cm.

☀ ◊ ❀❀❀

**Epimedium grandiflorum 'Rose
Queen'**
Vivace tapissante à feuilles cordiformes
teintées de cuivré, dont les tiges raides
portent au printemps des grappes de
fleurs rose foncé à pétales
éperonnés. H. et E. 30 cm.

☀ ◊ ❀❀❀

Lamium maculatum
Lamier maculatum
Vivace tapissante à feuilles semi-
persistantes vertes, souvent teintées de
mauve et marquées de lignes blanches
centrales. À mi-printemps, verticilles
de fleurs bilabiées mauves.
H. 15 cm ; E. 1 m.

☀ ◊ ❀❀❀

Epimedium × rubrum
Vivace tapissante à feuilles denses
cordiformes qui sont en partie teintées
de brun rougeâtre au printemps, quand
les panicules de fleurs au calice jaune et
aux pétales cramoisis s'épanouissent.
H. 30 cm ; E. 20 cm.

☀ ◊ ❀❀❀

Trillium erectum
Vivace formant une touffe, à feuilles
vert moyen verticillées par 3, et à fleurs
printanières pourpres. H. 45 cm ;
E. 30 cm.

☀ ◊ ❀❀❀

Trillium sessile
Vivace formant une touffe, portant au
printemps des fleurs rouge-brun, au
centre de verticilles de 3 feuilles
marquées de blanc, de vert pâle ou de
bronze. H. 40 cm ; E. 45 cm.

☀ ◊ ❀❀❀

Bergenia cordifolia
Bergenia 'Morgenröte'
Bergenia × schmidtii
Bergenia stracheyi

Dicentra eximia 'Spring Morning', p. 235
Helleborus orientalis [rose], p. 257
PRIMEVÈRES, pp. 230-231

Pulmonaria rubra

Anemone nemorosa `Allenii`
Anémone sylvie `Allenii`
Vivace tapissante portant au printemps
de nombreuses fleurs simples en forme
de coupe, de couleur violacée, au-dessus
des feuilles palmatiséquées vertes.
H. 15 cm ; E. 30 cm ou plus.

Glaucidium palmatum
Vivace à grandes feuilles lobées ; au
printemps, grandes fleurs délicates en
forme de coupe, bleu violacé clair.
Plante pour endroits boisés, abrités,
avec un sol humifère. H. et E. 50 cm.

Geranium nodosum
Vivace formant une masse de feuilles
lobées luisantes, et portant au printemps
et en été des fleurs en coupe rose lilas ou
lilas. Plante d'ombre. H. et E. 45 cm.

**Lathyrus vernus, syn. Orobus
vernus**
Vivace en touffe portant au printemps
sur chaque tige mince plusieurs petites
fleurs pendantes bleu violacé veiné de
rouge. Feuilles souples avec 2 ou 3 paires
de folioles lancéolées. Transplantation
difficile. H. et E. 30 cm.

**Anemone nemorosa
`Robinsoniana`**
Anémone sylvie `Robinsoniana`
Vivace formant un tapis de feuilles
palmatiséquées au-dessus desquelles des
fleurs aplaties bleu violacé clair,
solitaires, s'épanouissent au printemps.
H. 15 cm ; E. 30 cm.

**Cardamine pentaphyllos,
syn. Dentaria pentaphylla**
Vivace dressée dont la souche s'élargit
progressivement. Elle produit des
grappes de grandes fleurs blanches ou
violet clair au printemps.
H. et E. 60 cm.

Plantes vivaces/petite taille

■■ VIOLET, BLEU

■■■ BLEU, VERT, JAUNE

Pulmonaria saccharata
Pulmonaire saccharata
Vivace en touffe à feuilles semi-persistantes ovales, pointues, marquées de blanc crème. Au printemps, grappes courtes de fleurs en entonnoir, d'abord roses, bleuissant ensuite.
H. 30 cm ; E. 60 cm.

☀ ◐ ❄❄❄

Lamium orvala
Lamier orvala
Vivace formant une masse de feuilles vertes à centre parfois rayé de blanc. Des verticilles denses de fleurs roses ou rose violacé s'épanouissent de fin printemps à début été.
H. et E. 30 cm.

☀ ◐ ❄❄❄

Scopolia caniolica
Vivace en touffe portant, au début du printemps, des fleurs inclinées rouge violacé, à intérieur jaune. H. et E. 60 cm.

☀ ◐ ❄❄❄

Lathraea clandestina
Vivace étalée vivant en parasite sur les racines de saules et de peupliers. Les tiges charnues souterraines portent des écailles blanchâtres au lieu de feuilles. Fleurs violettes de fin d'hiver à début printemps.
H. 10 cm ; E. variable.

☀ ◐ ❄❄❄

Pulmonaria angustifolia
'Mawson's Variety'
Pulmonaire 'Mawson's Variety'
Vivace en touffe portant en début de printemps des grappes courtes de fleurs en entonnoir, bleues d'abord, rougissant ensuite. Feuilles étroites. H. et E. 25 cm.

☀ ◐ ❄❄❄

Mertensia virginica
Vivace élégante à feuilles ovales vert bleuâtre. Au printemps, cymes de fleurs bleues en forme d'entonnoir ; la partie aérienne meurt en été. Plante attaquée par les limaces. H. 60 cm ; E. 45 cm.

☀ ◐ ❄❄❄

Brunnera macrophylla 'Variegata'
Vivace couvre-sol à feuilles inférieures en cœur, panachées de crème. Au printemps, elle porte des bouquets délicats de petites fleurs bleues. À protéger du vent, qui peut abîmer les feuilles. H. 45 cm ; E. 60 cm.

☀ ◐ ❄❄❄

Meconopsis quintuplinervia
Pavot bleu
Vivace formant un tapis dense de grandes feuilles vert moyen que surmontent, fin printemps et début été, des fleurs solitaires bleu lavande virant au violacé, à tiges velues.
H. 45 cm ; E. 30 cm.

☀ ◐ pH ❄❄❄

Euphorbia amygdaloides
subsp. *robbiae*
Euphorbe des bois
Vivace étalée dont les rosettes de feuilles vertes semi-persistantes couvrent bien les sols pauvres et secs ou semi-ombragés. Au printemps, groupes de fleurs vert tilleul. H. et E. 60 cm.

☀ ◐ ❄❄❄

Euphorbia seguieriana
Euphorbe seguieriana
Vivace touffue portant en fin de printemps des groupes terminaux de fleurs vert jaunâtre. Ses feuilles vertes sont lancéolées. H. et E. 45 cm.

☀ ◐ ❄❄❄

Euphorbia cyparissias
Euphorbe cyparissas
Vivace arrondie produisant une masse de feuilles étroites vert grisâtre et des groupes assez denses de fleurs vert tilleul en fin de printemps. Plante parfois envahissante.
H. et E. 30 cm.

☀ ◐ ❄❄❄

Valeriana phu ´Aurea´
Valériane phu ´Aurea´
Plante à rosettes de feuilles, de couleur jaune beurre à jaune citron, à l'état jeune. En été, alors qu'apparaissent les inflorescences de fleurs blanches insignifiantes, le feuillage devient vert moyen. H. 40 cm; E. 30-40 cm.

Petasites japonicus
Plante envahissante. En début de printemps, elle produit de denses inflorescences en forme de cône, regroupant de petits capitules floraux d'un blanc jaunâtre. Les fleurs apparaissent avant les grandes feuilles vert clair. H. 60 cm; E. 1,5 m.

Cardamine enneaphyllos,
syn. *Dentaria enneaphylla*
Plante d'allure souple, se propageant à partir d'une souche racinaire charnue horizontale. Feuilles profondément divisées. Au printemps, fleurs inclinées jaune pâle ou blanches à l'extrémité des tiges. H. 30-60 cm; E. 45-60 cm.

Epimedium x *versicolor*
´Neo-sulphureum´
Plante tapissante, à feuilles denses, divisées, cordiformes, teintées de pourpre rougeâtre au printemps. Sur des tiges vigoureuses, petits bouquets pendants de fleurs printanières jaune pâle, en forme de coupe. H. et E. 30 cm.

Anemone x *lipsiensis,*
syn. *A.* x *seemannii*
Anémone x lipsiensis
Plante prostrée, tapissante. Au printemps, nombreuses fleurs solitaires, jaune pâle, à étamines jaune vif. Feuilles profondément découpées, à longues folioles. H. 15 cm; E. 30 cm.

Uvularia grandiflora
Plante formant une touffe. Au printemps, des bouquets de longues fleurs jaunes, en forme de cloche, pendent gracieusement à l'extrémité de minces tiges. H. 45-60 cm; E. 30 cm.

Trollius ´Alabaster´
Trolle ´Alabaster´
Plante formant une touffe. Au printemps, fleurs blanc jaunâtre, de forme arrondie, au-dessus d'une masse basale de feuilles profondément divisées, vert moyen. H. 60 cm; E. 45 cm.

Anemone ranunculoides
Anémone fausse renoncule
Plante s'étalant en surface, pour sous-bois humide. Au printemps s'épanouissent des fleurs jaune foncé, ressemblant aux boutons d'or, solitaires. Les feuilles, divisées, ont de courts pédoncules. H. et E. 20 cm.

Doronicum austriacum
Doronicum ´Spring Beauty´
Hylomecon japonicum, p. 290
Meconopsis integrifolia, p. 247

PRIMEVÈRES, pp. 230-231
Ranunculus acris ´Flore Pleno´, p. 247
Trollius europaeus ´Canary Bird´

Primevères

On peut trouver des primevères pour chaque situation dans le jardin : certaines aiment le voisinage d'un étang, d'autres sont à l'aise dans un éboulis, mais la plupart ont des besoins particuliers dont il faut tenir compte. Les auricules (*Primula auricula* et ses hybrides avec *Primula rubra*), très prisées au XIXe siècle, sont faciles à cultiver. (Pour plus de détails, se reporter au Dictionnaire.)

P. allionii

P. sonchifolia

P. vulgaris 'Gigha White'

P. sinensis

P. sieboldii 'Wine Lady'

P. polyneura

P. pulverulenta

P. frondosa

P. 'Craddock White'

P. malacoides (simple)

P. warshenewskiana

P. secundiflora

P. petiolaris

P. denticulata f. *alba*

P. farinosa

P. malacoides (double)

P. melanops

P. japonica 'Miller's Crimson'

P. modesta var. *fauriei*

P. japonica 'Postford White'

P. vulgaris subsp. *sibthorpii*

P. × *scapeosa*

P. clusiana

P. gracilipes

P. pulverulenta 'Bartley'

P. clarkei

P. hirsuta

P. vialii

P. 'Mrs J.H. Wilson' (auricule)

P. rosea

P. sieboldii

P. edgeworthii

P. × *pubescens* 'Janet'

230

Mimulus 'Andean Nymph'
Plante qui s'étend, à feuilles poilues. En
été, s'épanouissent des fleurs
ressemblant à des gueules-de-loup, roses
à extrémité jaune crème et à points rose
foncé. H. et E. 25 cm.

× **Heucherella tiarelloides**
Plante couvre-sol, à denses bouquets de
feuilles persistantes. En début d'été, elle
porte de minuscules fleurs roses, en
forme de cloche, associées en
inflorescences plumeuses. H. et
E. 45 cm.

× **Heucherella 'Bridget Bloom'**
Plante formant une touffe, à dense
feuillage persistant vert vif. En début
d'été, minuscules fleurs incarnates, en
forme de cloche, regroupées en de
nombreuses inflorescences plumeuses.
Floraison par intermittence jusqu'en
automne. H. 45 cm; E. 30 cm.

Dicentra eximia 'Spring
Morning'
Plante feuillue de belle allure. Fin
printemps et en été, ramilles arquées de
petites fleurs pendantes roses, en forme
de cœur. Joli feuillage gris-vert,
finement découpé et ressemblant aux
frondes des fougères. H. et E. 30 cm.

Penstemon 'Pennington Gem'
Plante vigoureuse. De la mi-été à
l'automne, elle s'embellit
d'inflorescences regroupant des fleurs
roses tubulaires. Les feuilles, semi-
persistantes, sont étroites et d'un vert
frais. H. 45-60 cm; E. 45 cm.

Erigeron 'Charity'
Vergerette 'Charity'
Plante formant une touffe. En été,
pendant une longue période, elle
s'embellit d'une masse de capitules
floraux rose clair à centre jaune
verdâtre. Elle peut avoir besoin d'un
tuteur. H. et E. jusqu'à 60 cm.

Penstemon 'Apple Blossom'
Plante touffue. À partir du milieu de
l'été, elle porte, au-dessus des feuilles
semi-persistantes, étroites, d'un vert
frais, des inflorescences regroupant de
petites fleurs rose pâle, tubulaires.
H. et E. 45 cm.

Geranium endressii
Plante compacte et tapissante, à petites
feuilles lobées semi-persistantes. Tout
l'été s'épanouissent des fleurs roses, en
forme de coupe. H. 45 cm; E. 60 cm.

PÉLARGONIUMS, pp. 206-207
PRIMEVÈRES, pp. 230-231
Tradescantia pallida 'Purple Heart', p. 259

☐ ROSE

Geranium endressii 'Wargrave Pink'
Plante tapissante, à feuilles semi-persistantes lobées, denses et délicates. C'est un bon couvre-sol qui étouffe la croissance des mauvaises herbes. Tout l'été, fleurs d'un rose saumon vif, en forme de coupe. H. 45 cm; E. 60 cm.

Lychnis flos-jovis
Fleur de Jupiter
Plante formant une touffe. Au milieu de l'été, des bouquets de forme arrondie, composés de fleurs rose foncé, s'épanouissent. La floraison est mise en valeur par le feuillage gris. H. et E. 45 cm.

Geranium macrorrhizum
Plante tapissante, portant, en début d'été, des fleurs magenta. Les feuilles semi-persistantes, divisées, arrondies, protègent le sol des mauvaises herbes et prennent des teintes automnales lumineuses. H. 30-40 cm; E. 60 cm.

Osteospermum jucundum,
syn.*O. barberiae, Dimorphoteca barberiae*
Plante formant une touffe de belle allure, à feuilles persistantes vert moyen. Fin été, profusion de capitules floraux solitaires d'un rose doux, la plupart à œil sombre. H. et E. 30 cm.

Centaurea hypoleuca 'John Coutts'
Centaurée hypoleuca 'John Coutts'
Plante dressée. En été, capitules solitaires, vermillon foncé, sur de minces tiges. Feuilles très divisées à dessous blanc-gris. H. 60 cm; E. 45 cm.

Physostegia virginiana 'Vivid'
Plante compacte, érigée. En fin d'été et en début d'automne, épis de fleurs tubulaires, rose-lilas foncé. Feuilles dentées d'un vert moyen. H. et E. 30-60 cm.

Penstemon 'Pink Endurance'
Plante naine. En été, de courtes inflorescences, regroupant des fleurs incarnates, s'épanouissent au-dessus du feuillage semi-persistant, étroit, vert moyen. H. et E. 30-40 cm.

Polygonum sphaerostachyum
Renouée sphaerostachyum
Plante compacte. À la fin de l'été, de beaux épis de fleurs d'un rose intense apparaissent au-dessus des feuilles glauques étroites et lancéolées. H. 45-60 cm; E. 30 cm.

Erodium manescavii
Plante formant une masse de feuilles bleu-vert, divisées, ressemblant aux frondes de fougères. Elle produit, tout l'été, des bouquets lâches de fleurs simples, rose foncé taché de rose plus sombre. H. 45 cm; E. 60 cm.

Incarvillea mairei
Plante compacte, formant une touffe.
En début d'été, de courtes tiges portent
plusieurs fleurs en forme de trompette,
rose pourpré. Feuilles à folioles ovales.
En hiver, protéger les pieds avec un
paillis. H. et E. 30 cm.

☼ ◊ ✿ ✿ ✿

Liatris spicata, syn. *L. callilepis*
Plante formant une touffe. À la fin de
l'été, épis serrés de capitules floraux
rose-pourpre, sur des tiges rigides qui
émergent de la touffe basale de feuillage
ressemblant à de l'herbe, d'un vert
moyen. H. 60 cm; E. 30 cm.

☼ ◊ ✿ ✿ ✿

Achimenes ˊLittle Beautyˋ
Plante touffue, à feuilles ovales, dentées.
En été, elle porte de grandes fleurs rose
foncé, à œil jaune, en forme
d'entonnoir. H. 25 cm; E. 30 cm. [A]

☼ ◊

Incarvillea delavayi
Plante formant une touffe, à feuilles
profondément divisées. Des tiges érigées
portent, en début d'été, plusieurs fleurs
en forme de trompette, rouge rosâtre.
Elle a de jolies gousses. H. 45-60 cm;
E. 30 cm.

☼ ◊ ✿ ✿ ✿

Sinningia ˊRed Flickerˋ
« Gloxinia » ˊRed Flickerˋ
Plante à courtes tiges, à rosette de
feuilles ovales, veloutées, atteignant
20 cm de long. En été, elle porte des
fleurs charnues rouge rosâtre, penchées,
en forme d'entonnoir. H. jusqu'à 30 cm;
E. 45 cm. [A]

☼◗ ◊

Potentilla nepalensis ˊMiss
Willmottˋ
**Potentille nepalensis ˊMiss
Willmottˋ**
Plante formant une touffe, à feuilles
palmées. Tout l'été, nombreuses fleurs
roses à centre rouge cerise sur des tiges
ramifiées. H. 50 cm; E. 60 cm.

☼ ◊ ✿ ✿ ✿

Mimulus lewisii
Plante dressée. Les feuilles sont grises,
duveteuses, collantes : elles mettent en
valeur, en été, des fleurs rose foncé,
solitaires, ressemblant à des gueules-de-
loup. H. 60 cm; E. 45 cm.

☼ ◗ ✿ ✿

Verbena ˊSissinghurstˋ
Verveine ˊSissinghurstˋ
Plante formant un tapis. Tout l'été, des
inflorescences de fleurs d'un rose
brillant émergent du feuillage vert
moyen. Excellente pour border une allée
ou garnir un bac. H. 15-20 cm;
E. 45 cm.

☼ ◊ ✿

Centaurea dealbata ˊSteenbergiiˋ
Clintonia andrewsiana
Incarvillea mairei ˊFrank Ludlowˋ
PÉLARGONIUMS, pp. 206-207

PRIMEVÈRES, pp. 230-231
Sedum spectabile ˊBrilliantˋ, p. 250

Œillets

Bien qu'ils soient mieux connus pour la fleur coupée, les œillets sont également très utilisés dans les jardins, pour la forme et la couleur de leurs fleurs, souvent parfumées, produites principalement en été, et leur feuillage persistant. Tous les œillets sont résistants au gel sauf les œillets des fleuristes remontants.

1. Œillets des fleuristes non remontants : fleurissent en abondance une seule fois à mi-été, chaque tige portant 5 fleurs ou plus.

2. Œillets des fleuristes remontants : même aspect que les précédents mais cultivés surtout pour la fleur coupée ; fleurissent toute l'année en serre. On laisse d'habitude une seule fleur par tige, mais les formes pluriflores en ont jusqu'à 5.

3. Œillets mignardise à l'ancienne, non remontants : plantes gazonnantes à élégant tapis de feuillage ; masses de fleurs parfumées à mi-été.

4. Œillets mignardise de type moderne, remontants : plus vigoureux que les précédents, ils ont 2 ou 3 périodes de floraison en été.

D. 'Gran's Favourite'
(groupe 3)

D. 'Pink Jewel'
(groupe 4)

D. 'Mrs Sinkins'
(groupe 3)

D. 'Fair Folly'
(groupe 4)

D. 'Forest Treasure'
(groupe 1)

D. 'Joy' (groupe 4)

D. 'Valda Wyatt'
(groupe 4)

D. 'Alice'
(groupe 4)

D. 'Pierrot'
(groupe 2)

D. 'Haytor'
(groupe 4)

D. 'Nives'
(groupe 2)

D. 'Prudence'
(groupe 3)

D. 'Emile Paré'
(groupe 3)

D. 'Houndspool
Ruby' (groupe 4)

D. 'Musgrave's Pink'
(groupe 3)

D. 'Doris'
(groupe 4)

D. 'White Ladies'
(groupe 3)

D. 'Eva Humphries'
(groupe 1)

D. 'Truly Yours'
(groupe 2)

D. 'Christopher'
(groupe 4)

D. 'Bookham Perfume'
(groupe 1)

D. 'Borello'
(groupe 2)

D. 'Astor'
(groupe 2)

D. 'Happiness'
(groupe 1)

D. 'Aldridge Yellow'
(groupe 1)

D. 'Valencia'
(groupe 2)

D. 'Nina'
(groupe 2)

D. 'Raggio di Sole'
(groupe 2)

D. 'Christine Hough'
(groupe 1)

D. 'Clara'
(groupe 2)

D. 'Albisola'
(groupe 2)

Lychnis viscaria 'Splendens Plena'
Plante formant une touffe. Début été, panicules de fleurs doubles, couleur magenta. La tige et les feuilles oblongues, lancéolées de la base, sont couvertes de poils visqueux. H. 45 cm; E. 25 cm ou plus.

Lychnis coronaria 'Abbotswood Rose'
Coquelourde des jardins
Plante formant une touffe. Du milieu à la fin de l'été, fleurs d'un rose cramoisi éclatant, sur des tiges grises et ramifiées, émergeant du beau feuillage gris.
H. 45-60 cm; E. 45 cm.

Sinningia 'Switzerland'
«Gloxinia» 'Switzerland'
Plante à courte tige, à rosettes de feuilles ovales, veloutées, atteignant 20 cm de long. En été, grandes fleurs charnues, en trompette, écarlate vif, à bord blanc plissé. H. 30 cm; E. 45 cm. [A]

Astilbe 'Fanal'
Plante feuillue, à tiges vigoureuses. En été, belles panicules effilées, plumeuses, de minuscules fleurs rouge cramoisi, qui brunissent et gardent leur forme en hiver. Larges feuilles divisées en folioles. Préfère les sols humifères. H. 60 cm; E. jusqu'à 1 m.

Heuchera 'Red Spangles'
Plante formant des touffes de feuillage persistant, cordiforme et d'un vert pourpré. En été, elle porte des panicules de petites fleurs, en forme de cloche, de couleur cramoisi écarlate. H. et E. 30 cm.

Alonsoa warscewiczii, p. 273
Lychnis viscaria
Potentilla 'Monsieur Rouillard'
Salvia blepharophylla

■ ROUGE

Lotus berthelotii
Lotier berthelotii
Plante d'allure désordonnée. Elle se prête à la culture en panier suspendu. Elle a des branches et des feuilles poilues, argentées. Des bouquets de fleurs écarlates s'épanouissent en été. H. 30 cm; E. variable.

☼ ◊

Columnea crassifolia
Plante arbustive, à feuilles persistantes charnues, lancéolées. Du printemps à l'automne, elle porte des fleurs érigées, tubulaires, poilues, d'environ 8 cm de long, écarlates à gorge jaune. H. et E. jusqu'à 45 cm.

☼ ◊

Potentilla atrosanguinea
Potentille atrosanguinea
Plante formant une touffe, à feuilles poilues, palmées, ressemblant au feuillage des fraisiers. Tout l'été, elle porte de lâches bouquets de fleurs rouge foncé. H. 50 cm; E. 60 cm.

☼ ◊ ❀❀❀

Polemonium carneum
Plante formant une touffe, à feuillage finement divisé. En début d'été apparaissent des bouquets de fleurs en forme de coupe, roses ou rose-lilas. H. et E. 45 cm.

☼ ◊ ❀❀❀

Smithiantha 'Orange King'
Smithiantha 'Orange King'
Plante érigée à forte croissance. Grandes feuilles dentelées, veloutées, vert émeraude à nervures rouge sombre. En été et en automne, fleurs tubulaires rouge orangé, à points roûges à l'intérieur à lèvres jaunes. H. et E. jusqu'à 60 cm. [A]

☼ ◊

Gaillardia × grandiflora 'Dazzler'
Gaillarde × grandiflora 'Dazzler'
Plante dressée. En été, longue floraison de grands capitules terminaux rouges à extrémités jaunes. Feuilles divisées, douces. Tuteur nécessaire. Durée de vie parfois courte. H. 60 cm; E. 50 cm.

☼ ◊ ❀❀❀

Kaempferia pulchra
Plante en touffe, aromatique, à feuilles vert sombre, panachées de vert plus pâle au-dessus. De petits bouquets de fleurs rose-lilas apparaissent en été, au centre de la touffe. H. 15 cm; E. 30 cm. [A]

☼ ◊

Mimulus 'Royal Velvet'
Plante compacte, souvent cultivée en annuelle, produisant en été de nombreuses et grandes fleurs rouge acajou, à gorge dorée tachetée d'acajou. Les feuilles sont d'un vert moyen. H. 30 cm; E. 25 cm.

☼ ◊ ❀

Tulbaghia violacea
Plante vigoureuse, formant une touffe, à feuilles semi-persistantes. En été et en automne, des inflorescences de fleurs lilas-pourpre ou rose-lilas émergent au-dessus d'une masse de feuilles étroites bleu-gris. H. 45-60 cm; E. 30 cm.

☼ ◊ ❀

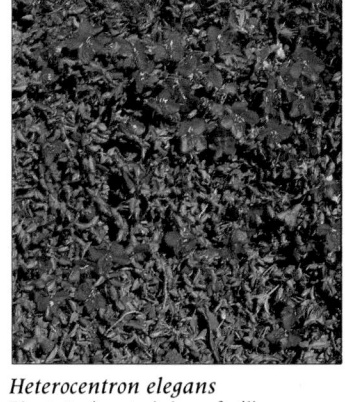

Streptocarpus saxorum
Plante semi-ligneuse arrondie, à petites feuilles persistantes ovales, poilues, disposées en verticilles. En été et en automne, fleurs lilas à tube blanc à l'aisselle des feuilles. H. et E. 30 cm ou plus. [A]

☼ ◊

Heterocentron elegans
Plante tapissante à dense feuillage persistant d'un vert moyen. Des masses de fleurs, pourpre foncé intense, s'épanouissent en été et en automne, ainsi qu'en hiver, sous serre.
H. 5 cm; E. variable. [A]

☼ ◊

Polemonium pulcherrimum
Plante vigoureuse, à feuilles vert vif divisées en folioles. En été, elle porte des fleurs tubulaires, bleu-pourpre à gorge jaune ou blanche. H. 50 cm; E. 30 cm.

☼ ◊ ❀❀❀

Tradescantia 'Purple Dome'
Plante formant une touffe, à feuilles étroites, lancéolées, de 15 à 30 cm de long. En été, elle porte des bouquets de fleurs d'un violet intense, entourées de 2 bractées ressemblant à des feuilles.
H. jusqu'à 60 cm; E. 45 cm.

☼ ◊ ❀❀❀

Stachys macrantha 'Superba'
Épiaire 'Superba'
Plante formant une touffe, à feuilles vert moyen cordiformes, douces, ridées. Au-dessus du feuillage s'élèvent de vigoureuses tiges produisant, en été, des verticilles de fleurs violet-pourpre.
H. 30-45 cm; E. 30-60 cm.

☼ ◊ ❀❀❀

Verbena rigida, syn. *V. venosa*
Verveine rugueuse
Plante compacte, de belle allure. À partir du milieu de l'été, elle porte des inflorescences compactes, regroupant des fleurs violet pâle. Les feuilles sont lancéolées, rugueuses, vert moyen.
H. 45-60 cm; E. 30 cm.

☼ ◊ ❀

Erigeron 'Serenity'
Vergerette 'Serenity'
Plante formant une touffe. En été, pendant plusieurs semaines, elle porte de nombreux capitules floraux violets à centre jaune, solitaires. Elle a besoin d'un tuteur. H. et E. jusqu'à 60 cm.

☼ ◊ ❀❀❀

Centaurea montana
Bleuet vivace
Plante qui s'étend. De nombreuses tiges, plutôt souples, portent en début d'été un ou plusieurs grands capitules floraux pourpres, bleus, blancs ou roses, à centres entourés de fleurs en forme d'étoile. H. 50 cm; E. 60 cm.

☼ ◊ ❀❀❀

Platycodon grandiflorus
Plante formant une touffe, de belle allure. En été, bouquets de grands boutons floraux ressemblant à des ballons et s'épanouissant en fleurs bleues ou violacées campanulées. Les tiges sont revêtues de feuilles d'un vert bleuâtre. H. 45-60 cm; E. 30-45 cm.

☼ ◊ ❀❀❀

■ VIOLET

Geranium × magnificum
Plante formant une touffe, à feuilles profondément lobées, poilues. En été, des fleurs en forme de coupe, bleu-violet, à veines saillantes, s'épanouissent en petits bouquets. H. 45 cm ; E. 60 cm.

Geranium himalayense, syn. G. grandiflorum
Plante formant une touffe, à grandes fleurs en forme de coupe, bleu-violet, s'épanouissant en été, sur de longs pédoncules au-dessus de denses touffes de feuilles bien découpées. H. 30 cm ; E. 60 cm.

Catananche caerulea 'Major'
Cupidone caerulea 'M'
Plante formant des touffes de feuilles gris-vert. En été, vigoureuses tiges ramifiées portant un capitule bleu lavande. Multiplier régulièrement par bouture de racines. H. 60 cm ; E. 30 cm.

Nepeta × faassenii
Plante formant une touffe épaisse. Utile pour bordures. En début d'été, de lâches inflorescences, regroupant des fleurs tubulaires d'un bleu lavande doux, s'élèvent au-dessus des masses de petites feuilles d'un vert grisâtre. H. et E. 45 cm.

Stokesia laevis
Plante passant l'hiver sous forme de rosettes. En été, des capitules floraux lavande ou bleu-pourpre, s'épanouissent en abondance. Les feuilles sont étroites, vert moyen. H. et E. 30-45 cm.

Scabiosa caucasica 'Clive Greaves'
Scabieuse caucasica 'Clive Greaves'
Plante formant une touffe. Tout l'été, capitules floraux bleu-violet. Feuilles basales vert moyen, lancéolées, légèrement lobées. H. et E. 45-60 cm.

Limonium latifolium 'Blue Cloud'
Statice latifolia
Plante formant une touffe. À la fin de l'été, bouquets diffus, chargés de fleurs mauve bleuâtre, pouvant être séchés pour une décoration d'intérieur. Ses feuilles sont grandes, coriaces, vert sombre. H. 30 cm ; E. 45 cm.

Anemonopsis macrophylla
Plante formant une touffe. En été, des fleurs inclinées, cireuses, bleu-pourpre, s'épanouissent sur de minces tiges ramifiées au-dessus de feuilles ressemblant à des frondes de fougères. H. 45-60 cm ; E. 50 cm.

Geranium 'Johnson's Blue'
Plante vigoureuse, formant une touffe, à nombreuses feuilles divisées et à fleurs en forme de coupe, bleu lavande foncé, s'épanouissant tout l'été. H. 30 cm ; E. 60 cm.

Polemonium caeruleum
Plante formant une touffe. En été, des bouquets de fleurs en forme de coupe, bleu lavande, à étamines jaune orangé, s'épanouissent parmi le feuillage finement divisé. H. et E. 45-60 cm.

Eryngium bourgatii
Panicaut bourgatii
Plante formant une touffe. De mi- à fin été, capitules, bleu-vert puis bleu-lilas, sur de vigoureuses tiges ramifiées, s'élevant bien au-dessus des feuilles basales gris-vert très découpées. H. 45-60 cm ; E. 30 cm.

Campanula × burghaltii
Campanule × burghaltii
Plante formant une masse de feuilles ovales, douces et coriaces. En été, longues fleurs lavande pâle, pendantes, en forme d'entonnoir, sur de vigoureuses tiges érigées. Tuteurage parfois nécessaire. H. 60 cm ; E. 30 cm.

Rhazya orientalis
Plante élégante, formant une touffe. En été, des inflorescences de petites fleurs bleu-gris, en forme d'étoile, s'épanouissent au sommet de tiges vigoureuses, couvertes de feuilles vertes, parfois grisâtres. H. 45-60 cm; E. 30-45 cm.

Veronica perfoliata, syn. *Parahebe perfoliata*
Véronique perfoliata
Sous-arbrisseau à tiges souples, enserrées par des feuilles persistantes coriaces, glauques. En été, élégantes ramilles longues, ramifiées, de fleurs bleues. H. 45-60 cm; E. 45 cm.

Eryngium variifolium
Panicaut variifolium
Plante formant une rosette. Tiges rigides portant en fin d'été des capitules gris-bleu bractées blanches. Feuilles persistantes vert moyen marbré de blanc, à bord déchiqueté. H. 45 cm; E. 25 cm.

Veronica gentianoides
Véronique gentianoides
Plante formant un tapis. Des inflorescences, regroupant des fleurs d'un bleu très pâle, s'épanouissent en début d'été, à l'extrémité de tiges émergeant du feuillage basal brillant. H. et E. 45 cm.

Amsonia tabernaemontana, syn. *A. salicifolia*
Plante formant une touffe. Les tiges souples portent en été des bouquets pendants de petites fleurs tubulaires bleu pâle. Les feuilles sont petites et étroites. H. 45-60 cm; E. 30 cm.

Myosotidium hortensia
Plante formant une touffe. En été, de grands bouquets de fleurs bleues, ressemblant à des myosotis, s'épanouissent au-dessus d'une masse basale de grandes feuilles persistantes côtelées, brillantes. H. 45-60 cm; E. 60 cm.

Linum narbonense
Lin narbonense
Plante formant une touffe, de courte durée de vie, à renouveler fréquemment par les semis. Feuilles lancéolées vert grisâtre. Au printemps et en été, bouquets de fleurs, de bleu foncé à bleu pâle. H. 60 cm; E. 30 cm.

Geranium wallichianum
'Buxton's Blue'
Plante qui s'étend, portant des touffes de feuilles abondantes vert clair. Du milieu de l'été à l'automne, elle porte de grandes fleurs bleues ou bleu-pourpre, à centre blanc. H. 30-45 cm; E. 1 m.

Salvia patens
Sauge patens
Plante érigée, ramifiée. En fin d'été et en automne, elle produit des verticilles de fleurs bleu foncé ou bleu pâle, sur des tiges portant des feuilles ovales, vert moyen. H. 45-60 cm; E. 45 cm.

Campanula isophylla
Chirita lavandulacea, p. 250
IRIS, pp. 196-197
Platycodon grandiflorus var. *mariesii*

Salvia nemorosa 'Lubecca'
Stokesia laevis 'Blue Star'
Veronica spicata

Hostas

La luxuriance du feuillage des hostas en fait des plantes de plus en plus recherchées pour les jardins petits ou grands. Ils sont originaires de l'Extrême-Orient, et l'élégance de leur feuillage ajoute une touche exotique au bord d'une pièce d'eau ou à un coin humide et ombragé. La taille des hostas va de quelques centimètres de haut à des touffes de 1,50 m d'envergure. Les feuilles ont des formes, des textures, des colorations diverses, avec souvent des teintes subtiles. Beaucoup produisent aussi des grappes de fleurs décoratives qui surgissent gracieusement au-dessus du feuillage en milieu d'été. Les hostas sont essentiellement des plantes d'ombre et d'humidité, préférant des sols riches et bien drainés. Il faut les protéger contre les limaces.

H. sieboldiana

H. sieboldiana 'Frances Williams'

H. undulata var. *univittata*

H. tokudama 'Aureo-nebulosa'

H. plantaginea

H. ventricosa 'Aureo-maculata'

H. 'Gold Standard'

H. decorata f. *decorata*

H. sieboldiana var. *elegans*

H. 'Halcyon'

H. ventricosa

H. fortunei 'Aurea Marginata'

H. tardiflora

H. 'Royal Standard'

H. lancifolia

H. 'August Moon'

H. crispula

H. montana 'Aurea Marginata'

H. fortunei 'Albopicta'

Plantes vivaces/petite taille

☐☐ VERT, JAUNE

☐ JAUNE

Artemisia pontica
Armoise pontica
Plante dressée, vigoureuse, à feuillage gris argenté, aromatique, plumeux. En été, longs épis, réunissant de petits capitules floraux grisâtres. Elle peut s'étendre. H. 60 cm; E. 20 cm.

☼ ◊ ❀❀❀

Alchemilla mollis
Alchémille mollis
Plante couvre-sol, formant une touffe. Feuilles arrondies vert pâle, à bords plissés. Elle porte, au milieu de l'été, de petites ramilles chargées de fleurs d'un jaune verdâtre vif, se prêtant aux bouquets secs. H. et E. 50 cm.

◐ ◊ ❀❀❀

Alchemilla conjuncta
Alchémille conjuncta
Plante formant une touffe. Belles feuilles ondulées, en forme d'étoile, à bordure pâle. Bouquets lâches de fleurs vert-jaune au milieu de l'été; ils peuvent être séchés pour une décoration hivernale. H. et E. 30 cm.

☼ ◊ ❀❀❀

Sarracenia flava
Sarracène à fleurs jaunes
Plante carnivore érigée, à feuilles en forme d'urne, jaune-vert marqué de rouge, portant un capuchon à l'extrémité supérieure. De fin printemps à début été, fleurs inclinées jaunes ou jaune verdâtre. H. et E. 45 cm. [A]

☼ ●

Sisyrinchium striatum
Plante formant des touffes de feuilles semi-persistantes gris-vert, longues et étroites. En été, petits groupes de fleurs blanches, teintées de jaune paille et rayées de pourpre. Se reproduit abondamment par ses graines. H. 45-60 cm; E. 30 cm.

☼ ◊ ❀❀❀

Kniphofia 'Little Maid'
Plante dressée, à courtes tiges érigées, portant en été des grappes denses de fleurs jaune crème pâle. Protéger la souche en hiver avec un paillis. H. 60 cm; E. 45 cm.

☼ ◊ ❀❀

Tovara virginiana 'Painter's Palette'
Plante cultivée pour la masse de ses jolies feuilles vertes, à zones centrales brunes, tachées et rayées de jaune ivoire, le tout teinté d'un soupçon de rose foncé. Fleurit rarement. H. et E. 60 cm.

☼ ◊ ❀❀❀

Origanum vulgare 'Aureum'
Origan 'Aureum', Marjolaine bâtarde 'Aureum'
Sous-arbrisseau érigé, formant un dense tapis de feuilles aromatiques, d'abord jaune d'or, puis vert-jaune pâle au milieu de l'été. Parfois minuscules fleurs mauves en été. H. 8 cm; E. variable.

☼ ◊ ❀❀❀

Filipendula ulmaria 'Aurea'
Reine des prés 'Aurea'
Plante feuillue, plantée pour son feuillage divisé, jaune doré vif au printemps, devenant vert pâle en été. Des fleurs blanc crème, regroupées en cymes corymbiformes, s'épanouissent au milieu de l'été. H. et E. 30 cm.

◐ ◊ ❀❀❀

Osteospermum 'Buttermilk'
Plante semi-ligneuse dressée. Du milieu de l'été à l'automne, des capitules floraux jaune pâle, à centre sombre, s'épanouissent, solitaires, parmi le feuillage persistant gris-vert. H. 60 cm; E. 30 cm.

☼ ◊ ❀

Clintonia borealis
Mentha × gentilis 'Variegata'
Mentha × piperita 'Citrata'
Mentha suaveolens 'Variegata', p. 233

Nicotiana alata 'Lime Green'

Astrantia major 'Sunningdale Variegated'
IRIS, pp. 196-197
Ligularia tussilaginea 'Aureo-maculata'
PRIMEVÈRES, pp. 230-231

Scrophularia auriculata 'Variegata'

☐ JAUNE

Achillea taygetea
Achillée taygetea
Plante à tiges érigées, portant tout l'été
des capitules floraux jaune citron, réunis
en fausses ombelles plates, émergeant
des touffes de feuilles grises, plumeuses.
Diviser et replanter tous les 3 ans.
H. 60 cm; E. 50 cm.

☼ ◊ ❄❄❄

× Solidaster luteus,
syn. × **S. hybridus**
Plante formant une touffe. À partir de la
mi-été, de minces tiges portent de
denses capitules floraux jaune crème vif,
au-dessus des feuilles étroites vert
moyen. H. 60 cm; E. 75 cm.

☼ ◊ ❄❄❄

Achillea 'Moonshine'
Achillée 'Moonshine'
Plante dressée. Tout l'été, fausses
ombelles aplaties de capitules floraux
jaune vif, au-dessus d'une masse de
petites feuilles gris-vert, plumeuses.
Diviser la plante régulièrement au
printemps. H. 60 cm; E. 50 cm.

☼ ◊ ❄❄❄

Potentilla recta 'Warrenii',
syn. **P.r. 'Macrantha'**
Potentille recta 'Warrenii'
Plante formant une touffe, à feuilles
lobées d'un vert moyen. Tout l'été,
fleurs jaune d'or intense, sur des tiges à
ramifications amples. H. 50 cm;
E. 60 cm.

☼ ◊ ❄❄❄

Helichrysum 'Sulphur Light'
Immortelle 'Sulphur Light'
Plante formant une touffe, à feuilles gris
argenté. Du milieu à la fin de l'été, elle
porte une masse de capitules floraux
duveteux, jaune soufre, persistants.
H. 40-60 cm; E. 30 cm.

☼ ◊ ❄❄

Barbarea vulgaris 'Variegata'
Herbe de Sainte-Barbe
'Variegata'
Plante à longues feuilles dentées,
brillantes, tachées de crème. Au-dessus
du feuillage, inflorescences composées
de petites fleurs jaune argenté, en début
d'été. H. 25-45 cm; E. jusqu'à 25 cm.

☼ ◊ ❄❄❄

Gaillardia aristata
Gaillarde vivace
Plante dressée, plutôt ouverte. En été,
longue floraison de grands capitules
solitaires, jaune intense à centre rouge.
Feuilles divisées douces, aromatiques.
Tuteur nécessaire. Parfois durée de vie
courte. H. 60 cm; E. 50 cm.

☼ ◊ ❄❄❄

Calceolaria biflora
Calcéolaire biflora
Plante à rosette basale de feuilles
persistantes douces, poilues, ovales,
dentées, d'environ 15 cm de long. Des
bouquets de petites fleurs jaunes, en
forme de bourse, apparaissent en été.
H. 30 cm; E. 15 cm.

☼ ◊ ❄❄❄

Oenothera tetragona 'Fireworks'
Œnothère ou **Onagre tetragona**
'Fireworks'
Plante formant une touffe. De mi- à fin
été, grappes de fleurs parfumées, en
forme de coupe, jaune vif. Les tiges sont
rougeâtres et le feuillage est brillant, vert
moyen. H. et E. 30-40 cm.

☼ ◊ ❄❄❄

Ranunculus speciosus 'Plenus',
syn. *R. gouanii* 'Plenus'
Renoncule speciosus 'Plenus'
Plante formant une touffe, à feuilles
divisées, dentées, parfois ponctuées de
gris et de blanc. Fleurs jaunes doubles,
en début d'été. H. 50 cm; E. 30 cm.

Geum chiloense 'Lady Stratheden'
Benoîte à fleurs jaunes
Plante formant une touffe, à feuilles
lobées. En été, longue floraison de fleurs
en forme de coupe, doubles, jaune vif à
étamines vertes, saillantes,
s'épanouissant sur de minces tiges
ramifiées. H. 45-60 cm; E. 45 cm.

Gazania uniflora
Plante formant un tapis, cultivée en
annuelle sauf dans les climats les plus
doux. En début d'été, capitules floraux
solitaires jaunes ou jaune-orangé, avec
parfois des points blancs au centre, au-
dessus des rosettes de feuilles étroites à
revers argenté. H. 25 cm; E. 20-30 cm.

Potentilla 'Yellow Queen'
Potentille 'Yellow Queen'
Plante formant une touffe, à feuilles vert
sombre, ressemblant au feuillage des
fraisiers; fleurs jaune vif, s'épanouissant
au milieu de l'été. H. 60 cm ou plus;
E. 45 cm.

Mimulus luteus
Plante qui s'étend. Tout l'été, des fleurs
jaunes, avec parfois des points rouges,
ressemblant à des gueules-de-loup,
s'épanouissent en abondance au-dessus
du feuillage poilu vert moyen. H. et
E. 30 cm.

Potentilla megalantha
Potentille megalantha
Plante formant une touffe, à grandes
feuilles palmées, poilues, d'un vert
doux. Elle produit en été de grandes
fleurs d'un jaune intense. H. 20 cm;
E. 15 cm.

Meconopsis integrifolia
Pavot jaune
Plante bisannuelle ou plante vivace de
courte durée de vie. À la fin du
printemps et en début d'été, grandes
fleurs jaune pâle. Ses feuilles, formant
une rosette, sont grandes, vert pâle.
H. 45-60 cm; E. 60 cm.

Buphthalmum salicifolium
Plante qui s'étend. Tout l'été, capitules
floraux solitaires jaune foncé, sur des
tiges souples. Elle peut avoir besoin d'un
tuteur. Il faut la diviser régulièrement.
Elle aime les terres riches.
H. 60 cm; E. 1 m.

Ranunculus acris 'Flore Pleno'
Bouton d'or 'Flore Pleno'
Plante formant une touffe. Fleurs
doubles, en forme de rosette, jaune d'or,
à la fin du printemps et en début d'été.
Tiges vigoureuses, portant des feuilles
lobées et découpées, qui mettent en
valeur la floraison. H. et E. 45-60 cm.

☐ JAUNE

Sedum aizoon 'Aurantiacum'
Orpin aizoon 'Aurantiacum'
Plante érigée, à tiges rouges, portant des feuilles charnues, dentées, vert sombre. En été, elle produit des inflorescences légèrement arrondies de fleurs jaune foncé, suivies de capsules rouges. H. et E. 45 cm.

Hieracium lanatum
Épervière lanatum
Plante formant une touffe. Des masses de feuilles grises, larges et duveteuses, émergent en été, sur de vigoureuses tiges, des capitules floraux jaunes, ressemblant à ceux du pissenlit. H. 30-45 cm; E. 30 cm.

Hemerocallis 'Corky'
Hémérocalle 'Corky'
Plante formant une touffe. Fleurs en trompette, jaune citron, brunes à l'extérieur, fin printemps et début été, au-dessus de minces feuilles vert moyen. Elles sont abondantes, mais ne durent qu'un jour. H. et E. 45 cm.

Eriophyllum lanatum
Plante formant de bas coussins de feuilles divisées argentées. D'abondants capitules floraux jaunes, le plus souvent solitaires, s'épanouissent en été sur des tiges grises. H. et E. 30 cm.

Tropaeolum polyphyllum
Capucine polyphyllum
Plante prostrée. En été, courtes fleurs solitaires jaune intense, en forme de trompette, munies d'un éperon au-dessus des feuilles gris-vert. Peut s'étendre largement. H. 5-10 cm; E. 30 cm ou plus.

Coreopsis verticillata
Plante touffue, à feuillage vert sombre, finement divisé. Tout l'été, elle porte de nombreux capitules floraux minuscules, dorés, en forme d'étoile. Diviser et replanter au printemps. H. 40-60 cm; E. 30 cm.

Inula ensifolia
Aunée ensifolia
Plante formant une touffe, à petites feuilles étroites. À la fin de l'été, de nombreux capitules floraux solitaires, jaunes, s'épanouissent sur de vigoureux pédoncules. H. et E. 30 cm.

Coreopsis lanceolata
Plante touffue, produisant en été sur des tiges ramifiées, d'abondants capitules floraux, jaune vif. Les feuilles sont lancéolées et portées sur les tiges florales. Multiplier par graines ou division de souche. H. 45 cm; E. 30 cm.

Impatiens repens
Impatiente repens
Plante rampante, à tiges radicantes. Elle porte de petites feuilles persistantes de forme ovale ou arrondie. Des fleurs jaunes, ayant chacune un grand éperon poilu, s'épanouissent en été. H. jusqu'à 5 cm; E. variable. A

Calceolaria 'John Innes'
Calcéolaire 'John Innes'
Plante vigoureuse, formant une touffe. Au printemps et en été, grandes fleurs en forme de bourse, jaune foncé à points brun rougeâtre. Feuilles persistantes larges, ovales, basales, vert moyen. H. 15-20 cm; E. 25-30 cm.

☐ ORANGE

Aeschynanthus speciosus,
syn. *A. splendens*
Plante rampante, à feuilles persistantes,
cireuses, étroites et ovales, le plus
souvent en verticilles. En été
s'épanouissent de grands bouquets de
fleurs érigées, tubulaires, rouge orangé
vif. H. et E. 30-60 cm. A

☀☽

Sedum roseum var. *heterodontum*
Rhodiole rose
Plante formant une touffe. Denses
inflorescences aplaties de fleurs jaunes
ou rouges, parfois verdâtres, du
printemps à début d'été. Tiges, épaisses
non ramifiées, à feuilles dentées, ovales,
bleu-vert. H. 45 cm; E. 25 cm.

☀☽❄❄❄

Tricyrtis hirta var. *alba*
Plante dressée. Fin été et début
automne, bouquets de grandes fleurs en
forme de cloche, à éperon, blanches
avec parfois des points pourpres, à
l'aisselle des feuilles vert sombre,
poilues, enlaçant les tiges. H. 45-60 cm;
E. 45 cm.

☀☽❄❄❄

Aster lateriflorus ´Horizontalis´
Plante à tiges rameuses, grêles. En
automne apparaissent des capitules
floraux minuscules, blancs, parfois
teintées de rose, à centre rose plus
sombre. Le feuillage peut devenir
pourpre cuivré en automne. H. 60 cm;
E. 45 cm.

☀☽❄❄❄

Geum × borisii
Benoîte hybride
Plante formant une touffe, à feuilles
irrégulièrement lobées. En été, de
minces tiges ramifiées, poilues,
émergent du feuillage : elles portent des
fleurs solitaires orange, à anthères
jaunes saillantes. H. et E. 30 cm.

☀☽❄❄❄

Schizostylis coccinea ´Sunrise´
Plante formant une touffe,
rhizomateuse. En début d'automne, des
inflorescences regroupant de grandes
fleurs en forme de coupe peu profonde,
roses, apparaissent au-dessus du
feuillage vert moyen, ressemblant à de
l'herbe. H. 60 cm; E. 25-30 cm.

☀☽❄❄

■■□ ROSE, ROUGE, VIOLET

■■□ VIOLET, BLEU, JAUNE

Sedum spectabile 'Brilliant'
Orpin spectabile 'Brilliant'
Plante formant une touffe. De fin été à
l'automne, nombreuses inflorescences
aplaties de fleurs rose vif au-dessus
d'une masse de feuilles charnues gris-vert,
attirant les papillons. H. et E. 30-45 cm.

☀ ◊ ❄❄❄

Cautleya spicata
Plante dressée. En été et en début
d'automne, inflorescences de fleurs
orange clair ou jaune tendre, entourées
de bractées rouge marron pourpré.
Belles feuilles longues, vert moyen.
Demande une situation abritée et un sol
riche et profond. H. 60 cm; E. 50 cm.

☀ ◊ ❄❄

Aster thomsonii 'Nanus'
Plante compacte. En été et en automne,
elle porte, pendant une très longue
période, des capitules floraux à longues
fleurs ligulées bleues, en périphérie. Les
feuilles sont légèrement
cordiformes. H. 45 cm;
E. 25 cm.

☀ ◊ ❄❄❄

Aster novii-belgii 'Royal Ruby'
Plante touffue, compacte, portant en
automne des panicules de grands
capitules floraux rouge intense. Traiter
régulièrement car la plante est sensible
aux moisissures. H. et E.
jusqu'à 45 cm.

☀ ◊ ❄❄❄

Senecio pulcher
Séneçon de La Plata
Plante à feuilles coriaces, poilues, vert
sombre. En été et en automne, elle
produit de beaux capitules floraux rose
pourpré vif à centre jaune.
H. 45-60 cm; E. 50 cm.

☀ ◊ ❄

Liriope muscari
Plante qui s'étend. En automne, elle
porte des inflorescences regroupant des
bouquets compacts de fleurs en forme
de cloche, arrondies, lavande ou bleu-
pourpre. Les feuilles persistantes sont
étroites, brillantes, vert sombre.
H. 30 cm; E. 45 cm.

☀ ◊ ❄❄❄

Aster 'Professor A. Kippenburg'
Plante compacte, touffue, portant en
automne de grands bouquets de
capitules floraux bleu clair, à centre
jaune. H. 30 cm; E. jusqu'à 45 cm.

☀ ◊ ❄❄❄

Schizostylis coccinea
'Grandiflora'
Plante rhizomateuse, à longues feuilles
étroites, ressemblant à de l'herbe. En
automne, fleurs cramoisi vif, en forme
de coupe, associées en épis ressemblant
à ceux du glaïeul. H. 60 cm ou plus;
E. 30 cm ou plus.

☀ ◊ ❄❄

Aster amellus 'King George'
Œil de Christ 'K.G.'
Plante touffue, portant en automne de
nombreux capitules floraux terminaux
de grande taille, bleu foncé, à centre
jaune. Les feuilles sont ovales
et rugueuses. H. et E. 50 cm.

☀ ◊ ❄❄❄

Chirita lavandulacea
Plante érigée, à feuilles persistantes,
duveteuses, vert pâle, atteignant 20 cm
de long. Bouquets de fleurs bleu
lavande, à tube blanc, à l'aisselle des
feuilles. Faire plusieurs semis pour
obtenir des fleurs du printemps à
l'automne. H. et E. 60 cm. [A]

☀ ◊

Arctotheca calendula
Plante tapissante. Les feuilles sont
laineuses en dessous, à poils rugueux
au-dessus. Des capitules floraux jaune
vif, à centre jaune plus sombre,
apparaissent de la fin du
printemps à l'automne.
H. 30 cm; E. variable. [A]

☀ ◊

Bégonias

Le genre *Begonia* groupe des plantes assez variées ; on peut en trouver d'intéressantes pour pratiquement n'importe quelle époque de l'année. Les Semperflorens sont excellents pour les massifs fleuris d'été et les bégonias Rex sont cultivés pour leur feuillage élégant. Les autres groupes, notamment les bégonias tubéreux, hybrides, sont cultivés surtout pour leurs fleurs. (Voir Dictionnaire des plantes.)

B. × *tuberhybrida* 'Billie Langdon'

B. scharffii

B. rex 'Merry Christmas'

B. masoniana

B. prismatocarpa

B. albo-picta

B. × *weltoniensis*

B. 'Orpha C. Fox'

B. × *tuberhybrida* 'Flamboyant'

B. bowerae

B. × *tuberhybrida* 'Apricot Cascade'

B. foliosa

B. 'Ingramii'

B. × *tuberhybrida* 'Roy Hartley'

B. rex 'Helen Lewis'

B. × *tuberhybrida* 'Can-Can'

B. olsoniae

B. metallica

B. 'Lucerna'

B. rex 'Duartei'

B. manicata 'Crispa'

B. 'Orange Rubra'

B. manicata

B. serratipetala

B. semperflorens 'Red Ascot'

B. semperflorens 'Organdy'

B. 'Thurstonii'

B. pustulata 'Argentea'

B. 'Norah Bedson'

B. 'Oliver Twist'

B. sutherlandii

251

Orchidées

Beaucoup d'orchidées exotiques sont réputées pour leurs fleurs d'allure et de couleur tout à fait particulières. Leur culture est beaucoup moins difficile que beaucoup de jardiniers et d'amateurs ne l'imaginent. Il y a 2 principaux groupes d'Orchidées : les orchidées terrestres et les orchidées épiphytes. La presque totalité des orchidées cultivées en serre sont des plantes exotiques épiphytes ; par contre, les orchidées d'Europe, rustiques et terrestres, peuvent être cultivées à l'extérieur mais n'ont pas les couleurs intenses des espèces et hybrides d'origine exotique. (Voir aussi le Dictionnaire des plantes.)

(Clef : × Brass. = × Brassolaeliocattleya ; × Soph. = × Sophrolaeliocattleya ; × Oda. = × Odontioda ; Odm. = Odontoglossum ; é = épiphyte ; t = terrestre.)

Coelogyne cristata [é]

Masdevallia infracta [é]

Odm. rossii [é]

Cypripedium acaule [t]

Masdevallia tovarensis [é]

Dendrobium infundibulum [é]

Coelogyne flaccida [é]

Calanthe vestita [t]

Odm. cervantesii [é]

Dendrobium aphyllum [é]

Phalaenopsis Allegria [é]

Odm. Royal Occasion [é]

Paphiopedilum Freckles [t]

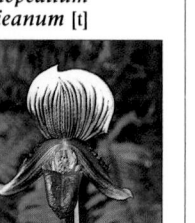

Paphiopedilum fairrieanum [t]

Oncidium ornithorhynchum [é]

Paphiopedilum niveum [t]

Coelogyne nitida [e]

Cymbidium Portlett Bay [é]

Angraecum sesquipedale [é]

Paphiopedilum callosum [t]

Cypripedium reginae [t]

Spiranthes cernua [t]

Odm. crispum [é]

Cymbidium Strathbraan [é]

Miltoniopsis Robert Strauss 'Ardingly' [é]

Paphiopedilum bellatulum [t]

Brassavola nodosa [é]

Paphiopedilum appletonianum [t]

Odm. bictoniense [é]

Dendrobium nobile [é]

Ophrys tenthredinifera [t]

Calypso bulbosa [t]

x *Brass.* Hetherington 'Coronation' [é]

Pleione bulboco-dioides [t]

Cattleya J.A. Carbone [é]

x *Laeliocattleya* Rojo 'Mont Millais' [é]

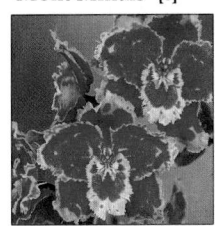
x *Oda.* Mount Bingham [é]

Cymbidium Strath Kanaid [é]

Odm. cordatum [é]

x *Wilsonara* Hambuh-ren Stern 'Cheam' [é]

Laelia anceps [é]

Bletilla striata [t]

x *Soph.* Trizac 'Purple Emperor' [é]

x *Vuylstekeara* Cambria 'Lensing's Favorite' [é]

Cymbidium Pontac 'Mont Millais' [é]

x *Oda.* Pacific Gold x *Odm. cordatum* [é]

x *Brassocattleya* Mount Adams [é]

x *Brass.* St Helier [é]

Miltoniopsis Anjou 'St Patrick' [é]

Epidendrum ibaguense [é]

Odm. grande [é]

Phalaenopsis Lady Jersey x Lippeglut [é]

Cattleya bowringiana [é]

Masdevallia coccinea [é]

Odm. Le Nez Point [é]

x *Oda.* Petit Port [é]

Cymbidium Strathdon 'Cooksbridge Noel' [é]

Phaius tankervilleae [t]

Paphiopedilum x *maudiae* [t]

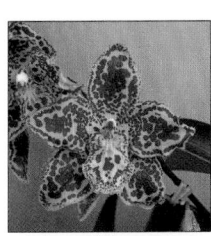
Paphiopedilum Lyric 'Glendora' [t]

x *Odontocidium* Artur Elle 'Colombian' [é]

x *Odontocidium* Tiger Butter x *Wilsonara* Wigg's 'Kay' [é]

Orchidées

Phalaenopis cornu-cervi [é]

Miltonia candida var. *grandiflora* [é]

x *Aliceara* Dark Warrior [é]

Bulbophyllum careyanum [é]

Miltonia clowesii [é]

Cymbidium devonianum [é]

Zygopetalum mackayi [é]

Zygopetalum Perrenoudii [é]

Orchis morio [t]

Paphiopedilum sukhakulii [t]

Paphiopedilum haynaldianum [t]

Coelogyne speciosa [é]

Ophrys fusca [t]

Cymbidium grandiflorum [é]

Gomeza planifolia [é]

Cymbidium King's Lock 'Cooksbridge' [é]

Cymbidium Caithness Ice 'Trinity' [é]

Paphiopedilum Buckhurst 'Mont Millais' [t]

Odm. Eric Young [é]

Masdevallia wagneriana [é]

Phalaenopsis Lundy [é]

Gongora quinquenervis [é]

x *Odontocidium* Tigersun 'Orbec' [é]

Oncidium tigrinum [é]

Cymbidium elegans [é]

Ophrys lutea [t]

Cypripedium macranthon [t]

Vanda Rothschildiana [é]

Cymbidium tracyanum [é]

Epidendrum difforme [é]

Cypripedium calceolus [t]

Maxillaria
porphyrostele [é]

x *Potinara* Cherub
'Spring Daffodil' [é]

Dendrobium
chrysotoxum [é]

Lycaste cruenta [é]

Laelia cinnabarina [é]

Oncidium papilio [é]

x *Odontocidium* Tiger
Hambuhren [é]

Oncidium flexuosum [é]

Ada aurantiaca [é]

Cypripedium calceolus
var. pubsecens [t]

x *Soph.* Hazel Boyd
'Apricot Glow' [é]

Cymbidium Christmas
Angel 'Cooksbridge
Sunburst' [é]

Paphiopedilum
venustum [t]

x *Oda.* (Chantos
x Marzorka) x *Odm.*
Buttercrisp [é]

Spathiphyllum 'Mauna Loa'
Vivace robuste, rhizomateuse, formant
une touffe. Feuilles persistantes
longues, lancéolées, brillantes. Produit
de façon irrégulière des spadices
charnus de fleurs parfumées blanches,
entourés d'une grande spathe ovale
blanche. H. et E. 60 cm. [A]

☼ ◗

Episcia dianthiflora
Vivace à tiges prostrées, rampantes.
Feuilles persistantes épaisses et
veloutées, à nervures principales
brunâtres. Par intermittence, fleurs
d'un blanc pur, à pétales frangés. H.
10 cm; E. variable. [A]

☼ ◗

Hemigraphis repanda
Vivace prostrée, à tiges couchées,
radicantes. Feuilles persistantes
lancéolées, dentées, de 5 cm de long, à
dessus teinté de pourpre, à dessous
pourpre plus sombre. Par intermittence,
minuscules fleurs blanches tubulaires.
H. 15 cm; E. variable. [A]

☼ ◗

AUTRES PLANTES CONSEILLÉES :
Aglaonema commutatum
BROMÉLIACÉES, p. 222
SAINTPAULIAS, p. 258

☐ BLANC

Spathiphyllum wallisii
Vivace rhizomateuse à longues feuilles persistantes lancéolées, formant une touffe. Floraison irrégulière. Les fleurs parfumées sont associées en spadice blanc et charnu, entouré d'une spathe blanche. H. et E. 30 cm ou plus. [A]

Pilea cadierei
Plante aluminium
Vivace touffue, à feuilles persistantes larges, ovales, vert sombre à taches argentées, se terminant en pointe fine. Fleurs verdâtres insignifiantes. H. et E. 30 cm. [A]

Tradescantia fluminensis 'Variegata'
Vivace à tiges couchées, radicantes. Feuilles persistantes, irrégulièrement rayées de blanc crème. Par intermittence, bouquets de fleurs blanches. H. 30 cm; E. variable. [A]

Fittonia argyroneura
Vivace rampante, à petites feuilles persistantes ovales, vert olive, avec des nervures blanches. Fleurs insignifiantes. H. 15 cm; E. variable. [A]

Tradescantia fluminensis 'Albovittata'
Vivace à forte croissance, à tiges couchées et radicantes. Feuilles persistantes larges, vert bleuâtre, striées de blanc. Petites fleurs blanches. H. 30 cm; E. variable. [A]

Aglaonema commutatum 'Treubii'
Vivace formant une touffe érigée. Feuilles persistantes lancéolées, atteignant 30 cm de long, marquées de vert pâle ou d'argenté. Parfois spadices, entourés de spathes blanc verdâtre. H. et E. 45 cm. [A]

Glechoma hederacea 'Variegata'
Lierre terrestre panaché
Vivace tapissante à tiges rampantes portant de petites feuilles persistantes cordiformes, marbrées de blanc. Fleurs insignifiantes. Se propage rapidement. Peut s'utiliser en pot. H. 15 cm; E. variable.

Helleborus orientalis
Hellébore orientalis
[forme blanche]
Vivace formant une touffe, à dense feuillage divisé, persistant. En hiver ou au début du printemps, fleurs inclinées en forme de coupe, de couleur blanche. H. et E. 45 cm.

Peperomia caperata
Vivace touffue à feuilles persistantes atteignant 5 cm de long, ovales, charnues, vert sombre, avec des nervures enfoncées, à pétiole rosâtre. Des épis de fleurs blanches apparaissent de façon irrégulière. H. et E. 15 cm. [A]

Spathiphyllum 'Clevelandii'
Spathiphyllum floribundum

Chlorophytum comosum 'Vittatum'
Vivace formant une touffe. Rosettes de feuilles persistantes, longues, étroites, lancéolées, vert clair, rayées de blanc crème. Irrégulièrement, petites fleurs blanches en forme d'étoile. H. et E. 30 cm. Ⓐ

☀ ◊

Aspidistra elatior 'Variegata'
Vivace rhizomateuse à feuilles persistantes dressées, étroites, brillantes, vert sombre, rayées de crème. Des fleurs discrètes, de couleur allant de crème à pourpre, apparaissent parfois au niveau du sol. H. 60 cm; E. 45 cm. Ⓐ

☀ ◊

Helleborus niger
Rose de Noël
Vivace formant une touffe; feuillage persistant divisé, vert foncé. En hiver ou au début du printemps, fleurs en forme de coupe, inclinées, blanches à étamines dorées. H. et E. 30 cm.

☀ ◊ ❄❄❄

Oplismenus hirtellus 'Variegatus'
Graminée vivace, rampante, à vigoureuses tiges radicantes. Feuilles persistantes, lancéolées, rayées de blanc et souvent teintées de rose, à pointe longue et à bord ondulé. Par intermittence fleurs discrètes.
H. 20 cm ou plus; E. variable. Ⓐ

☀ ◊

Helleborus × sternii
Hellébore hybride
Vivace formant une touffe, à feuilles persistantes divisées. En hiver et au début du printemps, bouquets terminaux de fleurs en forme de coupe, vert pâle, souvent teintées de rose. H. et E. 45 cm.

☀ ◊ ❄❄

Helleborus orientalis
Hellébore orientalis
Vivace en touffe, à dense feuillage persistant divisé. En hiver ou au début du printemps, fleurs inclinées en forme de coupe, roses, avec parfois des points plus sombres. H. et E. 45 cm.

☀ ◊ ❄❄❄

Streptocarpus 'Nicola'
Vivace dépourvue de tige, formée d'une rosette de feuilles persistantes gaufrées. Elle produit, par intermittence, des fleurs roses en forme d'entonnoir, associées en petits bouquets. H. 25 cm; E. 50 cm. Ⓐ

☀ ◊

Tradescantia zebrina,
syn. *Zebrina pendula*
Misère
Vivace à tiges retombantes. Feuilles persistantes vert bleuâtre, à 2 bandes argentées, à revers pourpré. Toute l'année, fleurs roses ou violettes. H. 15 cm; E. variable. Ⓐ

☀ ◊

Episcia cupreata
Vivace rampante à petites feuilles persistantes duveteuses, gaufrées, avec généralement des striures argentées le long des nervures principales. Fleurs écarlates, marquées de jaune à l'intérieur, par intermittence. H. 10 cm; E. variable. Ⓐ

☀ ◊

Saintpaulias

On appelle souvent les saintpaulias « Violette africaine ». Ces petites plantes vivaces, à feuillage en rosette, peuvent être cultivées dans des massifs d'été en climat chaud et humide, mais la plupart du temps, on les utilise à l'intérieur comme plantes en pot, à placer dans un endroit lumineux, humide et sans courant d'air.

S. 'Miss Pretty'

S. 'Garden News'

S. 'Fancy Pants'

S. 'Pip Squeak'

S. 'Colorado'

S. 'Rococo Pink'

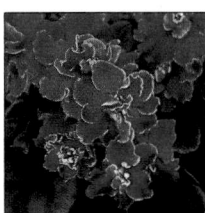
S. 'Kristi Marie'

S. 'Porcelain'

S. 'Bright Eyes'

S. 'Delft'

Vivaces/petites

■■ ROUGE, POURPRE

Anthurium scherzerianum
Vivace en touffe, à feuilles persistantes érigées, coriaces, vert sombre, atteignant 20 cm de long. Grandes spathes rouge vif, persistant longtemps, et spadices charnus allant d'orange à jaune.
H. et E. 60 cm. [A]

☀ ◗

Gerbera jamesonii
Vivace dressée, à rosette basale de grandes feuilles persistantes, à bord denté. Par intermittence, capitules solitaires rouge orangé, au sommet de longues tiges. Excellentes fleurs à couper. H. 60 cm ; E. 45 cm.

☀ ◗ ❋

***Tellima grandiflora* 'Purpurea'**
Vivace formant une touffe, à masse basale de feuilles semi-persistantes poilues, teintées de pourpre rougeâtre. Vers la fin du printemps, bouquets de fleurs en forme de cloche, de couleur crème rosâtre, sur des tiges érigées. H. et E. 60 cm.

☀ ◗ ❋❋❋

Helleborus orientalis
Hellébore orientalis
[forme pourpre]
Vivace formant une touffe, à dense feuillage persistant divisé. En hiver ou au début du printemps, fleurs en forme de coupe, inclinées, de couleur pourpre. H. et E. 45 cm.

☀ ◗ ❋❋❋

***Phormium tenax* 'Bronze Baby'**
Lin de Nouvelle-Zélande 'B.B.'
Vivace dressée, présentant des touffes de feuilles persistantes, rigides, pointues, d'un rouge vineux. En été, parfois panicules de fleurs rougeâtres sur des tiges pourprées. H. et E. 60 cm.

☀ ◗ ❋❋

Fittonia verschaffeltii
Vivace rampante, à petites feuilles persistantes ovales, vert olive, à nervures rouges. Fleurs insignifiantes. H. 15 cm ; E. variable [A]

☀ ◗

Alternanthera ficoidea 'Amœna'
Alternanthera ficoidea 'Versicolor'
Bergenia purpurascens
ORCHIDÉES, pp. 252-255

Ophiopogon planiscapus
'Nigrescens'
Vivace en touffe, cultivée pour ses feuilles persistantes linéaires noirâtres. Elle porte des grappes de fleurs lilas en été, suivies de fruits noirs.
H. 25 cm ; E. 30 cm.

Pellionia daveauana,
syn. *P. repens*
Vivace rampante à tiges radicantes. Les feuilles persistantes ovales, lancéolées, sont bordées de brun pourpré et à centre vert pâle. Fleurs insignifiantes.
H. 10 cm ; E. variable. [A]

Tetranema roseum,
syn. *T. mexicanum*
Vivace à tige courte ; feuilles acaules à dessous vert bleuâtre groupées à la base. Elle porte des fleurs inclinées pourpres, à gorge plus pâle. H. 20 cm ;
E. 30 cm. [A]

Cyanotis somaliensis
Vivace rampante à petites feuilles persistantes étroites, luisantes, poilues et engainantes. Ses fleurs bleu pourpré s'épanouissent en hiver et au printemps.
H. 5 cm ; E. variable. [A]

Tradescantia pallida 'Purple Heart'
Vivace rampante à tiges pourpre foncé et à feuilles persistantes légèrement charnues. Ses fleurs sont estivales, roses ou rose et blanc. H. 40 cm ;
E. 30 cm ou plus. [A]

Ajuga reptans 'Multicolor'
Bugle reptans 'Multicolor'
Vivace formant un tapis de feuilles persistantes vert marqué largement de crème et de rose. Elle émet des rejets traçants et, au printemps, de courts épis de petites fleurs bleues. H. 20 cm ;
E. 45 cm.

Maranta leuconeura
'Erythroneura'
Vivace à feuilles oblongues persistantes avec des stries rouges le long des nervures et des taches de différents verts. H. et E. 30 cm. [A]

Ajuga reptans 'Atropurpurea'
Bugle reptans 'Atropurpurea'
Vivace couvre-sol stolonifère, avec des rosettes de feuilles persistantes brillantes, pourpre bronzé foncé. De courts épis de fleurs bleues apparaissent au printemps.
H. 15 cm ; E. 1 m.

Tradescantia sillamontana
Vivace érigée à feuilles persistantes engainantes couvertes de poils laineux. Elle porte des bouquets de petites fleurs rose pourpré en été. H. et E. 30 cm. [A]

Streptocarpus 'Constant Nymph'
Vivace acaule, à rosette de feuilles persistantes ridées. Par intermittence, elle émet des fleurs en forme d'entonnoir large, bleu pourpré, veiné de pourpre foncé. H. 25 cm ;
E. 50 cm. [A]

Sansevieria trifasciata 'Hahnii'
Vivace acaule à rosette d'environ 5 feuilles persistantes rigides, larges, lancéolées, pointues, à stries horizontales vert clair ou blanches. Parfois petites fleurs vert pâle.
H. 30 cm ; E. 10 cm. [A]

□ VERT

Calathea makoyana
Plante formant une touffe. Ses feuilles persistantes sont horizontales, vert foncé et vert clair au-dessus, pourpre rougeâtre en dessous, et ont 30 cm de long. Par intermittence, courtes inflorescences de fleurs blanches. H. jusqu'à 60 cm; E. jusqu'à 1,2 m. A

Aglaonema pictum
Plante érigée, en touffe. Les feuilles persistantes sont ovales, irrégulièrement marquées de blanc grisâtre ou de gris-vert et atteignent 15 cm de long. En été, spathes blanc crème. H. et E. jusqu'à 60 cm. A

Aglaonema commutatum 'Silver King'
Plante en touffe, érigée. Feuilles persistantes larges, lancéolées, vert moyen, marquées de vert sombre et de vert clair, atteignant 30 cm de long. En été, spathes blanc verdâtre. H. et E. jusqu'à 45 cm. A

Maranta leuconeura var. kerchoviana
Plante portant par intermittence des fleurs blanches ou mauves. Feuilles persistantes oblongues, à taches brun sombre, devenant plus vertes avec l'âge; elles sont dressées la nuit, aplaties le jour. H. et E. jusqu'à 30 cm. A

Welwitschia mirabilis, syn. W. bainesii
Plante à court tronc ligneux, portant 2 feuilles persistantes atteignant 2,5 m de long; leurs bords se fendent et se déchiquettent avec l'âge. Fleurs brun rougeâtre en cône. H. jusqu'à 30 cm; E. variable. A

Peperomia marmorata
Plante touffue, à fleurs insignifiantes. Feuilles persistantes, ovales à longue pointe, charnues, côtelées, vert terne marqué de blanc grisâtre au-dessus, rougeâtres en dessous. H. et E. jusqu'à 20 cm. A

Stachys byzantina, syn. S. lanata, S. olympica
Oreille de chat
Plante formant un tapis. Feuillage persistant laineux, gris, excellent pour constituer une bordure ou comme couvre-sol. En été, fleurs rose mauve. H. 30-40 cm; E. 60 cm.

Ophiopogon japonicus
Herbe aux turquoises
Plante formant une touffe ou un tapis, à feuillage persistant, brillant, vert sombre, ressemblant à de l'herbe. À la fin de l'été, inflorescences de fleurs lilas, suivies de baies bleu-noir. H. 30 cm; E. variable.

Helleborus lividus subsp. corsicus
Hellébore lividus subsp. corsicus
Plante formant une touffe, à feuilles persistantes divisées, épineuses, vert sombre. En hiver et au printemps, elle porte de grands bouquets de fleurs en forme de coupe, vert pâle. H. 60 cm; E. 45 cm.

Soleirolia soleirolii, syn. Helxine soleirolii
Plante prostrée, envahissante, à petites feuilles le plus souvent persistantes, de forme arrondie, d'un vert éclatant, formant un tapis. Elle peut étouffer d'autres plantes si on ne la surveille pas. H. 5 cm; E. variable.

Callisia repens
Plante rampante, à tiges radicantes et à feuilles persistantes très serrées, parfois à bandes blanches et souvent pourprées en dessous. Rarement, en hiver, fleurs blanches discrètes. H. 10 cm; E. variable. A

Drosera spathulata
Rossolis spatulé
Plante carnivore, à rosettes de feuilles persistantes, en forme de cuillère, recouvertes de poils rouges glandulaires, sensitifs. En été, sur des tiges nues, nombreuses petites fleurs roses ou blanches. H. et E. jusqu'à 8 cm. [A]

Peperomia glabella
Plante à tiges rouges, s'étalant largement. Elle porte des feuilles persistantes larges, ovales, charnues, brillantes, vert vif, atteignant 5 cm de long, et des fleurs insignifiantes. H. jusqu'à 15 cm ; E. 30 cm. [A]

Helleborus viridis
Hellébore vert
Plante formant une touffe, à feuilles caduques, divisées, vert sombre. À la fin de l'hiver ou au début du printemps, elle porte des fleurs vertes en forme de coupe. H. et E. 30 cm.

Drosera capensis
Drosera du Cap
Plante carnivore, à rosettes de feuilles persistantes étroites, portant des poils rouges glandulaires, sensitifs. En été, de nombreuses petites fleurs pourpres apparaissent sur des tiges dépourvues de feuilles. H. et E. jusqu'à 15 cm. [A]

Peperomia obtusifolia 'Variegata'
Plante touffue, à feuilles persistantes, charnues, atteignant 20 cm de long, panachées en bordure de vert jaunâtre ou de blanc crème et à centre le plus souvent grisâtre. Fleurs insignifiantes. H. et E. jusqu'à 15 cm. [A]

Pilea nummulariifolia
Plante formant un tapis, à tiges rampantes, rougeâtres, radicantes. Les feuilles, de forme arrondie, vert pâle, de 2 cm de large, ont une surface ondulée. Les fleurs sont insignifiantes. H. jusqu'à 5 cm ; E. 30cm. [A]

Iresine herbstii 'Aureo-reticulata'
Plante touffue, à tiges rouges et à fleurs discrètes. Les feuilles persistantes sont de forme arrondie, de 10 cm de long ; vert moyen, elles ont des nervures jaunes ou rouges. H. jusqu'à 60 cm ; E. 45 cm. [A]

Dionaea muscipula
Dionée gobe-mouches
Plante carnivore, à rosettes d'au moins 6 feuilles persistantes à charnière, teintées de rose à l'intérieur, bordées de poils rigides. Bouquets de minuscules fleurs blanches en été. H. 10 cm ; E. 30 cm. [A]

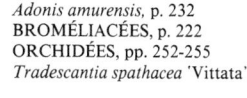

Helleborus fœtidus
Hellébore fétide
Plante formant une touffe, à feuilles persistantes, profondément divisées. À la fin de l'hiver et au début du printemps, elle porte des hampes de fleurs en forme de coupe, vert pâle bordé de rouge. H. et E. 45 cm.

Sansevieria trifasciata 'Golden Hahnii'
Plante dépourvue de tige, à rosette regroupant en moyenne de 6 à 8 feuilles persistantes, rigides, larges, érigées, lancéolées, à large bordure jaune. Elle porte parfois de petites fleurs vert pâle. H. 15-30 cm ; E. 10 cm. [A]

Nautilocalyx lynchii
Plante robuste, touffue, érigée. Les feuilles persistantes sont larges, lancéolées, légèrement ridées, brillantes, rouge verdâtre au-dessus, rougeâtres en dessous. En été, fleurs tubulaires jaune pâle à poils rouges et à calice rouge. H. et E. 60 cm. [A]

PLANTES ANNUELLES ET BISANNUELLES

Digitalis purpurea f. **alba**
Digitale pourpre f. blanche
Vivace à croissance lente, de courte durée
de vie, cultivée en annuelle. Rosette
de grandes feuilles ovales, pointues,
et tiges érigées, où s'épanouissent
en été des fleurs tubulaires blanches.
H. 1-1,5 m ; E. 30-45 cm.

Iberis amara
Thlaspi amara
Annuelle érigée, touffue, à croissance
rapide et à feuilles lancéolées vert
moyen. En été, elle porte des
inflorescences aplaties regroupant de
petites fleurs parfumées blanches, à 4
pétales. H. 30 cm ; E. 15 cm.

Omphalodes linifolia
Gazon blanc, Nombril-de-Vénus
Annuelle, à croissance assez rapide,
mince, érigée, à feuilles lancéolées
gris-vert. En été, minuscules fleurs
légèrement parfumées, de forme
arrondie, blanches, rarement teintées de
bleu. H. 15-30 cm ; E. 15 cm.

Alyssum maritimum ʼLittle
Dorritʼ
Corbeille d'argent ʼLittle
Dorritʼ
Annuelle compacte, à croissance rapide.
En été et début automne, têtes arrondies
de fleurs blanches à 4 pétales.
H. 8-15 cm ; E. 20-30 cm.

Matthiola ʼGiant Imperialʼ
Giroflée quarantaine ʼGiant
Imperialʼ
Bisannuelle à croissance rapide, érigée,
touffue, cultivée en annuelle. En été,
grappes de fleurs très parfumées, allant
de blanc à jaune crème. Bonnes fleurs à
couper. H. 60 cm ; E. 30 cm.

Gypsophila elegans
Gypsophile elegans
Annuelle érigée, touffue, à croissance
rapide. Feuilles lancéolées vert-grisâtre.
Été et début automne, nuage de petites
fleurs blanches en inflorescences
rameuses. H. 60 cm ; E. 30 cm ou plus.

Lavatera trimestris ʼMont Blancʼ
Lavatère à grandes fleurs
ʼMont Blancʼ
Annuelle érigée, rameuse, à croissance
moyennement rapide. Feuilles ovales
lobées. De l'été à début automne, fleurs
en entonnoir peu profond, blanc
brillant. H. jusqu'à 60 cm ; E. 45 cm.

Petunia, série Recoverer
Pétunia blanc
Vivace touffue, rameuse, cultivée en
annuelle, à croissance moyennement
rapide. Feuilles ovales, vert moyen ou
foncé. Grandes fleurs évasées blanches
en forme d'entonnoir, en été et en
automne. H. 15-30 cm ; E. 30 cm.

AUTRES PLANTES CONSEILLÉES :
Adlumia fungosa
Ageratum houstonianum ʼWhite Cushionʼ
Antirrhinum majus et cvs

Bellis perennis ʼWhite Carpetʼ
Callistephus chinensis et cvs
Campanula medium et cvs
Centaurea cyanus

Consolida ambigua, série Fleurs de jacinthe
Convolvulus tricolor ʼMinorʼ
Dianthus chinensis et cvs
Eustoma grandiflorum, Hybrides F1 [mél.]

Helichrysum bracteatum cvs
Lobelia erinus ʼColour Cascadeʼ
Lobularia maritima

Dimorphotheca pluvialis,
syn. *D. annua*
Souci pluvial
Annuelle rameuse, à feuilles ovales,
poilues, vert foncé. En été, petits
capitules à centre pourpre brunâtre et à
fleurs périphériques blanches à base
pourpre. H. 20-30 cm; E. 15 cm.

Chrysanthemum parthenium
Chrysanthème parthenium
Vivace touffue, à courte durée de vie,
cultivée en annuelle, à croissance
moyennement rapide. Feuilles lobées,
aromatiques, vert moyen. En été et
début automne, petits capitules blancs à
centre jaune. H. et E. 20-45 cm.

Reseda odorata
Réséda odorant
Annuelle rameuse, érigée, à croissance
moyennement rapide, à feuilles ovales.
Inflorescences coniques de petites fleurs
en forme d'étoile, blanches à étamines
brun orangé, très parfumées, en été et
début automne. H. 30-60 cm; E. 30 cm.

Euphorbia marginata
Euphorbe panachée
Annuelle touffue, dressée, à croissance
moyennement rapide. Feuilles ovales,
pointues, vert vif, les feuilles supérieures
étant bordées de blanc. Larges bractées
blanches entourant d'insignifiantes
fleurs, en été. H. 60 cm; E. 30 cm.

Nemophila maculata
Némophile maculata
Annuelle à croissance rapide, qui a
tendance à s'étendre. Feuilles lobées. En
été, elle porte de petites fleurs en forme
de coupe, blanches à pétales marqués de
pourpre au sommet. H. et E. 15 cm.

Viola, série Floral Dance
Pensée blanche
Vivace touffue, cultivée en annuelle ou
en bisannuelle. Feuilles ovales d'un vert
moyen. En hiver, fleurs de forme
arrondie, à 5 pétales, blanches à macule.
H. 15-20 cm; E. 20 cm.

Salvia splendens, série
Carabiniere
Sauge éclatante blanche
Vivace touffue, à croissance lente,
cultivée en annuelle. Feuilles ovales
dentées, vert frais. En été et début
automne, grappes denses de fleurs
tubulaires. H. 30 cm; E. 20-30 cm.

Nicotiana, série Domino
Tabac, série Domino
Annuelle touffue, à croissance assez
lente, à feuilles ovales et pointues. En
été et en début d'automne, elle porte des
fleurs en forme de trompette, atteignant
8 cm de long, dans une large gamme de
couleurs. H. et E. 30 cm.

Eustoma grandiflorum,
syn. *Lisianthus russellianus*
Annuelle dressée, à croissance lente;
feuilles lancéolées, vert foncé. Des
fleurs, ressemblant à des coquelicots,
roses, pourpres, bleues ou blanches, de
5 cm de diamètre, s'épanouissent en été.
H. 60 cm; E. 30 cm. [A]

Matthiola cvs
Nemesia strumosa
Nigella damascena
Papaver somniferum 'White Cloud'

PÉLARGONIUMS, pp. 206-207
Petunia cvs
Phlox drummondii cvs
Portulaca grandiflora

Salvia farinacea 'Alba'
Salvia horminum cvs
Senecio x *hybridus* cvs
Verbascum lychnitis

Viola x *wittrockiana* cvs
Zinnia cvs

Plantes annuelles et bisannuelles

Hibiscus trionum
Annuelle dressée, à croissance assez rapide : feuilles ovales, à bords dentés. De la fin de l'été au début de l'automne, fleurs en forme d'entonnoir, blanc crème ou jaune pâle, à centre brun violacé. H. 60 cm ; E. 30 cm.

☼ ◊ ❀

Martynia annua, syn. *M. louisiana*
Annuelle dressée, à croissance assez rapide ; feuilles à long pétiole. En été, fleurs tubulaires, à extrémités lobées blanc crème marquées de rouge, de rose et de jaune, suivies de fruits verts, cornus, devenant bruns. H. 60 cm ; E. 30 cm.

☼ ◊ ❀

Lathyrus odoratus 'Knee Hi'
Pois de senteur 'Knee Hi'
Annuelle à croissance rapide, à feuilles ovales, vert moyen. En été ou en début d'automne, grandes fleurs parfumées dans des nuances de rose, de rouge, de bleu ou de blanc. H. et E. 90 cm.

☼ ◊ ❀❀❀❀

Crepis rubra
Annuelle à croissance assez rapide, formant une rosette de feuilles lancéolées, à bords en dents de scie. En été, capitules floraux, ressemblant à ceux du pissenlit, roses, à l'occasion rouges ou blancs. H. 30 cm ; E. 15 cm.

☼ ◊ ❀❀❀

Zea mays 'Gracillima Variegata'
Maïs 'Gracillima Variegata'
Annuelle érigée, à croissance assez rapide, à feuilles lancéolées, rayées de vert et de blanc crème. Inflorescences argentées, suivies de grands épis de maïs jaune vif. H. 90 cm ; E. 30-45 cm.

☼ ◊ ❀

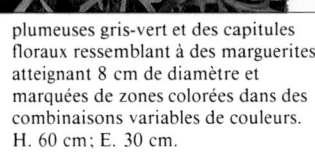

Impatiens balsamina
Balsamine
Annuelle touffue, compacte, érigée, à crossance assez rapide et à feuilles lancéolées. En été et début automne, petites fleurs éperonnées en forme de coupe, rose et blanc. H. jusqu'à 75 cm ; E. 45 cm.

☼ ◖ ❀

Chrysanthemum carinatum 'Monarch Court Jesters'
Chrysanthème à carène 'Monarch Court Jesters'
Annuelle érigée, rameuse, à croissance rapide. En été, elle porte des feuilles

plumeuses gris-vert et des capitules floraux ressemblant à des marguerites, atteignant 8 cm de diamètre et marquées de zones colorées dans des combinaisons variables de couleurs. H. 60 cm ; E. 30 cm.

☼ ◊ ❀❀❀

Silene coeli-rosa,
syn. *Lychnis coeli-rosa*
Coquelourde rose du ciel
Annuelle à croissance moyennement rapide, érigée, à feuilles lancéolées, vert grisâtre. En été, fleurs pourpre rosâtre à centre blanc. H. 45 cm ; E. 15 cm.

☼ ◊ ❀❀❀

Cleome hassleriana
Impatiens balsamina 'Blackberry Ice'

Acroclinium roseum, syn.
Helipterum roseum
Annuelle à croissance moyennement
rapide, érigée. Feuilles lancéolées vert
grisâtre; en été, petits capitules floraux,
ayant la consistance du papier, semi-
doubles, roses, à centre jaune, séchant
bien. H. 30 cm; E. 15 cm.

☼ ◊ ❀

Primula, série Posy
Primevère
Vivace cultivée en bisannuelle. Feuilles
lancéolées en rosette. Au printemps,
fleurs arrondies, presque sans
pédoncule, roses, rouges, jaunes,
pourpres ou blanches, à centre
contrasté. H. 8 cm; E. 10 cm.

☼ ◊ ❀❀❀

Matthiola, série Brompton
Giroflée quarantaine
Bisannuelle érigée, à croissance rapide,
cultivée en annuelle. Feuilles lancéolées
vert grisâtre. En été, longues grappes de
fleurs très parfumées, dans des nuances
de rose, rouge, pourpre, jaune ou blanc.
H. 45 cm; E. 30 cm.

☼ ◊ ❀❀❀

Althaea rosea, syn. **Alcea rosea**
Rose trémière
Bisannuelle à hautes tiges érigées et à
feuilles lobées de texture rugueuse. En
été et en début d'automne, fleurs
simples, dans une gamme de couleurs
incluant le rose, le jaune et le crème.
H. 1,5-2 m; E. jusqu'à 60 cm.

☼ ◊ ❀❀❀

Matthiola 'Giant Excelsior'
**Giroflée quarantaine 'Giant
Excelsior'**
Bisannuelle touffue, érigée, cultivée en
annuelle. Croissance rapide. Feuilles
vert grisâtre. En été, longues grappes de
fleurs très parfumées, roses, rouges, bleu
pâle ou blanches. H. 75 cm; E. 30 cm.

☼ ◊ ❀❀❀

Rhodanthe manglesii, syn.
Helipterum manglesii
Annuelle érigée, à croissance moyenne.
Feuilles ovales pointues, vert grisâtre.
En été et début automne, capitules
floraux scarieux, rouges, roses ou blancs,
à centre jaune, séchant bien.
H. 30 cm; E. 15 cm.

☼ ◊ ❀

Papaver somniferum, série
Peony-flowered
Pavot à fleurs de pivoine
Annuelle érigée, à croissance rapide.
Feuilles lobées vert grisâtre pâle. En été,
grandes fleurs doubles, rouges, roses,
pourpres ou blanches. H. 75 cm;
E. 30 cm.

☼ ◊ ❀❀❀

Pelargonium, série Orbit
Géranium saumon
Vivace touffue, rameuse, à croissance
lente, cultivée en annuelle. Feuilles
lobées, à nettes zones bronze ou rouges.
En été et en automne, grandes têtes
arrondies de fleurs rose saumon.
H. et E. 30-60 cm.

☼ ◊ ❀

Antirrhinum majus, série
Madame Butterfly
Muflier, Gueule-de-loup
Vivace érigée, cultivée en annuelle.
Feuilles lancéolées. Du printemps à
l'automne, grappes de fleurs tubulaires
bilabiées, doubles, dans différents
coloris. H. 60-75 cm; E. 45 cm.

☼ ◊ ❀

Salvia splendens, série
Cleopatra
Sauge éclatante saumon
Vivace touffue, à croissance lente,
cultivée en annuelle. Feuilles ovales
dentées, vert frais. Denses épis de fleurs
tubulaires en été et début automne.
H. jusqu'à 30 cm; E. 20-30 cm.

☼ ◊ ❀

Impatiens, série Novette
Balsamine saumon
Vivace touffue, à croissance rapide,
cultivée en annuelle. Feuilles
persistantes pointues, ovales, d'un vert
frais. Petites fleurs aplaties, éperonnées,
rose saumon, du printemps à l'automne.
H. et E. 15 cm.

☼◑ ◊ ❀

Ageratum houstonianum 'Bengali'
Ageratum houstonianum 'Pinkie'
Silene pendula

Plantes annuelles et bisannuelles

Zinnia, série Thumbelina
Annuelle érigée, vigoureuse, à croissance moyennement rapide, à feuilles d'ovales à lancéolées. En été et en début d'automne, elle porte de grands capitules floraux doubles et semi-doubles, dans toute une gamme de couleurs. H. 15 cm; E. 30 cm.

☼ ◊ ❀

Eschscholtzia californica, série Ballerina
Annuelle érigée, mince, à croissance rapide. Feuilles vert bleuâtre, plumeuses. En été et en automne, fleurs en forme de coupe, doubles, à pétales plissés, dans des nuances de rouge, jaune, rose ou orange. H. 30 cm; E. 15 cm.

☼ ◊ ❀ ❀ ❀

Petunia, série Victorious
Vivace touffue, rameuse, à croissance moyennement rapide, cultivée en annuelle. Feuilles ovales. En été et en automne, fleurs doubles à pétales ondulés et frangés dans un mélange de teintes. H. 15-30 cm; E. 30 cm.

☼ ◊ ❀

Papaver rhoeas, série Shirley
Coquelicot double
Annuelle érigée, mince, à croissance rapide, à feuilles lobées vert clair. En été, fleurs doubles, arrondies, souvent en coupe, dans des nuances de rouge, rose ou blanc, parfois bicolores. H. 60 cm; E. 30 cm.

☼ ◊ ❀ ❀ ❀

Schizanthus 'Hit Parade'
Annuelle touffue, érigée, à croissance moyenne, à feuilles très divisées. En été et en automne, fleurs tubulaires dans des couleurs intenses, rose, rouge, pourpre ou blanc, avec, souvent, des marques de couleur contrastée à l'intérieur. H. et E. 30 cm. Ⓐ

☼ ◊

Onopordum acanthium
Chardon aux ânes ou d'Écosse
Bisannuelle érigée, rameuse, à croissance lente. Grandes feuilles lobées, épineuses, poilues, d'un gris argenté vif. En été, capitules floraux rose pourpré foncé sur tiges ramifiées. H. 1,8 m; E. 90 cm.

☼ ◊ ❀ ❀ ❀

Cleome hassleriana 'Colour Fountain'
Annuelle touffue, à croissance rapide. Tiges poilues, feuilles divisées. En été, têtes de fleurs à pétales étroits, à longues étamines saillantes, dans des nuances de rose, mauve, pourpre ou blanc. H. 1-1,2 m; E. 45-60 cm.

☼ ◊ ❀

Centaurea cyanus
Centaurée, Bleuet
Grande variété rose
Annuelle érigée, rameuse, à croissance rapide et à feuilles lancéolées gris-vert. Inflorescences ramifiées de capitules roses, en été et début automne. H. jusqu'à 90 cm; E. 30 cm.

☼ ◊ ❀ ❀ ❀

Silybum marianum
Chardon-Marie
Bisannuelle à rosette basale de feuilles profondément lobées, très épineuses, vert foncé fortement marbré de blanc. En été et début automne, capitules floraux rose pourpré sombre, sur des tiges érigées. H. 1,2 m; E. 60 cm.

☼ ◊ ❀ ❀ ❀

Alyssum maritimum 'Wonderland'
Corbeille d'argent 'Wonderland'
Annuelle compacte, à croissance rapide, à feuilles lancéolées. En été et début automne, têtes arrondies de petites fleurs rose violacé. H. 15 cm; E. 30 cm.

☼ ◊ ❀ ❀ ❀

Limonium sinuatum
Statice
Vivace dressée, touffue, à croissance assez lente, cultivée en annuelle. Feuilles lancéolées, lobées, vert foncé. En été et début automne, bouquets de minuscules fleurs bleues, roses ou blanches. H. 45 cm; E. 30 cm.

☼ ◊ ❀

Iberis umbellata, série Fairy
Thlaspi
Annuelle touffue, dressée, à croissance rapide et à feuilles lancéolées, vert moyen. Corymbes de petites fleurs à 4 pétales, dans des nuances de rose, rouge, pourpre ou blanc, en été et début automne. H. et E. 20 cm.

☼ ◊ ❀ ❀ ❀

Petunia, série Bonanza
Vivace touffue, rameuse, à croissance
moyennement rapide, cultivée en
annuelle. Feuilles ovales. En été et en
automne, fleurs doubles en forme de
trompette, évasées, à pétales plissés,
dans un mélange de teintes.
H. 15-30 cm; E. 30 cm.

☼ ◊ ✽

Agrostemma githago 'Milas'
Nielle des blés g. 'M.'
Annuelle dressée, mince, à fines tiges, à
croissance rapide. Elle porte des feuilles
lancéolées et des fleurs rose pourpré à
5 pétales, de 8 cm de diamètre,
s'épanouissant en été. H. 60-90 cm;
E. 30 cm.

☼ ◊ ✽✽✽

Malcolmia maritima
Julienne de Mahon
Annuelle érigée, fluette, à croissance
rapide, à feuilles ovales vert grisâtre. Du
printemps à l'automne, minuscules
fleurs parfumées, à 4 pétales, roses,
rouges ou blanches. Faire plusieurs
semis. H. 20 cm; E. 5-10 cm.

☼ ◊ ✽✽✽

Matthiola, série Brompton
Giroflée quarantaine rose
Bisannuelle touffue, érigée, à croissance
rapide. Feuilles lancéolées vert grisâtre.
En été, longues grappes de fleurs roses
très parfumées. H. 45 cm; E. 30 cm.

☼ ◊ ✽✽✽

Lunaria annua 'Variegata'
Monnaie du pape 'Variegata'
Bisannuelle érigée, à croissance rapide, à
feuilles ovales, pointues, à bords dentés,
panachées de blanc. Au printemps et en
début d'été, petites fleurs rose pourpré
foncé; graines en mince disque argenté.
H. 75 cm; E. 30 cm.

☼ ◊ ✽✽✽

Silene armeria 'Electra'
Silène à bouquets 'Electra'
Annuelle érigée, à croissance
moyennement rapide et à feuilles ovales
vert grisâtre. En été et en début
d'automne, têtes de fleurs en forme
d'étoile rose vif. H. 30 cm; E. 15 cm.

☼ ◊ ✽✽✽

Plantes annuelles et bisannuelles

◻ ROSE

Lavatera trimestris 'Silver Cup'
Lavatère à grandes fleurs
'Silver Cup'
Annuelle érigée, rameuse, à croissance
moyennement rapide, à feuilles ovales,
lobées. En été et début automne, fleurs
en forme d'entonnoir peu profond,
incarnates. H. 60 cm; E. 45 cm.

☼ ◊ ✿✿✿

Brassica oleracea
Chou d'ornement
Bisannuelle cultivée en annuelle, dense,
à croissance moyennement rapide.
«Pomme» de grandes feuilles
persistantes souvent gaufrées, colorées
de rouge-vert, blanc-rose, rose-vert. Ne
pas laisser fleurir. H. et E. 30-45 cm.

☼ ◊ ✿✿✿

Coleus blumei
Vivace touffue, à croissance rapide,
cultivée en annuelle. Feuilles ovales,
pointues, à bords dentés, colorées de
teintes vives, incluant des nuances de
rose, rouge, vert ou jaune. Enlever les
inflorescences. H. jusqu'à 45 cm;
E. 30 cm ou plus. [A]

☼ ◊

Dianthus chinensis, série
Baby Doll
Œillet de Chine
Bisannuelle touffue, cultivée en
annuelle. Feuilles vert clair ou moyen,
lancéolées. En été et début automne,
petites fleurs simples, marquées de
couleurs variées. H. 15 cm; E. 30 cm.

☼ ◊ ✿✿✿

Lathyrus odoratus 'Bijou'
Pois de senteur 'Bijou'
Annuelle à croissance rapide, feuilles
ovales, divisées, d'un vert moyen. En été
ou en début d'automne, grandes fleurs
parfumées, colorées dans des nuances de
rose, de rouge ou de bleu.
H. et E. 45 cm.

☼ ◊ ✿✿✿

Malope trifida
Annuelle érigée, rameuse, à croissance
moyennement rapide, à feuilles
arrondies et lobées. Fleurs en forme
d'entonnoir, évasées, pourpre rougeâtre,
de 8 cm de diamètre, à veines rose
foncé, en été et en début d'automne.
H. 90 cm; E. 30 cm.

☼ ◊ ✿✿✿

Clarkia 'Brilliant'
Annuelle touffue, érigée, à croissance
rapide et à feuilles ovales. De grandes
fleurs doubles, rose rougeâtre vif,
s'épanouissent en longues inflorescences
en été et en début d'automne. H. jusqu'à
60 cm; E. 30 cm.

☼ ◊ ✿✿✿

Callistephus chinensis, série
Milady
Reine-marguerite rose
Annuelle touffue, érigée, à croissance
moyennement rapide, à feuilles ovales
dentées. En été et début automne,
grands capitules floraux doubles,
incarnats. H. 25-30 cm; E. 30-45 cm.

☼ ◊ ✿

Matthiola, série Ten-week
Giroflée quarantaine naine
Bisannuelle touffue, érigée, cultivée en
annuelle, à croissance rapide. Feuilles
lancéolées vert grisâtre. En été, longues
grappes de fleurs simples ou doubles,
très parfumées, dans des nuances de
rose, rouge ou blanc. H. et E. 30 cm.

☼ ◊ ✿✿✿

Antirrhinum majus
Callistephus chinensis et cvs
Celosia cristata
Cleome hassleriana 'Rose Queen'

Dianthus chinensis
Digitalis purpurea
Helichrysum bracteatum cvs
Papaver somniferum

PÉLARGONIUMS, pp. 206-207
Petunia cvs
Phlox drummondii cvs
Portulaca grandiflora

Schizanthus cvs
Senecio × hybridus cvs
Zinnia cvs

Petunia, série Resisto
Pétunia rose
Vivace touffue, rameuse, cultivée en
annuelle, à croissance moyennement
rapide. Feuilles ovales. En été et en
automne, fleurs incarnates en forme
d'entonnoir, évasées, résistantes à la
pluie. H. 30 cm; E. 30 cm.

Silene coeli-rosa 'Rose Angel'
**Coquelourde rose du ciel
'Rose Angel'**
Annuelle mince, érigée, à croissance
moyennement rapide. Feuilles
lancéolées vert grisâtre. Fleurs incarnat
foncé, s'épanouissant en été.
H. 30 cm; E. 15 cm.

Clarkia 'Arianna'
Annuelle à tiges ramifiées, érigées,
minces, à croissance rapide. Ses feuilles
sont lancéolées. Des inflorescences de
fleurs semi-doubles, à pétales plissés,
ondulés, incarnat foncé, s'épanouissent
en été et en début d'automne.
H. 45 cm; E. 30 cm.

Dorotheanthus bellidiformis,
'série Magic Carpet
Ficoïde tapis magique
Annuelle tapissante, à feuilles
succulentes lancéolées, vert pâle. Fleurs
dans des nuances vives de rouge, rose,
jaune ou blanc, s'ouvrant seulement au
chaud soleil d'été. H. 15 cm; E. 30 cm.

Antirrhinum majus, série
Princess
Muflier, Gueule-de-loup
pourpre à gorge blanche
Vivace cultivée en annuelle, érigée,
ramifiée. Jusqu'en automne, grappes de
fleurs tubulaires bilabiées, blanc et
pourpre rosâtre. H. et E. 45 cm.

Cosmos 'Sensation'
Annuelle érigée, touffue, à croissance
moyennement rapide. Feuilles
plumeuses vert moyen. De début été à
début automne, capitules floraux,
atteignant 10 cm de diamètre, dans des
nuances de rouge, rose ou blanc.
H. 90 cm; E. 60 cm.

Lunaria annua, syn. *L. biennis*
Monnaie du pape
Bisannuelle érigée, à croissance rapide;
feuilles ovales, pointues, à bords dentés.
Fleurs de blanches à pourpre foncé, au
printemps et en début d'été. Graines en
mince disque argenté. H. 75 cm;
E. 30 cm.

Xeranthemum annuum
Immortelle annuelle double
Annuelle érigée, à feuilles lancéolées
argentées. En été, capitules doubles,
ayant la consistance du papier, mauves,
pourpres ou blanches. Bonnes
fleurs à sécher. H. 60 cm;
E. 45 cm.

Impatiens, série Rosette
Balsamine
Vivace cultivée en annuelle, touffue, à
croissance rapide. Feuilles persistantes.
Du printemps à l'automne, fleurs
aplaties éperonnées, doubles et semi-
doubles, rouges, roses, orange ou
blanches. H. et E. 30 cm.

***Impatiens* 'Lipstick',
série Super Elfin
Balsamine 'Lipstick'**
Vivace touffue, à croissance rapide,
cultivée en annuelle. Feuilles vert frais,
persistantes. Du printemps à l'automne,
petites fleurs aplaties éperonnées,
vermillon. H. et E. 20 cm.

☀ ◖ ❋

***Phlox drummondii*, série Cecily**
Annuelle érigée, mince, à croissance
moyenne. Feuilles lancéolées vert pâle.
En été et début automne, inflorescences
de grandes fleurs plates, rouges, roses,
bleues, pourpres ou blanches, avec un
œil central plus clair ou plus foncé.
H. 15 cm; E. 10 cm.

☀ ◊ ❋

***Nicotiana alata*, série Sensation
Tabac odorant**
Annuelle rameuse, érigée, à croissance
assez lente et à feuilles ovales pointues.
En été et en début d'automne, fleurs
parfumées en forme de trompette, de
8 cm de long, dans une large gamme de
couleurs. H. 75-90 cm; E.30 cm.

☀ ◊ ❋

***Verbena* × *hybrida* 'Showtime'
Verveine hybride 'Showtime'**
Vivace touffue, à croissance assez lente,
cultivée en annuelle. Feuilles lancéolées,
dentées, vert moyen ou foncé. D'été à
automne, bouquets de petites fleurs
tubulaires dans une vaste gamme de
couleurs. H. 20 cm; E. 30 cm.

☀ ◊ ❋

***Portulaca grandiflora*, série
Sundance
Pourpier à grandes fleurs**
Annuelle semi-rampante, à croissance
lente. Feuilles succulentes vert vif. En
été et début automne, fleurs en coupe, à
étamines apparentes. Différents coloris.
H. jusqu'à 20 cm; E. 15 cm.

☀ ◊ ❋

***Petunia* 'Mirage Velvet'**
Vivace touffue, rameuse, cultivée en
annuelle, à feuilles ovales vert foncé.
Grandes fleurs en forme d'entonnoir,
évasées, d'un rouge intense, à centre
presque noir, en été et en automne.
H. 25 cm; E. 30 cm.

☀ ◊ ❋

***Amaranthus caudatus*
Queue de renard**
Annuelle touffue, à feuilles ovales vert
pâle. En été et en automne,
inflorescences spiciformes pendantes, de
45 cm de long, regroupant des
fleurs rouges. H. jusqu'à
1,2 m; E. 45 cm.

☀ ◊ ❋

***Dianthus barbatus*, série
Roundabout
Œillet de poète nain**
Bisannuelle touffue, dressée, à
croissance lente. En début d'été, têtes
aplaties de fleurs roses, rouges ou
blanches, marquées de zones et à œil
contrasté. H. 15 cm; E. 20-30 cm.

☀ ◊ ❋❋❋

***Petunia*, série Star
Pétunia cramoisi**
Vivace touffue, rameuse, à croissance
moyennement rapide, cultivée en
annuelle. Feuilles ovales vert moyen ou
foncé. Grandes fleurs évasées, rouge
foncé rayé de blanc, en été et en
automne. H.et E. 30 cm.

☀ ◊ ❋

***Phlox drummondii*, série
Twinkle**
Annuelle érigée, mince, à croissance
moyennement rapide. Feuilles
lancéolées vert pâle. En été, bouquets de
fleurs en forme d'étoile, dans un
mélange vif de couleurs, certaines à
centre contrasté. H. 15 cm; E. 30 cm.

☀ ◊ ❋

***Althaea rosea* 'Chater's Double'
Rose trémière 'Chater's Double'**
Bisannuelle érigée, à feuilles lobées,
rugueuses. En été et début automne, sur
des tiges dressées, fleurs doubles dans
différents coloris. H. 1,8-2,4 m;
E. jusqu'à 60 cm.

☀ ◊ ❋❋❋

Bellis perennis cvs
Celosia cristata
PÉLARGONIUMS, pp. 206-207
Senecio × *hybridus* cvs

Zinnia cvs

Viola 'Roggli Giants'
Pensée 'Roggli Giants'
Vivace touffue, à croissance assez
rapide, cultivée en annuelle ou en
bisannuelle. Feuilles ovales dentées. En
été et en automne, fleurs arrondies, à
5 pétales, d'environ 10 cm de diamètre,
dans différents coloris. H. et E. 20 cm.

Dianthus barbatus, série
Monarch
Œillet de poète
Bisannuelle à croissance lente, touffue,
dressée. Début été, têtes aplaties de
fleurs bicolores, atteignant 12 cm de
large. H. 45 cm; E. 20-30 cm.

Bellis perennis 'Pomponette'
Pâquerette 'Pomponette'
Vivace tapissante, à croissance lente,
cultivée en annuelle, à feuilles ovales.
Au printemps, petits capitules floraux
doubles, dans des tons rouge, rose ou
blanc. H. et E. 10-15 cm.

Impatiens 'Red Star',
série Novette
Balsamine 'Red Star'
Vivace touffue, à croissance rapide,
cultivée en annuelle. Du printemps à
l'automne, petites fleurs aplaties,
éperonnées, rouges, à marques blanches
en forme d'étoile. H. et E. 15 cm.

Dianthus chinensis 'Fire Carpet'
Œillet de Chine 'Fire Carpet'
Annuelle ou bisannuelle touffue, à
croissance lente, cultivée en annuelle.
Feuilles lancéolées vert clair ou moyen.
Petites fleurs de forme arrondie,
simples, rouge vif, en été et au début de
l'automne. H. 20 cm; E. 15-30 cm.

Impatiens, série Novette
Balsamine rouge
Vivace touffue, à croissance rapide,
cultivée en annuelle. Du printemps à
l'automne, petites fleurs aplaties,
éperonnées, rouges. Feuilles persistantes
ovales, pointues, vert frais.
H. et E. 15 cm.

Impatiens, série Confection
Balsamine
Vivace touffue, à croissance rapide,
cultivée en annuelle. Feuilles vert frais,
persistantes. Du printemps à l'automne,
petites fleurs doubles ou semi-doubles,
plates, éperonnées, rouges ou roses.
H. et E. 20-30 cm.

Linum grandiflorum 'Rubrum'
Lin à grandes fleurs 'Rubrum'
Annuelle mince, érigée, à croissance
assez rapide. Feuilles lancéolées gris-
vert. En été, fleurs de forme arrondie,
aplaties, rouge foncé. H. 45 cm;
E. 15 cm.

Phlox drummondii, série
Twinkle
Annuelle mince, érigée, à croissance
moyennement rapide, à feuilles
lancéolées vert pâle. En été, têtes de
fleurs de forme étoilée, de différentes
couleurs vives, certaines à centre
contrasté. H. 15 cm; E. 10 cm.

Plantes annuelles et bisannuelles

■ ROUGE

***Verbena* x *hybrida* 'Defiance'**
Verveine hybride 'Défiance'
Vivace touffue, à croissance assez lente,
cultivée en annuelle. Feuilles lancéolées,
dentées, d'un vert moyen ou foncé. En
été et en automne, bouquets de petites
fleurs tubulaires, rouge foncé à œil
blanc. H. 20 cm; E. 30 cm.

***Salvia splendens* 'Flare Path'**
Sauge éclatante 'Flare Path'
Vivace touffue, à croissance lente,
cultivée en annuelle. Feuilles ovales
dentées, vert frais. Grappes denses de
fleurs tubulaires, d'un écarlate pur, en
été et en début d'automne. H. jusqu'à
30 cm; E. 20-30 cm.

***Nemesia strumosa*, série
Carnival**
Némésie strumosa
Annuelle touffue, à croissance assez
rapide, à feuilles vert pâle, dentées. En
été, petites fleurs en forme d'entonnoir,
jaunes, rouges, orange, pourpres
ou blanches. H. 30 cm; E. 15 cm.

***Petunia*, série Picotee**
Pétunia rouge
Vivace touffue, rameuse, à croissance
assez rapide, cultivée en annuelle.
Feuilles ovales. En été et en automne,
fleurs évasées, en forme d'entonnoir,
rouges, bordées de blanc. H. 15-30 cm;
E. 30 cm.

***Pelargonium*, série Diamond**
Géranium écarlate
Vivace compacte, rameuse, cultivée en
annuelle, à croissance lente. Feuilles
lobées de forme arrondie. En été et en
automne, grandes ombelles de fleurs
rouges, résistantes aux intempéries.
H. et E. 30-60 cm.

***Zinnia*, série Ruffles**
(Écarlate.) Annuelle vigoureuse, dressée,
à croissance moyennement rapide, à
feuilles ovales ou lancéolées, vert pâle
ou moyen. En été et au début de
l'automne, capitules floraux doubles, à
pétales ondulés, ressemblant aux dahlias
pompons. H. 60 cm; E. 30 cm.

***Papaver rhoeas*, série Shirley**
Coquelicot à fleurs simples
Annuelle érigée, mince, à croissance
rapide et à feuillage lobé vert clair. En
été, fleurs simples, de forme arrondie,
souvent en coupe, dans des nuances de
rouge, rose, saumon ou blanc. H. 60 cm;
E. 30 cm.

***Petunia*, série Resisto**
Vivace touffue, à croissance assez
rapide, cultivée en annuelle. Feuilles
ovales. En été et en automne, fleurs
évasées en forme d'entonnoir, dans une
gamme de couleurs vives; résistante à la
pluie. H. 15-30 cm; E. 30 cm.

***Primula*, série Pacific**
Primevère naine
Vivace à feuilles lancéolées formant une
rosette, cultivée d'habitude en
bisannuelle. Au printemps, bouquets de
grandes fleurs aplaties, dans des nuances
de bleu, jaune, rouge, rose ou blanc.
H. 10-15 cm; E. 20 cm.

Antirrhinum majus
Antirrhinum majus 'His Excellency'
Cheiranthus cheiri
Chrysanthemum carinatum, série Tricolor

Coleus blumei, p. 268
Gaillardia pulchella [double, mél.]
Helichrysum bracteatum cvs
Impatiens, série Duel

Impatiens, série Tom Thumb
Impatiens walleriana
Ipomaea coccinea

Alonsoa warscewiczii
Vivace cultivée en annuelle. De minces tiges rouges, ramifiées, portent des feuilles ovales, dentées, vert foncé. En été et en automne, elle produit des fleurs éperonnées d'un écarlate vif.
H. 30-60 cm ; E. 30 cm.

☼ ◊ ❄

Zinnia, série Ruffles
Annuelle vigoureuse, dressée, à croissance moyennement rapide et à feuilles ovales ou lancéolées, vert pâle ou moyen. En été et en début d'automne, capitules doubles, à pétales ondulés, ressemblant aux dahlias pompons, dans un mélange de couleurs.
H. 60 cm ; E. 30 cm.

☼ ◊ ❄

Capsicum annuum 'Holiday Time'
Piment 'Holiday Time'
Vivace touffue cultivée en annuelle, à croissance moyennement rapide. Feuilles ovales, vert moyen. En automne et en hiver, fruits coniques virant du jaune au rouge. H. et E. 20-30 cm. [A]

☼ ◊

Viola, série Floral Dance
Pensée
Vivace touffue, à croissance assez rapide, cultivée en annuelle ou bisannuelle. Feuilles ovales vert moyen. En hiver, fleurs de forme arrondie, à 5 pétales, dans une large gamme de couleurs. H. 15-20 cm ; E. 20 cm.

☼ ◊ ❄ ❄ ❄

Dahlia, hybrides Coltness
Vivace touffue, érigée, bien ramifiée, cultivée en annuelle. Ses feuilles sont profondément lobées. Tout l'été et jusqu'aux premières gelées, elle porte des capitules floraux simples, dans de nombreuses couleurs. H. et E. 45 cm.

☼ ◊ ❄

Salpiglossis sinuata 'Splash'
Salpiglossis à fleurs changeantes 'Splash'
Annuelle rameuse, érigée, à croissance moyennement rapide. Feuilles lancéolées vert pâle. En été et début automne, fleurs en entonnoir, largement évasées ; nombreux coloris. H. 60 cm ; E. 30 cm.

☼ ◊ ❄

Chrysanthemum carinatum 'Monarch Court Jesters'
Chrysanthème à carène 'Monarch Court Jesters'
Annuelle rameuse, érigée, à croissance rapide. Feuilles plumeuses. En été, capitules de 8 cm de diamètre ; différents coloris. H. 60 cm ; E. 30 cm.

☼ ◊ ❄ ❄ ❄

Tagetes patula 'Cinnabar'
Œillet d'Inde 'Cinnabar'
Annuelle touffue, à croissance rapide, à feuillage aromatique penné, vert sombre. En été et début automne, capitules floraux simples, rouille intense au-dessus, jaune-rouge en dessous, à centre orangé. H. et E. 30 cm.

☼ ◊ ❄

Coleus blumei 'Brightness'
Vivace touffue, à croissance rapide, cultivée en annuelle. Feuilles ovales et pointues, dentées, de couleur rouille, bordées de vert. Les inflorescences doivent être enlevées. H. jusqu'à 45 cm ; E. 30 cm ou plus. [A]

☼ ◊

Ipomaea nil 'Scarlett O'Hara'
Ipomaea quamoclit, p. 168
Mimulus, série Malibu
Papaver commutatum 'Lady Bird'

Petunia cvs
Portucala grandiflora
Salpiglossis cvs
Salvia splendens

Solanum capsicastrum
Solanum pseudocapsicum 'Fancy'
Tagetes patula
Tropaeolum majus cvs

Verbena × hybrida 'Mme du Barry'

Plantes annuelles et bisannuelles

■ ROUGE

■ POURPRE

Amaranthus hybridus var.
erythrostachys
Amarante hybride
Annuelle touffue, à feuilles fortement
teintées de pourpre. En été et en
automne, grappes dressées, parfois
aplaties, de 15 cm ou plus de long, rouge
foncé. H. jusqu'à 1,2 m; E. 45 cm.

Ricinus communis 'Impala'
Ricin 'Impala'
Arbuste à croissance rapide, souvent
cultivé en annuelle. Grandes feuilles
persistantes bronze, palmées. En été,
petites fleurs rouges; fruits rouges
globuleux, épineux. H. 1,5 m; E. 90 cm.

Humea elegans
Bisannuelle rameuse, érigée, à fort
parfum d'encens. Feuilles lancéolées. En
été et en automne, inflorescences
regroupant de minuscules fleurs roses,
rouge brunâtre ou écarlates. H. jusqu'à
1,8 m; E. 90 cm. [A]

Atriplex hortensis 'Rubra'
Scabiosa atropurpurea

Trachelium caeruleum
Vivace érigée, cultivée en annuelle, à
croissance moyennement rapide. Ses
feuilles ovales ont un bord en dents de
scie. En été, de petites fleurs tubulaires,
bleu-lilas ou blanches, s'épanouissent en
inflorescences globuleuses.
H. 60-90 cm; E. 30 cm.

Limonium suworowii
Statice suworowii
Annuelle rameuse, érigée, à croissance
assez lente; feuilles lancéolées. En été et
début automne, petites fleurs tubulaires,
de rose à pourpre, portées sur des
hampes ramifiées. Bonnes fleurs à
sécher. H. 45 cm; E. 30 cm.

Antirrhinum majus
Centaurea cyanus
Consolida ambigua, série fleurs de
    jacinthe

Salvia sclarea var. *turkestanica*
Sauge sclarée var. turkestanica
Bisannuelle cultivée en annuelle, à
croissance moyennement rapide, érigée.
Feuilles poilues, aromatiques. En été,
panicules de fleurs tubulaires blanc et
bleu lavande, à bractées saillantes
lavande pourpre. H. 75 cm; E. 30 cm.

Schizanthus pinnatus
Annuelle touffue, dressée, à croissance
moyennement rapide et à feuilles vert
clair, pennées. En été et en automne,
fleurs de forme curieuse, lobées,
multicolores, dans des nuances de rose,
pourpre, blanc et jaune.
H. 30 cm-1,2 m; E. 30 cm. [A]

Impatiens 'Tom Thumb'
Ionopsidium acaule
Lobelia erinus 'Colour Cascade'
Matthiola cvs

Linaria maroccana 'Fairy Lights'
**Linaire maroccana 'Fairy
Lights'**
Annuelle touffue, érigée, à croissance
rapide. Feuilles lancéolées vert pâle. En
été, petites fleurs rappelant des gueules-
de-loup, rouges, roses, pourpres, jaunes
ou blanches. H. 20 cm; E. 15 cm.

Nemesia strumosa
Xeranthemum annuum

Exacum affine
Bisannuelle touffue, habituellement cultivée en annuelle. Ses feuilles sont brillantes, ovales. En été et en début d'automne, minuscules fleurs parfumées, en forme de coupe peu profonde, pourpres à étamines jaunes. H. et E. 20-30 cm. [A]

☀ ◊

Campanula medium 'Bells of Holland'
Campanule à grosses fleurs 'Bells of Holland'
Bisannuelle érigée, formant une touffe, à croissance lente. Au printemps et début été, fleurs bleues, lilas, roses et blanches. H. 60 cm; E. 30 cm.

☀ ◊ ❄❄❄

Salvia horminum
Sauge horminum
Annuelle dressée, rameuse, à croissance moyennement rapide et à feuilles ovales. En été et en début d'automne, fleurs tubulaires, entourées de bractées pourpres, roses ou blanches. H. 45 cm; E. 20 cm.

☀ ◊ ❄❄❄

Gomphrena globosa
Amarantoïde
Annuelle touffue, dressée, à croissance moyennement rapide. Feuilles ovales, poilues. En été et début automne, têtes florales ovales, rappelant celles des trèfles, roses, jaunes, orange, pourpres ou blanches. H. 30 cm; E. 20 cm.

☀ ◊ ❄

Collinsia grandiflora
Annuelle à tiges minces, à croissance moyennement rapide. Les feuilles supérieures sont lancéolées, celles disposées à la base sont ovales. Au printemps et en été, verticilles de fleurs pourpre pâle, à lèvres bleu violacé. H. et E. 15-30 cm.

☀ ◊ ❄❄❄

Echium vulgare
Vipérine commune
(Forme naine.) Bisannuelle touffue, érigée. Feuilles lancéolées vert sombre. En été, grappes de fleurs tubulaires, colorées de blanc, rose, bleu ou pourpre. H. 30 cm; E. 20 cm.

☀ ◊ ❄❄❄

Orychophragmus violaceus
Annuelle ou bisannuelle dressée, à croissance moyennement rapide, à tiges florales ramifiées et à feuilles ovales, pointues, vert pâle. Bouquets de fleurs bleu-pourpre, à 4 pétales, au printemps. H. 30-60 cm; E. 30 cm.

☀ ◊ ❄

Petunia 'Blue Frost'
Vivace touffue, rameuse, à croissance assez rapide, cultivée en annuelle. Feuilles ovales. En été et en automne, fleurs en forme d'entonnoir, évasées, bleu-violet, bordées de blanc. H. 15-30 cm; E. 30 cm.

☀ ◊ ❄

Scabiosa atropurpurea, série Cockade
Scabieuse des jardins
Annuelle touffue, érigée, à croissance moyennement rapide. En été et début automne, capitules doubles, globuleux, rouges, roses, pourpres ou bleus. H. 90 cm; E. 30 cm.

☀ ◊ ❄❄❄

Nierembergia hippomanica var. violacea 'Purple Robe'
Vivace rameuse, de forme arrondie, à croissance moyennement rapide, cultivée en annuelle. Feuilles étroites lancéolées. En été et début automne, fleurs pourpres en forme de coupe. H. et E. 15-20 cm.

☀ ◊ ❄

Callistephus chinensis, série Thousand Wonders
Reine-marguerite
Annuelle touffue, érigée, à croissance moyennement rapide. Feuilles ovales dentées. Capitules doubles, roses, bleues, pourpres, rouges ou blancs, en été et début automne. H. 20 cm; E. 30 cm.

☀ ◊ ❄

Salvia splendens, série Cleopatra
Sauge éclatante violette
Vivace touffue, à croissance lente, cultivée en annuelle. Feuilles ovales, dentées. Grappes de fleurs tubulaires verticillées, en été et début automne. H. jusqu'à 30 cm; E. 20-30 cm.

☀ ◊ ❄

Papaver somniferum
Perilla frutescens
Petunia cvs
Phlox drummondii cvs

Schizanthus cvs
Viola × *wittrockiana* cvs
Zinnia cvs

Plantes annuelles et bisannuelles

Senecio 'Spring Glory'
Cinéraire 'Spring Glory'
Vivace cultivée en bisannuelle, à
végétation arrondie, à croissance lente.
Grandes feuilles ovales dentées, vert
moyen ou foncé. Au printemps, grands
capitules de coloris divers. H. 20 cm;
E. 30 cm. A

☼ ◊

Callistephus chinensis,
série Milady
Reine-marguerite violette
Annuelle touffue, érigée, à croissance
moyennement rapide et à feuilles ovales.
En été et en début d'automne, grands
capitules doubles, violets.
H. 25-30 cm; E. 30-45 cm.

☼ ◊ ❄

Petunia, série Resisto
Pétunia bleu
Vivace touffue, rameuse, à croissance
moyennement rapide, cultivée en
annuelle. Feuilles ovales, résistantes à la
pluie. En été et en automne, fleurs en
forme d'entonnoir, évasées, d'un bleu
intense. H. et E. 30 cm.

☼ ◊ ❄

Lobelia erinus 'Sapphire'
Annuelle, vivace en serre, à végétation
pendante, s'étendant en surface, à
croissance lente. Feuilles vert pâle,
allant d'ovale à lancéolé. En été et en
début d'automne, elle porte, de façon
continue, de petites fleurs bleu saphir à
centre blanc. H. 20 cm; E. 15 cm.

☼ ◊ ❄

Delphinium consolida, série
Imperial
Pied-d'alouette des blés
Annuelle rameuse, dressée, à croissance
rapide et à feuilles plumeuses. En été,
longues grappes de fleurs éperonnées
doubles, de couleurs variées : roses,
bleues ou blanches. H. 1,2 m; E. 30 cm.

☼ ◊ ❄ ❄ ❄

Convolvulus tricolor 'Blue Flash'
Belle-de-jour 'Blue Flash'
Annuelle touffue, dressée, à croissance
moyennement rapide et à feuilles ovales
ou lancéolées. En été, petites fleurs en
forme d'entonnoir peu profond, d'un
bleu intense, à centre jaune et crème.
H. 20-30 cm; E. 20 cm.

☼ ◊ ❄ ❄ ❄

Salvia farinacea 'Victoria'
Sauge farinacea 'Victoria'
Vivace cultivée en annuelle, à croissance
moyennement rapide. Nombreuses tiges
érigées, feuilles ovales ou lancéolées. En
été, longs épis de fleurs verticillées
tubulaires bleu-violet. H. 45 cm;
E. 30 cm.

☼ ◊ ❄

Viola 'Joker'
Pensée 'Joker'
Vivace touffue qui s'étend, d'habitude
cultivée en annuelle ou bisannuelle. En
été, grandes fleurs à 5 pétales, bleu
violacé, marquées de blanc et de noir, à
œil jaune. H. et E. 15 cm.

☼ ◊ ❄ ❄ ❄

Primula, série Super Giants
Primevère bleue
Vivace d'habitude cultivée en
bisannuelle, à feuilles lancéolées,
disposées en rosette. Au printemps,
bouquets de grandes fleurs aplaties
bleues, à centre jaune.
H. et E. jusqu'à 30 cm.

☼ ◊ ❄ ❄ ❄

Browallia speciosa, p. 223
Ipomoea purpurea
Salvia farinacea 'Blue Bedder'

Torenia fournieri
Annuelle rameuse, érigée, à croissance moyennement rapide. Feuilles vert clair, à bord en dents de scie. En été et en début d'automne, fleurs bleu-pourpre foncé à l'extérieur, plus pâle et marquées de jaune à l'intérieur. H. 30 cm; E. 20 cm. A

☀ ◊

Gilia capitata
Annuelle érigée, rameuse. Feuillage vert moyen, très plumeux. En été et en début d'automne, petites têtes florales, denses et globuleuses, de couleur bleu lavande clair. Elle donne de bonnes fleurs à couper. H. 45 cm; E. 20 cm.

☀ ◊ ✽✽✽

Ageratum houstonianum 'Blue Mink'
Agérate bleue 'B.M.'
Annuelle à masse arrondie de feuilles ovales, pointues. En été et en automne, bouquets de capitules floraux plumeux, en forme de brosse, bleu pastel. Utile pour bordures. H. et E. 20-30 cm.

☀ ◊ ✽

Nigella damascena 'Miss Jekyll'
Nigelle de Damas 'Miss Jekyll'
Annuelle érigée, mince, à croissance rapide. Feuilles plumeuses vert vif. En été, petites fleurs bleues, semi-doubles, à nombreux pétales, suivies de follicules enflés, pouvant être coupés et séchés. H. 45 cm; E. 20 cm.

☀ ◊ ✽✽✽

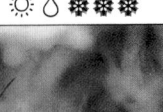

Ageratum houstonianum 'Blue Danube'
Agérate bleue 'B.D.'
Annuelle à masse arrondie de feuilles pointues, ovales. En été et en automne, capitules floraux en forme de brosse, plumeux, bleu lavande. Utile pour bordures. H. et E. 15 cm.

☀ ◊ ✽

Nemophila menziesii,
syn. *N. insignis*
Némophile menziesii
Annuelle qui s'étend, à croissance rapide et à feuillage denté gris-vert. En été, petites fleurs en forme de coupe, bleues à centre blanc. H. 20 cm; E. 15 cm.

☀ ◊ ✽✽✽

Nigella damascena 'Persian Jewels'
Nigelle de Damas 'Persian Jewels'
Annuelle érigée, mince, à croissance rapide et à feuilles vert vif, finement découpées. De petites fleurs semi-doubles, colorées dans des nuances de bleu, de rose ou de blanc, apparaissent en été. Elles sont suivies de follicules enflés pouvant être coupés et séchés. H. 45 cm; E. 20 cm.

☀ ◊ ✽✽✽

Sedum caeruleum
Annuelle à croissance moyennement rapide, à tiges florales ramifiées. Feuilles ovales vert clair, se teintant de rouge en été, au moment de la floraison. Bouquets de petites fleurs en forme d'étoile, bleu clair, à centre blanc. H. et E. 10-15 cm.

☀ ◊ ✽✽✽

Viola 'Azure Blue'
Pensée 'Azure Blue'
Vivace touffue, cultivée en annuelle ou bisannuelle. Feuilles ovales d'un vert moyen. Fleurs printanières de forme arrondie, à 5 pétales, de couleur bleu azur. H. 15-20 cm; E. 20 cm.

☀ ◊ ✽✽✽

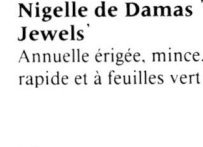 

Callistephus chinensis
Consolida ambigua, série Fleurs de jacinthe
Lobelia erinus 'Blue Cascade'

Nolana paradoxa
Petunia cvs
Phlox drummondii cvs

Salvia horminum cvs
Trachymene coerulea
Viola × wittrockiana cvs

Plantes annuelles et bisannuelles

■ BLEU

Centaurea cyanus
Bleuet
(Grande taille.) Annuelle érigée, à tiges
très rameuses, à croissance rapide.
Feuilles gris-vert, lancéolées. Des
capitules floraux bleus s'épanouissent en
été et en début d'automne. H. jusqu'à
90 cm; E. 30 cm.

☼ ◊ ✿ ✿ ✿

Myosotis 'Blue Ball'
Vivace compacte, touffue, à croissance
lente, souvent cultivée en bisannuelle.
Feuilles lancéolées. Au printemps et en
début d'été, inflorescences regroupant
de minuscules fleurs à 5 lobes, bleu
foncé. H. jusqu'à 20 cm; E. 15 cm.

◐ ◊ ✿ ✿ ✿

Phacelia campanularia
Annuelle touffue, rameuse, à croissance
moyennement rapide et à feuilles ovales,
dentées, vert foncé. Des fleurs en forme
de cloche, de 2,5 cm de large, d'un bleu
pur, s'épanouissent en été et en début
d'automne. H. 20 cm; E. 15 cm.

☼ ◊ ✿ ✿ ✿

Lobelia erinus 'Crystal Palace'
Annuelle, vivace en serre, compacte, à
croissance lente, qui a tendance à
s'étendre. Feuilles bronzées ovales ou
lancéolées. En été et en début
d'automne, elle produit, de façon
continue, de petites fleurs bleu foncé.
H. 10-20 cm; E. 10-15 cm.

☼ ◊ ✿

Brachycome iberidifolia
Annuelle à minces tiges, à croissance
moyennement rapide et à feuilles vert
pâle, très découpées. En été et en début
d'automne, petits capitules floraux
parfumés, habituellement bleus, mais
aussi roses, mauves, pourpres ou blancs.
H. et E. jusqu'à 45 cm.

☼ ◊ ✿ ✿ ✿

**Cynoglossum amabile
'Firmament'**
Annuelle ou bisannuelle touffue,
dressée, à croissance lente et à feuilles
lancéolées, poilues, gris-vert. Des fleurs
pendantes, tubulaires, d'un bleu ciel
intense, apparaissent en été. H. 45 cm;
E. 30 cm.

☼ ◊ ✿ ✿ ✿

**Anchusa capensis 'Blue Angel'
Buglosse capensis 'Blue Angel'**
Bisannuelle touffue, cultivée en
annuelle, à feuilles lancéolées et poilues.
En été, inflorescences de fleurs en forme
de coupe peu profonde, d'un bleu
lumineux. H. et E. 20 cm.

☼ ◊ ✿ ✿

**Senecio maritima 'Silver Dust'
Cinéraire maritime
'Silver Dust'**
Vivace touffue, d'habitude cultivée en
annuelle, à croissance moyennement
rapide. Feuillage argenté persistant, très
décoratif. On supprime souvent les
petites fleurs jaunes. H. et E. 30 cm.

☼ ◊ ✿

Felicia bergeriana
Annuelle tapissante, à croissance assez
rapide. Feuilles lancéolées poilues,
gris-vert. La floraison a lieu en été et en
début d'automne. Les petits capitules
floraux, bleus à centre jaune, ne
s'ouvrent qu'au soleil. H. et E. 15 cm.

☼ ◊ ✿ ✿ ✿

Commelina coelestis
Vivace dressée, à croissance assez
rapide, d'habitude cultivée en annuelle.
Feuilles lancéolées vert moyen. En été,
succession de petites fleurs à 3 pétales,
d'un bleu pur vif, chacune ne durant
qu'un jour. H. jusqu'à 45 cm; E. 30 cm.

☼ ◊ ✿

**Borago officinalis
Bourrache**
Annuelle formant une touffe qui tend à
s'étendre. Feuilles ovales froissées, à
poils rugueux. En été et début automne,
cymes de fleurs bleues en forme d'étoile.
Se reproduit abondamment par ses
graines. H. 90 cm; E. 30 cm.

☼ ◊ ✿ ✿ ✿

**Nicotiana langsdorfii
Tabac langsdorfii**
Vivace rameuse, érigée, à croissance
assez lente, cultivée en annuelle. Feuilles
ovales ou lancéolées. En été, fleurs
légèrement pendantes, en forme de
cloche, de couleur vert pâle à jaune vert.
H. 1-1,5 m; E. 30 cm.

☼ ◊ ✿

Moluccella laevis
Clochette d'Irlande
Annuelle rameuse, érigée, à croissance assez rapide et à feuilles vert pâle, de forme arrondie. En été, verticilles de petites fleurs blanches tubulaires, entourées d'un calice vert pâle en forme d'entonnoir. H. 60 cm; E. 20 cm.

Zinnia elegans 'Envy'
Annuelle vigoureuse, érigée, à croissance moyennement rapide. Feuilles ovales ou lancéolées, vert pâle ou moyen. De grands capitules floraux doubles, vert-jaune, apparaissent en été et en début d'automne. H. 60 cm; E. 30 cm.

Kochia scoparia f. trichophylla
Annuelle très touffue, érigée, à croissance moyennement rapide. Feuilles étroites, lancéolées, de 5 à 8 cm de long, vert clair, devenant rouges en automne. Fleurs insignifiantes. H. 90 cm; E. 60 cm.

Ricinus communis
Ricin
Arbuste érigé, à croissance rapide, souvent cultivé en annuelle. Grandes feuilles persistantes palmées, vert moyen. En été, panicules denses de fleurs vert et rouge; fruits épineux en capsule. H. 1,5 m; E. 90 cm.

Centaurea moschata
Centaurée barbeau
Annuelle dressée, à tiges minces, à croissance rapide. Feuilles lancéolées vert grisâtre. En été et en début d'automne, grands capitules de 8 cm de diamètre, dans une large gamme de couleurs. H. 45 cm; E. 20 cm.

Platystemon californicus
Annuelle compacte, dressée, à croissance moyennement rapide et à feuilles lancéolées vert grisâtre. En été, fleurs aplaties de couleur crème ou jaune pâle, ayant environ 2,5 cm de diamètre. H. 30 cm; E. 10 cm.

Smyrnium perfoliatum
Maceron
Bisannuelle dressée, à croissance lente. Les feuilles supérieures, jaune-vert, arrondies, enserrent les tiges. En été, ombelles composées de fleurs vert jaunâtre. H. 60 cm-1 m; E. 60 cm.

Argemone mexicana
Vivace cultivée en annuelle qui a tendance à s'étendre. Feuilles divisées, piquantes, vert grisâtre marqué de blanc. En été, fleurs parfumées jaunes ou orange, de 8 cm de large. H. 60 cm; E. 30 cm.

Glaucium flavum
Pavot cornu
Bisannuelle érigée, à croissance lente, à feuilles ovales, lobées, d'un vert grisâtre clair. En été et en début d'automne, fleurs d'un jaune éclatant, ressemblant à des coquelicots, de 8 cm de large. H. 30-60 cm; E. 45 cm.

Plantes annuelles et bisannuelles

Calendula officinalis `Kablouna`
Souci `Kablouna`
Annuelle touffue, à croissance rapide et
à feuilles lancéolées, très aromatiques.
Du printemps à l'automne, elle porte
des capitules floraux orange, dorés ou
jaunes. H. 60 cm; E. 30-60 cm.

Mentzelia lindleyi,
syn. **Bartonia aurea**
Bartonia dorée
Annuelle touffue, à croissance assez
rapide, à tiges charnues et à feuilles
divisées. En été, fleurs parfumées, en
forme de coupe, jaune foncé, à étamines
saillantes. H. 45 cm; E. 20 cm.

Viola `Super Chalon Giants`
Pensée `Super Chalon Giants`
Vivace touffue, à croissance assez
rapide, cultivée en annuelle ou
bisannuelle. Feuilles ovales, à bord
crénelé. En été et en automne, fleurs à
5 pétales ridés et ondulés, bicolores.
H. 15-20 cm; E. 20 cm.

Limnanthes douglasii
Annuelle érigée, à croissance rapide.
Feuilles plumeuses, brillantes, vert clair.
Du début à la fin de l'été, fleurs
légèrement parfumées, en forme de
coupe, jaunes à bords blancs. H. 15 cm;
E. 10 cm.

Eschscholtzia caespitosa
Annuelle mince, érigée, à croissance
rapide, à feuillage plumeux vert
bleuâtre. En été et en début d'automne,
fleurs en forme de coupe, de 2,5 cm de
large, à 4 pétales jaunes. H. et E. 15 cm.

Antirrhinum majus, série
Wedding Bells
Gueule-de-loup, Muflier
Vivace cultivée en annuelle, ramifiée à
la base, érigée. Feuilles lancéolées. De
fin printemps à l'automne, grappes de
petites fleurs en trompette, dans
différents coloris. H. 75 cm; E. 45 cm.

Sanvitalia procumbens
Annuelle prostrée, à croissance
moyennement rapide, à feuilles ovales,
pointues. En été, capitules floraux
jaunes à centre noir, de 2,5 cm de
diamètre. H. 15 cm; E. 30 cm.

Lindheimera texana
Annuelle rameuse, érigée, à croissance
moyennement rapide. Les feuilles,
ovales et à bords en dents de scie, sont
poilues, tout comme les tiges. À la fin de
l'été et en début d'automne, capitules
floraux jaunes. H. 30-60 cm; E. 30 cm.

Tagetes erecta `Gold Coins`
Rose d'Inde `Gold Coins`
Annuelle touffue, érigée, à croissance
rapide. Feuilles pennées aromatiques,
brillantes, vert foncé. En été et en début
d'automne, grands capitules doubles,
dans des nuances de jaune et d'orange.
H. 90 cm; E. 30-45 cm.

Helianthus annuus `Taiyo`
Tournesol, Soleil `Taiyo`
Annuelle érigée, à croissance rapide, à
grandes feuilles ovales ou arrondies,
dentées. En été, grands capitules jaunes
à centre noir. H. jusqu'à 1,2 m;
E. 30-45 cm.

Coreopsis tinctoria
Annuelle touffue, érigée, à croissance
rapide, à feuilles étroites, lancéolées. De
grands capitules jaune vif à centre rouge
s'épanouissent en été et en début
d'automne. H. 60-90 cm; E. 20 cm.

Viola, série Clear Crystals
Pensée jaune
Vivace touffue, cultivée en annuelle ou
bisannuelle. Feuilles ovales vert moyen.
En été, fleurs de forme arrondie, à
5 pétales jaunes. H. 15-20 cm;
E. 20 cm.

☼ ◊ ❄❄❄

Viola, série Icequeen
Pensée jaune
Vivace touffue, qui s'étend, cultivée en
annuelle ou bisannuelle. Feuilles ovales
vert moyen. En hiver et début
printemps, grandes fleurs arrondies à
5 pétales jaunes, avec des taches
sombres au centre. H. et E. 15 cm.

☼ ◊ ❄❄❄

Viola, série Crystal Bowl
Pensée jaune
Vivace touffue qui s'étend, d'habitude
cultivée en annuelle ou bisannuelle, à
feuilles ovales, vert moyen. En été,
grandes fleurs de forme arrondie, à
5 pétales jaunes. H. et E. 15 cm.

☼ ◊ ❄❄❄

Layia platyglossa
Mimulus, série Malibu
Nemesia strumosa
Portulaca grandiflora

Chrysanthemum segetum
Chrysanthème des moissons
Annuelle érigée, à feuilles lancéolées
gris-vert, à croissance moyennement
rapide. En été et en début d'automne,
capitules simples, jaunes, atteignant
8 cm de diamètre. Excellentes fleurs à
couper. H. 45 cm; E. 30 cm.

☼ ◊ ❄❄❄

Cladanthus arabicus
Anthémis d'Arabie
Annuelle à croissance moyennement
rapide. Masse arrondie de feuilles vert
clair, plumeuses, aromatiques. En été et
début automne, capitules simples de
5 cm de diamètre, jaune foncé,
parfumés. H. 60 cm; E. 30 cm.

☼ ◊ ❄❄❄

Antirrhinum majus ´Coronette´
**Gueule-de-loup, Muflier
´Coronette´**
Vivace cultivée en annuelle, touffue,
compacte, érigée. Feuilles lancéolées.
Du printemps à l'automne, grappes de
fleurs tubulaires bilabiées dans
différents coloris. H. 60 cm; E. 30 cm.

☼ ◊ ❄

Salpiglossis cvs
Schizanthus cvs
Tropaeolum majus cvs
Tuberaria guttata

Coreopsis ´Sunray´
Vivace formant une touffe qui s'étend.
Cultivée en annuelle, on la sème au
début du printemps sous châssis.
Feuilles lancéolées dentées. Capitules
doubles, jaune vif, s'épanouissant en
été. H. 45 cm; E. 30-45 cm.

☼ ◊ ❄❄❄

Helianthus annuus
Tournesol, Soleil
Annuelle érigée, à croissance rapide;
feuilles ovales dentées, vert moyen. En
été, grands capitules atteignant 30 cm
de diamètre, jaunes à centre sombre.
H. 2,5 m; E. 30-45 cm.

☼ ◊ ❄❄❄

Helianthus, série
**Chrysanthemum-flowered
Tournesol, Soleil à fleur de
chrysanthème**
Annuelle érigée, à croissance rapide, à
grandes feuilles ovales à bords en dents
de scie, vert moyen. Capitules floraux,
sphériques, doubles, jaune foncé, de
15 cm de diamètre, apparaissant en été.
H. 1,5 m; E. 30-45 cm.

☼ ◊ ❄❄❄

Viola x *wittrockiana* cvs
Zinnia cvs

Plantes annuelles et bisannuelles

Zinnia elegans 'Belvedere Dwarfs'
Annuelle à croissance moyennement rapide, érigée, vigoureuse, à feuilles ovales ou lancéolées, vert pâle ou moyen. En été et en début d'automne, grands capitules doubles, dans un mélange de couleurs. H. et E. 30 cm.

☀ ◌ ❋

Tagetes erecta 'Crackerjack'
Rose d'Inde 'Crackerjack'
Annuelle touffue, érigée, à croissance rapide. Feuilles pennées aromatiques, brillantes, vert foncé. En été et en début d'automne, grands capitules doubles, colorés dans des nuances de jaune et d'orange. H. 60 cm; E. 30-45 cm.

☀ ◌ ❋

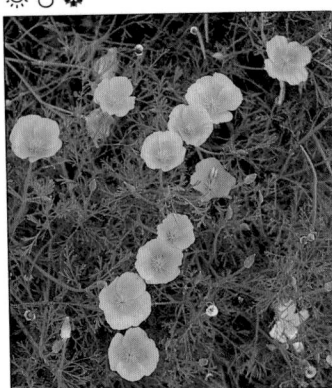

Eschscholtzia californica
Pavot de Californie
Annuelle érigée, frêle, à croissance rapide. Feuilles finement découpées, vert bleuâtre. Fleurs en forme de coupe, à 4 pétales, jaune orangé vif, en été et en automne. H. 30 cm; E. 15 cm.

☀ ◌ ❋ ❋ ❋

Ursinia anethoides
Annuelle touffue, à croissance moyennement rapide et à feuilles plumeuses, vert pâle. En été et en début d'automne, petits capitules à pétales jaune orangé avec une tache pourpre à la base. H. 30 cm; E. 20 cm.

☀ ◌ ❋

Tagetes patula 'Naughty Marietta'
Œillet d'Inde 'Naughty Marietta'
Annuelle touffue, à croissance rapide. Feuilles pennées aromatiques, vert foncé. Capitules bicolores, jaune foncé et marron, en été et en début d'automne. H. et E. 30 cm.

☀ ◌ ❋

Viola 'Redwing'
Pensée 'Redwing'
Vivace touffue qui s'étend, d'habitude cultivée en annuelle ou bisannuelle. En été, grandes fleurs de forme arrondie, à 5 pétales jaune et brun rougeâtre. H. et E. 15-20 cm.

☀ ◌ ❋ ❋ ❋

Gaillardia pulchella 'Lollipops'
Gaillarde pulchella 'Lollipops'
Annuelle à croissance moyennement rapide. Feuilles lancéolées, poilues, d'un vert grisâtre. En été, elle porte des capitules floraux doubles, rouge et jaune, de 5 cm de diamètre. H. et E. 30 cm.

☀ ◌ ❋ ❋ ❋

Calceolaria, série Bikini
Calcéolaire
Annuelle ou bisannuelle touffue, compacte. Feuilles ovales légèrement poilues, vert moyen. En été, bouquets de fleurs renflées en poches arrondies, dans des nuances de jaune, d'orange ou de rouge. H. et E. 20 cm. Ⓐ

☀ ◌

Eschscholtzia californica
Pavot de Californie
(Mélange.) Annuelle frêle, érigée, à croissance rapide. En été et en automne, fleurs simples en forme de coupe, à 4 pétales, dans des nuances de rouge, orange, jaune ou crème. H. 30 cm; E. 15 cm.

☀ ◌ ❋ ❋ ❋

Calceolaria 'Sunshine'
Calcéolaire 'Sunshine'
Vivace touffue, compacte, cultivée en annuelle. Feuilles persistantes ovales, vert moyen. Bouquets de petites fleurs, renflées en poches arrondies, d'un jaune doré vif, à la fin du printemps et en été. H. et E. 20 cm. [A]

Tropaeolum majus 'Alaska'
Grande Capucine 'Alaska'
Annuelle touffue, à croissance rapide. Feuilles de forme arrondie, panachées de blanc. En été et en début d'automne, fleurs éperonnées, en forme de trompette, colorées dans des nuances de rouge ou de jaune. H. et E. 30 cm.

Primula, série Pacific
Primevère
Vivace habituellement cultivée en bisannuelle. Rosette de feuilles lancéolées. Au printemps, bouquets de grandes fleurs aplaties, dans des nuances de bleu, jaune, rouge, rose ou blanc. H. et E. 20-25 cm.

Nemesia strumosa, série Triumph
Némésie strumosa
Annuelle compacte, touffue, à croissance assez rapide. Feuilles dentées lancéolées, vert pâle. En été, petites fleurs un peu en forme de trompette, dans différents coloris vifs. H. 20 cm ; E. 15 cm.

Viola, série Universal
Pensée abricot
Vivace touffue qui s'étend, d'habitude cultivée en bisannuelle. En hiver et au printemps, grandes fleurs de forme arrondie, à 5 pétales, abricot foncé. H. et E. 15-20 cm.

Antirrhinum majus 'Trumpet Serenade'
Muflier, Gueule-de-loup 'Trumpet Serenade'
Vivace érigée, ramifiée à partir de la base, cultivée en annuelle. Ses feuilles sont lancéolées. Du printemps à l'automne, s'épanouissent des grappes de fleurs en forme de trompette, ouvertes, bicolores, dans un mélange de teintes pastel. H. et E. 30 cm.

Viola 'Scarlet Clan'
Pensée 'Scarlet Clan'
Vivace touffue, à croissance lente ou assez rapide, cultivée en annuelle ou bisannuelle. Feuilles ovales. En été, fleurs de forme arrondie, à 5 pétales, jaune orangé, chacun à tache écarlate. H. 15-20 cm ; E. 20 cm.

Calendula officinalis 'Art Shades'
Calendula officinalis, série Fiesta
Celosia cristata

Calendula officinalis
'Gitana', série Fiesta
Souci 'Gitana'
Annuelle touffue, à croissance rapide. Feuilles vert pâle, lancéolées, très aromatiques. Du printemps à l'automne, capitules doubles, allant de crème à orange. H. et E. 30 cm.

Plantes annuelles et bisannuelles

☐ ORANGE

Rudbeckia hirta ʹMarmaladeʹ
Vivace érigée, rameuse, à croissance
moyennement rapide, cultivée en
annuelle, à feuilles lancéolées. En été et
en automne, capitules floraux jaune
doré foncé, de 8 cm de diamètre, à
centre noir. H. 45 cm; E. 30 cm.

☼ ◊ ✹✹✹

Rudbeckia hirta ʹGoldilocksʹ
Vivace rameuse, érigée, à croissance
moyennement rapide, cultivée en
annuelle, à feuilles lancéolées. En été et
en automne, capitules doubles ou
semi-doubles, jaune d'or à centre
sombre, d'environ 8 cm de diamètre.
H. 60 cm; E. 30 cm.

☼ ◊ ✹✹✹

Tagetes ʹTangerine Gemʹ
Œillet d'Inde ʹTangerine
Gemʹ
Annuelle à croissance rapide, touffue, à
feuilles pennées, odorantes lorsqu'on les
froisse. En été et début automne, petits
capitules simples, orange foncé.
H. 20 cm; E. 30 cm.

☼ ◊ ✹

Rudbeckia hirta ʹRustic Dwarfsʹ
Vivace érigée, rameuse, à croissance
moyennement rapide, cultivée en
annuelle, à feuilles lancéolées, vert
moyen. En été et en automne, capitules
de couleur jaune, acajou ou bronze, à
centre sombre, de 8 cm de diamètre.
H. 60 cm; E. 30 cm.

☼ ◊ ✹✹✹

Tithonia rotundifolia ʹTorchʹ
Soleil de Californie
Annuelle érigée, à croissance lente, à
feuilles lobées de forme arrondie. En été
et en début d'automne, capitules floraux
de couleur orange vif ou écarlate, de 5 à
8 cm de diamètre. H. 90 cm; E. 30 cm.

☼ ◊ ✹

Tagetes patula ʹOrange Winnerʹ
Œillet d'Inde ʹOrange Winnerʹ
Annuelle touffue, à croissance rapide et
à feuilles pennées, aromatiques, vert
foncé. En été et en début d'automne,
capitules doubles, orange vif. H. 15 cm;
E. jusqu'à 30 cm.

☼ ◊ ✹

Tagetes ʹPaprikaʹ
Œillet d'Inde ʹPaprikaʹ
Annuelle touffue, à croissance rapide et
à feuilles pennées, odorantes. En été et
en début d'automne, capitules floraux
rouges bordés d'or, à centre jaune.
H. 15 cm; E. 30 cm.

☼ ◊ ✹

Erysimum hieraciifolium
ʹOrange Bedderʹ
Vélar ʹOrange Bedderʹ
Vivace touffue à croissance lente,
cultivée en bisannuelle. Feuilles
persistantes lancéolées vert moyen.
Bouquets de fleurs à 4 pétales d'un orange
lumineux, au printemps. H. et E. 30 cm.

☼ ◊ ✹✹✹

Helichrysum bracteatum,
série Monstrosum
Immortelle à bractées
Annuelle rameuse, érigée, à croissance
moyennement rapide. En été et début
automne, capitules doubles très minces,
roses, rouges, orange, jaunes ou blancs.
Bonne à sécher. H. 90 cm; E. 30 cm.

☼ ◊ ✹

Antirrhinum majus
Cheiranthus cheiri
Gazania ʹDaybreakʹ
Gazania ʹSundanceʹ

Helichrystum bracteatum cvs
Impatiens, série Duet
Portulaca grandiflora
Salpiglossis cvs

Tagetes, série Inca
Tagetes, série Jubilee
Tagetes patula
Tagetes ʹToreadorʹ

Tropacolum majus cvs

Calendula officinalis 'Geisha Girl'
Souci 'Geisha Girl'
Annuelle touffue, à croissance rapide, à feuilles vert pâle, lancéolées, très aromatiques. Capitules doubles orange, à pétales incurvés, de fin printemps à l'automne. H. 60 cm; E. 30-60 cm.

☼ ◊ ❊❊❊

Zinnia elegans, hybrides Burpee
Annuelle à croissance moyennement rapide, érigée, vigoureuse. Feuilles vert pâle ou moyen. En été et début automne, grands capitules doubles, rappelant les Dahlias cactus, dans différents coloris. H. 60 cm; E. 30 cm.

☼ ◊ ❊

Solanum pseudocapsicum 'Balloon'
Pommier d'amour 'Balloon'
Plante arbustive, touffue, à feuilles persistantes lancéolées. En été, petites fleurs blanches étoilées; grands fruits crème, orange en hiver. H. 30 cm; E. 30-45 cm. [A]

☼ ◊

Sanvitalia procumbens 'Mandarin Orange'
Annuelle prostrée, à croissance moyennement rapide. Feuilles ovales pointues, vert moyen. En été, capitules floraux orange, à centre sombre, de 2,5 cm de diamètre. H. 15 cm; E. 30 cm.

☼ ◊ ❊❊❊

Tropaeolum majus, série Jewel
Grande Capucine
Annuelle à croissance rapide, à feuilles arrondies. De début été à début automne, bien au-dessus du feuillage, fleurs en forme de trompette, éperonnées, dans des nuances de rouge, jaune ou orange. H. et E. 30 cm.

☼ ◊ ❊❊❊

Cheiranthus cheiri 'Fire King'
Giroflée ravenelle 'Fire King'
Vivace touffue, cultivée en bisannuelle, à croissance moyennement rapide. Feuilles persistantes lancéolées vert moyen ou foncé. Au printemps, grappes de fleurs à 4 pétales, orange rougeâtre. H. 40 cm; E. 30-40 cm.

☼ ◊ ❊❊❊

Solanum pseudocapsicum 'Red Giant'
Pommier d'amour 'Red Giant'
Plante arbustive, touffue, d'habitude cultivée en annuelle, à croissance assez lente. Feuilles persistantes. En été, petites fleurs blanches; fruits ronds rouge orangé. H. et E. 30 cm. [A]

☼ ◊

Dahlia 'Dandy'
Vivace touffue, érigée, bien ramifiée, cultivée en annuelle. Feuilles ovales pointues, dentées. En été, capitules à fleurons centraux formant une collerette de couleur contrastée, dans des nuances de rouge, jaune et orange. H. et E. 60 cm.

☼ ◊ ❊

Emilia javanica, syn. *E. flammea*
Cacalie écarlate
Annuelle dressée, à croissance moyennement rapide et à feuilles lancéolées vert grisâtre. En été, inflorescences composées de capitules doubles, ronds, rouges ou jaunes. H. 60 cm; E. 30 cm ou plus.

☼ ◊ ❊

Mimulus, série Malibu
(Orange.) Vivace rameuse, à croissance rapide, cultivée en annuelle. Feuilles ovales pointues, vert pâle. En été, elle porte des fleurs tubulaires évasées orange foncé. H. 15 cm; E. jusqu'à 30 cm.

☽ ◊ ❊

Godetia amoena, série Princess
(Saumon.) Annuelle à croissance rapide. Elle a de minces tiges érigées et des feuilles lancéolées, d'un vert moyen. Des inflorescences, regroupant des fleurs à pétales plissées, rose saumon, s'épanouissent en été. H. et E. 30 cm.

☼ ◊ ❊❊❊

Celosia cristata 'Fairy Fountains'
Célosie crête de coq 'Fairy Fountains'
Vivace touffue, érigée, cultivée en annuelle. En été et en automne, panicules coniques plumeuses, atteignant 15 cm, dans différents coloris. H. et E. 30 cm.

☼ ◊ ❊

□ BLANC

Leontopodium alpinum
Edelweiss
Vivace à courte durée de vie, à touffes de feuilles laineuses. Au printemps ou début été, bouquets de petits capitules blanc argenté, entourés en étoile d'épaisses bractées laineuses. N'aime pas l'humidité en été. H. et E. 20 cm.

☼ ◊ ✽✽✽

Iberis sempervirens
Corbeille d'argent
Sous-arbrisseau étalé, à feuilles persistantes étroites, oblongues, vert sombre. À la fin du printemps et en début d'été, denses têtes arrondies de fleurs blanches. Tailler après la floraison. H. 30 cm ; E. 60 cm.

☼ ◊ ✽✽✽

Chrysanthemum hosmariense
Chrysanthème hosmariense
Vivace arbustive. Feuilles persistantes, finement découpées, vert vif et argenté, le long de tiges ligneuses et souples. De fin printemps à début d'automne, capitules blancs à centre jaune, solitaires. H. 15 cm ou plus ; E. 30 cm.

☼ ◊ ✽✽✽

Lithophragma parviflorum
Vivace formant une touffe. Au printemps, petits bouquets ouverts et aérés de fleurs blanches ou roses, ressemblant aux fleurs de lychnis, émergeant des feuilles basales très dentées, réniformes. Elle est dormante en été. H. 20 cm ; E. 20 cm.

☼ ◊ ✽✽✽

Pulsatilla alpina
Anémone des Alpes
Vivace en touffe, à feuilles finement découpées. Au printemps et début été, fleurs en coupe, solitaires, dressées ou un peu inclinées, blanches, parfois teintées de bleu ou de rose ; têtes plumeuses d'akènes. H. 30 cm ; E. 10 cm.

☼ ◊ ✽✽✽

Andromeda polifolia 'Alba'
Arbuste ouvert et aéré, à tiges grêles. Feuilles persistantes brillantes, vert sombre, coriaces et lancéolées. Au printemps et en début d'été, bouquets terminaux de fleurs blanches, en forme de grelot. H. 45 cm ; E. 60 cm.

☼ ◊ pH ✽✽✽

Saxifraga granulata
Saxifrage granulée
Vivace formant une touffe et perdant en été ses feuilles réniformes fripées, brillantes. Fin printemps, lâches bouquets de fleurs blanches arrondies sur des tiges collantes. H. 40 cm ; E. 15 cm ou plus.

☼ ◊ ✽✽✽

Cassiope 'Muirhead'
Arbuste touffu, au port diffus. Rameaux dressés, à feuilles persistantes vert sombre, en forme d'écaille. Au printemps, minuscules fleurs blanches, en forme de cloche, pratiquement sessiles, le long de rameaux feuillus. H. et E. 20 cm.

☼ ◊ pH ✽✽✽

Cassiope 'Edinburgh'
Arbuste nain. Ses feuilles persistantes minuscules, en forme d'écaille, vert sombre, serrent étroitement les tiges dressées. Au printemps, nombreuses petites fleurs blanches solitaires, en forme de cloche, à l'aisselle des feuilles. H. et E. 20 cm.

☼ ◊ pH ✽✽✽

Saxifraga hirsuta
Saxifrage hirsuta
Vivace à rosettes de feuilles rondes et poilues, persistantes. Fin printemps et début été, inflorescences lâches de minuscules fleurs en forme d'étoile, blanches, souvent ponctuées de jaune à la base des pétales. H. et E. 20 cm.

☀ ◐ ❁❁❁

Jeffersonia diphylla
Vivace formant une touffe, à croissance lente. Feuilles vert clair ou moyen, découpées en 2 lobes bien distincts. Fin printemps, fleurs solitaires en forme de coupe, blanches, à étamines jaunes saillantes. Ne pas perturber le système racinaire. H. et E. 25 cm.

☀ ◐ ❁❁❁

Daphne blagayana
Arbuste prostré, à rameaux rampants, portant chacun un bouquet terminal de feuilles persistantes ovales, coriaces. Au début du printemps, denses bouquets de fleurs blanches tubulaires, parfumées. Aime les sols humifères. H. 40 cm; E. 80 cm ou plus.

☀ ◐ ❁❁❁

Tiarella cordifolia
Vivace vigoureuse, qui s'étend. Feuilles persistantes lobées vert pâle, parfois à marques plus sombres, à nervures devenant rouge bronze en hiver. Fin printemps et début été, nombreuses grappes d'abondantes fleurs blanches. H. 20 cm; E. 30 cm ou plus.

☀ ◐ ❁❁❁

Saxifraga 'Tumbling Waters'
Saxifrage 'Tumbling Waters'
Vivace tapissante, à croissance lente, à rosette compacte d'étroites feuilles persistantes. Après plusieurs années, fleurs blanches en grappes, puis mort de la rosette principale, mais relève par de petits rejets. H. 20 cm; E. 60 cm.

☀ ◐ ❁❁❁

Vancouveria hexandra
Vivace vigoureuse qui s'étend. Fin printemps et début été, nombreuses fleurs minuscules blanches en panicules lâches. Feuilles coriaces divisées en folioles presque hexagonales. Bonne plante couvre-sol pour situations ombrées. H. 20 cm; E. variable.

☀ ◐ ❁❁❁

Dodecatheon meadia f. **alba**
Gyroselle de Virginie
f. blanche
Vivace en touffe, à rosettes basales de feuilles ovales vert pâle. Au printemps, sur de fortes tiges, fleurs blanches à centre sombre et à pétales réfléchis. Dormante en été. H. 20 cm; E. 15 cm.

☀ ◐ ❁❁❁

Saxifraga × geum
Saxifrage benoîte
Vivace tapissante, à rosettes de feuilles persistantes spatulées et poilues. Racines peu profondes. En été, sur de minces tiges, lâches bouquets de fleurs en étoile, blanches, ponctuées de rose, rose foncé en bouton. H. 20 cm; E. 30 cm.

☀ ◐ ❁❁❁

Andromeda polifolia
Arbuste au port ouvert et aéré, aux rameaux grêles. Feuilles persistantes étroites, coriaces, brillantes, d'un vert moyen. Au printemps et en début d'été, bouquets terminaux de fleurs roses en forme de grelot.
H. 45 cm; E. 60 cm.

☀ ◐ pH ❁❁❁

Andromeda polifolia 'Compacta'
Arbuste compact, à tiges grêles. Feuilles persistantes lancéolées, brillantes, vert sombre. Au printemps et en début d'été, délicats bouquets terminaux de fleurs roses, nuancées de blanc, en forme de grelot. H. 25 cm; E. 30 cm.

☀ ◐ pH ❁❁❁

Dodecatheon hendersonii
Gyroselle hendersonii
Vivace formant une touffe, à rosette aplatie de feuilles réniformes, d'où émergent à la fin du printemps des fleurs rose foncé, à pétales réfléchis. A besoin d'une période de dormance estivale sèche. H. 30 cm; E. 8 cm.

☀ ◐ ❁❁❁

Phyllodoce × intermedia
'Drummondii'
Arbuste nain, touffu. Feuilles étroites et brillantes, persistantes. De fin printemps à début été, bouquets terminaux de fleurs en forme de grelot d'un rose intense, portées sur un fin pédoncule rouge. H. et E. 25 cm.

☀ ◐ pH ❁❁❁

◼️◼️ ROSE, POURPRE

◼️◼️ POURPRE, BLEU

Daphne cneorum
Thymélée des Alpes
Sous-arbrisseau à tiges étalées habillées
de petites feuilles persistantes coriaces
vert sombre. Au printemps, fleurs
parfumées rose foncé en têtes
terminales. Préfère un sol humifère.
H. 25 cm ; E. 2 m.

☀️ 💧 ❄️❄️❄️

Phyllodoce empetriformis
Arbuste nain, à branches érigées denses,
à petites feuilles persistantes coriaces,
linéaires. En fin de printemps et début
d'été, groupes de fleurs terminaux à
corolle urcéolée rose violacé.
H. 25 cm ; E. 20 cm.

☀️ 💧 pH ❄️❄️❄️

Erinacea anthyllis, syn.
E. pungens
Sous-arbrisseau buissonnant à feuillage
persistant et à épines dures bleu-vert ;
croissance lente. Des fleurs papilionacées
à corolle rose violacé s'épanouissent en
fin de printemps et début d'été, à l'aisselle
des épines. H. et E. 25 cm.

☀️ 💧 ❄️❄️

Pulsatilla halleri
Anémone pulsatille halleri
Vivace à feuilles basales très finement
découpées et velues. Au printemps, elle
porte de belles fleurs violacées en forme
de coupe, d'abord inclinées,
puis érigées. H. 40 cm ;
E. 20 cm.

☀️ 💧 ❄️❄️❄️

Dodecatheon 'Red Wings'
Gyroselle 'Red Wings'
Vivace en touffe, à feuilles basales en
rosette, ovales, vert tendre. En fin de
printemps et début d'été, petites
ombelles de fleurs rouge
magenta à lobes réfléchis.
H. 20 cm ; E. 10 cm.

☀️ 💧 ❄️❄️❄️

Phyllodoce caerulea,
syn. *P. taxifolia*
Arbuste nain à petites feuilles
persistantes linéaires, ressemblant à une
bruyère ; en fin de printemps et début
d'été, fleurs pourpres ou rose
pourpré, solitaires ou en
bouquets. H. et E. 30 cm.

☀️ 💧 pH ❄️❄️❄️

Pulsatilla vulgaris
Anémone pulsatille
Vivace en touffe à feuilles pinnées,
finement divisées, vert clair. Au
printemps, elle porte des fleurs
inclinées, en forme de coupe, de couleur
bleu violacé ou blanche, à centre jaune.
H. et E. 25 cm.

☀️ 💧 ❄️❄️❄️

Aquilegia alpina
Ancolie des Alpes
Vivace à durée de vie courte, assez peu
exigeante. Feuilles composées à folioles
crénelées. Grandes fleurs bleues à gros
éperon, sur des tiges frêles, au
printemps et en début d'été.
H. 45 cm ; E. 15 cm.

☀️ 💧 ❄️❄️❄️

Viola cornuta
Vivace rhizomateuse, à feuilles ovales dentées. Au printemps et une bonne partie de l'été, fleurs aplaties bleu violacé allant de pâle à foncé, parfois blanches, à éperon grêle très long.
H. 20 cm ; E. 20 cm ou plus.

☼ ◊ ❀ ❀ ❀

Omphalodes verna
Petite Bourrache
Vivace formant une touffe. Au printemps, longues ramilles lâches de fleurs aplaties bleues à œil blanc. Feuilles semi-persistantes ovales, d'un vert moyen. H. et E. 20 cm ou plus.

◑ ◊ ❀ ❀ ❀

Omphalodes cappadocica
Vivace à tiges souterraines traçantes. Au printemps et en été, de nombreuses ramilles lâches, portant des fleurs aplaties bleu vif, émergent des touffes basales de feuilles ovales poilues. H. 20 cm ; E. 25 cm ou plus.

◑ ◊ ❀ ❀ ❀

IRIS, pp. 196-197
Pulsatilla halleri subsp. *grandis*

Salix helvetica
Saule helvetica
Arbuste nain, très rameux, étalé. Petites feuilles caduques ovales, brillantes, blanches et velues en dessous. Au printemps, chatons soyeux, à pédicelle court, gris devenant jaunes par la suite.
H. 60 cm ; E. 30 cm.

☼ ◊ ❀ ❀ ❀

Betula nana
Bouleau nain
Arbuste nain, touffu, à petites feuilles caduques dentées, devenant jaune vif en automne. Au printemps, il porte de minuscules chatons brun jaunâtre.
H. 30 cm ; E. 45 cm.

☼ ◊ pH ❀ ❀ ❀

Corydalis cheilanthifolia
Vivace à racines charnues. Masses étalées de feuilles persistantes, ressemblant à des frondes de fougères, d'un vert moyen parfois teinté de bronze. À la fin du printemps et en début d'été, denses grappes de fleurs jaunes à éperon court.
H. 30 cm ; E. 20 cm.

☼ ◊ ❀ ❀

IRIS, pp. 196-197
NARCISSES, pp. 348-349
Paeonia mlokosewitschii, p. 199
PRIMEVÈRES, pp. 230-231

Corydalis wilsonii
Vivace à souche racinaire charnue. Feuilles persistantes divisées, d'un vert bleuâtre. Au printemps, grappes lâches de fleurs éperonnées, jaunes à extrémité verte. H. et E. 25 cm.

☼ ◊ ❀ ❀

Aurinia saxatilis 'Citrina',
syn. *Alyssum saxatile* 'Citrinum'
Corbeille d'or 'Citrina'
Vivace formant une touffe, à feuilles persistantes ovales, poilues, vert grisé. Fin printemps et début été, corymbes de nombreuses petites fleurs jaune citron pâle. H. 25 cm ; E. 30 cm.

☼ ◊ ❀ ❀ ❀

Aurinia saxatilis 'Variegata',
syn. *Alyssum saxatilis* 'Variegatum'
Corbeille d'or 'Variegata'
Vivace formant un tapis de grandes feuilles persistantes ovales, gris-vert doux bordé de crème ; au printemps, corymbes de nombreuses petites fleurs jaunes. H. 25 cm ; E. 30 cm.

☼ ◊ ❀ ❀ ❀

Pulsatilla alpina subsp. *apiifolia*
Salix arbuscula

Chiastophyllum oppositifolium,
syn. *Cotyledon simplicifolia*
Vivace rampante, à grandes feuilles persistantes charnues, oblongues, grossièrement dentées. À la fin du printemps et en début d'été, grappes arquées de nombreuses fleurs jaunes, minuscules. H. 20 cm ; E. 15 cm.

☀ ◊ ❀ ❀ ❀

Cytisus x *beanii*
Arbuste rampant à petites feuilles caduques linéaires, poilues. Fin printemps et début été, ramilles arquées de fleurs papilionacées jaune d'or, sur le bois de l'année précédente.
H. 40 cm ; E. 75 cm.

☼ ◊ ❀ ❀ ❀

Rocaille

Hylomecon japonicum
Vivace vigoureuse qui s'étend. Au printemps, grandes fleurs solitaires jaune vif, en forme de coupe, sur de minces tiges. Feuilles douces d'un vert moyen, divisées irrégulièrement. H. 30 cm ; E. 20 cm.

☀◑ ◔ ❄ ❄ ❄

Stylophorum diphyllum
Vivace à grandes feuilles lobées et poilues. Au printemps, des fleurs en forme de coupe ouverte, jaune d'or, s'épanouissent sur des tiges dressées et ramifiées. Elle préfère les milieux boisés riches. H. et E. 30 cm ou plus.

☀◑ ◔ ❄ ❄ ❄

Aurinia saxatilis, syn. *Alyssum saxatile*
Corbeille d'or
Vivace formant de basses touffes de feuilles persistantes ovales, poilues, d'un vert grisé. Au printemps, abondants corymbes de petites fleurs jaune de chrome. H. 25 cm ; E. 30 cm.

☀ ◔ ❄ ❄ ❄

Cheiranthus 'Bredon'
Ravenelle 'Bredon'
Vivace ligneuse, à végétation arrondie, couverte de feuilles semi-persistantes ovales, vert sombre. À la fin du printemps, denses grappes de fleurs aplaties d'un jaune moutarde vif. H. et E. 45 cm.

☀ ◔ ❄ ❄ ❄

Cheiranthus 'Harpur Crewe'
Ravenelle 'Harpur Crewe'
Vivace arbustive à tiges rigides. Feuilles persistantes étroites. De fin printemps à mi-été, bouquets terminaux compacts de fleurs jaune foncé doubles, parfumées. Aime les sols pauvres et les situations abritées. H. et E. 30 cm.

☀ ◔ ❄ ❄ ❄

Berberis × stenophylla 'Corallina Compacta'
Arbuste nain ; tiges épineuses à petites feuilles persistantes ovales et étroites. À la fin du printemps, nombreuses fleurs minuscules orange vif. Croissance lente et multiplication difficile. H. et E. 25 cm.

☀ ◔ ❄ ❄ ❄

Rocaille

Parnassia palustris
Herbe du Parnasse
Vivace formant une touffe basale basse de feuilles cordiformes vert pâle ou moyen. Fin printemps et début été, fleurs aplaties blanc veiné de vert foncé ou de vert pourpré, sur des tiges érigées. H. 20 cm ; E. 5 cm ou plus.

☀ ● ❄ ❄ ❄

Celmisia walkeri
Vivace à végétation diffuse, qui a tendance à s'étendre. Longues feuilles persistantes, ovales ou lancéolées, brillantes, vertes au-dessus, blanches et poilues en dessous. En été, grands capitules blancs à centre jaune. H. 25 cm ; E. 2 m.

☀ ◔ pH ❄ ❄

Armeria pseudarmeria
Statice
Vivace formant une touffe. En été, sur des tiges rigides, grandes têtes globuleuses de fleurs blanches, parfois teintées de rose. La floraison émerge d'une masse basale de feuilles glauques longues et étroites. H. et E. 30 cm.

☀ ◔ ❄ ❄ ❄

Helianthemum apenninum
Hélianthème apenninum
Arbuste très rameux, qui s'étend. Au
milieu de l'été, fleurs d'un blanc pur,
presque aplaties. Les petites feuilles
persistantes, linéaires, sont couvertes,
tout comme les tiges, d'un duvet blanc.
H. et E. 45 cm.

Saxifraga cuneifolia
Mignonnette
Vivace tapissante, à petites rosettes de
feuilles arrondies. À la fin du printemps
et en début d'été, minuscules fleurs
blanches, souvent ponctuées de jaune,
de rose ou de rouge, sur de minces tiges.
H. 20 cm ; E. 30 cm ou plus.

Cytisus purpureus f. *albus*
Genêt pourpre f. blanche
Arbuste bas, à tiges semi-érigées,
couvertes de feuilles caduques trifoliées.
D'abondantes fleurs papilionacées
s'épanouissent au début de l'été, sur le
bois d'un an. H. 45 cm ; E. 60 cm.

Helianthemum ´Wisley White´
Hélianthème ´Wisley White´
Arbuste qui a tendance à s'étendre, à
feuilles persistantes oblongues, gris-vert.
En été, il porte pendant une longue
période des fleurs blanches aplaties.
H. 25 cm ; E. 30 cm ou plus.

Galax urceolata, syn. *G. aphylla*
Vivace formant une touffe. Grandes
feuilles persistantes à minces pétioles,
arrondies, coriaces, d'un vert moyen
virant au bronze en automne et en
hiver. Fin printemps et début été,
denses épis de petites fleurs blanches.
H. 20 cm ; E. 30 cm.

Epilobium glabellum
Épilobe glabellum
Vivace formant une touffe. En été,
fleurs solitaires blanches, en forme de
coupe, orientées vers l'extérieur, sur de
minces tiges émergeant des feuilles semi-
persistantes ovales d'un vert moyen. Bon
couvre-sol. H. 20 cm ; E. 15 cm.

Hebe pinguifolia ´Pagei´
Véronique pinguifolia ´Pagei´
Arbuste semi-prostré. Petites feuilles
oblongues, un peu en creux, d'un
glauque très intense. Fin printemps ou
début été, courtes grappes de petites
fleurs blanc pur. Excellent pour couvrir
le sol ou une rocaille. H. 30 cm ; E. 1 m.

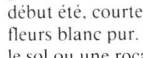

Corydalis ochroleuca
Vivace formant une touffe, à racines
fibreuses et charnues. Feuilles
persistantes très divisées, gris-vert. À la
fin du printemps et en été, minces fleurs
blanc crème, à extrémité jaune,
associées en grappes assez denses.
H. et E. 30 cm.

Hebe canterburiensis
Véronique canterburiensis
Arbuste bas qui a tendance à s'étendre.
Ses petites feuilles persistantes, ovales,
brillantes, vert sombre, couvrent

densément les tiges. Au début de l'été,
de courtes inflorescences, regroupant de
petites fleurs blanches, s'épanouissent
abondamment à l'aisselle des feuilles.
H. et E. 90 cm.

BLANC, ROSE

ROSE

Saxifraga cotyledon
Saxifrage cotyledon
Vivace à grandes rosettes de feuilles vert pâle, mourant après floraison. Fin printemps et début été, grandes panicules arquées de fleurs blanches en coupe, parfois marquées de rouge à l'intérieur. H. et E. 30 cm.

☀ ◌ ❄❄❄

Onosma albo-roseum
Vivace formant une touffe, à feuilles semi-persistantes couvertes de poils fins qui peuvent irriter la peau. En été, longues fleurs pendantes tubulaires, d'abord blanches, se teintant de rose par la suite. H. 30 cm ; E. 20 cm.

☀ ◌ ❄❄❄

Anthyllis montana
Vivace à végétation touffue ou un peu étalée, formant une masse arrondie. Feuilles finement découpées. À la fin du printemps et en début d'été, têtes globulaires de fleurs rose pâle, marquées de rouge, ressemblant au trèfle. H. et E. 30 cm.

☀ ◌ ❄❄

Saxifraga 'Southside Seedling'
Saxifrage 'Southside Seedling'
Vivace tapissante, à grandes rosettes de feuilles vert pâle, qui meurent après la floraison. Fin printemps et début été, capitules de fleurs en forme de coupe ouverte, blanches, fortement marquées de rouge à l'intérieur. H. et E. 30 cm.

☀ ◌ ❄❄❄

Aethionema grandiflorum, syn. *A. pulchellum*
Vivace à souche ligneuse, à courte durée de vie. Feuilles persistantes ou semi-persistantes, vert bleuté, étroites et lancéolées. Au printemps et en été, grappes lâches de minuscules fleurs rose lilas pâle ou foncé. H. 30 cm ; E. 25 cm.

☀ ◌ ❄❄❄

Rhodothamnus chamaecistus
Arbuste nain de faible croissance, à feuilles persistantes étroites, ovales, ciliées sur les bords. Fin printemps et début été, fleurs en forme de coupe, roses ou rose-lilas, à étamines foncées, à l'aisselle des feuilles. H. 20 cm ; E. 25 cm.

☀ ◌ pH ❄❄❄

Phuopsis stylosa, syn. *Crucianella stylosa*
Vivace de faible croissance. Feuilles verticillées vert pâle, lancéolées, bordées de cils épineux. En été, têtes arrondies de petites fleurs roses tubulaires. Bon couvre-sol pour talus ou grande rocaille. H. 30 cm ; E. 30 cm ou plus.

☀ ◌ ❄❄❄

Lewisia 'George Henley'
Vivace formant une touffe. Feuilles en rosette, persistantes, étroites, charnues, vert foncé. De fin printemps à fin été, ramilles de fleurs en forme de coupe ouverte, rose foncé, veiné de magenta. H. 15 cm ou plus ; E. 10 cm.

☀ ◌ pH ❄❄❄

Origanum 'Kent Beauty'
Origan 'Kent Beauty'
Vivace prostrée, à tiges rampantes, à feuilles de forme ovale-arrondie, aromatiques. En été, épis ovoïdes de fleurs tubulaires rose pâle, à bractées plus sombres. À utiliser pour murets ou saillies rocheuses. H. 20 cm ; E. 30 cm.

Helianthemum 'Wisley Pink'
Hélianthème 'Wisley Pink'
Arbuste d'allure souple, à feuilles persistantes oblongues, gris-vert. En été, durant une longue période, délicates fleurs plates rose pâle à centre orange. H. et E. 30 cm ou plus.

Oxalis deppei, syn.
O. tetraphylla
Vivace tubéreuse, formant une touffe. Feuilles basales à marques brunes, d'habitude divisées en 4 folioles. Fin printemps et en été, ombelles lâches de fleurs rose foncé. Exige une situation abritée. H. 30 cm ; E. 15 cm.

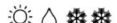

Astilbe 'Perkeo'
Vivace compacte, érigée. Du milieu à la fin de l'été, petites inflorescences plumeuses de minuscules fleurs rose saumon. Feuilles rigides, profondément découpées et plissées. H. 20 cm ; E. 10 cm.

Diascia cordata
Vivace prostrée, à feuilles cordiformes vert pâle. En été et en début d'automne, des fleurs rose vif, éperonnées, s'épanouissent en bouquets terminaux. H. 20 cm ; E. 20 cm.

Diascia rigescens
Vivace rampante, à tiges semi-érigées, à feuilles cordiformes d'un vert moyen. En été et en début d'automne, des fleurs rose saumon, éperonnées, s'épanouissent le long des tiges. H. 25 cm ; E. 30 cm.

Crassula sarcocaulis
Sous-arbrisseau touffu. Ses minuscules feuilles ovales, succulentes, sont persistantes, ou semi-persistantes sous un climat rigoureux. En été, bouquets terminaux de fleurs minuscules, rouges en bouton, devenant rose pâle en s'épanouissant. H. et E. 30 cm.

Ononis fruticosa
Bugrane fruticosa
Arbuste à feuilles caduques, divisées en 3 folioles dentées, poilues à l'état jeune. En été, bouquets pendants de grandes fleurs papilionacées roses, à stries plus sombres. H. et E. 60 cm.

Geranium orientalitibeticum
Vivace s'étendant par ses tiges souterraines rampantes tubérisées. En été, fleurs roses à centre blanc, en forme de coupe. Feuilles profondément découpées, marbrées dans des nuances de vert. Peut être envahissante. H. 25 cm ; E. variable.

PRIMEVÈRES, pp. 230-231
Teucrium polium, p. 319

■ ROSE

■ ROUGE

Cortusa matthioli
Vivace formant une touffe, à feuilles arrondies vert tendre, en rosette basale. Fin printemps et début été, au sommet d'une hampe velue, petites fleurs en forme de cloche, rougeâtres ou pourpre rosâtre, inclinées toutes du même côté. H. 20 cm ; E. 10 cm.

☀ ◐ ❄❄❄

Geranium sanguineum
Vivace étalée, formant une masse arrondie de feuilles profondément divisées, vert sombre. En été, nombreuses fleurs en forme de coupe, d'un rose magenta foncé. Bon couvre-sol. H. 25 cm ; E. 30 cm ou plus.

☼ ◊ ❄❄❄

Penstemon newberryi f. humilior
Arbuste tapissant, à rameaux arqués, couverts de petites feuilles persistantes coriaces, vert sombre. En début d'été, courtes inflorescences de fleurs tubulaires, à 2 lèvres lobées, de couleur allant du rouge cerise au rose foncé. H. 20 cm ; E. 30 cm.

☼ ◊ ❄❄

Helianthemum 'Ben More'
Hélianthème 'Ben More'
Arbuste aux rameaux grêles et étalés. Petites feuilles persistantes vert sombre, brillantes. Fin printemps et en été, succession de fleurs aplaties, orange rougeâtre, en bouquets terminaux diffus. H. et E. 30 cm.

☼ ◊ ❄❄❄

Origanum laevigatum
Origan laevigatum
Sous-arbrisseau tapissant, à petites feuilles aromatiques vert sombre, à tiges rouges, rameuses. En été, profusion de minuscules fleurs tubulaires, rose cerise, entourées de bractées rouge-pourpre. H. 30 cm ; E. 20 cm ou plus.

☼ ◊ ❄❄

Lewisia cotyledon
Vivace formant une touffe, à grandes feuilles persistantes épaisses, dentées, en rosette. Début été, bouquets de fleurs allant du rose au pourpre. Utile pour fissures de rocher. H. 30 cm ; E. 15 cm ou plus.

☀ ◊ pH ❄❄❄

Helianthemum 'Raspberry Ripple'
Hélianthème 'Raspberry Ripple'
Arbuste étalé, à petites feuilles persistantes, linéaires, gris-vert. Au milieu de l'été s'épanouissent des fleurs aplaties blanches à centre rouge. H. 25 cm ; E. 30 cm.

☼ ◊ ❄❄❄

Penstemon pinifolius
Arbuste touffu, ramifié, couvert d'un fin feuillage persistant vert sombre. En été, des fleurs tubulaires très étroites, rouge orangé, s'épanouissent en inflorescences terminales lâches. H. 20 cm ; E. 15 cm.

☼ ◊ ❄❄❄

Dianthus carthusianorum
Œillet carthusianorum
Vivace au feuillage persistant. En été, des fleurs de forme arrondie, orientées vers le haut, rouge cerise ou rose foncé, s'épanouissent sur de minces tiges. Petites touffes de feuilles ressemblant à de l'herbe. H. 20 cm ; E. 5 cm.

☼ ◊ ❄❄❄

Helianthemum 'Fire Dragon'
Hélianthème 'Fire Dragon'
Arbuste étalé, à feuilles persistantes linéaires, gris-vert. Vers la fin du printemps et en été, il s'embellit de fleurs aplaties orange écarlate. H. 30 cm ; E. 45 cm.

☼ ◊ ❄❄❄

Zauschneria californica
'Glasnevin'
Fuchsia de Californie 'Glasnevin'
Vivace à base ligneuse, en touffe, à
feuilles caduques. De fin été à début
automne, bouquets de fleurs tubulaires
orange écarlate foncé. H. 30 cm ;
E. 45 cm.

☼ ◊ ❄ ❄

Punica granatum var. *nana*
Grenadier nain
Arbuste nain de forme arrondie, à
croissance lente et au feuillage caduc. En
été, fleurs rouges en forme d'entonnoir,
à pétales un peu chiffonnés, suivies de
petits fruits rouge orangé, globuleux.
H. et E. 90 cm.

☼ ◊ ❄

Delphinium nudicaule
Pied-d'alouette nudicaule
Vivace dressée, à courte durée de vie, à
tiges érigées portant des feuilles basales
profondément divisées. En été, grappes
de fleurs éperonnées, rouges, jaunes à
l'occasion, à étamines contrastantes.
H. 20 cm ; E. 10 cm.

☼ ◊ ❄ ❄ ❄

Calceolaria arachnoidea
Calcéolaire arachnoidea
Vivace formant une touffe, à rosette
basale de feuilles persistantes plissées,
couvertes d'un duvet blanc. En été, des
tiges érigées portent des inflorescences
regroupant de nombreuses fleurs
renflées en poches arrondies, d'un
pourpre terne. Il est préférable de la
cultiver en bisannuelle. H. 25 cm ;
E. 10 cm.

☼ ◖ ❄

Erodium petraeum subsp. *crispum*
Vivace formant une touffe compacte.
Fin printemps et en été, fleurs roses,
veinées et marquées de rouge pourpre,
sur des tiges rigides. Feuilles d'un vert
grisâtre, profondément découpées et
plissées. H. 20 cm ; E. 20 cm ou plus.

☼ ◊ ❄ ❄

Scabiosa lucida
Scabieuse lucida
Vivace formant des touffes de feuilles
ovales. En été, des capitules floraux
bombés, de couleur allant du lilas pâle
au mauve foncé, s'épanouissent sur des
tiges érigées. H. 20 cm ; E. 15 cm.

☼ ◊ ❄ ❄ ❄

Penstemon serrulatus, syn. *P.
diffusus*
Sous-arbrisseau à petites feuilles
elliptiques semi-persistantes, caduques
sous un climat rigoureux. En été,
bouquets lâches de fleurs tubulaires
allant de bleu à pourpre. Éviter un sol
trop sec. H. 60 cm ; E. 30 cm.

☼ ◊ ❄ ❄ ❄

Erigeron alpinus
Vergerette des Alpes
Vivace formant une touffe, de taille
variable. En été, capitules rose lilas, sur
des tiges érigées. Longues feuilles ovales,
poilues. Convient pour talus, grandes
rocailles ou bordures ensoleillés.
H. 40 cm ; E. 20 cm.

☼ ◊ ❄ ❄ ❄

Semiaquilegia ecalcarata
Vivace dressée, à courte durée de vie, à
feuilles étroites lobées. En été, les tiges
minces portent chacune plusieurs fleurs
pendantes, en forme de cloche ouverte,
de couleur allant du rose foncé au
pourpre. H. 20 cm ; E. 6 cm.

☼ ◊ ❄ ❄ ❄

Cytisus purpureus
IRIS, pp. 196-197
PIVOINES, pp. 198-199

■■ VIOLET, BLEU

Campanula barbata
Campanule barbue
Vivace à rosette basale de feuilles persistantes ovales, poilues, vert grisé. En été, grappes de fleurs allant de blanches à bleu lavande, en forme de cloche. Durée de vie courte, mais se ressème spontanément. H. 20 cm ; E. 12 cm.

☀ ◊ ❀❀❀

Sisyrinchium graminoides, syn. *S. angustifolium, S. bermudiana*
Vivace érigée, à feuilles graminiformes formant des touffes, semi-persistantes. Fin printemps et début été, bouquets de petites fleurs rappelant des iris, d'un bleu violacé pâle ou foncé, jaunes à la base. H. 30 cm ; E. 8 cm.

☀ ◊ ❀❀❀

Parahebe catarractae
Sous-arbrisseau à feuilles persistantes ovales, dentées, d'un vert moyen. En été, il porte des ramilles diffuses, chargées de petites fleurs en forme d'entonnoir ouvert, blanches, avec des zones et des veines pourpre rosâtre fortement marquées. H. et E. 30 cm.

☀ ◊ ❀❀

Phlox divaricata subsp. *laphamii*
Vivace rampante, à feuilles semi-persistantes ovales. Ses tiges dressées portent en été des bouquets diffus de fleurs aplaties, allant de bleu-violet pâle à foncé. H. 30 cm ou plus ; E. 20 cm.

☽ ◊ ❀❀❀

Lithodora oleifolia, syn. *Lithospermum oleifolium*
Grémil oleifolium
Vivace suffrutescente, à feuilles vert moyen persistantes, ovales, pointues, soyeuses. Début été, grappes lâches de petites fleurs en entonnoir, bleu clair, sur tiges recourbées. H. 20 cm ; E. 1 m.

☀ ◊ ❀❀❀

Wulfenia amherstiana
Vivace à rosette de feuilles spatulées, étroites, dentées. En été, de petites fleurs tubulaires, pourpres ou pourpre rosâtre, s'épanouissent le long de tiges érigées. H. et E. 30 cm.

☀ ◊ ❀❀❀

Phlox 'Chatahoochee'
Vivace formant une touffe, à courte durée de vie. Fleurs aplaties, bleu lavande vif, à œil rouge, tout au long de l'été et de l'automne. Feuilles étroites, pointues, pourpre rougeâtre sombre à l'état jeune. H. 20 cm ; E. 30 cm.

☀ ◊ ❀❀

Convolvulus mauritanicus
Liseron mauritanicus
Vivace rampante, à minces tiges couvertes de petites feuilles ovales. En été et début automne, fleurs en forme de trompette ouverte, d'un bleu pourpre vif. En zone froide, s'abrite dans les fissures de roches. H. 20 cm ; E. 30 cm.

☀ ◊ ❀

Linum perenne
Lin vivace
Vivace dressée, à minces tiges couvertes de feuilles ressemblant à de l'herbe. Bouquets terminaux de fleurs en forme d'entonnoir ouvert, bleu clair, s'épanouissant successivement tout au long de l'été. H. 30 cm ; E. 15 cm.

☀ ◊ ❀❀❀

Veronica prostata
Véronique couchée
Vivace tapissante dense, à feuilles étroites, ovales, dentées. En début d'été, grappes dressées de petites fleurs légèrement en coupe, d'un bleu lumineux. H. 30 cm ; E. variable.

☀ ◊ ❀❀❀

Phyteuma scheuchzeri
Vivace en touffe. Feuilles étroites vert sombre. En été, fleurs bleues, à stigmates saillants et filiformes, associées en têtes terminales. Se ressème spontanément. N'aime pas les hivers humides. H. 20 cm ; E. 10 cm.

☀ ◊ ❀❀❀

Symphyandra wanneri
Vivace à tiges rameuses et à feuilles ovales, poilues. En été, inflorescences terminales lâches de fleurs pendantes, en forme de cloche, allant de bleu à bleu-violet. H. 25 cm ; E. 25 cm.

☀ ◊ ❀❀❀

Moltkia suffruticosa
Sous-arbrisseau dressé, à feuilles caduques longues et pointues, couvertes de poils. En été, il porte sur des tiges poilues de denses inflorescences de fleurs en forme d'entonnoir, bleu vif, roses en bouton. H. 40 cm ; E. 30 cm.

☀ ◊ ❀❀❀

Veronica prostata 'Kapitan'
Véronique couchée 'Kapitan'
Vivace tapissante dense, à feuilles étroites, ovales, dentées. Des grappes érigées de petites fleurs, légèrement en coupe, bleu foncé vif, apparaissent en début d'été. H. 30 cm ; E. variable.

☀ ◊ ❀❀❀

Lithodora diffusa 'Heavenly Blue'
Grémil diffusa 'H.B.'
Arbuste prostré, à tiges rampantes ; feuilles persistantes oblongues, pointues, poilues. En été, fleurs en entonnoir ouvert, bleu foncé, en profusion à l'aisselle des feuilles. Tailler après la floraison. H. 30 cm ; E. 45 cm.

☀ ◊ pH ❀❀

Veronica prostata 'Trehane'
Véronique couchée 'Trehane'
Vivace tapissante dense. En début d'été, grappes dressées de petites fleurs légèrement en coupe, bleu violet foncé, émergeant d'une masse de feuilles étroites, dentées, jaunes ou vert jaunâtre. H. 20 cm ; E. variable.

☀ ◊ ❀❀❀

Mertensia echioides
Vivace formant une touffe, à longues feuilles ovales, poilues, bleu-vert. De minces tiges portent en été de nombreuses fleurs en forme d'entonnoir ouvert, bleu foncé. H. 25 cm ; E. 15 cm.

☀ ◊ ❀❀❀

■ BLEU, JAUNE   □ JAUNE

Veronica teucrium
Véronique germandrée
Vivace étalée. En été, étroites grappes de
petites fleurs aplaties, bleu vif, orientées
vers l'extérieur. Les feuilles sont petites,
ovales, poilues, vert grisâtre.
H. et E. 60 cm.

☼ ◊ ❋❋❋

Erodium chrysanthum
Vivace formant une belle masse
arrondie de denses tiges argentées et de
feuillage finement découpé, ressemblant
à des frondes de fougères. Fin printemps
et en été, petits bouquets de fleurs en
forme de coupe, jaune soufre ou jaune
crème. H. et E. 25 cm.

☼ ◊ ❋❋❋

Hypericum olympicum ´Citrinum´
Millepertuis olympicum
´Citrinum´
Sous-arbrisseau arrondi, dense. Tiges
dressées en touffes, couvertes de petites
feuilles caduques ovales. Tout l'été,
bouquets terminaux de fleurs jaune
citron. H. et E. 30 cm.

☼ ◊ ❋❋❋

HOSTAS, p. 244

Verbascum ´Letitia´
Molène ´Letitia´
Arbuste à ramification rigide, à feuilles
persistantes grises. De fin printemps à
mi-automne, succession de fleurs en
coupe, jaune vif à centre orange
rougeâtre. Déteste les hivers humides.
H. et E. 25 cm.

☼ ◊ ❋❋

Helianthemum ´Wisley Primrose´
Hélianthème ´Wisley Primrose´
Arbuste compact, à croissance rapide, à
feuilles persistantes oblongues, gris-vert.
En été, délicates fleurs aplaties, jaune
pâle. H. 25 cm ; E. 30 cm ou plus.

☼ ◊ ❋❋❋

Linum arboreum
Lin arboreum
Petit arbuste compact, au feuillage
persistant bleu-vert. En été, fleurs en
forme d'entonnoir, jaune vif, associées
en bouquets terminaux, s'épanouissant
successivement par temps ensoleillé.
H. et E. 30 cm.

☼ ◊ ❋❋

Othonnopsis cheirifolia
Arbuste à feuilles persistantes étroites,
épaisses, grises. En début d'été, capitules
solitaires jaunes au sommet de tiges
dressées. A besoin d'une situation
chaude et abritée. H. 30 cm ; E. 30 cm
ou plus.

☼ ◊ ❋

Euryops acraeus, syn. E. evansii
Arbuste formant un dôme, à tiges
couvertes de feuilles persistantes
dentées, d'un bleu argenté. Vers la fin
du printemps et en début d'été,
capitules solitaires jaune vif,
ressemblant à des marguerites.
H. et E. 30 cm.

☼ ◊ ❋❋❋

Eriogonum umbellatum
Vivace à végétation allant de prostrée à
dressée : feuilles persistantes, vertes sur
le dessus, blanches et tomenteuses sur le
revers. En été, ombelles de minuscules
fleurs jaunes, se teintant de cuivre. Il
existe des formes naines. H. 30 cm ;
E. 30 cm.

☼ ◊ ❋❋

Corydalis lutea
Vivace formant une touffe, à racines fibreuses et charnues, à feuilles persistantes très divisées, gris-vert. À la fin du printemps et en été, denses grappes terminales de minces fleurs jaunes à éperon court.
H. et E. 30 cm.

☼ ◊ ❀❀❀

Chrysogonum virginianum
Vivace tapissante, à feuilles ovales dentées, vert moyen. En été et en automne, capitules jaunes, sur de courtes tiges. Bien que la plante se propage par des tiges souterraines, elle n'est pas envahissante. H. 20 cm ; E. 15 cm ou plus.

◐ ◊ ❀❀❀

Ononis natrix
Bugrane gluante
Arbuste érigé, compact, très visqueux, à feuilles caduques trifoliées. En été, fleurs papilionacées jaunes, veinées de rouge, associées en bouquets pendants.
H. et E. 30 cm ou plus.

☼ ◊ ❀❀❀

Verbascum dumulosum
Molène dumulosum
Vivace tapissante, arbustive, à feuilles persistantes poilues de couleur grise ou gris-vert. Vers la fin du printemps et en début d'été, elle s'embellit d'une

☼ ◊ ❀❀

Sedum reflexum
Orpin réfléchi
Vivace formant un tapis lâche de tiges radicantes. Feuilles persistantes étroites, charnues. En été, bouquets terminaux aplatis de minuscules fleurs jaune vif. Bon couvre-sol. H. 20 cm ; E. variable.

☼ ◊ ❀❀❀

Genista lydia
Arbuste formant un dôme, à branches minces et arquées, au feuillage caduc bleu-vert. Fin printemps et début été, masses de bouquets terminaux de fleurs papilionacées jaune vif. À faire s'étaler au-dessus d'une grande rocaille ou d'un mur. H. 60 cm ; E. 60 cm ou plus.

☼ ◊ ❀❀❀

succession de fleurs jaune vif, presque aplaties, associées en courtes grappes terminales. Elle n'aime pas les hivers humides. H. 15 cm ou plus ; E. 30 cm ou plus.

Ranunculus gramineus
Renoncule gramineus
Vivace mince, érigée, à feuilles bleu-vert graminiformes. Fin printemps et début été, fleurs en coupe, jaune vif. Préfère les sols riches. Les graines donnent des plantes variables en hauteur et en taille de fleurs. H. 50 cm ; E. 10 cm.

☼ ◊ ❀❀❀

Crepis aurea
Vivace formant une touffe, à rosettes de feuilles basales oblongues, vert clair. En été, capitules solitaires orange ressemblant à ceux du pissenlit.
H. 30 cm ; E. 15 cm.

☼ ◊ ❀❀❀

Gaultheria cuneata

Arbuste compact, aux branches rigides couvertes de feuilles persistantes ovales, coriaces. En été, fleurs blanches urcéolées, inclinées, à l'aisselle des feuilles, suivies de baies blanches en automne. H. et E. 30 cm.

☼ ◖ pH ✽✽✽

Ceratostigma plumbaginoides

Vivace touffue. Fin été et en automne, sur des tiges rameuses et rougeâtres, petits bouquets terminaux de fleurs simples, d'un bleu lumineux. Feuilles ovales devenant rouge intense en automne. H. 45 cm ; E. 20 cm.

☼ ◊ ✽✽✽

Ranunculus calandrinioides
Renoncule calandrinioides

Vivace formant une touffe. Elle perd ses longues feuilles ovales bleu-vert en été. Durant les hivers modérés, elle peut porter, pendant de nombreuses

semaines, une succession de fleurs en forme de coupe, blanches, teintées de rose. Elle nécessite un bon drainage. H. et E. 20 cm.

☼ ◊ ✽✽✽

Sorbus reducta
Sorbier reducta

Arbuste formant un fourré bas de tiges dressées, à petites feuilles caduques divisées en folioles, gris-vert devenant rouge bronze à la fin de l'automne. En

début d'été, bouquets diffus de fleurs blanches aplaties, suivies de baies cramoisies. H. et E. 30 cm ou plus.

☼ ◊ ✽✽✽

Celmisia coriacea

Vivace à grandes touffes de feuilles persistantes, argentées, ressemblant à des épées. En été, têtes florales blanches solitaires sur des tiges velues. H. et E. 30 cm.

☼ ◖ pH ✽✽

Gentiana septemfida
Gentiane septemfida

Vivace à nombreuses tiges dressées, s'arquant par la suite, à feuilles persistantes ovales. Elle porte en été et en automne, des

inflorescences de fleurs en forme d'entonnoir, d'un bleu moyen. Elle aime les sols riches en humus, mais tolère les sols argileux lourds, bien drainés. H. 20 cm ; E. 30 cm.

☼ ◊ ✽✽✽

Cyathodes colensoi

Arbuste de faible croissance, à tiges rigides, couvertes de minuscules feuilles persistantes gris-vert. Au printemps, bouquets de petites fleurs tubulaires blanches sur les nouvelles pousses. En été, baies rouges ou blanches, rares en culture. H. et E. 30 cm.

☼ ◖ ✽✽✽

Tanacetum argenteum, syn.
Achillea argentea
Tanaisie argentée

Vivace tapissante, cultivée pour son feuillage finement découpé, de couleur argenté vif, généralement persistant. En été, profusion de petits capitules blancs. H. 25 cm ; E. 20 cm.

☼ ◊ ✽✽✽

□ BLANC

□ GRIS, VERT

Tanacetum densum subsp. *amani*
Tanaisie densum amani
Vivace formant une touffe. Sous un climat doux, elle garde en hiver ses feuilles grises poilues. En été, capitules jaunes entourés de bractées duveteuses. N'aime pas les hivers humides. H. et E. 20 cm.

Helichrysum coralloides
Immortelle coralloides
Arbuste dressé, à tiges grises couvertes de petites feuilles persistantes vert foncé marquées d'argent. Parfois bouquets de capitules jaunes duveteux. Déteste les hivers humides. H. 25 cm; E. 15 cm.

Salix × boydii
Saule × boydii
Arbustre dressé à croissance très lente, formant un buisson rameux et noueux. Feuilles caduques de forme ovale et de texture rugueuse. Les chatons sont rares. Il peut tolérer un ombrage léger. H. 25 cm; E. 30 cm.

Hebe cupressoides 'Boughton Dome'
Véronique cupressoides 'Boughton Dome'
Arbuste en dôme, à croissance lente. Feuilles persistantes vertes, écailleuses. En été, petites fleurs blanc bleuâtre. H. 30 cm; E. 60 cm.

Helichrysum selago
Immortelle selago
Arbuste dressé, à tiges rigides. Par intermittence, bouquets terminaux de capitules duveteux blanc crème. Le feuillage persistant écailleux met bien en valeur des bulbeuses printanières. H. et E. 25 cm.

Ballota pseudodictamnus
**Sous-arbrisseau à feuilles persistantes, de forme arrondie, gris-vert; tiges couvertes de poils blancs et laineux. En été, verticilles de petites fleurs roses à calice bien visible, vert pâle, dilaté au sommet. H. 60 cm; E. 90 cm.

Cerastium tomentosum
Céraiste tomentosum
Vivace très vigoureuse, à tiges prostrées, couvertes de petites feuilles grises. Fin printemps et en été, fleurs blanches en forme d'étoile. Bon couvre-sol, idéal pour fixer les talus secs et ensoleillés. H. 8 cm; E. variable.

Androsace pyrenaica
Vivace à petites rosettes de minuscules feuilles poilues, étroitement serrées les unes contre les autres, formant ainsi des coussins fermes. De minuscules fleurs simples, blanches, presque sessiles, apparaissent au printemps. H. 5 cm; E. 10 cm.

Arenaria tetraquetra
Vivace formant un coussin compact de petites feuilles gris-vert. Des fleurs blanches en forme d'étoile apparaissent à la fin du printemps, portées sur de courts pédoncules. Elle pousse bien dans une auge. H. 2,5 cm; E. 15 cm ou plus.

Plantes de rocaille/petite taille

☐ BLANC

Arabis caucasica 'Variegata'
Corbeille d'argent 'V'
Vivace tapissante, à rosettes de feuilles
persistantes ovales, d'un vert moyen
panaché de crème. Du début du
printemps à l'été, bouquets de fleurs
simples blanches, parfois teintées de
rose. H. et E. 15 cm.

☀ ◊ ❋❋❋

Cardamine trifoliata
Vivace couvre-sol, à tiges rampantes,
couvertes de feuilles à 3 folioles
arrondies, dentées. Fin printemps et
début été, sur des tiges nues, grappes
lâches de fleurs blanches en forme de
coupe ouverte. H. 15 cm ; E. 30 cm.

☀ ◊ ❋❋❋

Saxifraga scardica
Saxifrage scardica
Vivace à croissance lente. Rosettes de
feuilles persistantes bleu-vert, à coussins
fermes. Au printemps, petits bouquets
de fleurs blanches en coupe. Convient à
un éboulis rocheux abrité. H. 2,5 cm ;
E. 8 cm.

☀ ◊ ❋❋❋

Arenaria balearica
Vivace prostrée au feuillage persistant,
sauf durant les hivers les plus rigoureux.
Vers la fin du printemps et en début
d'été, le tapis de feuilles est constellé de
minuscules fleurs blanches. Elle peut
former une «pellicule verte» à la
surface d'une rocaille humide et
perméable. H. moins d'1 cm ;
E. variable.

Androsace vandellii,
syn. *A. imbricata*
Vivace dense. Feuilles persistantes
étroites, grises, formant un coussin sous
lequel il importe de mettre une épaisse
couche de graviers. Au printemps,
profusion de fleurs blanches presque
sessiles. H. 2,5 cm ; E. 10 cm.

☀ ◊ pH ❋❋❋

Weldenia candida
Vivace à racines tubéreuses. Ses feuilles,
disposées en rosette, ont une forme de
ruban, à bords ondulés. Vers la fin du
printemps et en début d'été, elle porte
une succession de fleurs dressées, en
forme de coupe, d'un blanc pur. H. et E.
10-15 cm.

☀ ◊ ❋

Dicentra cucullaria
Vivace compacte, au feuillage très
découpé, ressemblant aux frondes de
fougères. Ses tiges arquées portent
chacune, au printemps, quelques petites
fleurs blanches à extrémité jaune, à
éperons divergents. Dormante en été.
H. 15 cm ; E. 30 cm.

☀ ◊ ❋❋❋

Maianthemum canadense
Fleur de mai
Vivace couvre-sol rhizomateuse.
robuste. Feuilles dressées ovales,
brillantes, à bord ondulé. Fin printemps
et début été, ramilles de petites fleurs
blanches, suivies de baies rouges.
H. 10 cm ; E. variable.

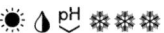

Sanguinaria canadensis
Vivace à tiges souterraines charnues, qui
exsudent de la sève rouge quand on les
coupe. Au printemps, fleurs blanches,
parfois teintées de rose ou de bleu
ardoise sur le revers, apparaissant alors
que se déploient les feuilles bleu-vert.
H. 15 cm ; E. 30 cm.

Ranunculus alpestris
Renoncule des Alpes
Vivace formant une touffe, à courte
durée de vie. De fin printemps à mi-été,
fleurs blanches en forme de coupe, sur
des tiges érigées. Feuilles arrondies vert
sombre, luisantes, découpées de façon
élégante. H. 12 cm ; E. 10 cm.

Cassiope lycopodioides
Arbuste prostré, tapissant, à minces
tiges couvertes de minuscules feuilles
persistantes vert sombre, écailleuses. Au
printemps, à l'aisselle des feuilles, petites
fleurs solitaires blanches, campanulées, à
calice rouge, sur de courts pédoncules
rougeâtres. H. 8 cm ; E. 30 cm.

Saxifraga burseriana
Saxifrage burseriana
Vivace à croissance lente, formant des
coussins compacts de feuilles gris-vert
persistantes, à extrémité piquante. Au
printemps, fleurs blanches en forme de
coupe ouverte, sur de courtes tiges.
H. 5 cm ; E. 10 cm.

Pulsatilla vernalis
Pulsatille du printemps
Vivace en touffe, à rosettes de feuilles
plumeuses. Fin hiver boutons floraux
marron, densément poilus, s'ouvrant
début printemps ; fleurs en coupe
ouverte, blanc nacré. N'aime pas les
hivers humides. H. 10 cm ; E. 10 cm.

Androsace villosa
Vivace tapissante, à rosettes de feuilles
persistantes minuscules, très poilues. Au
printemps, bouquets de petites fleurs
blanches, à centre jaune devenant rouge
par la suite. H. 2,5 cm ; E. 20 cm.

Salix apoda
Saule apoda
Arbuste prostré, à croissance lente.
Feuilles caduques ovales, coriaces.
Début printemps, gros chatons soyeux,
argentés, à étamines et bractées allant
d'orange à jaune pâle, sur les pieds
mâles. H. 15 cm ; E. 60 cm.

Ranunculus ficaria 'Albus'
Ficaire fausse-renoncule 'Albus'
Vivace tapissante. Au début du
printemps, elle porte des fleurs
solitaires, en forme de coupe, d'un blanc
crème, à pétales

luisants. Les feuilles sont cordiformes,
vert sombre. Elle peut se propager
rapidement, et convient à un jardin
«sauvage».
H. 5 cm ; E. 20 cm.

Callianthemum coriandrifolium
NARCISSES, pp. 348-349

◻◼ BLANC, ROSE

Cassiope mertensiana
Arbuste nain à feuilles persistantes écailleuses, vert sombre, serrées étroitement contre les tiges. Au début du printemps, à l'aisselle des feuilles, fleurs en forme de cloche, blanc crème, à calice vert ou rouge.
H. 15 cm ; E. 20 cm.

☀ ◊ pH ✽✽✽

Scoliopus bigelovii
Vivace compacte. Feuilles basales ovales, vert terne, parfois marquées de marron, à nervures bien visibles. Début printemps, bouquets de fleurs à pétales internes pourpres, à pétales externes blanc verdâtre à lignes pourpre sombre.
H. 10 cm ; E. 15 cm.

☀ ◊ ✽✽

Gypsophila cerastioides
Gypsophile cerastioides
Vivace prostrée. Fin printemps et début été, profusion de petites fleurs en forme de coupe peu profonde, blanches veinées de pourpre, émergeant d'un tapis de feuilles rondes, veloutées, vert moyen. H. 2 cm ; E. 10 cm ou plus.

☀ ◊ ✽✽✽

Paraquilegia grandiflora
Vivace en touffe, au feuillage bleu-vert, ressemblant à celui des fougères. Au printemps, fleurs solitaires pendantes, en coupe, presque blanches, sur des tiges arquées, issues de boutons bleu lavande pâle. Parfois difficile à établir.
H. et E. 15 cm.

☀ ◊ ✽✽✽

Corydalis popovii
Vivace tubéreuse. Feuilles vert bleuâtre comportant de 3 à 6 folioles. Au printemps, grappes lâches de fleurs rouge-pourpre foncé et blanc, munies d'un long éperon. Maintenir au sec pendant sa période de dormance.
H. et E. 15 cm.

☀ ◊ ✽✽

Cotula atrata var. luteola
Vivace tapissante, à petites feuilles persistantes finement découpées, vert foncé. Fin printemps et début été, capitules bombés de minuscules fleurs rouge noirâtre, à étamines jaune crème. A besoin d'humidité. H. 2,5 cm ; E. 25 cm.

☀ ◊ ✽✽✽

Anemonella thalictroides
Vivace à petits tubercules, au feuillage délicat. Du printemps au début de l'été, petites fleurs solitaires en forme de coupe, blanches ou roses, sur des tiges finement ramifiées. Nécessite un sol humifère. H. 10 cm ; E. 4 cm ou plus.

☀ ◊ ✽✽✽

Lewisia tweedyi
Vivace en rosette, à grandes feuilles persistantes charnues. De vigoureuses tiges rameuses portent, au printemps, des fleurs en coupe ouverte, allant de blanc à rose, pourvues de nombreux pétales. Convient à un jardin alpin.
H. 15 cm ; E. 15 cm.

☀ ◊ pH ✽✽✽

Shortia galacifolia
Vivace naine, formant une touffe, à feuilles persistantes arrondies, dentées, coriaces et brillantes. À la fin du printemps, fleurs blanches, en forme de coupe ou d'entonnoir, souvent teintées de rose, à pétales profondément dentés.
H. 15 cm ; E. 25 cm.

☀ ◊ pH ✽✽✽

Daphne jasminea
Arbuste compact. Fin printemps et début été, puis de nouveau en automne, petites fleurs à pétales blancs, teintés de rose sur le revers. Tiges fragiles, à feuilles persistantes vert-gris. Convient à un jardin alpin ou un muret sec.
H. 10 cm ; E. 30 cm.

☀ ◊ ✽✽✽

Epigaea gaultherioides,
syn. *Orphanidesia gaultherioides*
Sous-arbrisseau prostré. Au printemps, petits bouquets terminaux de fleurs rose nacré, en forme de coupe. Tiges velues à feuilles persistantes vert sombre. Difficile à cultiver et à propager.
H. 10 cm ; E. 25 cm ou plus.

☀ ◊ pH ✽✽

Trillium rivale
Vivace à feuilles ovales. Au printemps,
fleurs solitaires blanches ou rose pâle, en
forme de coupe ouverte, à points
sombres, à pétales cordiformes, sur des
tiges d'abord droites, puis arquées.
H. 15 cm ; E. 10 cm.

Saxifraga 'Jenkinsiae'
Saxifrage 'Jenkinsiae'
Vivace à croissance lente, au feuillage
formant des coussins très compacts,
vert-gris. Au début du printemps, sur de
minces tiges, profusion de fleurs en
forme de coupe ouverte, d'un rose lilas.
H. 10 cm ; E. 15 cm.

Androsace carnea
Vivace formant un coussin. Petites
rosettes de feuilles persistantes pointues,
bordées de poils. Au printemps, la
floraison émerge du feuillage : les
minuscules fleurs roses sont associées en
petits bouquets. H. et E. 5 cm.

Thlaspi rotundifolium
Vivace en touffe, à denses touffes de
feuilles arrondies. Au printemps,
bouquets compacts et arrondis de petites
fleurs en coupe ouverte, dans toutes
les nuances de rose violet. A besoin
de beaucoup d'humidité. Durée de vie
parfois courte. H. 8 cm ; E. 10 cm.

Arenaria purpurascens
Vivace tapissante, à feuilles persistantes
brillantes, pointues. Au début du
printemps, de nombreux petits bouquets
de fleurs en forme d'étoile, d'un rose
pourpré pâle ou foncé, émergent du
feuillage. H. 1 cm ; E. 15 cm.

Oxalis acetosella f. rosea
Pain de coucou
Vivace rhizomateuse rampante, formant
un tapis de feuilles trifoliées. Au
printemps, fleurs en coupe de 1 cm de
large, à 5 pétales, d'un rose doux, à
veines plus sombres. H. 5 cm ;
E. variable.

Silene acaulis
Vivace en coussin dense, à minuscules
feuilles persistantes, vert vif. Au
printemps, le feuillage est constellé de
toutes petites fleurs roses à 5 pétales,
subsessiles. Parfois difficile à faire
fleurir. Préfère un climat frais.
H. 2,5 cm ; E. 15 cm.

Armeria juniperifolia,
syn. *A. caespitosa*
Vivace formant un coussin, à rosettes
lâches de feuilles persistantes, vert
moyen à gris-vert, terminées en pointe
fine. Fin printemps et début été,
capitules sphériques de fleurs rose pâle.
H. 8 cm ; E. 5 cm.

Arabis caucasica 'Rosabella'
Arabette 'Rosabella'
Vivace tapissante, à grandes rosettes
formées de petites feuilles persistantes
ovales, d'un vert doux. Au printemps et
en début d'été, elle porte une profusion
de fleurs simples, rose foncé. H. 15 cm ;
E. 30 cm.

ROSE

Oxalis adenophylla
Vivace tapissante, à racines fibreuses et tubéreuses, à feuilles gris-vert, divisées en étroites folioles rappelant des doigts. Au printemps, fleurs arrondies, de 2,5-4 cm de large, rose pourpré à œil pourpre plus sombre. H. 5 cm ; E. 10 cm.

☼ ◊ ❀❀

Shortia soldanelloides
Vivace tapissante, à feuilles persistantes de forme arrondie, dentées. De petites fleurs pendantes, rose foncé, à pétales frangés, s'épanouissent vers la fin du printemps. H. 10 cm ; E. 15 cm.

☼ ◊ pH ❀❀❀

Saxifraga oppositifolia
Saxifrage oppositifolia
Vivace prostrée, à minuscules feuilles persistantes, tachetées de blanc. Début printemps, fleurs en forme de coupe ouverte, pourpre sombre ou rose pourpré, rarement blanches. Aime les situations aérées. H. 5 cm ; E. 15 cm.

☼ ◊ ❀❀❀

Erinus alpinus
Vivace à courte durée de vie, à rosettes basales de feuilles semi-persistantes douces. Fin printemps et en été, petites fleurs pourpres, roses ou blanches, au sommet de tiges feuillées. Se propage abondamment par ses graines. H. et E. 8 cm.

☼ ◊ ❀❀❀

Daphne petraea 'Grandiflora'
Arbuste compact, à croissance lente, à minuscules feuilles persistantes luisantes. Fin printemps, bouquets terminaux de fleurs parfumées, d'un rose intense. Convient à un jardin de rocaille abrité humifère ou à une auge. H. 15 cm ; E. 25 cm.

☼ ◊ ❀❀❀

Claytonia megarhiza subsp. nivalis
Claytone megarhiza
Vivace à rosette de feuilles succulentes persistantes, spatulées. Au printemps, petits bouquets de minuscules fleurs rose foncé. Convient à un pot rempli de compost graveleux. H. 1 cm ; E. 8 cm.

☼ ◊ ❀❀❀

Antennaria dioica 'Rosea'
Pied-de-chat 'Rosea'
Vivace formant un tapis étalé de minuscules feuilles semi-persistantes ovales, laineuses, blanc verdâtre. Fin printemps et début été, bouquets terminaux de capitules duveteux roses. Bon couvre-sol. H. 2,5 cm ; E. 40 cm.

☼ ◊ ❀❀❀

Daphne arbuscula
Arbuste prostré, à feuillage persistant. Fin printemps, bouquets terminaux de nombreuses fleurs tubulaires, très parfumées, rose foncé. Feuilles coriaces étroites, vert sombre, s'entassant à l'extrémité des rameaux. Aime les sols humifères. H. 15 cm ; E. 50 cm.

☼ ◊ ❀❀❀

Vaccinium vitis-idaea 'Minus'
Airelle rouge 'Minus'
Sous-arbrisseau tapissant, à minuscules feuilles ovales persistantes, coriaces. Fin printemps, petites inflorescences érigées de nombreuses fleurs en forme de cloche, rose foncé, avec parfois un peu de blanc. H. 8 cm ; E. 15 cm.

☼ ◊ pH ❀❀❀

Anagallis tenella 'Studland'
Mouron des marécages
Vivace à courte durée de vie, formant
un tapis de minuscules feuilles vert vif.
Au printemps, le feuillage est parsemé
de fleurs rose vif, en forme d'étoile et à
odeur de miel. H. 1 cm ;
E. 15 cm ou plus.

☼ ◑ ❄❄❄

Androsace carnea subsp. *laggeri*
Vivace formant un coussinet, composé
de petites rosettes compactes de feuilles
persistantes et pointues. Au printemps,
petits bouquets de fleurs, en forme de
coupe, rose foncé, au-dessus du
feuillage. H. et E. 5 cm.

☼ ◊ ❄❄❄

Corydalis solida 'George Baker',
syn. *C. s.* 'G. P. Baker'
Vivace tubéreuse, au feuillage divisé. Au
printemps, denses grappes de fleurs d'un
rose foncé intense, éperonnées.
H. et E. 15 cm.

☼ ◊ ❄❄❄

Saxifraga grisebachii 'Wisley
Variety'
Saxifrage 'Wisley Variety'
Vivace à rosettes arrondies de feuilles
persistantes à bords incrustés de
calcaire. Tiges en crosse, à poils rose
pâle ou rouge vif ; au printemps, fleurs
rouge foncé. H. 10 cm ; E. 15 cm.

☼ ◊ ❄❄❄

Saxifraga sempervivum
Saxifrage sempervivum
Vivace à feuilles persistantes vert
argenté, en rosettes compactes formant
des touffes. Début printemps, grappes
terminales de fleurs rose foncé, sur tiges
en forme de crosse, à poils argentés.
H. et E. 15 cm.

☼◑ ◊ ❄❄❄

Cotula atrata
Vivace tapissante, à petites feuilles
persistantes vertes, très finement
découpées. Fin printemps et début été,
capitules rouge noirâtre. Plante peu
commune, qu'il n'est pas facile de
cultiver avec succès. H. 2,5 cm ;
E. 25 cm.

☼ ◊ ❄❄❄

Corydalis diphylla
Vivace tubéreuse, à feuilles basales
semi-érigées, divisées en folioles
étroites. Au printemps, grappes lâches
de fleurs à lèvres pourpres et à éperon
blanc. En été, protéger les tubercules
d'un excès d'humidité. H. 15 cm ;
E. 10 cm.

☼ ◊ ❄❄

Polygonatum hookeri
Vivace rhizomateuse dense, à croissance
lente, à minuscules feuilles lancéolées.
Fin printemps et début été, bouquets
lâches de petites fleurs en forme de
cloche, rose lilas. H. 5 cm ; E. 30 cm.

☼ ◊ ❄❄❄

Aubrietia 'Joy'
Aubriette 'Joy'
Vivace vigoureuse, rampante,
présentant des masses de feuilles
persistantes d'un vert doux. Au
printemps, des fleurs doubles, mauve
pâle, s'épanouissent sur de courtes tiges.
H. 10 cm ; E. 20 cm.

☼ ◊ ❄❄❄

■ POURPRE, VIOLET

Aubrietia deltoidea 'Argenteo-variegata'
Aubriette deltoidea 'A.'
Vivace compacte, rampante, cultivée pour ses feuilles persistantes vertes fortement panachées de blanc crème. Au printemps, fleurs rosâtre lavande. H. 5 cm ; E. 15 cm.

☼ ◊ ❁ ❁ ❁

Mazus reptans
Vivace prostrée. Au printemps, fleurs solitaires tubulaires, pourpres ou rose pourpré, à lèvres saillantes blanches ponctuées de rouge et de jaune, sur de courtes tiges. Feuilles étroites dentées, opposées. H. 5 cm ; E. 30 cm ou plus.

☼ ◊ ❁ ❁ ❁

Soldanella villosa
Soldanelle villosa
Vivace à feuilles persistantes rondes coriaces, à pétioles velus. Début printemps, fleurs bleu lavande pourpré, inclinées, campanulées, à pétales frangés, sur des tiges érigées. N'aime pas les hivers humides. H. 10 cm ; E. 15 cm.

☼ ◊ ❁ ❁ ❁

Aubrietia 'Carnival'
Aubriette 'Carnival'
Vivace vigoureuse. Au printemps, nombreuses inflorescences courtes de grandes fleurs simples, violet pourpré, au-dessus d'une masse de petites feuilles persistantes d'un vert doux. H. 10 cm ; E. 30 cm.

☼ ◊ ❁ ❁ ❁

Soldanella alpina
Soldanelle des Alpes
Vivace formant une touffe, à feuilles persistantes. Début printemps, courtes fleurs en forme de cloche, à pétales frangés, bleu lavande pourpré ou rose pourpré. Il est difficile d'obtenir une belle floraison. H. 8 cm ; E. 10 cm.

☼ ◊ ❁ ❁ ❁

Saxifraga stribrnyi
Saxifrage stribrnyi
Vivace à petites rosettes de feuilles persistantes, incrustées de calcaire. Tiges en crosse, couvertes de poils rosâtres, portant fin printemps et début été, des fleurs pourpre foncé. H. 8 cm ; E. 12 cm.

☼ ◊ ❁ ❁ ❁

Aubrietia 'J. S. Baker'
Aubriette 'J.S. Baker'
Vivace au feuillage persistant. Au printemps, des fleurs simples, pourpres, s'épanouissent au-dessus des masses de petites feuilles d'un vert doux. H. 10 cm ; E. 20 cm.

☼ ◊ ❁ ❁ ❁

Polygala chamaebuxus var. *grandiflora*
Polygale faux-buis, var. grandiflora
Vivace à base ligneuse, à feuilles persistantes coriaces. Fin printemps et début été, bouquets de fleurs jaune et pourpre rougeâtre. H. 15 cm ; E. 30 cm.

☼ ◊ ❁ ❁ ❁

Viola calcarata
Vivace en touffe, à feuilles ovales. Fleurs aplaties solitaires, de couleur blanche, lavande ou pourpre. Longue floraison, de la fin du printemps à l'été. H. 15 cm ; E. 20 cm.

☼ ◊ ❁ ❁ ❁

IRIS, pp. 196-197
Saxifraga × arco-valleyi 'Arco'
Saxifraga oppositifolia 'Ruth Draper'
Soldanella minima
Soldanella montana
Viola odorata
Viola palmata

Aubrietia ´Cobalt Violet´
Aubriette ´Cobalt Violet´
Vivace formant un tapis dense de
petites feuilles persistantes, d'un vert
doux. Au printemps, courtes grappes
terminales de fleurs simples, bleu-violet.
H. 10 cm ; E. 20 cm.

☼ ◊ ✿✿✿

Viola tricolor
Pensée sauvage
Vivace ou annuelle à feuilles
cordiformes ou lancéolées. Du
printemps à l'automne, belles fleurs
colorées dans un mélange de blanc, de
jaune et de nuances de violet. Se ressème
spontanément. H. 15 cm ; E. 15 cm ou plus.

☼ ◊ ✿✿✿

Hepatica nobilis var. *japonica*
Anémone hépatique
Vivace à croissance lente, à feuilles
lobées, coriaces, semi-persistantes sauf
sous un climat très froid ou aride. Au
printemps, fleurs légèrement en coupe,
de couleur mauve lilas, rose ou blanche.
H. 8 cm ; E. 12 cm.

◑ ◊ ✿✿✿

Viola labradorica ´Purpurea´
Violette labradorica ´Purpurea´
Vivace formant une touffe, à minuscules
fleurs violettes, au printemps et en été.
Feuilles réniformes vert pourpré foncé.
Plante envahissante qui colonise bien
talus et sous-bois. H. 5 cm ; E. variable.

◑ ◊ ✿✿✿

Jeffersonia dubia,
syn. *Plagiorhegma dubia*
Vivace en touffe, à feuilles bilobées vert
bleuté, parfois teintées de rose quand
elles se déploient. Au printemps, fleurs
solitaires en forme de coupe, allant de
lilas pâle à bleu pourpré. H. 15 cm ;
E. 25 cm.

☼ ◊ ✿✿✿

Jancaea heldreichii
Vivace à rosettes de feuilles épaisses,
poilues, d'un vert argenté. Fin
printemps, minces tiges portant des
bouquets de minuscules fleurs bleu
lavande. Plante rare, difficile à cultiver.
H. et E. 8 cm.

◑ ◊ ✿✿

Viola pedata
Violette pied d'oiseau
Vivace en touffe, au feuillage délicat.
Fin printemps et début été, fleurs
solitaires violet pâle, à centre jaune,
rarement blanches, sur de minces tiges.
Nécessite un sol bien drainé. H. 5 cm ;
E. 8 cm.

☼ ◊ pH ✿✿✿

Mertensia maritima
Vivace prostrée, à feuilles ovales,
charnues, d'un vert-gris argenté.
Vigoureuses tiges portant au printemps
des bouquets de fleurs pendantes, en
forme de cloche, bleu ciel. Sujette aux
attaques de limaces. Nécessite un bon
drainage. H. 15 cm ; E. 12 cm.

☼ ◊ ✿✿✿

Synthyris stellata
Vivace rhizomateuse au feuillage
persistant. Au printemps, grappes
denses de petites fleurs bleu-violet,
au-dessus des feuilles arrondies,
profondément dentées. Supporte le
soleil, si on maintient le sol humide.
H. et E. 15 cm.

◑ ◊ ✿✿✿

Haberlea rhodopensis
Hedyotis michauxii, p. 323
IRIS, pp. 196-197
Phlox 'Emerald Cushion', p. 321

Thalictrum orientale

Plantes de rocaille/petite taille

■ BLEU

Myosotis alpestris
Myosotis des Alpes
Vivace en touffe, à courte durée de vie.
Fin printemps et début été, denses
bouquets de minuscules fleurs bleu vif, à
œil jaune crème, au-dessus des touffes
de feuilles poilues. Préfère les sols
graveleux. H. et E. 15 cm.

Anchusa caespitosa
Buglosse caespitosa
Vivace à rosettes de feuilles vert foncé
persistantes, lancéolées. Au printemps,
fleurs bleues à centre blanc, au milieu
des rosettes. Les pieds âgés fleurissent
mal. Prélever des éclats au printemps.
H. 5 cm ; E. 25 cm.

■□ BLEU, VERT

Gentiana acaulis, syn. *G. excisa*,
G. kochiana
Gentiane kochiana
Vivace formant une touffe, à feuilles
persistantes ovales, luisantes. Au
printemps et souvent en automne, fleurs
en entonnoir, bleu foncé, à gorge
ponctuée de vert. H. et E. 10 cm.

Viola tricolor ´Bowles' Black´
Pensée ´Bowles' Black´
Vivace formant une touffe, à feuilles
ovales, parfois lobées et dentées. Du
printemps à l'automne, fleurs d'un
violet très foncé, presque noir. Durée de
vie courte, à cultiver en bisannuelle.
H. 15 cm ; E. 8 cm.

Gentiana verna
Gentiane printanière
Vivace souvent à courte durée de vie, à
petites rosettes de feuilles persistantes
ovales, vert sombre. Au début du
printemps, fleurs tubulaires bleu vif, à
gorge blanche, dressées sur de courtes
tiges. H. et E. 5 cm.

Salix reticulata
Saule réticulé
Arbuste tapissant, étalé, à feuilles
arrondies, à nervures très saillantes. Au
printemps, chatons brun rougeâtre sur
les pieds mâles, vert grisâtre sur les
pieds femelles. Aime les sols froids,
tourbeux. H. 8 cm ; E. 20 cm ou plus.

Mandragora officinarum
Mandragore
Vivace à racines charnues, à feuilles
d'aspect grossier, à bord ondulé,
formant une rosette. Au printemps,
fleurs en entonnoir, blanc jaunâtre ou
violacé; grands fruits jaunes, luisants,
rappelant des tomates. H. 5 cm; E. 30 cm.

☼ ◊ ❄❄❄

Saxifraga 'Hindhead Seedling'
Saxifrage 'Hindhead Seedling'
Vivace formant un dôme compact de
touffes de petites feuilles persistantes
épineuses, vert bleuté. Au printemps,
fleurs en forme de coupe ouverte, jaune
pâle, regroupées par 2 ou 3, sur chaque
petite tige. H. 2,5 cm; E. 8 cm.

☽ ◊ ❄❄❄

Viola aetolica
Vivace formant une touffe, à feuilles
étroites, ovales, d'un vert moyen. Fin
printemps et début été, fleurs solitaires
jaunes, sur des tiges dressées. H. 8 cm;
E. 15 cm.

☼ ◊ ❄❄❄

Draba longisiliqua
Vivace formant un coussin composé de
rosettes compactes de minuscules
feuilles argentées. Au printemps,
ramilles de petites fleurs jaunes, à long
pédoncule. En cours de croissance, elle a
besoin de beaucoup d'eau. Convient à
un jardin alpin. H. 8 cm; E. 15 cm.

☼ ◊ ❄❄❄

Hacquetia epipactis
Vivace formant une touffe, s'étendant
par son court rhizome. Fin hiver et
début printemps, avant même
l'apparition des feuilles arrondies
tripartites, têtes florales jaunes,
entourées de bractées vert pomme.
H. 6 cm; E. 25 cm.

● ◊ ❄❄❄

Saxifraga × *apiculata*
Saxifrage × apiculata
Vivace formant un coussin compact de
feuilles persistantes vert vif. En début de
printemps, bouquets de fleurs jaune
pâle, en forme de coupe ouverte.
H. 15 cm; E. 15 cm ou plus.

☽ ◊ ❄❄❄

Draba rigida
Vivace à touffe compacte de feuilles
persistantes minuscules, vert sombre.
Au printemps, tout petits bouquets de
fleurs jaune vif, sur de fines tiges.
Convient à un éboulis rocheux ou une
auge. N'aime pas les hivers humides.
H. 4 cm; E. 6 cm.

☼ ◊ ❄❄❄

Saxifraga sancta
Saxifrage sancta
Vivace formant un coussin composé de
touffes de feuilles persistantes vert vif.
Au printemps, petits bouquets
terminaux de fleurs en forme de coupe
ouverte, jaune vif. H. 5 cm; E. 15 cm.

☽ ◊ ❄❄❄

Euphorbia myrsinites
Euphorbe myrsinites
Vivace à souche centrale ligneuse, à
tiges prostrées, couvertes de petites
feuilles pointues, charnues et glauques.
Au printemps, bouquets terminaux de
fleurs d'un jaune-vert vif. Utile pour
murets. H. 8 cm; E. 20 cm ou plus.

☼ ◊ ❄❄

Saxifraga 'Elizabethae'
Saxifrage 'Elizabethae'
Vivace formant un coussin composé de
minuscules rosettes de feuilles
persistantes, épineuses. Au printemps,
bouquets compacts de petites fleurs
jaune vif, à l'extrémité de tiges à base
rouge. H. 2,5 cm; E. 15 cm.

☽ ◊ ❄❄❄

Dionysia aretioides
Vivace formant des coussins de feuilles
persistantes poilues, douces au toucher,
d'un vert grisâtre. Au début du
printemps, nombreuses fleurs presque
sessiles, parfumées, en forme de
trompette, jaune vif. H. 10 cm;
E. 30 cm.

☼ ◊ ❄❄❄

Corydalis wilsonii, p. 289

Calceolaria darwinii
Cytisus ardoinii, p. 326
Draba aizoides
IRIS, pp. 196-197

NARCISSES, pp. 348-349
Polygala chamaebuxus, p. 325
PRIMEVÈRES, pp. 230-231

☐ JAUNE

Draba mollissima
Vivace formant un coussin, recouvert au printemps de bouquets de toutes petites fleurs jaunes, sur de minces tiges. Feuilles semi-persistantes minuscules formant un dôme. À cultiver en jardin alpin. H. 4 cm; E. 15 cm ou plus.

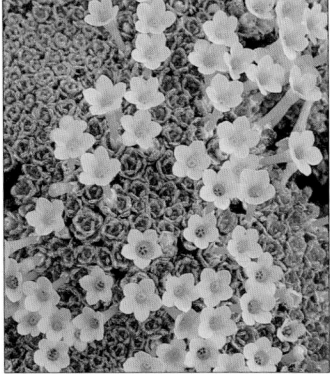

Dionysia tapetodes
Vivace prostrée, formant un tapis compact de minuscules feuilles persistantes vert-gris. Au début du printemps, petites fleurs jaunes, orientées vers le haut. H. 1 cm; E. 15 cm.

Morisia monanthos, syn. *M. hypogaea*
Vivace prostrée, à rosette aplatie de feuilles coriaces divisées, vert sombre. Fin printemps et début été, fleurs plates, jaune vif, presque sessiles. A besoin d'un bon drainage. H. 2,5 cm; E. 8 cm.

Ranunculus ficaria 'Flore Pleno'
Ficaire fausse-renoncule 'Flore Pleno'
Vivace tapissante, à feuilles cordiformes vert sombre. Au début du printemps, fleurs doubles jaune vif, à pétales brillants. Elle peut se propager rapidement. H. 5 cm; E. 20 cm.

Vitaliana primuliflora,
syn. *Douglasia vitaliana*
Vivace prostrée, à tapis de feuilles persistantes vert moyen, disposées en rosettes. Au printemps, nombreux petits bouquets de fleurs jaune vif presque sessiles, tubulaires. H. 2,5 cm; E. 20 cm.

Viola 'Jackanapes'
Vivace en touffe, à feuilles ovales, crénelées. De fin printemps à fin été, fleurs bicolores, à pétales supérieurs d'un brun rougeâtre et à pétales inférieurs jaunes. H. 12 cm; E. 20 cm ou plus.

☐ JAUNE ☐ BLANC

Trollius pumilus
Trolle pumilus
Vivace en touffe. Feuilles divisées en
5 segments ovales et trilobés. Fin
printemps et début été, fleurs solitaires
d'un jaune vif, en forme de coupe.
H. 15 cm ; E 15 cm ou plus.

☼ ◐ ❋ ❋ ❋

Erysimum helveticum,
syn. *E. pumilum*
Vélar pumilum
Vivace à feuilles semi-persistantes
longues et étroites, en touffes serrées.
Fin printemps et début été, têtes aplaties
de nombreuses fleurs odorantes jaune
vif. H. 10 cm ; E. 15 cm.

☼ ◐ ❋ ❋ ❋

Ranunculus ficaria
'Aurantiacus'
Ficaire fausse-renoncule 'A.'
Vivace formant un tapis, à feuilles
cordiformes, vert moyen. Début
printemps, fleurs en coupe, simples,
orange, à pétales luisants. Se propage
rapidement. H. 5 cm ; E. 20 cm.

☼ ◐ ❋ ❋ ❋

IRIS, pp. 196-197
Leucogenes grandiceps, p. 329
NARCISSES, pp. 348-349

Silene alpestris,
syn. *Heliosperma alpestris*
Vivace à tiges rameuses et à feuilles
étroites. Fin printemps et début été,
petites fleurs blanches, parfois teintées
de rose, arrondies, à pétales dentés. Se
ressème spontanément. H. 15 cm ;
E. 20 cm.

☼ ◐ ❋ ❋ ❋

Phlox stolonifera 'Ariane'
Vivace de faible croissance, à feuilles
vert pâle persistantes, ovales. Début été,
pousses latérales portant des fleurs
blanches, en forme de coupe ouverte.
Après la floraison, tailler de moitié les
pousses à fleurs. H. 15 cm ; E. 30 cm.

☼ ◐ ◑ pH ❋ ❋ ❋

Achillea clavennae
Achillée clavennae
Vivace tapissante. De l'été à la mi-
automne, bouquets de capitules blancs à
centre doré. Feuilles semi-persistantes
ovales, lobées, à fins poils blancs.
N'aime pas les hivers humides.
H. 15 cm ; E. 25 cm ou plus.

☼ ◐ ❋ ❋ ❋

AUTRES PLANTES CONSEILLÉES :
Arabis caucasica
Arabis caucasica 'Plena'
Arabis caucasica 'Variegata', p. 302

Haberlea rhodopensis
'Virginalis'
Vivace au feuillage persistant. Fin
printemps et début été, petites ramilles
arquées, portant des fleurs en forme
d'entonnoir, d'un blanc pur, au-dessus
de belles rosettes de feuilles ovales
dentées, vert sombre. H. et E. 15 cm.

☼ ◐ ❋ ❋ ❋

Potentilla alba
Potentille blanche
Vivace tapissante et vigoureuse. Feuilles
argentées sur le revers, divisées en
folioles ovales. En été, ramilles diffuses,
portant des fleurs blanches plates,
simples. H. 8 cm ; E. 8 cm.

☼ ◐ ❋ ❋ ❋

Lewisia rediviva
(Forme blanche)
Vivace formant une rosette de touffes de
fines feuilles étroites, disparaissant en
été. Fin printemps et début été, grandes
fleurs blanches, s'ouvrant par temps
lumineux. H. 4 cm ; E. 5 cm.

☼ ◐ pH ❋ ❋ ❋

Arenaria balearica, p. 302
Artemisia schmidtiana 'Nana', p. 329
Cardamine trifolia, p. 302
Cerastium alpinum

Cyananthus lobatus f. *albus*
Vivace prostrée, à tiges rameuses,
couvertes de petites feuilles d'un vert
terne. Fin été, fleurs solitaires en forme
d'entonnoir, blanches, à lobes étalés.
H. 8 cm ; E. 30 cm.

☼ ◐ ❋ ❋ ❋

Campanula carpatica
'Bressingham White'
Campanule des Carpathes
'Bressingham White'
Vivace en touffe, à feuilles arrondies,
vert vif. En été, fleurs solitaires
blanches, en coupe ouverte, sur tiges
non ramifiées. H. et E. 15 cm.

☼ ◐ ❋ ❋ ❋

☐ BLANC

Arenaria montana
Vivace prostrée, formant des tapis
diffus de petites feuilles étroites et
ovales. En été, grandes fleurs blanches
de forme arrondie. À utiliser pour
murets ou fissures de roches. Nécessite
un sol suffisamment humide. H. 5 cm ;
E. 12 cm.

☼◐ ◊ ✿✿✿

Epilobium chlorifolium var. kaikourense
Épilobe chlorifolium var. kaikourense
Vivace en touffe, à souche ligneuse, à
feuilles poilues, bronze et vert foncé. En
été, courtes grappes de fleurs, blanches
ou roses. H. 10 cm ; E. 15 cm.

☼ ◊ ✿✿✿

Gentiana saxosa
Gentiane saxosa
Vivace à petites feuilles persistantes
spatulées, charnues, vert sombre. Début
été, petites fleurs blanches en forme de
cloche. Durée de vie courte. Pousse bien
sur les éboulis. H. 5 cm ; E. 15 cm.

☼ ◊ ✿✿✿

Iberis saxatilis
Thlaspi saxatilis
Sous-arbrisseau nain, à feuilles
persistantes brillantes, vert foncé. Fin
printemps et début été, larges têtes de
petites fleurs blanches devenant ensuite
violettes. Tailler après floraison.
H. 12 cm ; E. 30 cm.

☼ ◊ ✿✿✿

Cornus canadensis
Cornouiller canadensis
Vivace couvre-sol, à feuilles ovales,
verticillées au sommet des tiges. Fin
printemps et début été, fleurs vertes,
parfois teintées de pourpre, disposées au
centre de 4 bractées blanches, suivies de
baies rouges. H. 15 cm ; E. 30 cm.

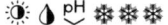☼ ◐ pH ✿✿✿

Celmisia ramulosa
Vivace arbustive, à petites feuilles
persistantes poilues, d'un vert grisé. Fin
printemps et début été, capitules blancs
à centre jaune, solitaires, sur de courtes
tiges. H. et E. 10 cm.

☼ ◊ pH ✿✿

Ourisia caespitosa
Vivace prostrée, à tiges rampantes,
portant de minuscules feuilles
persistantes ovales. Fin printemps et
début été, nombreuses fleurs blanches
en forme de coupe ouverte. H. 2,5 cm ;
E. 10 cm.

☀ ◐ ✿✿✿

Nierembergia repens
Vivace formant un tapis, à petites
feuilles ovales vert clair. En été, pour une
longue période, elle s'embellit de fleurs
dressées, en forme de cloche ouverte,

☼ ◊ ✿✿

Anacyclus depressus
Vivace prostrée, à durée de vie courte.
En été, bouquets de capitules à centre
jaune et à pétales blancs, rouges en
dessous, se fermant en lumière faible.
Tiges à feuilles très divisées autour de la
racine centrale. N'aime pas l'humidité.
H. 5 cm ou plus ; E. 10 cm.

☼ ◊ ✿✿

Petrocosmea kerrii
Vivace à rosettes compactes de feuilles
persistantes ovales, pointues, poilues,
d'un vert intense. En été, petits
bouquets de courtes fleurs tubulaires
blanches à 2 lèvres lobées. À cultiver en
jardin alpin. H. 8 cm ; E. 15 cm. Ⓐ

☀ ◊

blanches, se teintant parfois de rose avec
l'âge, jaunes au centre. À utiliser dans
les fentes de dallage. H. 5 cm ; E. 20 cm
ou plus.

Dryas octopetala
Dryade à huit pétales
Sous-arbrisseau prostré, formant un
tapis de feuilles persistantes vert
sombre, ovales, lobées, coriaces. Fin
printemps et début été, fleurs blanc
crème, en coupe, suivies de jolis akènes
plumeux. H. 6 cm ; E. variable.

☼ ◊ ❋ ❋ ❋

Achillea × kellereri
Achillée × kellereri
Vivace à feuilles semi-persistantes
plumeuses. En été, bouquets diffus de
capitules blancs à centre jaune.
Convient à muret ou talus. N'aime pas
les hivers humides et nécessite un bon
drainage. H. 15 cm ; E. 25 cm ou plus.

☼ ◊ ❋ ❋ ❋

Carlina acaulis
Carline des Alpes
Vivace formant une touffe. Longues
feuilles très divisées, épineuses, en
rosette. En été et automne, grands
capitules sessiles, blanc cassé ou brun
pâle, à bractées scarieuses. H. 10 cm ;
E. 25 cm.

☼ ◊ ❋ ❋ ❋

Linnaea borealis
Vivace ligneuse, formant un tapis de
tiges radicantes, couvertes de petites
feuilles ovales. En été, sur des tiges très
minces, paires de petites fleurs
tubulaires parfumées, rose pâle et
blanches. H. 2 cm ; E. 30 cm ou plus.

☼ ◊ pH ❋ ❋ ❋

Dianthus pavonius,
syn. *D. neglectus*
Œillet neglectus
Vivace prostrée à feuilles persistantes
pointues, formant un tapis bas. En été,
fleurs arrondies plutôt grandes, de rose
pâle à foncé, à revers jaune clair, sur de
courtes tiges. H. 5 cm ; E. 8 cm.

☼ ◊ pH ❋ ❋ ❋

Gypsophila repens ´Dorothy
Teacher´
**Gypsophile repens ´Dorothy´
Teacher´**
Vivace prostrée. En été petites fleurs
d'abord blanches, puis rose foncé.
Feuilles étroites vert bleuâtre. Tailler
après floraison. H. 5 cm ; E. 30 cm.

☼ ◊ ❋ ❋ ❋

Petrorhagia saxifraga, syn. *Tunica
saxifraga*
Vivace tapissante, à touffes de feuilles
graminiformes. En été, sur de minces
tiges, profusion de petites fleurs rose
pâle, veiné de rose plus foncé. Convient
à un sol pauvre et se ressème
spontanément. H. 10 cm ; E. 15 cm.

☼ ◊ ❋ ❋ ❋

Thymus caespititius
Thym caespititius
Sous-arbrisseau tapissant, aromatique, à
minces tiges ligneuses, couvertes de
petites feuilles persistantes, poilues, vert
moyen. En été, petits bouquets de
minuscules fleurs lilas pâle ou rose lilas.
H. 2,5 cm ; E. 20 cm.

☼ ◊ ❋ ❋

Convolvulus althaeoides
Liseron althaeoides
Vivace vigoureuse, à longues tiges
rampantes ; feuilles découpées, vert
moyen argenté. En été, grandes fleurs
roses en forme de trompette ouverte.
Peut être envahissante sous un climat
doux. H. 5 cm ; E. variable.

☼ ◊ ❋

■ ROSE

Geranium sanguineum var. lancastriense
Vivace qui a tendance à s'étendre. En été, fleurs solitaires en forme de coupe, roses à veines plus sombres, au-dessus d'une masse de feuilles vert foncé arrondies, profondément divisées. H. 15 cm; E. 30 cm ou plus.

☼ ◊ ❀❀❀

Erodium corsicum
Vivace compacte, formant une touffe, à feuilles d'un vert grisé, douces au toucher, à bords ondulés. Fin printemps et en été, fleurs roses à veines plus sombres, sur de minces tiges rigides. N'aime pas les hivers humides. H. 8 cm; E. 15 cm.

☼ ◊ ❀❀

Saponaria × olivana
Saponaire × olivana
Vivace compacte, formant un coussin ferme de feuilles étroites. En été, le feuillage est couvert d'une profusion de fleurs solitaires aplaties, rose pâle. Nécessite un bon drainage. H. 8 cm; E. 10 cm.

☼ ◊ ❀❀❀

Aethionema 'Warley Rose'
Sous-arbrisseau compact, à durée de vie courte, à minuscules feuilles persistantes ou semi-persistantes, linéaires, d'un vert bleuâtre. Au printemps et en été, des grappes de petites fleurs roses s'épanouissent en profusion, sur de courtes tiges. H. et E. 15 cm.

☼ ◊ ❀❀❀

Ourisia microphylla
Vivace tapissante, au beau feuillage semi-persistant vert pâle, ressemblant à des écailles. Fin printemps et début été, profusion de petites fleurs roses. Difficile à cultiver sous un climat aride. H. 10 cm; E. 15 cm.

☼ ◊ ❀❀❀

Phlox adsurgens 'Wagon Wheel'
Vivace prostrée, formant de vastes tapis de tiges ligneuses, couvertes de feuilles persistantes ovales. En été, bouquets de fleurs roses en forme d'étoile, à pétales étroits. Nécessite un sol humifère. H. 10 cm; E. 30 cm.

☼ ◊ pH ❀❀❀

Asperula suberosa
Aspérule suberosa
Vivace à tiges diffuses portant de minuscules feuilles poilues grises. Début été, nombreuses fleurs tubulaires rose pâle. N'aime pas les hivers humides, mais a besoin d'eau en été. À cultiver en jardin alpin. H. 8 cm; E. 30 cm.

☼ ◊ ❀❀❀

Rhodohypoxis baurii 'Margaret Rose'
Vivace à souche racinaire ressemblant à des tubercules. Feuilles étroites, lancéolées, poilues, en touffe basale érigée. Au printemps et début été, succession de fleurs rose pâle, sur de minces tiges. H. 10 cm; E. 5 cm.

☼ ◊ ❀❀

Polygonum affine 'Donald Lowndes'
Renouée affine 'D.L.'
Vivace formant un tapis, à tiges étalées, rameuses et vigoureuses. Feuilles persistantes pointues. En été, denses épis de petites fleurs rouges, devenant plus pâle avec l'âge. H. et E. 15 cm.

☼ ◊ ❀❀❀

Lychnis alpina
ŒILLETS, pp. 238-239
Origanum amanum
Petrorhagia saxifraga 'Rosette'

PRIMEVÈRES, pp. 230-231
Sedum spurium
Vaccinium myrtillus

Geranium dalmaticum
Vivace prostrée qui s'étend. En été,
fleurs rose nacré presque plates au-
dessus des feuilles divisées vert foncé,
qui sont persistantes sauf hiver
vraiment rigoureux. Atteint une plus
grande taille dans une ombre partielle.
H. 10 cm ou plus ; E. 20 cm.

Erigeron karvinskianus
Vergerette karvinskianus
Vivace qui s'étend, à tiges souples
portant des feuilles poilues étroites,
lancéolées. En été et en automne,
capitules d'abord blancs, puis roses,
devenant pourpres en se fanant.
H. 15 cm ; E. variable.

Aethionema armenum
Sous-arbrisseau dense, à durée de vie
courte, à feuilles persistantes ou semi-
persistantes étroites, bleu-vert. En été,
ramilles diffuses, portant de minuscules
fleurs d'un rose allant de pâle à foncé.
H. et E. 15 cm.

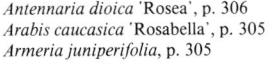

Androsace lanuginosa
Vivace rampante, à tiges diffuses,
couvertes de poils soyeux. Feuilles
persistantes vert sombre. En été,
bouquets de petites fleurs aplaties, rose
lilas ou rose pâle, à œil rose foncé ou
jaune. H. 4 cm ; E. 18 cm.

Dianthus 'Little Jock'
Œillet 'Little Jock'
Vivace compacte formant une touffe, à
feuilles persistantes gris argenté,
pointues. En été, fleurs très parfumées,
de forme arrondie, semi-doubles, roses à
œil plus sombre. H. et E. 10 cm.

Dianthus gratianopolitanus,
syn. *D. caesius*
Œillet caesius
Vivace formant un tapis lâche de
feuilles persistantes étroites, d'un vert
grisé. En été, fleurs aplaties rose pâle,
très parfumées, sur de minces tiges.
H. 15 cm ; E. 30 cm.

Loiseleuria procumbens
Azalée naine, Azalée des Alpes
Arbuste prostré à petites feuilles
persistantes ovales, vertes et luisantes.
En début d'été, bouquets terminaux de
fleurs en forme d'entonnoir ouvert, de
couleur allant du rose au blanc.
H. 8 cm ; E. 15 cm.

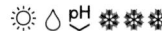

Acantholimon glumaceum
Vivace formant un coussin hérissé de
feuilles persistantes rigides et épineuses,
vert sombre. En été, courts épis de
petites fleurs roses en forme d'étoile.
H. 10 cm ; E. 20 cm.

■ ROSE

Dianthus 'Pike's Pink'
Œillet 'Pike's Pink'
Vivace compacte, gazonnante, à feuillage persistant vert grisâtre, portant en été des fleurs roses parfumées, doubles, arrondies. H. et E. 10 cm.

Saponaria caespitosa
Saponaire caespitosa
Vivace tapissante à petites feuilles lancéolées. En été, de petites fleurs aplaties, de rose à rose pourpré, s'épanouissent par petits bouquets. H. 8 cm ; E. 10 cm.

Oxalis depressa, syn. *O. inops*
Vivace tubéreuse dont les fleurs rose vif estivales de 2 cm d'envergure, à court pédoncule, apparaissent au-dessus des feuilles à 3 lobes. Site protégé nécessaire. H. 5 cm ; E. 10 cm.

Androsace villosa var. *jacquemontii*
Vivace gazonnante stolonifère, à petites rosettes de feuilles persistantes gris-vert, pointues et velues. Fin printemps et début été, petites fleurs pourpre rosé sur des pédoncules rouges. Convient à un jardin alpin. H. 4 cm ; E. 20 cm.

Dianthus microlepis
Œillet microlepis
Vivace à petites touffes de feuilles fines persistantes, au-dessus desquelles s'élèvent en début d'été de nombreuses petites fleurs roses arrondies. Bonne plante pour jardinière. H. 5 cm ; E. 20 cm.

Saponaria ocymoides
Saponaire ocymoides
Vivace formant un tapis de feuilles poilues ovales. En été, profusion de petites fleurs aplaties, de rose pâle à cramoisi. Excellente sur un talus sec. H. 8 cm ; E. 40 cm.

Dianthus myrtinervius
Œillet myrtinervius
Vivace gazonnante dont les nombreuses petites fleurs roses, arrondies, apparaissent en été au-dessus de minuscules feuilles persistantes. H. 5 cm ; E. 20 cm.

Dianthus 'La Bourboule'
Œillet 'La Bourboule'
Vivace à feuilles persistantes pointues groupées en touffe denses. En été, profusion de petites fleurs simples roses très parfumées. H. 5 cm ; E. 8 cm.

Dianthus alpinus
Œillet des Alpes
Vivace en touffes compactes de feuilles persistantes étroites, vert foncé, portant en été des fleurs inodores solitaires, arrondies, rose vif, relativement grandes. H. 5 cm ; E. 10 cm.

Phlox subulata 'Marjory'
Phlox mousse 'Marjory'
Vivace formant une masse de feuilles persistantes linéaires. En début d'été, abondance de fleurs aplaties rose vif. Tailler après floraison. H. 10 cm ; E. 20 cm.

PRIMEVÈRES, pp. 230-231
Vaccinium nummularia

Dianthus 'Annabelle'
Œillet 'Annabelle'
Vivace en touffe, compacte, au feuillage persistant gris-vert, pointu. En été, fleurs roses semi-doubles, parfumées, de forme arrondie, solitaires, sur de minces tiges. H. et E. 10 cm.

Phlox 'Camla'
Vivace à vigoureuses tiges arquées et fin feuillage persistant. Début été, profusion de fleurs rose intense, en forme d'étoile. Tailler après la floraison. Nécessite un sol humifère. H. 12 cm; E. 30 cm.

Geranium cinereum 'Ballerina'
Vivace étalée, à feuilles basales arrondies, très divisées, douces. Fin printemps et en été, fleurs en forme de coupe, rose pourpré, à veines pourpre foncé, sur des tiges souples. H. 10 cm; E. 30 cm.

Teucrium polium
Germandrée polium
Sous-arbrisseau en dôme, à tiges très ramifiées, laineuses, blanches ou jaunâtres; feuilles caduques à bord dentelé. En été, têtes aplaties de fleurs blanc jaunâtre ou pourpre rosâtre. Bon drainage nécessaire. H. et E. 15 cm.

Lewisia rediviva
Forme rose
Vivace en touffe, à rosettes de feuilles étroites tombant en été. Fin printemps et début été, grandes fleurs roses à nombreux pétales, s'ouvrant par temps lumineux. À cultiver en jardin alpin. H. 4 cm; E. 5 cm.

Phlox douglasii 'Crackerjack'
Vivace compacte à feuilles persistantes lancéolées, vert moyen. En début d'été, profusion de fleurs en forme d'étoile, de couleur rose cramoisi. Tailler après la floraison. H. 8 cm; E. 20 cm.

Silene schafta
Vivace étalée, à touffes de feuilles étroites et ovales. De la fin du printemps à la fin de l'automne, ramilles chargées de fleurs rose magenta, en forme d'étoile. H. 15 cm; E. 10 cm.

Geranium cinereum var.
subcaulescens
Vivace étalée, à feuilles rondes, très divisées, douces. En été, fleurs rose foncé lumineux, à œil noir et à étamines saillantes, sur des tiges souples. Met en valeur le feuillage argenté. H. 10 cm; E. 30 cm.

Anemonella thalictroides 'Oscar Schoaf'
Antennaria dioica 'Nyewoods'
Armeria juniperifolia 'Bevans Variety'
Erinus alpinus 'Dr Hanelle'

Plantes de rocaille/petite taille

■ ROSE

■■ ROUGE, LILAS

■ LILAS

Rhodohypoxis baurii ´Albrighton´
Vivace à racines rappelant des
tubercules et à touffes basales érigées de
feuilles étroites, lancéolées et poilues.
Au printemps et en début d'été,
succession de fleurs solitaires rose foncé,
dressées, sur de minces tiges. H. 10 cm ;
E. 5 cm.

☼ ◊ ❀❀❀

Armeria maritima ´Vindictive´
Œillet marin ´V.´
Vivace formant une touffe, à feuillage
persistant graminiforme d'un bleu-vert
sombre. En été, pour une longue
période, têtes sphériques de petites
fleurs rose foncé, à l'extrémité de tiges
rigides. H. 10 cm ; E. 15 cm.

☼ ◊ ❀❀❀

Dianthus deltoides ´Flashing
Light´
Œillet couché ´Flashing Light´
Vivace tapissante à petites feuilles
persistantes oblongues et pointues. En
été, nombreuses petites fleurs aplaties,
solitaires, d'un rose cerise lumineux.
H. 15 cm ; E. 20 cm.

☼ ◊ ❀❀❀

Rhodohypoxis baurii ´Douglas´
Vivace à racines rappelant des
tubercules, et à touffes basales érigées de
feuilles étroites, lancéolées, poilues. Au
printemps et en début d'été, succession
de fleurs solitaires dressées, aplaties,
rouge foncé intense, sur de minces tiges.
H. 10 cm ; E. 5 cm.

☼ ◊ ❀❀

Penstemon hirsutus ´Pygmaeus´
Sous-arbrisseau compact, à durée de vie
courte, à feuilles persistantes vert
sombre étroitement serrées. En été,
fleurs blanches, teintées de pourpre ou
de bleu, poilues, tubulaires, à lèvres
courtes. Convient à une auge.
H. et E. 8 cm.

☼ ◊ ❀❀❀

Pterocephalus perennis subsp.
perennis, syn. *P. p.* var. *parnassi*
Vivace tapissante à feuilles velues, à
bord crénelé et plissé. En été, sur de
courtes tiges, capitules solitaires
compacts, ronds, de fleurs tubulaires
bleu lavande rosâtre, suivies de têtes
d'akènes plumeux. H. 5 cm ; E. 10 cm.

☼ ◊ ❀❀❀

Phlox douglasii ´Boothman's
Variety´
Vivace à feuilles persistantes lancéolées.
Masses de fleurs d'un bleu lavande pâle,
marquées de bleu-violet autour de l'œil
central, en début d'été. Tailler après la
floraison. H. 5 cm ; E. 20 cm.

☼ ◊ ❀❀❀

Phyteuma comosum
Vivace en touffe, à feuillage très denté.
En été, têtes globuleuses de fleurs
bleu-violet, rarement blanches, renflées
à la base puis resserrées en un tube long
et étroit. N'aime pas les hivers humides.
Convient aux fissures de rochers.
H. 8 cm ; E. 10 cm.

☼ ◊ ❀❀❀

Globularia meridionalis, syn.
G. cordifolia subsp. ***bellidifolia***
Globulaire cordifolia subsp.
bellidifolia
Sous-arbrisseau en dôme. En été,
capitules solitaires globulaires,
duveteux, pourpre lavande. Feuillage
persistant luisant. H. 10 cm ; E. 20 cm.

☼ ◊ ❀❀❀

Thymus leucotrichus
Thym leucotrichus
Sous-arbrisseau aromatique à fines tiges grêles et à feuilles persistantes étroites, bordées de poils blancs. En été, denses bouquets de petites fleurs pourpre rosâtre, à petites bractées pourpres.
H. 12 cm; E. 15 cm.

Phlox 'Emerald Cushion'
Vivace produisant des masses de fines feuilles persistantes, couleur vert émeraude. Fin printemps et début été, grandes fleurs en forme d'étoile, bleu-violet. Tailler après la floraison.
H. 8 cm; E. 15 cm.

Phlox bifida
Vivace à feuilles persistantes lancéolées. En été, profusion de fleurs en forme d'étoile, de couleur lilas ou blanche, à pétales bifides, associées en petits bouquets. Raccourcir les tiges de moitié après la floraison. H. 15 cm; E. 15 cm.

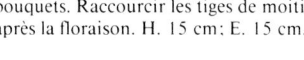

Viola 'Haslemere'
Vivace formant une touffe, à petites feuilles ovales dentées. De fin printemps à fin été, fleurs rose lavande. Éviter un sol trop sec. H. 15 cm; E. 20 cm.

Campanula poscharskyana
Campanule poscharskyana
Vivace à feuilles arrondies à bord largement denté. En été, sur des tiges feuillées, fleurs en forme de clochette aplatie, violettes. Vigoureux et longs stolons assurant une propagation très rapide. H. 15 cm; E. variable.

Brunella grandiflora
Brunelle à grandes fleurs
Vivace couvre-sol, à feuillage semi-persistant. En été, épis de fleurs pourpres sur des tiges feuillées. Peut être envahissante. Couper les tiges florales avant qu'elles ne montent en graine.
H. 15 cm; E. 30 cm.

Aster alpinus
Vivace produisant des touffes étalées de feuilles lancéolées vert sombre. Du milieu à la fin de l'été, capitules d'un bleu pourpré ou d'un pourpre rosâtre, à centre jaune. H. 15 cm; E. 45 cm.

Thymus herba-barona
Thym herba-barona
Sous-arbrisseau formant un tapis lâche de minuscules feuilles persistantes, vert sombre, sentant le carvi. En été, bouquets de petites fleurs couleur lilas.
H. 10 cm; E. 20 cm.

Edraianthus serpylliofolius
Vivace prostrée, formant un tapis compact de minuscules feuilles persistantes. En début d'été, petites fleurs en forme de cloche, violettes, sur de courtes tiges. Plante peu commune, donnant rarement des graines en culture. H. 1 cm; E. 5cm.

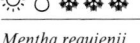

Plantes de rocaille/petite taille

■ VIOLET

Brunella webbiana
Brunelle webbiana
Vivace tapissante à feuilles semi-
persistantes. À mi-été, elle porte de
courtes inflorescences de fleurs violettes.
H. 15 cm ; E. 30 cm.

Campanula 'Birch Hybrid'
Campanule 'Birch Hybrid'
Vivace à petites tiges dures et à feuilles
persistantes vert vif à bord découpé. En
été, elle porte de nombreuses fleurs
campanulées bleu violet foncé.
H. 10 cm ; E. 30 cm.

Campanula portenschlagiana
Campanule portenschlagiana
Vivace prostrée formant des tapis
denses de feuilles persistantes cordées à
bord denté. En été, grappes de fleurs
campanulées ouvertes, bleu
violacé. H. 15 cm ; E. variable.

Ramonda myconi,
syn. *R. pyrenaica*
Vivace acaule à feuilles persistantes, en
rosettes, poilues, bosselées. En fin de
printemps, elle porte des fleurs bleu
mauve en groupes de 1 à 5.
H. 8 cm ; E. 10 cm.

Viola 'Huntercombe Purple'
Vivace à feuilles ovales dentées. Une
profusion de fleurs aplaties violet
intense s'épanouit du printemps à la fin
de l'été. Diviser les touffes tous les
3 ans. H. 15 cm ; E. 30 cm ou
plus.

Pinguicula grandiflora
Grassette grandiflora
Vivace acaule à rosette basale de feuilles
ovales visqueuses, vert clair. En été, elle
porte des fleurs solitaires bleu violet à
éperon sur des pédoncules
frêles. H. 15 cm ; E. 5 cm.

Edraianthus pumilio
Vivace à vie assez courte. En début
d'été, des fleurs campanulées, de bleu
lavande pâle à foncé, apparaissent
parmi les feuilles linéaires. H. 5 cm ;
E. 8 cm.

Campanula G.F. Wilson'
Campanule G. F. Wilson'
Vivace à fleurs campanulées bleu
violacé en été, et à feuilles vert clair.
H. 10 cm ; 15 cm.

Delphinium brunonianum
IRIS, pp. 196-197
Polygala chamaebuxus var. *grandiflora,*
    p. 308

322

Cyananthus microphyllus
Vivace tapissante, à tiges très fines,
rouges, couvertes de minuscules feuilles.
À la fin de l'été, elle porte à l'extrémité
de chaque tige des fleurs en forme
d'entonnoir, de couleur bleu-violet.
Aime les sols humifères. H. 2 cm ;
E. 20 cm.

☀◐ ❁❁❁

Townsendia grandiflora
Vivace à durée de vie courte, à rosettes
basales de petites feuilles persistantes en
forme de cuiller. Fin printemps et début
été, fleurs solitaires violettes ou bleu
violacé sur tiges dressées.
H. 15 cm ; E. 10 cm.

☀◊ ❁❁❁

Sisyrinchium bellum
Vivace en touffe dressée, feuillage
semi-persistant graminiforme. En été et
début automne, pendant longtemps,
nombreuses tiges florales à minuscules
touffes de fleurs rappelant des iris, de
bleu à bleu-violet. Se ressème
spontanément. H. 12 cm ; E. 10 cm.

☀◊ ❁❁

Aquilegia jonesii
Ancolie jonesii
Vivace compacte. En été, tiges minces
avec des fleurs bleu-violet, à éperon
court. Petites rosettes de feuilles
finement découpées gris bleuté ou vert
grisé. Plante peu commune. Convient à
un jardin alpin. H. 2,5 cm ; E. 5 cm.

☀◊ ❁❁❁

Pratia pedunculata
Vivace rampante, vigoureuse, à petites
feuilles persistantes. En été, profusion
de fleurs en forme d'étoile, allant de
bleu pâle à bleu moyen, parfois bleu
pourpré. Bon couvre-sol pour milieu
humide. H. 1 cm ; E. variable.

☀◊ ❁❁❁

Hedyotis michauxii
Vivace vigoureuse à tiges radicantes.
Vers la fin du printemps et en début
d'été, son tapis de feuilles, d'un vert
moyen, est parsemé de fleurs en forme
d'étoile, de couleur bleu-violet.
H. 8 cm ; E. 30 cm.

☀◊ ❁❁❁

Globularia cordifolia
Globulaire cordifolia
Arbuste nain à tiges rampantes ligneuses,
formant un tapis de minuscules feuilles
persistantes ovales. En été, petits
capitules ronds, duveteux, de fleurs bleu
ou bleu lavande pâle, au bout de courts
pédoncules. H. 5 cm ; E. 20 cm.

☀◊ ❁❁❁

Campanula cochlearifolia,
syn. *C. pusilla*
Campanule cochleariifolia
Vivace étalée, tapissante, à rosettes de
minuscules feuilles arrondies, produites
par des stolons. En été, grappes de fleurs
blanches, lavande ou bleu pâle, sur tiges
frêles. H. 8 cm ; E. variable.

☀◊ ❁❁❁

Trachelium asperuloides,
syn. *Diosphaera asperuloides*
Vivace tapissante, à minces tiges grêles,
couvertes de minuscules feuilles vert
moyen. En été, nombreuses petites
fleurs dressées, tubulaires, bleu pâle. Ne
pas supprimer les vieilles tiges en hiver.
H. 8 cm ; E. 15 cm.

☀◊ ❁❁

Eritrichium nanum
Roi des Alpes
Vivace à touffes de feuilles poilues,
gris-vert. Vers la fin du printemps et en
début d'été, petites fleurs bleu pâle,
presque sessiles. Nécessite un bon
drainage. H. 2 cm ; E. 2,5 cm.

☀◊ ❁❁❁

Plantes de rocaille/petite taille

■ BLEU

Parochetus communis
Fleur des dieux
Vivace prostrée, à feuillage persistant
rappelant celui du trèfle. De façon
presque continue, fleurs papilionacées
d'un bleu lumineux. À cultiver en jardin
alpin. H. 5 cm; E. variable.

Polygala calcarea 'Bulley's Variety'
Vivace prostrée, à petites feuilles
persistantes ovales, étroites. Fin
printemps et début été, grappes lâches
de fleurs bleu foncé. Aime les sols
humifères. H. 2,5 cm; E. 10 cm.

Polygala calcarea
Vivace prostrée, parfois dressée. Petites
feuilles persistantes étroites, ovales. Fin
printemps et début été, grappes lâches
de fleurs allant de bleu pâle à bleu foncé.
Aime les sols humifères. Peut être
difficile à établir. H. 2,5 cm; E. 15 cm.

Gentiana clusii
Gentiana gracilipes
Wahlenbergia albomarginata

□■ VERT, JAUNE

Gunnera magellanica
Vivace tapissante. Cultivée pour ses
feuilles arrondies dentées, souvent
teintées de bronze, sur de courtes tiges
rampantes. Sur les pieds mâles et
femelles, petites fleurs unisexuées vertes
à bractées rougeâtres. Aime les sols
tourbeux. H. 2,5 cm; E. 30 cm.

Mitella breweri
Vivace formant une touffe nette. Ses
minces tiges poilues portent en été de
petites fleurs pendantes, d'un blanc
verdâtre, tubulaires, évasées au bout.
Feuilles basales lobées,
réniformes. H. et E. 15 cm.

Sedum acre
Poivre de muraille
Vivace formant un tapis. Elle produit
une grande densité de pousses étalées,
couvertes de minuscules feuilles
persistantes succulentes, vert pâle,
portant en été des tiges florifères. Les
fleurs sont minuscules, jaunes, associées
en inflorescences terminales, aplaties.
C'est une plante envahissante, mais
facilement contrôlable.
H. 5 cm; E. variable.

Alchemilla alpina
Arctous alpinus
Satureja montana 'Prostrate White'

□ JAUNE

Asarina procumbens,
syn. *Antirrhinum asarina*
Muflier asarina
Vivace prostrée à tiges rampantes, à
feuilles poilues douces. Tout l'été, fleurs
crème pâle, à gorge jaune. N'aime pas
les hivers humides. Se ressème
spontanément. H. 2,5 cm; E. 30 cm.

Papaver miyabeanum
Pavot miyabeanum
Vivace formant une touffe, à durée de
vie courte, à rosettes basales de feuilles
très découpées, poilues, gris doux. En
été, fleurs pendantes, en coupe ouverte,
jaune pâle. N'aime pas les hivers
humides. H. et E. 10 cm.

Alyssum montanum
Cytisus demissus
Erigeron aureus
Erysimum helveticum, p. 313

Polygala chamaebuxus
Polygale faux-buis
Vivace à base ligneuse, à minuscules feuilles persistantes fermes, vert foncé. Fin printemps et début été, bouquets de fleurs blanc et jaune, parfois marquées de marron. Aime un sol humifère. H. 5 cm ; E. 20 cm.

☼ ◊ ✳✳✳

Sedum acre 'Aureum'
Poivre de muraille 'A.'
Vivace tapissante, dense. Au printemps et début été, pousses étalées à bout jaune, à feuilles persistantes jaunes, succulentes. En été, minuscules fleurs jaune vif. Plante envahissante mais contrôlable. H. 5 cm ; E. variable.

☼ ◊ ✳✳✳

Scutellaria orientalis
Vivace rhizomateuse, à tiges radicantes poilues, grises. En été, épis compacts de fleurs tubulaires jaunes, à lèvres marron. Feuilles ovales, dentées. Peut être envahissante sur de petites surfaces. H. 10 cm ; E. 25 cm.

☼ ◊ ✳✳✳

Waldsteinia ternata,
syn. *W. trifolia*
Vivace formant un tapis diffus de feuilles semi-persistantes tripartites, à bord denté. Fin printemps et début été, fleurs aplaties jaunes. Peut coloniser un talus, si les stolons s'enracinent bien. H. 10 cm ; E. 30 cm.

☼ ◊ ✳✳✳

Oenothera missouriensis
Œnothère à gros fruits
Vivace étalée, à tiges vigoureuses et à feuilles lancéolées. Tout l'été, succession de fleurs jaunes, parfois ponctuées de rouge, larges, en forme d'entonnoir, qui s'ouvrent au coucher du soleil. H. 10 cm ; E. 40 cm ou plus.

☼ ◊ ✳✳✳

Linum flavum 'Compactum'
Lin jaune 'Compactum'
Vivace arbustive, à feuilles étroites. En été, bouquets terminaux, regroupant de nombreuses fleurs simples, jaune vif, en entonnoir ouvert. Aime les situations ensoleillées et abritées. À protéger de l'humidité hivernale. H. et E. 15 cm.

☼ ◊ ✳✳✳

Potentilla eriocarpa
Potentille eriocarpa
Vivace à touffes de feuilles ovales, vert sombre, divisées en folioles. Tout l'été, fleurs solitaires aplaties, jaune pâle, juste au-dessus du feuillage. H. 8 cm ; E. 15 cm.

☼ ◊ ✳✳✳

Calceolaria tenella
Calcéolaire tenella
Vivace prostrée, vigoureuse, à tiges rampantes rougeâtres. En été, petites grappes de fleurs jaunes, ponctuées de rouge, renflées en poches arrondies, au-dessus des feuilles ovales vert moyen. H. 10 cm ; E. variable.

☼ ◊ ✳

Helianthemum oelandicum subsp. *alpestre*
Hippocrepis comosa 'E.R. Janes'
Hypericum reptans
IRIS, pp. 196-197

Jasminum parkeri
Jovibarba hirta, p. 328
Linum 'Gemmell's Hybrid'
Morisia monanthos, p. 312

Oxalis lobata, p. 327

Plantes de rocaille/petite taille

☐ JAUNE

▢ JAUNE, ORANGE

Lysimachia nummularia 'Aurea'
Herbe aux écus 'Aurea'
Vivace prostrée. Tiges radicantes
rampantes à feuilles opposées rondes,
d'un jaune doux, devenant jaune
verdâtre ou vertes sous un couvert dense.
En été, fleurs jaune vif, à l'aisselle des
feuilles. H. 5 cm ; E. variable.

☀ ◌ ❀❀❀

Hypericum empetrifolium
'Prostatum'
Millepertuis e. 'P.'
Arbuste prostré à rameaux anguleux.
Feuilles persistantes vert vif, à bord
enroulé. En été, panicules aplaties de
petites fleurs jaune vif. À protéger
l'hiver. H. 2 cm ; E. 30 cm.

☀ ◌ ❀❀

Hippocrepis comosa
Fer-à-cheval
Vivace vigoureuse, à tiges radicantes
prostrées ; feuilles divisées en folioles.
En été, ombelles de fleurs jaunes
papilionacées, suivies de gousses en fer à
cheval. Se propage rapidement par ses
graines. H. 8 cm ; E. variable.

☀ ◌ ❀❀❀

Calceolaria 'Walter Shrimpton'
Calcéolaire 'Walter Shrimpton'
Vivace à feuillage persistant vert
sombre, brillant. En début d'été,
nombreuses fleurs renflées en poches
arrondies, jaune bronze ponctué de
marron, avec au centre une bande
blanche. H. 10 cm ; E. 25 cm.

☀ ◗ ❀❀❀

Genista sagittalis,
syn. **Chamaespartium sagittale**
Arbuste semi-prostré. Tiges ailées
portant quelques feuilles caduques
ovales, vert sombre. Début été, grappes
de fleurs jaunes papilionacées, suivies
de gousses velues. H. 8 cm ; E. 30 cm
ou plus.

☀ ◌ ❀❀❀

Cytisus ardoinii
Arbuste nain à rameaux arqués et à
feuilles caduques trifoliées. Vers la fin
du printemps et en début d'été, fleurs
papilionacées jaune vif, s'épanouissant
par 2, à l'aisselle des feuilles.
H. 10 cm ; E. 15 cm.

☀ ◌ ❀❀❀

Potentilla aurea
Potentille aurea
Vivace à base ligneuse. Fin été,
inflorescences lâches de fleurs jaunes à
centre légèrement plus sombre, aplaties,
simples. Feuilles divisées en 5 folioles
dentées, ovales, légèrement argentées.
H. 10 cm ; E. 20 cm.

☀ ◌ ❀❀❀

Alstroemeria hookeri
Vivace à racines tubéreuses, à feuilles
étroites. En été, inflorescences lâches de
fleurs très évasées, rose, teinté d'orange,
à pétales supérieurs ponctués et tachés
de rouge et de jaune. H. 15 cm ;
E. 60 cm.

☀ ◌ ❀❀

 ROSE, ROUGE, BLEU

 ORANGE, JAUNE, BLEU

Polygonum vacciniifolium
Polygonum vacciniifolium
Renouée vacciniifolium
Vivace prostrée, à tiges rouges, ligneuses, très ramifiées et à feuilles persistantes ovales, teintées de rouge en automne. Vers la fin de l'été et en automne, longues grappes étroites, denses, de petites fleurs rose foncé. H. 15 cm; E. 30 cm.

Gentiana sino-ornata
Gentiane sino-ornata
Vivace étalée, prostrée, à feuilles persistantes étroites. En automne, fleurs solitaires en trompette, bleu intense, à l'extrémité des tiges. Diviser la plante tous les 3 ans. Aime un sol humide. H. 5 cm; E. 30 cm.

☀ ◐ ❄❄❄

☀ ◐ pH ❄❄❄

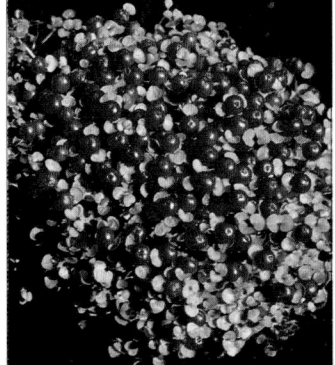

Gaultheria procumbens
Sous-arbrisseau vigoureux. Tiges prostrées à feuilles persistantes ovales, brillantes, rougissant en hiver. En été, fleurs solitaires en cloche, blanc teinté de rose, à l'aisselle des feuilles, suivies de baies écarlates. H. 15 cm; E. variable.

Gentiana × macaulayi 'Wellsii'
Gentiane × macaulayi 'Wellsii'
Vivace prostrée. Tiges étalées à feuilles persistantes étroites, vert moyen. Fin été et en automne, fleurs en trompette, bleu moyen. Le sol doit être bien humide. H. 5 cm; E. 20 cm.

Oxalis lobata
Vivace à racines tubéreuses laineuses. Ses feuilles, d'un vert moyen, ont jusqu'à 5 lobes arrondis. Vers la fin de l'été et en automne, bouquets de fleurs jaune vif, en forme d'entonnoir bien ouvert, de 1 à 2 cm de diamètre. H. 5 cm; E. 10 cm.

Nertera granadensis,
syn. *N. depressa*
Vivace prostrée, formant un tapis dense de minuscules feuilles vert vif. Début été, petites fleurs blanc verdâtre, suivies de nombreuses baies luisantes orange. Nécessite une humidité abondante en été. H. 1 cm; E. 10 cm.

◑ ◐ pH ❄❄❄

☀ ◐ pH ❄❄❄

☀ ◌ ❄

◑ ◌ ❄

AUTRES PLANTES CONSEILLÉES :
Cornus canadensis
Sedum cauticola

Carlina acaulis, p. 315
Gentiana ornata
Sedum kamtschaticum

Sedum kamtschaticum 'Variegatum', p. 331
Solidago virgaurea subsp. *minuta*
Vaccinium myrtillus
Vaccinium nummularia

■ BLANC, ROSE, ROUGE

Arabis ferdinandi-coburgii 'Variegata'
Vivace tapissante, à petites feuilles persistantes ovales, vertes, panachées de crème. Au printemps et en début d'été, petites fleurs blanches. Présence fréquente de feuilles non panachées. H. 2 cm ; E. 30 cm.

☼ ◊ ✾✾✾

Pachysandra terminalis
Vivace rampante, à feuilles lisses persistantes, groupées au bout de courtes tiges. Début été, grappes terminales de minuscules fleurs blanches, parfois teintées de pourpre. Excellent couvre-sol pour situation humide ou sèche. H. 10 cm ; E. 20 cm.

☼ ◊ ✾✾✾

Arctostaphylos uva-ursi 'Point Reyes'
Busserole 'Point Reyes'
Arbuste prostré à longues tiges et à feuilles persistantes brillantes. Fin printemps et début été, grappes de fleurs urcéolées, rose pâle ou blanches ; baies rouges. H. 10 cm ; E. 50 cm.

☼ ◊ pH ✾✾✾

Sedum lydium
Orpin lydium
Vivace tapissante, à tiges rougeâtres et à feuilles persistantes étroites, succulentes, souvent teintées de rouge. En été, bouquets terminaux, aplatis au sommet, de minuscules fleurs rouges. H. 5 cm ; E. 15 cm.

☼ ◊ ✾✾✾

Arctostaphylos uva-ursi
Busserole, Raisin d'ours
Arbuste de faible croissance, à longues tiges arquées entrelacées ; petites feuilles persistantes, ovales, vert vif. En été, petites grappes de fleurs blanc rosâtre, urcéolées, suivies de baies écarlates. H. 10 cm ; E. 50 cm.

☼ ◊ pH ✾✾✾

AUTRES PLANTES CONSEILLÉES :
Ajuga reptans 'Multicolor', p. 259
Pachysandra terminalis 'Variegata'
Paronychia capitata

Jovibarba hirta,
syn. *Sempervivum hirtum*
Joubarbe hirta
Vivace tapissante, à rosettes de feuilles persistantes, poilues, d'un vert moyen, souvent colorées de rouge. En été, elle porte des inflorescences terminales de fleurs jaune pâle, en forme d'étoile. Elle n'aime pas les hivers humides. H. 15 cm ; E. 10 cm.

☼ ◊ ✾✾✾

Sedum obtusatum
Orpin obtusatum
Vivace prostrée, à petites feuilles persistantes épaisses, succulentes, se teintant de rouge bronze en été. Bouquets lâches et aplatis de minuscules fleurs jaune vif, en été. N'aime pas les étés humides. H. 5 cm ; E. 15 cm.

☼ ◊ ✾✾✾

Trifolium repens 'Purpurascens'
Trèfle blanc 'Purpurascens'
Vivace couvre-sol, vigoureuse, plantée pour son feuillage semi-persistant divisé, vert bronze, bordé de vert vif. Tout l'été, têtes globuleuses de petites fleurs blanches. Convient pour talus. H. 12 cm ; E. 30 cm ou plus.

☼ ◊ ✾✾✾

Acaena microphylla
Vivace compacte, tapissante, à
minuscules feuilles, teintées de bronze à
l'état jeune, généralement persistantes.
En été, têtes sphériques de petites fleurs
à bractées épineuses rouge terne,
donnant des fruits décoratifs. H. 5 cm ;
E. 15 cm.

Raoulia hookeri var. *albo-sericea*
Vivace prostrée, à minuscules rosettes
de feuilles persistantes argentées. En été,
brève floraison de capitules jaunes
duveteux, parfumés. Convient à un sol
pauvre, graveleux, en jardin alpin.
N'aime pas les hivers humides.
H. 1 cm ; E. 25 cm.

Artemisia schmidtiana ´Nana´
Armoise schmidtiana ´Nana´
Vivace prostrée, à feuillage argenté très
découpé, ressemblant à des fougères. En
été, insignifiantes ramilles de capitules
jaunes. Convient à des murs ou des
talus. H. 8 cm ; E. 20 cm.

Sempervivum tectorum
Joubarbe des toits
Vivace vigoureuse, à rosettes de feuilles
persistantes à bout pourpre, parfois
entièrement teintées de rouge. En été,
bouquets de fleurs étoilées pourpre
rougeâtre, sur des tiges de 30 cm.
H. 15 cm ; E. 20 cm.

Sempervivum arachnoideum
Joubarbe toile d'araignée
Vivace tapissante. Les rosettes de
feuilles persistantes, ovales, charnues, à
extrémité rouge, sont couvertes de
filaments blanchâtres. En été, bouquets
lâches de fleurs en forme d'étoile, rose
rougeâtre. H. 12 cm ; E. 10 cm ou plus.

Sedum spathulifolium
Orpin spathulifolium
Vivace tapissante, à rosettes de feuilles
persistantes charnues, vertes ou
argentées, généralement teintées de
rouge bronze. En été, petits bouquets de
minuscules fleurs jaunes. Supporte
l'ombre. H. 5 cm ; E. variable.

Leucogenes grandiceps
Vivace dense à base ligneuse, à feuilles
persistantes duveteuses, argentées,
regroupées en rosettes s'empilant les
unes sur les autres. Au printemps ou en
début d'été, capitules solitaires jaunes,
entourés de bractées laineuses blanches.
H. et E. 15 cm.

Sempervivum ciliosum
Joubarbe ciliosum
Vivace tapissante, à rosettes de feuilles
persistantes poilues, d'un vert grisé. En
été, têtes de petites fleurs jaunes en
forme d'étoile. N'aime pas les hivers
humides. Convient à un jardin alpin.
H. et E. 10 cm.

Acaena buchananii
Ajuga reptans 'Atropurpurea', p. 259
Saxifraga stolonifera 'Tricolor'
Thymus pseudolanuginosus

Viola odorata

■ VERT

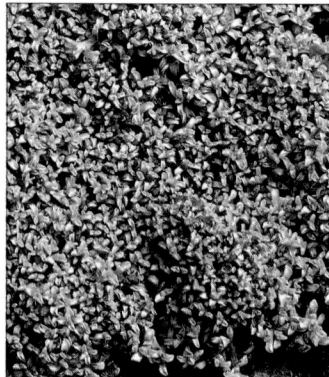

Raoulia australis
Carpette argentée
Vivace formant un tapis ferme de feuilles persistantes vert-gris. En été, minuscules capitules duveteux, jaune soufre. H. 1 cm ; E. 25 cm.

☼ ◊ ❄❄❄

Acaena caesiiglauca
Vivace couvre-sol, vigoureuse, à feuilles poilues bleu glauque, divisées en folioles, persistantes sauf en hiver très rigoureux. En été, têtes de petites fleurs à bractées épineuses vert brunâtre ; fruits rouge brunâtre. H. 5 cm ; E. 75 cm ou plus.

☼ ◊ ❄❄❄

Sempervivum montanum
Joubarbe montanum
Vivace tapissante, à rosettes de feuilles persistantes vert foncé, charnues, duveteuses. En été, bouquets terminaux de fleurs étoilées rouge sombre. Plante variable. H. 15 cm ; E. 10 cm.

☼ ◊ ❄❄❄

Azorella trifurcata,
syn. *Bolax glebaria*
Vivace formant un coussin compact et ferme de minuscules feuilles persistantes en rosettes, coriaces, ovales. En été, nombreuses petites ombelles, dépourvues de tige, de fleurs jaunes. H. 10 cm ; E. 15 cm.

☼ ◊ ❄❄❄

Asarum europaeum
Cabaret
Vivace prostrée rhizomateuse, vigoureuse, à grandes feuilles persistantes réniformes, coriaces et brillantes. Au printemps, de minuscules fleurs marron se dissimulent sous le feuillage. H. 15 cm ; E. variable.

◑ ◊ ❄❄❄

Sagina boydii
Sagine boydii
Vivace formant des coussins fermes de minuscules feuilles persistantes, vert bouteille, rigides, associées en petites rosettes. En été, fleurs insignifiantes. Plante difficile, à croissance lente. H. 1 cm ; E. 20 cm.

☼ ◊ ❄❄❄

Sempervivum giuseppii
Joubarbe giuseppii
Vivace vigoureuse, formant un tapis de rosettes. Feuilles persistantes poilues, surtout au printemps, vert frais à points sombres au bout. En été, bouquets de fleurs étoilées rouges ou rose foncé. H. et E. 10 cm.

Bolax gummifera
Vivace à croissance très lente, à belles rosettes de petites feuilles persistantes d'un vert bleuté, formant des coussins très fermes. Produit rarement des fleurs jaunes insignifiantes. Pousse bien sur tuf. H. 2,5 cm; E. 10 cm.

Plantago nivalis
Plantain nivalis
Vivace formant de belles rosettes de feuilles persistantes épaisses, vertes, à poils argentés. En été, épis de fleurs insignifiantes, d'un gris terne. N'aime pas les hivers humides. H. 2,5 cm; E. 5 cm.

Leucogenes leontopodium
Thymus × citriodorus 'Aureus'

Raoulia haastii
Vivace formant de petits monticules bas de minuscules feuilles persistantes couleur vert pomme au printemps, vert sombre en automne et marron chocolat en hiver. En été, parfois petits capitules duveteux, jaune sulfureux. H. 1 cm; E. 25 cm.

Paronychia kapela subsp. *serpyllifolia*
Vivace tapissante, très compacte, à minuscules feuilles persistantes argentées. En été, discrètes fleurs, entourées de bractées argentées scarieuses. Pousse bien sur tuf. H. 1 cm; E. 20 cm.

Sedum kamtschaticum 'Variegatum'
Orpin kamtschaticum 'Variegatum'
Vivace prostrée, à feuilles semi-persistantes succulentes, vertes bordées de crème. Elle forme tout un réseau de tiges charnues et de bourgeons foliaires en hiver. En début d'automne, bouquets terminaux lâches de fleurs jaunes, teintées d'orange. H. 8 cm; E. 20 cm.

Sedum spathulifolium 'Cape Blanco', syn. *S. s.* 'Cappa Blanca'
Vivace à rosettes aplaties de feuilles persistantes succulentes, vert argenté, souvent teintées de pourpre. En été, petits bouquets de minuscules fleurs jaunes. Supporte l'ombre. H. 5 cm; E. variable.

Saxifraga moschata 'Cloth of Gold'
Saxifrage moschata 'Cloth of Gold'
Vivace cultivée pour la couleur jaune doré vif de ses rosettes douces de feuilles persistantes. En été, fleurs étoilées blanches. H. et E. 15 cm.

331

Leucojum aestivum
Nivéole
Bulbeuse à floraison printanière.
Feuilles basales longues, en lanière,
semi-érigées. Têtes de fleurs blanches
pendantes, campanulées, à extrémités
vertes, à longs pédoncules, sur des tiges
sans feuille. H. 1 m; E. 12 cm.

☼ ◗ ❁❁❁

Fritillaria verticillata
Fritillaire verticillata
Bulbeuse à floraison printanière, à
feuilles étroites, verticillées. La tige
porte un bouquet de 1-11 fleurs
blanches campanulées, de 2-4 cm de
long, marquées de vert ou de brun.
H. 1 m; E. 10 cm.

☼ ◗ ❁❁

Fritillaria raddeana
Fritillaire raddeana
Bulbeuse robuste, à feuilles lancéolées,
en verticilles sur le bas de la tige. Au
printemps, bouquet ayant jusqu'à
20 fleurs jaune pâle ou jaune verdâtre,
de 3-4 cm de long, «couronnées» de
petites feuilles. H. 1 m; E. 25 cm.

☼ ◗ ❁❁❁

Fritillaria persica
Fritillaire persica
Bulbeuse à feuilles étroites lancéolées,
gris-vert, le long de la tige. Au
printemps, grappe de 10-20 fleurs ou
plus, de 1,5-2 cm de long, campanulées,
étroites, pourpre brunâtre ou noirâtre.
H. 1,5 m; E. 10 cm.

☼ ◌ ❁❁

Fritillaria recurva
Fritillaire recurva
Bulbeuse à floraison printanière, à
feuilles verticillées étroites et lancéolées,
gris-vert. Bouquet d'au plus 10 fleurs
étroites, orange ou rouges, marquées de
jaune, à extrémités évasées. H. 1 m;
E. 10 cm.

☼ ◌ ❁❁

Fritillaria imperialis
Couronne impériale
Bulbeuse à floraison printanière, à
feuilles verticillées luisantes, vert pâle.
Jusqu'à 5 fleurs orange, largement
campanulées, couronnées par de petites
bractées ressemblant à des feuilles.
H. 1,50 m; E. 30 cm.

☼ ◌ ❁❁❁

Crinum × powellii 'Album'
Bulbeuse fleurissant en fin d'été ou en
automne, produisant un groupe de
feuilles semi-érigées, en forme de
lanière. Des tiges florales sans feuilles
portent des ombelles de fleurs blanches,
en forme d'entonnoir large. H. 1 m;
E. 60 cm.

☼ ◗ ❁❁

Galtonia candicans
Jacinthe du Cap
Bulbeuse fleurissant en fin d'été ou en
automne; feuilles basales gris-vert, en
lanière, charnues, semi-érigées. Grappe
avec jusqu'à 30 fleurs blanches, soudées
à la base, puis campanulées, sur tige
nue. H. 1,2 m; E. 20 cm.

☼ ◗ ❁❁

Zantedeschia aethiopica
'Crowborough'
Arum d'Éthiopie 'C.'
Plante rhizomateuse fleurissant de
début à mi-été, à feuilles basales vert
foncé, semi-érigées, sagittées. Succession
de spathes blanches à spadice jaune.
H. 1 m; E. 45 cm.

☼ ◗ ❁❁

Camassia leichtlinii
Quamash
Bulbeuse formant une touffe, à feuilles
basales longues, étroites, érigées. En été,
grappe dense de fleurs blanches ou bleu
violacé, de 4-8 cm de diamètre, à
6 pétales, sur chaque tige florale nue.
H. 1,5 m; E. 30 cm.

☼ ◗ ❁❁

Hymenocallis × macrostephana
Bulbeuse à floraison printanière ou
estivale, à feuilles persistantes basales
semi-érigées, en forme de lanière. Fleurs
parfumées, allant du blanc ou blanc
crème jusqu'au jaune verdâtre, de
15-20 cm de large. H. 80 cm; E. 45 cm.
A

☼ ◗

Zantedeschia aethiopica 'Green Goddess'
Arum d'Éthiopie 'G.G.'
Plante à rhizome très robuste, à feuilles vert foncé, basales, semi-érigées, sagittées. En été, succession de spathes vertes, à large zone centrale blanche, éclaboussée de vert. H. 1 m ; E. 60 cm.

☼ ◊ ✿✿

Camassia leichtlinii 'Semiplena'
Quamash 'Semiplena'
Bulbeuse formant une touffe avec de longues feuilles basales étroites, érigées. En été, chaque tige nue porte une grappe dense de fleurs de 4-8 cm de diamètre, blanc crème, doubles, à pétales étroits. H. 1,5 m ; E. 30 cm.

☼ ◊ ✿✿

Cardiocrinum giganteum
Bulbeuse à fortes feuilles vert sombre et à tiges robustes. En été, longs épis de fleurs couleur crème, à raies rouge-pourpre à l'intérieur, parfumées, légèrement pendantes, de 15 cm de long. H. 3 m ; E. 1,1 m.

☼ ◊ ✿✿

Nectaroscordum siculum subsp. *bulgaricum*
Bulbeuse fleurissant de fin printemps à début été. Fleurs blanches envahies de rouge-pourpre et de vert, pendantes, campanulées. En graine, les tiges se dirigent vers le haut, portant des fruits érigés. H. 1,20 m ; E. 45 cm.

☼ ◊ ✿✿

Eucomis pallidiflora
Bulbeuse fleurissant en été, à feuilles largement lancéolées, semi-érigées, à grappe dense de fleurs blanc verdâtre, en étoile, couronnées par un groupe de bractées. H. 75 cm ; E. 60 cm.

☼ ◊ ✿✿

Eucomis comosa
Bulbeuse à feuilles en lanière, à bords ondulés et à petits points pourpres en dessous. Grappe de fleurs blanches ou blanc verdâtre, parfois teintées de rose, à ovaires pourpres, couronnées par une touffe de bractées, sur tige ponctuée de pourpre. H. 70 cm ; E. 60 cm.

☼ ◊ ✿✿

Nomocharis pardanthina
Bulbeuse à floraison estivale, à tige portant des verticilles de feuilles lancéolées et jusqu'à 15 fleurs blanches ou rose pâle, dirigées vers l'extérieur, chacune avec des taches pourpres et un œil pourpre sombre. H. 1 m ; E. 15 cm.

☼ ◊ ✿✿✿

Crinum × *powellii*
Bulbeuse fleurissant en fin d'été ou en automne. Longue tige portant un groupe de feuilles linéaires, semi-érigées. Tiges florales nues avec grappes compactes de fleurs roses parfumées, en forme de larges entonnoirs. H. 1 m ; E. 60 cm.

☼ ◊ ✿✿

DAHLIAS, pp. 340-341
GLAÏEULS, p. 334
LIS, p. 338

Glaïeuls

Les fleurs de glaïeuls sont appréciées au jardin et pour les bouquets. On distingue le groupe des hybrides à grandes fleurs à épis denses, classés selon la largeur des fleurs du bas, et le groupe des hybrides à petites fleurs à épis moins denses (avec notamment des hybrides de *Primulinus*).

Fleur : 1. géante ; 2. grande ; 3. moyenne ; 4. petite ; 5. hybride de *Primulinus.*

G. ´Ice Cap´
(groupe 2)

G. ´Inca Queen´
(groupe 2)

G. ´Robin´
(groupe 5)

G. ´Moon Mirage´
(groupe 1)

G. ´Peter Pears´
(groupe 2)

G. ´Dancing Queen´
(groupe 2)

G. ´Pink Lady´
(groupe 2)

G. ´Black Lash´
(groupe 2)

G. ´Tesoro´
(groupe 3)

G. ´Café au Lait´
(groupe 5)

G. ´Miss America´
(groupe 3)

G. × *colvillei*
´The Bride´ (gr. 4)

G. ´Mexicali Rose´
(groupe 2)

G. ´Rutherford´
(groupe 5)

G. ´Green Wood-
pecker´ (gr. 3)

G. ´Gigi´
(groupe 4)

G. ´Rose Supreme´
(groupe 1)

G. ´Deliverance´
(groupe 1)

G. ´Drama´
(groupe 2)

G. ´Renegade´

G. ´Victor Borge´
(groupe 2)

G. ´Melodie´
(groupe 4)

G. ´Carioca´
(groupe 3)

■■ ROSE, ROUGE

Crinum moorei
Plante à gros bulbe, à long col ; feuilles
en lanière, semi-érigées, gris-vert,
groupées en haut du col. En été, tiges
florales avec ombelles de fleurs roses en
trompette. H. 70 cm ; E. 60 cm.

Notholirion campanulatum
Bulbeuse fleurissant en début d'été, à
feuilles longues et étroites groupées en
touffe basale. La tige feuillée porte une
hampe de 10 à 40 fleurs pendantes, en
entonnoir, chacune de 4-5 cm de long,
aux pétales rose pourpre foncé à bout
vert. H. 1 m ; E. 10 cm.

Watsonia pyramidata
Bulbeuse très robuste à feuilles en forme
de glaive étroit, à la base et le long de la
tige. Hampe ramifiée de fleurs rose vif,
à 6 lobes pointus, étalés. H. 1,5 m ;
E. 60 cm.

Dierama pulcherrimum
Bulbeuse dressée, à longues feuilles
persistantes, étroites, en lanière. Au-
dessus du feuillage, élégantes tiges
vigoureuses, arquées, portant, en été,
des fleurs en forme d'entonnoir, rose
foncé. Préfère un sol riche et profond.
H. 1,5 m ; E. 30 cm.

Gladiolus italicus, syn. **G. segetum**
Glaïeul italicus
Bulbeuse fleurissant en début d'été : un
éventail de feuilles érigées en forme
d'épée part de la base de la tige. Épi
portant jusqu'à 20 fleurs pourpre rosé,
de 4-5 cm de long. H. 1 m ; E. 15 cm.

Gladiolus communis subsp.
byzantinus
Glaïeul de Byzance
Bulbeuse fleurissant en début d'été, en
épi portant jusqu'à 20 fleurs rouge
pourpre foncé ou rose pourpré, chacune
de 4-6 cm de long. Éventail de feuilles
basales érigées. H. 70 cm ; E. 15 cm.

Phaedranassa carmioli
Bulbeuse à floraison printanière et
estivale, à feuilles basales dressées
elliptiques ou lancéolées. Groupe de
6-10 fleurs pendantes, rouge rosé à base
verte, dont le sommet des lobes est vert
bordé de jaune. H. 70 cm ;
E. 45 cm.

Watsonia beatricis
Bulbeuse fleurissant en été ; longues
feuilles érigées en forme d'épée,
certaines sur la tige, d'autres basales. La
tige porte une hampe, dense et ramifiée,
de fleurs tubulaires orange ou rouge
orangé, de 6-8 cm de long, à 6 lobes
courts. H. 1 m ; E. 45 cm.

Alstroemeria 'Margaret'
Plante tubéreuse à feuilles étroites
lancéolées, tortueuses, vert vif. En
milieu et fin d'été, des tiges feuillées
portent des fleurs rouge foncé en forme
d'entonnoir très évasé.
H. et E. 1 m.

× *Amarcrinum memoria-corsii*, p. 342
DAHLIAS, pp. 340-341
LIS, p. 338
Watsonia meriana

■ ROUGE

Dracunculus vulgaris, syn. *Arum dracunculus*
Serpentaire
Tubéreuse fleurissant au printemps et en été. Feuilles très divisées au sommet d'une tige épaisse. Spadice marron de 35 cm de long saillant d'une spathe pourpre foncé. H. 1 m ; E. 60 cm.

Gloriosa superba 'Rothschildiana'
Lis du Malabar
Plante grimpante tubéreuse à feuilles largement lancéolées. En été, à chaque aisselle de la partie haute, grande fleur à 6 pétales rouges, réfléchis, à bords jaunes. H. 2 m ; E. 45 cm. [A]

Crocosmia 'Bressingham Blaze'
Montbretia 'B.B.'
Bulbeuse formant une touffe, à feuilles érigées, basales. Une tige ramifiée porte en fin d'été des fleurs rouge vif, en forme d'entonnoir large. H. 75 cm ; E. 20 cm.

Scadoxus multiflorus subsp. *katherinae*, syn. *Haemanthus katherinae*
Bulbeuse très robuste formant une touffe. Feuilles lancéolées à bords ondulés. En été, elle porte une hampe ayant jusqu'à 200 fleurs rouges. H. 1,20 m ; E. 45 cm. [A]

Crocosmia 'Lucifer'
Montbretia 'Lucifer'
Bulbeuse robuste formant une touffe, à feuilles basales érigées, vert vif, en forme d'épée. À la mi-été, épis denses de fleurs rouge intense en forme d'entonnoir. H. 1 m ; E. 25 cm.

Canna × generalis 'Assault'
Plante rhizomateuse aux tiges robustes, portant des feuilles larges, vert pourpré. En été, grappe de fleurs écarlates, entourées de bractées pourpres. H. 1,20 m ; E. 60 cm. [A]

Crocosmia masonorum
Bulbeuse robuste formant une touffe de feuilles basales érigées vert foncé. Des tiges florales ramifiées et érigées se terminent par une partie horizontale portant des fleurs dressées, rouge orangé, en été et automne. H. 1,50 m ; E. 45 cm.

Allium rosenbachianum
Ail rosenbachianum
Bulbeuse fleurissant en été, à tiges robustes et à feuilles basales linéaires, semi-érigées. Ombelle sphérique de 8-12 cm de diamètre, comptant 50 fleurs ou plus, roses pourprées, en étoile. H. 1 m ; E. 20 cm.

Dierama pendulum
Bulbeuse compacte à feuilles arquées. En fin d'été, elle porte des grappes pendantes de fleurs pourpre rosé, campanulées, de 2,5 cm de long. H. 1,50 m ; E. 20 cm.

Chasmanthe aethiopica
Chasmanthe floribunda
DAHLIAS, pp. 340-341
GLAÏEULS, p. 334

LIS, p. 338
Scadoxus multiflorus

DAHLIAS, pp. 340-341

Allium giganteum
Ail giganteum

Bulbeuse robuste à feuilles basales longues, larges, semi-érigées. En été, solide tige, portant une ombelle dense sphérique de 12 cm de diamètre, comprenant 50 fleurs (ou plus), pourpres, en étoile. H. 2 m ; E. 35 cm.

Allium aflatunense
Ail aflatunense

Bulbeuse à feuilles basales semi-érigées, se desséchant à partir de la floraison. En été, ombelle globuleuse dense, de 10 cm de diamètre, de fleurs pourpres en étoile. H. 75 cm ; E. 20 cm.

Dichelostemma congestum,
syn. *Brodiaea congesta*

Bulbeuse dont les feuilles basales, semi-érigées, se dessèchent quand apparaît une ombelle dense de fleurs pourpres en entonnoir, chacune de 1,5 à 2 cm de long. H. 1 m ; E. 10 cm.

Neomarica caerulea

Plante à rhizome, feuilles semi-érigées en forme d'épée, groupées en éventail. En été, toutes les tiges portent une bractée ressemblant à une feuille et des fleurs bleues ressemblant à des iris, à marques centrales blanches, jaunes et brunes. H. 1 m ; E. 1,5 m. A

Aristea major

Plante à rhizome robuste, à feuilles persistantes, érigées, en forme d'épée, ayant jusqu'à 2,5 cm de largeur. En été, elle porte des hampes florales denses de fleurs bleu pourpré. H. 1 m ; E. 60 cm.

Arisaema consanguineum

Tubéreuse à floraison estivale, à tiges robustes tachées et à feuilles à nombreuses folioles, érigées en forme de parapluie. Spathes vertes rayées de blanc pourpré ou de blanc de 15-20 cm de long et des baies rouge vif. H. 1 m ; E. 45 cm.

Galtonia viridiflora

Bulbeuse formant une touffe de feuilles vert gris, basales, semi-érigées, charnues, en forme de lanière large. En été, une tige nue porte une grappe ayant jusqu'à 30 fleurs pendantes, vert pâle, à pétales soudés en tube, puis campanulées. H. 1,20 m ; E. 20 cm.

Dietes bicolor

Plante à rhizome, formant une touffe à feuilles persistantes basales, érigées, longues, étroites et coriaces. En été, sur tiges ramifiées, succession de fleurs aplaties allant de jaune pâle à jaune moyen ; chaque grand pétale a une marque marron. H. 1 m ; E. 60 cm.

Allium caeruleum, p. 352
Camassia quamash
DAHLIAS, pp. 340-341
GLAÏEULS, p. 334

IRIS, pp. 196-197

Bowiea volubilis, p. 381

Lis

Les lis sont des plantes élégantes très utiles pour des massifs et des bouquets de fin de printemps et d'été. Les formes des fleurs sont relativement variées ; certaines sont inclinées, d'autres dressées. Les très nombreux hybrides sont beaucoup cultivés mais parmi les espèces types, certaines ont été négligées tout à fait injustement.

L. candidum

L. longiflorum

L. regale

L. Hybrides Olympic

L. ˈBlack Magicˈ

L. auratum var. *platyphyllum*

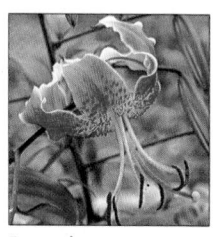

L. ˈSterling Starˈ

L. ˈBright Starˈ

L. Groupe Imperial Gold

L. ˈCorsageˈ

L. martagon

L. rubellum

L. mackliniae

L. speciosum var. *rubrum*

L. ˈJourney's Endˈ

L. ˈBlack Beautyˈ

L. ˈLady Bowes Lyonˈ

L. ˈKaren Northˈ

L. chalcedonicum

L. pardalinum

L. nepalense

L. monadelphum

L. Hybrides Golden Clarion

L. ˈDestinyˈ

L. ˈAmber Goldˈ

L. ˈConnecticut Kingˈ

L. hansonii

L. ˈApolloˈ

L. lancifolium var. *splendens*

L. ˈBrushmarksˈ

L. ˈEnchantmentˈ

L. ˈHarmonyˈ

L. bulbiferum var. *croceum*

☐ JAUNE

☐ ORANGE

Crocosmia 'Citronella'
Montbretia 'Citronella'
Bulbeuse formant une touffe à feuilles
basales gris-vert, érigées, en forme
d'épée. Les fleurs, en fin d'été, sont
jaune doré clair, en entonnoir.
H. 75 cm ; E. 20 cm.

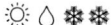

Alstroemeria aurea
Vivace à racines tubéreuses, aux feuilles
étroites lancéolées, contournées. En été,
elle porte des ombelles terminales de
fleurs orange à bout vert, rayées de
rouge sombre. H. et E. 1 m.

Moraea huttonii
Bulbeuse à floraison estivale, à longues
feuilles basales étroites, semi-érigées. La
tige dense porte une succession de fleurs
jaunes en forme d'iris, de 5-7 cm de
diamètre, avec des marques marron près
du centre. H. 1 m ; E. 25 cm.

Zantedeschia elliottiana
Plante à rhizome épais, à feuilles basales
semi-érigées, en cœur, avec des marques
transparentes. Elle porte une spathe
longue, jaune, entourant un spadice
jaune. H. 1 m ; E. 60 cm. [A]

Littonia modesta
Tubéreuse à floraison estivale dont les
tiges minces portent des feuilles
lancéolées, à vrille au sommet. À chaque
aisselle des feuilles, se trouve une fleur
orange pendante campanulée de 4-5 cm
de diamètre, aux pétales pointus. H.
2 m ; E. 15 cm. [A]

Canna iridiflora
Plante rhizomateuse vivace très robuste,
à feuilles longues et larges. Au
printemps ou en été, grappes de fleurs
orange ou rose rougeâtre pendantes,
longuement tubulées, de 10-15 cm de
long avec des pétales réfléchis.
H. 3 m ; E. 65 cm. [A]

DAHLIAS, pp. 340-341
GLAÏEULS, p. 334
Gladiolus papilio, p. 342
Gloriosa superba

Belamcanda chinensis
Crocosmia aurea
DAHLIAS, pp. 340-341
GLAÏEULS, p. 334

Dahlias

La variété des hybrides de dahlias à massifs offre une gamme étonnante de formes et de couleurs et aucune habileté particulière n'est requise pour les cultiver ou les multiplier. Parmi les couleurs, on trouve tous les tons, des plus intenses aux plus délicats, des plus lumineux aux plus nuancés. La taille des fleurs va des petits pompons aux énormes fleurs d'exposition dépassant 30 cm de diamètre. Les dahlias fournissent d'excellentes fleurs coupées et fleurissent abondamment pendant tout l'été jusqu'aux premières gelées. Les différents types de fleurs servent à la classification.

1. Fleur simple : la fleur possède en général de 8-10 pétales larges, entourant un disque central bien visible.

2. Double à fleur d'anémone : la fleur a un ou plusieurs rangs de pétales périphériques aplatis, entourant un groupe dense de pétales tubulaires plus courts, toutefois plus longs que les pétales centraux des fleurs simples.

3. Dahlias à collerette : les fleurs simples ont un rang de 8-10 pétales aplatis et un « collier » interne de pétales plus petits entoure un disque central bien visible.

4. Dahlias en rosette : les fleurs très doubles ont de grands pétales bien répartis, plats ou légèrement incurvés ou récurvés, donnant à la fleur une apparence relativement plate.

5. Dahlias décoratifs : les fleurs très doubles ont des pétales larges, aplatis, à bords légèrement incurvés, et généralement réfléchis en direction de la tige.

6. Dahlias boule : fleurs globuleuses très doubles à pétales ligulés courts, tuyautés et serrés.

7. Dahlias pompons : fleurs très doubles de 3-6 cm de diamètre, en forme de boule, à pétales ligulés très serrés.

8. Dahlias cactus : les fleurs très doubles ont des pétales pointus, assez étroits, à bords récurvés sur au moins les deux tiers de leur longueur.

9. Dahlias semi-cactus : fleurs très doubles, intermédiaires entre décoratifs et cactus ; les pétales ligulés sont pointus mais roulés moins complètement que les cactus.

10. Dahlias divers : les fleurs sont de formes très variées, simples ou doubles, comme par exemple la forme montrée ci-contre.

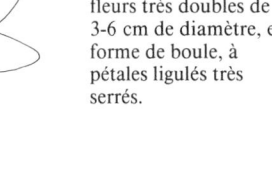

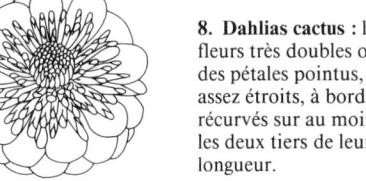

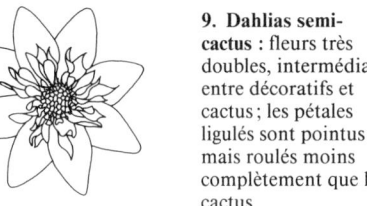

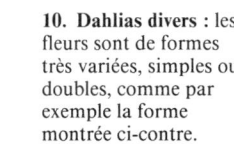

D. 'Majestic Kerkrade' (groupe 8)

D. 'Pink Symbol' (groupe 9)

D. 'Rhonda' (groupe 7)

D. 'Candy Keene' (groupe 9)

D. 'Athalie' (groupe 8)

D. 'Vicky Crutchfield' (groupe 4)

D. 'Gilt Edge' (groupe 5)

D. 'White Klankstad' (groupe 8)

D. 'Monk Marc' (groupe 8)

D. 'Gay Princess' (groupe 5)

D. 'Angora' (groupe 5)

D. 'Nina Chester' (groupe 5)

D. 'Easter Sunday' (groupe 3)

D. 'Small World' (groupe 7)

D. 'Noreen' (groupe 7)

D. 'By the Cringe' (groupe 8)

D. 'Wootton Cupid'
(groupe 6)

D. 'Flutterby'
(groupe 5)

D. 'Butterball'
(groupe 5)

D. 'Shandy'
(groupe 8)

D. 'Chinese Lantern'
(groupe 5)

D. 'Chimborazo'
(groupe 3)

D. 'Early Bird'
(groupe 5)

D. 'Corton Olympic'
(groupe 5)

D. 'Pontiac'
(groupe 8)

D. 'Comet'
(groupe 2)

D. 'Bassingbourne
Beauty' (groupe 5)

D. 'Cortez Sovereign'
(groupe 9)

D. 'Fascination'
(groupe 10)

D. 'Brunton'
(groupe 5)

D. 'Hamari Katrina'
(groupe 9)

D. 'Davenport
Sunlight' (groupe 9)

D. 'Frank Hornsey'
(groupe 5)

D. 'Biddenham
Sunset' (groupe 5)

D. 'Jocondo'
(groupe 5)

D. 'Bishop of
Llandaff' (gr. 10)

D. 'East Anglian'
(groupe 5)

D. 'Paul Chester'
(groupe 8)

D. 'Quel Diable'
(groupe 9)

D. 'Betty Bowen'
(groupe 5)

D. 'Corona'
(groupe 9)

D. 'Yellow Hammer'
(groupe 1)

D. 'Gay Mini'
(groupe 5)

D. 'Whale's Rhonda'
(groupe 7)

D. 'Scarlet Beauty'
(groupe 4)

D. 'Clair de Lune'
(groupe 3)

D. 'So Dainty'
(groupe 9)

D. 'Highgate Torch'
(groupe 9)

Bulbeuses/grandes

▢▢▢ BLANC, ROSE, POURPRE

Amaryllis belladonna 'Hathor'
Bulbeuse fleurissant en automne sur une
forte tige pourpre, portant des fleurs
parfumées, blanc pur, de 10 cm de long
avec une gorge jaune. Feuilles basales en
forme de lanière, semi-érigées, après la
floraison. H. 80 cm ; E. 45 cm.

☼ ◊ ❀❀

× Amarcrinum memoria-corsii,
syn. × *A. howardii*, × *Crinodonna
corsii*
Bulbeuse formant une touffe, à feuilles
basales persistantes larges, semi-érigées.
En fin d'été et en automne, groupes de
fleurs roses parfumées sur tiges robustes.
H. et E. 1 m.

☼ ◊ ❀❀

Amaryllis belladonna
Bulbeuse dont la forte tige pourpre
porte des fleurs roses parfumées en
forme de trompette de 10 cm de long,
de fin été à l'automne. Après la
floraison, des feuilles basales semi-
érigées, en lanière, se développent.
H. 80 cm ; E. 45 cm.

☼ ◊ ❀❀

× Amarygia parkeri,
syn. × *Brunsdonna parkeri*
Bulbeuse dont la forte tige porte, en
automne, une grosse inflorescence de
fleurs roses en trompette, à gorge jaune
et blanc ; après floraison, feuilles basales
en lanière, semi-érigées. H. et E. 1 m.

☼ ◊ ❀❀

Gladiolus papilio,
syn. *G. purpureo-auratus*
Glaïeul papilio
Bulbeuse formant une touffe. En été ou
en automne, jusqu'à 10 fleurs jaunes ou
blanches teintées de violet avec des
marques jaunes plus foncées sur les
pétales inférieurs. H. 1 m ; E. 15 cm.

☼ ◊ ❀❀

AUTRES PLANTES CONSEILLÉES :
Crinum × powellii, p. 333
Crinum × powellii 'Album', p. 332
Crocosmia masonorum, p. 336

Galtonia candicans, p. 332
Worsleya rayneri

BULBEUSES/MOYENNES

▢ BLANC

Allium neapolitanum,
syn. *A. cowanii*
Ail blanc
Bulbeuse fleurissant au printemps ;
feuilles étroites, semi-érigées, sur le quart
inférieur des tiges florales. Ombelle de
5-10 cm de large, avec jusqu'à 40 fleurs
blanches. H. 50 cm ; E. 12 cm.

☼ ◊ ❀❀

Calochortus albus
Bulbeuse à floraison printanière, dont
les feuilles étroites, érigées, gris-vert,
sont portées à la base d'une tige
ramifiée. Chaque branche porte une
fleur pendante, globuleuse, blanche ou
rose. H. 50 cm ; E. 10 cm.

☼ ◊ ❀❀

Calochortus venustus
Bulbeuse à 1 ou 2 feuilles érigées,
étroites, près de la base de la tige
ramifiée. Elle porte de 1-4 fleurs
blanches, jaune pourpre ou rouges avec,
sur chaque pétale, une marque
rouge foncé, bordée de jaune.
H. 60 cm ; E. 10 cm.

☼ ◊ ❀❀

Erythronium oregonum
Bulbeuse à 2 feuilles basales semi-
érigées, tachetées. Au printemps, jusqu'à
3 fleurs blanches pendantes à œil jaune
et souvent à anneaux bruns. Les pétales
se recourbent quand la fleur s'ouvre.
Multiplication par caïeux.
H. 35 cm ; E. 12 cm.

◐ ◊ ❀❀

Pamianthe peruviana
Bulbeuse au col ressemblant à une tige
et aux feuilles persistantes en lanière,
semi-érigées, à l'extrémité tombante. La
tige porte un groupe de 2-4 fleurs
blanches, chacune consistant en une
coupe de cloche et 6 pétales étalés.
H. 50 cm ; E. 60 cm. [A]

◐ ◊

Erythronium 'White Beauty'
Bulbeuse vigoureuse, avec 2 feuilles
semi-érigées tachetées. Au printemps,
inflorescence de 1-10 fleurs blanches
pendantes, chacune avec un anneau
brun près du centre ; se reproduit
rapidement par des caïeux.
H. 30 cm ; E. 12 cm.

◐ ◊ ❀❀❀

AUTRES PLANTES CONSEILLÉES :
Crinum asiaticum, p. 350
Freesia 'White Swan'
Hymenocallis narcissiflora, p. 351

Leucojum aestivum, p. 332
NARCISSES, pp. 348-349
Ornithogalum umbellatum

Erythronium hendersonii
Bulbeuse avec feuilles basales érigées,
marquées de brun et de vert. Au
printemps, la tige florale porte jusqu'à
10 fleurs lavande ou rose lavande avec
un œil central pourpre foncé et des
pétales réfléchis.
H. 30 cm ; E. 12 cm.

Allium unifolium
Ail unifolium
Bulbeuse ayant une seule feuille basale,
semi-érigée, gris-vert. Chaque tige
florale porte une ombelle de 5 cm de
diamètre, avec jusqu'à 30 fleurs rose-
pourpre. H. 30 cm ;
E. 10 cm.

Anemone pavonina
Anémone des jardins
Tubéreuse dont les fleurs en coupe,
solitaires, écarlates, pourpres ou bleues,
à centre foncé, se développent début
printemps au-dessus des feuilles
divisées, froncées. H. 40 cm ;
E. 20 cm.

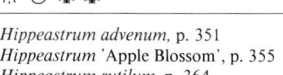

Sprekelia formosissima
Amaryllis Croix Saint-Jacques
Bulbeuse formant une touffe, à feuilles
basales semi-érigées, linéaires. Au
printemps, fleur rouge foncé, de 12 cm
de large, dont les 6 pétales étroits sont
rayés de vert à la base. H. 35 cm ;
E. 15 cm.

Sauromatum venosum,
syn. *S. guttatum*
Bulbeuse fleurissant début printemps.
Large spathe ponctuée de pourpre,
suivie d'une feuille lobée à long pétiole
tacheté. H. 45 cm ; E. 35 cm. [A]

Fritillaria meleagris
Méléagre
Bulbeuse à tiges frêles, à feuilles étroites
vertes. Au printemps, fleurs solitaires
campanulées, bigarrées dans des teintes
de blanc et de rose pourpré. H. 30 cm ;
E. 8 cm.

Fritillaria camschatcensis
Fritillaire camschatcensis
Bulbeuse à robuste tige portant des
feuilles brillantes, lancéolées, la plupart
en verticilles. Au printemps, jusqu'à
8 fleurs campanulées pourpre noirâtre
ou brun foncé. Nécessite un sol
humifère. H. 60 cm ; E. 10 cm.

Fritillaria pyrenaica
Fritillaire pyrenaica
Bulbeuse à floraison printanière, à
feuilles lancéolées souvent étroites. Elle
développe 1, ou rarement 2, fleurs
campanulées, à pétales à extrémités
évasées, pourpre noirâtre ou brunâtre.
H. 30 cm ; E. 8 cm.

Tulipes

Les tulipes sont excellentes pour des styles de plantation très variés (notamment en rocaille, en massif, en pot) et en fleur coupée. La gamme d'espèces et d'hybrides disponibles actuellement mérite une étude approfondie pour en tirer un bon parti. Les tulipes sont classées en 15 groupes, décrits ci-dessous.

1. Simples hâtives : fleurs simples en forme de coupe, s'ouvrant souvent largement au soleil, épanouies de début à mi-printemps.

2. Doubles hâtives : fleurs doubles de longue durée s'ouvrant largement en début et mi-printemps.

3. Triomphe : tiges robustes ; fleurs simples, d'abord coniques puis plus arrondies, en milieu et fin de printemps.

4. Hybrides de Darwin : grandes fleurs simples à forte tige, de mi- à fin printemps.

5. Simples tardives : fleurs simples de formes variables mais souvent à pétales pointus, épanouis en fin de printemps et tout début d'été.

6. Tulipe fleur de lys : fleurs longues et minces à pétales extérieurs pointus et évasés, en fin de printemps.

7. Tulipe frangée : tulipe dont l'extrémité des pétales porte des franges.

8. Tulipe viridiflora : fleurs simples de formes variables à pétales en partie verdâtres, épanouies en fin de printemps.

9. Tulipe Rembrandt : fleurs tachées, dentelées et rayées de rouge, rose, lilas ou pourpre ; fin printemps.

10. Race perroquet : fleurs à longs et grands pétales étalés, découpés irrégulièrement (souvent bicolores ou flammés) ; fin printemps.

11. Doubles tardives (en forme de pivoine) : fleurs doubles généralement en forme de coupe, épanouies en fin de printemps.

12. Hybrides de Kaufmanniana : fleurs généralement bicolores s'ouvrant largement au soleil et s'épanouissant très tôt au printemps.

13. Hybrides de Fosteriana : très grandes fleurs simples s'ouvrant très largement au soleil de début à mi-printemps.

14. Hybrides de Greigii : grandes fleurs simples en milieu et fin de printemps. Feuilles rayées ou tachetées, souvent à bord ondulé.

15. Tulipes diverses : à floraison printanière ou en tout début d'été.

T. 'White Triumphator' (gr. 6)

T. biflora (groupe 15)

T. 'White Dream' (groupe 3)

T. turkestanica (groupe 15)

T. 'Diana' (groupe 1)

T. 'Peach Blossom' (groupe 2)

T. 'Purissima' (groupe 3)

T. 'Clara Butt' (groupe 5)

T. 'China Pink' (groupe 6)

T. 'Spring Green' (groupe 8)

T. saxatilis (groupe 15)

T. 'Palestrina' (groupe 5)

T. 'Gordon Cooper' (groupe 4)

T. 'Red Parrot' (groupe 10)

T. clusiana (groupe 15)

T. 'Mme Lefèbre' (groupe 13)

T. 'Estella Rijnveld' (groupe 10)

T. sprengeri (groupe 15)

T. 'Union Jack' (groupe 5)

T. linifolia (groupe 15)

T. 'Angélique' (groupe 11)

T. 'Garden Party' (groupe 3)

T. hageri (groupe 15)

T. 'Oranje Nassau'
(groupe 2)

T. 'Glück'
(groupe 12)

T. 'Blue Parrot'
(groupe 10)

T. 'Maja'
(groupe 7)

T. 'Balalaika'
(groupe 5)

T. marjolettii
(groupe 15)

T. 'Queen of Night'
(groupe 5)

T. 'Bellona'
(groupe 1)

T. 'Dreamboat'
(groupe 14)

T. undulatifolia
(groupe 15)

T. 'Dreaming Maid'
(groupe 3)

T. batalinii
(groupe 15)

T. 'West Point'
(groupe 6)

T. 'Artist'
(groupe 8)

T. 'Shakespeare'
(groupe 12)

T. 'Plaisir'
(groupe 14)

T. sylvestris
(groupe 15)

T. 'Dillenburg'
(groupe 5)

T. orphanidea
(groupe 15)

T. 'Margot Fonteyn'
(groupe 3)

T. 'Greuze'
(groupe 5)

T. urumiensis
(groupe 15)

T. 'Prinses Irene'
(groupe 1)

T. praestans 'Van Tuber-
gen's Variety' (gr. 15)

T. 'Keizerskroon'
(groupe 1)

T. violacea
(groupe 15)

T. kaufmanniana
(groupe 15)

T. clusiana var.
chrysantha (gr. 15)

T. acuminata
(groupe 15)

T. humilis
(groupe 15)

T. tarda
(groupe 15)

T. 'Cape Cod'
(groupe 14)

T. whittallii
(groupe 15)

 BLEU   BLEU, VERT

Muscari latifolium
Bulbeuse à floraison printanière, à feuilles basales semi-érigées. Épi dense de petites fleurs campanulées de violet noirâtre à bleu noirâtre, à extrémité contractée, celles du haut étant plus petites et plus pâles.
H. 25 cm ; E. 8 cm.

☼ ◊ ❋❋

Leucocoryne ixioides
Bulbeuse à floraison printanière dont les feuilles basales longues, étroites, semi-érigées, se dessèchent à partir de la floraison. Une tige florale mince et d'allure raide, porte jusqu'à 10 fleurs bleu tendre. H. 40 cm ; E. 10 cm.

☼ ◊ ❋

Ixiolirion tataricum,
syn. I. montanum
Bulbeuse à feuilles longues, étroites, semi-érigées, sur la partie inférieure de la tige. Au printemps et en début d'été, grappe lâche de fleurs bleues, à pétales marqués d'une ligne centrale plus foncée. H. 40 cm ; E. 10 cm.

☼ ◊ ❋❋❋

Fritillaria pontica
Fritillaire pontica
Bulbeuse à floraison printanière. Tiges à feuilles gris-vert, lancéolées, les 3 dernières verticillées. Fleurs solitaires largement campanulées, de 3-4,5 cm de diamètre, vertes, souvent teintées de brun. H. 45 cm ; E. 8 cm.

☼☽ ◊ ❋❋❋

Hyacinthoides non-scriptus,
syn. Scilla non-scripta
Jacinthe des bois
Bulbeuse à floraison printanière, en touffe, à feuilles linéaires. Tige érigée, arquée, à fleurs parfumées bleues, roses ou blanches. H. 40 cm ; E. 10 cm.

☼☽ ◊ ❋❋❋

Ixia viridiflora
Bulbeuse à feuilles étroites, érigées, surtout à la base de la tige. Au printemps et en début d'été, épi de fleurs vertes aplaties de 2,5-5 cm de diamètre, avec un œil pourpre foncé. H. 60 cm ; E. 5 cm.

☼ ◊ ❋

Hermodactylus tuberosus,
syn. Iris tuberosa
Plante à tubercule, à feuilles linéaires étroites, à section carrée. Au printemps, fleur vert jaunâtre ressemblant à un iris, avec de grands pétales à extrémités brun noirâtre. H. 40 cm ; E. 8 cm.

☼ ◊ ❋❋

Fritillaria cirrhosa
Fritillaire cirrhosa
Bulbeuse à tige frêle et à feuilles étroites verticillées, celles du sommet se terminant par une vrille. Au printemps, 4 fleurs campanulées, pourpres ou vert jaunâtre, à marques pourpre foncé.
H. 60 cm ; E. 8 cm.

☼ ◊ ❋❋❋

Hyacinthoides hispanica,
syn. Scilla campanulata,
S. hispanica
Bulbeuse à floraison printanière, formant une touffe. Feuilles brillantes en lanière. Grappe de fleurs pendantes campanulées bleues, blanches ou roses.
H. 30 cm ; E. 15 cm.

☼☽ ◊ ❋❋❋

Aristea ecklonii
IRIS, pp. 196-197

Bellevalia pycnantha

Fritillaria pallidiflora
Fritillaire pallidiflora
Bulbeuse robuste, à feuilles largement lancéolées, gris-vert. Au printemps, de 1-5 fleurs campanulées, allant de jaune à jaune verdâtre, d'habitude légèrement marquées de rouge brunâtre à l'intérieur. H. 70 cm ; E. 10 cm.

Arum creticum
Tubéreuse portant, au printemps, des spathes blanches ou jaunes, légèrement réfléchies au sommet, avec un spadice jaune érigé. Feuilles sagittées semi-érigées, vert foncé. H. 50 cm ; E. 30 cm.

Ferraria crispa, syn. F. undulata
Plante à tubercule, à tige feuillue portant au printemps une succession de fleurs brunes ou brun jaunâtre dirigées vers le haut, de 4-5 cm de diamètre, avec 6 pétales étalés à bords ondulés, rayés et marqués de façon très voyante. H. 40 cm ; E. 10 cm.

Gladiolus 'Christabel'
Glaïeul 'Christabel'
Bulbeuse à floraison printanière. Tige raide avec épi de fleurs parfumées en forme d'entonnoir large, jaunes, de 6-8 cm de diamètre, à pétales supérieurs veinés de brun pourpré. H. 45 cm ; E. 10 cm.

Erythronium 'Pagoda'
Tubéreuse robuste à floraison printanière, portant 2 feuilles basales semi-érigées, luisantes, faiblement tachetées. La hampe florale produit jusqu'à 10 fleurs pendantes, jaune pâle, aux pétales réfléchis. H. 35 cm ; E. 20 cm.

Calochortus luteus
Bulbeuse à feuilles longues, étroites, érigées, à la base d'une tige ramifiée. Fin printemps, chaque ramification porte une fleur jaune à 3 pétales, avec des marques centrales brunes. H. 45 cm ; E. 10 cm.

Narcisses

Avec une grande diversité de tailles et de formes de fleurs, les narcisses possèdent un charme unique, et jouent un rôle très important dans la décoration des jardins en fin d'hiver et au printemps. Ils peuvent être naturalisés, notamment dans les pelouses et les jardins d'allure sauvage.

Classement en 12 groupes, dont les formes de fleurs sont illustrées ici, sauf le groupe 10 (espèces sauvages) et le groupe 12 (divers Narcisses).

Groupe 1. Narcisse trompette : fleurs solitaires à coronule (ou coupe) plus longue que les pétales. Floraison printanière.

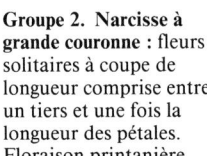

Groupe 2. Narcisse à grande couronne : fleurs solitaires à coupe de longueur comprise entre un tiers et une fois la longueur des pétales. Floraison printanière.

Groupe 3. Narcisse à petite couronne : fleurs solitaires à coupe de longueur inférieure ou égale à un tiers de celle des pétales. Floraison : printemps, début été.

Groupe 4. Narcisse double : fleurs doubles dont la coupe est remplacée par des pièces pétaloïdes. Floraison : printemps, début été.

Groupe 5. Narcissus triandrus (et ses hybrides) : plusieurs fleurs pendantes parfumées sur la même tige. Floraison printanière.

Groupe 6. Narcissus cyclamineus : hampe florale portant plusieurs fleurs à grande «trompette». Périanthe récurvé : des pétales étroits, pointus. Floraison printanière.

Groupe 7. Narcisse jonquilla hybride : hampe florale portant plusieurs petites fleurs, à coupe courte, à odeur suave. Floraison printanière.

Groupe 8. Narcisse tazetta : hampe portant de 2 à 12 petites fleurs ; longueur de la coupe : entre le tiers et la moitié de celle des pétales. Floraison de fin automne à mi-printemps.

Groupe 9. Narcissus poeticus et N × poetaz : hampes multiflores avec de petites fleurs à coupes courtes très colorées. Floraison printemps et début été.

Groupe 11. Narcisse à coupe divisée : fleurs solitaires dont la coupe est séparée en plusieurs divisions extérieures sur au moins le tiers de sa longueur ; les segments sont presque appliqués sur les pétales. Floraison printanière.

N. ʹPassionaleʹ (groupe 1)

N. ʹDove Wingsʹ (groupe 6)

N. ʹTrousseauʹ (groupe 1)

N. ʹFebruary Silverʹ (groupe 6)

N. ʹPortrushʹ (groupe 3)

N. ʹJack Snipeʹ (groupe 6)

N. ʹThaliaʹ (groupe 5)

N. watieri (groupe 10)

N. ʹMerlinʹ (groupe 3)

N. ʹKilworthʹ (groupe 2)

N. ʹSatin Pinkʹ (groupe 2)

N. ʹIce Folliesʹ (groupe 3)

N. canaliculatus (groupe 8)

N. ʹActaeaʹ (groupe 9)

N. ʹPride of Cornwallʹ (groupe 8)

N. ʹBridal Crownʹ (groupe 4)

N. ʹIrene Copelandʹ (groupe 4)

N. ʹCheerfulnessʹ (groupe 4)

N. ʹLittle Beautyʹ (groupe 1)

N. romieuxii
(groupe 10)

N. triandrus
(groupe 10)

N. 'Lemon Glow'
(groupe 1)

N. 'Cassata'
(groupe 11)

N. 'Spellbinder'
(groupe 1)

N. 'Charity May'
(groupe 6)

N. jonquilla
(groupe 10)

N. 'Binkie'
(groupe 2)

N. 'Liberty Bells'
(groupe 5)

N. 'Hawera'
(groupe 5)

N. rupicola
(groupe 10)

N. cyclamineus
(groupe 10)

N. minor
(groupe 10)

N. 'Pencrebar'
(groupe 4)

N. 'Fortune'
(groupe 2)

N x odorus
'Rugulosus' (gr. 10)

N. 'Rip van Winkle'
(groupe 4)

N. 'Bob Minor'
(groupe 1)

N. 'February Gold'
(groupe 6)

N. 'Tête-à-Tête'
(groupe 6)

N. 'St Keverne'
(groupe 2)

N. 'Ambergate'
(groupe 2)

N. 'Tahiti'
(groupe 4)

N. 'Jumblie'
(groupe 6)

N. 'Sweetness'
(groupe 7)

N. 'Kingscourt'
(groupe 1)

N. 'Golden Ducat'
(groupe 4)

N. 'Bartley'
(groupe 6)

N. 'Home Fires'
(groupe 2)

N. bulbocodium subsp.
bulbocodium (gr. 10)

N. 'Suzy'
(groupe 7)

N. 'Sealing Wax'
(groupe 2)

■ ORANGE

Stenomesson variegatum, syn. *S. coccineum, S. incarnatum, S. viridiflorum*
Bulbeuse formant une touffe. Fleurs jaune rougeâtre, roses ou blanches à 6 lobes au sommet, en hiver ou au printemps. H. 60 cm; E. 30 cm. [A]

Urceolina peruviana
Bulbeuse à feuilles linéaires semi-érigées, basales. La hampe florale porte une ombelle de fleurs rouges ou orange pendantes, de 2-4 cm de long, à anthères jaunes saillantes.
H. 30 cm; E. 15 cm. [A]

Clivia miniata
Plante à rhizomes, formant une touffe, à feuilles persistantes linéaires, basales, semi-érigées, vert foncé, de 40-60 cm de long. Chaque tige produit une ombelle de 10-20 fleurs orange ou rouges, au printemps ou en été. H. 40 cm; E. 60 cm. [A]

□ BLANC

Crinum asiaticum
Bulbeuse formant une touffe, à feuilles vert sombre, semi-érigées, basales, linéaires, de 1 m de long. Au printemps ou en été, hampes portant des ombelles de fleurs blanches à longs tubes, aux pétales étroits. H. 60 cm; E. 1 m. [A]

Pancratium illyricum
Pancrais d'Illyrie
Bulbeuse à floraison estivale, à feuilles gris-vert, linéaires, basales, semi-érigées. Tige florale nue, portant une ombelle de 5-12 fleurs blanches parfumées, de 8 cm de diamètre, à 6 pétales. H. 45 cm; E. 30 cm.

Triteleia hyacinthina, syn. **Brodiaea hyacinthina**
Bulbeuse fleurissant de fin printemps jusqu'à début été, à longues feuilles étroites, basales, semi-érigées ou étalées. Ombelles de fleurs blanches parfumées, parfois teintées de pourpre, sur des tiges raides. H. 50 cm; E. 10 cm.

Ornithogalum narbonense
Bulbeuse formant une touffe, à feuilles longues étroites, semi-érigées, basales, vert grisâtre. De fin printemps à l'été, grappe de fleurs blanches en étoile, de 2 cm de diamètre, sur tige sans feuilles. H. 40 cm; E. 15 cm.

Arisaema sikokianum
Tubéreuse à feuilles érigées, divisées en 3 ou 5 folioles; en début d'été, spathes pourpre brunâtre foncé et blanc, de 15 cm de long, avec des spadices blancs saillant des bouches. H. 50 cm; E. 45 cm.

Ornithogalum thyrsoides
Bulbeuse à feuilles basales linéaires
semi-érigées, portant en été un corymbe
dense, conique, de fleurs blanches en
forme de coupe, de 2-3 cm de diamètre.
H. 45 cm ; E. 15 cm.

☼ ◊ ❊

Ornithogalum arabicum
Étoile de Bethléem
Bulbeuse à touffe de feuilles basales
linéaires, semi-érigées. Début été,
corymbe aplati avec jusqu'à 15 fleurs
blanches ou crème de 4-5 cm de
diamètre, à ovaires noirs au centre.
H. 45 cm ; E. 15 cm.

☼ ◊ ❊

Tritonia rubrolucens
Bulbeuse à feuilles en forme d'épée
étroite, groupées en un éventail basal
érigé. En fin d'été, épi peu dense de
5-10 fleurs roses en entonnoir.
H. 50 cm ; E. 10 cm.

☼ ◊ ❊❊

Lycoris radiata
Bulbeuse portant en fin d'été une
ombelle de 5 ou 6 fleurs rouge rosé vif à
pétales étroits, réfléchis, à bord ondulé
et à anthères très visibles. Feuilles en
lanière, semi-érigées, basales,
apparaissant après la floraison.
H. 40 cm ; E. 15 cm.

☼ ◊ ❊❊

Zigadenus fremontii
Bulbeuse dont la tige produit en début
d'été une grappe de fleurs en étoile, vert
crème pâle avec des nectaires vert plus
foncé à la base des pétales. Feuilles
basales linéaires, semi-érigées.
H. 50 cm ; E. 15 cm.

☼ ◊ ❊❊

Allium cernuum
Ail cernuum
Bulbeuse formant une touffe, à feuilles
basales étroites, semi-érigées. La tige
produit en été jusqu'à 30 fleurs blanches
ou roses en forme de coupe, en ombelles
tombantes peu denses de 2-4 cm de
large. H. 70 cm ; E. 12 cm.

☼ ◊ ❊❊❊

Hymenocallis narcissiflora, syn.
Ismene calathina
Bulbeuse portant au printemps ou en été
une ombelle de 2-5 fleurs blanches
parfumées. Feuilles basales semi-érigées.
H. 60 cm ; E. 45 cm.

◐ ◊ ❊

Alstroemeria pelegrina, syn. *A.
gayana*
Tubéreuse à feuilles étroites lancéolées.
En été, tiges feuillues comportant de
1-3 fleurs blanc et rose ponctué de jaune
et de brun pourpré. H. 60 cm ; E. 1 m.

☼ ◊ ❊❊

Hippeastrum advenum
Amaryllis advenum
Bulbeuse formant une touffe ; feuilles
basales semi-érigées linéaires, vert un
peu gris. Tige nue, portant du printemps
à l'été une ombelle comptant de
2-8 fleurs rouges en trompette, de 5 cm
de long. H. 40 cm ; E. 20 cm.

☼ ◊ ❊❊

LIS, p. 338

BÉGONIAS, p. 251
GLAÏEULS, p. 334
Haemanthus coccineus, p. 364

Zantedeschia rehmannii
Zephyranthes grandiflora, p. 354

■■ ROUGE, POURPRE, BLEU

■■ BLEU, VERT

Ranunculus asiaticus
Renoncule des jardins
Vivace à tubercules «en griffe». Feuilles à long pétiole, à la base et le long de la tige. Fleurs simples ou doubles, en début d'été, rouges, blanches, roses, jaunes ou orange. H. 55 cm; E. 10 cm.

☼ ◊ ❄

Allium schubertii
Ail schubertii
Bulbeuse à feuilles en lanière large, semi-érigées, basales. Début été, sur des pédoncules inégaux, grandes ombelles de 40 fleurs (ou plus) en étoile, roses ou pourpres, suivies de capsules brunes à graines. H. 60 cm; E. 20 cm.

☼ ◊ ❄❄

Patersonia umbrosa
Plante à rhizome, formant une touffe de feuilles persistantes basales érigées. Au printemps et début été, succession de fleurs bleu violacé de 3-4 cm de large, ressemblant à des iris, sur tiges solides. H. 40 cm; E. 60 cm.

☼ ◊ ❄

Allium caeruleum, syn. *A. azureum*
Ail caeruleum
Bulbeuse à feuilles étroites érigées sur le tiers inférieur de tiges minces, qui portent en été une ombelle globuleuse de 3-4 cm de large comptant de 30-50 fleurs bleues en étoile. H. 80 cm; E. 15 cm.

☼ ◊ ❄❄

Gloxinia perennis
Plante à rhizome, à feuilles lancéolées dentées poilues, à tiges tachetées. De fin été à l'automne, fleurs campanulées bleu lavande à lobes arrondis et à gorge tachée de pourpre. H. 60 cm; E. 35 cm.
A

☼ ◊

Arisaema griffithii
Tubéreuse à floraison estivale, à grandes feuilles érigées surplombant une spathe verte ou pourpre de 20-25 cm de long, marquée de fortes veines et enflée comme un «capuchon» de cobra. À protéger en hiver contre le gel. H. 60 cm; E. 45 cm.

◐ ◊ ❄

Allium christophii, syn. *A. albopilosum*
Ail albopilosum
Bulbeuse à floraison estivale. Feuilles grises semi-érigées, poilues, à extrémité pendante. Sa grande ombelle globuleuse, de 50 fleurs violettes en étoile (ou plus), sèche bien. H. 40 cm; E. 20 cm.

☼ ◊ ❄❄

Triteleia laxa, syn. *Brodiaea laxa*
Bulbeuse fleurissant en début d'été, à feuilles basales étroites, semi-érigées. Tige portant une grande ombelle ouverte de fleurs en entonnoir, de bleu violacé pâle à foncé, de 2-5 cm de long, la plupart dressées. H. 50 cm; E. 10 cm.

☼ ◊ ❄❄

Arisaema triphyllum, syn. *A. atrorubens*
Tubéreuse à floraison estivale, à feuilles à 3 lobes, érigées. Spathes vertes ou pourpres encapuchonnées au sommet, suivies de baies rouges. H. 50 cm; E. 45 cm.

◐ ◊ ❄❄

Allium beesianum
Allium narcissiflorum, p. 365
DAHLIAS, pp. 340-341

Aristea ecklonii
Ixiolirion tataricum, p. 346

Arisaema jacquemontii
Tubéreuse à 1 ou 2 feuilles divisées en folioles à bord ondulé. En été, spathes minces à raies blanches, encapuchonnées au sommet, à longue pointe. H. 50 cm; E. 40 cm.

☀◐ ◇ ❄

Eucomis bicolor
Bulbeuse à floraison estivale, à feuilles basales semi-érigées, à bord ondulé. La tige porte une grappe de fleurs vertes ou blanc verdâtre à 6 pétales bordés de pourpre, couronnées d'un groupe de bractées. H. 50 cm; E. 60 cm.

☀ ◇ ❄❄

Cyrtanthus mackenii var. *cooperi*
Bulbeuse à feuilles basales longues, étroites, semi-érigées. Tiges sans feuilles portant en été des hampes avec jusqu'à 10 fleurs parfumées, tubulaires, crème ou jaunes, de 5 cm de long, légèrement incurvées. H. 40 cm; E. 10 cm.

☀ ◇ ❄

Calochortus barbatus,
syn. *Cyclobothra lutea*
Bulbeuse à floraison estivale, à feuilles érigées étroites, à la base de la tige ramifiée. Chaque ramification porte une fleur pendante, jaune ou jaune verdâtre, à intérieur poilu. H. 60 cm; E. 10 cm.

☀ ◇ ❄❄

Ranunculus asiaticus
Renoncule des jardins
Vivace à tubercule en griffe, à feuilles longuement pétiolées placées à la base et le long de la tige. Début été, fleurs simples ou doubles jaunes, blanches, rouges ou orange. H. 55 cm; E. 10 cm.

☀ ◇ ❄

Cypella herbertii
Bulbeuse à feuilles basales en forme d'épée, érigées, étroites, groupées en éventail. En été, la hampe florale ramifiée porte une succession de fleurs peu durables, jaune orangé taché de pourpre au centre. H. 50 cm; E. 10 cm.

☀ ◇ ❄

Polianthes geminiflora,
syn. *Bravoa geminiflora*
Tubéreuse à floraison estivale, à feuilles linéaires semi-érigées, en touffe basale. Chaque tige porte de longs épis de fleurs, rouges ou orange, tubulaires, groupées par 2. H. 40 cm; E. 15 cm.

☀ ◇ ❄

Sandersonia aurantiaca
Grimpante bulbeuse à tige frêle portant des feuilles lancéolées, certaines à extrémité en vrille. En été, fleurs orange longuement pédonculées à l'aisselle des feuilles supérieures. H. 60 cm; E. 30 cm.

☀ ◇ ❄

Alstroemeria, Hybrides Ligtu
Tubéreuse à feuilles étroites. En été, ombelles de fleurs très évasées dans des teintes de rose, jaune ou orange, souvent ponctuées ou rayées de couleurs contrastées. H. 60 cm; E. 1 m.

☀ ◇ ❄❄

Crocosmia 'Jackanapes'
Montbretia 'Jackanapes'
Bulbeuse formant une touffe, à feuilles basales érigées, en forme d'épée. En fin d'été, fleurs bicolores éclatantes jaune et rouge orangé. H. 60 cm; E. 20 cm.

☀ ◇ ❄❄

Tigridia pavonia
Œil de paon
Bulbeuse à feuilles plissées, érigées, en forme d'épée, placées à la base de la tige. En été, succession de fleurs peu durables blanches, orange, rouges ou jaunes, parfois avec des taches contrastées. H. 45 cm; E. 15 cm.

☀ ◇ ❄

Plantes bulbeuses/taille moyenne

▢▢ BLANC, ROSE

Nerine bowdenii f. **alba**
Bulbeuse à floraison automnale, à forte tige et à feuilles basales en lanière, semi-érigées. Ombelle de 5-10 fleurs blanches souvent teintées de rose, à pétales s'élargissant légèrement près de leur extrémité recourbée à bord ondulé. H. 60 cm; E. 15 cm.

☼ ◊ ❀❀

Nerine undulata
Bulbeuse à floraison automnale, à feuilles basales linéaires, semi-érigées. La hampe florale porte une ombelle de fleurs roses à pétales très étroits, plissés sur toute leur longueur. H. 45 cm; E. 10 cm.

☼ ◊ ❀

▢▢ ROSE, ORANGE

Nerine 'Orion'
Bulbeuse à feuilles basales en lanière, semi-érigées. En automne, une tige sans feuille porte une ombelle de fleurs rose pâle à pétales à bords ondulés et à bouts recourbés. H. 50 cm; E. 25 cm.

☼ ◊ ❀

Nerine bowdenii
Bulbeuse à forte tige et à feuilles basales semi-érigées, en lanière. En automne, ombelle de 5-10 fleurs, roses, luisantes, dont les pétales s'élargissent légèrement vers les bouts recourbés ondulés. H. 60 cm; E. 15 cm.

☼ ◊ ❀❀

Zephiranthes grandiflora, syn. **Z. carinata, Z. rosea**
Bulbeuse à feuilles linéaires basales semi-érigées. En fin d'été et début automne, chaque tige porte une fleur rose en entonnoir, se tenant presque érigée. H. 30 cm; E. 10 cm.

☼ ◊ ❀

Scilla scilloides, syn. **S. chinensis**
Scille scilloides
Bulbeuse comptant de 2-4 feuilles linéaires basales semi-érigées. En fin d'été et en automne, tige portant une grappe serrée et mince avec jusqu'à 30 fleurs roses aplaties, de 0,5-1 cm de diamètre. H. 30 cm; E. 5 cm.

☼ ◊ ❀❀

Nerine 'Brian Doe'
Bulbeuse à feuilles basales en lanière, semi-érigées. Une robuste tige sans feuilles porte en automne une ombelle de fleurs saumon à 6 pétales réfléchis à bord ondulé. H. 50 cm; E. 25 cm.

☼ ◊ ❀

Nerine sarniensis
Amaryllis de Guernesey
Bulbeuse à feuilles basales semi-érigées, en lanière. En automne, tige portant une ombelle globuleuse avec jusqu'à 20 fleurs rose orangé foncé, de 6-8 cm de diamètre, à pétales au bord ondulé. H. 60 cm; E. 15 cm.

☼ ◊ ❀

AUTRES PLANTES CONSEILLÉES :
Amaryllis belladonna, p. 342
Habranthus robustus, p. 366
Nerine 'Blanchefleur'

Nerine filifolia

Brunsvigia josephinae
Gloxinia perennis, p. 352

Plantes bulbeuses/taille moyenne

◧◼◻ BLANC, ROSE, ROUGE

◼◼◻ ROUGE, BLEU, JAUNE

Eucharis grandiflora, syn.
E. amazonica
Bulbeuse vivace formant une touffe, à
feuilles basales semi-érigées. En presque
toute saison, ombelle ayant jusqu'à
6 fleurs blanches parfumées, légèrement
pendantes. H. 60 cm; E. 1 m. [A]

☀◐ ◊

Veltheimia bracteata, syn.
V. undulata, V. viridifolia
Bulbeuse formant une touffe de feuilles
basales brillantes, semi-érigées. En
hiver, épis denses de fleurs pendantes,
tubulaires, roses, rouges ou rouge
jaunâtre. H. 45 cm; E. 40 cm. [A]

☀ ◊

Hippeastrum ´Red Lion´
Amaryllis ´Red Lion´
Bulbeuse formant une touffe. En hiver
et au printemps, forte tige portant une
ombelle de 2-6 fleurs rouge foncé à
anthères jaunes. Feuilles en lanière,
apparaissant avec les fleurs ou juste
après. H. 50 cm; E. 30 cm. [A]

☀◐ ◊

Hippeastrum ´Orange Sovereign´
Amaryllis ´Orange Sovereign´
Bulbeuse fleurissant de l'hiver au
printemps. Feuilles en lanière, semi-
érigées, basales, pendant ou juste après
la floraison. Une forte tige porte une
ombelle de 2-6 fleurs rouge orangé vif.
H. 50 cm; E. 30 cm. [A]

☀◐ ◊

Hippeastrum ´Apple Blossom´
Amaryllis ´Apple Blossom´
Bulbeuse à feuilles basales semi-érigées,
en lanière, pendant ou juste après la
floraison. En hiver jusqu'au printemps,
tige forte avec ombelle de 2-6 fleurs
blanches, devenant roses à l'extrémité
des pétales. H. 50 cm; E. 30 cm. [A]

☀◐ ◊

Hippeastrum ´Striped´
Amaryllis ´Striped´
Bulbeuse à feuilles basales en lanière,
semi-érigées, pendant ou juste après la
floraison. En hiver jusqu'au printemps,
tige forte avec ombelle de 2-6 fleurs
rayées de blanc et rouge. H. 50 cm;
E. 30 cm. [A]

☀◐ ◊

Freesia ´Everett´
Bulbeuse à feuilles étroites érigées, vert
vif, en éventail basal; en hiver et au
printemps, grappe d'assez grandes fleurs
parfumées, rose rougeâtre. H. 30 cm;
E. 2,5 cm.

☀ ◊ ❄

Lachenalia glaucina
Bulbeuse à 2 feuilles basales semi-
érigées, en lanière, généralement
ponctuées de pourpre. Fin hiver et
début printemps, grappe dense de fleurs
parfumées campanulées, bleu blanchâtre
ou lilas pâle à extrémité ondulée.
H. 30 cm; E. 8 cm.

☀ ◊ ❄

Freesia ´Yellow River´
Bulbeuse portant à la base des éventails
de feuilles vert vif, étroites, érigées, et
en hiver et au printemps une grappe
d'assez grandes fleurs parfumées jaune
vif. H. 30 cm; E. 2,5 cm.

☀ ◊ ❄

AUTRES PLANTES CONSEILLÉES :
Freesia alba
Lachenalia rubida
Stenomesson variegatum, p. 350

Veltheimia capensis

Freesia ´Rijnveld's Yellow´
Freesia ´Romany´
Lachenalia mutabilis

☐ BLANC

Leucojum vernum
Nivéole perce-neige
Bulbeuse à feuilles basales semi-érigées, linéaires. Une tige florale porte, en février-mars, 1 ou 2 fleurs pendantes de 1,5-2 cm de long, avec 6 pétales blancs à bouts verts. H. 15 cm ; E. 10 cm.

Ornithogalum balansae,
syn. *O. oligophyllum*
Bulbeuse à floraison printanière, avec 2 feuilles vertes ou vert légèrement gris, étroites, devenant plus larges au bout. Bouquet de 2-5 fleurs aplaties blanches, à extérieur vert. H. 15 cm ; E. 8 cm.

Anemone blanda ʹWhite Splendourʹ
Tubéreuse à feuilles semi-érigées avec 3 lobes dentés. Début printemps, fleurs blanches dressées, aplaties, de 4-5 cm de diamètre, comptant de 9-14 pétales étroits. H. 10 cm ; E. 15 cm.

Crocus vernus subsp. *albiflorus*
Bulbeuse à feuilles basales étroites, semi-érigées, à ligne blanche centrale. Au printemps, fleurs blanches ou parfois violettes, de 4-6 cm de long. Stigmates petits, froncés, orange ou jaunes. H. 10 cm ; E. 8 cm.

Puschkinia scilloides ʹAlbaʹ
Bulbeuse à floraison printanière. En général, 2 feuilles basales en lanière, semi-érigées. Grappe dense de fleurs blanches en étoile, de 1,5-2 cm de diamètre. H. 15 cm ; E. 5 cm.

Crocus sieberi ʹBowles Whiteʹ
Bulbeuse à feuilles basales étroites, semi-érigées, à lignes blanches centrales. Au printemps, fleurs à longs tubes, en entonnoir, blanc pur avec une grande zone jaune au centre. H. 10 cm ; E. 8 cm.

Crocus malyi
Bulbeuse portant au printemps 1 ou
2 fleurs blanches en entonnoir à gorge
jaune, à tube brun ou pourpre, et aux
stigmates voyants orange vif. Feuilles
basales très étroites, semi-érigées, à
lignes blanches centrales. H. 10 cm;
E. 8 cm.

Crocus 'Snow Bunting'
Bulbeuse portant au printemps des
fleurs en entonnoir, à longs tubes,
blanches à centre jaune moutarde et à
stigmates orange. Feuilles basales
étroites, semi-érigées, vert foncé à lignes
blanches centrales. H. 10 cm; E. 8 cm.

Ornithogalum lanceolatum
Bulbeuse naine, à rosette de feuilles
prostrées, lancéolées. Au printemps,
groupe dense de fleurs blanches en étoile
de 3-4 cm de diamètre, rayées de vert à
l'extérieur. H. 10 cm; E. 15 cm.

TULIPES, pp. 344-345

Ornithogalum montanum
Bulbeuse formant une touffe. Feuilles
gris-vert en lanière, semi-érigées,
basales. Au printemps, hampe florale à
bouquet de fleurs blanches en étoile de
3-4 cm de diamètre, rayées de vert à
l'extérieur. H. et E. 15 cm.

Sternbergia candida
Bulbeuse à feuilles basales en lanière,
semi-érigées, vert grisâtre, apparaissant
au printemps en même temps qu'une
fleur blanche en entonnoir, parfumée,
de 4-5 cm de long, sur une tige nue. H.
20 cm; E. 10 cm.

Crocus 'Cream Beauty'
Bulbeuse portant au printemps des
fleurs crème à gorge jaune foncé, tachées
de brun pourpré à l'extérieur, à la base.
Feuilles basales vert sombre, très
étroites, semi-érigées, à ligne blanche
centrale. H. 10 cm; E. 8 cm.

Erythronium californicum
Bulbeuse formant une touffe, à 2 feuilles
basales semi-érigées, tachetées. Au
printemps, jusqu'à 3 fleurs blanches ou
crème, parfois rouge-brun à l'extérieur,
à pétales réfléchis, à œil jaune et souvent
à anneaux bruns près du centre.
H. 35 cm; E. 12 cm.

Allium akaka
Ail akaka
Bulbeuse ayant d'1-3 feuilles gris-vert,
basales, prostrées. Au printemps,
ombelle sphérique presque sans tige, de
5-7 cm de diamètre, composée de
30-40 fleurs en étoile, de blanc à blanc
rosé, à centre rouge. H. 20 cm; E. 15 cm.

Allium karataviense
Ail karataviense
Bulbeuse à feuilles basales grisâtres,
elliptiques, plus ou moins étroites,
prostrées. La tige porte 10 fleurs (ou
plus) en étoile, rose pourpré pâle, en
ombelles globuleuses de 15-20 cm de
diamètre. H. 15 cm; E. 30 cm.

Cyclamen persicum, p. 370
Cyclamen persicum 'Pearl Wave', p. 370
NARCISSES, pp. 348-349
TULIPES, pp. 344-345

□ ROSE

Erythronium dens-canis
Dent de chien
Bulbeuse à 2 feuilles basales tachetées.
Au printemps, une tige porte une fleur
pendante rose, violette ou blanche avec
des bandes brunes, violettes et jaunes
près du centre; pétales réfléchis.
H. 25 cm; E. 10 cm.

☼ ◊ ❋❋❋

Chionodoxa forbesii 'Pink Giant'
Bulbeuse à 2 feuilles basales étroites,
semi-érigées. Début printemps, grappe
de 5-10 fleurs aplaties, roses à œil blanc,
de 2-2,5 cm de diamètre, dirigées vers
l'extérieur ou légèrement vers le bas, sur
tige nue. H. 25 cm; E. 5 cm.

☼ ◊ ❋❋❋

Allium acuminatum,
syn. *A. murrayanum*
Ail acuminatum
Bulbeuse ayant de 2-4 feuilles basales
longues, étroites. Au printemps, la tige
porte une ombelle de 5 cm de diamètre,
avec jusqu'à 30 petites fleurs rose
pourpré. H. 30 cm; E. 8 cm.

☼ ◊ ❋❋

Anemone blanda 'Radar'
Tubéreuse à feuilles vert foncé, à 3 lobes
profondément dentés. Début printemps,
chaque tige porte une fleur dressée,
aplatie, rose carminé foncé, à centre
blanc, avec 9-14 pétales étroits. H.
10 cm; E. 15 cm.

☼◑ ◊ ❋❋❋

Cyclamen libanoticum
Cyclamen du Liban
Tubéreuse à feuilles vert terne, à taches
plus claires et à dessous vert pourpré.
Au printemps, fleurs rose clair,
odorantes, avec des marques pourprées
à la gorge. À cultiver comme une plante
de montagne. H. 10 cm; E. 15 cm.

☼ ◊ ❋

Anemone biflora
Tubéreuse à feuilles profondément
lobées et dentées, semi-érigées; au
printemps, fleurs rouge vif, rose cuivré
ou rouge jaunâtre de 3-4 cm de
diamètre; a besoin de chaleur et de
sécheresse pour sa dormance estivale.
H. 10 cm; E. 8 cm.

☼ ◊ ❋❋

Allium oreophilum,
syn. *A. ostrowskianum*
Ail oreophilum
Bulbeuse naine, à 2 feuilles basales
étroites, semi-érigées; au printemps et en
été, ombelles en dôme, avec jusqu'à
10 fleurs campanulées roses, de 1,5-2 cm
d'envergure. H. 10 cm; E. 10 cm.

☼ ◊ ❋❋❋

Hyacinthus orientalis 'Pink Pearl'
Jacinthe d'Orient 'Pink Pearl'
Bulbeuse en touffe, à feuilles basales
linéaires, semi-érigées, brillantes,
prenant de la force après la floraison.
Fin hiver ou au printemps, grappe dense
de fleurs parfumées tubulaires, rose
carminé. H. 20 cm; E. 10 cm.

☼ ◊ ❋❋

Hyacinthus orientalis 'Jan Bos'
Jacinthe d'Orient 'Jan Bos'
Bulbeuse en touffe, à feuilles basales
linéaires, semi-érigées, luisantes,
prenant de la force après la floraison ;
fin hiver et au printemps, grappe dense
de fleurs parfumées tubulaires
cramoisies. H. 20 cm ; E. 10 cm.

☼ ◊ ❋ ❋

Anemone × *fulgens*
Tubéreuse à feuilles basales semi-
érigées, profondément divisées. Au
printemps ou début été, tiges solides
portant une fleur rouge vif, aplatie,
dressée, de 5-7 cm de diamètre et
comptant de 10-15 pétales. H. 30 cm ;
E. 10 cm.

☼ ◊ ❋ ❋

Sparaxis tricolor
Bulbeuse à éventail basal de feuilles
érigées, lancéolées. Au printemps, la tige
produit des hampes florales avec jusqu'à
5 fleurs aplaties orange, rouge pourpre,
roses ou blanches à centre noir ou rouge,
de 5-6 cm de diamètre. H. 30 cm ;
E. 12 cm.

☼ ◊ ❋

Crocus vernus
Bulbeuse portant au printemps des
fleurs, soit rayées, soit blanc, pourpre ou
violet. Les stigmates sont froncés,
orange ou jaunes. Bonne plante à forcer,
à mettre en pot ou en extérieur.
H. 10 cm ; E. 8 cm.

☼ ◊ ❋ ❋ ❋

Crocus dalmaticus
Bulbeuse à feuilles semi-érigées, très
étroites, à ligne centrale blanche. Au
printemps, de 1-3 fleurs violet pâle, à
veines pourpres et à centre jaune,
teintées d'argenté ou de jaune à
l'extérieur. H. 10 cm ; E. 8 cm.

☼ ◊ ❋ ❋ ❋

Crocus minimus
Bulbeuse à feuilles basales vert foncé,
semi-érigées, très étroites, à ligne
centrale blanche. En fin de printemps, 1
ou 2 fleurs à intérieur violet et à
extérieur teinté de violet plus foncé, ou
marqué de raies plus foncées. H. 7 cm ;
E. 8 cm.

☼ ◊ ❋ ❋

Bulbocodium vernum
Crocus rouge
Bulbeuse à fleurs printanières pourpre
rougeâtre en entonnoir large. Feuilles
basales étroites, semi-érigées,
apparaissant avec les feuilles mais
s'allongeant ensuite. La partie aérienne
disparaît en été. H. 4 cm ; E. 5 cm.

☼ ◊ ❋ ❋ ❋

Crocus tommasinianus
Bulbeuse à floraison printanière. Fleurs
élancées, à longs tubes, à couleurs très
variables : lilas, pourpre ou violet,
parfois à extrémités plus foncées et
parfois à extérieur argenté. S'acclimate
bien. H. 10 cm ; E. 8 cm.

☼ ◊ ❋ ❋ ❋

Crocus vernus 'Princess Juliana'
Bulbeuse à fleurs printanières de
10-12 cm de long, violet moyen, à
veines plus foncées ; les stigmates sont
grands, froncés, orange ou jaunes.
Feuilles basales semi-érigées, très
étroites, à ligne centrale blanche.
H. 10 cm ; E. 8 cm.

☼ ◊ ❋ ❋ ❋

Plantes bulbeuses/petite taille

■ VIOLET

Babiana rubro-cyanea
Bulbeuse à feuilles lancéolées érigées, en
éventail basal. Au printemps, courts épis
de 5-10 fleurs, chacune à 6 pétales bleu
violacé au sommet et rouge à la base.
H. 20 cm; E. 8 cm. [A]

Crocus etruscus
Bulbeuse à feuilles basales semi-érigées,
très étroites, vert sombre à ligne blanche
centrale. Au printemps, fleurs bleu
violacé pâle, à longs tubes, en entonnoir,
teintées d'argent à l'extérieur et à veines
violettes. H. 10 cm; E. 8 cm.

Crocus vernus 'Pickwick'
Bulbeuse à feuilles étroites, à ligne
blanche centrale. Au printemps, fleurs
lilas pâle de 10-12 cm de long à rayures
foncées et à base pourprée. Bonne pour
le forçage, la culture en pot, le jardin ou
une pelouse. H. 10 cm; E. 8 cm.

Crocus 'Blue Pearl'
Bulbeuse à feuilles basales étroites,
semi-érigées, à ligne blanche centrale.
Début printemps, fleurs à longs tubes,
en entonnoir, bleu lavande clair à
intérieur blanc bleuâtre et à gorge jaune
d'or. H. 10 cm; E. 8 cm.

Ipheion uniflorum 'Froyle Mill'
Bulbeuse à feuilles vert pâle, étroites,
basales, semi-érigées, à odeur d'oignon
si on les broie. Au printemps, chaque
tige, sans feuilles, porte une fleur en
étoile, bleu violacé, de 3-4 cm de
diamètre. H. 15 cm; E. 8 cm.

Crocus biflorus
Bulbeuse à feuilles basales semi-érigées,
étroites, à ligne blanche centrale. Début
printemps, fleurs parfumées blanches ou
violet pâle, à gorge jaune et à rayures
verticales violettes à l'extérieur.
H. 10 cm; E. 8 cm.

Romulea bulbocodium
Bulbeuse à feuilles longues, semi-
érigées, linéaires, en touffes basales.
Tiges frêles, portant au printemps de
1-6 fleurs dirigées vers le haut,
d'habitude lilas pourpre pâle à centre
jaune ou blanc. H. 10 cm; E. 5 cm.

Gynandriris sisyrinchium
Bulbeuse avec 1 ou 2 feuilles basales
étroites, semi-érigées. Au printemps,
tiges raides portant chacune une
succession de fleurs allant de lavande à
bleu violacé de 3-4 cm de diamètre,
avec des motifs orange sur les 3 plus
grands pétales. H. 20 cm; E. 10 cm.

Muscari comosum 'Plumosum',
syn. *M.c.* 'Monstrosum'
Muscari à toupet 'Plumosum'
Bulbeuse ayant jusqu'à 5 feuilles
basales, semi-érigées, vert gris. Au
printemps, grappes de fleurs violettes.
H. 25 cm; E. 12 cm.

IRIS, pp. 196-197
TULIPES, pp. 344-345

Puschkinia scilloides, syn.
P. libanotica
Bulbeuse présentant d'habitude
2 feuilles basales semi-érigées, en
lanière. Au printemps, grappe dense de
fleurs bleu pâle, en étoile, à rayure bleu
plus foncé au centre de chaque pétale.
H. 15 cm ; E. 5 cm.

☼ ◊ ❀❀❀

Hyacinthella leucophaea
Bulbeuse à 2 feuilles basales semi-
érigées, en lanière. Au printemps, tige
florale fine, raide, sans feuille, avec une
grappe courbe de petites fleurs
campanulées bleu très pâle, presque
blanc. H. 10 cm ; E. 5 cm.

☼ ◊ ❀❀

Bellevalia hyacinthoides,
syn. *Strangweia spicata*
Bulbeuse à feuilles étroites, prostrées,
réunies à la base. Au printemps, sur
chaque tige, épi dense avec jusqu'à
20 fleurs bleu lavande pâle,
campanulées, à veines plus foncées.
H. 15 cm ; E. 5 cm.

☼ ◊ ❀❀

Tecophilaea cyanocrocus var.
leichtlinii
Crocus du Chili leichtlinii
Bulbeuse à 1 ou 2 feuilles basales
lancéolées, linéaires, semi-érigées. Au
printemps, fleurs solitaires en entonnoir
large, bleu pâle à centre blanc.
H. 10 cm ; E. 8 cm.

☼ ◊ ❀❀❀

Scilla mischtschenkoana,
Scille misclatschenkoana
Bulbeuse avec 2 ou 3 feuilles vert
moyen en lanière, basales, semi-érigées.
Début printemps, ses tiges s'allongent
en même temps que ses fleurs bleu pâle
en coupe ou aplaties s'épanouissent. H.
10 cm ; E. 5 cm.

☼ ◊ ❀❀❀

Scilla sibirica ´Atrocoerulea´
Scille de Sibérie
Bulbeuse portant en début de printemps
des fleurs bleu foncé intense,
campanulées, de 1-1,5 cm de long, en
grappes courtes. Elle a de 2-4 feuilles
basales semi-érigées, linéaires.
H. 15 cm ; E. 5 cm.

☼ ◊ ❀❀❀

Brimeura amethystina,
syn. *Hyacinthus amethystinus*
Jacinthe d'Espagne
Bulbeuse à feuilles basales linéaires,
semi-érigées. En fin de printemps, sur
chaque tige, grappe avec jusqu'à
15 fleurs bleues, tubulaires, pendantes.
H. 25 cm ; E. 5 cm.

◐ ◊ ❀❀

Muscari aucheri,
syn. *M. tubergenianum*
Bulbeuse à 2 feuilles en lanière, gris-
vert. Au printemps, petites fleurs bleu
vif, presque sphériques, à bouches
bordées de blanc, souvent plus claires
vers le haut. H. 15 cm ; E. 8 cm.

☼ ◊ ❀❀❀

Plantes bulbeuses/petite taille

■ BLEU

Chionodoxa luciliae
Bulbeuse à 2 feuilles basales semi-érigées, quelque peu courbées. Début printemps, tige sans feuilles, portant de 1-3 fleurs bleues à œil blanc, dirigées vers le haut. H. 10 cm; E. 5 cm.

☼ ◊ ❈❈❈

Chionodoxa forbesii,
syn. *C. siehei*, *C. tmolusii*
Bulbeuse avec 2 feuilles basales, étroites, semi-érigées. Au printemps, grappe de 5-10 fleurs bleu lilas à œil blanc, dirigées vers l'extérieur. H. 25 cm; E. 5 cm.

☼ ◊ ❈❈❈

Hyacinthus orientalis 'Delft Blue'
Jacinthe d'Orient 'Delft Blue'
Bulbeuse formant une touffe de feuilles basales en lanière, semi-érigées, se développant après la floraison. Fin hiver ou au printemps, grappe de fleurs bleues teintées de violet, parfumées, tubulaires. H. 20 cm; E. 10 cm.

☼ ◊ ❈❈

Tecophilaea cyanocrocus
Crocus du Chili
Bulbeuse avec 1 ou 2 feuilles basales semi-érigées, lancéolées. Au printemps, fleurs bleu gentiane foncé, en entonnoir, de 4-5 cm de diamètre, à gorges blanches. H. 10 cm; E. 15 cm.

☼ ◊ ❈❈❈

Muscari armeniacum
Bulbeuse à floraison printanière. Épi dense de petites fleurs bleu foncé, à bouches rétrécies portant un cercle denté de bleu plus pâle ou de blanc. Elle a de 3-6 feuilles basales linéaires, semi-érigées. H. 20 cm; E. 10 cm.

☼ ◊ ❈❈❈

Muscari neglectum,
syn. *M. racemosum*
Bulbeuse portant de 4-6 feuilles, souvent prostrées, de l'automne à début d'été. Au printemps, petites fleurs ovoïdes, bleu foncé ou bleu noirâtre à bouches cerclées de blanc; propagation rapide. H. 20 cm; E. 10 cm.

☼ ◊ ❈❈❈

Anemone blanda 'Atrocaerulea'
Tubéreuse à feuilles vert sombre, semi-érigées, avec 3 lobes profondément dentés. Début printemps, chaque tige porte une fleur dressée, aplatie, bleu foncé, de 4-5 cm de diamètre, ayant de 9-14 pétales étroits. H. 10 cm; E. 15 cm.

☼ ◊ ❈❈❈

× *Chionoscilla allenii*
Bulbeuse à 2 feuilles basales vert foncé, semi-érigées; en début de printemps, fleurs bleu foncé, aplaties, en étoile, de 1-2 cm de diamètre. H. 15 cm; E. 5 cm.

☼ ◊ ❈❈❈

Hyacinthus orientalis 'Ostara'
Jacinthe d'Orient 'Ostara'
Bulbeuse formant une touffe de feuilles basales semi-érigées, se développant après la floraison. En fin d'hiver ou au printemps, longue grappe de fleurs parfumées bleues, chaque pétale à raie centrale foncée. H. 20 cm; E. 10 cm.

☼ ◊ ❈❈

Ledebouria socialis,
syn. *Scilla violacea*
Bulbeuse à feuilles persistantes vert ou gris ponctué de taches foncées, lancéolées, basales, semi-érigées. Au printemps, courte grappe de fleurs campanulées vert pourpré. H. 10 cm ; E. 10 cm.

☼ ◊ ❀

Calochortus amabilis
Bulbeuse à feuilles longues, étroites, érigées, portées près de la base d'une tige peu ramifiée. Au printemps, de chaque tige pend une fleur jaune foncé parfois teinté de vert. H. 30 cm ; E. 10 cm.

☼ ◊ ❀ ❀

Crocus 'E.A. Bowles'
Bulbeuse à fleurs printanières, en entonnoir, jaunes, teintées de bronze à l'extérieur, près de la base. Feuilles linéaires, à ligne blanche centrale. Se multiplie bien par ses caïeux. H. 10 cm ; E. 8 cm.

☼ ◊ ❀ ❀ ❀

Crocus cvijicii
Bulbeuse portant habituellement au printemps une fleur jaune en entonnoir. Feuilles basales linéaires, étroites, à ligne blanche centrale, peu apparentes pendant la floraison. H. et E. 5 cm.

☼ ◊ ❀ ❀ ❀

Arum italicum 'Pictum'
Tubéreuse à feuilles semi-érigées, à veines crème ou blanches, en automne, suivies fin printemps par des spathes vert pâle ou blanc crème, donnant des baies rouges en étoile ; intéressant en art floral. H. 25 cm ; E. 30 cm.

☼ ◊ ❀ ❀

Erythronium americanum
Bulbeuse avec 2 feuilles basales, semi-érigées, ponctuées de vert et de brun. Au printemps, fleur pendante jaune, souvent bronzée à l'extérieur, dont les pétales se recourbent au soleil. Forme des touffes par ses stolons. H. 25 cm ; E. 8 cm.

◑ ◊ ❀ ❀ ❀

Colchicum luteum
Colchique jaune
Bulbeuse à fleurs printanières jaunes (la seule colchique jaune connue). Les feuilles basales, semi-érigées, courtes à la floraison, se développent ensuite. H. 10 cm ; E. 8 cm.

☼ ◊ ❀ ❀ ❀

Fritillaria pudica
Fritillaire pudica
Bulbeuse dont les tiges portent des feuilles vert-gris étroitement lancéolées. Au printemps, 1 ou 2 fleurs jaune foncé, parfois teinté de rouge, de 1-2,5 cm de long. H. 20 cm ; E. 5 cm.

☼ ◊ ❀ ❀ ❀

Muscari macrocarpum
Bulbeuse ayant de 3-5 feuilles vert-gris, basales, semi-érigées. Au printemps, court épi de fleurs jaunes à cercles bruns, parfumées. Les fleurs supérieures sont parfois pourpre brunâtre au début. H. 20 cm ; E. 15 cm.

☼ ◊ ❀ ❀

Hyacinthus orientalis 'City of Haarlem'
Jacinthe d'Orient 'City of Haarlem'
Bulbeuse à touffe de feuilles basales linéaires. Fin hiver ou au printemps, grappe dense de fleurs parfumées jaune pâle. H. 20 cm ; E. 10 cm.

☼ ◊ ❀ ❀

Dipcadi serotinum
Bulbeuse à floraison printanière. Sur une tige sans feuilles, grappe lâche de fleurs inclinées, tubulaires, brunes ou orange terne de 1-1,5 cm de long. Elle a de 2-5 feuilles basales étroites, semi-érigées. H. 30 cm ; E. 8 cm.

☼ ◊ ❀ ❀

Plantes bulbeuses/petite taille

▢▨ BLANC, ROSE

Lloydia serotina
Bulbeuse à tiges raides garnies de
quelques feuilles basales filiformes.
Début été, 1 ou 2 fleurs blanches
campanulées, de 1-1,5 cm de long, à
veines pourpres ou rouge pourpré.
H. 15 cm ; E. 5 cm.

Calochortus subalpinus
Bulbeuse avec une feuille basale longue,
étroite, semi-érigée. En été, elle porte de
1-3 fleurs blanc crème aux pétales
poilus, avec, parfois, une petite marque
pourpre à la base des 3 pétales les plus
petits. H. 20 cm ; E. 7 cm.

Albuca humilis
Bulbeuse naine à feuilles basales vert
sombre très étroites. En été, bouquet de
1-3 fleurs blanches en coupe de 1 cm de
long, à rayures extérieures vertes, puis
rougeâtres. H. 10 cm ; E. 8 cm.

Arisaema candidissimum
Tubéreuse portant en début d'été de
grandes spathes blanches, en forme de
capuchon, à raies roses, entourant de
minuscules fleurs parfumées groupées
en spadices. Larges feuilles divisées,
semi-érigées, de 30 cm de long.
H. 15 cm ; E. 45 cm.

Cyclamen purpurascens, syn.
C. europaeum, C. fatrense
Tubéreuse dont les feuilles arrondies ont
des motifs argentés. Elle porte en été et
en automne des fleurs dont la couleur va
de rose lilas à pourpre rougeâtre.
H. 10 cm ; E. 15 cm.

AUTRES PLANTES CONSEILLÉES :
Allium oreophilum, p. 358
Habranthus robustus, p. 366
Triteleia peduncularis

▨ ROUGE

Hippeastrum rutilum, syn.
H. striatum
Amaryllis rutilum
Bulbeuse à feuilles basales en lanière,
vert vif. Au printemps et en été, fleurs
en entonnoir à pétales pointus rouges à
raies vertes centrales. H. 30 cm ;
E. 25 cm. [A]

Cyrtanthus brachyscyphus, syn.
C. parviflorus
Bulbeuse formant une touffe de feuilles
basales linéaires vert vif. La hampe
florale, en été, porte de 6-12 fleurs
tubulaires à 6 lobes rouge orangé vif.
H. 30 cm ; E. 15 cm.

Haemanthus coccineus
Bulbeuse avec 2 feuilles elliptiques à
dessous poilu, reposant à plat sur le sol.
En été, sur une tige à points colorés,
formée avant les feuilles, groupe de
fleurs rouges à étamines proéminentes,
entre des bractées rouges ou roses. H. et
E. 30 cm. [A]

Anomatheca laxa
BÉGONIAS, p. 251

Allium schoenoprasum
Ciboulette
Bulbeuse formant une touffe de feuilles étroites creuses, érigées, vert foncé. En été, tiges portant jusqu'à 20 fleurs violet clair ou roses en ombelle dense ayant jusqu'à 5 cm d'envergure. H. 25 cm ; E. 10 cm.

☼ ◊ ❀❀❀

Allium narcissiflorum,
syn. *A. pedemontanum*
Ail narcissiflorum
Bulbeuse formant une touffe de feuilles étroites, érigées, vert-gris, sur la partie basse de la tige florale. En été, ombelle de fleurs campanulées pourpre rosé. H. 30 cm ; E. 10 cm.

☼ ◊ ❀❀❀

Allium cyathophorum var. *farreri*
Ail var. *farreri*
Bulbeuse formant une touffe de feuilles étroites, érigées, basales. Chaque tige porte en été une ombelle de 1,5-4 cm de large, avec des fleurs campanulées violet foncé à pétales pointus. H. 30 cm ; E. 15 cm.

☼ ◊ ❀❀❀

Chlidanthus fragrans
Bulbeuse à touffe basale de feuilles étroites semi-érigées, dont la tige florale sans feuilles porte en été un groupe de 3-5 fleurs jaunes, parfumées, de 4-7 cm de long. H. 30 cm ; E. 10 cm.

☼ ◊ ❀

Roscoea humeana
Tubéreuse dont les feuilles érigées largement lancéolées forment un manchon à la base. En été, elle porte jusqu'à 10 fleurs violettes à long tube, chacune avec un pétale supérieur en casque, une lèvre pendante et 2 pétales plus étroits. H. 25 cm ; E. 20 cm.

☼ ◊ ❀❀

Scilla peruviana
Scille du Pérou
Bulbeuse à touffe basale avec jusqu'à 10 feuilles lancéolées semi-érigées. Début été, une tige porte une grappe largement conique avec jusqu'à 50 fleurs bleu violacé, aplaties, de 1,5-3 cm de large. H. 25 cm ; E. 20 cm.

☼ ◊ ❀❀

Roscoea cautleoides
Tubéreuse dont les feuilles érigées lancéolées forment un manchon à la base. En été, elle porte jusqu'à 5 fleurs à long tube, jaunâtres, avec un pétale supérieur en casque, une lèvre inférieure large et 2 pétales plus étroits. H. 25 cm ; E. 15 cm.

☼ ◊ ❀❀

Allium moly
Ail doré
Bulbeuse comptant de 1-3 feuilles assez larges, semi-érigées, basales, vert grisâtre. En été, chaque tige porte en une ombelle dense de 4-8 cm de diamètre jusqu'à 40 fleurs jaunes étoilées. H. 35 cm ; E. 12 cm.

☼ ◊ ❀❀❀

Hypoxis angustifolia
Plante rhizomateuse à feuilles basales étroites, ciliées. En été, elle porte de 3-7 fleurs étoilées jaunes, de 1,5-2 cm d'envergure. H. 20 cm ; E. 8 cm.

☼ ◊ ❀

Plantes bulbeuses/petite taille

☐ BLANC

Zephyranthes candida
Bulbeuse à feuilles érigées basales étroites. Chaque tige sans feuilles porte en automne des fleurs blanches ressemblant à des crocus, ayant jusqu'à 6 cm d'envergure. H. 25 cm ; E. 8 cm.

☼ ◊ ❄❄

Cyclamen hederifolium var. *album*
Cyclamen blanc de Naples
Tubéreuse portant en automne des fleurs blanc pur à pétales réfléchis, apparaissant avant ou avec des feuilles variables, souvent en forme de lierre, avec des motifs argentés.
H. 10 cm ; E. 15 cm.

☼ ◊ ❄❄

Cyclamen africanum
Cyclamen d'Afrique
Tubéreuse à feuilles vert foncé à motifs plus clairs. En automne, fleurs blanches ou roses à pétales réfléchis et à taches foncées près de la bouche, avant l'apparition des feuilles ou en même temps. H. 10 cm ; E. 15 cm.

☼ ◊ ❄

Habranthus robustus
Bulbeuse à feuilles basales linéaires, semi-érigées. Chaque pédoncule porte de fin été à début automne une fleur rose en entonnoir, inclinée. H. 30 cm ; E. 10 cm.

☼ ◊ ❄

Colchicum speciosum 'Album'
Colchique speciosum à fleurs blanches
Bulbeuse vigoureuse avec, en automne, des fleurs blanches supportant bien le mauvais temps, et fin hiver ou au printemps, d'assez grandes feuilles basales semi-érigées. H. et E. 20 cm.

☼ ◊ ❄❄❄

Leucojum autumnale
Nivéole automnale
Bulbeuse à floraison automnale. Feuilles basales filiformes apparaissant avec ou juste après les fleurs. Tiges frêles portant des groupes de 1- 4 fleurs campanulées blanches, teintées de rose à la base. H. 15 cm ; E. 5 cm.

☼ ◊ ❄❄

Cyclamen mirabile
Tubéreuse portant en automne des fleurs rose pâle à pétales dentés, et à bouche tachée de rouge sombre. Les feuilles en cœur, marquées de motifs vert pourpré en dessous, sont finement dentées. H. 10 cm ; E. 8 cm.

☼ ◊ ❄❄

Colchicum automnale
Colchique, Safran bâtard
Bulbeuse portant en automne jusqu'à 8 fleurs à long tube, pourpres, roses ou blanches, suivies au printemps de 3 feuilles luisantes basales, semi-érigées. H. et E. 15 cm.

☼ ◊ ❄❄❄

AUTRES PLANTES CONSEILLÉES :
Colchicum autumnale 'Alboplenum'
Crocus niveus
Cyclamen cyprium

366

Colchicum byzantinum
Colchique byzantinum
Bulbeuse robuste portant en automne
jusqu'à 20 grosses fleurs rose pâle de
10-15 cm de long. Au printemps,
feuilles basales larges, semi-érigées à
côtes longitudinales. H. et E. 20 cm.

Cyclamen graecum
Tubéreuse à feuilles en cœur, dentées,
veloutées, vert sombre à motifs argent
ou vert clair. En automne, fleurs roses
ou blanches, à taches pourpres près de la
bouche. Convient à un jardin alpin.
H. 10 cm ; E. 15 cm.

Crocus kotschyanus,
syn. *C. zonatus*
Bulbeuse portant en automne des fleurs
lilas rosé ou bleu violacé, à centre jaune
et anthère blanche. Feuilles linéaires
basales, semi-érigées, à ligne blanche
centrale, au printemps et en été.
H. 10 cm ; E. 8 cm.

Crocus goulimyi
Bulbeuse portant en automne en général
1 fleur de lilas pâle à lilas rosé, à gorge
blanche, les 3 pétales intérieurs étant
d'habitude plus clairs que les autres.
Feuilles et fleurs apparaissent ensemble.
A besoin d'un endroit chaud. H. 10 cm ;
E. 8 cm.

Cyclamen hederifolium,
syn. *C. neapolitanum*
Cyclamen de Naples
Tubéreuse portant à l'automne des
fleurs de rose pâle à rose vif, avec ou
avant les feuilles variables mais souvent
en forme de lierre, avec des motifs
argentés. H. 10 cm ; E. 15 cm.

Cyclamen rohlfsianum
Tubéreuse à feuilles grossièrement
dentées, marquées de motifs vert clair et
foncé. En automne, fleurs rose lilas pâle,
à taches foncées près de la bouche.
H. 10 cm ; E. 15 cm.

Colchicum bivonae,
syn. *C. bowlesianum*
Colchique bivonae
Bulbeuse à grandes fleurs rose violacé
marquées de couleur plus foncée, en
automne. Elle produit de 8-10 feuilles
érigées au printemps. H. 15 cm ;
E. 20 cm.

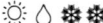

Cyclamen cilicium
Tubéreuse à feuilles en cœur, à zones
claires et sombres. En automne, juste
avant ou avec les feuilles, elle porte des
fleurs blanches ou roses, avec des taches
pourpres près de la bouche.
H. et E. 10 cm.

Plantes bulbeuses/petite taille

■ ROSE, POURPRE

Colchicum cilicicum
Colchique cilicicum
Bulbeuse portant en automne d'assez
grandes fleurs de rose pâle à rose foncé
violacé, parfois légèrement diaprées.
Feuilles basales larges, semi-érigées,
après le flétrissement des fleurs.
H. et E. 20 cm.

Colchicum agrippinum
Colchique agrippinum
Bulbeuse dont les feuilles basales
étroites, légèrement ondulées, se
développent au printemps. Début
automne, fleurs érigées en entonnoir,
rose violacé vif, à motifs plus foncés.
H. 15 cm ; E. 10 cm.

Colchicum 'Waterlily'
Colchique 'Waterlily'
Bulbeuse produisant en automne des
fleurs très doubles, denses, avec de
20-40 pétales lilas rosé, et en hiver ou
au printemps des feuilles basales, assez
larges, semi-érigées. H. 15 cm ;
E. 20 cm.

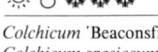

Merendera montana,
syn. *M. bulbocodium*
Bulbeuse à feuilles linéaires basales,
semi-érigées, qu'elle produit juste après
l'apparition, en automne, de ses fleurs
dressées, rose plus ou moins violacé.
H. 5 cm ; E. 8 cm.

Crocus banaticus
Bulbeuse portant en automne
généralement une fleur violet pâle à long
tube, les 3 pétales extérieurs étant plus
grands que les 3 intérieurs. Feuilles
linéaires semi-érigées, avec une ligne
pâle centrale, au printemps. H. 10 cm ;
E. 8 cm.

Crocus nudiflorus
Crocus d'automne
Bulbeuse à feuilles basales en hiver et au
printemps. En automne, fleur étroite à
long tube, violet intense, à stigmates
orange ou jaunes découpés en lanières.
H. 10 cm ; E. 8 cm.

Crocus medius
Bulbeuse portant en automne 1 ou
2 fleurs d'un violet uniforme à anthères
jaunes et stigmates rouges découpés en
plusieurs parties filiformes. Les feuilles
basales apparaissent en hiver et au
printemps. H. 10 cm ; E. 8 cm.

Biarum tenuifolium
Bulbeuse fleurissant en fin d'été ou en
automne, et produisant des groupes de
feuilles basales érigées étroites, après
l'apparition des spathes dressées
pourpre noirâtre.
H. 20 cm ; E. 10 cm.

Crocus pulchellus
Bulbeuse à fleurs automnales bleu lilas
pâle veiné de foncé, à gorge jaune et à
anthères presque blanches. Feuilles
basales linéaires, semi-érigées, à ligne
blanche centrale longitudinale.
H. 10 cm ; E. 8 cm.

■■□ VIOLET, VERT, JAUNE

□ BLANC

Crocus speciosus 'Oxonian'
Bulbeuse à fleurs automnales bleu violacé foncé, avec un réseau de veines foncées et des stigmates orange très divisés. Feuilles basales étroites, à ligne centrale blanche, en hiver et au printemps. H. 10 cm ; E. 8 cm.

Arum pictum
Tubéreuse à floraison automnale. Les feuilles sagittées brillantes, veinées de crème, apparaissent en même temps qu'une spathe brun violacé foncé en forme de capuchon et un spadice violet foncé. H. 25 cm ; E. 20 cm.

Sternbergia lutea
Bulbeuse à floraison automnale dont les feuilles étroites, basales, apparaissent en même temps qu'une fleur jaune vif, en entonnoir, de 2,5-6 cm de long. H. 15 cm ; E. 10 cm.

Crocus cancellatus
Sternbergia sicula
Zephyranthes citrina

Galanthus nivalis 'Flore Pleno'
Perce-neige 'Flore Pleno'
Bulbeuse fleurissant en fin d'hiver et début de printemps. Feuilles basales semi-érigées, vert grisâtre. Fleurs à nombreux pétales blancs, certains avec une marque verte à l'extrémité.
H. 15 cm ; E. 8 cm.

Galanthus nivalis 'Pusey Green Tips'
Perce-neige 'Pusey Green Tips'
Bulbeuse à feuilles basales linéaires, gris-vert ; chaque tige porte, fin hiver et début printemps, une fleur blanche à nombreux pétales, la plupart à extrémité verte. H. 15 cm ; E. 8 cm.

Galanthus gracilis, syn. *G. graecus*
Perce-neige gracilis
Bulbeuse fleurissant en fin d'hiver et début de printemps. Feuilles basales linéaires légèrement tordues, vert grisâtre. Fleurs blanches avec 3 pétales internes marqués de vert à l'extrémité et à la base. H. 15 cm ; E. 8 cm.

AUTRES PLANTES CONSEILLÉES :
Galanthus nivalis
Galanthus plicatus

Galanthus rizehensis
Perce-neige rizehensis
Bulbeuse portant fin hiver et début printemps des fleurs blanches de 1,5-2 cm de long, avec une marque verte au bout de chaque pétale interne. Feuilles basales linéaires, vert foncé. H. 20 cm ; E. 5 cm.

Galanthus elwesii
Perce-neige elwesii
Bulbeuse à feuilles basales glauques, s'élargissant vers l'extrémité. Chaque pétale interne des fleurs blanches s'épanouissant en hiver ou début printemps, porte des marques vertes. H. 30 cm ; E. 8 cm.

Galanthus 'Atkinsii'
Perce-neige 'Atkinsii'
Bulbeuse à feuilles basales linéaires, vert grisâtre. Chaque tige, fin hiver et début printemps, porte une fleur blanche avec une tache verte au bout de chaque pétale interne. H. 25 cm ; E. 9 cm.

Plantes bulbeuses/petite taille

☐ BLANC

🟦 ROSE

Galanthus nivalis 'Lutescens'
Perce-neige 'Lutescens'
Bulbeuse fleurissant fin hiver et début
printemps. Feuilles basales linéaires,
gris-vert. Les fleurs, de 1,5-2 cm de long,
sont blanches avec des taches jaunes à
l'extrémité de chaque pétale interne.
H. 10 cm ; E. 5 cm.

☼ ◊ ❄❄❄

Galanthus ikariae, syn. *G. latifolius*
Perce-neige ikariae
Bulbeuse fleurissant fin hiver et début
printemps, à feuilles basales en lanière,
luisantes, vert vif. Fleur blanche de
1,5-2,5 cm de long, marquée de vert à
l'extrémité de chaque pétale intérieur.
H. 25 cm ; E. 8 cm.

☼ ◊ ❄❄

Galanthus nivalis 'Scharlockii'
Perce-neige 'Scharlockii'
Bulbeuse vigoureuse fleurissant fin hiver
et début printemps. Feuilles basales vert
grisâtre. Fleurs blanches avec des
marques vertes à l'extrémité des pétales
internes, surmontées par 2 spathes
étroites. H. 15 cm ; E. 8 cm.

☼ ◊ ❄❄❄

Galanthus plicatus subsp.
byzantinus
Byzantine
Bulbeuse fleurissant fin hiver et début
printemps. Feuilles basales vert glauque,
à bords plissés. Fleurs blanches avec des
marques vertes à la base et au bout des
pétales intérieurs. H. 20 cm ; E. 8 cm.

☼ ◊ ❄❄❄

Cyclamen coum subsp. *coum*
'Album'
Cyclamen blanc de l'île de Cos
Tubéreuse à floraison hivernale en serre,
printanière à l'extérieur. Feuilles vert
foncé, parfois marquées d'argenté.
Fleurs blanches à bouche marquée de
marron. H. et E. 10 cm.

☼ ◊ ❄❄

Cyclamen persicum
Cyclamen de Perse
Tubéreuse à feuilles en cœur marquées
de vert clair et foncé, et d'argenté. En
hiver ou au printemps, fleurs parfumées
étroites, de 3 ou 4 cm de long, roses ou
blanches, à bouches tachées de carmin.
H. 20 cm ; E. 15 cm. ☐A

☼ ◊

Cyclamen persicum 'Pearl Wave'
Cyclamen de Perse 'Pearl Wave'
Tubéreuse à feuilles en cœur, marquées
de vert clair et foncé, et d'argenté. En
hiver et au printemps, fleurs parfumées
rose foncé, aux pétales de 5-6 cm de
long, à bords froncés. H. 20 cm ;
E. 15 cm. ☐A

☼ ◊

Cyclamen coum subsp. *coum*
Cyclamen de l'île de Cos
Tubéreuse fleurissant en hiver en serre,
et au printemps dehors, aux feuilles
arrondies, vert foncé soit pur, soit
marqué d'argent. Ses fleurs carmin ont
une bouche plus foncée. H. 10 cm ;
E. 10 cm.

☼ ◊ ❄❄

Cyclamen coum subsp. *caucasicum*
Cyclamen persicum 'Cardinal'
Hyacinthus orientalis 'Pink Pearl', p. 358

Cyclamen persicum 'Esmeralda'
Cyclamen de Perse 'Esmeralda'
Tubéreuse à floraison hivernale, à feuilles en cœur, à motifs argentés, et à fleurs à larges pétales rouge carminé. H. 20 cm ; E. 20 cm. A

Cyclamen persicum 'Renown'
Cyclamen de Perse 'Renown'
Tubéreuse à floraison hivernale et printanière à feuilles en cœur, vert argenté vif, avec une tache centrale vert foncé. Fleurs parfumées écarlates, de 5-6 cm de long. H. 20 cm ; E. 15 cm. A

Lachenalia 'Quadricolor'
Bulbeuse à floraison hivernale et printanière, à feuilles basales en lanière. Elle porte une grappe de 10-20 boutons rouge pourpré s'épanouissant en fleurs jaune verdâtre ou orange verdâtre. H. 25 cm ; E. 8 cm.

Lachenalia 'Nelsonii'
Bulbeuse à floraison hivernale et printanière, à feuilles basales en lanière, ponctuées de brun. Grappes de 10-20 fleurs de 3 cm de long, étroitement campanulées, pendantes, jaune vif teinté de vert. H. 25 cm ; E. 8 cm.

☼ ◊   ☼ ◊   ☼ ◊ ✿   ☼ ◊ ✿

Cyclamen persicum, série Kaori
Cyclamen de Perse
Tubéreuse à floraison hivernale. Ses feuilles en cœur sont marbrées d'argenté. Elle produit des fleurs parfumées dans une large gamme de teintes. H. 20 cm ; E. 15 cm. A

☼ ◊

Eranthis hyemalis, syn.
E. cilicicus
Helléborine
Tubéreuse formant une touffe. De fin hiver à début printemps, fleurs jaunes solitaires de 2-2,5 cm de diamètre, posées sur un involucre de bractées. H. et E. 10 cm.

◑ ◊ ✿✿✿

PLANTES AQUATIQUES

□ BLANC

Menyanthes trifoliata
Trèfle d'eau
Vivace vigoureuse, garnissant
facilement les rives. Ses feuilles
caduques vert moyen ont 3 folioles. Au
printemps, fleurs blanches à
pétales frangés. H. 25 cm ;
E. 30 cm.

Alisma plantago-aquatica
Plantain d'eau
Vivace prospérant près des rives. Ses
feuilles caduques dressées, ovales, vert
vif, émergent nettement au-dessus de
l'eau. En été, petites fleurs, de rosé à
blanc, groupées en verticilles peu
denses. H. 75 cm ; E. 45 cm.

☼ ● ❄ ❄ ❄

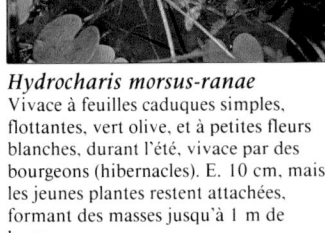
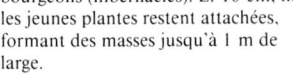

Lysichiton camtschatcense
Vigoureuse plante vivace des rives et
marais. Ses spathes blanc pur entourant
un spadice apparaissent au printemps.
Ses feuilles sont vert vif, caduques.
H. 75 cm ; E. 60 cm.

Hydrocharis morsus-ranae
Vivace à feuilles caduques simples,
flottantes, vert olive, et à petites fleurs
blanches, durant l'été, vivace par des
bourgeons (hibernacles). E. 10 cm, mais
les jeunes plantes restent attachées,
formant des masses jusqu'à 1 m de
large.

☼ ● ❄ ❄ ❄

Calla palustris
Vivace s'étalant en bordure des pièces
d'eau, avec des feuilles en cœur,
brillantes, de vert moyen à foncé,
caduques ou semi-persistantes. Au
printemps, grandes spathes blanches
suivies habituellement de fruits rouges
ou orange. H. 25 cm ; E. 30 cm.

☼ ● ❄ ❄ ❄

Sagittaria latifolia
Flèche d'eau américaine
Plante aquatique ou marécageuse,
vivace, dont les feuilles aériennes
caduques sont sagittées. En été,
verticilles de fleurs blanches.
H. 1,5 cm ; E. 60 cm.

☼ ● ❄ ❄ ❄

AUTRES PLANTES CONSEILLÉES :
Luronium natans
Nelumbo nucifera 'Alba Grandiflora'
Sagittaria sagittifolia

Sagittaria sagittifolia 'Flore Pleno'
NYMPHÉAS, p. 376

Saururus cernuus
Queue de lézard
Vivace dressée des rives et lieux humides, portant des feuilles caduques acuminées et en été, des épis de fleurs crème. H. 25 cm ; E. 30 cm.

Aponogeton distachyos
Vivace largement submergée, demi-rustique, à feuilles caduques, oblongues, de vert moyen à sombre, parfois taché de pourpre. Hampes de fleurs blanches très parfumées, pendant tout l'été. E. 1,2 m.

Caltha leptosepala
Populage leptosepala
Vivace poussant sur les berges, avec des feuilles caduques en cœur, vert foncé, et au printemps des fleurs blanches. H. et E. 30 cm.

Hottonia palustris
Plante submergée à feuilles caduques, divisées en lanières très étroites formant une masse qui s'étale. En été, des fleurs lilas ou blanchâtres apparaissent au-dessus de l'eau. E. variable.

Acorus gramineus ΄Variegatus΄
Acore gramineus ΄Variegatus΄
Vivace submergée ou vivant en bordure des eaux, à feuilles semi-persistantes, rondes, étroites, graminiformes, vert sombre panaché de crème. H. 25 cm ; E. 15 cm.

Acorus calamus ΄Variegatus΄
Acore calamus ΄Variegatus΄
Vivace aquatique de la bordure des pièces d'eau. Les feuilles semi-persistantes, à odeur de mandarine, sont panachées de crème, et se teintent de rose au printemps. H. 75 cm ; E. 60 cm.

Stratioites aloides
Vivace submergée pouvant flotter librement, à feuilles semi-persistantes en rosettes, épineuses, vert olive. En été, fleurs blanches, parfois rosées. Elle s'accroît en émettant de petits bourgeons aquatiques. E. 30 cm.

Houttuynia cordata ΄Chamaeleon΄
Vivace semi-aquatique, vigoureuse, rustique, couvre-sol pour le voisinage des eaux. Feuilles caduques coriaces tachées de jaune et rouge, surtout en site ensoleillé. Petits épis de fleurs blanches en été. H. 10 cm ; E. variable.

Nelumbo nucifera
Lotus des Indes
Vivace aquatique des marécages et bords d'étangs. Pédoncules robustes portant de très grandes feuilles en forme de coupe, glauques, caduques ; en été, de grandes fleurs rose vif, devenant rose chair. H. 1,5 m ; E. 1,2 m. [A]

Nelumbo nucifera ΄Alba Striata΄
Nelumbo nucifera ΄Rosea Plena΄
NYMPHÉAS, p. 376

Plantes aquatiques

Myosotis scorpioides 'Mermaid'
Ne m'oubliez pas 'Mermaid'
Vivace pour eau peu profonde et
pelouse humide ; feuilles caduques vert
moyen. En été, grappes de petites fleurs
bleues de myosotis. H. 15 cm ;
E. 30 cm.

Typha latifolia
Massette latifolia
Vivace à feuilles caduques, à placer sur
les berges des ruisseaux et le bord des
eaux. En fin d'été, épis de fleurs beige
suivis d'épis fructifères brun foncé.
Plante envahissante. H. 2 m.

Eichhornia crassipes
Jacinthe d'eau
Vivace aquatique ou amphibie, à
feuilles brillantes persistantes ou
semi-persistantes, à pétiole vésiculeux.
En été, grappes de fleurs bleu et lilas.
Plante envahissante en climat chaud.
E. 25 cm. [A]

Myriophyllum aquaticum
Vivace submergée ou flottante, dont le
feuillage caduc, très finement découpé,
vert bleuté, devient rougeâtre en
automne, dans les parties faisant
surface. E. variable.

Butomus umbellatus
Jonc fleuri
Vivace des lieux humides ou bords des
eaux, à feuilles caduques étroites vertes ;
en été, elle porte des ombelles de fleurs
allant de rose à rouge rosé. H. 1 m ;
E. 45 cm.

Azolla caroliniana
Fougère flottante vivace à frondes
caduques divisées, variant du rouge et
pourpre en site ensoleillé à vert jusqu'à
bleu-vert à l'ombre. Forme vite un tapis.
E. variable.

Pontederia cordata
Pontédérie à feuilles en cœur
Vivace aquatique pour eau peu
profonde. En fin d'été, des épis de fleurs
bleues apparaissent entre les feuilles
caduques ovales, cordiformes,
vert foncé. H. 75 cm ;
E. 45 cm.

Colocasia esculenta
Taro, Madère
Vivace des lieux humides, à grandes
feuilles caduques d'un vert plus ou
moins foncé, souvent à nervures
proéminentes blanches. Porte en été
d'insignifiantes spathes. H. 1 m ;
E. 60 cm. [A]

NYMPHÉAS, p. 376

Potamogeton crispus
Vivace produisant des colonies étalées
de feuilles caduques submergées vert
moyen ou bronzé, à limbe ondulé. En
été, fleurs rougeâtres insignifiantes.
Préfère l'eau fraîche. E. variable.

NYMPHÉAS, p. 376

Pistia stratiotes
Laitue d'eau
Vivace aquatique à feuilles pubescentes persistantes en conditions tropicales. Bonne pour aquariums et bassins peu profonds. Petites fleurs verdâtres à différents moments. H. et E. 10 cm. [A]

☼ ⬤

Salvinia auriculata
Vivace de lieux très humides ou de surface d'eaux dormantes, formant des colonies. Feuilles vert pâle ou vert moyen, parfois teintées de brun pourpré, persistantes en conditions tropicales, portées par paire sur des tiges ramifiées. E. variable. [A]

☼ ⬤

Trapa natans
Macre, Châtaigne d'eau
Annuelle aquatique envahissante, à feuilles supérieures vert moyen parfois marqué de pourpre, disposées en rosettes flottantes. Petites fleurs blanches en été. E. 25 cm.

☼ ⬤ ❄❄

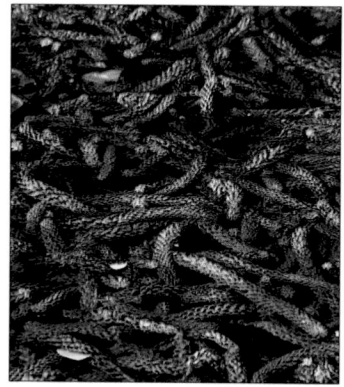

Elodea crispa
Élodée crispa
Vivace aquatique submergée, semi-persistante, s'étalant en un tapis dense de feuilles vert foncé. Fleurs insignifiantes, en été. E. variable.

☼ ⬤ ❄❄❄

Euryale ferox
Annuelle d'eau profonde. Grandes feuilles flottantes, vert olive à surface inégale et à revers épineux violet. En été, petites fleurs violettes. Cultiver en bassin tropical. E. 1,5 m. [A]

☼ ⬤

Typha minima
Massette minima
Vivace pour les berges de pièces d'eau et de ruisseaux, à feuilles caduques graminiformes. En fin d'été, épis de fleurs brun rouille suivis d'épis fructifères cylindriques. H. 60 cm ; E. 30 cm.

☼ ⬤ ❄❄❄

Sparganium erectum
Rubanier erectum
Vivace marécageuse ou aquatique, à feuilles rubanées vertes, caduques ou semi-persistantes. Elle porte de petits capitules vert brunâtre en été. H. 1 m ; E. 60 cm.

☼ ⬤ ❄❄❄

Myriophyllum verticillatum
Vivace étalée, flottante ou submergée, formant des hibernacles. Les tiges minces sont couvertes de verticilles de feuilles caduques jaunâtres très finement découpées. E. variable.

☼ ⬤ ❄❄❄ .

Hydrocleys nymphoides
Vivace aquatique à feuilles vertes caduques (persistantes en conditions tropicales), presque arrondies, flottantes ou émergées. En été, fleurs jaunes au-dessus du feuillage. E. 60 cm. [A]

☼ ⬤

Cabomba caroliniana
Ceratophyllum demersum
Colocasia esculenta 'Fontanesii'
Egeria densa

Nymphéas

La beauté des nénuphars permet de créer un point focal coloré dans les pièces d'eau. Les plantes à petites feuilles se contentent de 8 cm de profondeur d'eau, mais les plus vigoureuses ont besoin de plus (parfois jusqu'à 1 m). Certaines espèces sont rustiques, et en fait il s'agit d'une plante assez peu exigeante, bien qu'elle préfère un site ouvert, ensoleillé, et une eau calme.

N. *caroliniana* ´Nivea´

N. ´Gladstoniana´

N. *marliacea* ´Carnea´

N. ´Escarboucle´

N. ´Virginalis´

N. ´American Star´

N. ´James Brydon´

N. × *laydekeri* ´Fulgens´

N. *marliacea* ´Albida´

N. ´Blue Beauty´

N. ´Rose Arey´

N. ´Fire Crest´

N. *pygmaea* ´Helvola´

N. *marliacea* ´Chromatella´

N. *pygmaea* ´Alba´

N. *alba*

N. ´Attraction´

N. ´Sunrise´

Plantes aquatiques

□ JAUNE

Lysichiton americanum
Vivace vigoureuse pour sols humides, berges et marais. Au printemps, apparition de spathes jaunes avant celle des très grandes feuilles caduques.
H. 1 m ; E. 75 cm.

☼ ◗ ❄❄❄

Caltha palustris ´Flore Plena´
Populage ´Flore Plena´
Vivace aquatique à feuilles caduques arrondies vert sombre. Au printemps, elle porte des fleurs doubles jaune vif. Bonne plante pour les berges.
H. et E. 25 cm.

☼ ◗ ❄❄❄

Nymphoides peltata
Vivace d'eau profonde, à feuilles caduques flottantes, petites, arrondies, vert moyen, souvent ponctuées et tachées de marron. Pendant tout l'été, petites fleurs jaunes à pétales frangés. E. 60 cm.

☼ ◗ ❄❄❄

Caltha palustris
Populage
Vivace du bord des eaux et des berges, à feuilles caduques arrondies, vert sombre, portant des groupes de fleurs jaunes au printemps.
H. 60 cm ; E. 45 cm.

☼ ◗ ❄❄❄

Ranunculus lingua
Grande Douve
Vivace aquatique du bord des eaux, à fortes tiges et à feuilles caduques lancéolées glauques. Fleurs jaunes en fin de printemps.
H. 90 cm ; E. 45 cm.

☼ ◗ ❄❄❄

Nuphar lutea
Nénuphar jaune
Vivace aquatique d'eau assez profonde (0,50-1 m). Feuilles caduques coriaces et petites fleurs jaunes légèrement odorantes s'ouvrant en été. Fruits caractéristiques.
E. 1,5 m.

☼ ◗ ❄❄❄

Orontium aquaticum
Vivace aquatique du bord des eaux. Au printemps, des spadices à fleurs jaunes apparaissent au-dessus des feuilles caduques flottantes, oblongues, d'un vert légèrement bleuté. E. 60 cm.

☼ ◗ ❄❄❄

Cotula coronopifolia
Nelumbo lutea
Nuphar advena
Ranunculus lingua ´Grandiflora´

Utricularia vulgaris

377

Selenicereus grandiflorus
Cactée vivace en forme de cierge à tiges vertes avec 7 ou 8 cannelures et des aiguillons courts brunâtres. En été, des fleurs blanches de 18-30 cm de large s'ouvrent la nuit. H. 3 m ; E. variable. Min. 17 °C.

Cereus peruvianus
Cactée vivace en cierge columnaire dont la tige rameuse vert bleuté compte de 4 à 8 côtes à aiguillons bruns. En été, fleurs blanches nocturnes de 12 cm de large, suivies de fruits rouges. H. 5 m ; E. 4 m. Min. 7 °C.

Azurocereus hertlingianus,
syn. Browningia hertlingianius
Cactée vivace en cierge columnaire, à croissance lente. Tige bleu argenté à aiguillons jaune-brun et à aréoles touffues. En été, fleurs blanches nocturnes sur les plantes de plus d'1 m. H. 8 m ; E. 4 m. Min. 7 °C.

Trichocereus bridgesii
Cactée vivace en forme de cierge ; tiges à côtes verticales bleu-vert ramifiées à la base. Chaque aréole produit jusqu'à 6 aiguillons. Fleurs blanches nocturnes à odeur de jasmin. H. 5 m ; E. 1 m. Min. 12 °C.

Myrtillocactus geometrizans
Cactée columnaire vivace à tige bleu-vert très ramifiée, à 5 ou 6 côtes, portant de courts aiguillons noirs quand elle dépasse 30 cm de haut, et des fleurs blanches pendant les nuits d'été. H. 4 m ; E. 2 m. Min. 12 °C.

Pachypodium lameri
Vivace succulente à tige épineuse vert pâle couronnée de feuilles linéaires. En été, sur les plantes dépassant 1,5 m, fleurs blanc crème parfumées. La tige se ramifie après chaque floraison. H. 6 m ; E. 1 m. Min. 15 °C.

Cereus forbesii
Cactée vivace columnaire dont la tige bleu-vert ramifiée porte des aiguillons bruns sur des côtes proéminentes. En été, fleurs blanches de 25 cm de long, suivies de fruits rouges. H. 7 m ; E. 3 m. Min. 7 °C.

Carnegiea gigantea
Une des plus grandes cactées vivaces, à tige columnaire verte, épaisse, à côtes et aiguillons. Croissance lente, et tendance à se ramifier. En été, fleurs blanches à l'extrémité des tiges, quand la plante dépasse 4 m. H. 12 m ; E. 3 m. Min. 10 °C.

AUTRES PLANTES CONSEILLÉES :
Agave americana
Epiphyllum anguliger, p. 382
Rhipsalis tucumanensis, p. 382
Rhipsalis warmingiana, p. 382
Trichocereus candicans, p. 382

Lemaireocereus marginatus,
syn. **Marginatocereus marginatus**
Cactée vivace columnaire dont la tige
luisante, à 5 ou 6 côtes, se ramifie à la
base. Chaque aréole est armée de petits
aiguillons. En été, fleurs blanches en
entonnoir. H. 7 m; E. 3 m. Min. 11 °C.

☀ ◊

Agave parviflora
Vivace succulente formant une rosette
basale de feuilles étroites vert sombre
marqué de blanc, avec des fibres
blanches partant du bord du limbe.
Fleurs blanches en été. H. 1,5 m; E.
50 cm. Min. 5 °C.

☀ ◊

Stetsonia coryne
Cactée vivace à «tronc» court renflé
portant des tiges bleu-vert à 8 ou
9 côtes. Les aiguillons noirs
s'éclaircissent avec l'âge. Fleurs
nocturnes blanches en été. H. 8 m;
E. 4 m. Min. 10 °C.

☀ ◊

Crassula ovata,
syn. **C. portulacea**
Sous-arbrisseau charnu vivace, à tiges
dressées couronnées de feuilles luisantes
vertes parfois bordées de rouge. Fleurs
blanches en automne-hiver.
H. 1 m et plus; E. 2 m. Min. 5 °C.

☀ ◊

Trichocereus spachianus
Cactée vivace formant des colonies de
tiges luisantes comportant de 10 à
15 côtes et des aiguillons jaune paille.
Fleurs blanches nocturnes, parfumées,
en été. H. et E. 2 m. Min. 12 °C.

☀ ◊

Espostoa lanata
Cactée columnaire vivace à croissance
très lente, à tige vert clair laineuse,
ramifiée souvent en hauteur. En été, sur
les plantes dépassant 1 m, fleurs
blanches nocturnes à mauvaise odeur.
H. 4 m; E. 2 m. Min. 15 °C.

☀ ◊

Pereskia aculeata
Groseillier des Barbades
Cactée à feuilles caduques larges portées
par une tige ligneuse. Des fleurs blanc
crème à centre orange apparaissent en
automne sur les plantes dépassant 1 m
de haut. Peut se palisser. H. 10 m;
E. 5 m. Min. 18 °C.

☀ ◊

Agave americana 'Variegata'
Vivace formant une rosette basale de
feuilles charnues de 1,50 m de long, très
pointues, bleu-vert à bords jaunes, et
émettant de nombreux rejets. Au
printemps et en été, panicule de 10 m de
haut de fleurs blanches de 9 cm de long.
H. et E. 2 m.

☀ ◊ ❁

Agave americana 'Medio-picta'
Epiphyllum crenatum

Lemaireocereus thurberi
Pereskia aculeata 'Godseffiana

Cactées et autres plantes succulentes/grande taille

◻️ BLANC, ROSE

◼️ ROSE, ROUGE

Haageocereus versicolor
Cactée vivace columnaire, à denses aiguillons jaunes, rouges ou bruns suivant les moments. En été, des fleurs blanches s'épanouissent près du sommet des tiges. H. 2 m ; E. 1 m. Min. 11 °C.

Crassula arborescens
Sous-arbrisseau vivace tortueux, rameux, à feuilles charnues arrondies bleu argenté, souvent bordées de pourpre. Grappes de fleurs roses à 5 pétales en automne-hiver. H. 1 m ; E. 2 m. Min. 5-7 °C.

Pereskia grandifolia,
syn. *Rhodocactus grandifolius*
Cactée vivace à tige ligneuse et véritables feuilles, caduques, avec des aiguillons à l'aisselle. Petites fleurs terminales rosées en été et automne. H. 5 m ; E. 3 m. Min. 18 °C.

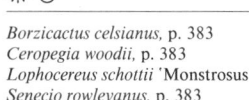

Adenium obesum
Rose du désert
Vivace succulente à tronc en partie verdâtre, et à tiges couronnées de feuilles ovales, luisantes, vertes, à dessous terne. Fleurs de rose à rouge rosé, à intérieur blanc, en été. H. 2 m ; E. 50 cm. Min. 15 °C.

Lophocereus schottii
Cactée vivace en colonne, se ramifiant avec l'âge. La tige verte comprend de 4-15 côtes portant de petits aiguillons blancs. En été, fleurs nocturnes roses en entonnoir. H. 7 m ; E. 2 m. Min. 10 °C.

Pilosocereus palmeri
Cactée vivace columnaire à 10 ou 12 côtes. Le sommet est couvert de longs poils blanchâtres. Fleurs nocturnes roses à anthères crème, en été, sur les plantes dépassant 1,5 m. H. 6 m ; E. 1 m. Min. 11 °C.

Aloe arborescens 'Variegata'
Corne de bélier 'Variegata'
Plante à tiges ligneuses portant des feuilles charnues persistantes, longues et étroites, à bord denté et à rayures crème. Nombreuses grappes de fleurs rouges fin hiver et au printemps. H. 4 m ; E. 2 m. Min. 15 °C.

Aloe ferox
Aloès ferox
Plante à tige ligneuse de 3 m de long, couronnée par une rosette dense de feuilles persistantes charnues bleu-vert à bord et dos épineux. Au printemps, grappe dense de fleurs orange. H. 3 m ; E. 2 m. Min. 15 °C.

Aloe ciliaris
Aloès ciliaris
Vivace succulente sarmenteuse à longue tige grêle et à feuilles vertes lancéolées, étroites, à bord denté. Au printemps, grappes de fleurs rouges campanulées à bouche jaune et verte. H. 5 m ; E. 30 cm. Min. 15 °C.

Cyphostemma juttae,
syn. *Cissus juttae*
Vivace à tige renflée ressemblant à un tubercule, avec une écorce qui s'exfolie, et des feuilles charnues larges. Fleurs discrètes jaune-vert en été, fruits verts devenant rouges ou jaunes. H. et E. 2 m. Min. 10 °C.

Lemaireocereus euphorbioides
Cactée vivace en colonne, à tiges allant de gris-vert à vert foncé, de 10 cm de diamètre, comptant de 8-10 côtes et 1 ou 2 aiguillons noirs par aréole. Fleurs rouges en été. H. 3 m ; E. 1 m. Min. 11 °C.

Pedilanthus tithymaloides
'Variegata'
Vivace succulente arbustive, à feuilles
panachées de blanc ou de rose. En été,
sur les extrémités des tiges, petites fleurs
verdâtres entre des bractées allant de
rouge à vert jaunâtre. H. 3 m; E. 30 cm.
Min. 10 °C.

Cephalocereus senilis
Cierge barbe de vieillard
Cactée vivace columnaire, à croissance
lente, avec une tige verte couverte de
poils blancs cachant de courts aiguillons.
Fleurs rouges (rares en culture).
H. 5 m; E. 30 cm. Min. 5 °C.

Furcraea foetida 'Mediopicta',
syn. *F. gigantea* 'Mediopicta'
Vivace succulente à rosette basale de
feuilles vertes lancéolées de 2 m de long,
à larges stries crème. En été, fleurs
vertes à intérieur blanc sur une hampe
de 10 m de haut. H. 3 m (sans fleurs);
E. 5 m. Min. 6 °C.

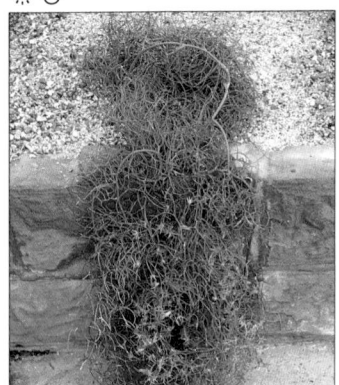

Bowiea volubilis
Bulbeuse succulente grimpante à
feuillage très réduit, à tiges frêles très
ramifiées. Petites fleurs estivales
étoilées, vertes, à l'extrémité des tiges.
Tuteurage nécessaire. H. 2 m;
E. 60 cm. Min. 10 °C.

Echinocactus grusonii
Cactée vivace à croissance lente. Tige
globuleuse, comptant de 20-37 côtes à
aiguillons jaune clair. Sommet laineux
portant des fleurs jaune paille en été sur
les plantes dépassant 40 cm de large.
H. et E. 2 m. Min. 17 °C.

Kalanchoe beharensis
Sous-arbrisseau vivace, touffu, charnu, à
grandes feuilles triangulaires ou
lancéolées vert olive à poils bruns.
Fleurs campanulées jaunes en fin
d'hiver. H. et E. 1,50 m.
Min. 10 °C.

Ferocactus acanthodes
Cactée vivace à croissance lente,
d'abord globuleuse, puis cylindrique.
Tige verte, comptant de 13-27 côtes, à
nombreux grands aiguillons. En été,
fleurs jaunes ou orangées sur les plantes
de plus de 25 cm. H. 3 m; E. 80 cm.
Min. 18 °C.

Opuntia robusta
Cactée vivace touffue, formée d'articles
aplatis, ovales, bleu argenté, sans
aiguillons ou comptant de
8-12 aiguillons blancs de 5 cm de long
par aréole. Au printemps et en été,
fleurs jaunes de 7 cm de diamètre. H. et
E. 5 m. Min. 5 °C.

Cleistocactus strausii
Cactée vivace à croissance rapide dont
les tiges ramifiées de 8 cm de diamètre
portent de petits aiguillons blancs. Au
printemps, nombreuses fleurs tubulaires
rouges sur les plantes dépassant 60 cm.
H. 3 m; E. 1 m. Min. 5 °C.

Cereus peruvianus 'Monstrosus'

Pachycereus pringlei
Cactée vivace en colonne, à croissance
lente, à tige ramifiée bleu-vert comptant
de 10-15 côtes. Chaque grande aréole
porte de 15-25 aiguillons blancs. Fleurit
difficilement en culture. H. 11 m;
E. 3 m. Min. 10 °C.

Opuntia brasiliensis

☐ BLANC

Gymnocalycium gibbosum
Cactée vivace globuleuse ou en cylindre court, à tige vert foncé comportant de 12-20 côtes arrondies, des aiguillons jaunes ou bruns, et portant en été de grandes fleurs blanches ou roses.
H. 30 cm; E. 20 cm. Min. 10 °C.

☼ ◊

Trichocereus candicans
Cactée vivace formant des colonies; ses tiges vertes avec jusqu'à 11 côtes se ramifient facilement à partir de la base. En été, elle porte des fleurs blanches parfumées, nocturnes. H. 1 m; E. variable. Min. 12 °C.

☼ ◊

Echinopsis multiplex
Cactée vivace subglobuleuse à tige verte comportant de 13-15 côtes verticales et des aiguillons jaunâtres. Au printemps et en été, grandes fleurs blanches ou roses, jusqu'à 20 cm de long. Produit de nombreux rejets. H. et E. 30 cm. Min. 5 °C.

☼ ◊

Agave victoriae-reginae
Vivace succulente à très nombreuses feuilles vert foncé à marges et bandes blanches, groupées en rosette sphérique. Croissance lente. Épi dense de 4,50 m de long début été, avec des fleurs jaunâtres sur plantes très âgées. H. et E. 60 cm. Min. 5 °C.

☼ ◊

Rhipsalis cereuscula
Cactée vivace à tiges vertes retombantes anguleuses ou cylindriques. Fleurs terminales hivernales blanches.
H. 60 cm; E. 50 cm. Min. 16-17 °C.

☽ ◊

Epiphyllum lauii
Cactus-Orchidée l.
Cactée vivace touffue, à tiges luisantes en forme de lanière et à fleurs blanches parfumées à sépales bruns, au printemps et en été. H. 30 cm; E. 50 cm. Min. 5-11 °C.

☼ ◊

Epiphyllum anguliger
Cactus-Orchidée a.
Cactée vivace érigée, puis pendante, à rameaux aplatis, à bord en dents de scie. En automne, fleurs tubulaires à sépales pourpre rosé et pétales blancs, de 10 cm de large. H. 1 m; E. 40 cm. Min. 5-11 °C.

☼ ◊

Rhipsalis warmingiana
Cactée vivace épiphyte érigée puis pendante, avec des rameaux frêles, cylindriques, entaillés, verts parfois teintés de rouge ou de brun. En hiver et au printemps, fleurs blanches, suivies de baies violettes. H. 1 m; E. 50 cm. Min. 16-17 °C.

☽ ◊

Rhipsalis tucumanensis
Cactée vivace à tiges vertes pendantes, cylindriques, ayant jusqu'à 1 cm de diamètre, se ramifiant moins que les autres espèces de *Rhipsalis*. En début d'été, nombreuses fleurs rose très pâle suivies de fruits blanc rosâtre. H. 1 m; E. 50 cm. Min. 16-17 °C.

☽ ◊

AUTRES PLANTES CONSEILLÉES :
Neoporteria chilensis

Senecio articulatus 'Variegatus'
Vivace succulente à tiges bleu argenté, à feuilles caduques marquées de crème et de rose. Du printemps à l'automne, elle porte des fleurs jaunes. H. 60 cm ; E. variable. Min. 10 °C.

☀ ◊

Hesperaloe parviflora
Vivace succulente formant une rosette de feuilles rigides bordées de filaments blancs. Les tiges florales portent en été-automne des inflorescences de fleurs allant de rose à rouge. H. 1,60 m ; E. 2 m. Min. 3 °C.

☀ ◊

Senecio rowleyanus
Vivace succulente dont les tiges grêles pendantes portent des feuilles vertes charnues. Du printemps à l'automne, elle porte des fleurs tubulaires blanches, parfumées. H. 1 m ; E. variable. Min. 5 °C.

☀ ◊

Ceropegia woodii
Sous-arbrisseau à souche tubéreuse, dont les longs rameaux grêles portent des feuilles semi-persistantes obovales, charnues, à dessus vert fortement panaché de blanc. Fleurs violet rosé du printemps à l'automne. H. 1 m ; E. variable. Min. 7 °C.

☀ ◊

Nopalxochia phyllantoides, syn. **Epiphyllum** 'Deutsche Kaiserin'
Cactée vivace épiphyte très rameuse, à rameaux aplatis vert clair crénelés, portant, au printemps, de nombreuses fleurs roses de 10 cm de diamètre. H. 50 cm ; E. 1 m. Min. 10 °C.

☀ ◊

Borzicactus celsianus, syn. **Oreocereus celsianus**
Cactée vivace à croissance lente, dont la tige verte porte des aiguillons jaunes et un céphalium blanc ; sur les plantes adultes, fleurs roses en été. H. 1 m ; E. 30 cm. Min. 10 °C.

☀ ◊

Kalanchoe fedtschenkoi 'Variegata'
Vivace succulente à tiges nombreuses, à feuilles glauques, un peu rougeâtres, à bord marqué de crème. En fin d'hiver et au printemps, fleurs rose brunâtre. H. et E. 75 cm. Min. 10 °C.

☀ ◊

Echinocereus schmollii, syn. **Wilcoxia schmollii**
Cactée à tiges basses, molles, vert pourpré, à aiguillons blancs. Elle porte des fleurs pourpre rosé au printemps et en été. H. et E. 30 cm. Min. 5-8 °C.

☀ ◊

Kalanchoe daigremontiana
Vivace succulente érigée, à feuilles lancéolées, portant des bulbilles dans les dents des feuilles. Fleurs rose violacé en fin de printemps et au début d'été. H. 1 m ; E. 30 cm. Min. 7 °C.

☀ ◊

Echinocereus reichenbachii var. **baileyi**, syn. **E. baileyi**
Cactée vivace portant des tiges un peu ramifiées et des aiguillons blanc jaunâtre de 3 cm de long. Elle produit des fleurs roses au printemps. H. 30 cm ; E. 20 cm. Min. 5-8 °C.

☀ ◊

Cactées et autres plantes succulentes/taille moyenne

Kalanchoe 'Wendy'
Vivace succulente semi-érigée à feuilles
ovales de 7 cm de long. En fin d'hiver,
elle porte des fleurs campanulées rouge
rosé à bout jaunâtre. Plante idéale pour
un panier suspendu. H. et E. 30 cm.
Min. 7-15 °C.

Aporocactus flagelliformis
Cactée vivace à tiges grêles vertes,
cylindriques, comportant de 10-
12 cannelures, à aiguillons courts,
portant au printemps des fleurs rose vif.
Convient bien pour un panier suspendu.
H. 1 m; E. variable. Min. 5 °C.

Epiphyllum 'Gloria'
Cactus-Orchidée 'Gloria'
Cactée vivace d'abord érigée, puis
pendante, à tiges vertes dentées,
produisant au printemps des fleurs
rouge rosé de 10 cm
d'envergure. H. 30 cm;
E. 1 m. Min. 5 °C.

Epiphyllum 'M.A. Jeans'
Cactus-Orchidée 'M.A.J.'
Cactée vivace d'abord érigée, puis
pendante, dont les rameaux aplatis
sont légèrement dentés. Au printemps,
elle porte des fleurs roses
de 8 cm de diamètre. H. 30 cm;
E. 50 cm. Min. 5 °C.

Echinocereus pentalophus
Cactée vivace à tiges allongées,
traînantes, comportant de 4-6 côtes et
des aiguillons. Fleurs en trompette rose
vif, de 12 cm d'envergure, au
printemps. H. 60 cm; E. 1 m.
Min. 5 °C.

Lampranthus spectabilis
Vivace succulente étalée, à feuilles
cylindriques glauques. Au printemps et
en début d'été, elle produit des fleurs
rouge pourpré à centre jaunâtre.
H. 30 cm; E. variable. Min. 5 °C.

Echinocereus reichenbachii
Kalanchoe fedtschenkoi
Lampranthus haworthii
Neoporteria chilensis

Kalanchoe blossfeldiana 'Flaming Katy'
Vivace succulente, touffue, à feuilles vertes ovales ou oblongues, dentées, luisantes. Toute l'année, bouquets de fleurs jaunes, orange, roses ou pourpres. Excellente plante d'intérieur.
H. et E. 30 cm. Min. 7-15 °C.

Gymnocalycium mihanovichii 'Red Head', syn. G. m. var. hibotan
Cactée vivace à tige rouge, à 8 côtes et à aiguillons recourbés. Cette variété sans chlorophylle doit être greffée sur un porte-greffe à croissance rapide. Au printemps et en été, fleurs roses. H. et E. selon porte-greffe. Min. 10 °C.

Aloe variegata
Aloès variegata
Vivace succulente à feuilles arquées triangulaires, vert sombre, marbrées de blanc, carénées sur le revers. Au printemps, fleurs rouge rosâtre. Bonne plante d'intérieur. H. 30 cm; E. 50 cm. Min. 15 °C.

Echeveria pulvinata
Vivace succulente touffue. Tiges couvertes de poils bruns, couronnées d'une rosette de feuilles épaisses vertes, bordées de rouge en automne, et couvertes de petits poils blancs. Au printemps, fleurs rouges. H. 30 cm; E. 50 cm. Min. 5 °C.

Oroya neoperuviana
Cactée vivace sphérique, à tige vert foncé à nombreuses côtes et couverte d'aiguillons jaunes, à base plus sombre, de 1,5 cm de long. Au printemps et en été, fleurs roses, jaunes à la base, issues de boutons rouge orangé. H. 25 cm; E. 20 cm. Min. 10 °C.

Dudleya pulverulenta
Vivace succulente, formant une rosette basale de feuilles rubanées, pointues, d'un gris argenté. Au printemps et en été, nombreuses fleurs rouges en forme d'étoile. H. 60 cm; E. 30 cm. Min. 7 °C.

Kalanchoe 'Tessa'
Vivace succulente à végétation prostrée ou retombante. Feuilles étroites, ovales, vertes, de 3 cm de long. Vers la fin de l'hiver, fleurs rouge orangé, tubulaires, de 2 cm de long. H. 30 cm; E. 60 cm. Min. 7-15 °C.

Ferocactus hamatacanthus, syn. Hamatocactus hamatacanthus
Cactée vivace à croissance lente, de forme allant de sphérique à columnaire. Elle présente une tige pourvue de 13 côtes, portant des aiguillons rouges, atteignant 12 cm de long; seuls les aiguillons centraux sont terminés en crochet. En été, elle porte des fleurs jaunes qui évoluent ensuite en fruits rouges sphériques. H. et E. 60 cm. Min. 18 °C.

Crassula falcata
Vivace succulente touffue, se ramifiant abondamment. Longues feuilles charnues grises, tordues comme une hélice. Vers la fin de l'été, grands bouquets de fleurs rouges parfumées. H. et E. 1 m. Min. 5-7 °C.

Echeveria gibbiflora

Cactées et autres plantes succulentes/taille moyenne

Mammillaria hahniana
Cactée vivace allant de globulaire à
columnaire. Tige couverte de longs poils
blancs, floconneux. Au printemps, fleurs
carmin, suivies en automne de fruits
sphériques rouges. H. 40 cm;
E. 15 cm. Min. 5 °C.

☀ ◊

Opuntia erinacea
Cactée vivace touffue, à tige verte
composée d'articles aplatis de 15 cm de
long, à aréoles produisant de
6-15 aiguillons blancs, ressemblant à des
poils et ayant 20 cm de long. En été,
masses de fleurs rouges ou jaunes.
H. 50 cm; E. 2 m. Min. 5 °C.

☀ ◊

Beschorneria yuccoides
Vivace succulente en touffe, à rosette
basale comportant jusqu'à 20 feuilles
rugueuses, vert grisâtre, de 5 cm de large
et jusqu'à 1 m de long. En été, fleurs
pendantes tubulaires, rouge vif, formant
des inflorescences de plus de 2 m de
haut. H. 1 m; E. 3 m.

☀ ◊ ❄

Aloe barbadensis, syn. *A. vera*
Aloès vera
Vivace succulente formant une touffe.
Rosette basale de feuilles épaisses
vertes, gris-vert par la suite. En été,
fleurs jaunes campanulées. Plante stérile
se propageant par rejets. H. 60 cm;
E. variable. Min. 15 °C.

☀ ◊

Mammillaria geminispina
Cactée vivace formant des colonies.
Tiges vertes, sphériques, densément
couvertes d'aiguillons blancs, courts en
position radiale, très longs en position
centrale. Au printemps, fleurs rouges de
1-2 cm de diamètre. H. 25 cm;
E. 50 cm. Min. 5 °C.

☀ ◊

Tylecodon reticulata,
syn. *Cotyledon reticulata*
Arbuste succulent, touffu, au feuillage
caduc. Les tiges enflées portent en hiver
des feuilles cylindriques. En automne,
fleurs tubulaires jaune-vert, sur des tiges
florales ligneuses. H. et E. 30 cm.
Min. 10 °C.

☀ ◊

Agave filifera
Vivace succulente, à rosette basale de
feuilles vertes, étroites, terminées en
pointe. Les marges blanches se
détachent peu à peu, donnant de
longues fibres blanches. En été, sur des
tiges de 2,5 m de haut, fleurs vert-jaune.
Nombreux rejets. H. 1 m; E. 2 m.

☀ ◊ ❄

Astrophytum myriostigma
Mitre d'évêque
Cactée vivace à croissance lente, de
forme sphérique ou légèrement étirée.
La tige charnue présente de 4-6 côtes :
elle est tachetée de blanc et n'a pas
d'aiguillon. Fleurs jaunes en été.
H. 30 cm; E. 20 cm. Min. 5 °C.

☀ ◊

x *Pachyveria glauca*
Vivace succulente formant des colonies,
à dense rosette basale de feuilles
charnues, recourbées, ovales, d'un bleu
argenté à marques plus sombres,
atteignant 6 cm de long. Au printemps,
fleurs étoilées jaunes à extrémités
rouges. H. et E. 30 cm. Min. 17 °C.

☀ ◊

Echeveria gibbiflora
Echinocereus triglochidiatus
Hoodia gordonii
Kalanchoe blossfeldiana

Senecio articulatus

Agave parryi
Vivace succulente à rosette basale de feuilles rigides, larges, vert grisé, atteignant jusqu'à 30 cm de long, avec une pointe à épine noire. En été, fleurs jaune crème le long d'une tige atteignant 4 m de long. H. 50 cm; E. 1 m. Min. 5 °C.

Copiapoa cinerea
Cactée vivace formant des colonies, à croissance très lente. La tige vert bleuté porte jusqu'à 25 côtes et des aiguillons noirs. Sur les plantes de plus de 10 cm de large, fleurs jaunes au printemps et en été. Apex blanc-gris, tomenteux. H. 50 cm; E. 2 m. Min. 12 °C.

Ferocactus setispinus,
syn. *Hamatocactus setispinus*
Cactée vivace, à croissance lente, à tige présentant 13 côtes et des aiguillons jaunes ou blancs. En été, fleurs jaunes à gorge rouge, parfumées, sur des plantes ayant plus de 5 cm de diamètre. H. et E. 30 cm. Min. 18 °C.

Agave attenuata
Vivace succulente à tige épaisse couronnée d'une rosette de feuilles vert pâle, en forme de glaive et dépourvues d'épine. Au printemps et en été, tige florale arquée, atteignant 1,5 m de long, densément couverte de fleurs jaunes. H. 1 m; E. 2 m. Min. 5 °C.

Aeonium haworthii
Vivace succulente dont les tiges ramifiées portent des rosettes de 12 cm de diamètre de feuilles bleu-vert, souvent bordées de rouge. Au printemps, fleurs étoilées jaune pâle, teintées de rose. H. 60 cm; E. 1 m. Min. 5 °C.

Kalanchoe tomentosa
Plante panda
Vivace succulente touffue, à feuilles grises, ovales, épaisses, couvertes de soies velouteuses et souvent bordées de brun. En hiver, fleurs pourpre jaunâtre. H. 50 cm; E. 30 cm. Min. 10 °C.

Lobivia haageana
Cactée vivace columnaire. La tige, vert bleuâtre à vert sombre, présente de 20-25 côtes, des aiguillons externes jaunes, et des aiguillons centraux plus longs et plus sombres. En été, fleurs jaunes à gorge rouge, de 7 cm de diamètre. H. 30 cm; E. 15 cm. Min. 5 °C.

Dioscorea elephantipes,
syn. *Testudinaria elephantipes*
Pied-d'éléphant
Vivace succulente à croissance très lente, à feuilles caduques. Tronc ligneux en dôme, tiges grimpantes annuelles et fleurs automnales jaunes. H. 50 cm; E. 1 m. Min. 18 °C.

Leuchtenbergia principis
Cactée vivace à rosette basale de mamelons étroits, angulaires, d'un vert grisé terne, de 10 cm de long, dont chacun porte au bout des aiguillons papyracés de 10 cm. En été, fleurs jaunes ayant jusqu'à 7 cm de diamètre. H. et E. 30 cm. Min. 16 °C.

Opuntia microdasys var. *alba*
Oreille-de-lapin
Cactée vivace touffue, à articles verts, ovales, aplatis. Les aréoles, dépourvues d'aiguillons, portent des glochides blancs, ressemblant à des poils. En été, fleurs jaunes en forme d'entonnoir. H. 60 cm; E. 30 cm. Min. 10 °C.

Epiphyllum ´Jennifer Ann´
Cactus-Orchidée ´J.A.´
Cactée vivace érigée puis retombante. Elle présente des tiges vertes, aplaties, rubanées, à bords dentés. Au printemps, fleurs jaunes de 15 cm de diamètre. H. 30 cm; E. 50 cm. Min. 5 °C.

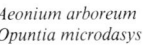
Aeonium arboreum
Opuntia microdasys

Cactées et autres plantes succulentes/taille moyenne

Parodia chrysacanthion
Cactée vivace sphérique, à tige verte,
présentant de nombreuses côtes,
densément couvertes d'aiguillons dorés,
de 1-2 cm de long, ressemblant à des
poils. L'extrémité de la tige est souvent
laineuse, jaune pâle; en été, fleurs
jaunes. H. et E. 30 cm. Min. 10 °C.

Notocactus leninghausii
Cactée vivace se ramifiant à la base,
avec l'âge. Tige à nombreuses côtes et à
aiguillons dorés. Le sommet, laineux, est
toujours dirigé vers le soleil. En été,
fleurs jaunes sur les plantes ayant plus
de 10 cm de haut. H. 1 m; E. 30 cm.
Min. 10 °C.

Opuntia tunicata
Cactée vivace à tige verte, formée
d'articles cyclindriques, densément
couverts d'aiguillons dorés, de 5 cm de
long, recouverts d'une gaine ressemblant
à du papier. Au printemps et en été,
fleurs jaunes. H. 60 cm; E. 1 m.
Min. 10 °C.

Aeonium arboreum
'Schwarzkopf'
Vivace succulente touffue, à tiges
surmontées d'une rosette d'étroites
feuilles pourpres. Au printemps, fleurs
jaune d'or, sur des tiges âgées de 2-3 ans
qui meurent ensuite. H. 60 cm; E. 1 m.
Min. 5 °C.

Hatiora salicornioides
Cactée vivace épiphyte, touffue,
largement ramifiée. Les tiges sont
composées d'articles de 3 cm de long.
Au printemps, fleurs terminales jaune
orangé en forme de cloche.
H. et E. 30 cm. Min. 17 °C.

Kalanchoe tubiflora
Vivace succulente érigée, à longues
feuilles presque cylindriques, vert grisé,
tachetées de marron rougeâtre, à bout
crochu, aplati, formant des bulbilles.
Fin hiver, ombelles de fleurs
jaune orangé pâle. H. 1 m;
E. 30 cm. Min. 8 °C.

Aloe striata
Aloès striata
Vivace succulente à rosette basale de
larges feuilles vert bleuté, marginées et
marquées de blanc, rougissant en plein
soleil. Au printemps, fleurs orange
rougeâtre. Bonne plante d'intérieur. H.
et E. 1 m. Min. 15 °C.

Cotyledon undulata
Sous-arbrisseau succulent dressé, à tige
enflée, portant des feuilles persistantes
vertes, ovales, couvertes de cire blanche,
à bout aplati ondulé. En automne, fleurs
orange, en forme de cloche, au sommet
d'une hampe florale de 70 cm de long.
H. et E. 50 cm. Min. 7 °C.

Lampranthus aurantiacus
Vivace succulente, érigée puis prostrée,
à ramification peu dense. Elle est
couverte de courtes feuilles
cylindriques, effilées, gris-vert. Des
masses de fleurs orange vif, de 5 cm de
diamètre, s'ouvrent sous le soleil, en été.
H. 50 cm; E. 70 cm. Min. 5 °C.

Cotyledon orbiculata

☐ BLANC

Mammillaria plumosa
Cactée vivace formant des colonies. La tige verte, sphérique, est complètement couverte d'aiguillons blancs, plumeux. Au milieu de l'hiver, fleurs crème. Difficile à cultiver. H. 12 cm; E. 40 cm. Min. 10 °C.

Gibbaeum velutinum
Vivace succulente formant des colonies. Les feuilles, veloutées et d'un vert grisé bleuâtre, atteignent 6 cm de long : elles ressemblent à des doigts. Au printemps, fleurs roses, lilas ou blanches, de 5 cm de diamètre. H. 8 cm; E. 30 cm. Min. 5 °C.

Haworthia truncata
Vivace succulente, à feuillage disposé sur le sol en éventail. Feuilles larges, érigées, rugueuses, bleu-gris avec des lignes gris pâle, tronquées et aplaties au sommet. Du printemps à l'automne, petites fleurs blanches tubulaires. H. 2 cm; E. 10 cm. Min. 16 °C.

Lithops marmorata
Pierre vivante, plante-caillou marmorata
Vivace succulente ressemblant à un caillou, composée de 2 feuilles de taille inégale, gonflées, gris pâle, marquées de

gris sombre sur la surface supérieure convexe. Fin été ou début automne, chaque pied porte une fleur blanche. H. 3 cm; E. 5 cm. Min. 5 °C.

Lithops karasmontana
Pierre vivante k.
Vivace succulente composée de 2 feuilles grises, de taille inégale, à surface supérieure rose, à motifs plus sombres, enfoncés. Fin été ou début automne, chaque pied porte une fleur blanche. H. 4 cm; E. 5 cm. Min. 5 °C.

Adromischus maculatus
Vivace succulente, formant une touffe. Feuilles arrondies, brillantes, vertes, marquées de pourpre, à bord supérieur souvent ondulé. En été, fleurs tubulaires d'un blanc pourpré, sur une tige de 30 cm de haut. H. 6 cm; E. 15 cm. Min. 7 °C.

Echinocereus leucanthus, syn. *Wilcoxia albiflora*
Cactée à racines tubéreuses, très ramifiée. Tiges prostrées à 6 ou 7 côtes et à aiguillons. Au printemps, fleurs terminales blanches, légèrement rayées de pourpre, avec un stigmate vert. H. 20 cm; E. 30 cm. Min. 8 °C.

Trichodiadema mirabile
Vivace succulente, de touffue à prostrée, à feuilles cylindriques vert foncé, couronnées de poils marron foncé et couvertes de papilles. Du printemps à l'automne, fleurs blanches, de 4 cm de diamètre, à l'extrémité des tiges. H. 15 cm; E. 30 cm. Min. 10 °C.

Haworthia attenuata var. *clariperla*
Vivace succulente, à rosette basale de feuilles triangulaires, de 3 cm de long, vert sombre, à marques blanches. Du printemps à l'automne, fleurs blanches tubulaires. H. 7 cm; E. 25 cm. Min. 16 °C.

Cactées et autres plantes succulentes/petite taille

☐ BLANC

Crassula socialis
Vivace succulente, qui s'étend. Denses rosettes d'1 cm de diamètre, de feuilles vertes charnues, triangulaires. Sur des tiges de 3 cm de haut, bouquets de fleurs printanières blanches, en forme d'étoile. H. 5 cm; E. variable. Min. 5 °C.

Strombocactus disciformis
Cactée vivace à croissance très lente, hémisphérique. Tige allant de gris-vert à marron, à mamelons épointés disposés en spirale. Les aréoles, d'abord feutrées de laine blanche, portent ensuite des aiguillons caducs. En été, fleurs crème. H. 3 cm; E. 10 cm. Min. 15 °C.

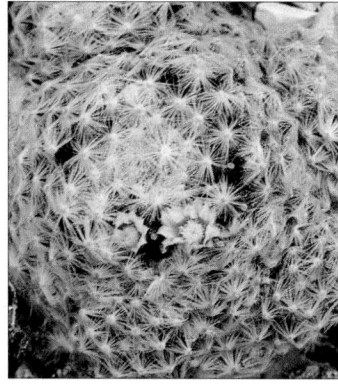

Mammillaria schiedeana
Cactée vivace formant des colonies. Chaque tige, de couleur verte, est couverte de petits aiguillons plumeux, jaunes, devenant blancs. Fin été, fleurs crème, puis fruits rougeâtres. H. 10 cm; E. 30 cm. Min. 5-10 °C.

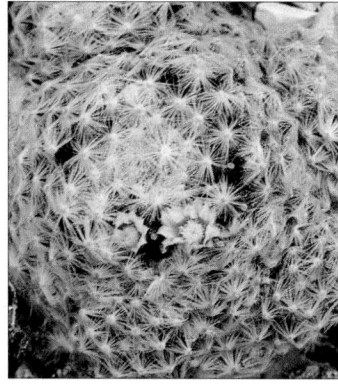

Neoporteria villosa
Cactée vivace formant des colonies, à tige ramifiée, de verte à gris-vert foncé. Grande densité d'aiguillons gris, de 3 cm de long, parfois recourbés. Au printemps ou en automne, fleurs tubulaires roses ou blanches. H. 15 cm; E. 10 cm. Min. 8 °C.

Oophytum nanum
Vivace succulente formant des colonies, à 2 feuilles réunies très charnues, vert vif. En automne, fleurs blanches ressemblant à des marguerites. Toute l'année, sauf au printemps, elle est recouverte d'une gaine sèche papyracée. H. 2 cm; E. 1 cm. Min. 5 °C.

Lithops lesliei var. albinica
Pierre vivante l.
Vivace succulente, composée de 2 feuilles de taille inégale, dont la surface supérieure, convexe, est vert pâle, à motifs jaunes et vert foncé. Fleur blanche en fin d'été ou en début d'automne. H. 3 cm; E. 5 cm. Min. 3-5 °C.

Haworthia arachnoidea, syn. *H. setata*
Vivace succulente à croissance lente, à rosette basale de feuilles triangulaires, pourvues le long du bord de longues dents blanches. Du printemps à l'automne, fleurs blanches. H. 5 cm; E. 10 cm. Min. 16 °C.

Conophytum truncatum
Vivace succulente à croissance lente, formant des colonies. Feuilles vert bleuté, à points sombres, ressemblant à un petit pois et présentant au sommet une fissure enfoncée. En automne, fleurs crème de 1,5 cm de diamètre. H. 1,5 cm; E. 15 cm. Min. 4 °C.

Mammillaria elongata
Cactée vivace formant des colonies. Tige columnaire verte, de 3 cm de diamètre, densément couverte d'aiguillons jaunes, dorés ou bruns. En été, fleurs crème. Produit d'abondants rejets. H. 15 cm; E. 30 cm. Min. 5 °C.

Aptenia cordifolia 'Variegata'
Haworthia attenuata

Mammillaria bocasana
Cactée vivace, formant des colonies.
Tige hémisphérique, couverte de longs
aiguillons blancs, ressemblant à des
poils. En été, fleurs crème ou roses;
fruits d'un rouge brillant au printemps
et en été de l'année suivante. H. 10 cm;
E. 30 cm. Min. 5 °C.

Neoporteria napina var. **mitis**
Cactée vivace en forme de sphère
aplatie, à aiguillons très courts, gris,
disposés à plat contre la tige de couleur
marron verdâtre. En été, elle est
couronnée de fleurs blanches, roses,
carmin ou brunes, de 5 cm de diamètre.
H. 2 cm; E. 3,5 cm. Min. 8 °C.

Lophophora williamsii
Peyote
Cactée vivace à croissance très lente,
formant des colonies. Tige bleu-vert, à
8 côtes. En été, sur des plantes de plus
de 3 cm de haut, fleurs roses à
proximité de l'apex. H. 5 cm; E. 8 cm.
Min. 5-10 °C.

Crassula multicava
Vivace succulente touffue, à feuilles
ovales gris-vert, de 8 cm de large. Au
printemps, sur de longues tiges,
nombreux bouquets de petites fleurs
roses, en forme d'étoile. H. 15 cm;
E. 1 m. Min. 5-7 °C.

Oscularia deltoides
Vivace succulente s'étalant en surface.
Feuilles trapues, triangulaires, vert
bleuté, d'1 cm de long; leur bord,
pourvu de petites dents, rougit souvent.
En début d'été, fleurs parfumées roses,
de 1 à 2 cm de large. H. 15 cm; E. 1 m.
Min. 3 °C.

Epithelantha micromeris
Cactée vivace à croissance lente,
sphérique, à tige verte dissimulée par
des aréoles très rapprochées portant de
minuscules aiguillons blancs. En été,
fleurs en entonnoir, rouge rosâtre pâle,
de 0,5 cm de diamètre, sur l'apex
laineux. H. et E. 4 cm. Min. 10 °C.

Notocactus rutilans
Cactée vivace columnaire. Tige à
20 côtes, souvent disposées en spirale.
Chaque aréole a environ 15 aiguillons
externes et 2 aiguillons centraux,
orientés vers le haut ou vers le bas. En
été, fleurs roses à centre crème.
H. 10 cm; E. 5 cm. Min. 10 °C.

Echeveria elegans
Vivace succulente formant des colonies.
Rosette basale de larges feuilles
charnues, bleu argenté pâle, bordées de
rouge. En été, fleurs roses à extrémité
jaune. Bonne plante pour la
mosaïculture. H. 5 cm; E. 50 cm.
Min. 5 °C.

Coryphantha vivipara
Cactée vivace sphérique à tige verte
densément couverte d'aiguillons gris. En
été, fleurs roses en forme d'entonnoir,
de 3,5 cm de diamètre. Elle est
nettement plus difficile à cultiver que
beaucoup d'autres espèces du même
genre. H. et E. 5 cm. Min. 5 °C.

Cactées et autres plantes succulentes/petite taille

■ ROSE

Schlumbergera 'Gold Charm'
Cactée vivace, au port érigé puis
retombant, composée d'articles plats,
oblongs, verts, à bords dentés. Fleurs
jaunes en début d'automne, devenant
orange rosâtre en hiver. H. 15 cm;
E. 30 cm. Min. 10 °C.

Ariocarpus fissuratus
Cactée vivace à croissance très lente, de
forme sphérique aplatie. Tige grise,
couverte de mamelons rugueux,
triangulaires, à sillon longitudinal
feutré. En automne, fleurs rouge rosé de
4 cm de large. H. 10 cm; E. 15 cm.
Min. 5 °C.

Ophthalmophyllum villetii
Vivace succulente formant des colonies,
composée d'une paire de feuilles
charnues, larges, érigées, d'un vert grisé,
soudées sur la plus grande longueur
mais présentant un lobe supérieur bien
divisé. Fin été, fleurs rose pâle.
H. 2,5 cm; E. 1 cm. Min. 5 °C.

Echinofossulocactus violaciflorus
Cactée vivace sphérique, à tige verte
pourvue d'environ 35 côtes ondulées.
Chaque aréole porte un aiguillon
supérieur aplati et des aiguillons
inférieurs, arrondis. Au printemps,
fleurs allant de rose à violet parfois mêlé
à du blanc. H. et E. 10 cm. Min. 5 °C.

Thelocactus bicolor
Cactée vivace, allant de sphérique à
columnaire. Tige présentant de
8-13 côtes. Chaque aréole porte
4 aiguillons centraux, en général aplatis,
jaunes ou rouge et jaune; nombreux
aiguillons externes plus courts. Fleurs
rose pourpré. H. et E. 20 cm. Min. 14 °C.

Mammillaria sempervivi
Cactée vivace sphérique, à croissance
lente. Tige vert foncé, à courts aiguillons
blancs. Sur les plantes de plus de 4 cm
de haut, flocons laineux blancs entre les
mamelons angulaires courts. Fleurs
printanières blanches ou roses. H. et
E. 7 cm. Min. 5 °C.

Aptenia cordifolia
Vivace succulente à croissance rapide,
prostrée. Feuilles ovales vertes et
luisantes. En été, fleurs rose vif,
ressemblant à des marguerites. Bon
couvre-sol. H. 5 cm; E. variable.
Min. 7 °C.

Rebutia violaciflora
Cactée vivace formant des colonies.
Tige mamelonnée vert foncé à aréoles
produisant chacune de 15-20 aiguillons
marron. Au printemps, fleurs en
trompette, rose foncé ou violettes, de
2 cm de diamètre. H. 5 cm; E. 15 cm.
Min. 5 °C.

Melocactus communis
Cactus melon
Cactée vivace, de forme sphérique
aplatie, à tige portant de 18-20 côtes et
des aiguillons jaune marron. Au
sommet, céphalium blanc, couvert de
soies brunes, qui porte des fleurs roses
en été. H. 20 cm; E. 25 cm. Min. 18 °C.

Rhipsalidopsis rosea
Cactée vivace touffue, composée
d'articles minces garnis de soies, verts,
souvent teintés de pourpre. Au
printemps, masse de fleurs roses
campanulées, larges de 4 cm au
maximum. H. et E. 10 cm. Min. 16 °C.

Aptenia cordifolia 'Variegata'
Kalanchoe pumila
Melocactus matanzanus

392

Mammillaria zeilmanniana
Cactée vivace formant des colonies. La
tige, verte et sphérique, présente des
aiguillons crochus et une couronne de
fleurs de rose foncé à pourpre
s'épanouissant au printemps. H. 15 cm ;
E. 30 cm. Min. 5-10 °C.

☀ ◌

Lobivia backebergii
Cactée vivace formant des colonies. La
tige vert foncé, presque sphérique,
présente de 10-15 côtes et des aiguillons.
En été, fleurs de courte durée de vie, en
entonnoir, roses, rouges ou pourpres, à
gorge plus claire. H. 10 cm ; E. 15 cm.
Min. 5 °C.

☀ ◌

Lobivia pentlandii
Cactée vivace, solitaire ou en groupe,
aux caractéristiques variables. Tige
verte présentant de 10-20 côtes et des
aréoles produisant de 6-20 aiguillons.
En été, fleurs blanches, roses, pourpres
ou orange, à gorge plus claire. H. 8 cm ;
E. 10 cm. Min. 5 °C.

☀ ◌

Frithia pulchra
Vivace succulente à rosette de feuilles
basales érigées, rugueuses, grises,
cyclindriques, aplaties au sommet. En
été, masse de fleurs rose vif, à centre
plus pâle, ressemblant à des
marguerites, dépourvues de tiges.
H. 3 cm ; E. 6 cm. Min. 10 °C.

☀ ◌

Crassula schmidtii
Vivace succulente tapissante, à denses
rosettes de feuilles linéaires vert foncé,
ayant de 3-4 cm de long. En hiver,
masses de fleurs d'un rouge rosâtre vif,
en forme d'étoile, associées en bouquets.
H. 10 cm ; E. 30 cm. Min. 5-7 °C.

☀ ◌

Echeveria secunda
Vivace succulente formant des colonies.
Tiges courtes, couronnées d'une rosette
de larges feuilles charnues, de vert clair
à grises, rougissant vers le haut. Au
printemps et en été, fleurs en forme de
coupe, rouge et jaune. H. 4 cm ;
E. 30 cm. Min. 5 °C.

☀ ◌

Trichodiadema densum

Graptopetalum bellum,
syn. *Tacitus bellus*
Vivace succulente à rosette basale de
feuilles triangulaires ou ovales, grises, de
5 cm de long. Au printemps et en été,
bouquets de fleurs rose foncé ou rouges,
de 2 cm de diamètre. H. 3 cm ;
E. 15 cm. Min. 10 °C.

◐ ◌

Argyroderma pearsonii,
syn. *A. schlechteri*
Vivace succulente prostrée composée
d'une paire de feuilles en forme d'œuf,
en partie soudées, très charnues, gris
argenté, avec une fissure profonde entre
les 2. En été, fleur rouge de 3 cm de
large. H. 3 cm ; E. 5 cm. Min. 11 °C.

☀ ◌

Schlumbergera truncata,
syn. *Zygocactus truncatus*
Cactus crabe
Cactée vivace, au port érigé puis
retombant, composée d'articles oblongs,
à bords dentés. En début d'automne et
en hiver, fleurs rouge-pourpre.
H. 15 cm ; E. 30 cm. Min. 10 °C.

◐ ◌

Cactées et autres plantes succulentes/petite taille
■ ROUGE

Cephalophyllum alstonii
Vivace succulente prostrée, à feuilles cylindriques gris-vert, atteignant 7 cm de long. En été, fleurs rouge foncé, de 8 cm de diamètre. H. 10 cm; E. 1 m. Min. 5 °C.

☼ ◊

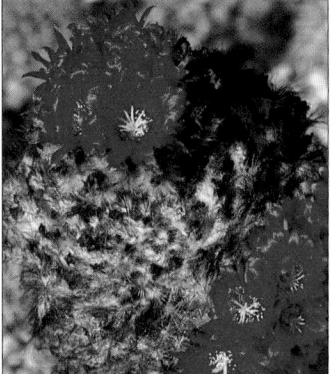

Parodia sanguiniflora
Cactée vivace formant des colonies. Tige verte à nombreuses côtes, densément couverte d'aiguillons externes marron, et d'aiguillons centraux rouges, dont certains crochus. Au printemps, fleurs rouge sang, parfois jaunes. H. 8 cm; E. 30 cm. Min. 10 °C.

◐ ◊

Rebutia krainziana
Cactée vivace formant des colonies, à tige verte mamelonnée, à aréoles blanches, saillantes, produisant de courts aiguillons blancs. Au printemps, fleurs en trompette, rouge vif, ayant jusqu'à 5 cm de diamètre, à la base de la tige. H. 5 cm; E. 20 cm. Min. 5 °C.

☼ ◊

Parodia nivosa
Cactée vivace, à tige de forme ovoïde, très côtelée, avec des aiguillons blancs, rigides, de 1-2 cm de long. En été, sur la zone apicale blanche et laineuse, fleurs rouge vif, ayant jusqu'à 5 cm de diamètre. H. 15 cm; E. 10 cm. Min. 10 °C.

☼ ◊

Sulcorebutia tiraquensis
Cactée vivace, aux caractéristiques variables. Tige verte en forme de sphère aplatie. Aréoles allongées, à aiguillons dorés, marron foncé, rouge marron ou bicolores, rouge et blanc. Fleurs printanières rose foncé ou rouge orangé. H. 15 cm; E. 10 cm. Min. 15 °C.

☼ ◊

Opuntia verschaffeltii
Cactée vivace, formant des colonies. La tige, ayant jusqu'à 25 cm de long, est formée d'articles cylindriques, le plus souvent dépourvus d'aiguillons : elle porte à leur extrémité supérieure des feuilles cylindriques, se maintenant du printemps à l'automne. Ses fleurs printanières sont rouge orangé. H. 15 cm; E. 2 m. Min. 5 °C.

Argyroderma fissum, syn. A. brevipes
Vivace succulente en touffe, à feuilles charnues en forme de doigt, de 5-10 cm de long, rougissant souvent au sommet. En été, fleurs rouge clair entre les feuilles. H. 15 cm; E. 10 cm. Min. 11 °C.

☼ ◊

Echeveria agavoides
Vivace succulente, formant une rosette basale de feuilles effilées, vert clair, souvent bordées de rouge. En été, fleurs rouges, en forme de coupe, de 1 cm de long. H. 15 cm; E. 30 cm. Min. 5 °C.

Cotyledon ladysmithensis
Sous-arbrisseau succulent ramifié, puis prostré. Feuilles vertes persistantes charnues, gonflées, émoussées au sommet et couvertes de courts poils marron doré. En automne, bouquets de fleurs tubulaires d'un rouge brunâtre. H. et E. 20 cm. Min. 5 °C.

 ☼ ◊

 ☼ ◊

 ☼ ◊

Rebutia spegazziniana
Cactée vivace formant des colonies. La tige verte d'un diamètre de 4 cm, couverte d'aiguillons, d'abord sphérique, devient columnaire avec l'âge. Fin printemps, masses de fleurs minces rouge orangé, à la base. H. 10 cm; E. 20 cm. Min. 5 °C.

☼ ◊

Notocactus haselbergii
Cactée vivace à croissance lente, à tige sphérique aplatie, couverte d'aiguillons blancs. L'apex, légèrement déprimé, porte au printemps des fleurs rouges à stigmates jaunes. H. 10 cm; E. 25 cm. Min. 10 °C.

☼ ◊

Echinocereus triglochidiatus var. paucispinus
Cactée vivace formant des colonies. Tige vert foncé, de 10 cm de large, à 6 ou 7 côtes et à aréoles produisant de 4-6 aiguillons de 3-4 cm de long. Fleurs printanières rouge orangé. H. 20 cm; E. 50 cm. Min. 5 °C.

☼ ◊

Schlumbergera 'Bristol Beauty'
Cactée vivace à port érigé puis retombant, à tige formée d'articles verts aplatis, dentés en bordure. Début automne et en hiver, fleurs d'un pourpre rougeâtre, à étamines blanc argenté. H. 15 cm; E. 30 cm. Min. 10 °C.

☼ ◊

Chamaecereus silvestri
Cactée vivace formant des colonies, à tiges vertes en forme de doigt, d'abord érigées, puis prostrées, couvertes d'aiguillons. Fin printemps, fleurs en entonnoir, rouge orangé. H. 10 cm; E. variable. Min. 3 °C.

☼ ◊

Pachyphytum oviferum
Vivace succulente formant des colonies. Rosette basale de feuilles ovales, bleu grisâtre. Au printemps, la tige florale porte de 10-15 fleurs en forme de cloche, à sépales bleu pâle et à pétales rouge orangé. H. 10 cm; E. 30 cm. Min. 5-10 °C.

☼ ◊

Neolloydia conoidea
Cactée vivace à tige columnaire vert bleuté, densément couverte d'aiguillons externes blancs et d'aiguillons centraux brun foncé, plus longs. En été, fleurs en entonnoir, violet-pourpre. H. 10 cm; E. 15 cm. Min. 16 °C.

☼ ◊

Rhipsalidopsis gaertneri
Cactus de Pâques
Cactée vivace touffue, à tige verte formée d'articles plats, oblongs, de 5 cm de long, souvent teintés de rouge en bordure. Chaque article terminal porte au printemps des fleurs rouge orangé. H. 15 cm; E. 20 cm. Min. 16 °C.

☼ ◊

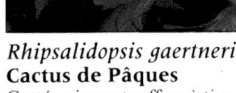

Caralluma joannis
Vivace succulente formant une touffe. Tiges angulaires gris bleuté, à feuilles rudimentaires le long des arêtes. Fin été, au bout des tiges, bouquets de fleurs étoilées pourpres, à courts poils fins sur le sommet des pétales. H. 20 cm; E. 1 m. Min. 13 °C.

☼ ◊

Schlumbergera bridgesii
Thelocactus madowellii

Cactées et autres plantes succulentes/petite taille

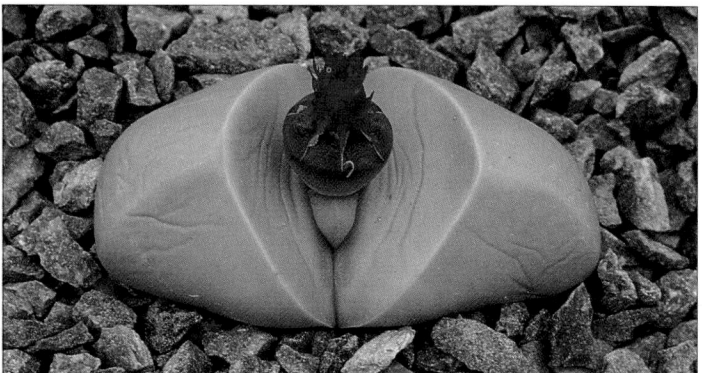

**Argyroderma delaetii,
syn. *A. blandum***
Vivace succulente prostrée, à 2 feuilles
très charnues, vert argenté, ovoïdes. Fin
été, fleur rose pourpré, de 5 cm de
diamètre, entre les 2 feuilles. H. 3 cm ;
E. 5 cm. Min. 11 °C.

Echinofossulocactus pentacanthus
Cactée vivace sphérique, à tige verte
portant de 25-50 côtes étroites, ondulées.
Chaque aréole a un aiguillon supérieur
aplati et des aiguillons inférieurs plus
arrondis, disposés en croix. Au
printemps, fleur violette, bordée de
blanc. H. et E. 8 cm. Min. 5 °C.

Huernia macrocarpa var. *arabica*
Vivace succulente formant des colonies,
à tiges vertes en forme de doigt, avec 4
ou 5 côtés, et à feuilles caduques de
courte durée de vie. En automne, fleurs
campanulées pourpre sombre, à poils
blancs, avec des pétales à bout recourbé.
H. et E. 10 cm. Min. 8 °C.

Stapelia variegata
Vivace succulente formant des colonies.
Tiges vert sombre, dentées, à 4 angles,
se ramifiant abondamment à la base. En
été et en automne, fleurs de couleur
variable, tachées de jaune, de pourpre
ou de rouge marron. H. 10 cm ;
E. variable. Min. 15 °C.

Stapelia flavirostris
Vivace succulente formant des colonies.
Tiges à 4 angles, vertes, poilues et
dentées. En été et en automne, fleurs
étoilées pourpre marron, atteignant
10 cm de diamètre, avec des poils
blancs ou pourpres. H. 20 cm ;
E. variable. Min. 15 °C.

Duvalia corderoyi
Vivace succulente formant des colonies,
à tige prostrée, sans feuilles, à 6 côtes
peu distinctes, souvent teintées de
pourpre. En été et en automne, fleurs
étoilées vert terne, de 1 cm de diamètre,
couvertes de poils pourpres. H. 5 cm ;
E. 60 cm. Min. 20 °C.

Crassula deceptrix
Vivace succulente formant des colonies,
à croissance lente. Tiges ramifiées,
entourées de feuilles charnues grises,
disposées sur 4 rangs, à minuscules
lignes entourant des points saillants. Au
printemps, fleurs insignifiantes.
H. et E. 10 cm. Min. 5 °C.

Stapelia gigantea
Vivace succulente formant de vastes
groupes. Tiges vertes, veloutées, à
4 angles. En été et en automne, fleurs
étoilées jaune marron, marquées de
rouge, de 30 cm de diamètre, à poils
blancs et à bords recourbés. H. 20 cm ;
E. variable. Min. 15 °C.

Ancistrocactus scheeri,
syn. *A. megarhizus*
Cactée vivace à tige globuleuse ou columnaire, portant des aiguillons. Au printemps, fleurs en entonnoir, couleur paille. Aiguillons centraux inférieurs sombres, très longs, terminés en crochet. H. 10 cm; E. 6 cm. Min. 12 °C.

Maihuenia poeppigii
Cactée vivace à croissance lente, formant une touffe. La tige est formée d'articles cylindriques vert marron, portant des aiguillons. La plupart portent au sommet des feuilles vertes, couronnées en été d'une fleur jaune en entonnoir. H. 6 cm; E. 30 cm.

Aichryson × *domesticum*
'Variegatum'
Vivace succulente prostrée, à tiges couronnées de rosettes de feuilles poilues vertes, panachées de crème, parfois crème pur. Au printemps, fleurs jaunes étoilées. H. 15 cm; E. 40 cm. Min. 5 °C.

Frailea pulcherrima
Cactée vivace à tige columnaire à nombreuses côtes et à aiguillons allant de blanc à marron clair. Les boutons floraux qui donnent rarement des fleurs jaunes aplaties, forment de petites touffes de fruits épineux globuleux. H. 5 cm; E. 2 cm. Min. 5 °C.

Aloinopsis schooneesii
Vivace succulente naine, formant un monticule. Racines tubéreuses. Feuilles charnues presque sphériques, vert bleuté, formant de petits tas bien compacts. En hiver et au printemps, fleurs jaunes aplaties. H. 3 cm; E. 7 cm. Min. 7 °C.

Notocactus mammulosus
Cactée vivace de forme sphérique. La tige verte comporte environ 20 côtes et des aiguillons droits, rigides, de jaune marron à blanc, atteignant 1 cm de long. En été, masses de fleurs jaune d'or sur l'apex laineux. H. et E. 10 cm. Min. 10 °C.

Astrophytum ornatum
Cactée vivace, de forme sphérique allongée. La tige, très charnue, présente 8 côtes, avec des aréoles saillantes à aiguillons de 5-11 cm de long. Les fleurs jaunes, estivales, ont 8 cm de diamètre. H. 15 cm; E. 12 cm. Min. 5 °C.

Gymnocalycium andreae
Cactée vivace formant des colonies. La tige vert foncé, brillante, sphérique, porte 8 côtes à mamelons arrondis. Les aréoles ont jusqu'à 8 aiguillons blanchâtres. Au printemps et en été, fleurs jaunes de 5 cm de large. H. 6 cm; E. 10 cm. Min. 10 °C.

Euphorbia obesa
Euphorbe obesa
Vivace succulente sphérique. Tige sans épines vert foncé, souvent quadrillée de vert clair, à 8 côtes à peine marquées. En été, têtes arrondies de fleurs jaunes en forme de coupe sur l'apex. H. 12 cm; E. 15 cm. Min. 10 °C.

Huernia macrocarpa
Neoporteria napina

Cactées et autres plantes succulentes/petite taille

Rhombophyllum rhomboideum
Vivace succulente formant de petites touffes. Feuilles brillantes, gris-vert à marge blanche, linéaires, avec une zone dilatée au milieu. En été, sur des tiges de 2-5 cm de long, fleurs jaunes de 4 cm de diamètre. H. 5 cm; E. 15 cm. Min. 5 °C.

Aeonium tabuliforme
Vivace succulente à courte durée de vie, prostrée, presque dépourvue de tige. Rosette basale de feuilles plates vert clair, ayant jusqu'à 30 cm de diamètre. Au printemps, fleurs jaunes étoilées. Multiplier la plante par graines. H. 5 cm; E. 30 cm. Min. 5 °C.

Opuntia humifusa
Cactée vivace prostrée, composée d'articles aplatis vert foncé, teintés de pourpre, de 7-18 cm de long. Chaque aréole porte jusqu'à 3 aiguillons. Au printemps et en été, fleurs jaunes de 8 cm de large. H. 15 cm; E. 1 m.

Schwantesia ruedebuschii
Vivace succulente à feuilles cylindriques vert bleuâtre, de 3-5 cm de long; le sommet est dilaté et présente en bordure de 3-7 dents minuscules, marquées de marron au bout. En été, fleurs jaunes. H. 5 cm; E. 20 cm. Min. 10 °C.

Lithops schwantesii
var. *kuibisensis*
Pierre vivante s.
Vivace succulente ressemblant à un caillou, à 2 feuilles inégales, bleu argenté, à marques bleues ou rouges sur le haut. Fin été ou en automne, fleur jaune. H. et E. 3 cm. Min. 3-5 °C.

Agave utahensis
Vivace succulente à rosette basale de feuilles rigides, vert bleuté, pourvues d'épines en bordure et se terminant par une longue épine sombre. En été, fleurs jaunes le long d'une tige atteignant jusqu'à 1,5 m de long. H. 25 cm; E. 30 cm. Min. 5 °C.

Pleiospilos simulans
Vivace succulente formant des colonies. Elle se compose d'1 ou 2 paires de feuilles grises, épaisses, atteignant 8 cm de long. En début d'automne, fleurs jaunes sentant la noix de coco. H. 10 cm; E. 30 cm. Min. 5 °C.

Lithops dorotheae
Pierre vivante d.
Vivace succulente à 2 feuilles de taille inégale, de jaune-rose pâle à vert, avec des marques plus sombres, des points et des lignes rouges sur le haut. Fin été ou en automne, fleur jaune. H. 3 cm; E. 5 cm. Min. 3-5 °C.

Graptopetalum paraguayense
Vivace succulente formant des colonies. Rosette basale de 15 cm de diamètre, de feuilles gris-vert, souvent teintées de rose. En été, fleurs jaunes en forme d'étoile. H. 10 cm; E. 1 m. Min. 5 °C.

Lithops pseudotruncatella var. *pulmonuncula*
Pierre vivante p.
Vivace succulente à 2 feuilles de taille inégale, grises, avec, sur le dessus, des marques vert foncé et rouges. En été ou en automne, fleurs jaunes. H. 3 cm; E. 4 cm. Min. 3-5 °C.

Mammillaria microhelia
Cactée vivace de forme columnaire. La tige verte, de 5 cm de large, porte des aiguillons crème ou marron, se décolorant avec l'âge. Au printemps, fleurs jaunes ou roses, de 1,5 cm de large. Produit des rejets en vieillissant. H. 20 cm; E. 40 cm. Min. 5 °C.

Lithops aucampiae
Lithops lesliei
Lithops pseudotruncatella
Lithops schwantesii

Coryphanta cornifera,
syn. *C. radians*
Cactée vivace, allant de sphérique à
columnaire, à mamelons angulaires,
portant chacun de courts aiguillons
externes rayonnants, légèrement arqués.
En été, fleurs jaunes en entonnoir.
H. 15 cm ; E. 10 cm. Min. 5 ºC.

Conophytum bilobum
Vivace succulente à croissance lente,
formant des colonies. Elle présente
2 feuilles vertes, charnues, en forme de
bec, ayant 4 cm de long et 2 cm de large.
En automne, fleurs jaunes évasées, de
3 cm de diamètre. H. 4 cm ; E. 15 cm.
Min. 4 ºC.

Faucaria tigrina
Gueule de tigre
Vivace succulente formant des colonies.
Sans tige, elle a des feuilles vertes,
charnues, de 5 cm de long, comptant de
9-10 dents le long de chaque marge. En
automne, fleurs jaunes de 5 cm.
H. 10 cm ; E. 50 cm. Min. 6 ºC.

Wigginsia vorwerkiana
Cactée vivace à croissance lente, de
forme sphérique aplatie. La tige,
brillante, présente jusqu'à 20 côtes
ressemblant à des verrues, et des
aiguillons blanc-jaune. En été,
fleurs jaunes. H. 8 cm ;
E. 9 cm. Min. 16 ºC.

Glottiphyllum nelii
Vivace succulente, formant une touffe
de feuilles semi-cylindriques, charnues,
vertes, atteignant 5 cm de long. Au
printemps et en été, fleurs jaune doré,
de 4 cm de diamètre. H. 5 cm ;
E. 30 cm. Min. 5 ºC.

Lobivia shaferi
Cactée vivace columnaire. Tiges vertes
étroites à nombreuses côtes, à aiguillons
externes de couleur pâle, avec parfois de
1-3 aiguillons centraux très rigides,
ayant jusqu'à 2,5 cm de long. En été,
fleurs jaunes. H. et E. 10 cm. Min. 5 ºC.

Fenestraria aurantiaca var.
rhopalophylla
Vivace succulente formant des colonies,
à feuilles cylindriques érigées, brillantes,
avec une extrémité aplatie. Fin été et en
automne, fleurs jaunes. H. 5 cm ;
E. 30 cm. Min. 6 ºC.

Titanopsis calcarea
Vivace succulente formant des colonies.
Feuilles basales très charnues, à sommet
triangulaire, gris bleuté, garnies de
particules calcaires blanc-gris et beige,
ressemblant à des verrues. Fleurs jaunes
de l'automne au printemps. H. 3 cm ;
E. 10 cm. Min. 18 ºC.

Pleiospilos bolusii
Vivace succulente formant des colonies,
présentant 1 ou 2 paires de feuilles
grises, souvent plus larges que longues,
se rétrécissant et s'incurvant vers le
haut. Début automne, fleurs jaune d'or.
H. 10 cm ; E. 20 cm. Min. 5 ºC.

Cactées et autres plantes succulentes/petite taille

Sulcorebutia arenacea
Cactée vivace sphérique, à tige marron vert, densément couverte d'aiguillons blancs, portés sur des mamelons disposés en spirale. Au printemps, fleurs jaune d'or de 3 cm de diamètre. Production de rejets tardive. H. 5 cm; E. 6 cm. Min. 15 °C.

Gasteria liliputana
Vivace succulente formant des touffes. Rosette basale de feuilles rubanées, brillantes, vert foncé, tachées de blanc. Au printemps, sur des tiges florales atteignant 15 cm de long, grappes de fleurs campanulées d'un vert orangé. H. 7 cm; E. 10 cm. Min. 17 °C.

Pachyphytum compactum
Vivace succulente formant des colonies. Rosette basale de feuilles à bords angulaires, de couleur plus pâle. Au printemps, les tiges portent chacune de 3-10 fleurs à calice allant de vert à rose, et à pétales orange. H. 15 cm; E. variable. Min. 5 °C.

Conophytum notabile
Vivace succulente sphérique, à croissance lente, formant des groupes de feuilles associées par 2, très charnues, gris-vert, avec souvent une tache rouge sur le bord de la fissure. En automne, fleurs d'un orange cuivré. H. 3 cm; E. variable. Min. 4 °C.

Malephora crocea
Vivace succulente érigée ou étalée, à feuilles semi-cylindriques, d'un vert bleuté, portées sur de courtes tiges. Au printemps et en été, fleurs solitaires jaune orangé, rougissant à l'extérieur. H. 20 cm; E. 1 m. Min. 5 °C.

Borzicactus aurantiacus,
syn. *Submatucana aurantiaca*
Cactée vivace sphérique, à tige verte comptant de 15-17 côtes. Les aréoles allongées portent chacune jusqu'à 30 aiguillons marron doré. En été, fleurs jaune orangé. H. 12 cm; E. 40 cm. Min. 10 °C.

Aloe aristata
Aloès aristata
Vivace succulente formant des colonies. Rosette basale de feuilles pointues, vert sombre à taches blanches et à dents douces au toucher. Au printemps, fleur orange. Très prolifère. H. 10 cm; E. 30 cm. Min. 15 °C.

Rebutia aureiflora
Cactée vivace formant des colonies, à tige vert foncé, souvent teintée de rouge-violet, à aiguillons externes rigides et à aiguillons centraux plus longs et doux. Fin printemps, masses de fleurs jaune orangé. H. 10 cm; E. 20 cm. Min. 5 °C.

Gasteria verrucosa
Vivace succulente formant des colonies, à feuilles rubanées, rigides, vert foncé, à points blancs saillants et à bords incurvés, disposées en éventail au niveau du sol. Au printemps, tiges à fleurs orange, à pointes vertes. H. 10 cm; E. 30 cm. Min. 17 °C.

Rebutia muscula
Cactée vivace formant des colonies. Tige vert foncé, densément couverte d'aiguillons blancs, doux, d'environ 0.5 cm de long. Fin printemps, fleurs orange vif, de 2-3 cm de diamètre. H. 10 cm; E. 15 cm. Min. 5 °C.

Aloe humilis
Echeveria derenbergii

Le DICTIONNAIRE DES PLANTES

Un guide complet donnant les caractéristiques et le mode de culture de plus de 6000 plantes de jardin cultivables en milieu tempéré.

A

ABELIA (Caprifoliacées)

Genre d'arbustes à feuilles caduques, semi-persistantes ou persistantes, cultivés pour leur feuillage et la beauté de leurs fleurs. Rustiques dans le midi de la France, et souvent peu rustiques dans la région parisienne ; dans les régions froides, il vaut mieux les planter contre des murs orientés au sud ou à l'ouest. Ont besoin d'une exposition ensoleillée, abritée et d'un sol fertile et bien drainé. Éliminer le bois mort à la fin du printemps et rabattre les rameaux anciens après la floraison pour limiter la croissance, si nécessaire. Multiplication par boutures de rameaux herbacés en été.
A. 'Edward Goucher', ill. p. 129.
A. floribunda. Arbuste à feuilles persistantes, à rameaux arqués. H. 3 m, E. 4 m. Semi-rustique. Feuilles ovales, luisantes, vert assez foncé. Donne au début de l'été des fleurs tubulaires, pendantes, rouge vif.
A. × grandiflora, ill. p. 88. **'Francis Mason'** est un vigoureux arbuste à branches arquées, à feuilles semi-persistantes. H. 2 m, E. 3 m. Semi-rustique. Jeunes rameaux jaune cuivre, feuilles ovales, vert jaunâtre à centre plus sombre. Donne, de la mi-été à la mi-automne, une masse de fleurs parfumées, en clochette, blanches teintées de rose.
A. schumannii, ill. p. 130.
A. triflora, ill. p. 88.

ABIES (Pinacées)
Sapin

Genre de conifères souvent grands, à branches verticillées. Les feuilles sont linéaires, aplaties, généralement lisses et souvent marquées de bandes argentées sur leur face inférieure. Portent des cônes dressés qui, à leur maturité, libèrent graines et écailles. Essences forestières supportant le couvert, aimant un air humide et un sol profond et sain. Voir aussi CONIFÈRES.
A. alba, syn. *A. pectinata* (**Sapin commun, Sapin des Vosges, Sapin argenté**). Conifère conique à croissance rapide. H. 40 m, E. 8 m. Très rustique. Écorce gris argent, quand il est jeune, aiguilles vertes à dessous à 2 bandes argentées. Cônes cylindriques de 10-15 cm de long, devenant brun-rouge à maturité.
A. amabilis. Conifère conique. H. 65 m, E. 6 m. Très rustique. Aiguilles denses, à bout semblant tronqué, luisantes, vert sombre à dessous rayé de blanc, poussant sur

des rameaux brun orangé ou brun grisâtre, velus. Cônes oblongs, bleu-violet foncé virant au brun, de 10-15 cm de long. **'Spreading Star'**, H. 50 cm, E. 5 m, est une forme rampante qui fait un bon couvre-sol.
A. balsamea (Sapin Baumier). f. *hudsonia* est un conifère nain, à feuillage dense, de globuleux à étalé. H. et E. 1 m. Rustique, mais craint les gelées tardives dans le nord de la France. Écorce grise, lisse, aiguilles gris-vert.
A. cephalonica (Sapin de Grèce, Sapin de Céphalonie). Conifère dressé pyramidal ; les vieux arbres ont des branches massives, étalées. H. 20 m, E. 5-8 m. Jeunes pousses craignant le gel. Aiguilles pointues, raides, luisantes, vert vif à dessous vert blanchâtre. Cônes cylindriques de 15 à 20 cm de long, devenant bruns à maturité. **'Meyer's Dwarf'** (syn. *A. c.* 'Nana', ill. p. 82), H. 50 cm, E. 1,50 m, a des aiguilles courtes et forme une touffe étalée, aplatie.
A. concolor. Conifère dressé. H. 35 m, E. 5-8 m. Rustique. Aiguilles longues, vert bleuté ou grises et cônes cylindriques, verts avant maturité, de 8-12 cm de long. **'Candicans'**, ill. p. 73. **'Glauca Compacta'** (syn. *A. c.* 'Compacta', ill. p. 82), H. jusqu'à 2 m, E. 2-3 m, est un cultivar à feuillage bleu acier.
A. delavayi. Conifère dressé, à branches étalées. H. 20 m, E. 4-6 m. Rustique. Pousses marron ; aiguilles vert vif, à dessous glauque et à marges révolutées. Cônes ellipsoïdes étroits, bleu-violet, de 6-10 cm de long.
A. grandis, ill. p. 76.
A. homolepis. Conifère conique lorsqu'il est jeune, devenant ensuite columnaire. H. 30 m, E. 6 m. Rustique. Écorce gris rosé s'exfoliant en fines pellicules. Aiguilles vertes à dessous argenté, pectinées ; cônes cylindriques, bleu-violet, de 8-12 cm de long. Supporte relativement bien un environnement urbain.
A. koreana (Sapin de Corée), ill. p. 81.
A. lasiocarpa, syn. *A. subalpina.* Conifère conique étroit. H. 30 m, E. 7 m. Rustique. Aiguilles grises ou vert bleuté et cônes bleu-violet de 6-10 cm de long. var. *arizonica* **'Compacta'** (ill. p. 82), H. 4-5 m, E. 1,50-2 m, est un conifère d'ovoïde à conique, à croissance lente, à écorce d'allure subéreuse et à feuillage bleuté. **'Roger Watson'** (ill. p. 82), H. et E. 75 cm, est un arbre nain, conique, à aiguilles gris argent.
A. nordmanniana (Sapin de Nordmann). Conifère à feuillage dense. H. 30 m et plus, E. 8 m. Rustique. Feuillage vert brillant intense. Cônes cylindriques de 10-15 cm de long, brun-vert,

devenant bruns à maturité. **'Golden Spreader'** (ill. p. 83), H. et E. 1 m, est une forme naine à feuillage étalé, jaune doré brillant.
A. pectinata, voir *A. alba*.
A. procera (Sapin noble). Conifère conique étroit. H. 50 m, E. 5 m. Très rustique. A une belle écorce ressemblant à de la cannelle, et des aiguilles gris-vert ou gris-bleu. Cônes cylindriques épais, de 15-25 cm de long, verts devenant bruns à maturité. **'Glauca'**, ill. p. 77.
A. subalpina, voir *A. lasiocarpa*.
A. veitchii, ill. p. 74.

ABUTILON (Malvacées)

Genre d'arbustes à feuilles caduques, semi-persistantes ou persistantes, cultivés pour leurs fleurs et leur feuillage. Rustiques dans le midi de la France, à protéger et mettre à l'abri en régions plus froides. Ont besoin de plein soleil ou d'une ombre partielle et d'un sol fertile et bien drainé. Les sujets en conteneurs peuvent être arrosés à volonté en période de croissance, moins le reste du temps. Sur les sujets pleinement développés, on peut rabattre sévèrement les rameaux de la saison précédente, chaque année en début de printemps, pour obtenir une touffe dense. Multiplication par semis au printemps, boutures de bois tendre au printemps, boutures aoûtées en été. Mouches blanches et araignées rouges peuvent poser des problèmes.
A. globosum, voir *A. × hybridum*.
A. × hybridum, syn. *A. globosum*. **'Ashford Red'** est un arbuste arrondi, à croissance vigoureuse, à feuilles persistantes. H. et E. 3 m. Semi-rustique. Feuilles cordiformes ou en feuilles d'érable, à bord denté, vert intense. Donne du printemps à l'automne des fleurs pendantes, en cloche, rouge cramoisi. **'Golden Fleece'** a des fleurs jaunes.
A. 'Kentish Belle', ill. p. 139.
A. pictum, syn. *A. striatum*. **'Thompsonii'**, ill. p. 115.
A. striatum, voir *A. pictum*.
A. × suntense. Arbuste dressé à rameaux arqués, à croissance rapide. H. 5 m, E. 3 m. Feuilles caduques ovales, dentées, lobées, vert foncé. Donne de la fin du printemps au début de l'été de nombreuses grandes fleurs en coupe, de pourpre clair à pourpre foncé, parfois blanches. **'Violetta'**, ill. p. 112.
A. vitifolium. Arbuste dressé à croissance rapide. H. 8 m, E. 2,50 m. Donne à la fin du printemps/début de l'été des masses de grandes fleurs cupuliformes bleu pourpre.

Feuilles caduques ovales, lobées, à dents aiguës, gris-vert. **'Album'**, ill. p. 87.

ACACIA (Légumineuses)

Certains Acacias sont appelés improprement 'Mimosa'. Genre de petits arbres et d'arbrisseaux à feuilles persistantes, semi-persistantes ou caduques, cultivés pour leur feuillage et leurs minuscules fleurs à masses touffues d'étamines. Beaucoup d'espèces n'ont pas de feuilles vraies, mais des phyllodes. La plupart des Acacias sont peu rustiques. Ont besoin de plein soleil et d'un sol bien drainé. Multiplication par semis au printemps. Les cochenilles peuvent poser des problèmes.
A. baileyana, ill. p. 69.
A. cultriformis (Mimosa couteau), ill. p. 103.
A. dealbata (Mimosa), ill. p. 56.
A. longifolia (Chenille). Arbre à feuillage persistant, étalé. H. et E. 6 m. Rustique. Phyllodes oblongues, étroites, vert foncé. Donne au début du printemps des épis cylindriques de fleurs jaune d'or.
A. neriifolia. Arbre ou arbrisseau. H. et E. 3 m. Semi-rustique. Phyllodes étroitement lancéolées, généralement gris-vert, persistantes. Donne au printemps des glomérules denses de fleurs jaune vif.
A. podalyriifolia. Arbuste à phyllodes touffues, persistantes. H. et E. 3 m. Semi-rustique. Phyllodes ovales, à pointe effilée, bleu argenté. Donne en hiver ou au début du printemps de longues grappes de glomérules de fleurs jaunes parfumées.
A. pravissima, ill. p. 69.
A. pulchella, ill. p. 125.

ACAENA (Rosacées)

Genre de plantes vivaces et de sous-arbrisseaux, généralement à floraison estivale, à feuilles persistantes, sauf dans les régions à hivers très rigoureux, cultivés pour leur feuillage, leurs fruits colorés, et comme couvre-sol. Portent des épis denses, arrondis, de petites fleurs. Conviennent pour jardins de rocaille, mais certaines espèces peuvent être très envahissantes. À peu près rustiques en région parisienne, mais ils ont besoin de soleil ou d'ombre partielle et d'un sol bien drainé. Multiplication : division au début du printemps, ou semis.
A. buchananii. Vigoureuse espèce vivace, à feuillage persistant, à port

rampant. H. 2 cm, E. 75 cm ou plus. Assez rustique. Feuilles glauques, composées de 11-17 folioles ovales, dentées. Donne en été des têtes globuleuses de fleurs vertes qui se transforment en akènes épineux vert-jaune.
A. caesiiglauca, ill. p. 330.
A. microphylla, ill. p. 329.

ACALYPHA (Euphorbiacées)

Genre de plantes vivaces et d'arbrisseaux à feuilles persistantes, cultivées pour leurs fleurs et leur feuillage. Non rustiques (min. 18 °C). Apprécient le soleil et un sol riche en humus et bien drainé. Les sujets en conteneurs doivent être arrosés abondamment en pleine croissance, beaucoup moins le reste du temps et lorsqu'il fait froid. On peut pincer les jeunes plants durant la période de croissance pour favoriser leur ramification. Multiplication par boutures de pousses herbacées. Araignées rouges, mouches blanches et cochenilles peuvent poser des problèmes.
A. hispida. Arbrisseau dressé, à feuilles persistantes. H. 2 m ou plus, E. 1-2 m. Feuilles ovales, dentées, lustrées, vert intense. Produit par intermittence tout au long de l'année de longs et denses épis pendants de minuscules fleurs rouges.
A. wilkesiana, ill. p. 111.

ACANTHOLIMON (Plombaginacées)

Genre de plantes vivaces, parfois suffrutescentes, à feuilles persistantes, cultivées pour leurs fleurs et leurs coussins de feuilles. Assez rustiques. Préfèrent le soleil et les sols acides bien drainés. Craignent les hivers humides. La culture permet rarement d'obtenir des graines. Multiplication par boutures à la fin du printemps, ou semis, ou division de la souche.
A. glumaceum, ill. p. 317.

ACANTHOPANAX, voir ELEUTHEROCOCCUS

A. ricinifolium, voir *Kalopanax pictus.*

ACANTHUS (Acanthacées)
Acanthe

Genre de plantes vivaces, dont certaines sont à feuilles semi-persistantes, cultivées pour leurs grandes feuilles profondément découpées et leurs épis de fleurs. Assez rustiques, mais à protéger en hiver dans le nord de la France. Préfèrent le soleil, les climats chauds et les sols

bien drainés, mais supportent une ombre partielle. Pailler le premier hiver. Une fois en place, les plantes sont souvent difficiles à transplanter en raison de leur souche épaisse à fortes racines. Multiplication : semis de mai à juillet, division au début de l'automne ou au printemps, ou boutures de racines en automne.
A. hungaricus, syn. *A. longifolius,* ill. p. 209.
A. longifolius, voir *A. hungaricus.*
A. mollis (Acanthe à feuilles molles, Branc-ursine). Espèce majestueuse. H. 1,20 m, E. 80 cm. Très grandes feuilles semi-persistantes, profondément découpées, vert vif. Porte en été de nombreux épis de fleurs mauve et blanc.
A. spinosus, ill. p. 210.

ACER (Acéracées)
Érable

Genre d'arbres et d'arbustes à feuilles caduques ou, exceptionnellement, semi-persistantes, cultivés pour leur feuillage qui prend souvent des couleurs éclatantes en automne et, dans certains cas, pour leurs rameaux et leur écorce décoratifs. Donnent des petites fleurs auxquelles succèdent des fruits ailés. De très rustiques à rustiques. Ont besoin de soleil ou de mi-ombre et d'un sol fertile et bien drainé. Certains érables (notamment les Érables japonais, *A. palmatum* et *A. japonicum*) donnent un feuillage à plus belles couleurs dans les sols acides ou neutres. Multiplication des espèces par semis de graines stratifiées après récolte ou en automne, des cultivars par greffage. Les plants peuvent être parasités par des chenilles ou des aphidiens, et *A. platanoides* et *A. pseudoplatanus* sont sujets aux attaques de *Rhytisma.*
A. buergerianum. Arbre à feuillage caduc, étalé. H. 10 m ou plus, E. 8 m. Rustique. Feuilles trilobées, luisantes, se nuançant en automne de toute une gamme de rouges, d'orangés et de pourpres persistant longtemps.
A. capillipes, ill. p. 55.
A. carpinifolium (Érable à feuilles de charme), ill. p. 65.
A. circinatum. Arbre à feuillage touffu, caduc, à port étalé. H. 5 m ou plus, E. 6 m. Rustique. Feuilles arrondies, comportant de 7-9 lobes, vertes, devenant orange et rouge éclatant en automne. Donne au printemps des grappes de petites fleurs pourpre et blanc.
A. crataegifolium. Petit arbre à feuilles caduques, à branches arquées. H. et E. 10 m. Rustique. Branches striées de vert et de blanc, avec de petites feuilles ovales, vert clair, devenant orange en automne. 'Veitchii', ill. p. 62.
A. davidii. Arbre à feuilles caduques, à branches dressées. Rustique. H. et E. 15 m. Branches rayées de vert et de blanc. Feuilles ovales, luisantes, vert foncé, devenant souvent jaune ou orange

en automne. 'Madeline Spitta', ill. p. 54.
A. ginnala, ill. p. 68.
A. giraldii. Arbre étalé à feuilles caduques. H. et E. 10 m. Rustique. Les pousses ont une pruine gris-bleu. Grandes feuilles semblables à celles des sycomores, à lobes peu marqués, vert foncé dessus, blanc bleuté dessous, à pétioles roses.
A. griseum, ill. p. 72.
A. henryi, ill. p. 55.
A. japonicum (Érable du Japon). Arbre ou arbuste à feuillage caduc. H. et E. 10 m. Rustique. Feuilles lobées, vertes devenant rouges en automne. À la mi-printemps, corymbes de petites fleurs pourpre rougeâtre. Doit être abrité des vents violents. A besoin d'un sol frais ou humide, bien drainé. 'Aconitifolium' et 'Vitifolium', ill. p. 67. 'Aureum', ill. p. 65.
A. laxiflorum, ill. p. 71.
A. lobelii (Érable de Lobel), ill. p. 41.
A. macrophyllum, ill. p. 39.
A. monspessulanum (Érable de Montpellier). Arbre à feuilles caduques, à cime compacte, globuleuse. H. et E. 12 m. Assez rustique et supportant tout à fait le climat de l'Ile-de-France. Petites feuilles trilobées, luisantes, vert foncé, demeurant en place jusqu'à la fin de l'automne. Il peut se développer en endroit sec avec un sol médiocre.
A. negundo. Arbre à port étalé, à feuilles caduques, à croissance rapide. H. 15 m, E. 8 m. Très rustique. Feuilles vert vif ayant de 3-5 folioles (parfois 7). À la fin du printemps, grappes de minuscules fleurs jaune verdâtre. 'Variegatum', ill. p. 52. var. *violaceum* a des branches pourprées et porte des grappes de fleurs rose pourpré.
A. nikoense. Arbre à feuilles caduques, à cime arrondie, à croissance lente. H. et E. 12 m. Rustique. Feuilles à 3 folioles vert bleuté devenant rouge vif et jaunes en automne.
A. palmatum. Arbre ou abrisseau à feuilles caduques, à rameaux étalés. H. et E. 6 m ou plus. Rustique. Feuilles palmées, à lobes profonds, vert clair devenant orange, rouge ou jaune éclatants en automne. Donne à la mi-printemps des corymbes de petites fleurs pourpre rougeâtre. Préfère nettement un sol humide, bien drainé, et un endroit protégé des vents froids. 'Atropurpureum', ill. p. 89. 'Bloodgood', ill. p. 111. 'Butterfly', ill. p. 108. 'Chitoseyama', ill. p. 134. 'Corallinum', ill. p. 98. var. *coreanum,* ill. p. 67. 'Dissectum Atropurpureum', ill. p. 134. var. *heptalobum,* ill. p. 92. var. *heptalobum* 'Lutescens', ill. p. 90. var. *heptalobum* 'Rubrum', ill. p. 89. 'Osakazuki' a de plus grandes feuilles à 7 lobes, qui deviennent d'un rouge éclatant en automne. 'Senkaki' (syn. *A.p.* 'Sango Kaku'), ill. p. 92.
A. pensylvanicum (Érable jaspé), ill. p. 57. 'Erythrocladum' est un arbre dressé à feuilles caduques. H. 10 m, E. 6 m. Rustique. Jeunes rameaux rouges en hiver ; grandes feuilles lobées, vert clair devenant jaune vif en automne.

A. platanoides (Érable plane). Vigoureux arbre à port étalé, feuilles caduques. H. 25 m, E. 15 m. Très rustique. Grandes et larges feuilles à lobes aigus, vert vif devenant jaunes ou orange en automne. À la mi-printemps, avant l'apparition des feuilles, corymbes de petites fleurs jaune verdâtre. 'Columnare', H. 12 m, E. 8 m, est un arbre dense, en forme de colonne. 'Crimson King', ill. p. 40. 'Drummondii' a des feuilles largement bordées de blanc crème. 'Emerald Queen' a un port dressé dans sa jeunesse. 'Globosum', H. 8 m, E. 10 m, a une cime globuleuse, dense. 'Lorbergii', ill. p. 45. 'Royal Red' a des feuilles pourpre rougeâtre. Celles de 'Schwedleri' sont rouge cramoisi chez les jeunes plants, puis vert pourpré devenant rouge orangé en automne. 'Summershade' a des feuilles vert foncé.
A. pseudoplatanus (Érable sycomore). Arbre à port étalé, à feuilles caduques, à croissance rapide. H. 30 m, E. 15 m. Très rustique. Feuilles à 5 lobes, vert foncé. Bel arbre à planter en solitaire ou en alignement. 'Brilliantissimum', ill. p. 62. f. *erythrocarpum,* ill. p. 44. 'Simon Louis Frères', ill. p. 52.
A. rubrum (Plaine rouge), ill. p. 44. 'Columnare', ill. p. 54. 'October Glory' est un arbre étalé à feuilles caduques. H. 20 m, E. 12 m. Très rustique. Feuilles comportant de 3-5 lobes, luisantes, vert foncé devenant d'un rouge intense en automne, surtout dans les sols neutres ou acides. Au printemps, les rameaux nus se couvrent de minuscules fleurs rouges en grappes. 'Red Sunset' a un feuillage dense, qui devient rouge éclatant en automne. 'Scanlon' et 'Schlesingeri', ill. p. 44.
A. rufinerve, ill. p. 55. f. *albolimbatum* est un arbre à branches arquées, à feuilles caduques. H. 10 m, E. 8 m. Très rustique. Branches rayées de vert et de blanc. Feuilles trilobées, vert clair, mouchetées et bordées de blanc, devenant rouge, orange et jaune éclatants en automne.
A. saccharinum (Érable argenté, Plaine blanche). Arbre à port étalé, à feuilles caduques, à croissance rapide. H. 25 m, E. 15 m. Très rustique. Feuilles profondément lobées, vertes à dessous argenté, devenant jaunes en automne. 'Wieri' a des feuilles très profondément lobées et découpées.
A. saccharum (Érable à sucre). 'Green Mountain' est un arbre à feuilles caduques, à cime ovale. H. 20 m, E. 12 m. Très rustique. Grandes feuilles à 5 lobes, vert vif devenant d'un rouge éclatant en automne. 'Temple's Upright', ill. p. 55.
A. triflorum, ill. p. 68.
A. velutinum. Arbre étalé à feuilles caduques. H. 20 m, E. 15 m. Très rustique. Grandes feuilles lobées, semblables à celles du sycomore, vert foncé, au dessous couvert d'un duvet brun pâle. var. *vanvolxemii* (Érable de Van Volxem) a des feuilles encore plus grandes, légèrement glauques, à dessous lisse.

ACHILLEA (Composées)
Achillée

Genre de plantes vivaces, généralement dressées, dont certaines sont à feuilles semi-persistantes et qui conviennent pour bordures et rocailles. Feuilles finement découpées ou simples, et capitules groupés en larges corymbes que l'on peut faire sécher pour des décorations d'hiver. Rustiques. Supportent les terrains humides, mais se plaisent mieux dans les endroits ensoleillés et bien drainés. Les variétés de grande taille ont besoin d'être tuteurées. Multiplication par division au début du printemps ou en automne.

A. argentea, voir *Tanacetum argenteum*.
A. clavennae, ill. p. 313.
A. 'Coronation Gold', ill. p. 215.
A. filipendulina 'Gold Plate', ill. p. 215.
A. x kelleri, ill. p. 315.
A. millefolium (Achillée millefeuille). 'Fire King' est une vigoureuse plante vivace dressée. H. et E. 60 cm. A un abondant feuillage plumeux et des corymbes de fleurs d'un beau rouge (été).
A. 'Moonshine', ill. p. 246.
A. ptarmica (Bouton d'argent). 'The Pearl', ill. p. 200.
A. taygeta, ill. p. 246.

ACHIMENES (Gesnériacées)

Genre de plantes vivaces dressées stolonifères, rhizomateuses, à belles fleurs. Non rustiques (min. 10 °C). Ont besoin d'un bon éclairage mais sans être directement exposées aux rayons du soleil, et d'un sol bien drainé. Arroser les sujets en pots avec une eau tiédie. Laisser sécher après la floraison et entreposer les rhizomes à l'abri du gel durant tout l'hiver. Multiplication : division des rhizomes ou semis au printemps, ou boutures de tiges en été.

A. antirrhina. Espèce dressée. H. et E. 35 cm ou plus. Feuilles ovales, dentées, opposées par paires inégales. Donne en été des fleurs en cornet, rouge orangé à gorge jaune.
A. 'Brilliant'. Plante compacte, dressée. H. et E. 30 cm. Feuilles ovales, dentées; grandes fleurs en entonnoir, rouges (été).
A. grandiflora. Espèce dressée. H. et E. jusqu'à 40 cm. Feuilles ovales, dentées, à face inférieure souvent rougeâtre. Donne en été des fleurs tubulaires d'écarlates à pourpres.
A. 'Little Beauty', ill. p. 237.
A. 'Paul Arnold'. Plante compacte, dressée. H. et E. 30 cm. Feuilles ovales, dentées et fleurs en entonnoir, pourpres (en été).

ACHNATHERUM (Graminées), voir BAMBOUS, HERBES, JONCS et LAÎCHES.

A. calamagrostis, syn. *Stipa calamagrostis*. Graminée à feuilles persistantes formant des touffes. H. 1 m, E. 45 cm. Très rustique. Feuilles enroulées, vert bleuté. En été, grandes panicules lâches, très décoratives, d'épillets brunâtres que l'on peut faire sécher pour l'hiver.

ACIPHYLLA (Ombellifères)

Genre de plantes vivaces surtout cultivées pour la valeur architecturale de leur feuillage hérissé de pointes aiguës, mais aussi pour leurs fleurs, plus abondantes sur les plantes mâles. Rustiques. Ont besoin de soleil et d'un sol bien drainé. En hiver, les collets doivent être protégés de l'humidité. Multiplication par semis de graines fraîches à la fin de l'été ou au début du printemps.
A. aurea, ill. p. 199.
A. squarrosa, ill. p. 223.

ACOKANTHERA (Apocynacées)

Genre d'arbres et d'abrisseaux à feuilles persistantes, cultivés pour leurs fleurs et leur aspect général. Baies toxiques. Non rustiques (15° C). Ont besoin d'un bon éclairage et d'un sol bien drainé. Arroser les sujets en conteneur avec modération, encore moins lorsqu'ils ne sont pas en pleine croissance. Multiplication : semis au printemps ou en automne ou boutures de rameaux demi-herbacés en été.
A. oblongifolia, syn. *A. spectabilis, Carissa spectabilis*, ill. p. 118.
A. spectabilis, voir *A. oblongifolia*.

ACONITUM (Ranunculacées)
Aconit

Genre de plantes vivaces toxiques, à racines tubéreuses ou fibreuses et tiges dressées, parfois grimpantes, portant en été des fleurs à casques. Les feuilles sont plus ou moins arrondies. Conviennent pour rocailles et bordures. Rustiques. Supportent le soleil, mais aiment un peu d'ombre, ce qui peut accentuer la couleur des fleurs. Ont besoin d'un sol fertile, bien drainé. Multiplication : division en automne tous les 2 ou 3 ans, ou semis en automne.
A. anthora. Espèce tubéreuse compacte. H. 60 cm, E. 50 cm. Tiges feuillues, dressées, portant en été plusieurs fleurs bleues ou jaunes. Feuilles vert foncé.

A. × bicolor, ill. p. 211. 'Newry Blue' est une variété tubéreuse dressée. H. 1,20 m, E. 50 cm. Donne en été des fleurs bleu foncé. Feuilles profondément divisées, luisantes, vert foncé. 'Sparks' est une variété à fleurs bleu violet sur des tiges ramifiées.
A. 'Bressingham Spire'. Variété tubéreuse, dressée, compacte. H. 1 m, E. 50 cm. Porte en été des grappes dressées de fleurs bleu violet. Feuilles profondément divisées, luisantes, vert foncé.
A. lycoctonum, voir *A. vulparia*.
A. napellus (Aconit Napel). Espèce tubéreuse dressée. H. 1,50 m, E. 30 cm. Feuilles profondément découpées, vert clair. En fin d'été, longues et minces grappes de fleurs bleu vif. f. *album* a des fleurs blanches.
A. volubile. Espèce grimpante à racines fibreuses. H. 2,50 m, E. 1,20 m. Porte à la fin de l'été des grappes pendantes de fleurs lilas. Feuilles divisées, vert clair. Pousse mieux lorsqu'elle peut s'appuyer contre un arbuste ou si on lui procure un support.
A. vulparia, syn. *A. lycoctonum* (Aconit tue-loup), ill. p. 214.

ACORUS (Aracées)
Acore

Genre de plantes vivaces à souche rhizomateuse, des étangs, des marais et des rivières, cultivées pour leur feuillage semi-persistant, souvent aromatique. Rustiques. Se plaisent dans les endroits dégagés, ensoleillés. *A. calamus* a besoin d'une profondeur d'eau de 20-25 cm. Supprimer les feuilles fanées en automne et arracher et diviser tous les 3 ou 4 ans au printemps pour décongestionner les touffes.
A. calamus 'Variegatus', ill. p. 373.
A. gramineus 'Pusillus'. Pousse au bord de l'eau ou en aquarium. Rustique. H. et E. 10 cm. Feuilles étroites et raides. Donne occasionnellement en été des épis insignifiants de fleurs verdâtres. 'Variegatus', ill. p. 373.

Acroclinium roseum, voir *Helipterum roseum*.

ACTAEA (Ranunculacées)
Actée, Herbe de Saint-Christophe

Genre de plantes vivaces à baies colorées, toxiques. Rustiques. Se plaisent dans les sous-bois humides, les sols tourbeux, ombragés. Multiplication : division au printemps ou semis en automne.
A. alba, voir *A. pachypoda*.

A. pachypoda, syn. *A. alba*, ill. p. 217.

ACTINIDIA (Actinidiacées)

Genre de plantes grimpantes (ou parfois dressées) à feuilles généralement caduques, à tige ligneuse. Rustiques mais craignant le gel en début de végétation. Préfèrent une ombre partielle (*A. kolomikta* peut supporter le plein soleil). À cultiver dans n'importe quel sol qui ne se dessèche pas. Tailler en hiver si nécessaire. Multiplication par semis au printemps, bouturage ou marcottage en janvier.
A. chinensis, syn. *A. deliciosa* (Souris végétale, Kiwi). Vigoureuse espèce à feuilles caduques. H. 9-10 m. Rustique. Feuilles cordiformes de 12-20 cm de long. Donne en été des grappes de fleurs cupulaires blanches qui jaunissent ensuite et auxquelles succèdent des fruits bruns, velus, comestibles (les kiwis). Pour obtenir des fruits, il est nécessaire de cultiver des plants mâles et des plants femelles.
A. deliciosa, voir *A. chinensis*.
A. kolomikta, ill. p. 167.

ADA, voir ORCHIDÉES.

A. aurantiaca, ill. p. 255. Orchidée épiphyte à feuilles persistantes, pour serres froides. H. 25 cm. Donne au début du printemps des fleurs tubulaires orange, de 2,5 cm de long. Feuilles ovales étroites, de 10 cm de long. A besoin d'ombre en été.

ADENIUM (Apocynacées)
Rose du désert

Genre de plantes grasses succulentes vivaces à tronc renflé, charnu. Non rustiques (min. 15 °C). Ont besoin de soleil ou d'une ombre partielle et d'un sol bien drainé ; sont particulièrement menacées par le pourrissement. Multiplication par semis au printemps ou en été.
A. obesum, ill. p. 380.

ADENOCARPUS (Légumineuses)

Genre d'arbustes à feuilles trifoliolées persistantes ou semi-persistantes, cultivés pour leur abondante production de fleurs jaunes au printemps ou au début de l'été. De rustiques à semi-rustiques. Ont besoin d'un plein ensoleillement et d'un sol bien drainé (plantes calcifuges). Poussent mieux contre les murs orientés au sud ou à l'ouest. Multiplication par semis en automne.
A. viscosus. Arbuste à branches arquées, à feuilles semi-

persistantes. H. et E. 1 m.
Rustique. Pousses abondamment
couvertes de feuilles gris-vert à
3 folioles étroitement lancéolées.
Donne à la fin du printemps des
grappes terminales denses de
fleurs jaune orangé.

Adhatoda vasica, voir *Justicia
adhatoda.*

ADIANTUM (Polypodiacées)
Capillaire

Genre de fougères à frondes
caduques, semi-persistantes ou
persistantes. De rustiques à non
rustiques (min. 7-13° C).
Préfèrent souvent la mi-ombre et
les sols humides, alcalins ou
neutres. Éliminer régulièrement
les frondes fanées. Multiplication
par semis.
A. capillus-veneris (Capillaire de
Montpellier, Cheveux de Vénus).
Fougère à frondes persistantes ou
semi-persistantes. H. et E. 30 cm.
Semi-rustique. Tiges noires
portant des feuilles délicates,
ovales, segmentées, arquées, vert
clair.
A. pedatum, ill. p. 186. var.
aleuticum, ill. p. 185.
A. raddianum. Fougère à frondes
persistantes ou semi-persistantes.
H. et E. 30 cm. Non rustique.
Tiges noir pourpré portant des
frondes finement découpées en
segments triangulaires, vert pâle.
'Fritz-Luthii' a des frondes vert
vif. 'Grandiceps' a des frondes
élégamment frangées.
A. venustum, ill. p. 187.

ADLUMIA (Papavéracées)

Genre représenté par une seule
espèce de plante herbacée
bisannuelle, grimpante, cultivée
pour ses feuilles et ses fleurs.
Rustique. À planter dans
n'importe quel type de sol, en
mi-ombre. Multiplication par
semis au printemps.
A. fungosa. H. 3-4 m. Feuilles
délicates à nombreuses folioles.
Porte en été des cymes infléchies
de minuscules fleurs tubulaires à
éperons, blanches ou pourprées.

ADONIS (Ranunculacées)
Adonide

Genre de plantes vivaces ou
annuelles, cultivées pour leur
feuillage et leurs fleurs. Rustiques.
Préfèrent le soleil ou la mi-ombre
et les sols humides mais bien
drainés. Multiplication : pour
les espèces annuelles, semis de
graines fraîches à la fin de l'été ;
division de touffe pour les vivaces.
A. amurensis, ill. p. 232.
A. brevistyla, ill. p. 225.
A. vernalis (Adonide de printemps),
ill. p. 232.

ADROMISCHUS (Crassulacées)

Genre de plantes grasses vivaces et
de sous-arbrisseaux à feuilles
persistantes, arrondies, plates ou
épaisses. Non rustiques (min.
7 °C). Ont besoin d'une bonne
luminosité et d'un sol assez fertile,
très bien drainé. Multiplication :
boutures de feuilles ou de tiges au
printemps ou en été.
A. maculatus, ill. p. 389.

AECHMEA (Broméliacées)

Genre de plantes vivaces,
épiphytes souvent, et parfois
terrestres ; feuilles persistantes, en
rosettes ; cultivées pour leur
feuillage, leurs fleurs et leurs fruits.
Non rustiques : min. 16 °C (serre
tempérée). Peuvent se cultiver en
pleine lumière ou en mi-ombre,
dans un sol perméable, riche en
terre de bruyère et terreau de
feuilles, avec de l'engrais organique
dilué. Arroser fréquemment (eau
non calcaire) en été, moins le reste
du temps, en laissant le centre des
rosettes rempli d'eau de fin
printemps à début d'automne.
Multiplication par séparation de
drageons.
A. distichantha, ill. p. 222. H. et E.
jusqu'à 1 m. Forme des rosettes
denses de feuilles arquées,
étroitement oblongues, à extrémité
arrondie, vertes dessus, grises et
écailleuses dessous. Donne,
généralement en été, des épis
paniculés de petites fleurs
tubulaires, pourpres ou bleues,
entourées de bractées roses feutrées
de blanc. Plante épiphyte.
A. fasciata, syn. *Billbergia
rhodocyanea,* ill. p. 222. H. 40-
60 cm, E. 30-50 cm. Rosettes de
feuilles récurvées, arquées,
largement oblongues, à bout
arrondi, d'allure écailleuse et à
rayures transversales argentées. Du
printemps à l'automne, panicules
denses, pyramidales, de fleurs
tubulaires pourpre bleuté,
entourées de bractées roses. Plante
épiphyte.
A. 'Foster Favorite', ill. p. 222.
H. et E. 30-60 cm. Rosette de
feuilles arquées, rubanées, lustrées,
rouge vineux. Donne en été des
épis de petites fleurs tubulaires
bleu pourpre, suivies de fruits
rouges piriformes. Plante épiphyte.
A. fulgens. H. et E. 40-75 cm.
Rosette de feuilles arquées,
largement oblongues, à bout
arrondi, vert moyen ; à dessous
écailleux. Donne en été des
panicules dressées de petites fleurs
tubulaires rouge foncé, bleutées au
sommet, suivies de petits fruits de
ronds à ovoïdes, rouges. Plante
épiphyte.
A. recurvata, ill. p. 222. H. et
E. 20 cm. Rosettes denses de
feuilles arquées, étroitement
triangulaires, à marges épineuses,
vert moyen teinté de rouge. Donne
en été de courts et denses épis de
fleurs tubulaires rouge et blanc, à

bractées rouges. Plante épiphyte.

AEGOPODIUM (Ombellifères)
Égopode, Herbe aux goutteux

Genre de plantes vivaces
traçantes, envahissantes. La
plupart sont des mauvaises
herbes, bien que *A. podagraria*
'Variegata' fasse un excellent
couvre-sol. Rustiques. Supportent
le soleil ou la mi-ombre et
peuvent être cultivées dans
n'importe quel sol bien drainé.
Apprécient un sol frais ou
humide. Multiplication par
division des rhizomes au
printemps ou en automne.
A. podagraria 'Variegata' (Herbe
aux goutteux à feuilles panachées),
ill. p. 233.

AEONIUM (Crassulacées)

Genre de plantes grasses vivaces
et de sous-arbrisseaux à feuilles
persistantes, charnues, cultivés
pour leurs rosettes de feuilles
vert vif ou bleu-vert, parfois
pourpres. Non rustiques, min.
5 °C (plante de serre froide).
Préfèrent un sol très bien drainé.
La plupart des espèces se
développent de l'automne au
printemps et sont semi-
dormantes en été. Multiplication
par semis en été ou par boutures
de tiges.
A. arboreum. Plante grasse vivace,
touffue. H. jusqu'à 60 cm, E. 1 m.
Tiges couronnées chacune par une
rosette (jusqu'à 15 cm de large) de
feuilles largement lancéolées,
luisantes, vert vif. Au printemps,
inflorescences pyramidales de
petites fleurs étoilées jaune d'or
poussant sur les tiges de 2-3 ans
qui meurent ensuite.
'Schwarzkopf', ill. p. 388.
A. haworthii, ill. p. 387.
A. tabuliforme, ill. p. 398.

AESCHYNANTHUS
(Gesnériacées)

Genre de plantes vivaces
grimpantes, prostrées ou
rampantes, à feuilles persistantes,
utilisées notamment pour des
paniers suspendus. Non rustiques,
min. 18 °C (serre tempérée ou
chaude). Ont besoin d'une
atmosphère chargée d'humidité et
d'être abritées des rayons du soleil.
Arroser peu en automne et en
hiver. Planter en panier ou sur une
bûche creuse. Multiplication par
bouturage au printemps ou en été,
ou par semis. Sol : moitié terre de
bruyère, moitié sphagnum.
A. pulcher. Espèce grimpante,
traînante ou retombante. H. et E.
variables. Feuilles ovales, épaisses.
Donne de l'été à l'hiver des
corymbes terminaux de petites
fleurs tubulaires rouge vif à gorge
jaune.

A. speciosus, syn. *A. splendens,*
ill. p. 249.
A. splendens, voir *A. speciosus.*

AESCULUS (Hippocastanacées)
Marronnier

Genre d'arbres et d'arbustes à
feuilles caduques, cultivés pour
leur beau feuillage et leurs
inflorescences en panicules
auxquelles succèdent des fruits
(marrons) entourés d'une capsule
souvent épineuse. Rustiques (sauf
A. indica, assez rustique). Ont
besoin de soleil ou de mi-ombre
et d'un sol fertile mais bien drainé.
N'aiment pas les étés chauds et
secs (les arroser alors si
possible).
A. californica, ill. p. 58.
A. × *carnea* (Marronnier à fleurs
rouges). 'Briotii', ill. p. 39.
A. chinensis (Marronnier de
Chine), ill. p. 39.
A. flava, syn. *A. octandra*
(Marronnier jaune), ill. p. 55.
A. glabra. Arbre à cime ronde,
souvent touffue. H. et E. 10 m.
Feuilles généralement composées
de 5 folioles ovales étroites, vert
foncé. Donne à la fin du
printemps et au début de l'été
des grappes dressées de fleurs à
4 pétales, jaune verdâtre.
A. hippocastanum (Marronnier
d'Inde), ill. p. 38. 'Baumannii' est
un arbre vigoureux à feuillage
étalé. H. 30 m, E. 15 m. Grandes
feuilles composées de 5 ou
7 folioles ovales étroites, vert
foncé devenant jaunes en
automne. Donne vers la fin du
printemps de grandes panicules
de fleurs doubles blanches
marquées de jaune ou de rouge,
non suivies de fruits.
A. indica. Arbre élégant à
feuillage étalé. H. 20 m, E. 12 m.
Rustique en région parisienne,
mais moins dans le Nord et
l'Est. Feuilles luisantes, vert
foncé, généralement à 7 folioles
ovales, vert bronze lorsqu'elles
sont jeunes, orange ou jaunes en
automne. Donne à la mi-été des
panicules dressées de fleurs à
4 pétales, blanches nuancées de
rose et marquées de rouge ou de
jaune. 'Sydney Pearce', ill. p. 52.
A. × *neglecta* 'Erythroblastos',
ill. p. 62.
A. octandra, voir *A. flava.*
A. parviflora, ill. p. 88.
A. pavia (Marronnier rouge).
Arbre à cime arrondie, souvent
touffue. H. 10 m, E. 4 m.
Feuilles luisantes, vert foncé,
composées de 5 folioles ovales
étroites. Donne au début de l'été
des panicules de fleurs rouges à
4 pétales, suivies de fruits lisses.
'Atrosanguinea', ill. p. 64.

AETHIONEMA (Crucifères)

Genre de sous-arbrisseaux à
feuilles semi-persistantes ou
persistantes et de plantes vivaces,
cultivés pour leurs abondantes

floraisons. Rustiques. Ont besoin de soleil et d'un sol bien drainé. Plantes calcicoles aimant les endroits secs. Multiplication : bouturage ou semis en automne. La plupart des espèces se reproduisent par dissémination spontanée de graines.
A. armenum, ill. p. 317.
A. grandiflorum, syn. *A. pulchellum,* ill. p. 292.
A. pulchellum, voir *A. grandiflorum.*
A. 'Warley Rose', ill. p. 316.

AGAPANTHUS (Liliacées)
Agapanthe

Genre de plantes vivaces en touffe, certaines à feuilles persistantes, à tiges dressées portant de grandes ombelles de fleurs régulières à tube court et 6 segments étalés, généralement bleues. Feuilles linéaires radicales, en forme de ruban. Belles plantes, mais peu rustiques sous le climat parisien (à rentrer ou protéger en hiver). Rustiques dans le midi et, en général, l'ouest de la France. À cultiver en plein soleil dans un sol frais ou humide mais bien drainé. En hiver, protéger le collet avec de la cendre ou un paillage. Multiplication par division au printemps ou par semis en automne ou au printemps. Les cultivars cités ne peuvent s'obtenir par semis.
A. africanus. Espèce à feuilles persistantes. H. 1 m, E. 50 cm. Semi-rustique. Larges feuilles vert foncé. Donne à la fin de l'été des ombelles arrondies de fleurs d'un bleu intense.
A. 'Alice Gloucester'. H. 1 m, E. 50 cm. Semi-rustique. Donne en été de grandes ombelles, denses, arrondies, de fleurs blanches, au-dessus de feuilles étroites, vert moyen.
A. campanulatus. H. 60 cm-1,20 m, E. 50 cm. Semi-rustique. Feuilles étroites, vert grisâtre. Donne en été des ombelles arrondies de fleurs bleues.
A. 'Cherry Holley'. H. 1 m, E. 50 cm. Semi-rustique. Feuilles étroites. Donne en été des ombelles de fleurs bleu foncé.
A. 'Dorothy Palmer', ill. p. 212.
A. 'Lilliput'. Espèce compacte. H. 80 cm, E. 50 cm. Semi-rustique. Donne en été des petites ombelles rondes de fleurs bleu foncé. Feuilles étroites, vert moyen.
A. orientalis, voir *A. praecox* subsp. *orientalis.*
A. praecox subsp. *orientalis,* syn. *A. orientalis,* ill. p. 213.

AGAPETES, syn. PENTAPTERYGIUM (Éricacées)

Genre d'arbustes et de plantes parfois semi-grimpants, à feuilles caduques ou persistantes, cultivés pour leurs fleurs. Non rustiques, min. 17 °C (serre tempérée ou chaude). Ont besoin d'un sol riche en humus, bien drainé mais pas trop sec, neutre ou acide, et de pleine lumière ou d'une ombre partielle. Arroser à volonté les sujets en pots lorsqu'ils sont en pleine croissance, avec modération le reste du temps. On peut tailler les tiges trop longues pour favoriser leur ramification ; mais mieux vaut les fixer à un support. Multiplication : semis au printemps ou boutures de bois aoûté.
A. 'Ludgvan Cross', syn. *A. rugosa × serpens.* Arbuste dressé à feuilles persistantes, à tiges arquées ou pendantes. H. et E. 2-3 m. Feuilles lancéolées vert foncé. Donne au printemps des fleurs tubuleuses rouges avec des marques sombres.
A. macrantha, ill. p. 177.
A. rugosa × serpens, voir *A.* 'Ludgvan Cross'.
A. serpens, ill. p. 164.

AGASTACHE (Labiacées)

Genre de plantes vivaces ou d'arbustes à floraison estivale, à feuilles aromatiques. Semi-rustiques. Ont besoin d'un plein ensoleillement et d'un sol fertile, bien drainé. Ce sont des plantes à vie courte qui peuvent être multipliées chaque année par boutures de bois tendre ou semi-lignifié à la fin de l'été.
A. mexicana, syn. *Brittonastrum mexicanum, Cedronella mexicana.* Espèce dressée. H. 1 m, E. 30 cm. Donne en été des petites fleurs bilabiées de diverses nuances de rose à cramoisi. Feuilles ovales, pointues, dentées, vert moyen.

Agathaea coelestis, voir *Felicia amelloides.*

AGAVE (Agavacées)

Genre de plantes vivaces à feuilles en rosette, charnues, terminées par une épine et souvent bordées de dents aiguës. Les petites espèces (jusqu'à 30 cm) ne fleurissent qu'au bout de 5-10 ans ; les grandes espèces (jusqu'à 5 m) peuvent attendre de 20-40 ans avant de fleurir. Min. 5 °C (la plupart des espèces sont rustiques dans le midi et l'ouest de la France. En région parisienne, les rentrer en hiver.) Ont besoin de plein soleil et d'un sol bien drainé. Multiplication par semis, par bulbilles, ou (quand il y en a) par rejets au printemps ou en été. Épines terminales des feuilles dangereuses.
A. americana (Agave d'Amérique). H. 2 m, E. 3 m ou plus. Semi-rustique. Feuilles effilées, dentées, de 1-2 m de long. Tige florifère ramifiée pouvant atteindre 10 m, portant des panicules denses de fleurs en clochettes, blanches ou jaune crème, de 9 cm de long (printemps-été). 'Medio-picta', H. et E. 2 m, a des feuilles marquées d'une bande jaune centrale. 'Variegata', ill. p. 379.

A. attenuata, ill. p. 387.
A. filifera, ill. p. 386.
A. parryi, ill. p. 387.
A. parviflora, ill. p. 379.
A. utahensis, ill. p. 398.
A. victoriae-reginae, ill. p. 382.

AGERATUM (Composées)
Agérate bleue, Eupatoire bleue

Genre de plantes annuelles ou vivaces, souvent cultivées en annuelles. Semi-rustiques. À cultiver au soleil dans un sol fertile, bien drainé qu'on ne doit pas laisser se dessécher, sinon la croissance et la floraison seront faibles. Supprimer régulièrement les sommités fanées pour obtenir de belles floraisons. Multiplication par semis en hiver en serre, ou bouturage en février sous abri chauffé.
A. houstonianum. Espèce à croissance relativement rapide, formant de grosses touffes. Grands cultivars, H. et E. 40 cm, moyens, H. et E. 20 cm, nains, H. et E. 15 cm. Tous ont des feuilles ovales vert moyen et des corymbes plumeux de petits capitules éclos tout au long de l'été et en automne. S'utilise en bordures, massifs. 'Bengali' (moyen) a des fleurs rose clair qui s'assombrissent en vieillissant. 'Blue Danube' (nain) et 'Blue Mink' (grand), ill. p. 277. 'Pinkie' (grand) fleurit dans de chaudes nuances de rose et 'White Cushion' a des fleurs blanches.

AGLAONEMA (Aracées)

Genre de plantes vivaces dressées, à feuilles persistantes, surtout cultivées pour leur feuillage en touffe. Non rustiques, la plupart des espèces ayant besoin d'un min. de 15 °C. Supportent l'ombre, bien que les formes panachées aient besoin de davantage de lumière pour être bien colorées ; préfèrent les sols humides mais bien drainés. Arroser avec modération en pleine croissance, moins en hiver. Multiplication par division des touffes en été. Des cochenilles peuvent poser des problèmes.
A. commutatum. H. et E. 45 cm ou plus. Feuilles largement lancéolées de 30 cm de long, vert foncé, avec des taches blanc grisâtre irrégulières le long des nervures latérales. Donne en été des spathes blanc verdâtre. 'Silver King', ill. p. 260. 'Treubii', ill. p. 256.
A. pictum, ill. p. 260.

AGONIS (Myrtacées)

Genre d'arbres et d'arbustes à feuilles persistantes, généralement à floraison printanière, cultivés pour leur feuillage, leurs fleurs et leur aspect gracieux. Non rustiques (min. 10 °C). Ont besoin d'un bon éclairement ou de soleil et d'un sol bien drainé retenant l'humidité. Les sujets en conteneurs doivent être arrosés avec modération, surtout en hiver. Supportent la taille si c'est nécessaire. Multiplication : semis au printemps ou boutures de tiges semi-lignifiées en été.
A. flexuosa, ill. p. 63.

AGROSTEMMA (Caryophyllacées)
Nielle des blés

Genre de plantes annuelles à floraison d'été. Rustiques. À cultiver au soleil ; fleurissent mieux dans les sols très bien drainés, peu fertiles. Prévoir des supports. Supprimer les fleurs fanées pour prolonger la floraison. Multiplication par semis en place au printemps.
A. coeli-rosa, voir *Silene coeli-rosa.*
A. githago. Espèce dressée à croissance rapide, à tiges grêles. H. 1 m, E. 30 cm. Feuilles lancéolées, vert moyen. Donne en été des fleurs à 5 pétales, en cornet évasé, roses (8 cm de large). Minuscules graines rondes, brun sombre, toxiques. 'Milas', ill. p. 267.

AICHRYSON (Crassulacées)

Genre de plantes grasses annuelles ou vivaces, souvent buissonnantes, cultivées pour leurs feuilles charnues, velues, en forme de cuiller ou arrondies. La plupart des espèces sont éphémères et meurent après la floraison. Non rustiques (min. 5 °C). Ont besoin de plein soleil ou d'une ombre partielle et d'un sol très bien drainé. Multiplication : semis ou boutures de tiges au printemps ou en été.
A. × domesticum 'Variegatum', ill. p. 397.

AILANTHUS (Simarubiacées)
Ailante

Genre d'arbres à feuilles caduques imparipennées, cultivés pour leur feuillage et leurs fruits ailés samaroïdes ; supportent la pollution des villes. Rustiques. Ont besoin de soleil ou de mi-ombre et d'un sol bien drainé. Arbres à croissance rapide, drageonnant abondamment, ce qui peut être gênant. Multiplication : semis en automne, ou séparation de drageons ou boutures de racines.
A. altissima (Faux-Vernis du Japon). Arbre à croissance rapide, à cime étalée. H. 25 m, E. 15 m. Grandes feuilles vert moyen, composées de 13-25 folioles ovales. Donne en début d'été de grosses grappes de petites fleurs vertes auxquelles succèdent de beaux fruits ailés verts, devenant ensuite brun rougeâtre.

AJUGA (Labiacées)
Bugle

Genre de plantes annuelles et vivaces dont certaines sont à feuilles semi-persistantes ou persistantes et qui font d'excellents couvre-sol. Rustiques. Supportent le soleil ou l'ombre et tous les types de sols, mais se développent avec plus de vigueur dans les environnements humides. Multiplication par division au printemps.
A. reptans 'Atropurpurea', ill. p. 259. 'Jungle Beauty' est une variété tapissante à feuilles semi-persistantes. H. 35 cm, E. 60 cm. Grandes feuilles ovales, dentées, ou légèrement lobées, vert foncé, parfois colorées de pourpre. Porte, en été, des épis de fleurs bleues à 2 lèvres. 'Multicolor' (syn. *A. r.* 'Rainbow'), ill. p. 259.

AKEBIA (Lardizabalacées)

Genre de plantes grimpantes volubiles à tiges ligneuses, à feuilles semi-persistantes, cultivées pour leurs feuilles et leurs fleurs. Les plants isolés donnent rarement des fruits, la fructification nécessitant la pollinisation croisée de deux individus. Rustiques. Préfèrent le soleil ou la mi-ombre et tous les bons sols bien drainés. Supportent une exposition au nord ou à l'est. Supportent mal les transplantations. Multiplication : semis en automne ou au printemps ou boutures en été, ou division.
A. quinata, ill. p. 164.
A. trifoliata. Espèce à tiges ligneuses. H. jusqu'à 10 m et même plus. Feuilles à 3 folioles ovales, vert moyen, bronzées lorsqu'elles sont jeunes. Donne au printemps des grappes inclinées de fleurs pourpres à 3 pétales, suivies de fruits rouge violacé en forme de saucisse.

ALBIZIA ou ALBIZZIA (Légumineuses)

Genre d'arbres à feuillage caduc ou semi-persistant, cultivés pour leur feuilles pennées et leurs inflorescences insolites (épis ou panicules ou têtes globuleuses) qui ressemblent à des houpettes ou des écouvillons avec leurs nombreuses étamines en aigrettes. Rustiques en Provence et dans le Sud-Ouest, non rustiques dans le reste de la France (en hiver, rentrer en orangerie, sauf *Albizia julibrissin,* semi-rustique s'il est bien exposé et protégé des vents froids); à cultiver contre un mur orienté au sud ou à l'ouest. Ont besoin de plein soleil et d'un sol bien drainé. Multiplication par semis.

A. distachya, syn. *A. lophantha,* ill. p. 66.
A. julibrissin, ill. p. 63. Peut être utilisé sur le devant de massifs d'été.
A. lophantha, voir *A. distachya.*

ALBUCA (Liliacées)

Genre de plantes bulbeuses à floraison printanière ou estivale. De semi-rustiques à non rustiques (min. 10 °C). Ont besoin d'un endroit dégagé, ensoleillé et d'un sol bien drainé. Les parties aériennes disparaissent au printemps ou à la fin de l'été après la floraison. Multiplication : semis au printemps ou par caïeux durant la période de repos.
A. humilis, ill. p. 364.
A. major. Espèce à floraison en début de printemps. H. 50 cm-1 m, E. 15 cm. Non rustique. Longues feuilles basales, lancéolées, dressées, et robustes tiges portant chacune une inflorescence spiciforme de fleurs jaunes (jusqu'à 12) rayées à l'extérieur de vert ou de brun.

ALCHEMILLA (Rosacées)
Alchémille

Genre de plantes vivaces portant des corymbes ou des épis de minuscules fleurs jaune verdâtre. Certaines font de bons couvre-sol. Rustiques. Excellentes plantes de rocaille. À cultiver au soleil ou dans une ombre partielle dans tous les sols non marécageux. Multiplication par semis ou division au printemps ou en automne.
A. alpina (Alchémille des Alpes). Espèce à souche rampante, formant des coussins. H. 15 cm, E. 60 cm ou plus. Feuilles lobées, vert pâle, couvertes de poils soyeux. En été, épis dressés de minuscules fleurs jaune verdâtre. Fait un bon couvre-sol.
A. conjuncta, ill. p. 245.
A. mollis, ill. p. 245.

× ALICEARA, voir ORCHIDÉES.

×*A.* Dark Warrior, ill. p. 254. Orchidée épiphyte à feuilles persistantes pour serre froide. H. 25 cm. Porte des inflorescences de fleurs brun mauve, jaune crème ou vertes de 4 cm de large ; la période de floraison est variable. Feuilles ovales étroites de 10 cm de long. À cultiver en mi-ombre durant l'été.

ALISMA (Alismatacées)

Genre de plantes aquatiques vivaces, à feuilles caduques, cultivées pour leur feuillage et leurs

fleurs. De rustiques à non rustiques. Ont besoin d'un site dégagé, ensoleillé, dans la vase ou l'eau (jusqu'à 25 cm de profondeur). Supprimer le feuillage fané en automne. Multiplication : division au printemps ou semis à la fin de l'été.
A. natans, voir *Luronium natans.*
A. plantago-aquatica (Plantain d'eau), ill. p. 372. Rustique.

ALLAMANDA (Apocynacées)

Genre de plantes parfois grimpantes, à tige ligneuse, cultivées pour leurs fleurs en trompette. Non rustiques (min. 13-15 °C). Préfèrent une ombre partielle en été et un sol riche en humus, bien drainé, neutre ou acide. Arroser régulièrement, moins en dehors de la période de croissance. Les tiges doivent être soutenues par des supports. Tailler à 1 ou 2 yeux les premières pousses de la saison, au printemps. Multiplication par boutures de bois tendre au printemps ou en été. Mouches blanches et araignées rouges peuvent poser des problèmes.
A. cathartica 'Hendersonii', ill. p. 174.

ALLIUM (Liliacées)
Ail

Genre de plantes vivcaces, dont certaines sont comestibles (notamment l'ail, l'oignon et l'échalote), à souche bulbeuse ou rhizomateuse. Presque toutes ont des feuilles basales étroites, à odeur caractéristique lorsqu'on les froisse et la plupart donnent des petites fleurs réunies en ombelles souvent globuleuses. Les ombelles séchées des grandes espèces de bordures peuvent s'utiliser pour des décorations d'hiver. De rustiques à assez rustiques. Ont besoin d'une exposition dégagée, ensoleillée et d'un sol bien drainé. Planter en automne. Multiplication : semis au printemps ou plantation de bulbilles pour les *Allium* bulbifères.
A. acuminatum, syn. *A. murrayanum,* ill. p. 358.
A. aflatunense, ill. p. 337.
A. akaka, ill. p. 357.
A. albopilosum, voir *A. christophii.*
A. azureum, voir *A. caeruleum.*
A. beesianum. Espèce à floraison estivale. H. 20-30 cm, E. 5-10 cm. Porte des feuilles linéaires gris-vert et, à la fin de l'été, des ombelles inclinées de fleurs bleues en forme de cloche.
A. caeruleum, syn. *A. azureum,* ill. p. 352.
A. carinatum subsp. *pulchellum,* syn. *A. pulchellum.* Espèce à floraison d'été. H. 60 cm, E.10 cm. Feuilles linéaires semi-dressées, engainant les deux tiers inférieurs de la tige. Ombelles de fleurs pendantes, pourpres.
A. cernuum, ill. p. 351.
A. christophii, syn. *A. albopilosum,*

ill. p. 352.
A. cowanii, voir *A. neapolitanum.*
A. cyathophorum var. *farreri,* ill. p. 365.
A. flavum. Espèce bulbeuse à floraison estivale. H. 30 cm, E. 8-10 cm. Feuilles linéaires, semi-dressées, poussant sur la moitié inférieure de la mince tige florifère. Donne des ombelles lâches portant jusqu'à 30 fleurs campanulées jaunes, de 0,5 cm de long, à minces pédoncules arqués.
A. giganteum, ill. p. 337.
A. kansuense, voir *A. sikkimense.*
A. karataviense, ill. p. 357.
A. moly (Ail doré), ill. p. 365.
A. murrayanum, voir *A. acuminatum.*
A. narcissiflorum, syn. *A. pedemontanum,* ill. p. 365.
A. neapolitanum, syn. *A. cowanii* (Ail blanc), ill. p. 342.
A. oreophilum, syn. *A. ostrowskianum,* ill. p. 358.
A. ostrowskianum, voir *A. oreophilum.*
A. pedemontanum, voir *A. narcissiflorum.*
A. pulchellum, voir *A. carinatum* subsp. *pulchellum.*
A. rosenbachianum, ill. p. 336.
A. schoenoprasum (Ciboulette), ill. p. 365.
A. schubertii, ill. p. 352.
A. sikkimense, syn. *A. kansuense.* Espèce bulbeuse à floraison d'été, formant une touffe. H. 10-25 cm, E. 5-10 cm. Feuilles basales linéaires, dressées. Ombelles inclinées portant jusqu'à 15 fleurs en clochette, bleues, de 0,5-1 cm de long.
A. unifolium, ill. p. 343.

ALNUS (Bétulacées)
Aune ou Aulne

Genre d'arbres et d'arbustes à feuilles caduques, surtout cultivés pour leur aptitude à se développer dans les environnements humides. Fleurs en chatons à la fin de l'hiver ou au début du printemps, les chatons mâles étant très décoratifs, les fleurs femelles formant des cônes ligneux. Très rustiques. La plupart se plaisent au soleil dans tous les types de sols humides, mais *A. cordata* pousse également dans les sols pauvres et secs (de même que, dans une certaine mesure, *A. incana*). Multiplication des espèces par semis en automne ou par bouturage ou marcottage, des cultivars par marcottage ou par bouturage.
A. cordata (Aulne à feuilles en cœur), ill. p. 41.
A. glutinosa (Aulne glutineux, Verne). 'Aurea' est un arbre conique à croissance lente. H. jusqu'à 25 m, E. 10 m. Feuilles arrondies, jaune vif à la mi-été, devenant ensuite vert pâle. Donne au début du printemps des chatons brun-jaune. Utile dans les zones marécageuses. 'Imperialis', H. 10 m, E. 4 m, est un arbre à croissance lente, à feuilles lobées, profondément découpées.
A. incana (Aune blanc), ill. p. 40. 'Aurea' est un arbre conique

H. 20 m, E. 8 m. A des pousses jaune rougeâtre en hiver et des feuilles jaunes largement ovales. Donne à la fin de l'hiver et au début du printemps des chatons jaune rougeâtre ou orange. Utile dans les régions froides et humides et les sols pauvres. 'Ramulis Coccineis' a des pousses et des bourgeons d'hiver rouges et des chatons orange.

___

ALOCASIA (Aracées)

Genre de plantes vivaces, presque arborescentes, rhizomateuses, cultivées pour leur beau feuillage persistant. Donnent des fleurs minuscules sur un spadice entouré d'une spathe tubulée. Non rustiques, min. 20 °C (serre chaude). Ont besoin d'une forte humidité, d'ombre partielle et d'un sol bien drainé. Multiplication par semis, division des rhizomes au printemps, ou drageons et bourgeons détachés des tiges.
A. cuprea, ill. p. 223.
A. lowii var. *veitchii,* voir *A. veitchii.*
A. macrorrhiza (Taro, Grande Tayove). Espèce touffue à tige épaisse. H. jusqu'à 5 m, E. 2 m. Larges feuilles sagittées, luisantes, vertes, pouvant atteindre 1 m de long, portées par des tiges comestibles de 1 m. Spathes vert jaunâtre atteignant 20 cm de haut.
A. picta, voir *A. veitchii.*
A. veitchii, syn. *A. lowii* var. *veitchii, A. picta.* H. 1 m ou plus, E. 75 cm. Feuilles triangulaires étroites, à base sagittée, de 45 cm de long, vertes avec des nervures et des marges pourpres à leur face inférieure. Spathes verdâtres.

___

ALOE (Liliacées)
Aloès

Genre de plantes à tige ligneuse, de plantes acaules vivaces et de plantes grimpantes, à feuilles presque toujours en rosette, persistantes, charnues, et à fleurs en longues clochettes plus ou moins tubulaires. Non rustiques (min. 15 °C, rustiques en régions méditerranéennes ; ailleurs en France, à rentrer l'hiver en serre tempérée, sèche). Préfèrent le plein soleil et ont besoin d'un sol très bien drainé. Multiplication par semis, boutures de tiges ou séparation de rejets au printemps ou en été (les semis donnant des résultats variables).
A. arborescens (Corne de cerf, Corne de bélier). Arbuste touffu. H. et E. 2 m. Chaque tige est couronnée par une rosette de longues et minces feuilles recourbées, largement étalées, vert bleuté à marges dentées. Les longues tiges florifères portent d'abondantes fleurs rouges à la fin de l'hiver et au printemps. 'Variegata', ill. p. 380.
A. aristata, ill. p. 400.

A. barbadensis, syn. *A. vera,* ill. p. 386.
A. ciliaris, ill. p. 380.
A. ferox, ill. p. 380.
A. humilis. H. 10 cm, E. 30 cm. Dense rosette basale de feuilles charnues, en forme de glaive, étroites, à marges épineuses, bleu-vert, souvent dressées, recourbées à leur extrémité. Tiges florifères de 30 cm de long, portant chacune une grappe de fleurs rouges en clochette (printemps). Émet des rejets.
A. striata, ill. p. 388.
A. variegata, ill. p. 385.
A. vera, voir *A. barbadensis.*

___

ALOINOPSIS (Aizoacées)

Genre de plantes grasses vivaces, tubéreuses, dont les fleurs en forme de marguerite s'épanouissent de la fin de l'été au début du printemps. Non rustiques (min. 7 °C). Ont besoin d'un endroit ensoleillé et d'un sol bien drainé. Craignent les arrosages trop abondants. Multiplication par semis en été.
A. schooneesii, ill. p. 397.

___

ALONSOA (Scrophulariacées)

Genre de plantes vivaces ou sous-arbrisseaux cultivés souvent comme annuelles. Font de bonnes fleurs à couper. Semi-rustiques. À cultiver au soleil dans un sol riche et bien drainé. La floraison est peu abondante en extérieur lorsque l'été est humide. Il est conseillé de pincer les jeunes plants pour favoriser leur ramification. Multiplication par semis en extérieur à la fin du printemps. Les pucerons peuvent poser des problèmes.
A. warscewiczii, ill. p. 273.

___

ALOPECURUS (Graminées),
voir **BAMBOUS, HERBES, JONCS** et **LAÎCHES.**

A. pratensis 'Aureomarginatus', syn. *A. p.* 'Aureo-variegatus', *A. p.* 'Aureus', ill. p. 183.

___

ALOYSIA (Verbénacées)

Genre d'arbustes à feuilles caduques ou persistantes, à floraison estivale, cultivés pour leur feuillage aromatique et leurs inflorescences de petites fleurs. De rustiques à semi-rustiques ; dans les régions froides, planter contre un mur orienté au sud ou à l'ouest, ou bien renouveler chaque année. Ont besoin de plein soleil et d'un sol bien drainé. Supprimer le bois mort au début de l'été. Multiplication par boutures de rameaux demi-herbacés en été.
A. triphylla, syn. *Lippia citriodora*

(Citronnelle verveine), ill. p. 111.

___

ALPINIA (Zingibéracées)

Genre de plantes vivaces à feuilles généralement persistantes, à rhizomes charnus, cultivées pour leurs fleurs. Non rustiques, min. 18 °C (serre tempérée en France métropolitaine). Ont besoin d'un sol riche en humus, bien drainé, d'une ombre partielle et d'une atmosphère humide. Se cultivent difficilement en pots. Multiplication par division au printemps. Les araignées rouges peuvent poser des problèmes.
A. calcarata. Espèce dressée à feuilles persistantes. H. et E. jusqu'à 1 m. Feuilles acaules, aromatiques, lancéolées, de 30 cm de long. Donne à n'importe quel moment de l'année des épis horizontaux de fleurs blanchâtres à lèvres jaunes marquées de rouge violacé (2,5 cm de long).
A. nutans, voir *A. zerumbet.*
A. speciosa, voir *A. zerumbet.*
A. zerumbet, syn. *A. nutans, A. speciosa,* ill. p. 189.

___

ALSOPHILA, voir CYATHEA.

ALSTROEMERIA (Amaryllidacées)

Genre de plantes tubéreuses vivaces, généralement à floraison estivale, cultivées pour leurs belles fleurs multicolores qui durent longtemps. Rustiques, mais dans les régions froides, il est prudent de protéger en hiver les tubercules en repos avec une couche de tourbe ou un paillage. Ont besoin d'un sol bien drainé et d'un endroit abrité et ensoleillé. Multiplication par semis ou division au début du printemps.
A. aurantiaca, voir *A. aurea.*
A. aurea, syn. *A. aurantiaca,* ill. p. 339.
A. gayana, voir *A. pelegrina.*
A. hookeri, ill. p. 326.
A. hybrides Ligtu, ill. p. 353.
A. 'Margaret', ill. p. 335.
A. pelegrina, syn. *A. gayana,* ill. p. 351.

___

ALTERNANTHERA (Amaranthacées)

Genre de plantes vivaces touffues, cultivées pour les belles couleurs de leur feuillage. S'utilisent comme couvre-sol et en mosaïculture. Non rustiques (min. 15-18 °C). Ont besoin de soleil ou d'ombre très légère et d'un sol bien drainé. Multiplication par boutures, ou division au printemps.
A. amoena, voir *A. ficoidea* 'Amoena'.
A. ficoidea 'Amoena' (syn. *A. amoena*) est une variété tapissante. H. 10 cm, E. variable.

Feuilles ovales étroites, vertes marquées de rouge, de jaune et d'orangé, à marges souvent ondulées. 'Versicolor' (syn. *A. versicolor*) est une forme à feuilles ovales larges, nuancées de brun, de rouge et de jaune. H. et E. 10 cm.
A. versicolor, voir *A. ficoidea* 'Versicolor'.

___

ALTHAEA (Malvacées)

Genre de plantes annuelles, bisannuelles ou vivaces cultivées pour leurs grandes fleurs axillaires à pédoncule court. Rustiques. Ont besoin de plein soleil et d'un sol bien drainé. Multiplication par semis en juin-juillet. La rouille des Malvacées peut poser des problèmes.
Althaea rosea (Rose trémière, Passe-rose, Rose à bâton), bisannuelle, ill. p. 265. 'Chater's Double', ill. p. 270. 'Majorette' est une variété bisannuelle cultivée comme annuelle. H. 60 cm, E. jusqu'à 30 cm. Feuilles arrondies, lobées, vert pâle, rêches. Porte en été et au début de l'automne des fleurs doubles de diverses couleurs. 'Summer Carnival' (annuelle ou bisannuelle), H. 1,80-2 m, E. jusqu'à 60 cm, a des fleurs doubles de couleurs mélangées.

___

ALYSSOIDES (Crucifères)

Genre représenté par une seule espèce de sous-arbrisseau, cultivé pour ses fleurs et ses fruits renflés. Convient pour massifs secs et rocailles. Rustique. A besoin de soleil et d'un sol bien drainé. Multiplication par semis en automne.
A. utriculata. Sous-arbrisseau globuleux à feuillage persistant. H. et E. 30 cm. Feuilles ovales, luisantes, vert foncé. Donne au printemps de petites fleurs jaune vif, suivies de fruits renflés.

___

ALYSSUM (Crucifères)

Genre de plantes vivaces parfois suffrutescentes (certaines à feuilles persistantes), et de plantes annuelles, cultivées notamment pour leurs fleurs. Rustiques (pour les espèces vivaces). Ont besoin de soleil et d'un sol bien drainé. Rabattre légèrement après la floraison. Multiplication : bouturage, semis ou division de touffes.
A. maritimum, voir *Lobularia maritima.*
A. montanum. Espèce tapissante à feuillage persistant. H. et E. 15 cm. Petites feuilles ovales, velues, grises. Tige florifère de 15 cm, portant une grappe de petites fleurs jaunes odorantes (fin de printemps). Convient pour

jardins de rocaille.

A. saxatile, voir *Aurinia saxatilis.*

AMARANTHUS (Amaranthacées)
Amarante

Genre de plantes annuelles, cultivées pour leurs panicules denses de fleurs minuscules ou pour les coloris de leur feuillage. De rustiques à semi-rustiques. Se plaisent au soleil dans les sols riches et bien drainés, mais supportent tous les terrains. Multiplication par semis au printemps. Les pucerons peuvent parfois poser des problèmes.
A. caudatus (Queue-de-renard), ill. p. 270. Semi-rustique.
A. hybridus var. **erythrostachys,** syn. *A. hypochondriacus,* ill. p. 274.
A. hypochondriacus, voir *A. hybridus* var. *erythrostachys.*

× AMARCRINUM (Amaryllidacées)

Hybride intergénérique *(Amaryllis × Crinum)* représenté par une seule espèce bulbeuse cultivée pour ses grandes fleurs en entonnoir. Rustique. A besoin de soleil et d'un sol bien drainé. Planter avec le collet à peine recouvert. Multiplication par division au printemps.
× *A. howardii,* voir × *A. memoria-corsii.*
× *A. memoria-corsii,* syn. × *A. howardii,* × *Crinodonna corsii,* ill. p. 342.

× AMARYGIA (Amaryllidacées)

Hybride intergénérique *(Amaryllis × Brunsvigia)*; plantes bulbeuses à floraison estivale, cultivées pour leurs grandes et belles fleurs. Assez rustiques. Ont besoin de soleil et préfèrent être abritées contre un mur. Planter les bulbes juste au ras de la surface d'un sol bien drainé. Multiplication par division au printemps.
× *A. parkeri,* syn. × *Brunsdonna parkeri,* ill. p. 342.

AMARYLLIS (Amaryllidacées)

Genre de plantes bulbeuses à floraison d'automne, cultivées pour leurs fleurs en entonnoir. Supportent un peu de gel, mais dans les régions assez froides, il faut les placer contre un mur orienté au sud ou à l'ouest et les protéger en hiver par un lit de feuilles. Ont besoin d'un endroit abrité, ensoleillé et d'un sol bien drainé. Planter les bulbes à au moins 8 cm de profondeur. Multiplication par division (séparation de caïeux) à la fin du printemps au moment de la chute des feuilles, ou à la fin de l'été avant la reprise de la croissance.
A. belladonna et 'Hathor', ill. p. 342.

AMELANCHIER (Rosacées)

Genre d'arbres, d'arbustes et d'arbrisseaux à feuilles caduques, à floraison printanière, cultivés pour leurs fleurs abondantes, leur feuillage souvent très coloré en automne et leurs fruits comestibles. Très rustiques. Ont besoin de soleil ou de mi-ombre et d'un sol bien drainé frais ou humide, de préférence neutre ou acide. Multiplication par semis essentiellement. Certaines espèces ont une sensibilité au feu bactérien.
A. arborea. Arbre à feuillage étalé, parfois buissonnant. H. 10 m, E. 12 m. Donne au printemps des grappes de fleurs blanches étoilées au moment où se développent les jeunes feuilles, ovales à duvet blanc. À maturité, le feuillage est vert et devient rouge ou jaune en automne. Les fruits ronds sont petits, secs, pourpre rougeâtre.
A. asiatica. Arbre étalé, à port élégant. H. 12 m, E. 10 m. Feuilles ovales vert assez foncé, généralement laineuses lorsqu'elles sont jeunes et devenant jaunes ou rouges en automne. À la fin du printemps, abondantes fleurs blanches étoilées, suivies de fruits ronds, juteux, comestibles, qui ressemblent au cassis.
A. canadensis. Arbuste dressé à feuillage dense. H. 10 m, E. 3 m. Fleurs blanches étoilées, apparaissant vers le milieu du printemps au moment où se développent de jeunes feuilles ovales à duvet blanc sur le dessous, qui deviennent ensuite vert assez foncé, puis rouge orangé en automne. Les fruits sont ronds, pourpre noirâtre, comestibles, sucrés, juteux.
A. laevis, ill. p. 58.
A. lamarckii, ill. p. 84.

AMORPHA (Légumineuses)

Genre d'arbustes et de sous-arbrisseaux à feuilles caduques, cultivés pour leurs fleurs papilionacées et leur feuillage. Rustiques, jusque dans la région parisienne. Ont besoin de soleil et d'un sol bien drainé. Multiplication : boutures de rameaux lignifiés en été ou semis en automne.
A. canescens. Sous-arbrisseau. H. 1 m, E. 1,20 m. Feuilles ovales à duvet gris, comportant de 15-45 folioles ovales étroites. Donne à la fin de l'été et au début de l'automne des grappes denses de minuscules fleurs papilionacées pourpre foncé, à anthères orange.

AMPELOPSIS (Vitacées)

Genre de plantes grimpantes à tiges ligneuses, volubiles ou à vrilles, cultivées pour leurs feuilles (caduques). Rustiques. À cultiver dans n'importe quel type de sol, dans les endroits abrités, ensoleillés ou dans une ombre partielle. Ont besoin de beaucoup de place, car elles poussent rapidement et peuvent couvrir une vaste superficie. Multiplication par semis ou boutures herbacées.
A. aconitifolia, syn. *Vitis aconitifolia.* Espèce à croissance rapide. H. jusqu'à 12 m. Feuilles à 3 ou 5 folioles lancéolées, dentées, lobées, vert foncé. Donne à la fin de l'été des fleurs insignifiantes, verdâtres, suivies de baies orange ou jaunes.
A. brevipedunculata var. **maximowczii,** syn. *A. heterophylla, Vitis heterophylla.* Espèce vigoureuse à tiges velues lorsqu'elles sont jeunes. H. 5 m ou plus. Feuilles vert foncé, de forme et de dimensions variables, à dessous presque glabre. Donne en été des fleurs insignifiantes, verdâtres, suivies de baies bleu vif.
A. heterophylla, voir *A. brevipedunculata* var. *maximowiczii.*
A. quinquefolia, syn. *Parthenocissus quinquefolia, Vitis quinquefolia* **(Vigne vierge vraie).** Liane vigoureuse à vrilles non adhésives. Feuilles vertes à 5 folioles elliptiques. Magnifique couleur rouge en automne.
A. tricuspidata, voir *Parthenocissus tricuspidata.*
A. veitchii, voir *Parthenocissus tricuspidata.*

AMSONIA (Apocynacées)

Genre de plantes vivaces à croissance lente, à floraison printanière ou estivale. Rustiques. Poussent dans les sols bien drainés, en mi-ombre. Il est préférable de ne pas y toucher pendant quelques années. Multiplication : division au printemps, boutures de bois tendre en été, ou semis en automne.
A. salicifolia, voir *A. tabernaemontana.*
A. tabernaemontana, syn. *A. salicifolia,* ill. p. 243.

Anacharis densa, voir *Egeria densa.*

ANACYCLUS (Composées)

Genre de plantes rampantes vivaces, à floraison estivale. Rustiques. Ont besoin de soleil et d'un sol bien drainé. Multiplication : boutures de rameaux herbacés, ou semis en automne.
A. depressus, ill. p. 314.

ANAGALLIS (Primulacées)

Genre de plantes annuelles et de plantes vivaces rampantes, cultivées pour leurs fleurs. De très rustiques à rustiques. À planter dans un endroit dégagé, ensoleillé. Multiplication par division ou semis au printemps; pour *A. tenella,* boutures de rameaux au printemps ou au début de l'été.
A. tenella (Mouron des marécages). 'Studland', ill. p. 307.

ANANAS (Broméliacées)

Genre de plantes vivaces à feuilles persistantes, en rosette, cultivées pour leur feuillage et leurs fruits comestibles. Non rustiques (min. 20 ºC pour ces plantes tropicales). Préfèrent la pleine lumière, mais supportent un peu d'ombre. Ont besoin d'un sol fertile et bien drainé. Arroser avec modération en dehors de la période de croissance. Multiplication : boutures des couronnes (rosette foliaire) des fruits au printemps ou en été; également par rejets et par semis.
A. bracteatus 'Tricolor' (syn. *A.b.* 'Striatus', ill. p. 222). H. et E. 1 m. Forme des rosettes denses de feuilles rubanées, arquées, à marges épineuses, vert intense à rayures longitudinales jaunes, avec souvent des épines rouges. Donne, généralement en été, des épis denses de petites fleurs tubulaires violet lavande, à bractées proéminentes rose rougeâtre, suivies de fruits rouge orangé brunâtre de 15 cm de long ou plus.
A. comosus 'Variegatus'. H. et E. 60 cm ou plus. Feuilles rubanées étroites, cannelées, rigides, disposées en rosette, gris-vert teinté de rose, avec des marges crème, à dessous écailleux gris, parfois bordées d'épines. Fleurs tubulaires bleu pourpré, à minuscules bractées vertes. Les fruits sont analogues aux ananas que l'on trouve dans le commerce; mais ceux des plantes en pots sont beaucoup plus petits. (*A. comosus* produit les fruits d'ananas habituels.)

ANAPHALIS (Composées)

Genre de plantes vivaces dont on fait sécher les capitules parcheminés pour des décorations d'hiver. Rustiques. Préfèrent le soleil, mais peuvent pousser en mi-ombre. Le sol doit être bien drainé, assez sec. Multiplication : semis en automne ou division en hiver ou au printemps.
A. margaritacea, syn. *A. yedoensis* **(Immortelle de Virginie),** ill. p. 200.
A. nubigena, voir *A. triplinervis* var. *intermedia.*
A. triplinervis var. **intermedia,** syn. *A. nubigena,* ill. p. 233.
A. yedoensis, voir *A. margaritacea.*

ANCHUSA (Boraginacées)
Buglosse

Genre de plantes bisannuelles ou vivaces dont certaines sont à feuilles persistantes, généralement à fleurs bleues. De très rustiques à semi-rustiques. Ont besoin de soleil et d'un sol bien drainé ; supportent mal les hivers très humides. Les grandes espèces vivaces peuvent avoir besoin de support et doivent avoir de la place pour s'étaler. Multiplication des espèces vivaces par division de touffes en hiver, des espèces bisannuelles par semis en automne ou au printemps.
A. azurea, syn. *A. italica*. **'Little John'** est une forme vivace à rosette basale. H. 50 cm, E. 60 cm. Très rustique. Donne au début de l'été des cymes scorpioïdes de grandes fleurs cupulaires évasées, bleu foncé. Feuilles ovales étroites, velues. **'Loddon Royalist'**, ill. p. 213. **'Opal'**, H. 1,20 m, a des fleurs d'un bleu plus pâle.
A. caespitosa, ill. p. 310.
A. capensis **'Blue Angel'**, ill. p. 278.
A. italica, voir *A. azurea*.

ANCISTROCACTUS (Cactacées)

Genre de cactées vivaces, cultivées pour leurs tiges sphériques ou tubulaires, portant chacune de 10-20 côtes à mamelons. La densité des aiguillons empêche parfois les fleurs de s'ouvrir. Non rustiques (min. 12 °C). Ont besoin de soleil et d'un sol très bien drainé. Peuvent pourrir en cas d'arrosages trop abondants. Multiplication par semis au printemps.
A. megarhizus, voir *A. scheeri*.
A. scheeri, syn. *A. megarhizus*, ill. p. 397.

ANDROMEDA (Éricacées)

Genre d'arbustes nains touffus à feuilles persistantes coriaces, oblongues plus ou moins étroites. Rustiques. Ont besoin de mi-ombre et d'un sol riche en humus, humide, acide (plantes de terre de bruyère). Multiplication : boutures à la fin de l'été, semis au printemps, ou marcottage.
A. calyculata, voir *Chamaedaphne calyculata*.
A. polifolia, ill. p. 287. **'Alba'**, ill. p. 286. **'Compacta'**, ill. p. 287.

ANDROSACE (Primulacées)

Genre de plantes annuelles et de plantes vivaces à feuilles persistantes, formant généralement des coussins compacts, avec des feuilles souvent velues. Beaucoup d'espèces conviennent pour des serres froides et pour des éboulis, à condition de bénéficier d'une protection en hiver. Assez rustiques. Il leur faut un sol très bien drainé ; certaines espèces préfèrent les sols acides. Multiplication par boutures en été ou par semis en automne. Sont sujets aux attaques de *Botrytis* et de pucerons.
A. carnea, ill. p. 305. subsp. *laggeri*, ill. p. 307.
A. hedraeantha. Espèce vivace formant des coussins compacts. H. 1-2 cm, E. jusqu'à 10 cm. Rustique. Rosettes lâches de feuilles ovales étroites, luisantes. Porte au printemps des ombelles de 5-10 fleurs aplaties, roses à gorge jaune. Se développe bien en serre froide.
A. imbricata, voir *A. vandellii*.
A. lanuginosa, ill. p. 317.
A. pyrenaica, ill. p. 301.
A. sarmentosa. Espèce vivace tapissante, stolonifère. H. 4-10 cm, E. 30 cm. Rustique. Rosettes de petites feuilles étroitement elliptiques, velues. Donne au printemps d'assez grandes ombelles de fleurs aplaties, rose clair. Convient pour jardins de rocaille, même dans les régions humides, en sol bien drainé.
A. sempervivoides. Espèce vivace tapissante, stolonifère. H. 7 cm, E. 30 cm. Rustique. Feuilles oblongues, coriaces. Donne au printemps des petites ombelles de 4-10 fleurs aplaties, roses à œil jaune devenant rouge. Bonne plante de rocaille.
A. vandellii, syn. *A. imbricata*, ill. p. 302.
A. villosa, ill. p. 303, var. *jacquemontii*, ill. p. 318.

ANEMONE (Ranunculacées)
Anémone

Genre de plantes vivaces à floraison de printemps, d'été ou d'automne, parfois tubéreuses ou rhizomateuses, à feuilles plus ou moins découpées, à fleurs légèrement cupuliformes. Les feuilles comportent souvent de 3-15 folioles. D'assez rustiques à rustiques. La plupart des espèces se plaisent dans les sols riches en humus, bien drainés et en pleine lumière ou en mi-ombre. Multiplication par division de souche, semis de graines fraîches à la fin de l'été ou boutures de racines. Pour *A. coronaria* : uniquement semis.
A. apennina. Espèce rhizomateuse à floraison printanière. H. et E. 20 cm. Assez rustique. Feuilles dentées. Chaque pédoncule porte une fleur dressée, aplatie, bleue, blanche ou rose (bleu ciel chez le type), de 4-5 cm de large, comportant de 10-12 sépales pétaloïdes linéaires. Plante aimant la mi-ombre.
A. biflora, ill. p. 358.
A. blanda. Espèce étalée à floraison en début de printemps, à tubercules noueux. H. 15 cm, E. 10-15 cm. Assez rustique. Feuilles composées à lobes dentés. Chaque pédoncule porte une fleur dressée, aplatie, bleue, blanche ou rose (bleu vif chez le type) de 4-5 cm de large, comportant de 9-14 sépales pétaloïdes étroits. **'Atrocaerulea'**, ill. p. 362. **'Radar'**, ill. p. 358. **'White Splendour'**, ill. p. 356.
A. coronaria **(Anémone des fleuristes)**. Espèce à floraison printanière, à tubercules difformes. H. 5-25 cm, E. 10-15 cm. Assez rustique. Feuilles divisées. Chaque pédoncule raide porte une grande fleur cupulaire, comportant de 6-8 sépales pétaloïdes, dans des nuances de blanc, de rouge, de rose, de bleu ou de pourpre. Les groupes « de jardin » comprennent la **série De Caen** et la **série Ste Brigitte** qui ont des fleurs plus grandes, de couleurs variées, allant du blanc au bleu et au rouge.
A. × *fulgens*, ill. p. 359.
A. hepatica, voir *Hepatica nobilis*.
A. hupehensis, ill. p. 217. **'September Charm'** est un cultivar ramifié. H. 75 cm, E. 50 cm. Rustique. Feuilles profondément divisées, vert foncé. Donne fin été/début automne des fleurs légèrement en coupe, roses.
A. × *hybrida*, syn. *A.* × *japonica* **(Anémone du Japon)**. Groupe de vigoureuses espèces ramifiées. H. 80 cm-1,20 m, E. 60 cm. Rustique. Donne fin été/début automne des fleurs légèrement cupuliformes, simples, semi-doubles ou doubles. Feuilles profondément divisées, vertes. **'Bressingham Glow'** (semi-double) et **'Honorine Jobert'** (simple), ill. p. 193. **'Max Vogel'** a des fleurs semi-doubles, mauve rose à pédoncule grêle. **'Prince Henry'** a des fleurs simples, rose intense, à pédoncule étroit.
A. × *japonica* voir *A.* × *hybrida*.
A. × *lipsiensis*, syn. *A.* × *seemannii*, ill. p. 229.
A. narcissiflora, ill. p. 232.
A. nemorosa **(Anémone sylvie)**. Vigoureuse espèce rhizomateuse tapissante. H. 30 cm (y compris les fleurs), E. 30 cm. Rustique. Donne de nombreuses fleurs étoilées, simples, blanches, à étamines jaunes proéminentes (printemps/début d'été). Feuilles profondément découpées, vert moyen. Se plaît dans les sous-bois. **'Allenii'** et **'Robinsoniana'**, ill. p. 227. **'Vestal'** a des fleurs blanches, doubles. **'Wilk's Giant'** a des fleurs blanches, simples.
A. pavonina **(Anémone des jardins)**, ill. p. 343.
A. ranunculoides **(Anémone fausse renoncule)**, ill. p. 229. **'Flore Pleno'** est un cultivar rhizomateux étalé. H. et E. 20 cm. Rustique. Feuilles divisées. Donne au printemps des fleurs doubles, jaune d'or. Se plaît dans les sous-bois humides, de préférence calcaires.
A. rivularis, ill. p. 232.
A. × *seemannii*, voir *A.* × *lipsiensis*.
A. sylvestris **(Anémone sylvestre)**, ill. p. 225. **'Macrantha'** est un cultivar tapissant qui peut être envahissant. H. et E. 30 cm. Rustique. Feuilles divisées, vert moyen. Donne au printemps/début d'été de grandes fleurs blanches, odorantes, légèrement inclinées, cupulaires.

ANEMONELLA (Ranunculacées)

Genre représenté par une seule espèce tubéreuse vivace, cultivée pour ses fleurs. Rustique. A besoin d'ombre et d'un sol humifère, humide. Multiplication par semis de graines fraîches ou par division tous les 3-5 ans en automne.
A. thalictroides, ill. p. 304. **'Oscar Schoaf'** (syn. *A.t.* 'Schoaf Double') est un cultivar à croissance lente. H. 10 cm, E. 4 cm ou plus. Feuilles délicates qui ressemblent à celles des fougères. Donne au printemps et au début de l'été de petites fleurs cupuliformes, doubles, rouge fraise, solitaires sur de minces pédoncules ramifiés.

ANEMONOPSIS (Ranunculacées)

Genre représenté par une seule espèce vivace apparentée à *Anemone*. Rustique. Préfère les endroits abrités, en mi-ombre, et les sols humifères et un peu argileux, humides mais bien drainés. Multiplication : division au début du printemps ou semis de graines fraîches à la fin de l'été.
A. macrophylla, ill. p. 242.

ANGELICA (Ombellifères)

Genre de plantes vivaces, bisannuelles ou monocarpiques à floraison estivale, dont certaines ont des propriétés culinaires et médicinales. Rustiques. À cultiver au soleil ou à l'ombre dans n'importe quel sol bien drainé. La plante risque de mourir si l'on n'élimine pas ses fruits après leur formation. Multiplication par semis de graines mûres.
A. archangelica **(Angélique)**, ill. p. 190. Plante bisannuelle ou parfois vivace.

ANGRAECUM, voir ORCHIDÉES.

A. sesquipedale, syn. *Macroplectrum sesquipedale* **(Étoile de Bethléem)**, ill. p. 252. Orchidée épiphyte à feuilles persistantes pour serres tempérées. H. 30 cm ou plus. Donne en hiver, généralement groupées par 2 (et parfois jusqu'à 5) sur le même pédoncule, des fleurs cireuses blanches de 15 cm environ de large, portant un éperon de 30 cm de long. Feuilles ovales étroites, assez rigides, horizontales, de 8 cm de long. A besoin d'ombre en été.

ANIGOZANTHOS
(Haemodoracées)

Genre de plantes vivaces à souche

épaisse et à feuilles en forme de glaive, cultivées pour leurs fleurs insolites. Semi-rustiques. Ont besoin d'un endroit dégagé, ensoleillé et préfèrent les sols bien drainés, tourbeux, acides (par exemple un mélange de terre de bruyère et sable). Multiplication : division au printemps ou semis de graines fraîches à la fin de l'été.
A. flavidus, ill. p. 213.
A. manglesii, ill. p. 209.
A. rufa. Espèce touffue. H. 1 m, E. 60 cm. Donne au printemps des corymbes de fleurs tubuleuses rouges, couvertes de poils pourpres. Longues feuilles raides, vert moyen.

ANOMATHECA (Iridacées)

Genre de plantes bulbeuses dressées, à floraison estivale, cultivées pour leurs fleurs rouges auxquelles succèdent des fruits en capsule ovoïdes qui éclatent pour libérer des graines rouges. Assez rustiques. A planter à 5 cm de profondeur dans un endroit dégagé, ensoleillé et un sol bien drainé. Dans les régions froides, déterrer les bulbes pour les entreposer au sec pendant l'hiver.
A. laxa, syn. *Lapeyrousia cruenta, L. laxa.* H. 10-30 cm, E. 5-8 cm. Feuilles basales en forme de glaive étroit, dressées. Chaque tige florifère porte en juillet-août un épi lâche de fleurs rouges à longue corolle tubulaire, de 2,5 cm de large. Les tépales inférieurs sont marqués à la base de petites taches rouge foncé.

ANOPTERUS (Saxifragacées)

Genre d'arbustes ou de petits arbres à feuilles persistantes, cultivés pour leur feuillage et leurs fleurs. Semi-rustiques (plantes de terre de bruyère, à rentrer en serre froide en hiver, sauf en climat doux). Ont besoin d'ombre ou de mi-ombre et d'un sol humide mais bien drainé. Multiplication par boutures et par semis.
A. glandulosus, ill. p. 84.

ANREDERA (Basellacées)

Genre de plantes grimpantes volubiles, tubéreuses, cultivées pour leur feuillage persistant luxuriant et leurs petites fleurs odorantes. Non rustiques (min. 7 °C). Dans les régions froides, les parties aériennes disparaissent en hiver. Ont besoin de pleine lumière et d'un sol bien drainé. Arroser avec modération durant la période de croissance, encore moins le reste du temps. Au printemps rabattre à mi-longueur ou presque au ras du sol. Multiplication par les tubercules émis à la base de la tige au printemps ou par semis.

A. cordifolia, syn. *Boussingaultia baselloides.* Espèce à croissance rapide. H. jusqu'à 6 m. Feuilles d'ovales à lancéolées, charnues, brillantes. Donne en été des fleurs minuscules, odorantes, blanches, réunies en épis.

ANTENNARIA (Composées)

Genre de plantes vivaces à feuilles persistantes ou semi-persistantes, cultivées pour leurs petits capitules et leur feuillage tapissant, souvent blanchâtre et laineux. Font de bons couvre-sol. Rustiques. Ont besoin de soleil et d'un sol bien drainé, assez sec. Multiplication par semis ou division au printemps.
A. dioica, syn. *Gnaphalium dioicum* (Pied-de-chat). Espèce tapissante à feuilles semi-persistantes. Feuilles petites, ovales, généralement laineuses, blanc verdâtre. Donne à la fin du printemps et au début de l'été des capitules duveteux, blancs ou rose pâle, à tiges courtes. Convient pour bordures, mosaïculture et jardins de rocaille. 'Nyewoods' est une variété compacte à fleurs roses. '**Rosea**', ill. p. 306.

ANTHEMIS (Composées)

Genre de plantes annuelles ou vivaces buissonnantes ou tapissantes, dont certaines sont à feuilles persistantes à limbe très découpé, cultivées pour leurs fleurs qui ressemblent à celles des marguerites. De semi-rustiques à rustiques. Préfèrent le soleil et les sols bien drainés. Rabattre après la floraison pour obtenir un feuillage touffu pour l'hiver. Multiplication : division au printemps ou, pour certaines espèces, bouturage en fin d'été, en automne ou au printemps.
A. nobilis 'Treneague', voir *Chamaemelum nobile* 'Treneague'.
A. punctata subsp. *cupaniana,* ill. p. 233.
A. tinctoria (Œil-de-bœuf). Espèce vivace buissonnante. H. et E. 1 m. Rustique. Donne à la mi-été d'abondantes fleurs jaunes en capitules solitaires surplombant une touffe basale de feuilles très découpées, gaufrées, vert moyen. Multiplication par bouturage au printemps ou en été. '**E.C. Buxton**', ill., p. 214.

ANTHERICUM (Liliacées)

Genre de plantes vivaces à fleurs étalées ou en trompette, qui se dressent en grappes serrées au-dessus d'une touffe de feuilles. Rustiques. Se plaisent au soleil dans des sols fertiles, bien drainés qui ne se dessèchent pas trop en été. Multiplication : division au printemps ou semis en automne.
A. liliago, ill. p. 233.

A. ramosum. H. 1 m, E. 30 cm. Feuilles vert grisâtre. Donne en été des grappes dressées de petites fleurs blanches étalées.

ANTHURIUM (Aracées)

Genre de plantes vivaces dressées, grimpantes ou retombantes, à feuilles persistantes, dont certaines sont cultivées pour leur feuillage et d'autres pour leurs spathes éclatantes. Non rustiques (min. 15 °C). Préfèrent la pleine lumière en hiver et un peu d'ombrage en été ; ont besoin d'une atmosphère humide et d'un sol humifère, humide sans excès. Multiplication par division au printemps.
A. andreanum, ill. p. 223.
A. crystallinum, ill. p. 221.
A. scherzerianum, ill. p. 258.

ANTHYLLIS (Légumineuses)

Genre de plantes vivaces herbacées ou arbustives, cultivées pour leurs fleurs papilionacées et leurs feuilles divisées en folioles. Rustiques (sauf arbustes, qui sont semi-rustiques). Ont besoin de soleil et d'un sol bien drainé. Multiplication : boutures demi-herbacées en été ou semis en automne.
A. montana, ill. p. 292. 'Rubra' est une variété étalée, à base ligneuse. H. et E. 30 cm. Feuilles divisées en très nombreuses folioles ovales étroites. Donne à la fin du printemps et au début de l'été des têtes de petites fleurs rouges. Convient pour rocailles.

ANTIGONON (Polygonacées)

Genre de plantes grimpantes à vrilles, cultivées pour leur feuillage persistant et leurs grappes denses de petites fleurs. Non rustiques (min. 20 °C, plante de serre chaude à grand développement). Se plaisent dans tous les sols fertiles, bien drainés, en plein soleil. Arroser abondamment durant la période de croissance, moins le reste du temps. Ont besoin de supports. Éclaircir les pousses en surnombre au début du printemps. Multiplication : semis au printemps ou boutures herbacées en été.
A. leptopus, ill. p. 167.

ANTIRRHINUM (Scrophulariacées)
Muflier, Gueule-de-loup

Genre de plantes vivaces à feuilles semi-persistantes, généralement cultivées comme annuelles, fleurissant du printemps à l'automne. De très rustiques à semi-rustiques. Ont besoin de soleil et d'un sol riche et bien drainé.

Supprimer les inflorescences fanées pour prolonger la floraison. Multiplication : semis en extérieur à la fin du printemps ou boutures de tiges au début de l'automne ou au printemps. *A. majus* peut être affecté par la rouille, mais on trouve des cultivars qui résistent à cette maladie.
A. asarina, voir *Asarina procumbens.*
A. majus. Espèce vivace peu rustique dressée et ramifiée. Les cultivars, souvent, se cultivent comme des annuelles et se répartissent selon leur taille et leur type de fleurs : race haute (H. 60 cm-1 m, E. 30-45 cm), race moyenne (H. et E. 45 cm), race naine (H. 20-30 cm, E. 30 cm). Tous ont des feuilles lancéolées et donnent du printemps à l'automne des grappes de fleurs généralement à 2 lèvres, parfois doubles, d'une grande diversité de coloris : blanc, rose, rouge, pourpre, jaune et orange. 'Coronette' (grand), ill. p. 281. 'His Excellency' (moyen, fleur tubulaire irrégulière, écarlate). La série Fleurs de Jacinthe (moyen) a des grappes denses de grandes fleurs. 'Little Darling' (nain) a des fleurs en trompette. Série Madame Butterfly (grand), ill. p. 265. Série Princess (moyen) a des fleurs de couleurs mélangées (blanc à œil pourpre), ill. p. 269. Série Royal Carpet (nain, fleur tubulaire irrégulière) est une forme compacte. Série Supreme (grand) a des fleurs doubles irrégulières. 'Trumpet Serenade' (nain), ill. p. 283. Série Wedding Bells (grand), ill. p. 280.

APHELANDRA (Acanthacées)

Genre d'arbustes à feuilles persistantes, à épis de fleurs. Non rustiques (min. 17 °C). Se plaisent en pleine lumière, mais sans être exposés directement aux rayons du soleil en été. Arroser avec une eau non calcaire, sans excès. Engrais conseillé au moment de la formation des épis floraux. Multiplication : semis ou boutures d'extrémités de jeunes tiges au printemps.
A. squarrosa. 'Dania' est une forme vivace, compacte. H. 1 m, E. un peu moins. Feuilles ovales, luisantes, vertes à nervures blanches ou jaune pâle, de 30 cm de long. Donne en automne des épis denses, atteignant jusqu'à 15 cm de long, de fleurs à 2 lèvres, jaune vif à bractées jaunes. 'Louisae', ill. p. 215.

APONOGETON (Aponogétonacées)

Genre de plantes aquatiques vivaces, à feuilles caduques, cultivées pour leur feuillage flottant et leurs fleurs régulières

en épis souvent aromatiques. D'assez rustiques à non rustiques (min. 16° C). Ont besoin d'un site dégagé, ensoleillé, et d'eau non calcaire. Le feuillage fané doit être éliminé en automne. Multiplication : division au printemps des rhizomes tubéreux ou semis de graines fraîches.
A. distachyos, syn. *A. distachyus,* ill. p. 373.

APOROCACTUS (Cactacées)

Genre de cactées vivaces cultivées pour leurs minces tiges pendantes, charnues, et leurs belles fleurs. Conviennent pour paniers suspendus. Non rustiques (min. 10 °C). Apprécient une ombre légère et un sol très bien drainé. Multiplication par boutures de tiges au printemps et en été.
A. flagelliformis, ill. p. 384.

APTENIA (Aizoacées)

Genre de plantes grasses vivaces à croissance rapide, à tiges ramifiées traînantes qui font un bon couvre-sol. Non rustiques, min. 7 °C (serre froide). Ont besoin d'un plein ensoleillement et d'un sol bien drainé. Maintenir au sec en hiver. Multiplication par semis ou boutures de tiges au printemps ou en été.
A. cordifolia, syn. *Mesembryanthemum cordifolium,* ill. p. 392. **'Variegata'** est une variété rampante. H. 5 cm, E. variable. Feuilles en cœur, luisantes, vert vif à marges blanc crème. Donne en été des petites fleurs rougeâtres.

AQUILEGIA (Ranunculacées)
Ancolie

Genre de plantes vivaces d'allure délicate, cultivées pour leurs fleurs généralement en cornet aux pétales prolongés en éperon à leur base, à floraison printanière et estivale. Rustiques. Préfèrent les sols bien drainés, légers et humifères et les endroits dégagés, ensoleillés, mais sans excès. Multiplication des espèces par semis en automne ou au printemps. Les formes sélectionnées se reproduisent irrégulièrement par semis (par ex. *A. vulgaris* 'Nora Barlow') car elles se croisent spontanément ; il faut les reproduire par division. Doivent être protégées des pucerons. Belles plantes peu exigeantes.
A. alpina, ill. p. 288.
A. chrysantha. Vigoureuse espèce touffue. H. 1,20 m, E. 60 cm. Rustique. Donne au début de l'été des fleurs légèrement inclinées, jaune tendre, à longs éperons, réunies à plusieurs par tige. Feuilles très divisées, vert moyen.
A. flabellata. H. 30 cm, E. 10 cm.

Rustique. Donne en été des fleurs blanches ou bleu pâle, à éperons courts. Feuilles vert glauque, à folioles en éventail. A besoin de mi-ombre et d'un sol humide. **'Nana Alba'** a des fleurs blanches.
A. jonesii, ill. p. 323.
A. longissima. Espèce touffue. H. 60 cm, E. 50 cm. Rustique. Donne au début de l'été des fleurs jaune pâle, à longs éperons jaune plus vif, réunies à plusieurs par tige. Feuilles très divisées, vert moyen à dessous glauque.
A. **'Mrs Scott Elliott'.** Cultivar touffu. H. 1 m, E. 50 cm. Rustique. Fleurs de couleurs variées, souvent bicolores, à longs éperons, portées au début de l'été sur des tiges ramifiées. Feuilles très divisées, vert bleuté.
A. scopulorum. H. 6 cm, E. 9 cm. Rustique. Donne en été des fleurs bleu pâle ou (rarement) roses, à centre crème et à longs éperons. Feuilles divisées en 9 folioles ovales, glauques.
A. vulgaris. Espèce très feuillue. H. 1 m, E. 50 cm. Donne au début de l'été des panicules de fleurs en trompette, à éperons courts, de couleur bleue chez le type, de couleurs diverses (rose, rouge, pourpre, blanc) chez les cultivars. Feuilles arrondies, divisées en folioles, gris-vert. **'Nora Barlow',** ill. p. 208.

ARABIS (Crucifères)

Genre de robustes plantes vivaces à feuilles persistantes. Font d'excellents couvre-sol dans les jardins de rocaille. Rustiques. Ont besoin de soleil et d'un sol bien drainé. Multiplication : bouturage ou semis en automne, ou division de touffes.
A. albida, voir *A. caucasica.*
A. caucasica, syn. *A. albida* **(Arabette, Corbeille d'argent).** Espèce tapissante. H. 15 cm, E. 25 cm. Rustique. Porte des feuilles ovales, dentées, vert moyen, et à la fin du printemps et en été des fleurs odorantes à 4 pétales, blanches, parfois roses. Rabattre après la floraison. **'Plena'** a des fleurs blanches, doubles. **'Rosabella',** ill. p. 305. **'Variegata',** ill. p. 302.
A. ferdinandi-coburgii **'Variegata',** ill. p. 328.

ARALIA (Araliacées)

Genre d'arbres, d'arbustes ou de plantes vivaces à feuilles caduques, cultivés pour leur beau feuillage. De rustiques à non rustiques. Ont besoin de soleil ou de mi-ombre, d'un endroit légèrement abrité et d'un sol fertile et sain. Multiplication des formes indiquées ci-dessous : semis en automne, drageonnage ou boutures de racines à la fin de l'hiver.
A. elata **(Angélique de Chine).** Arbrisseau rustique ou arbuste drageonnant, à tiges épaisses. H. et

E. 10 m. Grandes feuilles vert foncé, divisées en nombreuses folioles ovales, opposées. À la fin de l'été et en automne, grosses panicules d'ombelles (de 30-60 cm de long) de minuscules fleurs blanches. **'Aureo-Variegata'** a des folioles largement bordées de jaune. Les folioles de **'Variegata'** ont des marges blanc crème.
A. elegantissima, voir *Dizigotheca elegantissima.*
A. japonica, voir *Fatsia japonica.*
A. sieboldii, voir *Fatsia japonica.*

ARAUCARIA (Pinacées), voir CONIFÈRES.

A. araucana **(Désespoir des singes),** ill. p. 75.
A. heterophylla. Conifère dressé. H. 30 m, E. 8 m. Semi-rustique. Aiguilles courbes, vert tendre, disposées en spirales. Les plants cultivés produisent rarement des cônes. Peut se cultiver comme plante d'intérieur qui supporte l'ombre.

ARAUJIA (Asclépiadacées)

Genre de plantes grimpantes volubiles, à feuilles persistantes, à tiges ligneuses, exsudant lorsqu'on les incise un suc laiteux. Semi-rustiques. À cultiver au soleil dans un sol fertile et bien drainé. Multiplication : semis au printemps ou boutures de tiges aoûtées à la fin de l'été et au début de l'automne.
A. sericifera, voir *A. sericofera.*
A. sericofera, syn. *A. sericifera,* ill. p. 165.

ARBUTUS (Éricacées)

Genre d'arbres et d'abrisseaux à feuilles persistantes, cultivés pour leur feuillage, leurs panicules de petites fleurs à corolle urcéolée, leur écorce décorative et leurs fruits, qui sont comestibles mais parfois insipides. Assez rustiques, mais doivent être protégés des grands vents froids d'hiver lorsqu'ils sont jeunes (en région parisienne, planter en situation protégée). Préfèrent le plein soleil et ont besoin d'un sol fertile et bien drainé ; *A. menziesii* a besoin d'un sol acide. Multiplication : marcottage, ou semis en automne.
A. andrachne. Arbre ou arbuste étalé. H. et E. 12 m. Feuilles ovales, luisantes, vert foncé ; écorce brun rougeâtre, s'exfoliant. Donne à la fin du printemps des panicules de fleurs blanches à corolle urcéolée, suivies de fruits rouge orangé. Préfère les endroits abrités.
A. × *andrachnoides,* ill. p. 56.
A. unedo **(Arbousier, Arbre aux**

fraises), ill. p. 66. Supporte bien un sol calcaire.

ARCHONTOPHOENIX (Palmiers)

Genre de palmiers à feuilles persistantes, cultivés pour leur aspect majestueux. Non rustiques (min. 15 °C, supportent les hivers du midi de la France en site abrité). Ont besoin de pleine lumière ou d'une ombre légère et d'un sol riche en humus et bien drainé. Les sujets en conteneurs doivent être arrosés avec modération, surtout lorsque la température baisse. Multiplication par semis au printemps à un minimum de 25 °C. Les araignées rouges peuvent poser des problèmes.
A. alexandrae, ill. p. 46.

Arcterica nana, voir *Pieris nana.*

ARCTOSTAPHYLOS (Éricacées)

Genre d'arbrisseaux et de sous-arbrisseaux à feuilles persistantes ou parfois semi-persistants, cultivés pour leur feuillage, leurs fleurs à corolle en forme de grelot et leurs fruits. Certains se cultivent également pour leur écorce, d'autres comme couvre-sol. De rustiques à peu rustiques. Doivent être abrités des grands vents d'hiver. Se plaisent en plein soleil dans les sols bien drainés. Multiplication : boutures de bois semi-lignifié en été ou semis en automne. Bonnes plantes de rocaille.
A. alpina, voir *Arctous alpinus.*
A. **'Emerald Carpet',** ill. p. 124.
A. manzanita. Arbuste dressé. H. et E. 2 m ou plus. Rustique. Écorce s'exfoliant, brun rougeâtre ; feuilles ovales, coriaces, gris-vert. Donne vers la mi-printemps des petites fleurs roses ou blanches en formes de grelot.
A. nummularia. Arbuste à port variable. H. 30 cm ou plus, E. 1 m. Rustique. Petites feuilles arrondies, coriaces, dentées. Porte en été, à l'aisselle des feuilles, des grappes de fleurs pendantes, blanches, suivies de fruits globuleux verts. Fait un bon couvre-sol.
A. patula, ill. p. 120.
A. uva-ursi **(Raisin d'Ours, Busserole),** ill. p. 328. **'Point Reyes',** ill. p. 328. **'Vancouver Jade'** est un arbuste rampant, parfois à branches arquées. H. 10 cm, E. 50 cm. Rustique. Petites feuilles ovales, vert vif et, en été, fleurs blanches. subsp. *hookeri* **'Monterey Carpet'** est un arbuste semi-rustique. H. 15 cm, E. 40 cm ou plus. Rameaux secondaires velus portant des feuilles luisantes, vert pâle et, en début d'été, des fleurs en forme de grelot, blanches, parfois teintées de rose, suivies de fruits globuleux rouges.

ARCTOTHECA (Composées)

Genre de plantes vivaces rampantes. Non rustiques (min. 5 °C). À cultiver en pleine lumière dans un sol fertile et bien drainé ; éviter les environnements humides. Multiplication : semis ou division au printemps.
A. calendula, ill. p. 250.

ARCTOTIS (Composées)

Genre de plantes annuelles et vivaces cultivées pour leurs capitules et leur feuillage. Non rustiques (min. 1 °C). Ont besoin de plein soleil et d'un sol humifère bien drainant. Multiplication : semis en automne au printemps ou boutures de tiges à tout moment de l'année.
A. stoechadifolia. Espèce vivace compacte souvent cultivée comme annuelle. H. 50 cm ou plus, E. 40 cm. Donne durant tout l'été et jusqu'en automne des capitules solitaires, à disque central jaune à centre bleu et à pétales ligulés blanc perle. Les feuilles, qui ressemblent à celles des chrysanthèmes, sont vert foncé dessus et grises dessous. var. *grandis* est plus grande, avec des feuilles plus longues. Très belle plante de plein soleil pour le sud et l'ouest de la France.

ARCTOUS (Éricacées)

Genre représenté par une seule espèce d'arbuste à feuilles caduques, proche d'*Arctostaphylos*, cultivé pour sa belle allure et son feuillage. Très rustique. A besoin d'une ombre partielle et d'un sol frais. Multiplication : boutures de bois tendre ou semis au printemps ou marcottage.
A. alpinus, syn. *Arctostaphylos alpina* (Arbousier nain). Arbuste rampant. H. 20 cm, E. 15 cm. Donne à la fin du printemps des grappes terminales pendantes de minuscules fleurs en grelot, blanches, suivies de baies rondes noir pourpré. Feuilles ovales, dentées, luisantes, vert vif.

ARDISIA (Myrsinacées)

Genre d'arbres et d'arbustes à feuilles persistantes cultivés pour leurs fruits et leur feuillage. Non rustiques (min. 18 °C, plantes de régions subtropicales ou tropicales à cultiver en serre tempérée). Ont besoin d'une ombre partielle et d'un sol riche en humus, bien drainé mais pas trop sec. Arroser à volonté les plantes en pot en pleine croissance, avec modération le reste du temps. Rabattre les vieux plants au début du printemps si

nécessaire. Multiplication : semis au printemps, boutures de bois demi-aoûté en été (mais semis donnant un résultat plus vite).
A. crenata, syn. *A. crenulata,* ill. p. 118.
A. crenulata, voir *A. crenata.*

Areca lutescens, voir *Chrysalidocarpus lutescens.*

ARECASTRUM (Palmiers)
Cocos

Genre représenté par une seule espèce de palmier cultivé pour son aspect majestueux. Craint le froid (min. 18 °C, rustique dans la région de la Côte-d'Azur). A besoin de pleine lumière ou d'ombre partielle et d'un sol riche en humus et bien drainé. Arroser avec modération les sujets en conteneur, très peu à basse température. Multiplication par semis au printemps à un minimum de 25 °C. Les araignées rouges peuvent poser des problèmes.
A. romanzoffianum, ill. p. 47.

Aregelia carolinae, voir *Neoregelia carolinae.*

ARENARIA (Caryophyllacées)

Genre de plantes annuelles et vivaces, dont certaines sont à feuilles persistantes, et à floraison au printemps et en été. Rustiques. La plupart ont besoin de soleil et d'un sol sableux, bien drainé. Multiplication : division ou bouturage au début du printemps pour les vivaces ; semis en automne ou au printemps.
A. balearica, ill. p. 302.
A. montana, ill. p. 314.
A. purpurascens, ill. p. 305.
A. tetraquetra, ill. p. 301.

ARGEMONE (Papavéracées)

Genre de robustes plantes vivaces que l'on cultive en annuelles. Rustiques. À cultiver au soleil dans un sol très bien drainé. Couper les fleurs fanées pour prolonger la floraison. Multiplication : semis en extérieur au printemps.
A. mexicana, ill. p. 279.

Argyranthemum frutescens, voir *Chrysanthemum frutescens.*

ARGYREIA (Convolvulacées)

Genre de plantes grimpantes ligneuses, sarmenteuses, volubiles à feuilles persistantes, proches de *Ipomaea* et qu'on cultive pour leur belle et abondante floraison. Peu

rustiques (plante de serre chaude dans toute la moitié nord de la France). Se plaisent dans les sols fertiles, bien drainés et en pleine lumière. Arroser généreusement en pleine croissance, très peu le reste du temps. Éclaircir les pousses de la saison précédente au printemps. Multiplication : semis au printemps ou boutures de bois tendre en été. Les araignées rouges et les mouches blanches peuvent poser des problèmes.
A. splendens (Volubilis argenté). Espèce vigoureuse. H. 4 m ou plus. Feuilles ovales de 18 cm de long, au dessous couvert de poils soyeux, blancs. Donne en été/automne des corymbes de fleurs en entonnoir roses.

ARGYRODERMA (Aizoacées)

Genre de plantes grasses vivaces cultivées pour leurs feuilles très charnues, gris-vert, rapprochées en une formation ovoïde couchée. Donnent en été des fleurs sortant d'une fente centrale qui s'ouvre entre les feuilles. Non rustiques (min. 11 °C, plante de serre froide, sèche). Ont besoin de plein soleil, d'un endroit sec et d'un sol bien drainé. Des arrosages trop abondants provoquent l'éclatement des feuilles et le pourrissement de la plante. Multiplication par semis en été.
A. blandum, voir *A. delaetii.*
A. brevipes, voir *A. fissum.*
A. delaetii, syn. *A. blandum,* ill. p. 396.
A. fissum, syn. *A. brevipes,* ill. p. 394.
A. pearsonii, syn. *A. schlechteri,* ill. p. 393.
A. schlechteri, voir *A. pearsonii.*

ARIOCARPUS (Cactacées)

Genre de cactées à croissance lente, à grosses racines renflées. Produisent des tiges subglobuleuses, aplaties, vertes, avec des tubercules anguleux et des touffes laineuses. Non rustiques (min. 5 °C). Préfèrent le plein soleil et les sols drainants. Très sensibles au pourrissement. Multiplication par semis au printemps ou en été.
A. fissuratus, ill. p. 392.

ARISAEMA (Aracées)

Genre de plantes tubéreuses vivaces cultivées pour leur grande spathe en casque entourant un spadice dressé. Donnent en automne des épis de fruits rouges, charnus, avant la disparition des parties aériennes de la plante. De rustiques à semi-rustiques. Ont besoin de soleil ou d'ombre partielle et d'un sol riche en humus. Émettent au printemps des tubercules de 15 cm de long. Multiplication : semis en automne

ou au printemps ou séparation de bulbilles au printemps.
A. atrorubens, voir *A. triphyllum.*
A. candidissimum, ill. p. 364.
A. consanguineum, ill. p. 337.
A. griffithii, ill. p. 352.
A. jacquemontii, ill. p. 353.
A. sikokianum, ill. p. 350.
A. triphyllum, syn. *A. atrorubens,* ill. p. 352.

ARISARUM (Aracées)

Genre de plantes tubéreuses vivaces cultivées pour leur spathe en casque à base tubulaire, entourant un spadice à fleurs minuscules. Rustiques en climat tempéré. Supportent l'ombre ; sol riche en humus, acide, bien drainé. Multiplication en automne par division de touffes qui rejettent spontanément.
A. proboscideum. Espèce à floraison printanière. H. jusqu'à 10 cm, E. 20-30 cm. Feuilles sagittées, couchées. Produit un spadice de fleurs minuscules enfermé dans une spathe en casque, brun foncé, se terminant par une partie en forme de queue.

ARISTEA (Iridacées)

Genre de plantes rhizomateuses vivaces ou d'arbustes à feuilles persistantes, cultivés pour leurs hampes de fleurs bleues qui se forment au printemps ou en été. Peu rustiques. Préfèrent le soleil et les sols bien drainés. Les plantes en place supportent mal les déplacements. Multiplication par semis en automne ou au printemps.
A. ecklonii. H. 30-60 cm, E. 20-40 cm. Longues feuilles en glaive, surplombées en été par des hampes ramifiées de fleurs bleues éphémères.
A. major, syn. *A. thyrsiflora,* ill. p. 337.
A. thyrsiflora, voir *A. major.*

ARISTOLOCHIA
(Aristolochiacées)
Aristoloche

Genre de plantes généralement grimpantes, à feuilles caduques ou persistantes, à tige ligneuse, cultivées pour leur feuillage et leurs fleurs. Non rustiques (min. 10-12 °C), sauf *A. durior* (espèce de plein air). Ont besoin d'un sol bien drainé et d'une ombre partielle ou de beaucoup de lumière en été. Arroser régulièrement, moins en dehors de la période de croissance. Tailler les pousses de la saison précédente à 2 ou 3 yeux au printemps. Multiplication : semis au printemps ou boutures aoûtées. Araignées rouges et mouches blanches peuvent poser des problèmes.
A. elegans, ill. p. 169.
A. gigas, voir *A. grandiflora.*
A. grandiflora, syn. *A. gigas,* Espèce

volubile à croissance rapide. H. 7 m ou plus. Feuilles ovales larges, de 15-25 cm de long. Donne en été de grandes fleurs à tube renflé et courbé, à odeur désagréable, s'évasant en un limbe cordiforme jaunâtre tacheté de pourpre, terminé par un appendice linéaire.

ARISTOTELIA (Élaeocarpacées)

Genre d'arbres et d'arbustes à feuilles persistantes, cultivés pour leur feuillage. Ne donnent généralement des fruits que s'il y a voisinage de plants mâles et de plants femelles. Rustiques, mais dans la plupart des régions, poussent mieux à l'abri d'autres arbustes ou contre un mur orienté au sud ou à l'ouest. Ont besoin de soleil ou de mi-ombre et d'un sol fertile et bien drainé. Multiplication par boutures de bois semi-aoûté en été.

A. chilensis. Arbuste étalé à feuilles persistantes. H. 3 m, E. 5 m. Feuilles ovales, luisantes, vert vif. Donne en été de minuscules fleurs étoilées, vertes, suivies de petits fruits globuleux noirs sur les plants femelles.

ARMERIA (Plombaginacées)

Genre de plantes vivaces à souche épaisse, gazonnantes, à feuilles persistantes, cultivées pour leurs touffes ou leurs fausses rosettes de feuilles et pour leurs inflorescences en capitules. De rustiques à assez rustiques. Ont besoin de soleil et d'un sol bien drainé. Multiplication : semis en automne, ou division de souches. Plantes naines recommandées pour rocailles sèches et chaudes.

A. caespitosa, voir *A. juniperifolia.*
A. cespitosa, voir *A. juniperifolia.*
A. juniperifolia, syn. *A. caespitosa, A. cespitosa,* ill. p. 305. **'Bevans Variety'** a un feuillage persistant formant des coussins compacts. H. 8 cm, E. 15 cm. Rustique. Fausses rosettes lâches de feuilles étroites, pointues, vert moyen ou grisâtre. Donne fin printemps/ début été des capitules de petites fleurs roses.
A. latifolia, voir *A. pseudarmeria.*
A. maritima (**Œillet marin, Gazon d'Espagne**). Plante vivace en touffe. H. 10 cm, E. 15 cm. Rustique. Feuilles très étroites, vertes, ressemblant à de l'herbe. Tiges florifères raides portant en été des capitules globuleux de nombreuses petites fleurs roses. Bonne plante pour bordures. **'Vindictive'**, ill. p. 320.
A. pseudarmeria, syn. *A. latifolia, Limonium latifolium,* ill. p. 290. **'Bees Ruby'** (H. et E. 30 cm) est rustique. Donne en été des panicules globuleuses de nombreuses petites fleurs rouge rubis, portées par des tiges raides au-dessus de feuilles très étroites, vert foncé, ressemblant à de l'herbe.

ARNICA (Composées)

Genre de plantes vivaces cultivées pour leurs grands capitules. Conviennent pour de grands jardins de rocaille. Très rustiques. Préfèrent le soleil et les sols riches en humus et bien drainés. Multiplication par division, ou semis au printemps.

A. montana. H. 30-60 cm, E. 15 cm. Porte des feuilles ovales étroites et, en été, des capitules solitaires jaune orangé de 7 cm de large. Préfère les sols acides (nettement calcifuge).

ARONIA (Rosacées)

Genre d'arbustes à feuilles caduques, cultivés pour leurs fleurs, leurs fruits et les couleurs automnales de leur feuillage. Rustiques. Ont besoin de soleil (pour que les coloris d'automne soient plus beaux) ou de mi-ombre et d'un sol fertile et bien drainé. Multiplication : bouturage en été, semis en automne ou division du début de l'automne au printemps.

A. arbutifolia, ill. p. 97.
A. melanocarpa, ill. p. 104.
A. × prunifolia. Arbuste dressé. H. 3 m, E. 2,50 m. Feuilles ovales, luisantes, vert foncé devenant rouges en automne. Donne à la fin du printemps et au début de l'été des fleurs étoilées blanches, suivies de fruits globuleux noir pourpré.

ARRHENATHERUM (Graminées), voir BAMBOUS, HERBES, JONCS et LAÎCHES.

A. elatius (**Fenasse, Avoine élevée, Fromental**). **'Variegatum'** est une plante herbacée vivace poussant en touffes. H. 50 cm, E. 20 cm. Très rustique. Touffe basale de longues feuilles linéaires glabres, gris-vert à marges blanches, surplombée en été par des panicules lâches d'épillets brunâtres.

ARTEMISIA (Composées)
Armoise

Genre de plantes annuelles, bisannuelles, vivaces, de sous-arbrisseaux et d'arbustes nains dont certains sont à feuilles persistantes ou semi-persistantes, cultivés principalement pour leur feuillage très découpé, argenté, parfois aromatique. De rustiques à semi-rustiques. Préfèrent les endroits dégagés, ensoleillés, bien drainés ; il est conseillé de protéger en hiver les formes naines avec une couche de sable ou de fin gravier. Tailler légèrement au printemps. Multiplication : division au printemps ou en automne, ou boutures de bois tendre ou semi-

lignifié en été.
A. abrotanum (**Aurone, Citronnelle**), ill. p. 144.
A. absinthium (**Absinthe**). **'Lambrook Silver'** est une variété vivace buissonnante, à feuilles persistantes, à base ligneuse. H. 80 cm, E. 50 cm. Rustique. Porte d'abondantes feuilles finement découpées, gris argent, aromatiques. Donne en été de longues panicules de capitules gris. A besoin de protection dans les endroits exposés.
A. arborescens (**Armoise arborescente**), ill. p. 143. **'Faith Raven'** est un arbuste dressé à feuilles persistantes. H. 1,20 m, E. 1 m. Diffère de l'espèce type uniquement par le fait qu'elle supporte mieux le gel. Feuilles finement découpées, gris argent, aromatiques. Donne en été/début de l'automne des capitules arrondis de petites fleurs jaune vif.
A. assoana, voir *A. pedemontana.*
A. canescens. Espèce vivace buissonnante à feuilles semi-persistantes. H. 50 cm, E. 30 cm. Rustique. Feuilles finement découpées, ondulées, gris argent. Donne en été des capitules jaunes, portées par des tiges dressées, argentées. Bon couvre-sol.
A. lactiflora, ill. p. 189.
A. lanata, voir *A. pedemontana.*
A. ludoviciana var. *albula,* ill. p. 223.
A. pedemontana, syn. *A. assoana, A. lanata.* Espèce rampante à feuilles persistantes ou semi-persistantes. H. et E. 30 cm. Rustique. Feuilles très découpées, densément couvertes de poils blanc argenté. Donne en été des petits groupes de capitules jaunes. Convient pour jardins de rocaille et murets.
A. pontica, ill. p. 245.
A. 'Powis Castle'. Vigoureux sous-arbrisseau à feuilles persistantes. H. 1 m, E. 1,20 m. Rustique. Porte d'abondantes feuilles finement découpées, aromatiques, gris argent et, en été, des ramilles insignifiantes de capitules vert jaunâtre.
A. schmidtiana. Espèce vivace à feuilles semi-persistantes et à tiges rampantes. H. 8-30 cm, E. 60 cm. Rustique. Feuilles très finement et profondément découpées. Donne en été de courtes grappes de petits capitules ronds, jaune pâle. Convient pour jardins de rocaille, murets ou massifs. A besoin d'un sol sableux, tourbeux. **'Nana'**, ill. p. 329.
A. stelleriana. Espèce vivace à feuilles persistantes et à base ligneuse. H. 60 cm, E. 1 m. Rustique. Feuilles profondément lobées ou dentées, gris argent à poils blancs. Donne en été des épis de petits capitules jaunes. A besoin d'un sol léger. **'Boughton Silver'**, E. 1 m, est une variété vigoureuse, à tiges arquées.

ARTHROPODIUM (Liliacées)

Genre de plantes vivaces

poussant en touffes, cultivées pour leurs fleurs. Semi-rustiques. À cultiver dans un sol fertile à l'abri d'un mur ensoleillé. Multiplication : division au printemps ou semis au printemps ou en automne.
A. cirrhatum. Espèce rameuse. H. 1 m, E. 30 cm. Racines charnues. Touffe basale de feuilles en glaive, étroites. Donne au début de l'été des grappes de fleurs pendantes, cupulaires, blanches.

ARUM (Aracées)

Genre de plantes tubéreuses vivaces, cultivées pour leur feuillage décoratif et leur belle spathe entourant un spadice de fleurs minuscules. De rustiques à semi-rustiques. Préfèrent le soleil ou une ombre partielle et les sols humides mais bien drainés. Multiplication : semis en automne ou division au début de l'automne.
A. creticum, ill. p. 347.
A. dracunculus, voir *Dracunculus vulgaris.*
A. italicum **'Pictum'**, ill. p. 363.
A. pictum, ill. p. 369.

ARUNCUS (Rosacées)

Genre de plantes vivaces cultivées pour leurs grandes feuilles très découpées et leurs fleurs estivales blanches, plumeuses. À planter en pleine lumière dans un sol bien drainé. Multiplication : semis en automne ou division au printemps ou en automne.
A. dioicus, syn. *A. sylvester, Spiraea aruncus* (**Barbe de bouc**), ill. p. 188. **'Kneiffii'**, ill. p. 201.
A. sylvester, voir *A. dioicus.*

ARUNDINARIA (Graminées, Bambusées), voir BAMBOUS, HERBES, JONCS et LAÎCHES.

A. anceps, syn. *A. jaunsarensis, Sinarundinaria jaunsarensis,* ill. p. 182.
A. auricoma, voir *Pleioblastus viridistriatus.*
A. falconeri, voir *Thamnocalamus falconeri.*
A. fastuosa, voir *Semiarundinaria fastuosa.*
A. fortunei, voir *Pleioblastus variegatus.*
A. japonica, voir *Pseudosasa japonica.*
A. jaunsarensis, voir *A. anceps.*
A. murielae, voir *Thamnocalamus spathaceus.*
A. nitida, voir *Sinarundinaria nitida.*
A. variegata, voir *Pleioblastus variegatus.*
A. viridistriata, voir *Pleioblastus viridistriatus.*

ARUNDO (Graminées),
voir **BAMBOUS, HERBES, JONCS**
et **LAÎCHES.**

A. donax (Canne de Provence).
Plante rhizomateuse, vivace.
H. jusqu'à 6 m, E. 1 m. Semi-
rustique. Tiges épaisses portant
de larges feuilles vert-bleu.
Donne en été des panicules
denses, dressées, d'épillets jaune
blanchâtre. Peut se cultiver dans
les sols humides. **'Versicolor'**
(syn. *A.d.* 'Variegata'), ill. p. 180.

ASARINA, syn. **MAURANDIA**
(Scrophulariacées)

Genre de plantes herbacées ou
ligneuses, le plus souvent
grimpantes, à feuilles
persistantes, vivaces, restant
toujours herbacées en climat
froid, cultivées pour leurs fleurs.
De peu rustiques à non rustiques
(min. 5 °C). Se plaisent en pleine
lumière et dans tous les types de
sols bien drainés. Multiplication
par semis au printemps.
A. barclaiana. Plante grimpante à
feuilles persistantes et à tiges
tendres. H. jusqu'à 2 m. Non
rustique. Feuilles cordiformes
glabres. Donne en été/automne
des fleurs de 6-7 cm de long,
pourpres à gorge blanchâtre.
A. erubescens, ill. p. 167.
A. procumbens, syn. *Antirrhinum
asarina* (**Muflier asarina**),
ill. p. 324. Espèce rampante.

ASARUM, syn. **HEXASTYLIS**
(Aristolochiacées)
Asaret

Genre de plantes rhizomateuses
vivaces, dont certaines sont à
feuilles persistantes, avec des
fleurs poussant sous des feuilles
réniformes ou cordiformes. Font
de bons couvre-sol, bien que les
feuilles puissent être
endommagées par les rigueurs
climatiques. Rustiques. Préfèrent
l'ombre et les sols riches en
humus, humides mais bien
drainés. Multiplication par
division au printemps. Se
reproduisent par dissémination
spontanée de graines.
A. caudatum. Espèce prostrée à
feuilles persistantes. E. 25 cm ou
plus. Feuilles auriculées, coriaces,
luisantes, vert foncé, de 5-10 cm
de large, dissimulant de petites
fleurs rougeâtre ou pourpre
brunâtre, à périanthe terminé en
pointe (début de l'été).
A. europaeum (**Cabaret**),
ill. p. 330.
A. hartwegii. Espèce prostrée à
feuilles persistantes. H. 8 cm,
E. 25 cm ou plus. Donne au
début de l'été des fleurs brun
très foncé, presque noires, à
périanthe terminé en pointe, sous
des feuilles cordiformes, vert
marqué d'argent.

ASCLEPIAS (Asclépiadacées)

Genre de plantes vivaces, dont
certaines sont à feuilles
persistantes, cultivées pour leurs
fleurs. Lorsqu'on l'incise, la tige
exsude un latex laiteux, blanc.
D'assez rustiques à non rustiques
(en général, supportent le froid
jusqu'à -10 °C, sauf *A. curassavica*).
Les espèces rustiques ou semi-
rustiques préfèrent le soleil et les
sols humifères et bien drainés.
Multiplication par semis ou
division au printemps. Arroser très
peu durant les périodes froides.
A. curassavica. Plante buissonnante
à feuilles persistantes. H. et E. 1 m.
Non rustique. Feuilles ovales
étroites de 15 cm de long. Donne
en été/automne des ombelles de
petites fleurs à 5 pétales soudés
réfléchis, rouge orangé à centre
jaune. Fruits en capsule de 8 cm de
long, à graines à aigrettes soyeuses.
A. physocarpa, syn. *Gomphocarpus
physocarpus,* ill. p. 194.
A. tuberosa, ill. p. 216.

ASIMINA (Annonacées)

Genre d'arbres ou d'arbustes à
feuilles caduques, cultivés pour
leur feuillage et leurs fleurs.
Rustiques. Préfèrent le plein soleil
et les sols fertiles, profonds, frais,
non calcaires, bien drainés.
Multiplication : semis en automne
ou marcottage ou boutures de
racines en hiver.
A. triloba. Arbuste à feuilles
caduques. H. et E. 4 m (en Europe,
mais 12 m aux U.S.A. dans sa
région d'origine). Grandes feuilles
ovales, vert moyen, apparaissant à
la fin du printemps ou au début de
l'été, juste avant ou en même
temps que des fleurs à 6 pétales,
brun pourpré. Donne ensuite de
petits fruits globuleux brunâtres,
comestibles.

ASPARAGUS (Liliacées)

Genre de plantes vivaces, de
plantes grimpantes et d'arbustes
dont certains sont à « feuilles »
persistantes (ces « feuilles » sont
des cladodes en réalité, et parfois
des phyllodes), cultivés pour leur
« feuillage ». De rustiques à non
rustiques (min. 10 °C). À cultiver
dans une ombre partielle ou en
pleine lumière mais sans
exposition directe aux rayons du
soleil, et dans un sol fertile et bien
drainé. Multiplication par semis ou
division au printemps.
A. densiflorus, syn. *A. sprengeri,*
ill. p. 223. **'Myersii'** (syn. *A.
meyeri, A. myersii*), ill. p. 224.
A. meyeri, voir *A. densiflorus*
'Myersii'.
A. myersii, voir *A. densiflorus*
'Myersii'.
A. scandens, ill. p. 177.
A. sprengeri, voir *A. densiflorus.*

ASPERULA (Rubiacées)
Aspérule

Genre de plantes annuelles et
vivaces. Rustiques. La plupart des
espèces ont besoin de soleil et d'un
sol sain avec de l'humidité autour
des racines. Multiplication :
division, semis.
A. odorata, voir *Galium odoratum.*
A. suberosa, ill. p. 316.

ASPHODELINE (Liliacées)

Genre de plantes vivaces à racines
épaisses et charnues. De rustiques
à semi-rustiques. Ont besoin de
soleil et d'un sol pas trop riche.
Multiplication : division au début
du printemps en prenant bien
garde de ne pas endommager les
racines, ou semis en automne ou au
printemps.
A. lutea (**Bâton de Jacob**), ill. p. 199.

ASPHODELUS (Liliacées)
Asphodèle

Genre de plantes annuelles et
vivaces à floraison printanière ou
estivale. Semi-rustiques. Ont
besoin de soleil ; la plupart
préfèrent les sols fertiles et bien
drainés. *A. albus* préfère les sols
légers. Multiplication : division au
printemps ou semis en automne.
A. aestivus, syn. *A. microcarpus*
(**Asphodèle**). Espèce vivace dressée.
H. 1 m, E. 30 cm. Touffe basale de
feuilles dressées puis étalées,
linéaires, coriaces, vert moyen.
Donne à la fin du printemps des
panicules denses de fleurs blanches
étoilées.
A. albus, ill. p. 200.
A. microcarpus, voir *A. aestivus.*

ASPIDISTRA (Liliacées)

Genre de plantes rhizomateuses
vivaces à feuilles persistantes,
surtout cultivées pour leur feuillage
luisant. De peu rustiques à non
rustiques (min. 5-10 °C). Très
tolérantes, mais poussent mieux
dans les endroits frais, ombragés et
dans les sols bien drainés. Arroser
fréquemment en pleine croissance,
moins le reste du temps.
Multiplication par division des
rhizomes au printemps.
A. elatior, syn. *A. lurida.* H. 60 cm,
E. 45 cm. Feuilles dressées,
lancéolées, jusqu'à 50 cm de long,
vert foncé. Donne parfois de
minuscules fleurs pourpres,
poussant au ras du sol. **'Variegata',**
ill. p. 257.
A. lurida, voir *A. elatior.*

ASPLENIUM (Polypodiacées)

Genre de fougères à feuillage
persistant ou semi-persistant. De
très rustiques à non rustiques. Les
espèces citées préfèrent une ombre
légère, mais *A. trichomanes*
supporte le plein soleil. Se plaisent
dans tous les sols humides, mais les
sujets en conteneurs se cultivent
bien dans un compost additionné
de sphaigne ou de tourbe. Éliminer
régulièrement les frondes fanées.
Multiplication par spores, ou par
bulbilles lorsqu'il y en a, à la fin de
l'été.
A. nidus, non rustique, ill. p. 187.
A. scolopendrium, rustique, voir
Phyllitis scolopendrium.
A. trichomanes (**Fausse capillaire**),
semi-rustique, ill. p. 185.

ASTER (Composées)

Genre de plantes vivaces ou
suffrutescentes à feuilles caduques
ou persistantes et à fleurs en
capitules épanouis en été/automne.
De rustiques à semi-rustiques.
Préfèrent le soleil ou une ombre
partielle et les sols fertiles et bien
drainés avec suffisamment
d'humidité en été. Les formes de
grande taille ont besoin de tuteurs.
Multiplication : division des
touffes au printemps ou en
automne. Plusieurs espèces et
cultivars, notamment *A. novi-
belgii,* souffrent souvent d'oïdium
et d'attaques d'insectes qu'il faut
traiter.
A. alpinus, ill. p. 321. **'Beechwood'**
est un cultivar poussant en touffes.
H. 15 cm, E. 30-45 cm. Rustique.
Feuilles lancéolées, vert foncé.
Donne en été des capitules
pourpres à centre jaune. Convient
pour rocailles.
A. amellus (**Œil de Christ**). **'King
George',** ill. p. 250. **'Mauve Beauty'**
est un cultivar vivace poussant en
touffes. H. et E. 50 cm. Rustique.
Feuilles lancéolées, vert moyen.
Donne en automne des groupes de
grands capitules violets
à centre jaune. **'Rudolph Goethe',** à
grands capitules bleu-violet, et
'Violet Queen', à capitules violet
foncé, sont également de bons
cultivars. **'Sonia'** a des capitules
roses.
A. capensis, voir *Felicia amelloides.*
A. cordifolius 'Silver Spray',
ill. p. 217.
A. ericoides 'White Heather',
ill. p. 217.
A. frikartii 'Mönch', ill. p. 220.
A. lateriflorus. Espèce vivace
rameuse. H. 60 cm, E. 50 cm.
Rustique. Petites feuilles lancéolées
vert foncé. Donne en automne des
ramilles de minuscules capitules
mauves à centre brun-rose.
'Horizontalis', ill. p. 249.
A. novae-angliae. 'Alma Potschke'
est une vigoureuse plante vivace
dressée. H. 75 cm, E. jusqu'à
60 cm. Rustique. Feuilles
lancéolées. Donne en automne des
capitules roses portés par des tiges
raides. **'Harrington's Pink',** ill.
p. 193. **'Herbstschnee',** ill. p. 217.
A. novi-belgii. 'Fellowship' est une
vigoureuse variété vivace dressée.
H. 1,20 m, E. 50 cm. Rustique.

Feuilles ovales, vert moyen.
Donne en automne des panicules
pyramidales de grands capitules
rose clair. 'Little Pink Beauty',
H. 45 cm, est un bon cultivar
nain à capitules roses. 'Carnival',
(ill. p. 220), 'Orlando' (ill. p. 220)
et 'Royal Ruby' (ill. p. 250) ont
des capitules d'un rouge intense.
Parmi les bons cultivars violets
ou bleus : 'Climax', H. 1,50 m,
qui a des fleurs bleu clair et
résiste à l'oïdium ; 'Marie
Ballard' (ill. p. 220), également
bleu ; 'Raspberry Ripple',
H. 75 cm, qui a des fleurs violet
rougeâtre et 'Royal Velvet',
H. 1,20 m, qui a des fleurs d'un
violet foncé.
A. paniculatus, voir *A. tradescantii.*
A. 'Professor A. Kippenburg',
ill. p. 250.
A. thomsonii. Espèce vivace
dressée. H. 1 m, E. 50 cm.
Rustique. Feuilles légèrement
lancéolées. Donne généreusement
en automne de grands capitules
lilas clair à longs pétales. 'Nanus',
ill. p. 250.
A. tradescantii, syn. *A. paniculatus.*
Espèce vivace dressée. H. 1,20 m,
E. 50 cm. Rustique. Feuilles
lancéolées vert moyen. Donne en
automne des bouquets de petits
capitules blancs sur des tiges très
feuillues, qui font bien ressortir
les belles couleurs automnales
des végétaux à cette
saison.
A. turbinellus, ill. p. 220.
A. vimineus 'Delight', ill. p. 217.

ASTERANTHERA (Gesnériacées)

Genre représenté par une seule
espèce grimpante ou traînante à
feuilles persistantes. Peut servir à
tapisser des troncs moussus, des
murs ou être utilisée comme
couvre-sol. Rustique. A besoin
d'un environnement légèrement
humide, semi-ombragé, et d'un
sol neutre ou légèrement acide.
Multiplication : boutures de
rameaux terminaux en été,
boutures de tiges à la fin de
l'été ou au début de l'automne.
A. ovata. Plante grimpante aux
tiges couvertes de poils blancs.
H. jusqu'à 4 m. Petites feuilles
oblongues, dentées. Donne en été
des fleurs tubulaires de 6 cm de
long, rose rougeâtre, souvent à
lèvre inférieure striée de jaune,
poussant en solitaires ou par
paires à l'aisselle des feuilles.

ASTILBE (Saxifragacées)

Genre de plantes vivaces à
floraison estivale, cultivées pour
leurs panicules qui conservent un
intérêt lorsqu'elles deviennent
brunes en séchant. Conviennent
pour mixed-border et rocailles.
Rustiques. Ont besoin d'un sol
riche, humide et, pour la plupart
des espèces, d'une ombre légère.
Éviter les transplantations et
entourer au printemps d'un mulch

ou d'un compost bien décomposé.
Multiplication des espèces par
semis en automne et des variétés et
cultivars par division au printemps
ou en automne. Beaucoup
d'Astilbe sont calcifuges.
A. 'Bressingham Beauty'. Cultivar
vivace touffu. H. et E. jusqu'à 1 m.
Larges feuilles divisées en folioles
d'oblongues à ovales, dentées.
Donne des panicules plumeuses,
aplaties, de petites fleurs étoilées
roses.
A. 'Fanal', ill. p. 239.
A. 'Irrlicht', ill. p. 233.
A. 'Montgomery', ill. p. 208.
A. 'Ostrich Plume', ill. p. 204.
A. 'Perkeo', ill. p. 293.
A. 'Venus', ill. p. 204.

ASTRANTIA (Ombellifères)

Genre de plantes vivaces très utiles
en art floral. Rustiques. Ont besoin
de soleil ou de mi-ombre et d'un
sol bien drainé. Multiplication :
division au printemps ou semis de
graines fraîches à la fin de l'été.
A. major (Radiaire) et var.
involucrata, ill. p. 234.
'Sunningdale Variegated' est une
variété poussant en touffes.
H. 60 cm, E. 45 cm. Feuilles
palmées à 5 lobes profonds, vert
moyen panaché de jaune et de
crème. Donne en été et en automne
des ombelles denses, arrondies,
blanc verdâtre parfois teinté de
rose, portées par des tiges
ramifiées, raides.
A. maxima, ill. p. 234.

ASTROPHYTUM (Cactacées)

Genre de cactées vivaces, à tige
globuleuse, à croissance lente,
cultivées pour leurs fleurs aplaties,
jaunes, parfois à centre rouge. Non
rustiques (min. 5 °C). Préfèrent le
soleil et les sols bien drainés.
Multiplication par semis au
printemps ou en été.
A. myriostigma (Mitre d'évêque),
ill. p. 386.
A. ornatum, ill. p. 397.

ATHYRIUM (Polypodiacées)

Genre de fougères à feuillage caduc
ou, parfois, semi-persistant. De
rustiques à non rustiques (min.
5 °C). Ont besoin d'ombre et d'un
sol humifère et humide. Éliminer
régulièrement les frondes brunes.
Multiplication par spores à la fin
de l'été ou par division en automne
ou en hiver.
A. filix-femina (Fougère femelle).
Fougère à feuillage caduc.
H. 60 cm-1,20 m, E. 30 cm-1 m.
Rustique. Frondes délicates,
lancéolées, très divisées, arquées,
vert pâle.
A. goeringianum, voir
A. nipponicum.
A. nipponicum, syn.
A. goeringianum, ill. p. 187.

ATRIPLEX (Chénopodiacées)

Genre de plantes annuelles, de
plantes vivaces et d'arbustes à
feuilles persistantes ou semi-
persistantes, cultivés pour leur
feuillage. Poussent bien dans les
zones littorales. De rustiques à
semi-rustiques. Ont besoin de plein
soleil et d'un sol bien drainé.
Multiplication : boutures de bois
tendre en été ou semis en automne.
A. halimus (Arroche halime,
Pourpier de mer). Arbuste touffu à
feuilles semi-persistantes. H. 2 m,
E. 3 m. Supporte relativement bien
le gel. Feuilles ovales gris argenté.
Donne rarement des fleurs.
A. hortensis (Belle-Dame) 'Rubra'.
Plante annuelle dressée à
croissance rapide. H. 1,20 m,
E. 30 cm. Semi-rustique. Feuilles
supérieures hastées atteignant
15 cm de long, rouge intense.
Donne en été des fleurs
insignifiantes.

AUBRIETIA (Crucifères)
Aubriette

Genre de plantes vivaces à feuilles
persistantes, à tiges rampantes,
formant des coussins. Utiles pour
banquettes sèches, murs et
rocailles. Rustiques. Se plaisent au
soleil et dans tous les sols bien
drainés. Tailler sévèrement après la
floraison pour maintenir un port
compact. Multiplication :
bouturage ou division de touffes.
A. 'Carnival', ill. p. 308.
A. 'Cobalt Violet', ill. p. 309.
A. deltoidea 'Argenteo Variegata',
ill. p. 308.
A. 'Joy', ill. p. 307.
A. 'J.S. Baker', ill. p. 308.

AUCUBA (Cornacées)

Genre d'arbustes dioïques à feuilles
persistantes, cultivés pour leur
feuillage et leurs fruits. La culture
de plants mâles et de plants
femelles est nécessaire pour obtenir
des fruits. Rustiques. Supportent
une situation mi-ensoleillée ou
l'ombre. Se plaisent dans tous les
types de sols qui ne sont pas gorgés
d'eau. Multiplication par
marcottage et par boutures de bois
semi-lignifié en été. Supportent la
pollution.
A. japonica (Aucuba du Japon),
ill. p. 120. 'Crotonifolia' (mâle,
parfois aussi femelle), ill. p. 121.

AURINIA (Crucifères)

Genre de plantes vivaces à feuilles
persistantes, cultivées pour leur
feuillage gris-vert et leurs belles
inflorescences. Conviennent pour
rocailles, murs et banquettes.
Rustiques. Ont besoin de soleil et

d'un sol bien drainé.
Multiplication : bouturage au
début de l'été ou semis en
automne.
A. saxatilis, syn. *Alyssum saxatile*
(Corbeille d'or), ill. p. 290.
'Citrina' et 'Variegata', ill. p. 289.
'Dudley Neville', H. 20-25 cm,
E. 30 cm. Feuilles ovales, velues,
gris-vert. Donne fin printemps et
début été des grappes de
nombreuses petites fleurs à
4 pétales, jaune chamois.

AUSTROCEDRUS (Cupressacées)

Genre de conifères portant des
ramules généralement aplatis de
feuilles écailleuses. Voir aussi
CONIFÈRES.
A. chilensis, syn. *Libocedrus*
chilensis, ill. p. 78.

Avena candida, voir
Helictotrichon sempervirens.
Avena sempervirens, voir
Helictotrichon sempervirens.

AZARA (Flacourtiacées)

Genre d'arbres et d'arbustes à
feuilles persistantes, cultivés pour
leur feuillage et leurs fleurs
composées d'une masse touffue
d'étamines. À peine semi-
rustiques ; dans les régions
froides, doivent être placés sous
la protection d'un mur orienté
au sud ou à l'ouest. À cultiver
au soleil ou à l'ombre dans un
sol fertile et bien drainé.
Multiplication par boutures de
rameaux mi-aoûtés en été.
A. microphylla, ill. p. 93.
A. serrata, ill. p. 103.

AZOLLA (Salviniacées)

Genre de fougères aquatiques à
feuilles caduques, cultivées pour la
valeur décorative de leur feuillage
flottant et pour limiter la
prolifération des algues en faisant
écran à la lumière qui pénètre dans
l'eau. Semi-rustiques (hiverner en
serre froide). À cultiver au soleil ou
à l'ombre. Peuvent être très
envahissantes si l'on n'en élimine
pas régulièrement une partie à
l'aide d'une épuisette.
Multiplication par redistribution
des touffes de jeunes pousses au fur
et à mesure de leur apparition.
A. caroliniana, ill. p. 374.

AZORELLA (Ombellifères)

Genre de plantes vivaces à
feuillage persistant, en touffes ou
étalé, cultivées pour leurs feuilles
denses et leurs fleurs. Rustiques. Se
plaisent en pleine lumière dans les
sols bien drainés. Multiplication

par division au printemps.
A. trifurcata, syn. *Bolax glebaria,*
ill. p. 330.

AZORINA (Campanulacées)

Genre représenté par une seule espèce de plante vivace à feuilles persistantes, cultivée pour sa floraison de printemps/été. Peu rustique. A besoin de plein soleil ou d'une ombre partielle et d'un sol bien drainé. Arroser les sujets en conteneurs avec modération, encore moins en dehors de la période de croissance. Supprimer les inflorescences fanées après la floraison. Multiplication : semis ou bouturage au printemps ou en été.

A. vidalii, syn. *Campanula vidalii* (**Campanule vidalii**), ill. p. 122.

AZUREOCEREUS (Cactacées)

Genre de cactées vivaces, à croissance lente, parfois arborescentes. Tiges épineuses bleu-vert ou bleu argenté portant jusqu'à 20 côtes ou plus, couronnées par des rameaux raides, dressés, bleu-vert. Non rustiques (min. 7° C). Ont besoin de soleil et d'un sol très bien drainé. Multiplication par semis au printemps ou en été.
A. hertlingianus, syn. *Browningia hertlingianus,* ill. p. 378.

B

BABIANA (Iridacées)

Genre de plantes bulbeuses fleurissant au printemps et en début d'été, appréciées pour leurs fleurs à couleurs intéressantes. Non rustiques (min. 10 °C, plantes de serre froide). Ont besoin de soleil et d'un sol bien drainé. Multiplication en automne par semis ou par division naturelle des bulbilles.
B. plicata. Espèce à floraison printanière. H. 30 cm, E. 10 cm. Feuilles toutes basales, dressées, lancéolées ; courts épis de fleurs rouges en entonnoir, de 4-5 cm de long.
B. rubro-cyanea, ill. p. 360.

BACCHARIS (Composées)

Genre d'arbustes dioïques à feuilles persistantes ou caduques, généralement à floraison automnale, cultivés pour leur feuillage et leurs fruits. S'adaptent bien aux régions venteuses du littoral et aux sols secs. Assez rustiques. Ont besoin de plein soleil et d'un sol bien drainé. Multiplication par boutures de bois semi-lignifié en été.
B. halimifolia (Séneçon en arbre). Vigoureux arbuste à feuilles caduques, touffu, dressé. H. et E. 4 m. Feuilles ovales, étroites, gris-vert, dentées. Donne début automne des corymbes de nombreux petits capitules blancs auxquels succèdent de petits fruits cotonneux, à aigrette. Dans le nord et l'est de la France, choisir une situation protégée.

BALLOTA (Labiacées)

Genre de plantes vivaces et de sous-arbrisseaux à feuilles caduques ou persistantes, cultivés pour leur feuillage et leurs fleurs. Peu rustiques. Ont besoin de soleil et d'un sol bien drainé. Rabattre au printemps avant le début de la croissance. Multiplication par division de touffes.
B. acetabulosa, ill. p. 144.
B. pseudodictamnus, ill. p. 301.

BAMBOUS, HERBES, JONCS et LAÎCHES

Ensemble de plantes ligneuses ou herbacées, vivaces ou annuelles, qui appartiennent à plusieurs familles : Graminées (qui comprennent entre autres les Bambusées mais aussi les herbes), Juncacées et Cypéracées. On les cultive principalement pour leur feuillage qui donne de l'élégance et une touche graphique particulière aux massifs et aux jardins de rocaille ; plusieurs espèces donnent en outre, au printemps et en été, de jolies inflorescences que l'on peut faire sécher pour des décorations d'hiver. Multiplication des Graminées herbacées essentiellement par semis, des Bambous par division de touffes, et des Cypéracées par semis, bouturage ou division, selon les cas. Toutes ces plantes résistent en général assez bien aux parasites et aux maladies.

Bambous (Bambusées)
Tribu de Graminées qui regroupe des plantes ligneuses (au moins à leur base) vivaces, à souche traçante, cespiteuse ou rhizomateuse, que l'on cultive pour leur valeur ornementale ou pour constituer des haies et des coupe-vent. La plupart des bambous diffèrent des autres types de Graminées par le fait qu'ils présentent des tiges au moins en partie ligneuses. Celles-ci sont creuses (sauf chez *Chusquea*), généralement brun verdâtre ou vertes, très robustes au bout d'un certain temps, avec un rayon qui peut atteindre facilement 15 cm chez certaines espèces tropicales. Les feuilles sont planes, oblongues ou linéaires, avec des veines bien visibles. La floraison des bambous, qui se produit le plus souvent sur des plantes âgées, ne présente pas d'intérêt décoratif. Après la floraison, parfois longue, la plante dépérit et, bien souvent, meurt. De rustiques à semi-rustiques. Les bambous se plaisent dans les endroits abrités, légèrement humides, au soleil ou à l'ombre, sauf indications contraires.
Voir aussi *Arundinaria, Bambusa, Chusquea, Phyllostachys, Pleioblastus, Pseudosasa, Sasa, Semiarundinaria, Shibatea, Sinarundinaria* et *Thamnocalamus*.

Herbes (Graminées herbacées)
Plantes herbacées vivaces ou annuelles, souvent rhizomateuses ou stolonifères, se présentant en touffes ou en formations tapissantes. Elles ont des feuilles basales rubanées, simples, et des tiges cylindriques, noueuses, souvent creuses, qui portent des feuilles elles aussi rubanées, simples, engainantes. Les fleurs, généralement hermaphrodites (mâles et femelles sur la même fleur), se présentent en épis, en grappes ou en panicules, composés d'épillets portant chacun une ou plusieurs fleurs et entourés à la base de 2 bractées (glumes). Rustiques, semi-rustiques ou non rustiques. Les Graminées supportent des conditions d'ensoleillement, de sol et de climat très diverses. Beaucoup de genres, tels que *Briza*, par exemple, se reproduisent par dissémination spontanée.
Voir aussi *Achnatherum, Alopecurus, Arrhenatherum, Arundo, Bouteloua, Briza, Bromus, Chionochloa, Coix, Cortaderia, Dactylis, Deschampsia, Festuca, Glyceria, Hakonechloa, Helictotrichon, Holcus, Hordeum, Lagurus, Lamarckia, Leymus, Melica, Milium, Miscanthus, Molinia, Oplismenus, Panicum, Pennisetum, Phalaris, Sesleria, Setaria, Spartina, Stipa* et *Zea*.

Joncs (Juncacées)
Famille de plantes vivaces ou annuelles, rhizomateuses (rhizome rampant). Selon les espèces, les tiges noueuses sont rondes et sans feuilles à la base, ou portent de longues feuilles basales planes et glabres, sauf chez *Luzula* dont les feuilles planes sont bordées de poils blancs. Les fleurs sont solitaires ou associées en grappes plus ou moins denses. De rustiques à semi-rustiques. La plupart des Juncacées se plaisent au soleil ou dans une ombre partielle et dans un environnement nettement humide, à l'exception de *Luzula* qui préfère les milieux plus secs.
Voir aussi *Juncus* et *Luzula*.

Laîches (Cypéracées)
Famille de plantes vivaces, rhizomateuses, à feuilles persistantes, très touffues. Les tiges ont généralement une section triangulaire caractéristique et portent des feuilles longues et étroites, parfois réduites à de simples formations écailleuses. Les fleurs se présentent en épis ou en panicules, entourés de glumes ; elles sont hermaphrodites, sauf chez certaines espèces de *Carex* dont les fleurs mâles et femelles se trouvent sur la même tige, mais dans des inflorescences distinctes. De rustiques à non rustiques. Se plaisent au soleil ou dans une ombre partielle. Certaines Cypéracées poussent spontanément dans l'eau, mais la plupart peuvent se cultiver dans n'importe quel type de sol assez humide ou très humide, bien drainé.
Voir aussi *Carex, Cyperus, Eleocharis, Scirpus*.

BAMBUSA (Graminées, Bambusées), voir **BAMBOUS, HERBES, JONCS et LAÎCHES.**

B. glaucescens, voir *B. multiplex.*
B. multiplex, syn. *B. glaucescens,* ill. p. 181.

BANKSIA (Protéacées)

Genre d'arbustes à feuilles persistantes, cultivés pour leurs fleurs, leur feuillage et leur aspect général. De peu rustiques à non rustiques (min. 7-10 °C, serre froide aérée et lumineuse). Ont besoin de pleine lumière et d'un sol sableux, soigneusement drainé. Arroser raisonnablement les sujets en conteneurs durant la période de croissance, moins le reste du temps, mais sans les laisser se dessécher. Multiplication par semis au printemps ou par boutures demi-herbacées en début d'été.
B. coccinea, ill. p. 98.
B. ericifolia. Arbuste rameux. H. et E. jusqu'à 3 m. Porte des petites feuilles linéaires et, à la fin de l'hiver et au printemps, des inflorescences spiciformes denses, dressées (de 10-15 cm de long), de petites fleurs tubulaires rouge bronze ou parfois jaunes.

BAPTISIA (Légumineuses)

Genre de plantes vivaces rustiques à floraison estivale, cultivées pour leurs fleurs papilionacées. Ont besoin de soleil et d'un sol profond, bien drainé, de préférence neutre ou acide. Éviter les transplantations. Peuvent se multiplier par division au début du printemps ou par semis en automne.
B. australis, ill. p. 211.

BARBAREA (Crucifères)

Genre de plantes vivaces, bisannuelles et annuelles à floraison estivale. La plupart des espèces sont des mauvaises herbes ou des salades d'hiver (comme *B. praecox*, le cresson de terre), mais la forme panachée de *B. vulgaris* se cultive pour ses qualités ornementales. Rustiques. Poussent au soleil ou à l'ombre, dans presque tous les sols sains. Multiplication par semis ou division au printemps. Bouturage également possible.
B. vulgaris, syn. *Erysimum barbarea* (Herbe de Sainte-Barbe). 'Variegata', ill. p. 246.

BARLERIA (Acanthacées)

Genre de plantes vivaces et d'arbustes à feuilles persistantes, cultivés pour leurs fleurs. Non

rustiques (min. 18 °C). Ont besoin de pleine lumière ou d'une ombre légère et d'un sol fertile. Arroser largement les plantes en pots en pleine croissance, modérément le reste du temps. Pincer les jeunes plants durant la période de croissance pour favoriser leur ramification. Pour obtenir un ensemble plus compact, raccourcir les longues tiges après la floraison. Multiplication : semis au printemps ou boutures de rameaux herbacés ou semi-lignifiés en été.
B. cristata. Arbuste semi-dressé. H. et E. 1,20 m. Min. 20 °C. Feuilles elliptiques, velues. Donne en été à l'aisselle des feuilles supérieures des fleurs tubulaires violet clair, parfois rose pâle ou blanches.
B. obtusa. Arbuste dressé, étalé. H. et E. jusqu'à 1 m. Min. 10 °C. Feuilles elliptiques. Donne en hiver et au printemps, à l'aisselle des feuilles supérieures, des fleurs tubulaires mauves.

Bartonia aurea, voir *Mentzelia lindleyi.*

BAUERA (Saxifragacées)

Genre d'arbustes à feuilles persistantes, surtout cultivés pour leurs fleurs. Non rustiques, min. 10 °C (plante de serre froide ou d'orangerie). Ont besoin de plein soleil et d'un sol riche en humus, bien drainé, neutre ou acide. Arroser les sujets en pots avec modération. Tailler éventuellement après la floraison. Multiplication : semis au printemps ou boutures de bois semi-lignifié en été ; également marcottage.
B. rubioides. Arbuste buissonnant, à port généralement étalé. H. et E. 60 cm. Feuilles luisantes à 3 folioles lancéolées. Donne au printemps et en été des fleurs en forme de coupe, roses ou blanches.

BAUHINIA (Légumineuses)

Genre d'arbres et d'arbustes dressés ou grimpants, à feuilles généralement persistantes, cultivés pour leurs fleurs. De peu rustiques à non rustiques (min. 16 °C, arbres de serre froide, seuls certains sont cultivés à l'extérieur dans le midi de la France). Ont besoin de pleine lumière et d'un sol léger et bien drainé. Arroser généreusement les sujets en conteneurs lorsqu'ils sont en pleine croissance, moins en hiver. Les pousses en surnombre peuvent être éclaircies après la floraison. Multiplication par semis au printemps, boutures de rameaux semi-aoûtés, et boutures de racines.
B. galpinii, voir *B. punctata.*
B. punctata, syn. *B. galpinii,* ill. p. 110.
B. purpurea. Arbre étalé, généralement à feuilles persistantes. H. et E. jusqu'à 10 m. Feuilles ovales larges, à 2 folioles soudées. Donne à la fin de l'automne et en hiver de courtes grappes terminales de fleurs odorantes, aplaties, dont la couleur va de rose pourpré à magenta.
B. variegata et **'Candida',** ill. p. 69.

BEAUCARNEA (Agavacées)

Genre d'arbres et d'arbustes à feuilles persistantes, surtout cultivés pour l'originalité de leur aspect général. Peu rustiques. Ont besoin de pleine lumière et d'un sol soigneusement drainé, fertile ; peuvent supporter une certaine sécheresse. Arroser avec modération les sujets en conteneurs ; laisser ressuyer la terre avant chaque nouvel arrosage. Multiplication : semis ou division par éclats au printemps, ou bouturage en été.
B. recurvata, syn. *Nolina recurvata, N. tuberculata,* ill. p. 72.

BEAUMONTIA (Apocynacées)

Genre de plantes grimpantes volubiles, à feuilles persistantes, à tiges ligneuses, cultivées pour leurs grandes fleurs odorantes et leur beau feuillage. Non rustiques (min. 17 °C, plantes de serre tempérée). Ont besoin d'un sol fertile, bien drainé et de pleine lumière. Arroser généreusement en période de croissance, peu le reste du temps. Éclaircir les pousses de la saison précédente après la floraison. Multiplication par boutures de bois semi-lignifié à la fin de l'été.
B. grandiflora, ill. p. 163.

BEGONIA (Bégoniacées)
Bégonia

Genre de plantes annuelles, plantes vivaces herbacées et de petites plantes suffrutescentes, cultivées pour leurs fleurs colorées et souvent pour leur feuillage ornemental. Peuvent être atteintes par l'oïdium, le *Botrytis,* et une bactérie (*Xanthomonas begoniae*). Les espèces de culture courante se répartissent essentiellement en plusieurs groupes indiqués ci-dessous, auxquels correspondent des méthodes de culture différentes.

Groupe 1 : Bégonias à tiges bambusiformes
Hybrides et espèces vivaces ligneuses, à feuilles persistantes, dont beaucoup à fleurs femelles à ovaire muni d'« ailes » ; tiges minces, bambusiformes, avec des nœuds renflés régulièrement espacés et qui portent des inflorescences pendantes. Pincer en période de croissance pour stimuler la ramification. Les nouvelles pousses se développent à partir de la base de la plante. Non rustiques (min. 15 °C). À cultiver sous abri vitré, avec un bon éclairage, mais à l'abri des rayons directs du soleil (le manque de lumière réduit la quantité de fleurs) et dans un compost bien drainé à base de terreau. Tuteurer les plants de grande taille. Multiplication au printemps par semis ou boutures de tête.

Groupe 2 : Rex et rhizomateux
La plupart des variétés du groupe Rex (*B. rex* et ses hybrides) sont des bégonias rhizomateux à feuilles persistantes. Les bégonias du groupe Rex se cultivent pour leur beau feuillage, alors que chez les rhizomateux d'espèces américaines, les fleurs sont également intéressantes. Rhizomes rampants ou dressés, portant des feuilles entières ou crénelées, vertes ou brunes, de 2,5-30 cm de long, parfois spiralées. Les variétés rhizomateuses rampantes sont plus ramifiées que les variétés dressées et conviennent pour paniers suspendus. Sauf indication contraire, non rustiques (de préférence min. 18 °C) ; ont besoin d'une atmosphère relativement humide. À cultiver sous abri vitré dans les régions froides, dans une ombre partielle et un sol bien drainé ; arroser sans excès. Ne pas laisser de l'eau stagner sur les feuilles, sinon celles-ci risquent de se couvrir de *Botrytis.*
Multiplication au printemps par semis, boutures de feuilles ou division des rhizomes.

Groupe 3 : Bégonias caulescents
(*Begonia semperflorens,* ses hybrides et ses cultivars)
Espèces et variétés vivaces à feuilles persistantes, souvent cultivées comme annuelles. Tiges tendres, charnues, ramifiées, portant des feuilles généralement arrondies, vertes, bronze ou panachées, de 5 cm de long. Fleurs simples ou doubles. Pincer en cours de croissance pour avoir un port buissonnant. Non rustiques (min. 12 °C). Ont besoin de soleil ou d'une ombre partielle et d'un sol bien drainé. Multiplication par semis en hiver ou boutures de tiges. Bonnes plantes pour massifs d'été.

Groupe 4 : Bégonias suffrutescents et Bégonias frutescents
Espèces et variétés vivaces à feuilles persistantes, à tiges multiples plus ou moins ramifiées, flexibles, dressées ou pendantes. Feuilles velues ou glabres de 15 cm de large et de 10-30 cm de long. Fleurs solitaires roses, crème, blanches ou rouges. Non rustiques (suffrutescents min. 13 °C, frutescents min. 17 °C). Ont besoin d'une humidité relative de l'air de 55 % environ. À cultiver sous abri vitré, avec une bonne lumière et un sol humide mais bien drainé. Multiplication au printemps par semis ou boutures de tiges. Dans ce groupe, les Bégonias frutescents buissonnants sont touffus, ramifiés, de grande taille.

Groupe 5 : Tubéreux
Espèces et variétés tubéreuses vivaces, cultivées comme annuelles, pour leurs fleurs solitaires apparaissant généralement en été. Les formes (cultivars) à grandes fleurs, issues de croisements réalisés depuis 120 ans entre les Bégonias tubéreux préexistants, sont dites *B.* × *tuberhybrida.* La plupart sont des plantes touffues, avec de grandes feuilles. Non rustiques (min. 13 °C). En extérieur, cultiver en ombre légère ou mi-ombre ; sous abri vitré, planter dans une ombre fraîche, avec 65-70 % d'humidité relative. Les tubercules sont en repos durant l'hiver et à mettre à l'abri, sauf en climat très doux. La croissance débute au printemps pour une floraison durant de la mi-été au début de l'automne. Plantes de culture facile. Tuteurage parfois utile. Multiplication au printemps par semis, boutures de tiges ; division des tubercules (pour les espèces à gros tubercule).

Groupe 6 : Bégonias Socotrana et ses hybrides
Espèces et variétés vivaces, à feuilles persistantes, d'allure touffue. Les formes Hiemalis ont des fleurs simples, semi-doubles ou doubles, de diverses couleurs ; les formes Cheimantha (notamment les Bégonias 'Gloire de Lorraine') se distinguent par leurs fleurs simples, blanches ou roses. Feuilles vertes ou bronze de 5 cm de long environ. Les fleurs apparaissent généralement de la fin de l'automne à la mi-printemps. Non rustiques (min. 18 °C) ; ont besoin d'humidité. Préfèrent un ensoleillement indirect et un sol humide. Rabattre les vieilles tiges après la floraison. Multiplication au printemps par semis ou boutures de feuilles, ou boutures de pousses sortant directement de la souche. Culture difficile.

B. albo-picta, ill. p. 251. Bégonia à feuilles persistantes, à croissance rapide, du groupe 1. H. 60 cm, E. 30 cm. Tiges ramifiées vertes devenant brun-vert en vieillissant. Feuilles ovales lancéolées, à bords ondulés, vert tacheté d'argent. Donne en été-automne des groupes de fleurs simples blanc-vert.
B. 'Apricot Cascade', voir *B.* × *tuberhybrida.*
B. 'Billie Langdon', voir *B.* × *tuberhybrida.*
B. bowerae, ill. p. 251. Bégonia rampant à feuilles persistantes du groupe 2. H. 25-30 cm, E. 20-25 cm. Feuilles ovales de 2,5 cm de long, vert foncé marqué de marron, bordées de poils fins. Donne en hiver des fleurs simples, blanc teinté de rose. **'Major'** a de plus grandes feuilles.
B. 'Bridal Cascade', voir *B.* × *tuberhybrida.*
B. 'Can-Can', voir *B.* × *tuberhybrida.*
B. × **cheimantha 'Gloire de Lorraine'.** Bégonia à feuilles persistantes, du type Cheimantha ; groupe 6. H. 30 cm, E. 35 cm. Plante bien ramifiée, avec des feuilles rondes vert vif et des fleurs simples, de blanc à rose pâle. Les fleurs sont très peu fertiles.
B. 'City of Ballarat', voir

B. × *tuberhybrida.*

B. coccinea. Bégonia à feuilles persistantes du groupe 1. H. 1,20 m, E. 30 cm. Feuilles ovales étroites, luisantes, vertes à dessous chamois. Donne au printemps de nombreuses fleurs simples rouge corail.

B. 'Cocktail', voir *B. semperflorens.*

B. 'Corallina de Lucerna', voir *B.* 'Lucerna'.

B. 'Crimson Cascade', voir *B.* × *tuberhybrida.*

B. 'Curly Merry Christmas', voir *B. rex.*

B. dregei. Bégonia du groupe 5. H. 75 cm, E. 35 cm. Petites feuilles qui ressemblent à celles des érables, lobées, vert tendre, à nervures pourpres, à dessous rouge, parfois tachetées d'argent lorsqu'elles sont jeunes. Donne en été de nombreuses fleurs simples, pendantes, blanches. A besoin d'une période de repos hivernal.

B. 'Duartei', voir *B. rex.*

B. 'Erythrophylla', syn. *B.* 'Feastii'. Bégonia nain à feuilles persistantes du groupe 2. H. 20 cm, E. 25-30 cm. Feuilles épaisses, vert foncé, plus ou moins arrondies, avec le pétiole partant du centre de la face inférieure rouge ; marges légèrement ondulées et bordées de poils blancs. Donne au début du printemps des fleurs simples rose clair.

B. 'Feastii', voir *B.* 'Erythrophylla'.

B. 'Flamboyant', voir *B.* × *tuberhybrida.*

B. foliosa, ill. p. 251. Bégonia à feuilles persistantes du groupe 4. H. 30-50 cm, E. 30-35 cm. Tiges dressées puis arquées et retombantes, portant de petites feuilles ovales, dentées, vertes, de 1 cm de long. Donne au printemps et en automne de très petites fleurs simples, blanches. À protéger des mouches blanches. var. **miniata,** voir *B. fuchsioides.*

B. fuchsioides, syn. *B. foliosa* var. *miniata.* Bégonia à feuilles persistantes du groupe 4. H. jusqu'à 1,20 m, E. 30 cm. Nombreuses feuilles ovales, dentées, vert foncé, de 4 cm de long. Donne en hiver des fleurs simples, pendantes, rouge vif.

B. 'Gold Cascade', voir *B.* × *tuberhybrida.*

B. gracilis var. **martiana,** syn. *B. martiana,* Bégonia du groupe 3. H. 60-75 cm, E. 40 cm. Petites feuilles d'ovales à lancéolées, lobées, vert pâle ou brun-vert. Donne en été de grandes fleurs simples, odorantes, roses, de 2,5 cm de large.

B. haageana, voir *B. scharffii.*

B. 'Helen Lewis', voir *B. rex.*

B. 'Helene Harms', voir *B.* × *tuberhybrida.*

B. × **hiemalis 'Krefeld'.** Bégonia à feuilles persistantes du groupe 6. H. 25 cm, E. 30 cm. Variété semi-tubéreuse à tiges charnues ; feuilles vert moyen et nombreuses fleurs simples, orange ou rouge vif. Très vulnérable aux atteintes du *Botrytis* et de l'oïdium à la base des tiges.

B. 'Ingramii', ill. p. 251. Bégonia à feuilles persistantes du groupe 4. H. 70 cm, E. 45 cm. Feuilles elliptiques, dentées, vert vif, de 8 cm de long. Donne par intermittence, du printemps à l'automne, de nombreuses fleurs simples, roses, sur des rameaux étalés.

B. 'Iron Cross', voir *B. marsoniana.*

B. 'Lucerna', syn. *B.* 'Corallina de Lucerna', ill. p. 251. Vigoureux bégonia à feuilles persistantes du groupe 1. H. 2-2,20 m, E. 45-60 cm. Feuilles ovales obtuses, vert bronze tacheté d'argent, de 25-35 cm de long. Donne tout au long de l'année de grandes inflorescences de fleurs simples roses.

B. 'Mac's Gold'. Bégonia rampant à feuilles persistantes du groupe 2. H. et E. 25 cm. Feuilles en étoile, lobées, de 8-15 cm de long, jaunes à marques marron. Donne par intermittence au printemps et en été des fleurs simples, roses.

B. manicata, ill. p. 251. Bégonia dressé, à feuilles persistantes, du groupe 4. H. 60 cm, E. 30-40 cm. Grandes feuilles ovales, vertes, tachetées de brun, dont le pétiole est entouré à son sommet d'une couronne de poils rouges, raides. Donne au tout début du printemps des fleurs simples, rose pâle. Multiplication par boutures de rameaux pendant le printemps. 'Crispa' a des fleurs d'un rose plus intense et des feuilles vert clair à marges crêpées (ill. p. 251).

B. martiana, voir *B. gracilis* var. *martiana.*

B. masoniana, syn. *B.* 'Iron Cross', ill. p. 251. Bégonia rampant à feuilles persistantes du groupe 2. H. 45-60 cm, E. 30-45 cm. Feuilles ovales, dentées, de 15 cm de long, vert assez vif, avec le centre marqué d'une croix noire ou brun foncé. Donne en été des fleurs simples, blanc verdâtre, à dessous taché de marron.

B. 'Masquerade', voir *B.* × *tuberhybrida.*

B. mazae. Bégonia rampant à feuilles persistantes du groupe 2. H. jusqu'à 25 cm, E. variable. Feuilles arrondies, vert bronze à nervures brun-rouge. Donne au début du printemps des fleurs simples odorantes, roses avec des taches rouges. Convient pour paniers suspendus.

B. 'Merry Christmas', voir *B. rex.*

B. metallica, ill. p. 251. Bégonia à feuilles persistantes du groupe 4. H. 1,20 m, E. 45 cm. Tiges couvertes de poils blancs et feuilles ovales, dentées, de 18 cm de long, vert bronze avec des poils argentés et des nervures vert foncé ; la face inférieure est rouge. Donne en été/automne des fleurs simples, roses à soies rouges.

B. 'Midas', voir *B.* × *tuberhybrida.*

B. 'Norah Bedson', ill. p. 251. Bégonia rampant à feuilles persistantes du groupe 2. H. jusqu'à 25 cm, E. 30 cm. Feuilles arrondies, vert vif avec des taches brun foncé, jusqu'à 15 cm de long. Donne au début du printemps des fleurs simples roses.

B. 'Oliver Twist', ill. p. 251. Bégonia rampant à feuilles persistantes du groupe 2. H. 60 cm, E. 45 cm. Feuilles ovales de vert pâle à vert moyen, atteignant jusqu'à 30 cm de long, avec des taches brun foncé et des marges crénelées. Fleurs simples roses en début de printemps.

B. olsoniae, ill. p. 251. Bégonia compact à feuilles persistantes du groupe 4. H. et E. 30 cm. Feuilles arrondies, satinées, vert bronze, veinées de crème. Donne tout au long de l'année des fleurs simples, rose très pâle, portées par des tiges arquées de 30 cm de long. Convient pour paniers suspendus.

B. 'Orange Cascade', voir *B.* × *tuberhybrida.*

B. 'Orange Rubra', ill. p. 251. Bégonia à feuilles persistantes, à croissance lente, du groupe 1. H. 50 cm, E. 45 cm. Feuilles ovales vert clair. Donne tout au long de l'année des inflorescences abondantes de fleurs simples, orange.

B. 'Organdy', voir *B. semperflorens.*

B. 'Orpha C. Fox', ill. p. 251. Bégonia à feuilles persistantes du groupe 1. H. 1 m, E. 30 cm. Feuilles ovales de 15 cm de long, vert olive avec des taches argentées sur le dessus et la face inférieure marron. Donne tout au long de l'année des groupes de fleurs simples rose vif.

B. prismatocarpa, ill. p. 251. Bégonia rampant à feuilles persistantes du groupe 2. H. 20 cm, E. 25 cm. Petites feuilles ovales, lobées, vert clair. Donne tout au long de l'année des fleurs simples, jaune vif. A besoin de 60-65 % d'humidité relative de l'air.

B. 'Red Ascot', voir *B. semperflorens.*

B. rex. Bégonia rampant à feuilles persistantes du groupe 2. H. 40 cm, E. 35 cm. Feuilles cordiformes de 20-25 cm de long, vert à reflets métalliques avec une zone argentée concentrique, se dressant verticalement à partir du rhizome. Donne à la fin de l'hiver/début du printemps des fleurs clairsemées rose pâle. Il est à l'origine des hybrides ci-dessous.

'Curly Merry Christmas' est un dérivé de *B.* 'Merry Christmas', mais avec des feuilles tordues en spirale.

'Duartei', ill. p. 251, H. et E. 60 cm, a des feuilles vert très foncé tordues en spirale, à poils rouges, d'au moins 15 cm de long, avec des rayures argentées et des marges presque noires. Difficile à cultiver jusqu'à sa maturité.

'Helen Lewis', ill. p. 251, H. et E. 60 cm, a un rhizome dressé et des feuilles pourpre intense, soyeuses, de 15-20 cm de long, avec des bandes argentées. Donne au début de l'été des fleurs simples, légèrement velues, crème.

'Merry Christmas' (syn. *B. ruhrtal,* ill. p. 251), H. et E. 25-30 cm, a des feuilles rouges, satinées, de 15-20 cm de long, bordées d'une large bande vert émeraude et marquées d'un centre rouge foncé velouté, parfois bordé de gris.

'Silver Helen Teupel', H. et E. 35 cm, a de longues feuilles profondément découpées, à centre rose luisant.

B. 'Roy Hartley', voir *B.* × *tuberhybrida.*

B. ruhrtal, voir *B.* 'Merry Christmas' (dans *B. rex*).

B. scharffii, syn. *B. haageana,* ill. p. 251. Bégonia à feuilles persistantes du groupe 4. H. 1,20 m, E. 60 cm. Les tiges sont souvent couvertes de poils blancs. Feuilles ovales, couvertes de poils fins, vert métallique foncé, à dessous vert rougeâtre, d'environ 25 cm de long. Donne de l'automne à l'été des fleurs simples blanc rosâtre à barbe rose.

B. semperflorens. Bégonia à feuilles persistantes, à croissance lente. H. 30 cm, E. 25 cm. Tiges ramifiées, charnues, vertes, portant des feuilles arrondies, charnues, de 8 cm de long environ, vertes, à dessous vert clair. Donne tout au long de l'année, mais surtout en été, des petites fleurs simples, roses, parfois à centre blanc, poussant à l'aisselle des feuilles. Est à l'origine des hybrides ci-dessous.

'Cocktail', H. et E. 30 cm, a des feuilles rondes, cireuses, bronze, et des fleurs roses, rouges ou blanches, apparaissant en été et jusqu'aux premiers froids de l'automne.

'Organdy', ill. p. 251, H. et E. 15 cm, a des feuilles rondes, cireuses, vert bronze et des fleurs roses, rouges ou blanches apparaissant en été et jusqu'aux premiers froids de l'automne.

'Red Ascot', ill. p. 251, H. et E. 15 cm, a des feuilles rondes, vert émeraude et des masses de fleurs rouges apparaissant en été.

B. serratipetala, ill. p. 251. Bégonia rampant à feuilles persistantes du groupe 4. H. et E. 45 cm. Feuilles ovales, obliques par rapport au pétiole, fortement dentées, vert bronze, tachetées de rose foncé. Donne par intermittence tout au long de l'année des fleurs simples (surtout femelles), rose intense. Préfère une humidité relative de l'ordre de 60 % pour l'air, mais avec les racines pas trop dans l'humidité.

B. 'Silver Helen Teupel', voir *B. rex.*

B. sutherlandii, ill. p. 251. Bégonia rampant du groupe 5. H. 1 m, E. variable. Minces tiges portant des petites feuilles lancéolées, lobées, vert vif, à veines rouges et, en été, à profusion, des groupes lâches de fleurs simples, orange. Très bonne plante pour paniers suspendus. Particulièrement vulnérable à l'oïdium.

B. 'Thurstonii', ill. p. 251. Bégonia à feuilles persistantes du groupe 4. H. jusqu'à 1,20 m, E. 45 cm. Feuilles d'arrondies à ovales, luisantes, lisses, vert bronze à veines rouge foncé. Donne en été des fleurs simples, roses.

B. × **tuberhybrida.** Ensemble des bégonias à grandes fleurs doubles ou simples obtenus depuis 120 ans dans le groupe 5. H. et E. 75 cm. Donne du début de l'été à la mi-automne des fleurs d'environ 10 cm de diamètre, solitaires, à pédoncule ferme, charnu. Grandes feuilles ovales, vertes. Les cultivars Multiflora, H. et E. 30 cm, sont plus touffus, avec des feuilles de 8 cm de long et des fleurs simples, semi-doubles ou doubles, de 4-5 cm de large, écloses en été. Les cultivars Pendula, H. jusqu'à 1 m, ont de longues et minces tiges traînantes et des feuilles de 6-8 cm de long ; donnent en été d'abondantes fleurs simples ou doubles.

'Apricot Cascade' (type Pendula ; ill. p. 251), a des feuilles vert émeraude et des fleurs doubles orange abricot. Appartiennent également à la série Cascade : 'Bridal Cascade' (pétales bordés de rose), 'Crimson Cascade', 'Gold Cascade' et 'Orange Cascade'.

'Billie Langdon', ill. p. 251, a de nombreuses fleurs doubles, blanches à fortes nervures, de 18 cm de large, avec un centre en bouton de rose.

'Can-Can', ill. p. 251, H. 1 m, a des fleurs doubles, jaunes, de 20 cm de large, à pétales rouges à bords rugueux. Émet quelques pousses latérales.

'City of Ballarat' donne des fleurs doubles, orange vif, de 18 cm de large, à pétales larges. Les feuilles sont d'un beau vert foncé.

'Flamboyant' (type Multiflora, ill. p. 251) donne d'abondantes fleurs simples, écarlates. Feuilles étroites, vert vif.

'Masquerade', E. jusqu'à 1 m, a des fleurs doubles, blanches, de 15 cm de large, à larges pétales à bordure rouge plissée. Fait une excellente plante en pots qui développe des pousses latérales nombreuses.

'Roy Hartley', ill. p. 251, a des fleurs doubles d'un rose plus ou moins saumoné. L'intensité de la couleur dépend beaucoup de celle de la lumière. Émet quelques pousses latérales. C'est l'un des meilleurs cultivars.

B. versicolor. Bégonia rampant à feuilles persistantes du groupe 2. H. jusqu'à 30 cm, E. 15 cm. Feuilles ovales de larges à oblongues, veloutées, de 8 cm de long, de diverses nuances acajou, vert pomme et marron. Donne au printemps et en été des fleurs simples, rose saumon. A besoin d'un minimum de 15-20 ºC et de 65-70 % d'humidité atmosphérique.

B. × weltoniensis, ill. p. 251. Bégonia à feuilles persistantes, à port buissonnant, du groupe 5. H. 50 cm, E. 30 cm. Petites feuilles ovales, effilées, dentées, vert foncé. Donne en été à l'aisselle des feuilles des groupes de 5-8 fleurs simples roses ou blanches.

B. xanthina. Bégonia à feuilles persistantes, touffu, rampant, du groupe 2. H. 30 cm, E. 35 cm. Feuilles ovales, vert foncé, de 15-25 cm de long, à nervures jaunes (face inférieure pourpre, velue). Donne en été des fleurs simples, pendantes, jaune orangé. A besoin d'un minimum de 20-25 ºC et de 75 % d'humidité atmosphérique. var. pictifolia a des fleurs jaune pâle et des feuilles marquées d'argenté.

BELAMCANDA (Iridacées)
Fleur de léopard, Iris tigré

Genre de plantes bulbeuses à

floraison automnale, cultivées pour leurs fleurs qui ressemblent à celles des iris. Rustiques, mais sont à protéger des vents froids de l'hiver. Ont besoin d'ombre légère ou de mi-ombre et d'un sol bien drainé, humifère mais léger. Multiplication par semis au printemps, sous châssis, ou par division.

B. chinensis. H. 80 cm, E. 25 cm. Présente une touffe en éventail de grandes feuilles semi-érigées, en forme de glaive. Tiges légèrement ramifiées, portant une succession de fleurs aplaties, de 4-5 cm de large, rouge orangé, avec des taches plus sombres. Graines noires et luisantes.

BELLEVALIA (Liliacées)

Genre de plantes bulbeuses à floraison printanière, proches de Muscari, mais avec des fleurs plus longues et plus tubulaires. Certaines espèces ont une valeur ornementale, mais la plupart n'ont aucun intérêt horticole. Rustiques. Ont besoin d'un endroit dégagé, ensoleillé et d'un sol bien drainé qui se dessèche en été. Multiplication par semis, de préférence en automne.

B. hyacinthoides, syn. Strangweia spicata, ill. p. 361.

B. pycnantha, syn. Muscari paradoxum, M. pycnantha. H. jusqu'à 40 cm, E. 5-8 cm. Feuilles basales rubanées, semi-érigées, vert grisâtre. Donne des grappes coniques, denses, de fleurs tubulaires ; pétales bleu sombre à extrémités jaunes.

BELLIS (Composées)
Pâquerette

Genre de plantes annuelles ou vivaces dont certaines sont cultivées comme bisannuelles. Rustiques. À planter au soleil ou en mi-ombre, dans un sol fertile et bien drainé. Multiplication par semis au début de l'été ; par division après la floraison, pour les cultivars stériles.

B. perennis (Pâquerette vivace). Espèce à croissance lente. Les cultivars se cultivent en bisannuelles. H. et E. 15-20 cm. Toutes ont des feuilles ovales, vert moyen et, au printemps, des capitules doubles. On trouve des cultivars à grandes fleurs (capitules de 5 cm de large) et des cultivars à fleurs miniatures (capitules de 2,5 cm au max.). La série Carpet (grandes fleurs), H. et E. 15 cm, et 'Goliath' (grandes fleurs), H. 20 cm, présentent un mélange de rouge, de rose et de blanc. 'Pomponnette' (fleurs miniatures en forme de pompon), ill. p. 271. 'White Carpet' (grandes fleurs), H. et E. 15 cm, est un cultivar compact à fleurs blanches.

Beloperone guttata, voir *Justicia brandegeana*.

BERBERIDOPSIS (Flacourtiacées)

Genre représenté par une seule espèce de plante grimpante sarmenteuse à feuilles persistantes et à tiges ligneuses. Semi-rustique. Craint les vents violents et les ensoleillements intenses ; à exposer de préférence au nord ou à l'ouest. Le sol doit être bien drainé. Supprimer les rameaux morts au printemps. Multiplication : semis au printemps, boutures de tiges ou marcottage en été.

B. corallina, ill. p. 169.

BERBERIS (Berbéridacées)

Genre d'arbustes souvent épineux, à feuilles caduques, semi-persistantes ou persistantes, surtout cultivés pour leurs fleurs arrondies ou cupuliformes, à pétales généralement jaunes ou jaune orangé et pour leurs fruits. Les espèces persistantes sont également cultivées pour leur feuillage et les espèces caduques pour leurs couleurs automnales. Rustiques. Ont besoin de soleil ou de mi-ombre et peuvent pousser dans n'importe quel type de sol qui ne soit pas gorgé d'eau. Multiplication des espèces par semis en automne, des hybrides et des cultivars à feuilles caduques par boutures herbacées ou semi-lignifiées en été, des hybrides et des cultivars à feuilles persistantes par boutures de bois semi-lignifié en été.

B. aggregata. Arbuste touffu. H. et E. 1,50 m. Feuilles caduques oblongues, vert moyen rougissant en automne. Donne fin printemps/ début été des panicules denses de fleurs jaune pâle, suivies de fruits ovoïdes rouges.

B. 'Barbarossa', ill. p. 116.

B. buxifolia. Arbuste à branches arquées. H. 2,50 m, E. 3 m. Très rustique. Feuilles semi-persistantes, d'oblongues à ovales, coriaces, terminées par une pointe épineuse, vert foncé. Donne au printemps des fleurs jaune orangé intense, suivies de fruits globuleux noirs, à pruine blanchâtre.

B. calliantha. Arbuste touffu. H. et E. 1-1,50 m. Rustique. Feuilles persistantes oblongues, épineuses, luisantes, vertes, à dessous blanc. Donne à la fin du printemps d'assez grandes fleurs jaune pâle auxquelles succèdent des fruits ovoïdes noirs.

B. candidula. Arbuste touffu, compact. H. et E. 1 m. Rustique. Feuilles persistantes étroitement oblongues, luisantes, vert foncé, à dessous blanc. Donne à la fin du printemps des fleurs jaune vif, suivies de fruits ovoïdes bleu-gris.

B. × carminea 'Pirate King'. Arbuste arqué. H. 2 m, E. 3 m. Rustique. Feuilles caduques oblongues, vert foncé. Fin printemps/début été, panicules de fleurs jaunes. Nombreux fruits globuleux, rouge pâle.

B. coxii. Arbuste touffu, dense. H. 2 m, E. 3 m. Rustique. Feuilles persistantes ovales étroites, luisantes, vert foncé ; à dessous blanc. Donne à la fin du printemps des fleurs jaunes, suivies de fruits ovoïdes noir bleuté, à pruine gris bleuté.

B. darwinii, ill. p. 86.
B. empetrifolia, ill. p. 125.
B. gagnepainii, ill. p. 99.
B. julianae, ill. p. 102.
B. linearifolia 'Orange King', ill. p. 103.
B. × lologensis. Vigoureux arbuste. H. 3 m, E. 5 m. Rustique. Feuilles persistantes oblongues larges, luisantes, vert foncé. Donne au printemps des grappes abondantes de fleurs orangées. 'Stapehill', ill. p. 103.
B. × ottawensis 'Superba', syn. B. × o. 'Purpurea'. Arbuste à branches arquées. H. et E. 2,50 m. Rustique. Feuilles caduques de rondes à ovales, rouge pourpre. Donne à la fin du printemps des petites fleurs jaunes teintées de rouge, puis, en automne, des fruits rouges.
B. 'Parkjuwel'. Arbuste globuleux, touffu. H. et E. 1 m. Rustique. Feuilles persistantes ovales, luisantes, vert vif ; certaines deviennent rouges en automne. Fleurs sans grand intérêt.
B. prattii. Arbuste touffu. H. et E. 3 m. Rustique. Feuilles caduques oblongues, luisantes, vert foncé. Donne à la fin de l'été de grandes panicules de petites fleurs jaunes, suivies d'abondants fruits ovoïdes, rose corail.
B. 'Rubrostilla', ill. p. 140.
B. sargentiana. Arbuste touffu. H. et E. 2 m. Rustique. Feuilles persistantes oblongues, luisantes, vert vif. Donne à la fin du printemps/début de l'été des fleurs jaunes, suivies de fruits ovoïdes, bleu-noir.
B. × stenophylla, ill. p. 103.
'Corallina compacta', ill. p. 290.
B. thunbergii. Arbuste dense, à branches arquées H. 1,20 m, E. 1 m. Rustique. Feuilles caduques ovales larges, de vert pâle à vert moyen, devenant d'un brillant rouge orangé en automne. Donne à la mi-printemps des petites fleurs jaune pâle teinté de rouge, suivies de fruits ovoïdes rouge vif. f. atropurpurea, ill. p. 99. 'Atropurpurea Nana' (syn. B.t. 'Crimson Pigmy'), H. et E. 60 cm, a un feuillage pourpre rougeâtre. 'Aurea', ill. p. 138. Les rameaux dressés de 'Erecta' s'étalent en vieillissant. 'Rose Glow' a des feuilles pourpre rougeâtre marbré de rose et blanc.
B. verruculosa, ill. p. 102.
B. wilsoniae. Arbuste touffu. H. 1 m, E. 1,50 m. Rustique. Feuilles semi-persistantes oblongues étroites, gris-vert devenant rouge orangé vif en automne. Donne fin printemps/ début été des fleurs jaunes, puis des masses de beaux fruits rose corail.

BERCHEMIA (Rhamnacées)

Genre de plantes grimpantes volubiles ligneuses à feuilles caduques ou d'arbustes dressés, cultivés pour leur feuillage et leurs fruits. S'utilisent pour tapisser des murs, des barrières et des troncs d'arbres. Rustiques. Poussent au soleil ou à l'ombre dans tous les sols bien drainés. Dans le nord et l'est de la France, placer en exposition ensoleillée. Multiplication : semis au printemps ou en automne, ou marcottage ou boutures de racines en hiver.
B. racemosa 'Variegata'. H. 5 m ou plus. Feuilles cordiformes de 3-8 cm de long, vertes à dessous plus clair, panachées de blanc crème, surtout vers l'extrémité des pousses. Donne en été des panicules de petites fleurs en forme de cloche, blanc verdâtre, puis en automne des fruits globuleux, verts devenant rouges, puis noirs.

BERGENIA, syn. MEGASEA (Saxifragacées)

Genre de plantes vivaces à feuilles persistantes, épaisses, coriaces, généralement grandes, de rondes à ovales, à nervures bosselées. Font d'excellents couvre-sol. Rustiques. Supportent le soleil et la mi-ombre et tous les types de sols bien drainés. Multiplication par division.
B. ciliata, ill. p. 226.
B. cordifolia. Espèce vigoureuse. H. 50 cm, E. 60 cm. Rustique. Feuilles rondes à bords ondulés. Donne au printemps des cymes de fleurs cupuliformes évasées, rose clair. **'Purpurea',** ill. p. 226.
B. crassifolia. H. 30 cm, E. 45 cm. Rustique. Feuilles ovales, charnues, devenant de couleur acajou en hiver. Donne au printemps des panicules de fleurs cupuliformes évasées, rose lavande.
B. 'Morgenröte'. H. 45 cm, E. 30 cm. Rustique. Feuilles rondes, froissées, vert intense. Hampes de fleurs cupulaires évasées, rouge carmin, apparaissant au printemps auxquelles succède souvent une seconde floraison qui se produit en été.
B. purpurascens. H. et E. 30 cm. Rustique. Feuilles ovales vert foncé devenant rouge betterave à la fin de l'automne. Donne au printemps des fleurs cupulaires évasées d'un beau rouge.
B. × schmidtii. Espèce poussant en touffes. H. 30 cm, E. 60 cm. Rustique. Feuilles ovales, dentées. Au début du printemps apparaissent des fleurs cupulaires rose tendre, à courts pédoncules, portées par des hampes.
B. 'Silberlicht', syn. **B.** 'Silver Light', ill. p. 225.
B. 'Silver Light', voir **B.** 'Silberlicht'.
B. stracheyi. H. 25 cm, E. 30 cm. Rustique. Petites feuilles rondes formant une rosette régulière d'où émergent au printemps des panicules ramifiées de fleurs cupuliformes évasées, blanches ou roses.

BERKHEYA (Composées)

Genre de plantes vivaces à floraison estivale. De rustiques à semi-rustiques ; mais, à l'exception des zones à climat doux, la plupart des espèces doivent être placées contre un mur orienté au sud ou à l'ouest. Ont besoin de plein soleil et d'un sol fertile et bien drainé. Multiplication : division au printemps ou semis en automne.
B. macrocephala, ill. p. 215.

BESCHORNERIA (Amaryllidacées)

Genre de plantes vivaces ressemblant à des Yucca, à feuilles étroitement lancéolées formant des rosettes basales dressées, presque acaules. Semi-rustiques. Ont besoin de plein soleil et d'un sol très bien drainé. Multiplication par semis ou division au printemps ou en été.
B. yuccoides, ill. p. 386.

Betonica officinalis, voir **Stachys officinalis.**

BETULA (Bétulacées)
Bouleau

Genre d'arbres et d'arbustes à feuilles caduques, cultivés pour leur écorce et leurs coloris d'automne. Rustiques. Utiles pour tous les types de sols peu fertiles, bien drainés ; certaines espèces préfèrent les sols acides. Multiplication par semis.
B. albo-sinensis, ill. p. 48.
B. alleghaniensis, syn. **B. lutea** (Bouleau jaune). Arbre dressé, souvent à plusieurs branches principales. H. 12 m ou plus, E. 3 m. Écorce lisse, luisante, jaune pâle ou grisâtre, s'exfoliant en minces fragments. Feuilles ovales, vert moyen ou vert pâle, devenant rapidement dorées en automne. Donne au printemps des chatons vert-jaune.
B. ermanii, ill. p. 46.
B. 'Jermyns'. Arbre dressé. H. 15 m, E. 10 m. Écorce s'exfoliant, blanche, particulièrement brillante en hiver. Feuilles ovales, vert moyen, à bords dentés. Donne au printemps de longs chatons mâles jaunes.
B. lutea, voir **B. alleghaneniensis.**
B. maximowicziana. Arbre à croissance rapide, à cime large. H. 18 m, E. 3 m. Écorce rose ou brun orangé s'exfoliant. Grandes feuilles ovales vert moyen devenant jaune clair en automne. Donne au printemps des grappes de chatons pendants, jaunâtres.
B. nana, ill. p. 289.
B. papyrifera (Bouleau à canots), ill. p. 46.
B. pendula (Bouleau commun, Bouleau blanc, Bouleau verruqueux). Arbre élégant à cime

de forme variable, cylindrique ou conique. H. 20 m ou plus, E. 10 m. Écorce blanc argenté devenant noire à la base du tronc en vieillissant. Minces rameaux souples, souvent pendants ; feuilles ovales, vert vif, devenant jaunes en automne. Donne au printemps des chatons vert jaunâtre. **'Dalecarlica'** (Bouleau lacinié), ill. p.47. **'Tristis'** a une cime étroite. **'Youngii',** ill. p. 65.
B. szechuanica. Arbre vigoureux à branches raides. H. 14 m, E. 2,50 m. Écorce d'un beau blanc crayeux. Feuilles de triangulaires à ovales, dentelées, coriaces, vert foncé, devenant dorées en automne. Donne au printemps des chatons vert jaunâtre.
B. utilis. Arbre dressé. H. 18 m, E. 2,50 m. Écorce parcheminée, s'exfoliant, brun foncé cuivré. Feuilles ovales, à dessous velu lorsqu'elles sont jeunes, vert moyen devenant jaune doré en automne. Donne au printemps des chatons brun-jaune. var. **jacquemontii,** ill. p. 56.

BIARUM (Aracées)

Genre de plantes tubéreuses vivaces généralement à floraison automnale, à fleurs minuscules portées par un spadice en bâtonnet, entouré d'une spathe tubulaire. La partie supérieure de la spathe est aplatie ou recourbée en casque. Rustiques, mais dans les régions à hivers froids et humides, mieux vaut le cultiver en serre pendant la mauvaise saison. Ont besoin d'un endroit ensoleillé et d'un sol bien drainé. Laisser sécher les tubercules pendant la période de repos en été. Multiplication en automne par semis ou rejets.
B. tenuifolium, ill. p. 368.

Bidens atrosanguinea, voir **Cosmos atrosanguineus.**

BIFRENARIA, voir ORCHIDÉES.

B. harrisoniae. Orchidée épiphyte à feuilles persistantes pour serres tempérées. H. 10 cm. Fleurs rondes, odorantes, blanc crème, de 8 cm de large, à labelle velu pourpre rougeâtre (printemps). Feuilles ovales larges, semi-rigides, de 15 cm de long. A besoin de mi-ombre en été. Plante florifère de culture aisée.

BIGNONIA (Bignoniacées)

Genre représenté par peu d'espèces de plantes grimpantes ligneuses à vrilles, à feuilles persistantes. Rustiques ; peuvent perdre leurs feuilles en hiver dans les régions froides. Ont besoin de soleil et d'un sol fertile pour une bonne floraison. Tailler au printemps si

nécessaire. Multiplication : boutures de tiges en été ou en automne. Toutes les espèces ci-dessous ne font plus partie du genre **Bignonia ;** le nouveau genre est indiqué à chaque fois.
B. capensis, voir **Tecomaria capensis.**
B. capreolata, syn. **Doxantha capreolata.** H. 10 m ou plus. Feuilles à 2 folioles oblongues étroites et à vrille ramifiée. Donne en été des fleurs en entonnoir orange rougeâtre, à l'aisselle des feuilles, puis en automne des fruits en capsule atteignant 15 cm de long.
B. grandiflora, voir **Campsis grandiflora.**
B. jasminoides, voir **Pandorea jasminoides.**
B. radicans, voir **Campsis radicans.**
B. stans, voir **Tecoma stans.**

Bilderdykia baldschuanica, voir **Polygonum baldschuanica.**

BILLARDIERA (Pittosporacées)

Genre de plantes grimpantes volubiles, à feuilles persistantes, à tiges ligneuses, cultivées notamment pour leurs fruits. Semi-rustiques (à cultiver à l'extérieur toute l'année uniquement dans le midi de la France). Poussent dans tous les sols bien drainés, à l'abri et dans une ombre partielle. Multiplication : semis au printemps ou boutures de tiges en été ou en automne.
B. longiflora, ill. p. 176.

BILLBERGIA (Broméliacées)

Genre de plantes vivaces épiphytes, cultivées pour leurs fleurs et leur feuillage persistant en rosette. Non rustiques, min. 12 °C (plantes de serre tempérée). Ont besoin de lumière (mais pas de grand soleil direct) et d'un sol bien drainé, avec de préférence un apport de sphaigne ou de copeaux de plastique utilisés pour la culture des orchidées. Arroser avec modération en pleine croissance, très peu le reste du temps. Multiplication par division de rejets après la floraison ou à la fin du printemps.
B. nutans, ill. p. 222. Espèce à rosette tubulaire. H. et E. jusqu'à 40 cm. Minces feuilles rubanées, généralement vert foncé, bordées de quelques épines. Donne au printemps des hampes inclinées de fleurs tubulaires vertes à bords de pétales bleus, entourées de grandes bractées roses.
B. rhodocyanea, voir **Aechmea fasciata.**
B. × windii. Espèce à rosette tubulaire. H. et E. jusqu'à 40 cm. Ressemble à **B. nutans,** mais avec des feuilles plus larges, étalées, gris-vert, et de plus grandes bractées. Fleurit par intermittence du printemps à l'automne.

Biota orientalis, voir ***Thuja orientalis.***

BLECHNUM (Polypodiacées)

Genre de fougères à feuilles persistantes ou semi-persistantes. De rustiques à non rustiques (min. 5 °C). La plupart des espèces préfèrent la mi-ombre ou l'ombre. Ont besoin d'un sol humide et consistant, neutre ou acide. Supprimer régulièrement les frondes fanées. Multiplication par division au printemps ; semis de spores pour *B. brasiliense.*
B. penna-marina. Fougère tapissante à croissance rapide. H. 15-30 cm, E. 30-45 cm. Rustique. Frondes linéaires, vert foncé ; celles de l'extérieur sont stériles, étroites, étalées, celles du centre sont fertiles, courtes et dressées. Convient pour rocailles.
B. spicant (Fougère pectinée, Blechne). Fougère à feuilles persistantes. H. 75 cm, E. 45 cm. Rustique. Frondes étroitement lancéolées, dentées, coriaces, étalées, vert foncé même en hiver. Préfère l'ombre et les sols tourbeux ou très humifères. Plante calcifuge.

BLETILLA, voir ORCHIDÉES.

B. striata, ill. p. 253. Orchidée terrestre à feuilles caduques. H. jusqu'à 60 cm. Semi-rustique. Donne à la fin du printemps/début de l'été des épis lâches de fleurs blanches ou magenta de 3 cm de long. Feuilles largement lancéolées. A besoin d'ombre en été.

BOENNINGHAUSENIA (Rutacées)

Genre représenté par une seule espèce de sous-arbrisseau, cultivé pour ses fleurs et son feuillage. Rustique, mais mieux vaut rabattre au ras du sol en hiver. A besoin de plein soleil et d'un sol fertile, bien drainé, pas trop sec. Multiplication : boutures herbacées en été ou semis en automne.
B. albiflora. Sous-arbrisseau touffu à feuilles caduques. H. et E. 1 m. Feuilles vert moyen, divisées en folioles ovales. Donne de la mi-été au début de l'automne des panicules lâches de petites fleurs cupulaires blanches.

BOLAX (Ombellifères)

Genre de plantes vivaces à feuilles persistantes poussant en touffes ou en coussins, souvent incluses dans le genre *Azorella.* Se cultivent pour leurs petites feuilles épaisses. Les sujets cultivés fleurissent rarement.

Conviennent pour terrains pierreux et éboulis. Semi-rustiques. Ont besoin de soleil et d'un sol riche en humus et bien drainé. Multiplication par division de touffes.
B. glebaria, voir *Azorella trifurcata.*
B. gummifera, ill. p. 331.

BOMAREA (Amaryllidacées)

Genre de plantes vivaces à racines fibreuses, souvent grimpantes ou volubiles, cultivées pour leurs fleurs en forme d'entonnoir. De semi-rustiques à non rustiques (min. 5 °C). Poussent dans tous les sols sains et à mi-ombre. Arroser régulièrement en période de croissance, peu en période de repos. Supports nécessaires. Tailler les vieilles tiges florifères au ras du sol lorsque les feuilles deviennent jaunes. Multiplication par semis ou division au début du printemps.
B. andimarcana, syn. *B. pubigera.* Espèce grimpante à tiges minces et raides. H. 2-3 m. Non rustique. Feuilles lancéolées à dessous blanc et velu. Donne du début de l'été à l'automne des fleurs inclinées, jaune pâle nuancé de rose.
B. caldasii, syn. *B. kalbreyeri,* ill. p. 175.
B. kalbreyeri, voir *B. caldasii.*
B. pubigera, voir *B. andimarcana.*

BORAGO (Boraginacées)
Bourrache

Genre de plantes annuelles et vivaces, cultivées pour leurs qualités médicinales et culinaires et pour leurs fleurs. Rustiques. Ont besoin de soleil et d'un sol fertile et bien drainé. N'utiliser en cuisine que les jeunes feuilles. Multiplication par semis en extérieur au printemps. Certaines espèces se reproduisent abondamment par dissémination spontanée et peuvent devenir très envahissantes.
B. officinalis, ill. p. 278.

BORONIA (Rutacées)

Genre d'arbustes ou de sous-arbrisseaux à feuilles persistantes, cultivés principalement pour leurs fleurs. Non rustiques (min. 7-10 °C). Ont besoin de pleine lumière et d'un sol sableux, neutre ou acide. Arroser avec modération les sujets en pots, surtout en dehors de la période de croissance. On peut tailler après la floraison pour maintenir un aspect compact. Multiplication : semis au printemps ou boutures de bois semi-aoûté à la fin de l'été. Les araignées rouges peuvent poser des problèmes.
B. elatior. Arbuste touffu à tiges grêles. H. et E. 1-1,50 m. Feuilles divisées comportant de 5-13 folioles linéaires. Donne au

printemps, à l'aisselle des feuilles supérieures, des fleurs presque globuleuses, à 4 pétales, rouge carmin ou rouge foncé.
B. megastigma, ill. p. 124.

BORZICACTUS (Cactacées)

Genre de cactées vivaces, cultivées pour leurs fleurs zygomorphes et leurs fruits. Non rustiques (min. 10 °C ; au-dessous de cette température, les tiges se couvrent de taches orangées). Ont besoin de plein soleil et d'un sol bien drainé. Multiplication par semis au printemps ou en été.
B. aurantiacus, syn. *Submatucana aurantiaca,* ill. p. 400.
B. celsianus, syn. *Oreocereus celsianus,* ill. p. 383.

BOUGAINVILLEA (Nyctaginacées)
Bougainvillée

Genre de plantes grimpantes à feuilles caduques ou persistantes, à tiges ligneuses, cultivées pour leurs belles bractées foliacées très colorées. Non rustiques (min. 7-10 °C, rustiques en régions méditerranéennes). À cultiver dans un sol fertile, bien drainé et en pleine lumière. Arroser avec modération en période de croissance ; les plantes en conteneurs doivent être maintenues au sec durant la période de repos. Ont besoin d'un support. Tailler les gourmands. Multiplication : boutures de bois semi-aoûté en été. Les mouches blanches et les cochenilles peuvent poser des problèmes.
B. × buttiana 'Mrs Butt'. Vigoureuse espèce à feuilles persistantes. H. jusqu'à 5 m. Feuilles elliptiques de 4-8 cm de long. Donne, en été, des groupes de fleurs insignifiantes et belles bractées magenta. Les bractées de 'Golden Glow' sont jaune orangé, celles de 'Scarlet Queen' sont écarlates.
B. 'Dania', ill. p. 168.
B. glabra, ill. p. 172. 'Snow White', ill. p. 165. 'Variegata', ill. p. 169.
B. 'Miss Manila', ill. p. 168.
B. spectabilis. Espèce à feuilles généralement persistantes, à forte croissance, dont les tiges portent d'habitude quelques épines de 2 cm de long. H. jusqu'à 7 m. Feuilles d'elliptiques à ovales et, en été, grandes touffes de bractées pourpre-rouge.

Boussingaultia baselloides, voir *Anredera cordifolia.*

BOUTELOUA (Graminées), voir BAMBOUS, HERBES, JONCS et LAÎCHES.

B. gracilis, syn. *B. oligostachya.* ill. p. 181.

B. oligostachya, voir *B. gracilis.*

BOUVARDIA (Rubiacées)

Genre de plantes vivaces et surtout d'arbustes à feuilles semi-persistantes ou persistantes, cultivés pour leurs fleurs. Non rustiques (min. 8 °C, mais 13-15 °C pour *B. longiflora*). Préfèrent la pleine lumière et les sols fertiles, bien drainés. Arroser généreusement en pleine croissance, avec modération le reste du temps. Rabattre de moitié ou des trois quarts après la floraison pour conserver un aspect régulier. Multiplication : boutures herbacées au printemps ou de bois semi-lignifié en été. Mouches blanches et cochenilles peuvent poser des problèmes.
B. humboldtii, voir *B. longiflora.*
B. longiflora, syn. *B. humboldtii.* Arbuste étalé à feuilles semi-persistantes. H. et E. 1 m ou plus. Min. 13-15 °C jusqu'à la fin de la floraison, puis 7 °C. Feuilles lancéolées, vert luisant. Donne de l'été au début de l'hiver des corymbes de fleurs odorantes blanches, composées d'une corolle tubulaire à 4 lobes courts.
B. ternifolia, syn. *B. triphylla,* ill. p. 141.
B. triphylla, voir *B. ternifolia.*

BOWIEA (Liliacées)

Genre de plantes grasses bulbeuses à tiges vertes grimpantes, à feuillage extrêmement réduit ; ne se cultivent que pour leur intérêt botanique. Non rustiques (min. 10 °C). Ont besoin de soleil et d'un sol bien drainé ; les bulbes doivent être à moitié enterrés. Tuteurage nécessaire. Multiplication par semis sous abri vitré en hiver ou au printemps.
B. volubilis, ill. p. 381.

BOYKINIA (Saxifragacées)

Genre de plantes vivaces, proches des Saxifrages, poussant en grosses touffes. Rustiques. La plupart des espèces ont besoin d'ombre et d'un sol riche en humus, humide mais bien drainé. Multiplication : division au printemps ou semis en automne.
B. aconitifolia, H. 50 cm, E. 15 cm. Feuilles réniformes, lobées. En été, les tiges florifères portent de très petites fleurs blanches en clochette.
B. jamesii, voir *Telesonix jamesii.*

BRACHYCHILUM (Zingibéracées)

Genre de plantes aromatiques vivaces, cultivées pour leurs fleurs et leurs fruits décoratifs. Non rustiques (min. 18 °C). Préfèrent

une atmosphère humide, un sol humifère, humide, bien drainé, et une ombre partielle. Multiplication par division au printemps ou en été.
B. horsfieldii. Espèce touffue. H. et E. jusqu'à 1 m. Feuilles lancéolées, coriaces, atteignant jusqu'à 30 cm de long, à court pétiole. Donne en été de belles fleurs tubulaires jaune et blanc de 8 cm de large, suivies de fruits orangés qui, en s'ouvrant, révèlent des graines rouges.

BRACHYCHITON (Sterculiacées)

Genre d'arbres à feuilles persistantes ou caduques, fleurissant généralement fin printemps et début été, cultivés pour leurs fleurs et leur aspect général. Pratiquement non rustiques en France métropolitaine (min. 7-10 °C). Ont besoin de pleine lumière et d'une terre franche. Arroser abondamment en été, beaucoup moins en hiver. Supportent la taille si nécessaire. Multiplication par boutures. Les araignées rouges peuvent poser des problèmes.
B. acerifolius, syn. *Sterculia acerifolia,* ill. p. 39.
B. populneus, syn. *Sterculia diversifolia.* Arbre conique à feuilles persistantes, pyramidal lorsqu'il est jeune. H. et E. 10 m. Feuilles ovales, pointues ou comportant de 3-5 lobes, luisantes, vert foncé, mais jaune lorsqu'elles sont jeunes. Donne au printemps/été des panicules de fleurs crème ou blanc verdâtre à gorge rouge, pourpre ou jaune.

BRACHYCOME (Composées)

Genre de plantes annuelles et vivaces à capitules. Semi-rustiques. Ont besoin de soleil, d'un endroit abrité et d'un sol riche et bien drainé. Pincer les jeunes plants pour favoriser leur ramification. Multiplication par semis sous abri vitré au début du printemps ou en extérieur au milieu du printemps.
B. iberidifolia, ill. p. 278.

BRACHYGLOTTIS (Composées)

Genre d'arbrisseaux et d'arbustes à feuilles persistantes, cultivés pour leur beau feuillage et leur aspect général, proches du genre *Senecio.* Très peu rustiques. Ont besoin de plein soleil ou d'une ombre partielle et d'un sol bien drainé. Arroser les sujets en conteneurs généreusement en été, avec modération le reste du temps. Multiplication par boutures de bois semi-aoûté à la fin de l'été.
B. repanda, ill. p. 95.

BRASSAIA, voir **SCHEFFLERA.**

BRASSAVOLA, voir **ORCHIDÉES.**

B. nodosa, ill. p. 252. Orchidée épiphyte à feuilles persistantes pour serres tempérées assez humides. H. 20-25 cm. Donne en été des fleurs à pétales étroits de 5 cm de large, vert pâle avec un labelle blanc, de 1-3 par tige. Feuilles épaisses, cylindriques, de 8-10 cm de long. À cultiver de préférence sur des fragments d'écorce, avec un bon éclairement en été, mais sans soleil vif direct.

BRASSICA (Crucifères)

Genre de plantes bisannuelles et vivaces à feuilles persistantes. La plupart sont des espèces comestibles comme le chou, mais certaines formes de *B. oleracea* se cultivent pour leur feuillage ornemental (feuilles découpées, laciniées, ou ondulées, rouges, vertes ou panachées). Rustiques. À cultiver au soleil dans un sol fertile et bien drainé. Les sols calcaires sont recommandés, mais pas indispensables. Multiplication par semis en extérieur au printemps ou sous châssis au début du printemps. Peuvent être atteints par la hernie du chou. À utiliser en massifs.
B. oleracea (Chou d'ornement), ill. p. 268.

× BRASSOCATTLEYA, voir **ORCHIDÉES.**

× B. Mount Adams, ill. p. 253. Orchidée épiphyte à feuilles persistantes pour serres tempérées. H. 45 cm. Donne par intermittence des fleurs rose lavande atteignant 15 cm de large, à labelle plus sombre marqué de jaune et de rouge. Feuilles ovales, raides, de 10-15 cm de long. A besoin d'un bon éclairement en été.

× BRASSOLAELIOCATTLEYA, voir **ORCHIDÉES.**

Hybride trigénérique.
× B. St Helier, ill. p. 253. Orchidée épiphyte à feuilles persistantes pour serres tempérées. H. 45 cm. Donne des fleurs (de 1-4 par tige) atteignant 10 cm de large, pourpre rose, avec un labelle rouge marqué de jaune, généralement au printemps. Feuilles ovales, raides, de 10-15 cm de long. A besoin d'un bon éclairement en été, mais sans soleil direct.
× B. Hetherington 'Coronation', ill. p. 253. Orchidée épiphyte à feuilles persistantes pour serres tempérées. H. 45 cm. Donne des fleurs (de 1-4 par tige) odorantes de 10 cm de large, rose clair, avec un labelle rose vif et jaune, généralement au

printemps. Feuilles ovales, raides, de 10-15 cm de long. A besoin d'un bon éclairement en été, mais sans soleil direct.

Bravoa geminiflora, voir *Polianthes geminiflora.*

BREYNIA (Euphorbiacées)

Genre d'arbres et d'arbustes à feuilles persistantes, cultivés pour leur feuillage. Non rustiques (min. 13 °C). Ont besoin de pleine lumière ou d'une ombre légère et d'un sol fertile et bien drainé. Arroser généreusement les sujets en conteneurs en période de croissance, modérément le reste du temps. Les grandes formes touffues peuvent être rabattues sévèrement après la floraison. Multiplication par boutures de racines. Mouches blanches, araignées rouges et cochenilles peuvent poser des problèmes.
B. disticha, syn. *B. nivosa, Phyllanthus nivosus,* ill. p. 143.
B. nivosa, voir *B. disticha.*

BRIMEURA (Liliacées)

Genre de plantes bulbeuses à floraison printanière, cultivées pour leurs fleurs qui ressemblent à de petites jacinthes. Conviennent pour rocailles et bordures. Rustiques. Ont besoin d'une ombre légère. Préfèrent les sols riches en humus et bien drainés. Multiplication : semis en automne ou division à la fin de l'été.
B. amethystina, syn. *Hyacinthus amethystinus* **(Jacinthe d'Espagne, Jacinthe des Pyrénées),** ill p. 361.

Brittonastrum mexicanum, voir *Agastache mexicana.*

BRIZA (Graminées), voir **BAMBOUS, HERBES, JONCS et LAÎCHES.**
Brize, Tremblotte

B. maxima (Grande Brize, Amourette). Herbe vivace poussant en touffes. H. jusqu'à 50 cm, E. 10 cm. Rustique. Feuilles basales vert moyen. Donne au début de l'été des panicules lâches d'épillets pendants vert blanchâtre que l'on peut faire sécher pour des décorations d'hiver. Se reproduit par dissémination spontanée.
B. media (Brize commune). Herbe vivace à feuilles persistantes, poussant en touffes. H. 30-60 cm, E. 10 cm. Rustique. Feuilles basales vert moyen. Donne en été des panicules portant jusqu'à 30 épillets brun pourpre, que l'on peut faire sécher pour des décorations d'hiver.

BRODIAEA (Liliacées)

printemps. Feuilles ovales, raides, de 10-15 cm de long. A besoin d'un bon éclairement en été, mais sans soleil direct.

Genre de plantes bulbeuses à feuilles toutes basales et linéaires, généralement à floraison printanière, à hampes florales dressées, sans feuilles, portant souvent des ombelles de fleurs aux belles couleurs. Semi-rustiques, à protéger le cas échéant par un lit de feuilles en hiver. Ont besoin d'un endroit abrité, ensoleillé et d'un sol léger, frais et bien drainé. Multiplication : par semis ou à la fin de l'été et en automne par prélèvement de caïeux.
B. congesta, voir *Dichelostemma congestum.*
B. coronaria. Espèce fleurissant de la fin du printemps au début de l'été. H. 10-25 cm, E. 8-10 cm. Feuilles basales, longues, étroites, semi-dressées, disparaissant au moment de la floraison. Tiges florifères sans feuilles portant chacune une ombelle ouverte de fleurs tubuleuses à lobes étalés, bleu-violet, à pédicelles longs, minces et inégaux.
B. hyacinthina, voir *Triteleia hyacinthina.*
B. ixioides, voir *Triteleia ixioides.*
B. laxa, voir *Triteleia laxa.*
B. peduncularis, voir *Triteleia peduncularis.*

BROMELIA (Broméliacées)

Genre de plantes vivaces à feuilles persistantes en rosette, longues, étroites, épineuses, cultivées pour leur aspect général et leurs bractées rouge vif. Non rustiques (min. 5-7 °C). Ont besoin de pleine lumière et d'un sol bien drainé. Arroser beaucoup en été, peu le reste du temps. Maintenir à l'ombre légère au printemps et en été. Multiplication par drageonnement au printemps.
B. balansae, ill. p. 222. H. 1 m, E. 1,50 m. Feuilles très longues, étroitement rubanées, arquées, à grosses épines crochues. Donne au printemps/été et parfois plus tard, des panicules de fleurs tubulaires violet rougeâtre, à longues bractées rouge vif.

BROMUS (Graminées), voir **BAMBOUS, HERBES, JONCS et LAÎCHES.**
Brome

B. ramosus (Brome rameux). Herbe vivace à feuilles persistantes poussant en touffes. H. jusqu'à 2 m, E. 30 cm. Rustique. Feuilles velues, vert moyen. Donne en été de longues panicules arquées d'épillets gris-vert. Préfère l'ombre.

BROUSSONETIA (Moracées)

Genre d'arbres voisin des Mûriers, à feuilles caduques, cultivés pour leur feuillage et leurs fleurs femelles accompagnées de bractées. Les fleurs mâles et femelles sont

produites par des plants distincts. Rustiques. Ont besoin de soleil et d'un sol bien drainé. Multiplication : boutures en été ou semis en automne.
B. papyrifera (**Mûrier à papier**), ill. p. 52.

BROWALLIA (Solanacées)

Genre de plantes buissonnantes vivaces, généralement cultivées en annuelles pour leurs belles fleurs. Non rustiques (min. 15 °C). Se plaisent au soleil et dans les sols fertiles et bien drainés qui ne se dessèchent jamais complètement. Ajouter de l'engrais lors de la floraison pour les sujets en pots et pincer les jeunes plants pour favoriser leur ramification. Multiplication par semis sous châssis au printemps ; pour une floraison d'hiver, semer à la fin de l'automne. Bonnes plantes à massifs, à mettre à l'extérieur en mai-juin dans la plupart des régions.
B. elata. Espèce à croissance modérément rapide, généralement cultivée en annuelle. H. 30 cm, E. 15 cm. Feuilles ovales vert moyen et, en été, fleurs bleues en trompette, de 4 cm de large.
B. speciosa, ill. p. 223.

Browningia hertlingianus, voir *Azureocereus hertlingianus.*

BRUCKENTHALIA (Éricacées)

Genre représenté par une seule espèce d'arbuste à feuilles persistantes, cultivé pour ses fleurs en clochette. Est apparenté à *Erica* et convient pour rocailles. Assez rustique. A besoin de soleil et d'un sol bien drainé, acide. Multiplication : boutures de bois semi-lignifié à la fin de l'été, ou semis au printemps, ou division de touffes.
B. spiculifolia. Petit arbuste qui ressemble à la bruyère. H. et E. 15 cm. Minuscules feuilles linéaires luisantes, vert foncé ; tiges raides. Donne en été des épis terminaux de minuscules fleurs rose pourpré.

Brugmansia arborea, voir *Datura arborea.*
Brugmansia × candida, voir *Datura × candida.*
Brugmansia sanguinea, voir *Datura sanguinea.*

BRUNELLA (Labiacées)
Brunelle

Genre de plantes vivaces à feuillage semi-persistant, formant des tapis de feuilles d'où émergent à la mi-été des épis floraux courts. Bonnes plantes de rocaille calcaire,

chaude. Rustiques. Se plaisent au soleil ou à mi-ombre, en sol frais bien drainé. Multiplication par division au printemps ou semis.
B. grandiflora, ill. p. 321. **'Pink Loveliness'** est une plante traçante. H. 20 cm, E. 30 cm. Forme un tapis dense de feuilles étroites, ovales, en rosette. En été, épis terminaux de fleurs à corolle bilabiée, en entonnoir, roses. Bon couvre-sol mais qui peut se révéler envahissant. Rabattre les tiges florales avant que ne se forment les graines. **'White Loveliness'** a des fleurs blanches.
B. webbiana, ill. p. 322.

BRUNFELSIA (Solanacées)

Genre d'arbustes à feuilles luisantes persistantes, cultivés pour leurs fleurs. Non rustiques (min. 18 °C, plantes de serre chaude). Ont besoin de mi-ombre et d'un sol acide riche en humus et bien drainé. Arroser avec modération les sujets en conteneurs, beaucoup moins lorsqu'il fait froid. Supprimer l'extrémité des tiges pour favoriser la ramification. Multiplication par boutures de bois aoûté en été. Cochenilles et mouches blanches peuvent poser des problèmes.
B. calycina, voir *B. pauciflora.*
B. pauciflora, syn. *B. calycina.* Arbuste étalé. H. et E. jusqu'à 1 m. Feuilles d'oblongues à lancéolées, coriaces, luisantes. Donne de l'hiver à l'été des fleurs pourpre bleuté, à base tubulaire et à 5 pétales. **'Macrantha',** ill. p. 135.

BRUNNERA (Boraginacées)

Genre de plantes vivaces à floraison printanière. Rustiques. Préfèrent une situation ensoleillée et un sol humifère et frais. Multiplication : division ou semis en automne.
B. macrophylla. H. et E. 60 cm. Donne au début du printemps de délicats bouquets de petites fleurs étoilées bleu vif après lesquelles apparaissent les feuilles cordiformes à long pétiole. Bonne plante de bordures. **'Dawson White'** (syn. *B.m.* 'Variegata'), ill. p. 228.

× *Brunsdonna parkeri,* voir × *Amarygia parkeri.*

BRUNSVIGIA (Amaryllidacées)

Genre de plantes bulbeuses à belles inflorescences écloses en fin d'été et en automne. Semi-rustiques (mettre le long d'un mur au sud, et protéger en hiver). Ont besoin de soleil et d'un sol fertile bien drainé. Arroser en automne pour stimuler la croissance des bulbes et des feuilles apparaissent après la

floraison ; poursuivre l'arrosage jusqu'en été où les feuilles disparaissent et où les bulbes doivent être au sec et au chaud. Multiplication par semis en automne ou par caïeux à la fin de l'été.
B. josephinae (**Amaryllis de Joséphine**). H. jusqu'à 45 cm, E. 45-60 cm. Forte tige de 1 m de haut, sans feuilles, portant une ombelle globuleuse de 40-60 fleurs en entonnoir de 7-9 cm de long, rouges à pétales récurvés à leur extrémité. Feuilles oblongues, semi-dressées, apparaissent après la floraison.

BRUYÈRES (Éricacées)

Les bruyères sont des arbustes à tiges ligneuses et feuillage persistant, cultivés pour leurs fleurs et leur feuillage décoratif, qui peuvent donner des couleurs au jardin tout au long de l'année. Il en existe 3 genres : *Calluna, Daboecia* et *Erica. Calluna* compte une seule espèce, *Calluna vulgaris,* mais de nombreux cultivars qui fleurissent en général du début de l'été à la fin de l'automne. *Daboecia* est composé de deux espèces, toutes deux à floraison estivale. Enfin le genre le plus important est *Erica,* dont certaines espèces sont à floraison hivernale ou estivale ; de plus, d'autres espèces fleurissent au printemps ou à l'automne. Leur hauteur varie des bruyères en arbre, qui peuvent atteindre 6 m de haut, aux plantes naines, à port prostré, qui, plantées à 30-45 cm de distance, forment rapidement un couvre-sol dense.

Les bruyères sont, selon les espèces, rustiques ou non rustiques (min. 7° C). Elles apprécient une situation dégagée et ensoleillée, mais supportent assez bien la mi-ombre, un sol riche en humus et bien drainé. *Calluna* et *Daboecia* doivent être cultivées en terrain acide, car elles sont sensibles au calcaire ; quelques espèces d'*Erica* supportent la présence de calcaire mais préfèrent les sols acides. Tailler légèrement chaque année après la floraison pour que les plantes gardent un port compact, buissonnant. Multiplication des espèces par semis au printemps ou division ou marcottage ; par bouturage pour *Erica* et *Daboecia.* Le semis donne des plantes d'aspect variable. Multiplier les variétés par voie végétative. Les bruyères sont illustrées aux pages 146-147.

Bryophyllum tubiflorum, voir *Kalanchoe tubiflora.*

BUDDLEIA (Loganiacées)

Genre d'arbustes à feuilles caduques, semi-persistantes ou persistantes, cultivés pour leurs grappes de fleurs. De rustiques à

semi-rustiques. Ont besoin de soleil et d'un sol bien drainé. Tailler court chaque année (sauf pour *B. globosa* et *B. alternifolia*) pour obtenir des rameaux denses et vigoureux. Multiplication par boutures de rameaux herbacés ou marcottage.
B. alternifolia, ill. p. 89.
B. colvilei, ill. p. 89. **'Kewensis'** est un arbuste arqué à feuilles caduques. H. et E. 5 m. Rustique. Feuilles lancéolées vert foncé. Donne au début de l'été des grappes pendantes de grandes fleurs tubulaires, rouges à gorge blanche.
B. crispa, ill. p. 111.
B. davidii (**Arbre** ou **Arbuste aux papillons**). **'Black Knight'** est un vigoureux arbuste arqué à feuilles caduques. H. et E. 5 m. Très rustique. Longues feuilles lancéolées, vert foncé à dessous blanc feutré. Donne de la mi-été à l'automne des grappes terminales denses de fleurs odorantes tubulaires, violet-pourpre. Les fleurs d'**'Empire Blue'** sont d'un bleu-violet intense. **'Harlequin',** ill. p. 89. **'Peace',** ill. p. 86. **'Pink Pearl'** a des fleurs rose lilas pâle. **'Royal Red'**, ill. p. 89.
B. globosa, ill. p. 91.
B. 'Lochinch'. Arbuste à branches arquées, à feuilles caduques. H. et E. 3 m. Rustique. Longues touffes de fleurs tubulaires odorantes, bleu lilas, apparaissant à la fin de l'été et en automne au-dessus de feuilles vertes à dessous gris.
B. madagascariensis. Arbuste à branches arquées, à feuilles persistantes. H. et E. 4 m ou plus. Peu rustique. Feuilles étroitement lancéolées, vert sombre à dessous blanc. Donne à la fin de l'hiver et au printemps de longues grappes de fleurs tubulaires jaunes. À placer contre un mur orienté au sud ou à l'ouest.
B. × weyeriana. Arbuste à branches arquées, à feuilles caduques. H. et E. 4 m. Rustique. Feuilles lancéolées vert foncé. Donne de la mi-été à l'automne des grappes lâches, arrondies, de fleurs tubulaires jaune orangé, souvent teinté de pourpre.

BULBOCODIUM (Liliacées)

Genre de plantes bulbeuses à floraison printanière, apparentées à *Colchicum,* convenant pour rocailles et serres froides. Très rustiques. Apprécient un endroit ombragé et un sol bien drainé et frais. Multiplication : division des caïeux à la fin de l'été ou au début de l'automne.
B. vernum (**Crocus rouge**), ill. p. 359.

BULBOPHYLLUM, voir ORCHIDÉES.

B. careyanum, ill. p. 254. Orchidée épiphyte à feuilles persistantes pour serres tempérées. H. 8 cm.

Donne au printemps des bouquets de nombreuses fleurs de couleurs assez ternes, légèrement odorantes. Feuilles ovales de 8-10 cm de long. Convient particulièrement bien pour paniers suspendus. A besoin de mi-ombre en été.

BUPHTHALMUM (Composées)

Genre de plantes vivaces ou suffrutescentes à floraison estivale. Rustiques. Ont besoin de chaleur et de soleil ; peuvent pousser dans à peu près tous les types de sols. Multiplication : semis au printemps ou en automne ou division en automne. Ont besoin de fréquentes divisions pour ne pas être trop envahissantes. Bonnes plantes pour rocailles et mixed-border.
B. salicifolium, ill. p. 247.

BUPLEURUM (Ombellifères)
Buplèvre

Genre de plantes annuelles, vivaces et d'arbustes à feuilles persistantes, cultivés pour leur feuillage et leurs fleurs. Poussent bien dans les jardins du littoral. Rustiques. Ont besoin de soleil et d'un sol bien drainé. Multiplication par boutures de bois semi-lignifié en été.
B. fruticosum (**Oreille-de-lièvre**), ill. p. 114.

BUTIA (Palmiers)

Genre de palmiers à feuilles persistantes, cultivés pour leur allure générale. En France, rustiques uniquement sur la Côte d'Azur. Poussent dans tous les sols fertiles, bien drainés, en plein soleil ou dans une ombre légère. Arroser régulièrement, peu en hiver. Multiplication par semis au printemps à une température minimum de 24 °C. Les araignées rouges peuvent poser des problèmes.
B. capitata, syn. *Cocos capitata,* ill. p. 72.

BUTOMUS (Butomacées)

Genre représenté par une seule espèce de plante aquatique vivace à feuilles caduques, cultivée pour ses fleurs. Rustique. A besoin d'un endroit dégagé, ensoleillé, avec une profondeur d'eau allant jusqu'à 25 cm. Multiplication par division de souche au printemps ou par semis au printemps ou à la fin de l'été.
B. umbellatus (**Jonc fleuri**), ill. p. 374.

BUXUS (Buxacées)
Buis

Genre d'arbres et d'arbustes monoïques à feuilles persistantes, cultivés pour leur feuillage et leur port. Excellentes plantes pour haies, bordures et art topiaire. Fleurs insignifiantes. D'assez rustiques à rustiques. Supportent le soleil, la mi-ombre, et même l'ombre assez importante. À planter dans n'importe quel type de sol pourvu qu'il ne soit pas gorgé d'eau. Tailler les haies régulièrement, de préférence en été. Multiplication par boutures de bois semi-août en été. Semis pour les buis non panachés. Plantes toxiques.
B. balearica (**Buis de Mahon**), ill. p. 121.
B. microphylla (**Buis à petites feuilles**). Arbuste touffu. H. 1 m, E. 1,50 m. Rustique. Forme une masse dense, arrondie, de petites feuilles oblongues, vert foncé.
'**Green Pillow**', ill. p. 144.
B. sempervirens (**Buis commun**). Arbre ou arbuste touffu. H. et E. 5 m. Rustique. Croissance lente. Feuilles oblongues, luisantes, vert foncé. Fait de belles haies et des bordures taillées.
'**Handsworthensis**', ill. p. 120.
'**Suffruticosa**', ill. p. 145.
B. wallichiana. Arbuste touffu à croissance lente. H. et E. 2 m. Semi-rustique. Feuilles longues, étroites, luisantes, vert vif.

C

CABOMBA (Nymphéacées)

Genre de plantes aquatiques vivaces, à feuilles caduques ou semi-persistantes finement divisées. Conviennent pour aquariums. D'assez rustiques à non rustiques (min. 5 °C). Préfèrent une ombre partielle. Multiplication par boutures de tiges au printemps ou en été.
C. caroliniana. Espèce à feuilles caduques ou semi-persistantes. E. variable. Forme des touffes denses, étalées, de feuilles en éventail, vert vif. S'utilise pour fixer l'oxygène. Assez rustique.

CAESALPINIA (Légumineuses)
Brésillet

Genre d'arbres, d'arbustes et de lianes à feuilles caduques ou persistantes, cultivés pour leur feuillage et leurs fleurs. De semi-rustiques à non rustiques (min. 5-10 °C). Ont besoin de soleil et d'un sol humifère fertile et bien drainé. Multiplication : boutures de bois tendre en été (peu facile) ou semis en automne ou au printemps.
C. gilliesii (**Oiseau de Paradis**), ill. p. 91.
C. pulcherrima, syn. *Poinciana pulcherrima* (**Flamboyant**). Arbre à feuilles persistantes, à port d'abord dressé puis étalé. H. et E. 3-6 m. Non rustique. Feuilles composées de nombreuses petites folioles vert moyen; en été, grappes dressées, denses, de fleurs cupulaires rouge et jaune de 3 cm de large, à très longues anthères rouges.

CALADIUM (Aracées)

Genre de plantes vivaces à tubercules donnant naissance à des feuilles décoratives à long pétiole. Non rustiques (min. 18 °C; serre tempérée sèche en hiver, le reste de l'année serre chaude humide). Ont besoin d'une ombre partielle et d'un sol humide, riche en humus. Après la chute des feuilles, entreposer les tubercules dans un endroit obscur et sec à l'abri du gel. Multiplication par repiquage de petits tubercules au printemps.
C. × hortulanum. 'Candidum' est une variété touffue. H. et E. jusqu'à 90 cm. Feuilles blanches nervurées de vert, atteignant au maximum 45 cm de large, triangulaires à base sagittée et long pétiole. Spathes

blanches et spadices de minuscules fleurs produisant parfois des fruits bacciformes blanchâtres. 'Pink Beauty', ill. p. 221. 'Pink Cloud' a de grandes feuilles vert foncé avec un centre moucheté de rose, et des zones roses ou blanches le long des nervures.

CALANTHE, voir ORCHIDÉES.

C. vestita, ill. p. 252. Orchidée terrestre à feuilles caduques. H. 60 cm. Non rustique (min. 18 °C). Donne en hiver des grappes de nombreuses petites fleurs blanches de 4 cm de large, avec un grand labelle marqué de rouge. Feuilles ovales larges, cannelées, de 30 cm de long. A besoin en été de mi-ombre et d'un apport régulier d'engrais.

CALATHEA (Marantacées)

Genre de plantes vivaces à feuilles persistantes, vivement colorées et marquées de bandes ou de macules. Non rustiques (min. 15 °C). Préfèrent les endroits à mi-ombre, humides, à température constante, et les sols riches et bien drainés. Arroser avec de l'eau non calcaire, peu en hiver, sans jamais laisser les plantes se dessécher. Multiplication par division au printemps.
C. makoyana, ill. p. 260.
C. ornata 'Sanderiana', ill. p. 194.
C. zebrina, ill. p. 223.

CALCEOLARIA
(Scrophulariacées)
Calcéolaire

Genre de plantes annuelles et bisannuelles, de plantes vivaces, de sous-arbrisseaux et de plantes grimpantes à feuilles persistantes. De rustiques à non rustiques (min. 10 °C). Ont besoin d'un sol humide bien drainé; la plupart préfèrent le soleil, mais certaines se plaisent dans les endroits frais et assez ombragés. Craignent les hivers humides et ont parfois besoin d'un apport de sable. Multiplication : bouturage en été pour les calcéolaires ligneuses ou semis pour toutes.
C. arachnoidea, ill. p. 295.
C. biflora, ill. p. 246.
C., série Bikini, ill. p. 282.
C. darwinii. Espèce vivace à feuilles persistantes. H. 8 cm, E. 10 cm. Assez rustique. Feuilles oblongues, ridées, luisantes, vert foncé. Les tiges florifères portent

à la fin du printemps des fleurs pendantes en forme de bourse, jaunes, avec des taches orange sur la lèvre inférieure et des bandes centrales blanches. Difficile à cultiver. A besoin d'un endroit abrité, ensoleillé et d'un sol humide, pierreux, tourbeux. A besoin de fréquents traitements contre les pucerons. Bonne plante de rocaille.
C. integrifolia. Sous-arbrisseau dressé à feuilles persistantes, parfois cultivé comme annuelle. H. jusqu'à 80 cm, E. 60 cm. Semi-rustique. Donne en été des grappes denses de fleurs en forme de bourse, de jaunes à brun-rouge, ou rouges. Feuilles d'oblongues à elliptiques, vert moyen.
C. 'John Innes', ill. p. 248.
C. 'Sunshine', ill. p. 283.
C. tenella, ill. p. 325.
C. 'Walter Shrimpton', ill. p. 326.

CALENDULA (Composées)
Souci

Genre de plantes annuelles rustiques ou semi-rustiques, et d'arbustes non rustiques à feuilles persistantes. À cultiver au soleil dans tous les types de sols bien drainés. Multiplication des espèces annuelles par semis en extérieur au printemps ou en automne, des arbustes par boutures de tiges en été. Les annuelles se reproduisent par ailleurs par dissémination spontanée de graines. La mosaïque et le mildiou peuvent poser des problèmes.
C. officinalis (**Souci des jardins**). Espèce annuelle touffue à croissance rapide. Grands cultivars : H. et E. 60 cm; formes naines : H. et E. 30 cm. Tous ont de feuilles oblongues, aromatiques, vert pâle. Donne du printemps à l'automne des capitules doubles ou semi-doubles. 'Art Shades' (grand) a des capitules doubles, abricot, orange ou crème. Série Fiesta (naine) a des capitules doubles dans un mélange de couleurs allant du crème à l'orange (voir 'Gitana', ill. p. 283). 'Geisha Girl' (grand), ill. p. 285. 'Kablouna', ill. p. 280.

CALLA (Aracées)

Genre représenté par une espèce à feuilles caduques ou semi-persistantes poussant au bord de l'eau ou dans les marais, cultivé pour son feuillage et sa belle spathe entourant un épi de fleurs insignifiantes. Rustique. A besoin

d'un endroit marécageux ou d'une profondeur d'eau ne dépassant par 25 cm. Multiplication : division au printemps ou semis à la fin de l'été.
C. palustris, ill. p. 372.

CALLIANDRA (Légumineuses)

Genre d'arbres, d'arbustes et de plantes semi-grimpantes à feuilles persistantes, cultivés pour leurs fleurs et leur aspect général. Non rustiques (sauf Côte d'Azur, min. 7-18 °C). Ont besoin de pleine lumière ou d'une ombre légère et d'un sol humide. Arroser à volonté les sujets en conteneurs en pleine croissance, beaucoup moins par basses températures. Multiplication par semis au printemps. Mouches blanches et cochenilles peuvent poser des problèmes.
C. eriophylla, ill. p. 140.
C. haematocephala, forme rose ill. p. 115; forme blanche ill. p. 117.

CALLIANTHEMUM
(Ranunculacées)

Genre de plantes vivaces cultivées pour leurs fleurs et leurs feuilles épaisses, très découpées. Excellentes plantes pour jardins de rocaille. Rustiques. Ont besoin de mi-ombre, d'un sol humide mais bien drainé. Multiplication par semis de graines fraîches, et division.
C. coriandrifolium. Espèce rampante à tiges florifères dressées. H. 8 cm, E. 20 cm. Feuilles bleu-vert très découpées, à long pétiole, en rosette ouverte. Au printemps, fleurs à court pédoncule et nombreux pétales, blanches à centre jaune. À protéger des limaces.

CALLICARPA (Verbénacées)

Genre d'arbustes et de petits arbres à feuilles caduques et floraison estivale, cultivés pour leurs groupes de jolis petits fruits. De rustiques à semi-rustiques. Se plaisent au soleil, dans les sols fertiles et bien drainés. Multiplication par boutures de bois tendre en été, semis ou marcottage.
C. bodinieri. Arbuste touffu. H. 3 m, E. 2,50 m. Feuilles ovales, vert foncé. Donne à la mi-été de minuscules fleurs lilas, suivies de groupes denses de

fruits globuleux violets. var. *giraldii,* ill. p. 116.

CALLISIA (Commélinacées)

Genre de plantes vivaces rampantes ou retombantes à feuilles persistantes, cultivées pour leur feuillage ornemental tapissant. Non rustiques (min. 10-15 °C). À planter en pleine lumière, sans exposition directe aux rayons du soleil, dans un sol fertile et bien drainé. Multiplication par bouturage au printemps.
C. repens, ill. p. 260.

CALLISTEMON (Myrtacées)

Genre d'arbres à feuilles persistantes généralement étroites et pointues, cultivés pour leurs épis de fleurs aux longues étamines qui dépassent de beaucoup le périanthe. Semi-rustiques. Ont besoin de soleil et d'un sol fertile et bien drainé. Multiplication : boutures de bois semi-lignifié en été ou semis en automne ou au printemps. Arbres de petite taille en France.
C. citrinus 'Splendens', ill. p. 111.
C. pallidus, ill. p. 114.
C. rigidus, ill. p. 111.
C. speciosus. Arbre touffu. H. et E. 3 m. Feuilles longues, étroites, gris-vert. Donne fin printemps/début été des épis cylindriques de fleurs rouge vif.

CALLISTEPHUS (Composées)
Reine-Marguerite, Aster de Chine

Genre représenté par une seule espèce annuelle. Semi-rustique, aimant le soleil. Peu exigeante pour le sol, mais appréciant un sol léger, humifère, bien drainé. Les sujets de grande taille ont besoin d'un tuteur. Multiplication par semis sous châssis au printemps, ou par semis en extérieur à la mi-printemps. Toutes les variétés et cultivars sont plus ou moins sensibles à diverses maladies cryptogamiques (notamment fusariose) et virales.
C. chinensis. Espèce à port pyramidal ou dressé. Les cultivars peuvent être grands (H. 60 cm, E. 45 cm), moyens (H. 45 cm, E. 30 cm), petits (H. 25-30 cm, E. 30-45 cm) ou nains (H. 20 cm, E. 30 cm). Tous ont les feuilles ovales, dentées, vert moyen, et fleurissent en été et au début de l'automne. Il en existe diverses formes dans un grand choix de coloris allant du rose au bleu en passant par le rouge violacé et le blanc. **Série Andrella** (grand) a des capitules simples du type marguerite. **Série Duchess** a des fleurs du type chrysanthème. **Série Milady**

(petit) a des capitules doubles avec un choix de plusieurs couleurs (bleu, ill. p. 276; rose, ill. p. 268). **Série Plume d'autruche** a des capitules doubles récurvés, échevelés, à grands pétales. **Série Pompon** (grand) a de petits capitules. **'Powderpuff'** (grand) a de grands capitules doubles. **Série Princess** (grand) a des capitules doubles à pétales tuyautés. **Série Thousand Wonders** (très petit), ill. p. 275.

CALLUNA (Éricacées), voir BRUYÈRES.
Bruyère commune

C. vulgaris (Callune fausse bruyère, Brande). Sous-arbrisseau à feuilles persistantes. H. jusqu'à 60 cm, E. 45 cm. Rustique. Feuilles linéaires, opposées, pouvant être de couleurs très diverses allant du vert vif pour l'espèce type à toutes sortes de nuances de gris, jaune, orange et rouge. Donne de la mi-été à la fin de l'automne des grappes de fleurs en clochette, simples ou doubles. Contrairement à *Erica,* c'est généralement la couleur des sépales pétaloïdes, plus longs que les pétales, qui détermine celle la fleur. Les cultivars suivants ont à peu près H. 45 cm, des feuilles vert moyen et donnent des fleurs simples à la fin de l'été et au début de l'automne, sauf indication contraire. 'Alba Plena' a des fleurs blanches, doubles. 'Allegro', H. 60 cm, a un port compact et donne des fleurs rouge-pourpre. 'Anthony Davis' (ill. p. 146) a des feuilles grises et des fleurs blanches. 'August Beauty' a des fleurs blanches. 'Beechwood Crimson' est touffue avec des fleurs pourpre cramoisi. 'Beoley Gold' (ill. p. 147), E. 50 cm, a un feuillage doré et des fleurs blanches. 'Beoley Silver', H. 40 cm, a un feuillage argenté et des fleurs blanches. 'Bonfire Brillance', H. 30 cm, a un brillant feuillage flammé et des fleurs rose mauve. 'Boskoop' (ill. p. 147), H. 30 cm, est compact, avec un feuillage doré devenant orange en hiver et des fleurs rose lilas. 'County Wicklow' (ill. p. 146), H. 30 cm, E. 35 cm, est compact, avec des fleurs doubles rose nacré. 'Darkness' (ill. p. 147), H. 40 cm, E. 35 cm, est compact avec des fleurs cramoisies. 'Drum Ra' est une forme typique de la Callune fausse bruyère, mais à fleurs blanches. 'Elsie Purnell' (ill. p. 146) est un cultivar étalé, à feuillage vert grisâtre et fleurs doubles rose pâle. 'Finale' donne des fleurs rose sombre de la fin de l'automne au début de l'hiver. 'Foxii Nana' (ill. p. 147), H. 15 cm, forme des coussins bas de feuillage vert vif, avec des fleurs rose mauve. 'Gold Haze' (ill. p. 147) a un feuillage doré et des fleurs blanches. 'Golden Feather' (ill. p. 147) a un

feuillage jaune vif devenant orangé en hiver et des fleurs rose mauve. 'H.E. Beale', H. 50 cm, est l'une des meilleures callunes à fleurs doubles, rose pâle à longues grappes. 'Highland Rose' a un feuillage bronze doré et des fleurs rose intense. 'Humpty-Dumpty', H. 15 cm, a un feuillage vert émeraude et donne quelques fleurs blanches. 'J.H. Hamilton' (ill. p. 146), H. 20 cm, E. 40 cm, est compact, avec des fleurs doubles, rose saumon. 'Joy Vanstone' a un feuillage doré devenant orange en hiver des fleurs rose mauve. 'Kinlochruel' (ill. p. 146), H. 30 cm, E. 35 cm, a de nombreuses grandes fleurs doubles, blanches. 'Loch Turret', H. 30 cm, a un feuillage vert émeraude et donne des fleurs blanches au début de l'été. 'Mair's Variety', un cultivar ancien, a des fleurs blanches en longues grappes étroites. 'Mullion', H. 25 cm, E. 50 cm, est un cultivar étalé à fleurs d'un beau rose mauve. 'Multicolor' (ill. p. 147), H. 20 cm, est compact, avec un feuillage aux nuances multicolores (jaune, orange, rouge, vert tout au long de l'année) et des fleurs rose mauve. 'My Dream' (ill. p. 146), H. 50 cm, a des fleurs doubles blanches, portées par de longues tiges effilées. 'Peter Sparkes' (ill. p. 147), H. 50 cm, E. 55 cm, a des fleurs doubles rose foncé. 'Robert Chapman' (ill. p. 147) est un cultivar étalé, surtout cultivé pour son feuillage jaune doré en été, devenant orange et rouge vif en hiver; les fleurs sont rose mauve. 'Silver Knight' (ill. p. 147), H. 30 cm, a un port érigé avec des feuilles grises et des fleurs rose mauve. 'Silver Queen' (ill. p. 146), H. 40 cm, E. 55 cm, est un cultivar étalé à fleurs rose mauve foncé. 'Sir John Charrington' a un feuillage brillamment coloré de jaune doré en été, orange et rouge en hiver et des fleurs rose mauve foncé. 'Sister Anne', H. 15 cm, a des feuilles grises et des fleurs rose mauve pâle. 'Soay', H. 10 cm, a un feuillage fauve et des fleurs rose mauve. 'Spring Cream' (ill. p. 146) a des feuilles vert vif dont l'extrémité devient crème au printemps, et des fleurs blanches. 'Sunset', H. 25 cm, a un feuillage aux riches coloris, passant du jaune doré, au printemps, à l'orange en été, puis à un rouge intense en hiver; les fleurs sont rose mauve. 'Tib' (ill. p. 147), H. 60 cm, E. 40 cm, est le cultivar double dont la floraison est la plus précoce; il donne des petites fleurs doubles rouge rosé au début de l'été. 'White Lawn', H. 10 cm, est un cultivar rampant à feuillage vert vif et fleurs blanches en longues grappes; convient pour jardins de rocaille. 'Wickwar Flame' se cultive surtout pour son feuillage aux diverses nuances de jaune,

d'orange et de rouge feu, qui produit ses plus beaux effets en hiver; les fleurs sont rose mauve.

CALOCEDRUS (Cupressacées), voir CONIFÈRES.

C. decurrens, syn. *Libocedrus decurrens,* ill. p. 78.

CALOCEPHALUS (Composées)

Genre de plantes annuelles, d'arbustes et de plantes vivaces souvent cultivées comme annuelles à partir de boutures. Non rustiques (min. 7-10 °C). Ont besoin de soleil et d'un sol bien drainé. Pincer les jeunes plants pour stimuler leur ramification. Multiplication par boutures de bois semi-lignifié à la fin de l'été. Le *Botrytis* peut poser des problèmes si les plants se trouvent dans un endroit trop humide en hiver.
C. brownii, ill. p. 143.

CALOCHORTUS (Liliacées)

Genre de plantes bulbeuses cultivées pour leurs floraisons au printemps et en début d'été. Semi-rustiques pour certaines, mais pour la plupart assez rustiques. Ont besoin d'un endroit abrité, ensoleillé et d'un sol sableux, sec, bien drainé. Éviter l'humidité excessive et les couvrir de feuilles pendant l'hiver. Après la floraison, prélever les bulbilles qui se forment à l'aisselle des feuilles pour la multiplication des plants. Multiplication par semis ou bulbilles, ou caïeux.
C. albus, ill. p. 342.
C. amabilis, ill. p. 363.
C. barbatus, syn. *Cyclobothra lutea,* ill. p. 353.
C. luteus, ill. p. 347.
C. subalpinus, ill. p. 364.
C. venustus, ill. p. 342.

Calonyction aculeatum, voir *Ipomaea alba.*

CALOTHAMNUS (Myrtacées)

Genre d'arbustes à feuilles persistantes, à floraison estivale, cultivés pour leurs fleurs et leur aspect général. Se plaisent dans les endroits plutôt secs et aérés. Non rustiques (min. 10 °C). Ont besoin de plein soleil et d'un sol bien drainé, sableux. Arroser avec modération les sujets en conteneur en pleine croissance, encore moins le reste du temps. Multiplication par semis ou boutures de bois semi-lignifié en été.

C. villosus. Arbuste touffu. H. et E. 60 cm-1,20 m. Petites feuilles denses, linéaires, couvertes d'un épais duvet gris. Donne des grappes latérales denses de fleurs composées de touffes ramifiées d'étamines rouge sang.

CALTHA (Ranunculacées)
Populage

Genre de plantes vivaces à feuilles caduques, poussant au bord de l'eau, dans les zones marécageuses ou les rocailles en sol argileux frais et qu'on cultive pour leurs belles fleurs jaune d'or. Rustiques. Les espèces de petite taille conviennent pour rocailles et éboulis et ont besoin d'un sol humide mais assez bien drainé; les grandes espèces se plaisent au voisinage de l'eau, sur les berges. La plupart préfèrent les endroits dégagés, ensoleillés. Multiplication des espèces par semis en automne ou division en automne ou au début du printemps; pour les formes sélectionnées : division en automne ou au début du printemps.
C. leptosepala, ill. p. 373.
C. palustris et 'Flore Plena', ill. p. 377.

CALYCANTHUS (Calycanthacées)
Calycanthe

Genre d'arbustes à feuilles caduques fleurissant en été et en début d'automne, cultivés pour leurs fleurs pourpres ou rouge brunâtre à pétales étoilés. Rustiques. Ont besoin de soleil ou à la rigueur d'une ombre légère et d'un sol léger, chaud mais bien drainé. Multiplication : marcottage ou semis en automne.
C. floridus (Arbre Pompadour, Arbre aux anémones). H. et E. 2 m. Feuilles ovales, aromatiques, glauques. Donne en début d'été des fleurs odorantes, rouge brunâtre, à sépales pétaloïdes étalés.
C. occidentalis, ill. p. 110.

CALYPSO, voir ORCHIDÉES.

C. borealis, voir *C. bulbosa.*
C. bulbosa, syn. *C. borealis,* ill. p. 253. Orchidée terrestre à feuilles caduques. H. 5-20 cm. Semi-rustique. La tige porte une seule feuille ovale, plissée, de 3-10 cm de long. Donne à la fin du printemps ou au début de l'été de petites fleurs solitaires rose-pourpre à labelles velus, blancs ou rose pâle tacheté de pourpre. A besoin de mi-ombre, d'humidité et d'une protection du type mulch en hiver.

CAMASSIA (Liliacées)
Quamash

Genre de plantes bulbeuses à floraison au printemps et en début d'été qui conviennent pour bordures, sous-bois légers. Rustiques. Apprécient une ombre partielle et un sol humifère et sableux. Restent en repos en automne-hiver. Multiplication : semis en automne ou division à la fin de l'été. Si l'on n'a pas besoin de graines, couper les tiges après la floraison.
C. leichtlinii, ill. p. 332.
'Semiplena', ill. p. 333.
C. quamash (Quamash commun). H. 20-80 cm, E. 20-30 cm. Longues feuilles basales, étroites, dressées. Tiges sans feuilles portant une grappe longue de fleurs étoilées bleues, violettes ou blanches.

CAMELLIA (Théacées)

Genre d'arbustes et d'arbrisseaux à feuilles persistantes, cultivés pour leurs fleurs et leur feuillage brillant. Leurs fleurs se répartissent en plusieurs types : simples, semi-doubles, type anémone, type pivoine, type rose, doubles strictes et doubles irrégulières (voir illustrations et descriptions p. 96). Poussent bien contre les murs et en conteneurs. D'assez rustiques (beaucoup d'entre eux) à non rustiques (min. 7 °C). Ne pas laisser de la neige longtemps en contact avec le feuillage. La plupart préfèrent les endroits abrités et un sous-bois léger, une ombre légère ou même le plein soleil en climat tempéré. Apprécient spécialement les climats doux et humides. En région parisienne, choisir un endroit bien abrité. Ont besoin d'un sol bien drainé, acide; pas de fumier, et peu d'engrais. Tailler pour mettre en forme après la floraison. Multiplication : boutures de bois dur à la mi-été, de préférence avec 'mist-system', ou par greffage. Aphidiens, thrips et cochenilles peuvent poser des problèmes sous abris vitrés.
C. 'Anticipation', ill. p. 97. Robuste arbuste dressé. H. 3 m, E. 1,50 m. Rustique. Feuilles lancéolées vert foncé. Au printemps, grandes fleurs roses de type pivoine.
C. chrysantha. Arbuste à croissance rapide. H. 6 m ou plus, E. 3 m. Semi-rustique. Grandes feuilles ovales, coriaces, nervurées. Au printemps, à l'aisselle des feuilles, petites fleurs solitaires, cupulaires, jaune clair.
C. cuspidata. Arbuste dressé. H. 3 m, E. 1,50 m. Rustique. Petites feuilles lancéolées, vert cuivré lorsqu'elles sont jeunes, devenant ensuite vertes. Donne au début du printemps, à l'aisselle des feuilles, des petites fleurs solitaires, cupulaires, blanches, à court pédoncule.
C. 'Dr Clifford Parks', ill. p. 97. Arbuste étalé. H. 4 m, E. 2,50 m. Rustique. Grandes feuilles ovales, vert foncé. À la mi-printemps, grandes fleurs rouge feu, souvent semi-doubles, la même plante présentant à la fois des types anémone et des types pivoine.

C. granthamiana. Grand arbuste. H. jusqu'à 3 m, E. 2 m. Semi-rustique. Feuilles ovales, coriaces, luisantes, vert foncé. Donne à la fin de l'automne de grandes fleurs solitaires blanches, pouvant atteindre 18 cm de large, avec jusqu'à 8 larges pièces pétaloïdes.
C. hiemalis. Arbuste touffu, dressé. H. 2-3 m, E. 1,50 m. Rustique. Petites feuilles lancéolées et, en automne/hiver, fleurs solitaires, cupulaires, odorantes, semi-doubles ou doubles irrégulières, blanches, roses ou rouges. Fait de bonnes bordures et haies.
C. 'Innovation', ill. p. 96. Arbuste étalé. H. 5 m, E. 3 m. Rustique. Grandes feuilles ovales, coriaces. Au printemps, grandes fleurs de type pivoine, rouge nuancé de lavande, à pétales tordus.
C. 'Inspiration', ill. p. 96. Arbuste dressé. H. 4 m, E. 2 m. Rustique. Feuilles ovales, coriaces. Donne au printemps des fleurs semi-doubles, roses.
C. japonica (Camellia du Japon). Arbuste au port variable et aux formes florales diverses. H. 10 m, E. 8 m. Assez rustique. Il en existe de nombreux cultivars, à floraison printanière, assez rustiques sauf indication contraire. 'Adolphe Audusson' (ill. p. 97). Vieux cultivar très fiable, capable de s'adapter partout et de supporter des températures plus basses que la plupart des autres variétés. Donne de grandes fleurs semi-doubles, rouge foncé, avec des étamines proéminentes, jaunes. Feuilles lancéolées larges, vert foncé. 'Alba Simplex' (ill. p. 96) est un arbuste touffu à feuilles lancéolées larges, de vert moyen à vert tendre, à fleurs blanches au printemps. 'Alexander Hunter' (ill. p. 97) est un arbuste dressé, compact, à feuilles lancéolées, vert foncé, et fleurs étalées, rouges, simples. 'Althaeiflora' (ill. p. 97) a un port vigoureux, de grandes fleurs de type pivoine, rouge sombre, et des feuilles ovales larges, vert très foncé. 'Betty Sheffield Supreme' (ill. p. 96) est un arbuste dressé à feuilles lancéolées vert moyen et fleurs doubles irrégulières, blanches à pétales bordés de diverses nuances de rose. 'Elegans' (ill. p. 96) est un arbuste étalé à fleurs du type anémone, roses, au centre formé de pièces pétaloïdes souvent panachées de blanc. Feuilles lancéolées larges, vert foncé. 'Fleur de Pêche' est touffu, avec des feuilles étroitement lancéolées, vert foncé, et des fleurs cupulaires semi-doubles, d'un rose délicat, avec un centre d'un rose plus soutenu. 'Gloire de Nantes' (ill. p. 97) est un arbuste dressé devenant touffu, à fleurs d'étalées à cupulaires, semi-doubles, rose vif, et feuilles d'ovales à lancéolées, luisantes, vert foncé. 'Grand Sultan', voir *C.j.* 'Mathotiana'. 'Guilio Nuccio' (ill. p. 97) est un arbuste dressé qui s'étale avec l'âge. Grandes fleurs cupulaires, semi-doubles, rose-rouge à pétales souvent ondulés et à centre touffu de pièces pétaloïdes et d'étamines jaune doré. Feuilles lancéolées, vert foncé. 'Hagoromo', voir *C.j.*

'Magnoliiflora'. 'Jessie Burgess' (ill. p. 96) est un arbuste dressé à croissance vigoureuse. Feuilles lancéolées, vert moyen, et grandes fleurs cupulaires semi-doubles, rose-rouge nuancé d'argent. 'Julia Drayton' (ill. p. 97) a un port dressé et de grandes fleurs rouges doubles strictes ou de type rose. Feuilles vert foncé, d'ovales à lancéolées, légèrement tordues. 'Jupiter' (ill. p. 96) est un arbuste dressé à feuilles lancéolées, vert foncé, et à grandes fleurs simples rouge écarlate à étamines jaune d'or. 'Kamasaka' est un arbuste dressé à feuilles étroitement lancéolées, vert moyen, et à fleurs doubles strictes ou parfois de type pivoine, roses. 'Lady Vansittart' (ill. p. 96) est un arbuste touffu au feuillage insolite, ondulé. Fleurs semi-doubles blanches flammées de rose; la couleur des fleurs est variable et sujette à des mutations fréquentes. 'Magnoliiflora' (syn. *C.j.* 'Hagoromo') a un port touffu, des fleurs d'étalées à cupulaires, semi-doubles, rouge rosé, et des feuilles tordues, pointant vers le bas, vert clair. 'Margaret Davis' (ill. p. 96) est un cultivar étalé à feuilles d'ovales à lancéolées, vert foncé. Fleurs doubles irrégulières à pétales blanc crème souvent bordés de rose. 'Mathotiana' (syn. *C.j.* 'Grand Sultan', *C.j.* 'Te Deum', ill. p. 97) a un port dressé, de très grandes fleurs doubles strictes, satinées, rouge sombre devenant pourprées avec l'âge. Feuilles de lancéolées à ovales, légèrement tordues, vert foncé. 'Mrs D.W. Davis' (ill. p. 96) est un cultivar peu rustique dense, étalé, à très grandes fleurs cupulaires, semi-doubles, d'un rose délicat. Feuilles d'ovales à lancéolées, vert foncé. 'R.L. Wheeler' (ill. p. 97) est un arbuste dressé à croissance vigoureuse, avec des feuilles ovales larges, coriaces, vert très foncé, et de très grandes fleurs de type allant d'anémone à semi-double, roses avec un anneau d'étamines jaune doré. 'Rubescens Major' (ill. p. 96) est un cultivar touffu. Feuilles d'ovales à lancéolées, vert foncé, et fleurs doubles normales, rose-rouge veiné de rouge plus soutenu. 'Te Deum', voir *C.j.* 'Mathotiana'. 'Tomorrow's Dawn' (ill. p. 96) a des feuilles lancéolées vert foncé et des fleurs doubles irrégulières, rose pâle bordé de blanc et souvent strié de rouge.
C. 'Leonard Messel', ill. p. 96. Arbuste étalé. H. 4 m, E. 2,50 m. Rustique. Grandes feuilles ovales, coriaces, vert foncé. Donne au printemps de nombreuses grandes fleurs d'étalées à cupulaires, semi-doubles, roses.
C. reticulata. Arbuste de grande taille, H. 6 m, E. 5 m. Semi-rustique. Grandes feuilles ovales, coriaces et, au printemps (et parfois dès la fin de l'hiver), grandes fleurs simples, roses. Assez rustique, mais a besoin d'être abrité. 'Butterfly Wings', voir *C.r.* 'Houye Diechi'. 'Captain Rawes' a de nombreuses grandes fleurs semi-doubles, rose carminé. 'Early Crimson', voir *C.r.* 'Zaotaohung'. 'Early Peony', (syn. *C.r.*

'Zaomudan', ill. p. 97. **'Houye Diechi'** (syn. *C.r.* 'Butterfly Wings', ill. p. 97) a de très grandes fleurs de cupulaires à étalées, semi-doubles, roses à pétales centraux ondulés. **'Mudan Cha'** (syn. *C.r.* 'Moutancha', *C.r.* 'Peony Camellia', ill. p. 96) a de très grandes fleurs cupulaires, de semi-doubles à doubles irrégulières, rose intense à pétales enroulés. **'Robert Fortune'** (syn. *C.r.* 'Songzilin') a un port dressé et de grandes fleurs doubles irrégulières, roses, à centre de type pivoine. **'Zaomudan'**, voir *C.r.* 'Early Peony'. Les fleurs de **'Zaotaohung'** (syn. *C.r.* 'Early Crimson', ill. p. 97) sont grandes, cupulaires, de semi-doubles à doubles strictes, rouges.
C. rosiflora. Arbuste étalé. H. et E. 1 m. Rustique. Feuilles ovales, vert foncé. Donne au printemps de petites fleurs simples, roses.
C. sasanqua. Arbuste dressé, dense, à croissance rapide. H. 3 m, E. 1,50 m. Semi-rustique. Feuilles lancéolées, luisantes, vert vif. Donne en hiver et début printemps de nombreuses fleurs odorantes, d'étalées à cupulaires, simples, parfois semi-doubles, blanches ou, plus rarement, roses ou rouges. Se plaît dans les endroits chauds et ensoleillés. **'Narumigata'** (ill. p. 96) a de grandes fleurs cupulaires, simples, blanches parfois marginées de rose. **'Onigoromo'** a des fleurs cupulaires simples, blanches bordées de rose. Fait de belles haies.
C. tsaii. Arbuste touffu. H. 4 m, E. 3 m. Semi-rustique. Petites feuilles lancéolées vert cuivré devenant vertes avec l'âge et, au printemps, nombreuses petites fleurs cupulaires, simples, blanches.
C. × vernalis. Arbuste dressé à croissance rapide. H. jusqu'à 3 m, E. 1,50 m. Rustique. Feuilles lancéolées vert vif et, à la fin de l'hiver et en début de printemps, fleurs odorantes, d'étalées à cupulaires, blanches, roses ou rouges. Certaines formes donnent des fleurs doubles irrégulières.
C. **'William Hertrich'**, ill. p. 97. Arbuste à croissance rapide. H. 5 m, E. 3 m. Semi-rustique. Grandes feuilles ovales, vertes. Grandes fleurs d'étalées à cupulaires, semi-doubles, d'un rouge cerise éclatant (printemps). Les pétales sont disposés de façon très irrégulière, formant souvent un centre touffu avec seulement quelques étamines jaune d'or.
C. × williamsii. **'Bow Bells'** (ill. p. 96). Arbuste étalé. H. 4 m, E. 2,50 m. Rustique. Petites feuilles vert moyen et, en hiver et début printemps, nombreuses fleurs cupulaires, semi-doubles, rose vif. **'Caerhays'** (ill. p. 97) est un arbuste arqué à grandes feuilles luisantes et grandes fleurs de type anémone, rose incarnat devenant plus ou moins pourpre avec l'âge. **'Clarrie Fawcett'** (ill. p. 96) est un arbuste dressé à feuillage luisant et fleurs cupulaires semi-doubles, roses. **'Donation'** (ill. p. 96) est une magnifique plante compacte, dressée, très florifère, à grandes

fleurs cupulaires semi-doubles, roses. **'E.G. Waterhouse'** (ill. p. 96) est un cultivar dressé à feuillage vert pâle et fleurs roses semi-doubles. **'Golden Spangles'** (ill. p. 96) est un cultivar à petites fleurs cupulaires, simples, roses, à feuillage insolite, les feuilles ayant un centre jaunâtre entouré de vert sombre. **'J.C. Williams'** (ill. p. 96) a des fleurs cupulaires simples, roses, apparaissant de l'hiver à la fin du printemps. **'Mary Christian'** (ill. p. 96) est un cultivar vigoureux à feuillage vert foncé et à fleurs cupulaires simples, roses. **'Mary Larcom'** (ill. p. 96), est un arbuste dressé, vigoureux, à fleurs cupulaires simples rouge cerise, apparaissant du milieu de l'hiver à la fin du printemps. **'St Ewe'** (ill. p. 96) a un feuillage luisant, vert clair, et des fleurs simples en coupe, roses.

CAMPANULA (Campanulacées)
Campanule

Genre de plantes annuelles, bisannuelles et vivaces, monocarpiques, à floraison printanière et estivale et dont certaines sont à feuilles persistantes. Fleurs à 5 pétales soudés, en cloche. De rustiques à semi-rustiques. Poussent au soleil ou à la mi-ombre, mais les couleurs délicates sont souvent plus stables à la mi-ombre, qui est préférée par certaines espèces. Les espèces et cultivars ont des exigences variables (notamment pour l'humidité et l'acidité du sol). Multiplication : semis ou division en automne ou au printemps. À protéger contre les limaces, et contre la rouille (due à *Coleosporium campanulae*).
C. alliariifolia, ill. p. 232.
C. barbata (Campanule barbue), ill. p. 296.
C. **'Byrch Hybride'**, ill. p. 322.
C. × burghaltii, ill. p. 242.
C. carpatica (Campanule des Carpathes). Espèce vivace très ramifiée, étalée. H. et E. jusqu'à 30 cm. Rustique. Tiges ramifiées portant des feuilles de rondes à ovales, dentées et, en été, des fleurs en cloche évasée, bleues ou blanches. **'Bressingham White'**, ill. p. 313. **'Jewel'** a des fleurs violettes. Les fleurs de **'Turbinata'** sont lavande pâle.
C. cochleariifolia, syn. *C. pusilla,* ill. p. 323.
C. **'G.F. Wilson'**, ill. p. 322.
C. glomerata **'Superba'**, ill. p. 210.
C. grandiflorum, voir *Platycodon grandiflorus.*
C. isophylla (Étoile de Marie, Étoile de Bethléem). Espèce vivace tapissante à feuilles persistantes, à fortes tiges. H. 10 cm, E. 30 cm. Semi-rustique. Petites feuilles cordiformes, dentées et, en été, fleurs étoilées bleues. Plante idéale pour paniers suspendus.
C. lactiflora. Espèce vivace dressée, ramifiée. H. 1,20 m, E. 60 cm. Rustique. Feuilles ovales. En été, grappes de grandes fleurs pendantes en cloche, bleues (roses

ou blanches chez certains cultivars). A besoin de tuteur dans les endroits venteux. Apprécie la mi-ombre et les sols frais ou humides. **'Loddon Anna'** a des fleurs rose tendre. **'Prichard Variety'**, ill. p. 190.
C. latifolia **'Brantwood'**. Espèce vivace étalée. H. 1,20 m, E. 60 cm. Rustique. Feuilles ovales, rêches, et tiges robustes entourées en été de nombreuses fleurs en cloche, pourpre-violet.
C. medium (Campanule à grosses fleurs). Espèce bisannuelle dressée, à croissance assez lente et à feuilles persistantes. Grands cultivars : H. 1 m, E. 30 cm ; nains : H. 60 cm, E. 30 cm. Rustiques. Tous ont des feuilles lancéolées, peu dentées, vert tendre. Donnent au printemps et au début de l'été des fleurs en cloche simples ou doubles, blanches ou dans diverses nuances de bleu et de rose. **'Bells of Holland'**, ill. p. 275.
C. persicifolia. Espèce vivace à feuillage basal étalé en rosette. H. 1 m, E. 30 cm. Rustique. Donne en été des grappes de fleurs inclinées, en cloche, à texture parcheminée, blanches ou bleues, au-dessus de feuilles étroitement lancéolées, vert vif. **'Fleur de Neige'** a des fleurs blanches, doubles. **'Pride of Exmouth'** a des fleurs bleues, doubles. **'Telham Beauty'**, ill. p. 212.
C. portenschlagiana, ill. p. 322.
C. poscharskyana, ill. p. 321.
C. pusilla, voir *C. cochleariifolia.*
C. pyramidalis (Campanule pyramidale). Espèce bisannuelle, à forte tige dressée. H. 1,5 m, E. 60 cm. Assez rustique. Feuilles basales arrondies, feuilles caulinaires ovales. En été, longues grappes pyramidales de fleurs étoilées bleues ou blanches. Tuteur nécessaire.
C. trachelium (Gantelée) et **'Bernice'**, ill. p. 211.
C. vidalii, voir *Azorina vidalii.*

CAMPSIS (Bignoniacées)
Bignone

Genre de plantes grimpantes à tiges radicantes ligneuses et feuilles caduques, cultivées pour leurs grappes ou panicules de grandes fleurs campanulées ou tubulaires, un peu irrégulières. Assez rustiques, mais dans les régions froides, doivent être placées sous la protection d'un mur orienté au sud. À planter au soleil dans un sol léger, fertile et bien drainé. Arroser régulièrement en été. Multiplication : boutures de bois semi-lignifié en été ou marcottage en hiver.
C. chinensis, voir *C. grandiflora.*
C. grandiflora, syn. *Bignonia grandiflora, Campsis chinensis, Tecoma grandiflora* (Bignone de Chine). H. 7-10 m. Feuilles à 7 ou 9 folioles ovales, dentées, à dessous glabre. Donne à la fin de l'été et en automne des panicules pendantes de fleurs en trompette rouge écarlate de 5-10 cm de long ; la floraison est plus abondante

dans les régions chaudes.
C. radicans, syn. *Bignonia radicans, Tecoma radicans* (Jasmin de Virginie, Jasmin trompette). H. jusqu'à 12 m. Feuilles composées de 9-11 folioles ovales, dentées, à dessous duveteux le long des nervures. Donne fin été/début automne des petites panicules de fleurs en trompette, écarlate orangé pour l'espèce type, ou jaunes, de 6-8 cm de long. Plus rustique et vigoureux que le précédent.
C. × tagliabuana **'Mme Galen'**, ill. p. 175.

CANARINA (Campanulacées)

Genre de plantes herbacées vivaces, tubéreuses, pouvant être palissées, cultivées pour leurs fleurs (proches des campanules). Non rustiques (plantes de serre froide). À planter dans tous les sols fertiles, bien drainés légers et en pleine lumière. Arroser avec modération de la fin de l'automne à la fin du printemps, puis laisser sécher après la floraison. Ont besoin de support. Multiplication par semis au printemps ou en automne, division ou éclats de racines.
C. campanula, voir *C. canariensis.*
C. canariensis, syn. *C. campanula,* ill. p. 177.

Candollea cuneiformis, voir *Hibbertia cuneiformis.*

CANNA (Cannacées)
Balisier

Genre de robustes plantes vivaces, rhizomateuses, cultivées pour leurs magnifiques grappes de fleurs et leur feuillage ornemental. S'utilisent généralement en massifs. Non rustiques (min. 10-15 °C). Ont besoin d'un endroit chaud, ensoleillé et d'arrosages réguliers. Mettre de préférence en végétation au printemps sur couche chaude (au moins 15 °C) et entreposer les rhizomes dans un endroit sain durant la période de repos hivernal, à l'abri du gel, en laissant un peu de terre autour des rhizomes, pour éviter le dessèchement. Multiplication : division en mars ou semis en hiver à au moins 20 °C.
C. × generalis **'Assault'**, ill. p. 336.
C. iridiflora, ill. p. 339.

CANTUA (Polémoniacées)

Genre d'arbustes et d'arbrisseaux à feuilles persistantes ou semi-persistantes, cultivés pour leurs belles fleurs printanières. Une seule espèce est couramment cultivée. Peu rustique ; à placer de préférence contre un mur orienté au sud ou à l'ouest. A besoin de soleil et d'un sol fertile et bien drainé. Multiplication

par bouturage en été.
C. buxifolia, syn. *C. dependens,*
ill. p. 123.
C. dependens, voir *C. buxifolia.*

CAPSICUM (Solanacées)

Genre de sous-arbrisseaux à
feuilles persistantes, de plantes
vivaces généralement cultivées en
annuelles et de plantes annuelles.
Certaines espèces donnent des
fruits comestibles, et certaines
des fruits décoratifs. Non
rustiques (min. 4 °C). À cultiver
au soleil dans un sol fertile et
bien drainé et de préférence
léger. Multiplication par semis
sous châssis au printemps. Les
araignées rouges peuvent poser
des problèmes.
C. annuum (Piment commun).
'Holiday Time', ill. p. 273.

CARAGANA (Légumineuses)

Genre d'arbustes à feuilles
composées imparipennées
caduques, cultivés pour leur
feuillage et leurs fleurs. Rustiques.
Ont besoin de soleil et d'un sol
léger, bien drainé (supportent un
sol calcaire). Multiplication des
espèces par boutures de racines,
marcottage ou par semis, des
cultivars par greffe ou marcottage.
C. arborescens. Arbuste dressé à
croissance rapide, peu exigeant
pour la qualité du sol. H. 6 m,
E. 4 m. Feuilles vertes, composées
de 8-12 folioles oblongues. Donne
à la fin du printemps des fleurs
papilionacées jaunes. 'Lorbergii',
H. 3 m, E. 2,50 m, est une forme à
folioles très étroites et petites
fleurs. 'Nana', ill. p. 125. 'Walker',
H. 30 cm, E. 2-3 m, est une forme
prostrée.
C. frutex 'Globosa'. Arbuste
dressé à croissance lente. H. et
E. 30 cm. Feuilles vert moyen
composées de 4 folioles
oblongues. Donne à la fin du
printemps, mais rarement, des
fleurs papilionacées jaune vif.

CARALLUMA (Asclépiadacées)

Genre de plantes grasses vivaces
cactiformes à tiges digitées
comportant de 4-6 côtes, bleu-vert
ou allant de vert à pourpre. Non
rustiques (min. 13 °C), pour serre à
cactées. Ont besoin de soleil et
d'un sol riche, bien drainé. Arroser
peu et seulement durant la période
de croissance. Difficiles à cultiver.
Multiplication par semis ou
boutures de tiges en été.
C. joannis, ill. p. 395.

CARDAMINE (Crucifères)

Genre de plantes annuelles et

vivaces fleurissant au printemps et
en début et parfois milieu d'été.
Certaines sont des mauvaises
herbes, mais d'autres se cultivent
dans des jardins un peu sauvages,
ou en rocaille. Rustiques. Ont
besoin de soleil ou de mi-ombre et
d'un sol frais ou humide.
Multiplication par semis ou
division.
C. enneaphyllos, syn. *Dentaria
enneaphylla,* ill. p. 229.
C. pentaphyllos, syn. *Dentaria
pentaphylla,* ill. p. 227.
C. pratensis (Cardamine des prés,
Cressonnette). 'Flore Pleno',
H. 45 cm, E. 30 cm, a des feuilles
vert moyen divisées en folioles
arrondies et donne au printemps
des grappes de fleurs doubles, lilas.
Préfère les environnements
humides.
C. trifolia, ill. p. 302.

CARDIOCRINUM (Liliacées)

Parfois intégré dans le genre
Lilium. Genre de plantes
bulbeuses à floraison estivale,
cultivées pour leurs fleurs
remarquables. Rustiques.
Apprécient une ombre partielle
et un sol profond, riche en
humus, humide mais très sain.
Planter les bulbes en automne,
juste au-dessous de la surface du
sol. Bien arroser en été. Après
la floraison, le bulbe principal
meurt, en produisant des caïeux.
Pour obtenir des fleurs au bout
d'une période pouvant aller
jusqu'à 5 ans, multiplication par
caïeux en automne; peuvent
aussi se multiplier par semis en
automne ou en hiver et
fleuriront alors au bout de 7 ans.
C. giganteum, ill. p. 333. var.
yunnanense est une variété robuste
à tige feuillue. H. 1,50-2 m,
E. 75 cm-1 m. Feuilles cordiformes
vert bronze. En été, grappes de
fleurs crème odorantes, en
trompettes pendantes de 15 cm de
long, suivies de fruits décoratifs.

CARDIOSPERMUM
(Sapindacées)

Genre de plantes herbacées
(annuelles ou vivaces) ou à base
suffrutescente, grimpantes, à
feuilles caduques, surtout
cultivées pour leurs fruits.
S'utilisent pour garnir des
treillages. Non rustiques
(min. 18 °C). À cultiver en
pleine lumière, dans n'importe
quel type de sol. Multiplication
par semis au printemps.
C. halicacabum (Pois de cœur).
Plante grimpante vivace
généralement cultivée en annuelle
ou bisannuelle. H. jusqu'à 3 m.
Feuilles dentées à folioles
oblongues. Donne en été des fleurs
blanchâtres insignifiantes, suivies
de fruits globuleux, duveteux, à
3 arêtes, jaune paille, contenant
des graines noires marquées d'une
tache blanche en forme de cœur.

CAREX (Cypéracées), voir
BAMBOUS, HERBES, JONCS
et **LAÎCHES.**

C. elata, syn. *C. stricta.* Espèce
vivace à feuilles persistantes.
H. jusqu'à 1 m, E. 15 cm.
Rustique. Feuilles glauques.
Tiges pleines, triangulaires,
portant en été des épis brun
noirâtre. 'Aurea', ill. p. 183.
C. morrowii, voir *C. oshimensis.*
C. oshimensis, syn. *C. morrowii.*
Espèce vivace à feuilles linéaires
persistantes. H. 30 cm, E. 25 cm.
Rustique. Feuilles étroites, vert
moyen. Tiges triangulaires,
portant en été des épis
insignifiants. 'Evergold',
ill. p. 183.
C. pendula (Laîche pendante),
ill. p. 183.
C. riparia 'Variegata'. Vigoureuse
espèce vivace à feuilles
persistantes. H. 1 m, E. variable.
Rustique. Feuilles vert moyen
rayées de blanc et tiges pleines,
triangulaires, portant en été de
minces épis brun foncé terminés
par une touffe de poils.
C. stricta, voir *C. elata.*

CARISSA (Apocynacées)

Genre d'arbustes épineux à feuilles
persistantes et floraison de
printemps/été, cultivés pour leurs
fleurs et leur aspect général. Non
rustiques (min. 10 °C). Ont besoin
d'ombre légère et d'un sol bien
drainé. Multiplication : semis
lorsque les graines sont à maturité
ou au printemps ou bouturage en
été.
C. grandiflora 'Tuttlei', ill. p. 103.
C. spectabilis, voir *Acokanthera
oblongifolia.*

CARLINA (Composées)
Carline

Genre de plantes vivaces cultivées
pour leurs inflorescences
ornementales. Rustiques. Ont
besoin de soleil et d'un sol bien
drainé et même sec. Multiplication
par semis.
C. acaulis (Carline des Alpes),
ill. p. 315.

CARNEGIEA (Cactacées)

Genre représenté par une seule
espèce de cactée géante vivace à
croissance lente, à tige épaisse,
épineuse, comptant de 12-
24 côtes. H. 10 m et plus. Ne
fleurit et ne se ramifie guère
avant d'atteindre 4 m de
hauteur. Non rustique
(min. 10 °C). A besoin de plein
soleil et d'un sol très bien
drainé. Multiplication par semis
au printemps ou en été.
C. gigantea, ill. p. 378.

CARPENTERIA (Saxifragacées)

Genre représenté par une seule
espèce d'arbuste à feuilles
persistantes et floraison estivale,
cultivé pour ses fleurs et son
feuillage. Assez rustique. Se plaît
contre les murs orientés au sud ou
à l'ouest. Préfère le plein soleil et
les sols assez légers, bien drainés.
Multiplication : greffage en été ou
semis en automne.
C. californica, ill. p. 106.

CARPINUS (Betulacées)
Charme

Genre d'arbres à feuilles caduques
et à fleurs unisexuées, cultivés pour
leur feuillage, leurs couleurs
automnales et leurs grappes de
petits fruits accompagnés
d'involucres foliacés. Rustiques.
Ont besoin de soleil ou de mi-
ombre et d'un sol bien drainé.
Multiplication des espèces par
semis en automne, des cultivars
par boutures à talon à la fin de
l'été.
C. betulus (Charme commun).
Arbre à cime ronde ou ovoïde.
H. 25 m, E. 20 m. Tronc cannelé
et feuilles ovales à nervures
proéminentes, vert moyen
devenant jaune et orangé en
automne. Chatons femelles verts à
la fin du printemps, donnant à
maturité des grappes fructifères
portant des involucres foliacées.
'Fastigiata' (Charme fastigié),
ill. p. 72.
C. caroliniana (Charme
d'Amérique). Arbre à cime étalée,
avec des rameaux à l'extrémité
pendante. H. et E. 10 m. Tronc
cannelé, gris, chatons verts au
printemps et feuilles ovales, vert
vif devenant orange et rouges en
automne à la maturité des grappes
de fruits.
C. tschonoskii. Arbre à cime ronde,
au port élégant, avec des rameaux à
l'extrémité pendante. H. et
E. 12 m. Feuilles ovales à dents
aiguës, luisantes, vert foncé. Donne
au printemps des chatons femelles
verts et en automne des grappes de
petits fruits.
C. turczaninowii. Arbre à cime
étalée et port élégant. H. et
E. 12 m. Donne au printemps des
chatons verts et en automne des
grappes de petits fruits ailés, au
moment où les feuilles, ovales,
luisantes, vertes, deviennent
orange.

CARRIEREA (Flacourtiacées)

Genre d'arbres ou d'arbustes à
feuilles caduques, dont on ne
cultive en général qu'une seule
espèce en Europe, *C. calycina,* pour
ses fleurs et son feuillage.
Rustiques. Ont besoin de soleil ou
d'ombre légère et d'un sol fertile et
bien drainé. Multiplication par

boutures semi-herbacées en été, ou par semis.

C. calycina. Arbre à cime étalée. H. 8 m en Europe (15 m dans son pays d'origine, la Chine), E. 10 m. Feuilles ovales, luisantes, vert lustré. Au début de l'été, grappes dressées de fleurs cupulaires blanc crème ou blanc verdâtre. Apprécie un sol léger et frais, humide.

CARYA (Juglandacées)
Hickory, Noyer d'Amérique

Genre d'arbres à feuilles caduques, cultivés pour leur aspect décoratif, leurs feuilles composées pennées, leurs couleurs automnales et, dans certains cas, leurs fruits comestibles. Donnent au printemps des fleurs insignifiantes. Rustiques. Ont besoin de soleil ou de mi-ombre et d'un sol fertile, frais, avec un climat tempéré si possible. Les plants doivent être mis très jeunes à leur emplacement définitif car les plants plus âgés supportent mal les transplantations. Multiplication par semis en automne.

C. cordiformis (Noyer des marais, Noyer amer). Arbre vigoureux à cime étalée. H. 25 m, E. 15 m. Écorce lisse se craquelant avec l'âge. Bourgeons d'hiver jaune vif donnant naissance à de grandes feuilles, généralement à 7 folioles d'ovales à oblongues, vert clair devenant jaunes en automne. Les fruits sont des noix piriformes ou rondes de 2-4 cm de long, à chair amère.

C. glabra (Noyer des pourceaux, Noyer à balais). Arbre à cime étalée. H. 25 m, E. 20 m. Feuilles vertes, à 5 ou 7 folioles ovales étroites, devenant jaune vif et orange en automne. Fruits piriformes ou ronds de 2-4 cm de long, à chair amère.

C. ovata (Noyer blanc d'Amérique), ill. p. 43.

CARYOPTERIS (Verbénacées)

Genre de sous-arbrisseaux et arbustes à feuilles caduques, cultivés pour leur feuillage et leurs abondantes petites fleurs bleues en fin d'été. Assez rustiques (résistent aux gelées habituelles à Paris). Préfèrent le plein soleil et les sols légers, bien drainés. Bons végétaux pour sols calcaires. Multiplication : les espèces par boutures herbacées en été ou par semis en automne, les cultivars uniquement par bouturage en été.

C. × clandonensis 'Arthur Simmonds', ill. p. 136. **'Heavenly Blue'** est un sous-arbrisseau touffu. H. et E. 1 m. Forme une masse compacte de feuilles lancéolées vert terne. Donne à la fin de l'été et en automne des glomérules de fleurs tubulaires à 5 lobes, de bleues à bleu-pourpre, à étamines proéminentes.

C. incana (Barbe bleue). Sous-arbrisseau touffu. H. et E. 2 m.

Feuilles lancéolées gris-vert, aromatiques. À la fin de l'été et au début de l'automne, fleurs tubulaires bleu-violet à étamines proéminentes.

Cassandra calyculata, voir *Chamaedaphne calyculata.*

CASSIA (Légumineuse)
Senné, Séné

Genre de plantes annuelles, de plantes vivaces, d'arbustes ou d'arbres à feuilles composées paripennées persistantes ou caduques, cultivés notamment pour leurs fleurs, surtout produites entre hiver et été. De semi-rustiques en site abrité à non rustiques (min. 10-16 °C). Ont besoin de plein soleil et d'un sol fertile, frais et bien drainé. La taille est supportée, mais mieux vaut l'éviter. Multiplication par semis au printemps, ou boutures semi-herbacées en été pour les espèces ligneuses, ou division de touffe pour les herbacées vivaces.

C. artemisioides (Casse argentée). Arbuste à feuilles persistantes. H. et E. 2 m. Non rustique (min. 10-13 °C). Feuilles divisées comportant de 6-14 folioles linéaires, couvertes d'un duvet blanc, soyeux. Donne de l'hiver au début de l'été des grappes courtes axillaires de fleurs cupulaires jaunes.

C. corymbosa, ill. p. 115. var. *plurijuga* est un vigoureux arbuste arrondi à feuilles semi-persistantes, à rameaux assez robustes. H. et E. 2 m. Non rustique. Feuilles vert luisant vif composées de 4-6 folioles ovales. Donne à la fin de l'été des grappes de grandes fleurs jaune intense.

C. didymobotrya, ill. p. 115.
C. fistula (Averse dorée). Arbre de vigueur moyenne, à feuilles généralement caduques, à port ovoïde. H. 8-10 m, E. 4-6 m. Non rustique (min. 10 °C). Feuilles très longues, composées de 4-8 paires de folioles ovales, de couleur cuivrée lorsqu'elles sont jeunes. Donne au printemps des grappes de 30 cm de long de petites fleurs odorantes, à 5 pétales étalés presque égaux, jaune vif. Elles sont suivies de gousses cylindriques, brun foncé, pouvant atteindre jusqu'à 60 cm de long.

CASSINIA (Composées)

Genre d'arbustes et de plantes herbacées à feuilles persistantes, cultivés pour leur feuillage et leurs fleurs. Semi-rustiques (mieux vaut leur éviter les endroits exposés aux vents froids). Ont besoin de soleil et d'un sol fertile et bien drainé. Multiplication par boutures

semi-aoûtées en été, ou division de touffes.
C. vauvilliersii, ill. p. 129.

CASSIOPE (Éricacées)

Genre d'arbustes originaires de régions froides à feuilles persistantes et floraison printanière, qui conviennent pour murs et rocailles. Assez rustiques. Ont besoin généralement d'un endroit abrité, d'ombre ou de mi-ombre et d'un sol humide, acide mais bien drainé. Multiplication : boutures de bois semi-lignifié en été, semis en automne ou au printemps, ou marcottage. Craignent la sécheresse.
C. 'Edinburgh', ill. p. 286.
C. fastigiata. Arbuste dressé à feuillage vert foncé marginé de blanc. H. 30 cm, E. 15-20 cm. Minuscules feuilles écailleuses persistantes. Donne au printemps à l'aisselle des feuilles des fleurs solitaires en clochette à court pédoncule, blanc crème à calice vert ou rouge. A besoin de mi-ombre.
C. lycopodioides, ill. p. 303.
C. mertensiana, ill. p. 304.
C. 'Muirhead', ill. p. 286.
C. tetragona. Arbuste dressé. H. 10-25 cm, E. 10-15 cm. Masse dense de petites feuilles vert foncé, dissimulant des tiges ramifiées. Donne au printemps (avril et mai), à l'aisselle des feuilles, des fleurs solitaires inclinées, en clochette, blanches à calice rouge. A besoin de mi-ombre.

CASTANEA (Fagacées)
Châtaignier

Genre d'arbres et d'arbustes à feuilles caduques et floraison estivale, cultivés pour leur port, leur feuillage, leurs fleurs et leurs fruits comestibles (châtaignes). Rustiques (on les voit essentiellement entre les 30e et 50e parallèles). Ont besoin de soleil ou de mi-ombre. Préfèrent un sol léger, siliceux, bien drainé ; se développent bien en sol profond, frais. Multiplication : les espèces par semis en automne, les cultivars par greffes à la fin de l'hiver.
C. dentata (Châtaignier d'Amérique). Arbre à cime étalée, à écorce rugueuse. H. 20 m, E. 10 m. Feuilles oblongues, dentées, vertes devenant jaune orangé en automne. En été, fleurs blanc verdâtre, suivies de fruits épineux caractéristiques.
C. sativa (Châtaignier). Arbre à cime étalée. H. 30 m, E. 15 m. Écorce se couvrant avec l'âge de gerçures longitudinales. Feuilles oblongues, luisantes, vert foncé ou vert franc selon les sujets, devenant jaunes en automne. Donne en été des chatons de petites fleurs jaune crème auxquelles succèdent des fruits comestibles entourés d'une bogue épineuse. **'Albomarginata',** ill. p. 39.

CATALPA (Bignoniacées)

Genre d'arbres à feuilles caduques et floraison estivale, cultivés pour leur feuillage et leurs fleurs campanulées à 5 lobes répartis en deux lèvres. Ces arbres font bon effet en isolés. Rustiques. Préfèrent le plein soleil et ont besoin d'un sol bien drainé, pas trop sec. Multiplication : les espèces par semis au printemps, les cultivars par boutures de bois tendre en été.
C. bignonioides (Catalpa commun), ill. p. 51. **'Aurea'** est un arbre à port étalé. H. et E. 10 m. Feuilles ovales larges, jaune vif, bronze lorsqu'elles sont jeunes. En été, panicules de fleurs blanches marquées de jaune et de pourpre, suivies de fruits en longues gousses pendantes, cylindriques, qui demeurent souvent en place longtemps après la chute des feuilles.
C. × erubescens 'Purpurea'. Arbre à port étalé. H. et E. 15 m. Feuilles ovales larges ou trilobées (ces 2 formes de feuilles étant présentes sur le même arbre), pourpre très foncé puis vert foncé. Donne vers la mi-été des fleurs odorantes blanches, marquées de jaune et de pourpre, plus petites et plus nombreuses que celles de *C. bignonioides.*
C. ovata. Arbre étalé. H. et E. 10 m. Feuilles habituellement trilobées, pourprées lorsqu'elles sont jeunes, devenant plus tard vert pâle. Donne vers la mi-été des panicules, en pyramide étroite, de nombreuses fleurs blanches tachetées de rouge et de jaune.
C. speciosa, ill. p. 51.

CATANANCHE (Composées)
Cupidone

Genre de plantes vivaces ou annuelles à fleurs groupées en capitules que l'on peut faire sécher pour des arrangements floraux d'hiver. Rustiques. Ont besoin de soleil et d'un sol léger et bien drainé (plantes xérophiles et calcicoles). Multiplication : semis au printemps.
C. caerulea 'Major', ill. p. 242.

CATHARANTHUS (Apocynacées)

Genre d'arbustes à feuilles persistantes, cultivés pour leurs fleurs. *C. roseus* se cultive souvent comme annuelle à partir de semis ou de boutures et s'utilise pour des plates-bandes d'été dans les régions assez froides. Non rustiques (min. 5-7 °C). Ont besoin de pleine lumière et d'un sol bien drainé. Arroser avec modération les sujets en pots. Tailler au printemps pour obtenir un port touffu. Multiplication : semis au printemps ou boutures herbacées

u semi-lignifiées en été.
C. roseus, voir *Vinca rosea*.

CATTLEYA, voir **ORCHIDÉES.**

C. bowringiana, ill. p. 253.
Orchidée épiphyte à feuilles
persistantes pour serres tempérées.
H. 45 cm. Donne en automne de
grandes grappes de fleurs magenta
de 8 cm de large, à labelle pourpre-
rose. Feuilles ovales, raides, de
8-10 cm de long. Placer en mi-
ombre durant l'été, en atmosphère
humide.
C. J.A. Carbone, ill. p. 253.
Orchidée épiphyte à feuilles
persistantes pour serres tempérées.
H. 45 cm. Donne au début de l'été
de grandes grappes de fleurs
odorantes, mauve rosé, de 10 cm
de large, à labelle rose marqué de
jaune. Feuilles ovales, raides, de
10-15 cm de long.

CAUTLEYA (Zingibéracées)

Genre de plantes vivaces à
floraison estivale et automnale.
Rustiques. À cultiver dans un
endroit ensoleillé, protégé du vent
et dans un sol profond, riche,
humide mais bien drainé.
Multiplication par semis ou
division au printemps.
C. spicata, ill. p. 250.

CEANOTHUS (Rhamnacées)
Céanothe

Genre d'arbustes, de sous-
arbrisseaux et de petits arbres à
feuilles caduques ou persistantes,
cultivés pour leurs abondantes
petites fleurs généralement bleues
(parfois blanches ou roses),
groupées en panicules d'ombelles.
D'assez rustiques à semi-rustiques;
dans les régions froides, mieux
vaut les placer contre des murs
orientés au sud ou à l'ouest. Ont
besoin d'un endroit abrité, de plein
soleil ou d'ombre légère et d'un sol
léger et bien drainé. Supportent un
sol un peu calcaire. Multiplication
par boutures de bois semi-lignifié
en été, marcottage. Les espèces
types peuvent également être
reproduites par semis.
C. arboreus 'Trewithen Blue'.
Vigoureux arbuste à feuillage
persistant, touffu, étalé. H. 6 m,
E. 8 m ou plus. Semi-rustique.
Donne au printemps et au début de
l'été de grandes panicules de fleurs
bleu foncé, entourées de feuilles
ovales larges ou arrondies, vert
foncé.
C. 'Autumnal Blue', ill. p. 116.
C. 'Blue Mound'. Arbuste à
feuillage persistant, touffu, dense.
H. 1,50 m, E. 2 m. Semi-rustique.
Forme une grosse touffe de feuilles
oblongues, luisantes, vert foncé,
qui se couvre à la fin du printemps
d'inflorescences arrondies de fleurs
bleu vif.

C. dentatus. Arbuste à feuillage
persistant, touffu, dense.
H. 1,50 m, E. 2 m. Semi-rustique.
Petites feuilles vertes oblongues,
luisantes. Donne fin printemps et
début d'été des inflorescences
globuleuses de fleurs bleu vif.
C. 'Gloire de Versailles', ill. p. 136.
C. gloriosus. Arbuste prostré à
feuilles persistantes. H. 30 cm,
E. 4 m. Assez rustique. Feuilles
luisantes ovales, vert foncé. Donne
vers la mi-printemps des
inflorescences arrondies de fleurs
bleu lavande. Peut souffrir de
chlorose dans les sols calcaires.
C. impressus, ill. p. 113.
C. incanus, ill. p. 106.
C. × lobbianus. Arbuste à feuillage
persistant, touffu, dense. H. et
E. 1 m. Semi-rustique. Fin
printemps/début été, inflorescences
arrondies de fleurs bleu vif foncé,
entourées de feuilles ovales, vert
foncé.
C. papillosus. Arbuste à rameaux
arqués, à feuilles persistantes.
H. 3 m, E. 5 m. Semi-rustique.
Feuilles étroitement oblongues,
luisantes, vert foncé, collantes.
Donne à la fin du printemps des
panicules de fleurs bleu plus ou
moins foncé. Assez grande
variabilité des caractères de cette
espèce.
C. 'Perle Rose', ill. p. 131.
C. rigidus (Céanothe de Monterey).
Arbuste à feuillage persistant,
touffu, dense, étalé. H. 4 m,
E. 2,50 m. Semi-rustique. Feuilles
vertes d'oblongues à ovales,
luisantes. Donne de la mi-
printemps au début de l'été des
inflorescences de fleurs bleu-
pourpre.
C. 'Southmead'. Arbuste à feuillage
persistant, touffu, dense. H. et
E. 1,50 m. Semi-rustique. Petites
feuilles oblongues, luisantes, vert
foncé. Fin printemps/début été,
inflorescences arrondies de fleurs
d'un bleu vif.
C. thyrsiflorus. Arbrisseau touffu
ou arbre étalé, à feuilles
persistantes. H. 10 m, E. 6 m en
Californie (H. 2 m en France).
Assez rustique. Feuilles ovales
larges, luisantes, vert moyen.
Donne en fin de printemps et
début d'été des inflorescences
arrondies de fleurs bleu pâle. var.
repens, ill. p. 136.
C. × veitchianus. Vigoureux arbuste
touffu à feuilles persistantes. H. et
E. 3 m. Semi-rustique. Feuilles
oblongues, luisantes, vert foncé.
Donne fin printemps/début été des
grappes oblongues, denses, de
fleurs bleu foncé.

CEDRELA (Méliacées)

Genre d'arbres à feuilles caduques,
cultivés pour leur feuillage, leurs
couleurs automnales et leurs fleurs.
De rustiques à peu rustiques.
Préfèrent le plein soleil et ont
besoin d'un sol bien drainé.
Multiplication : semis en automne
ou boutures de racines en hiver,
drageonnage.
C. sinensis, syn. *Toona sinensis,*
ill. p. 52. Rustique.

Cedronella mexicana, voir
Agastache mexicana.

CEDRUS (Pinacées), voir
CONIFÈRES.
Cèdre

C. atlantica (Cèdre de l'Atlas).
Conifère de forme conique
lorsqu'il est jeune, s'élargissant
avec l'âge. H. 40 m, E. 10 m.
Feuilles en aiguille, disposées en
rosettes sur rameaux courts,
éparses sur rameaux longs, vert
plus ou moins bleuté ou grisâtre.
Cônes ovoïdes, dressés. f.
fastigiata, E. 4-5 m, a un port plus
étroit, plus dressé. f. *glauca* **(Cèdre
bleu de l'Atlas),** ill. p. 73.
C. deodara (Cèdre de l'Himalaya).
Arbre à croissance rapide, de forme
conique dense, à branches
horizontales d'allure souple
terminées par des ramules
pendants. H. 40 m, E. 5-10 m.
Rustique. Feuilles en aiguille,
disposées en rosettes sur rameaux
courts, éparses sur les rameaux
longs, gris verts; cônes ovoïdes, de
8 cm de long, vert glauque
devenant bruns à maturité. **'Aurea',**
ill. p. 81.
C. libani (Cèdre du Liban),
ill. p. 75. Conifère à branches
étalées, à cime aplatie. H. 40 m,
E. 15 m. Rustique. Feuilles en
aiguille vert foncé, en rosettes
sur rameaux courts, éparses sur
les autres, formant des masses
étagées. Cônes rose grisâtre.
'Comte de Dijon', H. 2 m,
E. 60 cm, est une forme naine
dont la croissance annuelle ne
dépasse pas 5 cm. **'Sargentii'**
(ill. p. 83), H. et E. 1,50 m, a des
rameaux d'abord horizontaux,
puis retombants.

CELASTRUS (Célastracées)
Célastre

Genre d'arbustes grimpants
volubiles à feuilles caduques,
cultivés pour leurs beaux fruits. Les
espèces présentées ici ont des fleurs
mâles et des fleurs femelles sur des
plants distincts (il faut des plants
des deux sexes pour obtenir des
fruits). De rustiques à semi-
rustiques. Poussent dans n'importe
quel type de sol, en plein soleil ou
dans une ombre partielle.
Apprécient un apport régulier
d'engrais. Tailler au printemps
pour éliminer le vieux bois et
maintenir la forme.
Multiplication : semis en automne
ou au printemps ou boutures de
bois semi-lignifié en été, ou
marcottage.
C. articulatus, voir *C. orbiculatus.*
C. orbiculatus, syn. *C. articulatus.*
Vigoureuse plante grimpante.
H. jusqu'à 14 m. Rustique. Petites
feuilles arrondies, dentées. Donne
en été des grappes de petites fleurs
blanc verdâtre auxquelles
succèdent de minuscules fruits
globuleux verts, devenant orangés,

et graines avec une arille rouge.
**C. scandens (Célastre grimpant,
Bourreau des arbres).** H. jusqu'à
10 m. Assez rustique. Feuilles
ovales de 5-10 cm de long. Donne
en été des petites grappes de
minuscules fleurs jaune verdâtre.
Fruits globuleux jaunes en grappes
de 5-8 cm de long, à intérieur
orange et graines avec une arille
rouge.

CELMISIA (Composées)

Genre de plantes vivaces à feuilles
persistantes, à floraison fin
printemps/début été, cultivées pour
leur feuillage et leurs capitules.
Conviennent pour rocailles, en
climat tempéré (peuvent être
difficiles à cultiver dans les régions
à climat très chaud et sec). De
rustiques à non rustiques. Ont
besoin d'un endroit abrité,
ensoleillé et d'un sol riche en
humus, humide mais bien drainé,
sableux. Multiplication : division
au début de l'été ou semis.
C. coriacea, ill. p. 300.
C. ramulosa, ill. p. 314.
C. walkeri, ill. p. 290.

CELOSIA (Amaranthacées)
Célosie

Genre de plantes annuelles, ou
vivaces cultivées en annuelles.
Semi-rustiques. Se plaisent dans les
endroits abrités, ensoleillés et les
sols fertiles et bien drainés.
Multiplication par semis sous
châssis au printemps.
**C. cristata (Crête-de-Coq, Amarante
crête-de-coq, Passe-velours).** Plante
touffue annuelle à croissance
modérément rapide. H. 30-60 cm,
E. 30 cm. Feuilles ovales simples
vert moyen et, en été/automne,
épis denses obovales souvent
aplatis ou fasciés (jusqu'à 15 cm de
long) rouges (rouge cramoisi pour
le type), jaunes ou roses. Cultivars
nains, H. 30 cm : **'Fairy Fountains',**
ill. p. 285 et **série Geisha,** qui sont
disponibles dans de nombreux
coloris.

CELTIS (Ulmacées)

Genre d'arbres à feuilles caduques
et fleurs insignifiantes écloses au
printemps; on les cultive pour leur
feuillage et leurs petits fruits. De
rustiques à semi-rustiques. Ont
besoin de soleil et d'un sol profond
et bien drainé. Multiplication par
semis en automne.
C. australis (Micocoulier), ill. p. 41.
Relativement rustique.
**C. occidentalis (Micocoulier de
Virginie).** Arbre étalé. H. et
E. 20 m. Feuilles ovales,
étroitement dentées, vert assez vif
devenant jaunes en automne où
elles entourent des fruits globuleux
rouge jaunâtre devenant rouge
pourpre foncé. Assez rustique.

C. sinensis. Arbre à cime ronde. H. et E. 15 m. Feuilles ovales, luisantes, légèrement dentées, et petits fruits globuleux orangés.

CENTAUREA (Composées)
Centaurée

Genre de plantes annuelles, bisannuelles et vivaces cultivées pour leurs capitules touffus accompagnés d'un involucre de bractées écailleuses. Rustiques. Ont besoin de soleil; poussent dans tous les types de sols bien drainés, même pauvres. Multiplication par semis (ou division en automne ou au printemps, pour les vivaces).
C. cyanus (Bleuet, Barbeau bleu). Plante annuelle dressée, ramifiée, à croissance rapide. H. 70 cm, E. 30 cm. Feuilles lancéolées vert grisâtre; en été/début d'automne, tiges ramifiées portant des capitules simples ou doubles de diverses nuances de bleu, rose, rouge, pourpre ou blanc (l'espèce type a des capitules à fleurons extérieurs bleu vif). Les fleurs s'intègrent bien dans les bouquets champêtres. Il en existe des cultivars de grande taille (bleu, ill. p. 278; rose, ill. p. 266) et nains. **'Jubilee Gem'** (nain) a de grands capitules doubles bleu foncé.
C. dealbata. H. 40 cm, E. 30 cm. Vivace. Donne en été des capitules pourpre lilas poussant à un ou plusieurs par tige. Feuilles ovales étroites, finement découpées, vert clair. **'Steenbergii'**, H. 60 cm, a des fleurs lilas carmin.
C. hypoleuca 'John Coutts', ill. p. 236.
C. montana, ill. p. 241.
C. moschata (Centaurée barbeau), ill. p. 279.
C. pulcherrima, ill. p. 204.

CENTRANTHUS (Valérianacées)

Genre de plantes vivaces ou annuelles fleurissant de la fin du printemps à l'automne. Rustiques. Ont besoin de soleil. Se plaisent dans les endroits dégagés et les sols pauvres, notamment alcalins. Multiplication par semis en automne ou au printemps. Bonnes plantes pour murs ou falaises au soleil.
C. ruber, ill. p. 207.

CEPHALOCEREUS, syn.
PILOSOCEREUS (Cactacées)

Genre de cactées vivaces à croissance lente, à tiges cylindriques vertes comptant de 20-30 côtes. Non rustiques (min. 5 °C). Préfèrent le plein soleil et les sols extrêmement bien drainés, calcaires. Risquent de pourrir en cas d'arrosages trop abondants. Multiplication par semis au printemps ou en été.

C. senilis (Cierge barbe de vieillard), ill. p. 381.

CEPHALOPHYLLUM (Aizoacées)

Genre de plantes grasses vivaces touffues, à feuilles vertes, allant de cylindriques à subcylindriques. Ne produisent des fleurs qu'au bout d'1 ou 2 ans. Non rustiques (min. 5 °C). Ont besoin de soleil et d'un sol bien drainé. Multiplication par semis au printemps ou en été.
C. alstonii, ill. p. 394.

CEPHALOTAXUS
(Céphalotaxacées), voir
CONIFÈRES.

C. harringtonia. Conifère dense, étalé. H. 5 m, E. 3 m. Rustique. Les feuilles, en forme d'aiguille aplatie, sont luisantes, vertes à dessous grisâtre. Donne des fruits ovoïdes, charnus, verts devenant bruns à maturité.

CERASTIUM (Caryophyllacées)
Céraiste

Genre de plantes annuelles et vivaces à fleurs en étoile. Certaines espèces font de bons couvre-sol. Rustiques. Ont besoin de soleil et d'un sol bien drainé. Multiplication par division au printemps.
C. alpinum (Céraiste des Alpes). Espèce rampante. H. 8 cm, E. 40 cm. Minuscules feuilles ovales, grises, engainantes. Les tiges florifères portent durant tout l'été des fleurs étoilées blanches de 1 cm de large.
C. tomentosum, ill. p. 301.

CERATOPHYLLUM
(Cératophyllacées)
Cornille

Genre de plantes aquatiques submergées, vivaces à feuilles caduques, cultivées pour leur feuillage. Conviennent pour étangs et aquariums d'eau froide. De rustiques à semi-rustiques. Préfèrent les endroits dégagés, ensoleillés, mais supportent l'ombre beaucoup mieux que la plupart des plantes analogues. La multiplication se fait spontanément lorsque de jeunes pousses écailleuses ou des bourgeons d'hiver se détachent de la plante principale. On peut aussi procéder par boutures de tiges à la saison de croissance.
C. demersum. Espèce à feuillage étalé, submergé. E. variable. Rustique. Petites feuilles vert foncé divisées en lanières. Convient pour étang d'eau froide.

CERATOSTIGMA
(Plombaginacées)

Genre de plantes vivaces et d'arbustes à feuilles caduques, semi-persistantes et persistantes, cultivés pour leurs fleurs bleues et leurs couleurs automnales. Assez rustiques. Ont besoin de soleil ou de mi-ombre et d'un sol bien drainé non humide. Éliminer le bois mort des arbustes au printemps. Multiplication des arbustes par boutures de bois tendre, en été, des espèces vivaces par division au printemps.
C. griffithii. Arbuste à feuillage dense, touffu, persistant ou semi-persistant. H. 1 m, E. 1,50 m. Feuilles ovales, soyeuses, vertes devenant souvent très rouges en automne. À la fin de l'été et en automne, bouquets de fleurs tubulaires à pétales étalés, bleu foncé.
C. plombaginoides, ill. p. 300.
C. wilmottianum, ill. p. 141.

CERCIDIPHYLLUM
(Cercidiphyllacées)

Genre d'arbres à feuilles caduques, cultivés pour leur feuillage et leurs couleurs automnales souvent spectaculaires. Rustiques. Les gelées tardives peuvent endommager le jeune feuillage, mais sans effets durables. Apprécient un peu de soleil ou la mi-ombre et un sol fertile, humide, bien drainé. Multiplication par semis en automne, marcottage, ou bouturage herbacé.
C. japonicum, ill. p. 45.

CERCIS (Légumineuses)
Gainier

Genre d'arbres et d'arbustes à feuilles caduques, cultivés pour leur feuillage et leurs abondantes petites fleurs. Rusticité variable. Ont besoin de soleil et d'un sol fertile, bien drainé. Craignent les transplantations. Multiplication des espèces par semis en automne, des cultivars par greffes à la fin de l'été, ou bouturage herbacé.
C. canadensis (Gainier du Canada). Arbre ou arbuste étalé assez rustique. H. et E. 10 m. Feuilles obovales vertes devenant jaunes en automne. Boutons magenta donnant naissance à des fleurs rose pâle, écloses à la mi-printemps, avant l'apparition des feuilles.
'Forest Pansy', ill. p. 64.
C. siliquastrum (Arbre de Judée), ill. p. 61. Assez rustique.

CEREUS (Cactacées)

Genre de cactées vivaces à port en colonne, à tiges portant des

aiguillons, comportant généralement de 4-10 côtes très marquées. Fleurs cupulaires s'ouvrant normalement la nuit. Non rustiques (min. 7 °C). Ont besoin de plein soleil et d'un sol très bien drainé. Multiplication au printemps par semis ou, pour les espèces ramifiées, par boutures de tiges (dans sable à peine humide après séchage de la coupe).
C. forbesii, ill. p. 378.
C. peruvianus, ill. p. 378.
'Monstrosus', H. 5 m, E. 4 m, a des tiges renflées, parfois en éventail, bleu argenté, portant des aiguillons dorés sur des côtes irrégulières. Les sujets cultivés ne fleurissent pratiquement jamais.

CEROPEGIA (Asclépiadacées)

Genre de plantes vivaces, d'arbustes et de sous-arbrisseaux souvent charnus, à feuilles semi-persistantes, certains à minces tiges pendantes ou grimpantes, cultivés pour leurs fleurs insolites. Non rustiques (min. 7-11 °C). Ont besoin d'une ombre partielle ou de soleil et d'un sol très bien drainé. Multiplication par semis ou boutures de tiges au printemps ou en été.
C. woodii, ill. p. 383.

CESTRUM (Solanacées)

Genre d'arbustes et de plantes semi-grimpantes à feuilles caduques ou persistantes, cultivés pour leurs belles fleurs. Le feuillage dégage une odeur désagréable. De semi-rustiques à non rustiques (min. 7-10 °C). Ont besoin d'un endroit abrité, ensoleillé, et d'un sol fertile et bien drainé. Arroser généreusement les sujets en conteneurs durant la période de croissance, avec modération le reste du temps. Les espèces grimpantes ont besoin d'un support. Multiplication des espèces rustiques par boutures de bois semi-lignifié en été.
C. elegans, ill. p. 110.
C. 'Newellii'. Arbuste à rameaux arqués, à feuilles persistantes. H. et E. 3 m. Rustique. Grandes feuilles, largement lancéolées, vert foncé. Donne à la fin du printemps et en été des grappes de fleurs tubulaires cramoisies.
C. parqui. Arbuste à feuilles caduques. H. et E. 2 m. Semi-rustique. Feuilles étroitement lancéolées, vert moyen. Donne en été de nombreuses grosses grappes de fleurs tubulaires vert jaunâtre, odoriférantes la nuit.

CETERACH (Polypodiacées)

Genre de fougères xérophiles à feuilles persistantes ou semi-persistantes qu'on utilise pour garnir des crevasses et des fissures.

De rustiques à semi-rustiques. Éliminer régulièrement les frondes fanées. Multiplication : division au printemps ou par spores à la fin de l'été.
C. officinarum, ill. p. 185. Rustique, mais sur des murs et rochers exposés au soleil.

CHAENOMELES (Rosacées)

Genre d'arbustes à feuilles caduques, généralement épineux, à floraison printanière, cultivés pour leurs belles fleurs et leurs fruits odorants. Rustiques. Préfèrent le soleil ou la mi-ombre et les sols bien drainés. Dans le cas des sujets palissés en espalier contre un mur, tailler assez court les rameaux latéraux après la floraison et raccourcir ceux qui s'éloignent du mur pendant la saison de croissance. Multiplication : des espèces par bouturage en été ou par semis en automne; des cultivars par boutures en été ou greffage. Se méfier de la chlorose en sol calcaire.
C. cathayensis. Arbuste étalé, très épineux. H. et E. 3 m ou plus. Feuilles vert moyen longues, étroites, pointues, finement dentées. Donne au début du printemps des petites fleurs à 5 pétales, blanches flammées de rose, suivies de gros fruits ovoïdes vert-jaune.
C. japonica (Cognassier du Japon, nom donné également à *C. speciosa*). Arbuste étalé, épineux. H. 1 m, E. 2 m. Feuilles ovales, vert moyen et, au printemps, abondantes fleurs à 5 pétales, rouges ou rouge orangé, suivies de fruits globuleux jaunes.
C. lagenaria, voir *C. speciosa*.
C. speciosa, syn. *C. lagenaria*. Vigoureux arbuste touffu, épineux. H. 2,50 m, E. 5 m. Feuilles ovales, luisantes, vert foncé. Donne au début du printemps des groupes presque sessiles de fleurs rouges à 5 pétales, suivies de fruits globuleux jaune verdâtre. **'Moerloosii'**, ill. p. 98. Les fleurs de **'Nivalis'** sont d'un blanc très pur. **'Simonii'**, H. 1 m, E. 2 m, donne d'abondantes fleurs semi-doubles rouge sang.
C. × superba. 'Crimson and Gold' est un arbuste touffu, dense, épineux. H. 1 m, E. 2 m. Feuilles ovales, luisantes, vert foncé. Donne au printemps de nombreuses fleurs à 5 pétales, rouge cramoisi avec de minuscules anthères jaune d'or. Fruits globuleux jaunes. Les fleurs de **'Etna'**, H. 1,50 m, E. 3 m, sont écarlates. **'Knap Hill Scarlet'**, H. 1,50 m, E. 3 m, donne de grandes fleurs d'un rouge éclatant. **'Nicoline'**, ill. p. 124. **'Rowallane'**, ill. p. 123.

CHAMAEBATIARIA (Rosacées)

Genre représenté par une seule espèce d'arbuste dressé à feuilles caduques, cultivé pour son feuillage et ses fleurs écloses en été. Assez rustique. A besoin d'un endroit abrité, ensoleillé et d'un sol chaud bien drainé. Multiplication par semis.
C. millefolium. H. et E. 1 m. Feuilles finement divisées, aromatiques, gris-vert. Donne vers la mi-été des panicules terminales ramifiées de fleurs légèrement cupulaires, blanches avec des étamines jaunes.

CHAMAECEREUS (Cactacées)

Genre représenté par une seule espèce de cactée vivace à tiges cylindriques, épineuses, vert clair. Non rustique (min. 3 °C). A besoin de soleil et d'un sol bien drainé. Multiplication par boutures de tiges au printemps ou en été.
C. silvestri, ill. p. 395.

CHAMAECYPARIS (Cupressacées), voir CONIFÈRES.

C. lawsoniana (Cyprès de Lawson ou Faux-cyprès de Lawson). Arbre conique dressé. H. 50 m, E. 12 m (plus petit en Europe). Rustique. Feuilles squamiformes appliquées sur les rameaux, aromatiques, vert plus ou moins glauque. Cônes de 8-10 mm de diamètre. Fleurs mâles rouge brique; fleurs femelles vert bleuté, insignifiantes. **'Columnaris'**, ill. p. 80. **'Ellwoodii'**, H. 3 m, E. 1,50 m, a des feuilles gris-bleu. **'Fletcheri'**, H. 12 m, E. 3 m, a des feuilles gris-vert, aciculaires et squamiformes. **'Gnome'** (ill. p. 83), H. et E. 50 cm, est une forme naine à feuillage bleuté. **'Green Pillar'**, ill. p. 79. **'Intertexta'**, ill. p. 74. **'Kilmacurragh'**, H. 10-15 m, E. 1 m, a un feuillage vert foncé. **'Lanei'**, ill. p. 79. **'Minima'** (ill. p. 83), H. et E. 1 m, est une forme naine à port globuleux et à feuilles vertes. **'Pembury Blue'**, ill. p. 77. **'Triomf van Boskoop'**, (syn. 'Triomphe de Boskoop'), H. 20 m, a un port en colonne large et un feuillage gris-bleu. **'Wisselii'**, H. 15 m, E. 3 m, est une forme à croissance rapide, à rameaux dressés et bien espacés et feuillage vert bleuté.
C. nootkatensis (Cyprès de Nootka). Arbre conique dressé. H. 15 m, E. 6 m. Rustique. Ramules pendants et feuilles squamiformes, aiguës, vertes. Cônes globuleux de 4-6 écailles, bleu foncé et verts devenant bruns à maturité. **'Pendula'** a des ramules pendant verticalement.
C. obtusa (Hinoki). Arbre conique. H. 15 m, E. 5 m. Rustique. Écorce brun rouge s'exfoliant et feuilles squamiformes, aromatiques, vert vif foncé. Petits cônes globuleux orangés. **'Crippsii'**, ill. p. 81. **'Intermedia'** (ill. p. 83), H. jusqu'à 30 cm, E. 40 cm, est un arbuste subconique nain, à ramules verts d'allure souple. **'Kosteri'**, H. 1-2 m, E. 2-3 m, forme une masse buissonnante subconique étalée à feuillage vert vif. **'Nana'**, H. 1 m max., E. 1,50-2 m, est un arbuste à cime aplatie, à croissance extrêmement lente. **'Nana Aurea'** (ill. p. 83), H. et E. 2 m, est une forme à feuilles jaune doré. **'Nana Gracilis'**, H. 2 m, E. 1,50-2 m, se signale par son feuillage vert foncé. **'Nana Pyramidalis'** (ill. p. 83), H. et E. jusqu'à 60 cm, est un cultivar nain, dense, conique, à croissance lente, à courts ramules vert foncé. **'Tetragona Aurea'**, H. 10 m, E. 2-3 m, a un feuillage doré ou jaune bronze.
C. pisifera (Sawara). Arbre largement conique à branches étalées. H. 10 m, E. 5 m. Rustique. Écorce sillonnée, s'exfoliant, brun-rouge, feuilles squamiformes aiguës, aromatiques, vert foncé, à dessous marqué de blanc; cônes brun-jaune. **'Boulevard'** a un feuillage bleu acier. **'Filifera'** a des ramules effilés retombants et un feuillage vert. **'Filifera Nana'**, H. 60 cm, E. 1 m, est une forme naine à ramules effilés. **'Nana'**, H. et E. 50 cm, est également une forme naine, à feuillage vert foncé. **'Plumosa'** a un port largement conique ou compact, avec un feuillage vert vif jaunâtre. **'Plumosa Rogersii'**, H. 2 m, E. 1 m, a un feuillage jaune. **'Squarrosa'**, à croissance lente, a un port étalé et un feuillage gris-bleu.
C. thyoides, ill. p. 79.

CHAMAEDAPHNE (Éricacées)

Genre représenté par une seule espèce naine d'arbuste à feuilles persistantes, à longues branches à disposition horizontale, cultivé pour ses fleurs blanches. Rustique. A besoin de soleil ou de mi-ombre et d'un sol humide, acide (plante de terre siliceuse ou terre de bruyère). Multiplication par marcottage ou semis.
C. calyculata, syn. *Andromeda calyculata, Cassandra calyculata*. H. 75 cm, E. 1 m. Petites feuilles oblongues, coriaces, vert foncé. Donne vers la fin du printemps, sur de minces rameaux, des grappes feuillées de petites fleurs à corolle urcéolée.

CHAMAEDOREA (Palmiers)

Genre de palmiers bas à feuilles persistantes, cultivés pour leur aspect général. Non rustiques (min. 18 °C; en France, ne supporter que le plein air que sur la Côte d'Azur). Ont besoin d'un sol bien drainé. Arroser avec modération les sujets en conteneurs, encore moins lorsque les températures baissent. Multiplication par semis au printemps à une température d'au moins 25 °C. Les araignées rouges peuvent être des parasites redoutables.
C. elegans, syn. *Neanthe bella*, ill. p. 120.

CHAMAEMELUM (Composées)

Genre de plantes vivaces à feuilles persistantes, cultivées comme couvre-sol ou en massifs. Rustiques. Ont besoin de soleil et d'un sol bien drainé. Multiplication : division au printemps ou semis en automne.
C. nobile, syn. *Anthemis nobilis, Matricaria chamomilla* (**Camomille romaine**). Espèce envahissante. H. 10 cm, E. 45 cm. Feuilles aromatiques, finement divisées et capitules blancs à centre jaune, apparaissant à la fin du printemps ou en été. **'Treneague'** est un cultivar sans capitule, moins envahissant, qui fait un bon couvre-sol.

CHAMAENERION, voir EPILOBIUM.

CHAMAEROPS (Palmiers)

Genre de palmiers à feuilles persistantes, cultivés pour leur aspect général (ils portent une couronne de feuilles en éventail). De semi-rustiques à non rustiques (min. 7 °C). Ont besoin de soleil ou d'une ombre légère et d'un sol fertile et bien drainé. Arroser avec modération les sujets en conteneurs, encore moins lorsqu'ils ne sont pas en pleine croissance. Multiplication : semis au printemps à une température d'au moins 22 °C, ou par drageonnement à la fin du printemps. Les araignées rouges peuvent poser des problèmes.
C. humilis, ill. p. 144.

Chamaespartium sagittale, voir *Genista sagittalis*.

CHAMELAUCIUM (Myrtacées)

Genre d'arbustes à feuilles persistantes, cultivés pour leurs fleurs et leur aspect général. Non rustiques (min. 5 °C, mais préfèrent de 7-10 °C). Ont besoin de plein soleil et d'un sol bien drainé, sableux, neutre ou acide. Arroser avec modération les sujets en conteneurs, très peu en dehors de la période de croissance. Pour maintenir un port compact, rabattre de moitié les tiges florifères dès la fin de la floraison. Multiplication : semis au printemps ou boutures de bois semi-lignifié en été.
C. uncinatum, variété rose, ill. p. 118; variété blanche, ill. p. 117.

CHASMANTHE (Iridacées)

Genre de plantes bulbeuses cultivées pour leurs belles fleurs. Semi-rustiques. Ont besoin de plein soleil ou d'une ombre partielle et d'un sol bien drainé, avec beaucoup d'eau à la période de croissance (fin hiver/début printemps). Réduire l'arrosage en été/automne. Multiplication par division en automne.
C. aethiopica. Espèce à floraison fin printemps/début été. H. jusqu'à 80 cm, E. 12-18 cm. Feuilles étroites, en forme de glaive, dressées, en touffe basale. Épis latéraux de fleurs rouge vif, à tube jaune verdâtre de 5-6 cm de long.
C. floribunda. Espèce à floraison estivale. H. jusqu'à 80 cm, E. 12-18 cm. Ressemble à *C. aethiopica*, mais avec des feuilles plus larges et des fleurs orange ou écarlates plus longues et qui ne sont pas toutes orientées du même côté.

CHEILANTHES (Polypodiacées)

Genre de fougères xérophiles à feuilles persistantes. De semi-rustiques à peu rustiques. Ont besoin de pleine lumière et d'un sol riche en humus, bien drainé (apprécient une terre de bruyère additionnée de sable). Éviter de trop arroser les sujets en conteneurs. Éliminer régulièrement les frondes fanées, et éviter l'humidité sur les feuilles. Multiplication par spores en été.
C. fragrans. H. et E. 25 cm. Frondes lancéolées, vert foncé, à nombreuses pinnules arrondies, à face inférieure légèrement velue, dégageant un parfum de violette.
C. lanosa. H. et E. 15-25 cm. Feuilles triangulaires ou lancéolées, à frondes très divisées, vert tendre, sur des tiges noires, velues.

CHEIRANTHUS (Crucifères)
Giroflée

Genre de plantes vivaces ou suffrutescentes dont certaines sont à feuilles persistantes ou semi-persistantes, cultivées pour leurs fleurs; certaines conviennent pour rocailles. De rustiques à semi-rustiques. Apprécient tous les sols secs et les endroits dégagés. Multiplication : semis au printemps.
C. × allionii, voir *Erysimum hieraciifolium.*
C. 'Bredon', ill. p. 290.
C. cheiri (Giroflée jaune, Ravenelle, Violier, Rameau d'or). Espèce vivace touffue à feuilles persistantes, cultivée en bisannuelle. Grands cultivars : H. jusqu'à 60 cm, E. 40 cm; moyens : H. 30-45 cm, E. 30 cm; petits : H. et E. 20 cm. Rustiques. Tous ont des feuilles lancéolées, vert vif ou moyen. Au printemps, bouquets de fleurs odorantes à 4 pétales, de couleurs diverses telles que rouge, jaune, bronze, blanc et orange (jaune chez l'espèce type). **'Fire King'** (moyen), ill. p. 285.

'Rose Queen' (grand) a des fleurs roses.
C. 'Harpur Crewe', ill. p. 290.

CHELIDONIUM (Papavéracées)
Chélidoine, Herbe aux verrues, Grande Éclaire

Genre représenté par une seule espèce vivace qui fait un couvre-sol à développement rapide. Rustique. Pousse au soleil ou à l'ombre et dans tous les types de sols pas trop humides. Multiplication par semis ou division en automne.
C. majus 'Flore Pleno', ill. p. 199.

CHELONE (Scrophulariacées)
Galane

Genre de plantes vivaces à floraison d'été et d'automne. Rustiques. Ont besoin de mi-ombre et d'un sol humide ou frais, et humifère. Multiplication : division ou semis en automne ou au printemps.
C. barbata, voir *Penstemon barbatus.*
C. obliqua, ill. p. 217.

CHIASTOPHYLLUM (Crassulacées)

Genre représenté par une seule espèce de plante vivace à feuilles persistantes, cultivée pour ses feuilles charnues et ses jolies petites fleurs jaunes. Prolifère dans les crevasses et les fissures de rochers. Rustique. A besoin d'ombre et d'un sol bien drainé, pas trop sec. Multiplication : boutures de pousses latérales au début de l'été ou semis en automne.
C. oppositifolium, syn. *Cotyledon simplicifolia,* ill. p. 289.

CHIMONANTHUS (Calycanthacées)
Chimonanthe

Genre d'arbustes à feuilles caduques ou persistantes à floraison d'hiver, cultivés pour leurs fleurs. Rustiques, mais dans les régions froides, mieux vaut protéger la floraison en les plantant contre un mur orienté à l'ouest ou au sud. Ont besoin de plein soleil et d'un sol bien drainé (supportant un sol calcaire). Multiplication : les espèces par semis de graines à leur maturité (fin du printemps/début de l'été), les cultivars par marcottage.
C. praecox (Chimonanthe précoce). Arbuste touffu à feuilles caduques. H. 2,50 m ou plus, E. 3 m. Feuilles ovales, luisantes, vert foncé. Donne durant les périodes clémentes de l'hiver des fleurs cupulaires très parfumées, à nombreux pétales, blanc jaunâtre à centre pourpré.

'Luteus' a des fleurs entièrement jaunes.

CHIONANTHUS (Oléacées)

Genre d'arbustes et d'arbres à feuilles caduques, cultivés pour leurs abondantes fleurs blanches. La floraison est plus riche dans les régions à étés très chauds. Rustiques. Préfèrent le plein soleil et les sols fertiles et bien drainés, mais pas trop secs. Multiplication par semis en automne.
C. retusus (Arbre à franges de Chine). Arbuste arqué. H. et E. 3 m. Feuilles ovales, vert vif. Donne au début de l'été des panicules de fleurs étoilées d'un blanc très pur.
C. virginicus (Arbre à franges, Arbre de neige), ill. p. 87.

CHIONOCHLOA (Graminées), voir BAMBOUS, HERBES, JONCS et LAÎCHES.

C. conspicua. Plante vivace formant des touffes herbacées à feuillage persistant. H. 1,20-1,50 m, E. 1 m. Rustique. Très longues feuilles vert moyen nuancées de brun rougeâtre. Robustes tiges arquées portant en été de longues panicules lâches d'épillets crème.

CHIONODOXA (Liliacées)

Genre de plantes bulbeuses à floraison printanière qui présentent des analogies avec *Scilla*. Conviennent pour rocailles ou pour faire pousser sous des arbustes, au soleil ou dans une ombre partielle. Rustiques. Ont besoin d'un sol bien drainé, amélioré éventuellement en automne par un apport de compost bien décomposé. Multiplication : semis en automne ou division à la fin de l'été ou en automne.
C. forbesii, syn. *C. siehei, C. tmolusii,* ill. p. 362. **'Pink Giant',** ill. p. 358.
C. gigantea, voir *C. luciliae.*
C. luciliae, syn. *C. gigantea,* ill. p. 362.
C. siehei, voir *C. forbesii.*
C. tmolusii, voir *C. forbesii.*

× CHIONOSCILLA (Liliacées)

Hybride intergénérique (*Chionodoxa* × *Scilla*). Plantes bulbeuses à floraison printanière, qui conviennent pour jardins de rocaille. Rustiques. Ont besoin de plein soleil ou d'une ombre partielle et d'un sol riche en humus et bien drainé. Multiplication par division à la fin de l'été ou en automne.

× C. allenii, ill. p. 362.

CHIRITA (Gesnériacées)

Genre de plantes vivaces ou de sous-arbrisseaux à feuilles persistantes, qu'on cultive pour leurs fleurs. Non rustiques (min. 15 °C). Ont besoin d'un sol bien drainé, d'une atmosphère humide et d'une pleine lumière sans exposition directe aux rayons du soleil. Multiplication : bouturage au printemps, semis à la fin de l'hiver.
C. lavandulacea, ill. p. 250.

CHLIDANTHUS (Amaryllidacées)

Genre de plantes bulbeuses à floraison printanière ou estivale, cultivées pour leurs belles fleurs en entonnoir. Semi-rustiques. Apprécient le soleil et un sol bien drainé assez léger. Planter en pleine terre au printemps et arracher si nécessaire après la floraison pour faire sécher en hiver. Multiplication par bulbes au printemps.
C. fragrans, ill. p. 365.

CHLOROPHYTUM (Liliacées)

Genre de plantes vivaces bulbeuses sans tiges, à feuilles persistantes, cultivées pour leur feuillage. Non rustiques (min. 5 °C). À planter dans un endroit bien éclairé, mais si possible sans exposition directe aux rayons du soleil, dans un sol bien drainé. Multiplication : semis ou division des plantules (émises par les tiges de certaines espèces).
C. capense, voir *C. comosum.*
C. comosum, syn. *C. capense.* H. 30 cm, E. variable. Feuilles en rosette, très étroites, atteignant jusqu'à 45 cm de long. Longue hampe florale portant des grappes de nombreuses petites fleurs étoilées blanches. Des petites rosettes de feuilles peuvent se former à partir de la hampe florale où elles constituent des plantules. **'Vittatum',** ill. p. 257.

CHOISYA (Rutacées)

Genre d'arbustes à feuilles persistantes, cultivés pour leur feuillage et leurs fleurs. D'assez rustiques à semi-rustiques; ont besoin d'être abrités dans la plupart des régions. Se plaisent en plein soleil ou à l'ombre, dans les sols légers et bien drainés. Multiplication par boutures de bois semi-lignifié à la fin de l'été, ou par marcottage.
C. ternata (Oranger du Mexique), ill. p. 95. **'Sundance'** est un arbuste globuleux, dense. H. et E. 2,50 m. Feuilles aromatiques, luisantes,

jaune vif, composées de 3 folioles oblongues. Donne à la fin du printemps, puis parfois de nouveau en automne, des grappes de fleurs blanches odorantes, étoilées.

CHORDOSPARTIUM (Légumineuses)

Genre représenté par une seule espèce d'arbuste cultivé pour son aspect et ses fleurs. De minces pousses vertes font office de feuilles dont cette plante est pratiquement dépourvue. Rustique. A besoin d'un endroit abrité, ensoleillé et d'un sol fertile et bien drainé. Multiplication par semis en automne.
C. stevensonii. Arbuste pratiquement dépourvu de feuilles. H. 3 m, E. 2 m. Donne à la mi-été des grappes cylindriques de petites fleurs papilionacées lavande rosé.

CHORISIA (Bombacacées)

Genre d'arbres à feuilles caduques, à tronc généralement épineux, surtout cultivés pour leurs fleurs d'automne et d'hiver et pour leur aspect général. Non rustiques (min. 15 °C). Ont besoin de pleine lumière et d'un sol bien drainé. Supportent la taille. Multiplication par semis au printemps.
C. speciosa, ill. p. 44.

CHORIZEMA (Légumineuses)

Genre de sous-arbrisseaux, d'arbustes et de plantes grimpantes à feuilles persistantes, cultivés principalement pour leurs fleurs papilionacées. Non rustiques (min. 10 °C). Ont besoin de pleine lumière et d'un sol riche en humus, bien drainé, sableux, de préférence neutre ou acide. Les espèces grimpantes ont besoin de support ou peuvent être cultivées en paniers suspendus. Multiplication : semis au printemps ou boutures de bois semi-lignifié en été.
C. ilicifolium, ill. p. 125.

CHRYSALIDOCARPUS (Palmiers)

Genre de palmiers de gabarit moyen, à feuilles persistantes composées pennées, cultivés pour leur aspect élégant. Non rustiques (min. 16 °C). Ont besoin de plein soleil ou d'une ombre légère et d'un sol fertile et bien drainé. Arroser avec modération les sujets cultivés en conteneur. Multiplication par semis au printemps à une température d'au moins 25 °C. Les araignées rouges peuvent poser des problèmes.
C. lutescens, syn. Areca lutescens, ill. p. 72.

CHRYSANTHEMUM (Composées)
Chrysanthème

Genre de plantes annuelles, de plantes vivaces dont certaines sont à feuilles persistantes, et de sous-arbrisseaux à feuilles persistantes, cultivés pour leurs fleurs. Les capitules peuvent être solitaires (et généralement de taille moyenne ou grande) ou groupés (la plante possède alors de nombreux capitules petits ou presque moyens, en corymbes ou en racèmes), comme pour les chrysanthèmes coréens et les chrysanthèmes nains rustiques à massifs. Les horticulteurs appellent 'fleur' chaque capitule, bien qu'il s'agisse en réalité d'un ensemble de nombreuses petites fleurs ; nous avons conservé l'usage de ce terme dans les descriptions ci-dessous. Les feuilles sont généralement profondément lobées ou découpées, d'ovales à lancéolées.
Les chrysanthèmes des fleuristes ou «chrysanthèmes d'automne» (hybrides notamment de C. morifolium) comprennent la grande majorité des chrysanthèmes actuellement cultivés et sont des variétés et cultivars utilisés pour des décorations de jardins, comme fleurs à couper et pour les cimetières.
Les chrysanthèmes annuels aussi bien que les chrysanthèmes des fleuristes et les autres chrysanthèmes vivaces sont rustiques ou semi-rustiques. Ils apprécient un endroit ensoleillé et un sol fertile et bien drainé. Pincer le bout de la tige centrale pour favoriser la formation de pousses latérales florifères et limiter la hauteur; tuteurer les sujets de grande taille. Multiplication des formes annuelles, peu exigeantes sur la qualité du sol, par semis en place au printemps. Multiplication des formes vivaces rustiques par division en automne ou au bouturage, selon les espèces. La multiplication des chrysanthèmes des fleuristes se fait par bouturage au printemps. Traiter régulièrement contre les pucerons, les punaises des jardins, les nématodes, l'oïdium et la rouille (causée par Puccinia chrysanthemi).

Chrysanthèmes des fleuristes (ou chrysanthèmes d'automne). On classe les chrysanthèmes des fleuristes d'après l'aspect de leurs fleurs, leur période de floraison (début, milieu, ou fin d'automne ou même à d'autres moments de l'année pour des cultivars de certaines catégories), leur port et leur utilisation. On les subdivise en deux groupes selon qu'ils sont cultivés avec bouton réservé, pincements et ébourgeonnement pour obtenir de grosses fleurs, ou cultivés sans ces opérations.
Les types à réserve de bouton (ainsi appelés parce qu'on ne conserve qu'un seul bouton floral par branche, en supprimant tous les autres). Ces chrysanthèmes ont naturellement de gros capitules, mais la culture avec réserve des

boutons, ébourgeonnement et engrais, tout en les rendant plus gros, leur confère tout de même une allure un peu artificielle. Ce mode de culture (qui n'est qu'un choix) est responsable en partie du peu d'intérêt d'une partie du public français pour ces plantes qu'il préfère réserver pour les cimetières ou les expositions où un public populaire s'extasie devant des monstres. En Angleterre, par contre, un gros chrysanthème blanc ou rose est considéré comme exquis au milieu d'un grand bouquet de mariage. Il est d'ailleurs évident que ces grosses fleurs sont précieuses par leur impact dans les bouquets vus de loin. La culture des gros chrysanthèmes est à l'horticulture ce que le culturisme est au sport : un peu moins de 'chirurgie' (tailles, pincements, etc.) et un peu moins de 'chimie' dans la 'nourriture' (les engrais), et le public réagira mieux. Voir p. 218 pour la description illustrée des différentes formes de fleurs.
Les types à boutons non réservés (chrysanthèmes nains rustiques à massifs, pompon et décoratifs) sont ainsi appelés parce qu'on conserve toujours plusieurs boutons par branche.
Les **chrysanthèmes nains rustiques à massifs** à fleurs simples (hybrides de C. rubellum) produisent des quantités de petites fleurs, de 2,5-4 cm de large, formant une masse dense, d'hémisphérique à presque globuleuse, estivales ou automnales, selon les variétés. Pour des décorations d'intérieur, utiliser des pots plus petits où l'on obtiendra une floraison plus réduite mais aussi dense.
Les **chrysanthèmes pompon** sont également des formes naines pour massifs, à petites fleurs. Chaque plant donne au moins 50 fleurs denses, sphériques ou parfois hémisphériques, doubles à pétales tubulaires (voir illustration p. 218). Conviennent particulièrement bien pour des bordures. Rustiques.
Les **chrysanthèmes décoratifs**, à nombreux capitules groupés, pour fleur coupée ou pour massifs sont nettement plus grands (en ce qui concerne la taille de la plante) que les deux catégories précédentes; les capitules sont petits ou presque moyens. Rustiques. Ils ont une grande diversité de formes : simples, fleur d'anémone, récurvée, pompon, tubulée-spatulée, etc. Dans cette catégorie de chrysanthèmes décoratifs à nombreux capitules groupés, les coréens ont des capitules simples, de petite taille, et les chrysanthèmes cascade des capitules simples ou semi-doubles. Les cultivars qui conviennent pour des expositions sont signalés ci-dessous. Les dimensions indiquées pour les fleurs sont les plus grandes que l'on puisse obtenir couramment et peuvent varier considérablement selon les conditions de culture.

C. 'Alison Kirk', ill. p. 218. Chrysanthème des fleuristes récurvé. H. 1,20 m, E. 30-60 cm.

Donne au début de l'automne des fleurs blanches de 10-15 cm de large. Convient mieux pour expositions que pour jardins.
C. alpinum. Espèce vivace touffue. H. 7 cm, E. 12 cm. Rustique. Courtes tiges portant de petites touffes de feuilles profondément découpées. Donne en été de petits capitules blancs à centre jaune. Convient pour rocailles. Multiplication par division des rhizomes (tiges souterraines) en automne ou au début du printemps.
C. 'Autumn Days', ill. p. 219. Chrysanthème des fleuristes à fleurs moyennes. H. 1,20 m, E. jusqu'à 75 cm. Donne au début de l'automne des fleurs bronze légèrement incurvées de 12 cm de large.
C. 'Brietner', ill. p. 218. Chrysanthème des fleuristes à fleurs récurvées. H. 1,20 m, E. 75 cm. Donne au début de l'automne des fleurs roses, très récurvées, jusqu'à 12 cm de large.
C. 'Bronze Fairie', ill. p. 219. Chrysanthème des fleuristes pompon. H. et E. 60 cm. Donne au début de l'automne des fleurs bronze de 4 cm de large.
C. 'Bronze Hedgerow', ill. p. 219. Chrysanthème des fleuristes à fleurs simples. H. 1,50 m, E. 1 m. Donne à la fin de l'automne des fleurs bronze de 12 cm de large.
C. 'Bronze Yvonne Arnaud', ill. p. 219. Chrysanthème des fleuristes à fleurs récurvées. H. 1,20 m, E. 75 cm. Fleurs bronze très récurvées au début de l'automne.
C. 'Buff Margaret', ill. p. 219. Chrysanthème des fleuristes de type décoratif, à nombreux capitules groupés. H. 1,20 m, E. jusqu'à 75 cm. Ressemble à C. 'Peach Margaret', mais avec des fleurs bronze pâle.
C. carinatum, syn. C. tricolor (Chrysanthème à carène) est une plante annuelle. 'Monarch Court Jesters', rouge à centre jaune ill. p. 273; blanc à centre rouge ill. p. 264. Série Tricolor est un ensemble de plantes ramifiées, dressées, à croissance rapide. H. 60 cm, E. 30 cm. Semi-rustiques. Feuilles vert clair et, en été, capitules simples ou doubles de diverses combinaisons de couleurs (jusqu'à 8 cm de large). Il en existe des cultivars de grande taille (H. 60 cm, E. 30 cm) et des cultivars nains (H. et E. 30 cm).
C. 'Cherry Chintz', ill. p. 219. Chrysanthème des fleuristes à fleurs récurvées. H. 1,20 m, E. 45 cm. Donne au début de l'automne des fleurs rouges très récurvées, jusqu'à 15 cm de large. Excellente variété pour expositions.
C. 'Chippendale', ill. p. 219. Chrysanthème des fleuristes à fleurs récurvées. H. 1,20 m, E. 45 cm. À la mi-automne, fleurs roses très récurvées de 18 cm de large ou plus. Convient mieux pour jardins.
C. 'Christina'. Chrysanthème des fleuristes à fleurs moyennes. H. 1,50 m, E. 75 cm. Donne au début de l'automne des fleurs

blanches légèrement incurvées, jusqu'à 15 cm de large. Pour expositions.

C. 'Cloudbank', ill. p. 218. Chrysanthème des fleuristes de type décoratif, à nombreux capitules groupés. H. 1,20 m, E. 75 cm. Donne à la fin de l'automne des fleurs blanches de type anémone (8-9 cm de large).

C. coccineum, voir *Tanacetum coccineum*.

C. 'Dawn Mist', ill. p. 218. Chrysanthème des fleuristes de type décoratif, à nombreux capitules groupés. H. 1,20 m, E. 1 m. Donne au début de l'automne des fleurs simples, rose très pâle, jusqu'à 8 cm de large.

C. 'Discovery', ill. p. 219. Chrysanthème des fleuristes à fleurs moyennes. H. 1,20 m, E. 75 cm. Donne au début de l'automne des fleurs jaune pâle légèrement incurvées (10-12 cm de large).

C. 'Dorridge Dream', ill. p. 218. Chrysanthème des fleuristes à fleurs incurvées. H. 1,20 m, E. 60 cm. Donne au début de l'automne des fleurs roses de 12 cm de large. Pour expositions.

C. 'Duke of Kent', ill. p. 218. Chrysanthème des fleuristes à fleurs récurvées. H. 1,50 m, E. 30 cm. Donne à la fin de l'automne des fleurs blanches très récurvées, de 25 cm de large ou plus. Pour expositions.

C. 'Edwin Painter', ill. p. 219. Chrysanthème des fleuristes à fleurs simples. H. 1,50 m, E. 1 m. Donne à la fin de l'automne des fleurs jaunes de 15 cm de large. Pour expositions.

C. frutescens, syn. *Argyranthemum frutescens* (**Anthémis**), ill. p. 201. **'Jamaica Primrose'**, ill. p. 214. **'Mary Wootton'**, ill. p. 203.

C. 'George Griffiths', ill. p. 219. Chrysanthème des fleuristes à fleurs récurvées. H. 1,20-1,35 m, E. 75 cm. Donne au début de l'automne des fleurs rouge foncé très récurvées, jusqu'à 15 cm de large. Pour expositions.

C. 'Golden Woolman's Glory', ill. p. 219. Chrysanthème des fleuristes à fleurs simples. H. 1,50 m, E. 1 m. Donne à la fin de l'automne des fleurs dorées, jusqu'à 18 cm de large. Pour expositions.

C. 'Green Satin', ill. p. 219. Chrysanthème des fleuristes à fleurs moyennes. H. 1,20 m, E. 60 cm. Donne à la fin de l'automne des fleurs vertes légèrement incurvées, jusqu'à 12 cm de large.

C. haradjanii, voir *Tanacetum haradjanii*.

C. hosmariense, ill. p. 286.

C. 'Madeleine', ill. p. 218. Chrysanthème des fleuristes de type décoratif, à nombreux capitules groupés. H. 1,20 m, E. 75 cm. Donne au début de l'automne des fleurs roses récurvées, jusqu'à 8 cm de large. Pour expositions.

C. 'Maria', ill. p. 219. Chrysanthème des fleuristes de type pompon. H. 45 cm, E. 60 cm. Donne au début de l'automne d'abondantes fleurs roses, jusqu'à 4 cm de large.

C. 'Marian Gosling', ill. p. 218. Chrysanthème des fleuristes à fleurs récurvées. H. 1,35 m, E. 60 cm. Donne au début de l'automne des fleurs rose très récurvées, jusqu'à 15 cm de large. Pour expositions.

C. 'Marion', ill. p. 219. Chrysanthème des fleuristes à fleurs de type décoratif, à nombreux capitules groupés. H. 1,20 m, E. 75 cm. Donne à partir de la fin de l'été des fleurs récurvées jaune pâle, jusqu'à 8 cm de large.

C. 'Marlene Jones', ill. p. 219. Chrysanthème des fleuristes à fleurs moyennes. H. 1 m, E. jusqu'à 60 cm. Donne au début de l'automne des fleurs légèrement incurvées, jaune pâle, de 12-24 cm de large.

C. 'Michael Fish', ill. p. 218. Chrysanthème des fleuristes à fleurs moyennes. H. 1,20 m, E. 75 cm. Donne au début de l'automne des fleurs blanches très incurvées, jusqu'à 15 cm de large. Pour expositions.

C. 'Oracle', ill. p. 219. Chrysanthème des fleuristes à fleurs moyennes. H. 1,20 m, E. 60-75 cm. Donne au début de l'automne des fleurs bronze pâle, légèrement incurvées, jusqu'à 12 cm de large. Pour expositions.

C. parthenium, ill. p. 263. **'Aureum'** est une variété vivace touffue, à croissance modérément rapide, souvent cultivée comme annuelle. H. et E. 45 cm. Semi-rustique. Feuilles ovales, lobées, aromatiques, vert doré et, en été/début d'automne, capitules blancs.

C. 'Pavilion', ill. p. 218. Chrysanthème des fleuristes à fleurs moyennes. H. 1,35 m, E. 75 cm. Donne au début de l'automne des fleurs blanches, légèrement incurvées, de 18 cm de large. Convient mieux pour expositions que pour jardins.

C. 'Peach Brietner', ill. p. 219. Chrysanthème des fleuristes à fleurs récurvées. H. 1,20 m, E. 75 cm. Variété de *C.* 'Brietner' à fleurs complètement récurvées, de couleur pêche.

C. 'Peach Margaret', ill. p. 219. Chrysanthème des fleuristes de type décoratif, à nombreux capitules groupés. H. 1,20 m, E. jusqu'à 75 cm. Donne au début de l'automne des fleurs récurvées, rose saumon pâle, de 8-9 cm de large.

C. 'Pennine Alfie', ill. p. 219. Chrysanthème des fleuristes de type décoratif, à nombreux capitules groupés. H. 1,20 m, E. 75 cm. Donne au début de l'automne des fleurs spatulées, bronze pâle, de 6-8 cm de large. Pour expositions.

C. 'Pennine Flute', ill. p. 218. Chrysanthème des fleuristes de type décoratif, à nombreux capitules groupés. H. 1,20 m, E. 75 cm. Ressemble à *C.* 'Pennine Alfie', avec des fleurs roses.

C. 'Pennine Jewel', ill. p. 219. Chrysanthème des fleuristes de type décoratif, à nombreux capitules groupés. H. 1,20 m,

E. 75 cm. Donne au début de l'automne des fleurs spatulées, bronze pâle, de 6-8 cm de large. Pour expositions.

C. 'Pennine Oriel', ill. p. 218. Chrysanthème des fleuristes de type décoratif, à nombreux capitules groupés. H. 1,20 m, E. 75 cm. Donne au début de l'automne des fleurs de type anémone, blanches, jusqu'à 9 cm de large. Pour expositions.

C. 'Primrose West Bromwich', ill. p. 219. Chrysanthème des fleuristes à fleurs récurvées. H. 2,20 m, E. 60 cm. Donne à la mi-automne des fleurs jaune pâle complètement récurvées, pouvant dépasser 18 cm de large. Uniquement pour expositions.

C. 'Purple Pennine Wine', ill. p. 219. Chrysanthème des fleuristes de type décoratif, à nombreux capitules groupés. H. 1,20 m, E. 75 cm. Donne au début de l'automne des fleurs récurvées, rouge-pourpre, jusqu'à 8 cm de large. Pour expositions.

C. 'Redwing', ill. p. 219. Chrysanthème des fleuristes de type décoratif, à nombreux capitules groupés. H. 1,35 m, E. 60 cm. Donne au début de l'automne des fleurs simples, rouges, jusqu'à 8 cm de large. Pour expositions.

C. 'Ringdove', ill. p. 218. Chrysanthème des fleuristes de type nain à massifs. H. et E. 1 m. Donne à la fin de l'automne des masses de fleurs roses de 2,5 cm de large. Pour expositions.

C. 'Rodblush', ill. p. 218. Chrysanthème des fleuristes de type décoratif, à nombreux capitules groupés. H. 1,50 m, E. 1 m. Donne à la fin de l'automne des fleurs récurvées rose pâle, jusqu'à 8 cm de large. Pour expositions.

C. 'Rose Yvonne Arnaud', ill. p. 219. Chrysanthème des fleuristes à fleurs récurvées. H. 1,20 m, E. 75 cm. Variété de *C.* 'Yvonne Arnaud' à fleurs rouges complètement récurvées, écloses en automne.

C. rubellum (**Marguerite d'automne**). **'Clara Curtis'**, ill. p. 217.

C. 'Rytorch', ill. p. 219. Chrysanthème des fleuristes de type décoratif, à nombreux capitules groupés. H. 1,50 m, E. 1 m. Donne à la fin de l'automne des fleurs simples (jusqu'à 8 cm de large), bronze pâle avec un anneau jaune entourant le disque central. Pour expositions.

C. 'Sally Ball', ill. p. 219. Chrysanthème des fleuristes de type décoratif, à nombreux capitules groupés. H. 1,20 m, E. 75 cm. Donne au début de l'automne des fleurs de type anémone (jusqu'à 8 cm de large), bronze avec un anneau jaune entourant le disque central. Pour expositions.

C. 'Salmon Fairie', ill. p. 219. Chrysanthème des fleuristes de type pompon. H. et E. 60 cm. Ressemble à *C.* 'Bronze Fairie', avec des fleurs couleur saumon.

C. 'Salmon Fairweather', ill. p. 218. Chrysanthème des fleuristes à

fleurs incurvées. H. 1,10 m, E. jusqu'à 75 cm. Ressemble à *C.* 'Primrose Fairweather', mais avec des fleurs saumon pâle.

C. 'Salmon Margaret', ill. p. 219. Chrysanthème des fleuristes de type décoratif, à nombreux capitules groupés. H. 1,20 m, E. jusqu'à 75 cm. Ressemble à *C.* 'Peach Margaret', mais avec des fleurs saumon.

C. segetum (**Chrysanthème des moissons**), ill. p. 281.

C. 'Sentry', ill. p. 219. Chrysanthème des fleuristes à fleurs récurvées. H. 1,35 m, E. 75 cm. Donne au début de l'automne des fleurs rouge foncé, complètement récurvées, jusqu'à 12 cm de large. Pour expositions.

C. 'Skater's Waltz', ill. p. 219. Chrysanthème des fleuristes à fleurs moyennes. H. 1,50 m, E. 60-75 cm. Donne à la fin de l'automne des fleurs roses, légèrement incurvées, jusqu'à 15-18 cm de large.

C. superbum, syn. *Leucanthemum maximum*. **'Aglaia'** est une robuste variété vivace. H. 1 m, E. 60 cm. Rustique. Donne en été de grands capitules solitaires, doubles, blancs. Feuilles ovales larges, lobées, dentées. Il est conseillé de diviser et de replanter tous les 2 ans. **'Elizabeth'**, ill. p. 201. **'Esther Read'**, ill. p. 232. **'Wirral Supreme'** est une variété double à courtes ligules centrales.

C. 'Talbot Jo', ill. p. 219. Chrysanthème des fleuristes de type décoratif, à nombreux capitules groupés. H. 1,35 m, E. 75 cm. Donne au début de l'automne des fleurs roses, jusqu'à 8 cm de large. Pour expositions.

C. tricolor, voir *C. carinatum*.

C. uliginosum (parfois intégrée au genre *Leucanthemum*). Espèce vivace dressée. H. 2,20 m, E. 60 cm. Rustique. Feuilles lancéolées, lobées, vert foncé. Tiges feuillées portant à la fin de l'automne des capitules blancs à centre vert.

C. 'Wendy', ill. p. 219. Chrysanthème des fleuristes de type décoratif, à nombreux capitules groupés. H. 1,20 m, E. 75 cm. Donne au début de l'automne des fleurs récurvées, bronze pâle, jusqu'à 8 cm de large. Pour expositions.

C. 'Yellow Brietner', ill. p. 219. Chrysanthème des fleuristes à fleurs récurvées. H. 1,20 m, E. 75 cm. Variété de *C.* 'Brietner' à fleurs jaunes complètement récurvées, écloses au début de l'automne.

C. 'Yellow John Hughes', ill. p. 219. Chrysanthème des fleuristes à fleurs incurvées. H. 1,20 m, E. 75 cm. Donne à la fin de l'automne des fleurs jaunes, jusqu'à 12-14 cm de large. Pour expositions.

C. 'Yvonne Arnaud', ill. p. 219. Chrysanthème des fleuristes à fleurs récurvées. H. 1,20 m, E. 60-75 cm. Donne au début de l'automne des fleurs complètement récurvées, pourpres, jusqu'à 12 cm de large.

CHRYSOGONUM (Composées)

Genre représenté par une seule espèce de plante vivace à floraison très longue, estivale et automnale. Convient pour rocailles chaudes, peu humides. Rustique. Multiplication : division au printemps ou semis.
C. virginianum, ill. p. 299.

CHUSQUEA (Graminées, Bambusées), voir **BAMBOUS, HERBES, JONCS et LAÎCHES.**

C. culeou, ill. p. 299.

CICERBITA, syn. MULGEDIUM (Composées)

Genre de plantes vivaces de grande taille cultivées pour leurs beaux capitules bleus, et leur feuillage. Rustiques. Ont besoin de mi-ombre et d'un sol humide mais bien drainé. Multiplication : division au printemps ou semis. Certaines espèces peuvent être envahissantes.
C. alpina (Cicerbita des Alpes). Espèce dressée, ramifiée. H. jusqu'à 2 m, E. 60 cm. Feuilles lobées pennatifides, dentées, vert moyen. En été, longues grappes de capitules bleus.
C. bourgaei. Espèce dressée, luxuriante. H. jusqu'à 2 m, E. 60 cm. Feuilles d'oblongues à lancéolées, dentées, vert clair. En été, grappes composées de capitules bleu mauve ou bleu-pourpre.

CICHORIUM (Composées)
Chicorée

Genre de plantes annuelles, bisannuelles et vivaces cultivées pour leurs qualités ornementales ou culinaires (*C. intybus* a des feuilles comestibles). Rustiques. Ont besoin de soleil et d'un sol bien drainé, de préférence humifère. Multiplication par semis en automne ou au printemps.
C. intybus (Chicorée sauvage, Endive), ill. p. 212.

CIMICIFUGA (Ranunculacées)

Genre de plantes vivaces à odeur désagréable, cultivées pour leurs fleurs. Rustiques. À planter dans une ombre légère ou à mi-ombre et un sol humide. Multiplication : semis, ou division au printemps.
C. simplex, ill. p. 193. 'Elstead' est une espèce dressée. H. 1,20 m, E. 60 cm. Tiges pourpres portant en automne des grappes de fleurs blanches odorantes. Feuilles ovales

de larges à lancéolées, composées, luisantes. var. *ramosa,* H. 2,20 m, a de grandes feuilles très divisées et des fleurs blanches en panicules arquées.

Cineraria × hybrida, voir *Senecio × hybrida.*
Cineraria maritima, voir *Senecio maritima.*

CINNAMOMUM (Lauracées)

Genre d'arbres à feuilles persistantes, cultivés pour leur feuillage. Très peu rustiques. Ont besoin de pleine lumière ou d'une ombre partielle et d'un sol fertile, humide, bien drainé. Peuvent être taillés si nécessaire. Multiplication : semis au printemps ou boutures de bois semi-lignifié en été.
C. camphora (Camphrier, Camphora vrai). Arbre à cime large, à croissance modérément rapide. H. et E. 12 m ou plus. Feuilles ovales, lustrées, vert foncé à dessous nuancé de gris-bleu, rougeâtres ou cuivrées lorsqu'elles sont jeunes, dégageant une odeur camphrée lorsqu'on les froisse. Donne au printemps des fleurs insignifiantes. Rustique sur la Côte d'Azur en site abrité.

CIRSIUM (Composées)

Genre de plantes annuelles, bisannuelles et vivaces qui sont des chardons au même titre que les *Carduus.* La plupart des espèces ne se cultivent pas – certaines sont même de redoutables mauvaises herbes –, mais *C. rivulare* a des capitules très décoratifs. Rustiques. Supportent le soleil ou l'ombre et tous les types de sols qui ne sont pas humides (sauf certaines espèces, comme *C. monspessulanum,* qui, au contraire, apprécient l'humidité). Multiplication : division au printemps ou semis en automne.
C. rivulare 'Atropurpureum'. Variété vivace dressée. H. 1,20 m, E. 60 cm. Donne en été des capitules touffus, hérissés, rouge cramoisi. Feuilles étroitement ovales, oblongues ou lancéolées et profondément découpées, à marges légèrement épineuses.

CISSUS (Vitacées)

Genre de plantes grimpantes généralement à vrilles, à feuilles caduques ou persistantes et tiges ligneuses, cultivées pour leur beau feuillage. Donnent, en été, des fleurs verdâtres, insignifiantes. De peu rustiques à non rustiques (min. 7-18 °C). Ont besoin d'un sol fertile, bien drainé et de mi-ombre en été. Arroser régulièrement, moins lorsqu'il fait froid. Ont besoin de supports.

Éclaircir les tiges en surnombre au printemps. Multiplication par boutures au printemps.
C. antarctica, ill. p. 178.
C. juttae, voir *Cyphostemma juttae.*
C. rhombifolia, ill. p. 178.
C. voinieriana, voir *Tetrastigma voinierianum.*

CISTUS (Cistacées)
Ciste

Genre d'arbustes à feuilles persistantes, cultivés pour leurs productions successives de jolies fleurs éphémères. Conviennent pour les zones littorales, car ils supportent bien les vents de mer. Généralement presque semi-rustiques (ont besoin de protection dans les régions froides). Se plaisent en plein soleil, dans les sols légers et bien drainés. Craignent les transplantations. Supprimer le bois mort au printemps, sans tailler sévèrement. Multiplication : les espèces par boutures de bois semi-lignifié en été ou par semis en automne, les hybrides et les cultivars uniquement par boutures.
C. × aguilaria 'Maculatus', ill. p. 127.
C. × corbariensis, ill. p. 127.
C. creticus, ill. p. 133.
C. × cyprius, ill. p. 127.
C. ladanifer (Ciste à gomme), ill. p. 127.
C. laurifolius. Arbuste touffu, dense, érigé. H. et E. 2 m. Assez rustique. Feuilles ovales, aromatiques, vert foncé. Donne en été des fleurs étalées, blanches à centre jaune.
C. monspeliensis, ill. p. 127.
C. × purpureus. Arbuste à feuillage touffu, globuleux. H. et E. 1 m. Semi-rustique. Feuilles étroitement lancéolées, gris-vert. De fin printemps à mi-été, fleurs étalées, rose pourpré tacheté de rouge.
C. salviifolius, ill. p. 127.
C. × skanbergii, ill. p. 130.

× CITROFORTUNELLA (Rutacées)

Hybride intergénérique (*Citrus × Fortunella*). Arbres et arbustes à feuilles persistantes, cultivés pour leurs fleurs, leurs fruits et leur aspect général. Non rustiques (min. 5-10 °C). Ont besoin de pleine lumière et d'un sol fertile, bien drainé, pas trop sec. Arroser généreusement les sujets en conteneurs lorsqu'ils sont en pleine croissance, avec modération le reste du temps. Multiplication : semis ou boutures de bois tendre ou semi-lignifié en été. Les mouches blanches, les araignées rouges, les cochenilles et la chlorose due au calcaire peuvent poser des problèmes.
× C. mitis, syn. *Citrus mitis,* ill. p. 119.

Citrus mitis, voir × *Citrofortunella mitis.*

CLADANTHUS (Composées)

Genre représenté par une seule espèce de plante annuelle, cultivée pour son feuillage odorant et ses capitules. Rustique. À planter au soleil dans un sol assez fertile et bien drainé. Supprimer les fleurs fanées pour prolonger la floraison. Multiplication par semis en extérieur à la mi-printemps.
C. arabicus (Anthémis d'Arabie), ill. p. 281.

CLADRASTIS (Légumineuses)

Genre d'arbres à feuilles caduques et floraison estivale, cultivés pour leurs grappes de fleurs papilionacées pendantes et leur feuillage d'automne. Rustiques. Ont besoin de plein soleil et d'un sol fertile et bien drainé. Multiplication : semis en automne ou boutures de racines à la fin de l'hiver. Le bois est fragile : les vieux arbres peuvent être endommagés par les vents violents.
C. lutea (Virgilier à bois jaune), ill. p. 55.

CLARKIA (Onagracées)

Genre de plantes annuelles d'allure délicate, cultivées pour leurs fleurs décoratives (blanches, roses, rose violacé, rose pourpré ou rouge légèrement carminé), écloses en été. Rustiques. Préfèrent une exposition ensoleillée et un sol léger et sain. Multiplication par semis au printemps ou en automne.
C. 'Arianna', ill. p. 269.
C. 'Brilliant', ill. p. 268.

CLAYTONIA (Portulacacées)
Claytone

Genre de plantes vivaces à feuilles charnues, généralement persistantes; s'apparentent au genre *Lewisia.* Rustiques. Préfèrent les sols bien drainés et supportent la mi-ombre ou le soleil. Multiplication par semis ou division en automne. Assez difficiles à cultiver.
C. megarhiza. Espèce à rosette basale et longue racine pivotante. H. 1 cm, E. 8 cm. Feuilles spatulées, charnues. Au printemps, petites grappes de minuscules fleurs blanches. Préfère le soleil et les sols pierreux. À protéger des pucerons. subsp. *nivalis,* ill. p. 306.
C. virginica. Espèce à tubercules noirs, aplatis. H. 10 cm, E. 20 cm ou plus. Feuilles étroitement spatulées, rougeâtres lorsqu'elles sont jeunes, devenant ensuite vertes et luisantes. Tiges ramifiées portant au début du printemps des fleurs cupulaires blanches ou roses, rayées de rose plus foncé.

CLEISTOCACTUS (Cactacées)

Genre de cactées vivaces à port en colonne, à tiges cylindriques, ramifiées, avec de nombreuses côtes et des aiguillons. C'est l'un des cactus dont la croissance est la plus rapide, certains pouvant atteindre 2 m en moins de 5 ans. Fleurs tubulaires riches en nectar, pollinisées par les oiseaux-mouches. Non rustiques (min. 5 °C). Ont besoin de plein soleil et d'un sol très bien drainé. Multiplication par semis ou boutures de tiges au printemps ou en été.

C. strausii, ill. p. 381.

CLEMATIS (Ranunculacées)
Clématite

Genre de plantes grimpantes généralement volubiles, à feuilles persistantes (chez quelques espèces seulement) ou caduques, et de plantes herbacées vivaces, cultivées pour leurs nombreuses fleurs auxquelles succèdent souvent des fruits décoratifs. Les clématites servent à tapisser les murs, des treillages ou d'autres plantes (arbres ou arbustes). La plupart des espèces ont des fleurs avec de 4 à 8 sépales pétaloïdes. Les cultivars à grandes fleurs ont des fleurs étalées. La couleur des fleurs peut varier selon les conditions climatiques. De rustiques à semi-rustiques. Peuvent pousser à mi-ombre ou au soleil; préfèrent les sols riches, bien drainés, humides. Multiplication des cultivars au début de l'été par marcottage, des espèces par semis en automne, ou marcottage. Le *Bacillus caulivorus* peut poser des problèmes.

Les clématites peuvent se répartir en plusieurs groupes selon leur période de floraison, leur port et les soins qu'elles nécessitent.

Groupe 1
Les espèces à floraison précoce préfèrent se trouver contre un mur orienté au sud ou à l'ouest. Petites fleurs simples, en clochette (de 3 cm de long) ou étalées (de 4-5 cm de large) poussant sur les rameaux lignifiés de la saison précédente, au printemps ou parfois à la fin de l'hiver. Feuilles persistantes, luisantes, divisées en folioles longues et lancéolées. Rustiques.
Les types alpina et macropetala supportent une exposition au nord ou au nord-est. Petites fleurs simples, semi-doubles ou doubles, de 8 cm de large au plus, poussant au printemps sur des rameaux lignifiés de la saison précédente, parfois aussi sur des rameaux de la saison en cours, en été. Feuilles caduques de vert pâle à vert moyen, divisées en folioles de lancéolées à largement ovales, de 3 cm de long environ, à marges dentelées. Rustiques.
Les types montana sont de

vigoureuses plantes grimpantes qui conviennent pour tapisser des constructions ou des arbres de grande taille. Petites fleurs étalées, généralement simples, de 4-7 cm de large, poussant au printemps sur les rameaux lignifiés de la saison précédente. Feuilles caduques de vert moyen à vert-pourpre, divisées en 3 folioles, de lancéolées à largement ovales, de 5-10 cm de long, à extrémité pointue. Rustiques.
Taille : voir p. 170.

Groupe 2
Les clématites précoces à grandes fleurs donnent des fleurs étalées, simples, semi-doubles ou doubles, de 8-20 cm de large, poussant du début à la fin de l'été sur les rameaux lignifiés de la saison précédente. Feuilles généralement de vert pâle à vert moyen, simples et ovales (jusqu'à 10 cm de long) ou divisées en 3 folioles d'ovales à lancéolées (15-18 cm de long). De rustiques à semi-rustiques.
Taille : voir p. 170.

Groupe 3
Les clématites tardives à grandes fleurs donnent des fleurs étalées, de 6-15 cm de large, poussant en été ou au début de l'automne sur les nouveaux rameaux de l'année. Feuilles identiques à celles des clématites précoces (groupe 2) décrites ci-dessus. Rustiques.
Les espèces et cultivars à petites fleurs tardives ont des fleurs simples ou doubles poussant sur les rameaux de la saison en cours, en été/automne. De forme variable, les fleurs peuvent être étoilées, campanulées, étalées ou en forme de lanterne suspendue; de même, leur taille peut varier de 1 à 10 cm de large. Feuilles gris-vert ou de vert pâle à vert foncé, divisées en folioles. De rustiques à semi-rustiques.
Les types herbacés donnent des fleurs simples étalées (de 1-2 cm de large) ou en cloche ou tubulaires (de 1-4 cm de long), poussant en été sur les rameaux de la saison en cours. Feuilles gris-vert ou de vert moyen à vert foncé, simples ou composées. De rustiques à semi-rustiques.
Taille : voir p. 170.

C. alpina (groupe 1). H. 3 m, E. 1,50 m. Rustique. Donne au printemps, parfois en été, des fleurs en coupe, simples, bleues ou bleu violacé, de 4-7 cm de long, puis des têtes fructifères plumeuses, argentées. Plante idéale pour des murs orientés au nord et des endroits soumis à des conditions climatiques assez rudes. 'Columbine' a des sépales bleus de 5 cm de long. 'Frances Rivis' (ill. p. 171) a des sépales bleu moyen, légèrement spiralés, de 7 cm de long. 'Ruby' a des fleurs rose-pourpre.
C. armandii, ill. p. 170. Clématite à feuilles persistantes, à floraison précoce et croissance robuste (groupe 1). H. 5 m, E. 3 m. Assez rustique. Donne au début du printemps des fleurs odorantes, étalées, simples, blanches, de 4 cm

de large. A besoin d'être placée sous la protection d'un mur orienté au sud ou à l'ouest, en climat un peu froid. Peu florifère en région parisienne.
C. 'Ascotiensis', ill. p. 171. Vigoureuse clématite tardive à grandes fleurs (groupe 3). H. 3-4 m, E. 1 m. Rustique. Donne en été des fleurs simples, bleu-violet vif, de 9-12 cm de large, à pétales pointus et anthères vert brunâtre.
C. 'Barbara Jackman'. Clématite compacte, précoce, à grandes fleurs (groupe 2). H. 3 m, E. 1 m. Rustique. Donne en été des fleurs simples de 10 cm de large, bleues à rayures magenta et anthères jaune crème. Préfère une ombre partielle.
C. 'Beauty of Worcester', ill. p. 171. Clématite précoce à grandes fleurs (groupe 2). H. 3 m, E. 1 m. Assez rustique. Donne au début de l'été des fleurs doubles de 10 cm de large, bleu violet à anthères crème, puis des fleurs simples à la fin de l'été.
C. cirrhosa, ill. p. 171. Clématite à feuilles persistantes et floraison précoce (groupe 1). H. 2-3 m, E. 1-2 m. Rustique. Donne fin hiver/début printemps, lorsqu'il ne gèle pas, des fleurs campanulées de 3 cm de large, crème à l'intérieur, tacheté de rouge.
C. 'Countess of Lovelace', ill. p. 171. Clématite précoce à grandes fleurs (groupe 2). H. 2,50 m, E. 1 m. Rustique. Donne au début de l'été des fleurs doubles de 10 cm de large et lilas bleuâtre à sépales pointus et anthères crème, puis des fleurs simples à la fin de l'été.
C. 'Duchess of Albany', ill. p. 171. Vigoureuse clématite à petites fleurs (groupe 3). H. 2,50 m, E. 1 m. Rustique. Donne en été et au début de l'automne des masses de petites fleurs simples, en forme de tulipe, de 6 cm de long, rose tendre avec des anthères brunes et une bande plus sombre à l'intérieur de chaque sépale.
C. × durandii. Clématite semi-ligneuse à floraison tardive (groupe 3). H. 2 m, E. 1,50 m. Rustique. Donne en été des fleurs étalées simples, de 6-8 cm de large, à 4 sépales, bleu foncé, avec des anthères jaunes. Feuilles entières, simples, elliptiques.
C. 'Elsa Spath', ill. p. 171. Clématite précoce à grandes fleurs (groupe 2). H. 2-3 m, E. 1 m. Rustique. Donne durant tout l'été des masses de fleurs solitaires de 12 cm de large, à sépales bleu mauve et anthères rouges.
C. 'Ernest Markham', ill. p. 171. Vigoureuse clématite tardive à grandes fleurs (groupe 3). H. 3-4 m, E. 1 m. Rustique. Donne en été des fleurs simples de 10 cm de large, à sépales obtus, magenta vif, et anthères chocolat. Se plaît en plein soleil.
C. flammula (Flammule), ill. p. 170. Vigoureuse clématite tardive; feuilles semi-persistantes (groupe 3). H. 5 m, E. 2 m. Rustique. Donne en été et au début de l'automne des masses de fleurs simples, étalées, à odeur d'amande, de 2 cm de large, blanches.

C. florida 'Sieboldii', ill. p. 170. Clématite à croissance peu vigoureuse, à fleurs moyennes (groupe 3). H. 3 m, E. 1 m. Rustique. Donne en été des fleurs simples, de 8 cm de large, qui évoquent celles de la passiflore, avec des sépales blanc crème et une touffe renflée d'étamines pétaloïdes d'un pourpre intense. A besoin d'une protection en hiver.
C. 'Gipsy Queen'. Vigoureuse clématite tardive à grandes fleurs (groupe 3). H. 3 m, E. 1 m. Rustique. Donne en été des fleurs simples de 10 cm de large, à sépales veloutés, pourpre-violet et anthères rouges.
C. 'Gravetye Beauty', ill. p. 171. Vigoureuse clématite à petites fleurs (groupe 3). H. 2,50 m, E. 1 m. Semi-rustique. Donne en été et au début de l'automne des masses de petites fleurs simples, en tulipe, de 6 cm de long, rouge vif à anthères brunes. Ressemble à *C.* 'Duchess of Albany', mais avec des fleurs plus ouvertes.
C. 'Hagley Hybride', ill. p. 170. Vigoureuse clématite tardive à grandes fleurs (groupe 3). H. 2,50 m, E. 1 m. Assez rustique. Donne en été des fleurs simples de 8-10 cm de large, à sépales en carène, rose mauve, à anthères rouges. Préfère une ombre légère.
C. 'Henryi', ill. p. 170. Vigoureuse clématite précoce à grandes fleurs (groupe 2). H. 3 m, E. 1 m. Assez rustique. Donne en été des fleurs simples de 12 cm de large, à sépales blancs et anthères chocolat foncé.
C. heracleifolia var. *davidiana.* Clématite herbacée (groupe 3). H. 1 m, E. 75 cm. Rustique. Donne en été, sur des tiges épaisses, des grappes axillaires de fleurs tubulaires simples, de 2-3 cm de long, bleu pâle, avec des sépales à extrémité récurvée. 'Wyevale' (ill. p. 171) a des fleurs bleu foncé très parfumées.
C. 'H.F. Young', ill. p. 171. Clématite précoce, à grandes fleurs (groupe 2). H. 2,50 m, E. 1 m. Assez rustique. Donne en été des fleurs simples, de 10 cm de large, à sépales bleus teintés de violet et anthères crème. Idéal pour conteneurs ou terrasses.
C. 'Horn of Plenty'. Vigoureuse clématite compacte, précoce, à grandes fleurs (groupe 2). H. 2,50 m, E. 1 m. Rustique. Donne au début de l'été des fleurs simples de 12 cm de large, à sépales rose mauve devenant bleu mauve en se fanant; anthères rouge foncé. Bonne plante pour terrasses.
C. 'Huldine', ill. p. 170. Vigoureuse clématite tardive à grandes fleurs (groupe 3). H. 4 m, E. 2 m. Assez rustique. Donne en été des fleurs simples de 6 cm de large, blanches à dessous mauve, à anthères crème. Idéal pour arcades, porches et pergolas.
C. integrifolia, ill. p. 171. Clématite herbacée (groupe 3). H. et E. 75 cm. Rustique. Feuilles étroitement lancéolées. Donne en été des fleurs simples en coupe, de 3 cm de long, bleues, blanches ou bleu violacé à anthères crème, puis de belles têtes fructifères brun-gris.

C. × **jackmanii' (Clématite de Jackmann)**, ill. p. 171. Vigoureuse clématite tardive à grandes fleurs (groupe 3). H. 3 m, E. 1 m. Rustique. Donne de juillet à octobre des masses de fleurs simples, satinées, de 10-13 cm de large, pourpre violacé, devenant violettes en se fanant ; anthères brun clair.

C. **'Lasurstern'**, ill. p. 171. Vigoureuse clématite précoce à grandes fleurs (groupe 2). H. 3 m, E. 1 m. Assez rustique. Donne en été des fleurs simples de 10-12 cm de large, bleues, avec des sépales imbriqués à bords ondulés et des anthères crème.

C. **'Lincoln Star'**, ill. p. 171. Clématite précoce à grandes fleurs (groupe 2). H. 3 m, E. 1 m. Rustique. Donne au début de l'été des fleurs simples de 10-12 cm de large, rose framboise, à anthères rouges. Les premières fleurs sont plus sombres que les plus tardives qui ont des sépales à bords rose très pâle. Préfère une ombre partielle.

C. macropetala, ill. p. 171 (groupe 1). H. 3 m, E. 1,50 m. Rustique. Donne à la fin du printemps et en été des masses de fleurs semi-doubles de 6,5-7,5 cm de large, bleu mauve, puis des têtes fructifères duveteuses, argentées. **'Markham's Pink'** (ill. p. 170) a des fleurs roses.

C. montana, ill. p. 170 (groupe 1). H. 12 m, E. 3 m. Rustique. Donne à la fin du printemps des masses de fleurs simples de 4-5 cm de large, blanches avec des anthères jaunes. **'Elizabeth'**, H. 12 m, a des fleurs odorantes rose tendre, à sépales largement espacés. Les fleurs de la var. *rubens* (ill. p. 170) sont rose pâle. **'Tetrarose'** (ill. p. 170), H. 7-8 m, a des folioles de 8 cm de long et des fleurs de 6-7 cm de large, d'un rose satiné foncé.

C. **'Mrs George Jackman'**, ill. p. 170. Clématite précoce à grandes fleurs (groupe 2). H. 2-3 m, E. 1 m. Rustique. Donne au début de l'été des fleurs semi-doubles de 10 cm de large, à sépales blanc crème et anthères brunes.

C. **'Nelly Moser'**, ill. p. 170. Clématite à dessous des feuilles laineux, précoce, à grandes fleurs (groupe 2). H. 3,50 m, E. 1 m. Rustique. Donne en été des fleurs simples de 12-16 cm de large, rose mauve, avec des anthères pourpre rougeâtre et une bande médiane carmin sur chaque sépale qui s'estompe au plein soleil. Préfère une exposition un peu ombragée, à l'est, à l'ouest ou au nord.

C. orientalis. Clématite à floraison tardive (groupe 3). H. 4 m, E. 1,50 m. Rustique. Feuilles vert glauque, composées. Donne en été des fleurs simples campanulées, puis étalées, de 5 cm de large, jaunes avec des sépales épais, puis des têtes fructifères plumeuses. **'Bill MacKenzie'** (ill. p. 171) est très vigoureux. H. 7 m, E. 4 m. Fleurs jaunes de 6-7 cm de large.

C. **'Perle d'Azur'**, ill. p. 171. Clématite tardive à grandes fleurs (groupe 3). H. 3 m, E. 1 m. Semi-rustique. Donne en été des fleurs

simples de 8 cm de large, bleu azur, avec des sépales à extrémité récurvée et des anthères vert crème.

C. **'Proteus'**, ill. p. 171. Clématite précoce à grandes fleurs (groupe 2). H. 3 m, E. 1 m. Assez rustique. Donne au début de l'été des fleurs doubles de 10-12 cm de large, rose mauve devenant d'un rose plus prononcé vers le centre, avec des anthères crème, puis des fleurs simples à la fin de l'été. Les fleurs doubles ont parfois des sépales extérieurs verts.

C. recta, ill. p. 170. Clématite herbacée poussant en touffe (groupe 3). H. 1-2 m, E. 50 cm. Rustique. Feuilles vert foncé ou gris-vert. Donne au début et à la mi-été des masses de fleurs blanches, simples, étalées, odorantes, de 2 cm de large.

C. rehderiana, ill. p. 171. Vigoureuse clématite à floraison tardive (groupe 3). H. 7 m, E. 3 m. Rustique. Donne fin été/début automne des grappes lâches de fleurs jaunes simples, odorantes, tubulaires, campanulées, de 1-2 cm de long. Les feuilles caduques ont une texture rugueuse.

C. **'Richard Pennell'**, ill. p. 171. Clématite précoce à grandes fleurs (groupe 2). H. 3 m, E. 1 m. Semi-rustique. Donne en été des fleurs simples de 10-12 cm de large, à sépales d'un beau bleu pourpré et anthères jaune doré.

C. **'Star of India'**, ill. p. 171. Vigoureuse clématite tardive à grandes fleurs (groupe 3). H. 3 m, E. 1 m. Rustique. Donne en été des masses de fleurs simples de 8-10 cm de large, bleu pourpré, avec des anthères brun clair et des sépales marqués d'une raie rouge carmin.

C. tangutica, ill. p. 171. Vigoureuse clématite à floraison tardive (groupe 3). H. 6 m, E. 3 m. Rustique. Donne durant tout l'été et au début de l'automne des fleurs jaunes simples, campanulées, de 4 cm de large, puis des têtes fructifères duveteuses, argentées.

C. **'The President'**, ill. p. 171. Clématite précoce à grandes fleurs (groupe 2). H. 3 m, E. 1 m. Assez rustique. Donne au début de l'été des masses de fleurs simples de 10 cm de large, pourpres à dessous argenté, avec des anthères rouges.

C. **'Ville de Lyon'**, ill. p. 171. Clématite tardive à grandes fleurs (groupe 3). H. 3 m, E. 1 m. Rustique. Donne à la mi-été des fleurs simples de 8-10 cm de large, rouge vif, avec des pétales à bordures plus sombres et des anthères jaunes. Le feuillage inférieur a tendance à roussir vers la fin de l'été.

C. viticella. Clématite à floraison tardive (groupe 3). H. 3 m, E. 1 m. Rustique. Donne en été et début d'automne des fleurs simples de 4 cm de long, en clochettes ouvertes, inclinées, mauve pourpre, bleues, ou rose pourpré. Les variétés suivantes sont des hybrides de *C. viticella* avec d'autres espèces, mais sont répertoriées ici en raison de leurs similitudes de floraison et de croissance avec cette espèce.

'Abundance' (ill. p. 171) a des fleurs étalées, rose pâle, de 5 cm de large, avec des anthères jaunes. **'Étoile Violette'** (ill. p. 171), H. 4 m, E. 1,50 m, donne des masses de fleurs étalées, pourpre violet, de 4-6 cm de large. **'Mme Julia Correvon'** (ill. p. 171), H. 3,5 m, E. 1 m, a des fleurs étalées de 5-7 cm de large, rouge vineux à sépales tordus. **'Purpurea Plena Elegans'** (ill. p. 171), H. 4 m, E. 1,50 m, a des fleurs doubles de 4-6 cm de large, rose pourpré, à sépales en rosette serrée, ceux de l'extérieur étant parfois verts.

C. **'Vyvyan Pennell'**, ill. p. 171. Clématite précoce à grandes fleurs (groupe 2). H. 3 m, E. 1 m. Rustique. Donne au début de l'été des fleurs doubles de 10-12 cm de large, lilas foncé, avec une rosette centrale de pièces pétaloïdes pourprées et des anthères jaune doré, puis des fleurs simples, bleu mauve, à la fin de l'été.

C. **'William Kennett'**, ill. p. 171. Clématite précoce à grandes fleurs (groupe 2). H. 3 m, E. 1 m. Assez rustique. Donne en été des masses de fleurs simples de 10-12 cm de large, à anthères rouges, avec des sépales bleu lavande marqués d'une rayure centrale plus sombre qui pâlit progressivement.

CLEOME (Capparidacées)
Cléome

Genre de plantes annuelles et d'arbrisseaux à feuilles persistantes, cultivés pour l'aspect insolite de leurs fleurs. De semi-rustiques à non rustiques (min. 4 °C). À planter au soleil dans un sol fertile et bien drainé. Multiplication par semis en extérieur à la fin du printemps. Les aphidiens peuvent poser des problèmes.

C. hassleriana, syn. *C. spinosa.* Espèce annuelle touffue à croissance rapide. H. jusqu'à 1,20 m, E. 45 cm. Semi-rustique. Tiges épineuses, feuilles vert moyen divisées en folioles lancéolées. En été, grandes grappes de fleurs blanches flammées de rose, à pétales étroits et longues étamines proéminentes. **'Colour Fountain'**, ill. p. 266. **'Rose Queen'** a des fleurs roses.

C. spinosa, voir *C. hassleriana.*

CLERODENDRON, voir **CLERODENDRUM**

CLERODENDRUM, syn. **CLERODENDRON** (Verbénacées)

Genre de petits arbres, d'arbustes, de sous-arbrisseaux et de plantes grimpantes volubiles, à feuilles persistantes ou caduques, cultivés pour leurs belles fleurs. De rustiques à non rustiques (min. 10-16 °C). Ont besoin d'un sol riche en humus, bien drainé et de soleil

ou d'ombre légère en été. Arroser généreusement en période de croissance, moins le reste du temps. Éclaircir les rameaux en surnombre au printemps. Multiplication : semis au printemps, boutures herbacées. Mouches blanches, araignées rouges et cochenilles peuvent poser des problèmes, en serre.

C. bungei, ill. p. 116.
C. fallax, voir *C. speciosissimum.*
C. fragrans, voir *C. philippinum.*
C. philippinum, syn. *C. fragrans, C.f.* var. *pleniflorum.* Arbuste touffu à feuilles persistantes. Non rustique (min. 10 °C). Feuilles largement lancéolées, jusqu'à 30 cm de large, à marges ondulées et à long pétiole. Donne en été des cymes terminales de fleurs doubles odorantes, roses ou blanches.
C. speciosissimum, syn. *C. fallax.* Arbuste à feuilles persistantes, à port allant de dressé à étalé, peu ramifié. H. et E. jusqu'à 3 m. Non rustique (min. 15 °C). Feuilles largement cordiformes, jusqu'à 30 cm de large, luisantes, à bord ondulé et à long pétiole. Donne de la fin du printemps à l'automne des grappes terminales (30 cm de long) de fleurs tubulaires écarlates à lobes pétalaires étalés. Bonne plante en pot.
C. thomsoniae, ill. p. 166.
C. trichotomum, ill. p. 115.

CLETHRA (Cléthracées)

Genre d'arbres et d'arbustes à feuilles caduques, ou persistantes le plus souvent, cultivés pour leurs fleurs blanches ou rose pâle odorantes. De rustiques à semi-rustiques. Ont besoin de soleil ou de mi-ombre et d'un sol humide, acide. Multiplication : boutures de bois tendre en été ou semis en automne.

C. arborea. Arbre ou arbrisseau touffu, dense, à feuilles persistantes. H. 8 m, E. 6 m. Peu rustique. Longues grappes inclinées de petites fleurs en clochette, odorantes, apparaissant de la fin de l'été à la mi-automne au milieu de feuilles ovales vertes, dentées.
C. barbinervis, ill. p. 106.
C. delavayi, ill. p. 88.

CLEYERA (Théacées)

Genre d'arbres et d'arbustes à feuilles persistantes et floraison estivale, cultivés pour leur feuillage et leurs fleurs odorantes. Semi-rustiques. Ont besoin d'un endroit abrité, au soleil ou en mi-ombre, et d'un sol humide et acide. Multiplication par boutures de bois semi-lignifié en été.

C. fortunei, voir *C. japonica* 'Tricolor'.
C. japonica. Arbuste touffu. H. et E. 3 m. Feuilles ovales étroites, luisantes, vert foncé. Donne au début de l'été des petites fleurs blanches étalées, odorantes. Petits fruits globuleux noirs. **'Tricolor'**

(syn. *C. fortunei*), H. et E. 2 m, a des feuilles teintées de rose lorsqu'elles sont jeunes, devenant ensuite vert foncé à marges blanc crème. On le confond parfois avec *Eurya japonica* 'Variegata'.

CLIANTHUS (Légumineuses)

Genre de plantes vivaces (herbacées ou ligneuses), parfois subgrimpantes, à feuilles persistantes ou semi-persistantes et tiges ligneuses, cultivées pour leurs belles fleurs papilionacées. De semi-rustiques à non rustiques (min. 7 °C). Dans les régions à climat très doux se cultivent en extérieur, dans un sol bien drainé et en plein soleil. Dans les régions plus froides, doivent être cultivées sous abri vitré. Pincer au printemps pour favoriser la ramification et supprimer tout le bois mort. Multiplication : semis au printemps ou boutures de tiges à la fin de l'été.
C. puniceus et f. ***albus***, ill. p. 163.

CLINTONIA (Liliacées)

Genre de plantes rhizomateuses vivaces à floraison printanière ou estivale. Rustiques. Préfèrent l'ombre ou la mi-ombre et les sols humides mais bien drainés, tourbeux, neutres ou acides. Multiplication : division au printemps ou semis en automne.
C. andrewsiana. Espèce poussant en touffes. H. 60 cm, E. 30 cm. Donne au début de l'été des bouquets de petites fleurs en clochette, pourpre rosâtre, poussant à l'extrémité des tiges parmi des feuilles clairsemées, ovales larges, luisantes, vert vif. Produit en automne des fruits globuleux bleu foncé.
C. borealis. Espèce poussant en touffes. H. et E. 30 cm. Ressemble à *C. andrewsiana*, mais avec des ombelles inclinées de fleurs vert jaunâtre et de petits fruits globuleux, bleu noirâtre.

CLIVIA (Amaryllidacées)

Genre de robustes plantes rhizomateuses vivaces à feuilles persistantes, cultivées pour leurs fleurs en cornet. Conviennent pour massifs et grands conteneurs. Non rustiques (min. 10 °C, serre froide). Ont besoin d'ombre partielle et d'un sol bien drainé. Bien arroser en été, moins en hiver. Multiplication : semis au printemps ou division au printemps ou en été après la floraison. Les cochenilles peuvent poser des problèmes.
C. miniata, ill. p. 350.

CLYTOSTOMA (Bignoniacées)

Genre de plantes grimpantes à vrilles, à feuilles persistantes et tiges ligneuses, cultivées pour leurs fleurs. Non rustiques (min. 10-13 °C). À planter dans un sol bien drainé, avec une ombre partielle en été. Arroser à volonté en été, moins le reste du temps. Éclaircir les rameaux en surnombre après la floraison ou au printemps. Multiplication par boutures au printemps.
C. callistegioides, ill. p. 164.

COBAEA (Polémoniacées)
Cobée

Genre de plantes vivaces grimpantes à vrilles, herbacées ou ligneuses, à feuilles persistantes ou caduques, dont une seule espèce est couramment cultivée. Non rustiques (min. 4 °C). Dans les régions très tempérées, se cultivent en extérieur dans un sol bien drainé et en pleine lumière. Dans les régions plus froides, mieux vaut les placer sous abri vitré ou les cultiver comme annuelles. Multiplication par semis au printemps.
C. scandens (Cobée grimpante), ill. p. 172. f. ***alba*** est une forme à feuilles persistantes. H. 5 m. Feuilles à 6 folioles ovales, à vrilles. Donne à la fin de l'été jusqu'aux premières gelées des fleurs campanulées vertes, puis blanches, à long pédoncule.

Cocos capitata, voir ***Butia capitata.***

CODIAEUM (Euphorbiacées)
Croton

Genre d'arbustes cultivés pour leur feuillage persistant. Non rustiques (min. 10-13 °C). Aiment une bonne lumière, un air humide et un sol fertile, humide mais bien drainé. Pincer les jeunes plants pour favoriser leur ramification. Multiplication : boutures de bois vert de l'extrémité des tiges dures au printemps. Cochenilles et thrips peuvent poser des problèmes.
C. variegatum, ill. p. 145.

CODONOPSIS (Campanulacées)

Genre de plantes vivaces grimpantes ou retombantes, à rhizome, herbacées pour la plupart, cultivées pour leurs fleurs en cloche. De rustiques à semi-rustiques. À planter en mi-ombre ou en pleine lumière, dans un sol bien drainé, en situation fraîche. Fixer à des supports ou laisser escalader d'autres plantes de grande taille. Multiplication par semis au printemps, ou division de rhizome.
C. convolvulacea, syn. *C. vinciflora,* ill. p. 172.
C. ovata. Espèce à tiges peu

volubiles. H. jusqu'à 30 cm. Semi-rustique. Petites feuilles ovales et, en été, petites fleurs bleu pâle, souvent tacheté de sombre.
C. vinciflora, voir *C. convolvulacea.*

COELOGYNE, voir ORCHIDÉES.

C. cristata, ill. p. 252. Orchidée épiphyte à feuilles persistantes pour serres froides. H. 15 cm. Donne en hiver des fleurs d'aspect froissé, de 5 cm de large, blanches avec des marques orange sur chaque labelle. Feuilles ovales étroites de 8-10 cm de long. Ont besoin de lumière en été.
C. flaccida, ill. p. 252. Orchidée épiphyte à feuilles persistantes pour serres froides. H. 15 cm. Donne au printemps des grappes de fleurs odorantes, de 4 cm de large, jaune chamois, avec des marques jaunes et brunes sur chaque labelle. Feuilles ovales étroites, semi-rigides, de 8-10 cm de long. Ont besoin de mi-ombre en été.
C. nitida, syn. *C. ochracea,* ill. p. 252. Orchidée épiphyte à feuilles persistantes pour serres froides. H. 12 cm. Donne au printemps des fleurs blanches très parfumées, de 2,5 cm de large, avec des marques jaunes sur chaque labelle. Feuilles ovales étroites, semi-rigides, de 8-10 cm de long. A besoin de mi-ombre en été.
C. ochracea, voir *C. nitida.*
C. speciosa, ill. p. 254. Vigoureuse orchidée épiphyte à feuilles persistantes pour serres tempérées. H. 25 cm. Donne en été des grappes de fleurs pendantes vert pâle, de 6 cm de large, à labelles marqués de blanc et de brun. Feuilles ovales larges de 20-25 cm de long. A besoin d'une bonne lumière en été.

COIX (Graminées), voir BAMBOUS, HERBES, JONCS et LAÎCHES.

C. lacryma-jobi (Larme de Job), ill. p. 182.

COLCHICUM (Liliacées)
Colchique

Genre de plantes bulbeuses à floraison printanière ou automnale, cultivées pour leurs fleurs qui apparaissent pour la plupart avant les feuilles. Chaque bulbe donne de 2-7 feuilles basales allant d'étroitement rubanées à elliptiques. De rustiques à semi-rustiques. Ont besoin d'un endroit dégagé, ensoleillé et d'un sol frais, léger, assez riche en humus, bien drainé. Multiplication par semis ou par caïeux.
C. agrippinum, ill. p. 368.
C. autumnale (Safran bâtard, Veillote, Tue-chien), ill. p. 366. 'Alboplenum' est une plante à floraison d'automne. H. et

E. 15 cm. Rustique. Donne au printemps de 3-5 grandes feuilles basales, semi-dressées, luisantes, vertes, qui meurent en début d'été. Porte jusqu'à 8 fleurs rondes, doubles, blanches, à long tube, avec de 15-30 tépales étroits.
C. 'Beaconsfield'. Robuste plante à floraison d'automne. H. et E. 15-20 cm. Rustique. Grandes fleurs tubulaires pourpre rosâtre, à centre blanc légèrement diapré. Au printemps, grandes feuilles basales semi-dressées.
C. bivonae, syn. *C. bowlesianum, C. sibthorpii,* ill. p. 367.
C. bowlesianum, voir *C. bivonae.*
C. byzantinum, ill. p. 367.
C. cilicum, ill. p. 368.
C. luteum (Colchique jaune), ill. p. 363.
C. sibthorpii, voir *C. bivonae.*
C. speciosum. Vigoureuse espèce à floraison automnale. H. et E. 15-20 cm. Rustique. Fleurs cupulaires globuleuses pourpres de 15-20 cm de long, à gorge plus claire. En hiver ou au printemps, grandes feuilles basales semi-dressées.
'Album', ill. p. 366.
C. variegatum. Espèce à floraison d'automne. H. 15 cm, E. 10 cm. Semi-rustique. Fleurs en entonnoir évasé, roses, fortement tachées de pourpre. Au printemps, feuilles basales plus ou moins horizontales, à marges ondulées. A besoin de chaleur et de soleil.
C. 'Waterlily', ill. p. 368.

COLEUS (Labiacées)

Genre de plantes annuelles, de plantes vivaces et de sous-arbrisseaux à feuilles persistantes, cultivés pour les couleurs de leur feuillage et pour leurs fleurs. Font d'excellentes plantes en pots. Non rustiques (min. 4-10 °C). À planter au soleil ou dans une ombre partielle, dans un sol fertile, bien drainé, de préférence dans un endroit abrité. Arroser à volonté en été, beaucoup moins le reste du temps. Pincer les jeunes plants pour stimuler leur ramification. Multiplication : semis sous châssis à la fin de l'hiver ou boutures herbacées au printemps ou en été. Cochenilles et mouches blanches peuvent poser des problèmes.
C. blumei, ill. p. 268. 'Brightness', ill. p. 273. 'Fashion Parade' est une plante vivace touffue à croissance rapide, cultivée comme annuelle. H. jusqu'à 45 cm, E. 30 cm ou plus. Min. 10 °C. Feuilles multicolores, crénelées, de diverses formes, d'ovales simples à profondément lobées. Donne en été des grappes de minuscules fleurs bleues.
C. thyrsoideus. Espèce vivace touffue, cultivée comme annuelle. H. jusqu'à 1 m, E. 60 cm. Min. 4 °C. Feuilles ovales, crénelées, vert moyen. Donne en hiver des grappes de fleurs bleu vif.

COLLETIA (Rhamnacées)

Genre d'arbustes à feuilles caduques, cultivés pour l'aspect insolite de leurs rameaux épineux et pour leurs abondantes petites fleurs. Les pousses font office de feuilles, celles-ci étant petites ou nulles. Semi-rustiques. Ont besoin d'un endroit abrité, ensoleillé et d'un sol bien drainé. Multiplication par boutures de bois semi-lignifié en été ou par semis.
C. armata, ill. p. 115. 'Rosea' est un arbuste très rameux. H. 2,50 m, E. 5 m. Les pousses sont couvertes d'épines raides, gris-vert. Donne fin été/début automne des fleurs tubulaires odorantes, roses.

COLLINSIA (Scrophulariacées)

Genre de plantes annuelles à floraison au printemps et en été. Rustiques. À cultiver dans une ombre partielle et un sol fertile, bien drainé, frais. Multiplication par semis en extérieur au début du printemps.
C. grandiflora, ill. p. 275.

COLOCASIA (Aracées)

Genre de plantes vivaces à feuilles caduques ou persistantes, cultivées pour leur feuillage et, dans les régions tropicales, pour les tubercules comestibles de certaines espèces (le «taro»). Peuvent être plantées en bordure d'un étang à l'abri du gel, mais aussi en pots dans une terre humide. Non rustiques (min. 15 °C. en général). Ont besoin de soleil ou d'une ombre légère et d'un sol très humide en période de croissance. Multiplication par division au printemps.
C. esculenta (Taro, Madère), ill. p. 374. 'Fontanesii' est une espèce vivace à feuilles caduques poussant au bord de l'eau. H. 1,10 m, E. 60 cm. Grandes feuilles ovales, vert moyen à nervures et marges vert foncé. Pétioles et spathes violet noirâtre.

COLQUHOUNIA (Labiacées)

Genre d'arbustes à feuilles persistantes ou semi-persistantes, cultivés pour leur floraison en fin d'été et automne. Semi-rustiques (doivent être rabattus au ras du sol dans les zones à hivers froids). Ont besoin d'un endroit abrité, ensoleillé et d'un sol bien drainé. Multiplication par boutures de bois semi-aoûté en été.
C. coccinea, ill. p. 117.

COLUMNEA (Gesnériacées)

Genre de plantes vivaces ou d'arbustes nains, grimpants, dressés, rampants ou pendants, à feuilles persistantes, cultivés pour leurs belles fleurs. Les espèces pendantes conviennent pour paniers suspendus. Non rustiques (min. 15 °C). Ont besoin d'une bonne lumière, mais sans soleil direct, ainsi que d'un sol et d'une atmosphère humides, sauf en hiver. Multiplication par bouturage.
C. × banksii, ill. p. 209.
C. crassifolia, ill. p. 240.
C. gloriosa. Espèce épiphyte retombante à tiges plus ou moins ramifiées. E. jusqu'à 90 cm. Feuilles ovales à poils rougeâtres. Donne en hiver/automne des fleurs tubulaires à 5 lobes, à casque, jusqu'à 8 cm de long, écarlates à gorge jaune.
C. microphylla. Espèce à rameaux retombants, peu ramifiés. E. 1 m ou plus. Petites feuilles arrondies à poils bruns. Donne en hiver/printemps des fleurs tubulaires à casque, jusqu'à 8 cm de long, écarlates à gorge jaune. 'Variegata', ill. p. 223.

COLUTEA (Légumineuses)
Baguenaudier

Genre d'arbustes à feuilles imparipennées caduques, à floraison estivale, cultivés pour leur feuillage, leurs fleurs papilionacées et leurs gousses en forme de vessie. Rustiques. Ont besoin de plein soleil et d'un sol léger. Supportent un sol sec, caillouteux. Multiplication : bouturage ou semis en automne.
C. arborescens, ill. p. 114.
C. × media, ill. p. 115.
C. orientalis. Arbuste touffu. H. et E. 2 m. Feuilles glauques composées de 7 ou 9 folioles ovales. Donne en été des grappes de fleurs rouge cuivré marquées de jaune, suivies de gousses renflées, vertes, puis brun pâle.

COMMELINA (Commélinacées)

Genre de plantes vivaces semi-rustiques. À cultiver dans un endroit ensoleillé, abrité et dans un sol fertile et bien drainé. Doivent être transplantés avant les premières gelées pour passer l'hiver dans un endroit légèrement humide, à l'abri du gel. Multiplication par semis sous châssis ou division au printemps.
C. coelestis, ill. p. 278.

CONIFÈRES

Groupe d'arbres et d'arbustes résineux faisant partie de l'embranchement des phanérogames (plantes à graines) et du sous-embranchement des gymnospermes (avec des ovules exposés à nu sur une écaille, de même que les graines au début). Ils n'ont donc pas d'ovaires, ni de fruit au sens propre du terme. Les écailles portant les graines sont généralement groupées en cônes (ligneux chez les Pinacées). Chez les Cupressacées, les écailles groupées donnent un strobile (ligneux et globuleux, comme chez les Cupressus) ou un galbule (les écailles groupées deviennent charnues et se soudent comme habituellement chez les Juniperus). Chez les Taxacées (et notamment les Taxus), une écaille solitaire en forme de coupe entoure chaque ovule : cette écaille devient charnue et forme une arille, qui enveloppe plus ou moins la graine. On peut donc constater que le mot conifère («qui porte des cônes») est bien choisi pour les Pins, Sapins et Cèdres, moins bien choisi pour les Cyprès, et mal choisi pour les Ifs et les Genévriers.
La plupart des conifères ont des feuilles persistantes, en aiguille. Tous les genres de la famille des Cupressacées, cependant, à l'exception de certains genévriers et de quelques autres formes sélectionnées, n'ont de feuilles en aiguille que lorsqu'ils sont jeunes, celles des adultes étant squamiformes. Sauf indications contraires, tous les conifères décrits dans cet ouvrage sont à feuilles persistantes.
Les conifères ne sont pas seulement des essences appréciées dans les bois et les forêts, ils font aussi d'excellentes plantes de jardin. La plupart conservent tout au long de l'année un feuillage qui peut être vert, bleu, gris, bronze, doré ou argenté. Ils présentent une grande diversité de tailles, depuis ceux qui dépassent largement 30 m de haut jusqu'aux formes naines dont la croissance atteint à peine 5 cm tous les 10 ans. Les grands conifères peuvent être plantés en isolé pour leur effet décoratif et leur ombrage, ou être utilisés pour des haies et des coupe-vent. Les conifères nains peuvent également s'utiliser isolément ou en groupes, à des fins décoratives ou utilitaires; ils s'associent fort bien aux bruyères, donnent un style particulier aux jardins de rocaille et les rampants font de bons couvre-sol; ils ont en outre l'avantage de pouvoir être cultivés assez facilement en conteneurs.

Rusticité
Presque tous les conifères décrits dans cet ouvrage sont rustiques. Certaines espèces (par exemple Abies cephalonica), appartenant à différents genres, sont semi-rustiques et ne se plaisent que dans des régions très tempérées; il faut leur assurer une très bonne protection. Le gel tardif peut endommager les nouvelles pousses de certaines espèces de plusieurs genres, en particulier Abies, Larix, Picea et Pseudotsuga, et même le feuillage des plantes adultes peut se ressentir de périodes de très grands froids en hiver.

Exposition et sol
× Cupressocyparis, Cupressus, Larix et Pinus ont besoin de plein soleil ou tout au moins de beaucoup de lumière. Cedrus, Juniperus et Pseudolarix n'apprécient pas l'ombre. Tous les autres conifères peuvent se plaire aussi bien au soleil qu'à la mi-ombre et la plupart des Abies ainsi que les Cephalotaxus, Podocarpus, Taxus, Thuja, Torreya et Tsuga peuvent supporter une ombre importante une fois en place.
En général, les conifères peuvent pousser dans tous les types de sol. Certains genres et certaines espèces, toutefois, se développent mal dans des sols peu profonds qui recouvrent des formations crayeuses ou calcaires. Dans ce livre, c'est le cas de : Abies, Pseudolarix, Pseudotsuga et Tsuga, de Picea et aussi des Pinus à cinq feuilles (à feuilles groupées la plupart du temps par 5).
Certains conifères supportent des environnements extrêmes. Les Abies, Chamaecyparis, Juniperus, Larix, Pinus, Taxus, Thuja, ainsi que Taxodium distichum peuvent pousser dans des sols argileux (mais faire attention à la présence éventuelle de calcaire). Metasequoia et Taxodium supportent des terrains gorgés d'eau. Inversement, Cupressus et Juniperus poussent bien dans les sols secs et sableux.

Taille
Si un conifère présente plusieurs flèches, on peut choisir de toutes les supprimer à l'exception d'une seule. En taillant des haies, il ne faut jamais oublier que la plupart des conifères ne produisent pas de nouvelles pousses lorsqu'on les rabat sur vieux bois ou sur des rameaux qui sont devenus bruns.

Multiplication
Le semis est la méthode la plus simple; mais dans le cas des formes sélectionnées pour la couleur du feuillage (en dehors du bleu chez certaines espèces), les résultats sont hasardeux. Semer en automne ou au printemps. Tous les genres autres que Abies, Cedrus, Picea (sauf dans le cas des jeunes plants ou des formes naines), Pinus, Pseudolarix, Pseudotsuga et Tsuga peuvent se multiplier facilement par boutures : de pousses de l'année de l'automne au printemps pour les conifères à feuilles persistantes, de bois tendre en été pour les conifères à feuilles caduques. Les grands arbres de la famille des Pinacées (Abies, Cedrus, Picea, Pinus, Pseudolarix, Pseudotsuga et Tsuga) se multiplient généralement par greffes à la fin de l'été, en hiver ou au début du printemps. Le marcottage est également possible pour certains conifères nains.

Maladies, parasites et ennemis
De nombreux conifères sont attaqués par l'armillaire (Armillariella mellea), des rongeurs, des insectes et des champignons.

Les grands conifères sont illustrés aux pages 73-81, les formes naines aux pages 82-83.
Voir aussi Abies, Araucaria, Austrocedrus, Calocedrus, Cedrus,

443

Cephalotaxus, Chamaecyparis, Cryptomeria, Cunninghamia, × Cupressocyparis, Cupressus, Fitzroya, Ginkgo, Juniperus, Larix, Metasequoia, Microbiota, Phyllocladus, Picea, Pinus, Podocarpus, Pseudolarix, Pseudotsuga, Saxegothaea, Sciadopitys, Sequoia, Sequoiadendron, Taxodium, Taxus, Thuja, Thujopsis, Torreya et *Tsuga.*

CONOPHYTUM (Aizoacées)

Genre de plantes grasses vivaces à croissance lente, à feuilles charnues sphériques ou bilobées poussant seulement pendant 2 mois de l'année. À la fin de l'été, les vieilles feuilles se transforment en lamelles parcheminées entre lesquelles émergent de nouvelles feuilles, et des fleurs à la fin de l'été. Non rustiques (min. 4 °C). Ont besoin de soleil, d'un sol bien drainé et d'un air sec. Maintenir au sec en hiver. Multiplication : semis du printemps à l'automne, ou division.
C. bilobum, ill. p. 399.
C. notabile, ill. p. 400.
C. truncatum, ill. p. 390.

CONSOLIDA (Ranunculacées)
Pied-d'alouette annuel

En Angleterre, les pieds-d'alouette annuels sont souvent considérés comme faisant partie du genre *Consolida;* ailleurs, on les intègre dans le genre *Delphinium.* Genre de plantes annuelles donnant d'excellentes fleurs à couper. Rustiques. À cultiver au soleil dans un sol fertile et bien drainé. Supports nécessaires pour les plantes de grande taille. Multiplication : semis en extérieur au printemps ou au début de l'automne dans les régions tempérées. Les jeunes plants doivent être protégés des limaces et des escargots.
C. ajacis, voir *C. ambigua.*
C. ambigua, syn. *C. ajacis, Delphinium ajacis* (**Pied-d'Alouette des jardins).** Espèce dressée, ramifiée. Forme géante (H. jusqu'à 1,20 m, E. 30 cm) et naine (H. et E. 30 cm). Feuilles à limbe très finement découpé, vert moyen et, durant tout l'été, grappes de fleurs à éperon. **Série Fleurs de Jacinthe** (naine) a des grappes de fleurs tubulaires dans des nuances de rose, mauve, bleu ou blanc.

CONVALLARIA (Liliacées)
Muguet

Genre de plantes rhizomateuses traçantes vivaces à floraison printanière. Rustiques. Préfèrent la mi-ombre et peuvent pousser dans tous les types de sol, mais se plaisent mieux dans les sols riches en humus et frais. Multiplication

par division. Plantes toxiques.
C. majalis, ill. p. 225. **'Flore Pleno'** est une variété à croissance lente. H. 30 cm, E. variable. Donne au printemps de petites fleurs doubles, blanches, en clochettes pendantes, très parfumées. Feuilles ovales étroites, de vert moyen à vert foncé. **'Fortin'** a de grosses fleurs et des tiges longues.

CONVOLVULUS (Convolvulacées)
Liseron

Genre de plantes rampantes, buissonnantes ou grimpantes, qui sont des annuelles, des vivaces, ou des sous-arbrisseaux à feuilles persistantes. Semi-rustiques pour la plupart. Poussent au soleil dans des sols bien drainés. Multiplication : semis en extérieur à la mi-printemps pour les espèces semi-rustiques, sous châssis au printemps pour les espèces non rustiques, et par boutures herbacées à la fin du printemps ou en été pour les espèces vivaces et les sous-arbrisseaux.
C. althaeoides, ill. p. 315.
C. cneorum, ill. p. 126.
C. mauritanicus, voir *C. sabatius.*
C. minor, voir *C. tricolor.*
C. purpureus, voir *Ipomaea purpurea.*
C. sabatius, syn. *C. mauritanicus,* ill. p. 296.
C. tricolor, syn. *C. minor* (**Belle-de-jour).** Espèce annuelle buissonnante ou semi-grimpante à croissance modérément rapide. H. 20-30 cm, E. 20 cm. Semi-rustique. Feuilles ovales lancéolées, vert moyen. Donne en été des fleurs à corolle infundibuliforme à 3 couleurs à l'intérieur (gorge jaune, partie médiane blanche, partie extérieure bleue), de 4 à 5 cm de large, ouvertes le jour, et fermées la nuit. Les grandes formes grimpantes (H. jusqu'à 3 m) ont des fleurs atteignant jusqu'à 10 cm de large. **'Blue Flash'** (buissonnante), ill. p. 276. **'Heavenly Blue'** (syn. *Ipomaea rubrocaerulea* 'Heavenly Blue'; grimpante), ill. p. 173. **'Major'** (grimpante) et **'Minor'** (buissonnante) ont des fleurs teintées de bleu, de rouge ou de blanc.

COPIAPOA (Cactacées)

Genre de cactées vivaces à croissance lente, à fleurs jaunes en entonnoir. La plupart des espèces ont de grosses racines pivotantes. Non rustiques (min. 12 °C). Ont besoin d'une ombre partielle et d'un sol très bien drainé. Multiplication par semis ou greffe au printemps ou en été.
C. cinerea, ill. p. 387.

COPROSMA (Rubiacées)

Genre d'arbustes et d'arbres

quelquefois grimpants, cultivés pour leur feuillage persistant et leurs fruits. La présence de plants mâles et de plants femelles est nécessaire pour obtenir des fruits. Semi-rustiques. Préfèrent la pleine lumière et les sols légers, riches, bien drainés. Arroser généreusement les sujets en conteneurs durant l'été, avec modération le reste du temps. Multiplication : semis au printemps sur couche ou boutures de bois semi-lignifié en été, marcottage.
C. × kirkii. Arbuste très ramifié, d'abord couché, puis semi-dressé. H. jusqu'à 1 m, E. 1,20-2 m. Feuilles d'étroitement oblongues à lancéolées, coriaces, luisantes, solitaires ou en petits groupes. Donne à la fin du printemps des fleurs insignifiantes, suivies, sur les plants femelles, de minuscules fruits ovoïdes, translucides, blancs à mouchetures rouges. **'Variegata',** ill. p. 143.
C. repens. Arbuste d'abord étalé, puis dressé. H. et E. jusqu'à 2 m. Feuilles ovales larges, coriaces, lustrées, vertes. Donne à la fin du printemps des fleurs insignifiantes, suivies, sur les plants femelles, de fruits ovoïdes rouge orangé apparaissant de la fin de l'été à l'automne. **'Picturata'** a des feuilles à tache blanche centrale.

CORDYLINE (Agavacées)

Genre d'arbustes et d'arbres à feuilles persistantes, cultivés principalement pour leur feuillage bien que certaines variétés aient des fleurs décoratives. De semi-rustiques à non rustiques (min. 5 °C pour celles de serre froide, et min. 16 °C pour celles de serre tempérée). Ont besoin d'un sol fertile, bien drainé, et de pleine lumière (mais protéger des forts ensoleillements en été) ou d'une ombre partielle. Multiplication : semis ou marcottage aérien au printemps, ou boutures de bourgeons ou de tête. Les araignées rouges peuvent poser des problèmes.
C. australis. Végétal arborescent peu rameux à croissance lente. H. 10 m ou plus, E. 5 m ou plus. Semi-rustique. Chaque branche est couronnée par une rosette de feuilles rubanées vertes de 60-80 cm de long. Donne en été des grandes panicules de petites fleurs blanches odorantes et en automne des fruits globuleux blancs. **'Atropurpurea',** ill. p. 71.

COREOPSIS (Composées)

Genre de plantes annuelles et vivaces cultivées pour leurs capitules. Rustiques. Ont besoin de plein soleil et d'un sol assez fertile ou fertile, bien drainé. Multiplication : les annuelles par semis au printemps ou en automne. Pour les vivaces, multiplier par éclats ou boutures

(le semis n'est utilisé en culture que pour les espèces types).
C. auriculata **'Superba'.** Variété vivace touffue. H. et E. 45 cm. Rustique. Donne tout au long de l'été des capitules jaunes, au centre taché de pourpre. Feuilles d'ovales à lancéolées, lobées, vert clair. *C. basalis* est une espèce annuelle très proche de *C. auriculata.*
C. **'Goldfink'.** Variété vivace naine à vie assez courte, touffue. H. et E. 30 cm. Donne en été des capitules jaune foncé, au-dessus de feuilles ovales étroites, vert foncé.
C. grandiflora **'Badengold'.** Cultivar vivace dressé à tiges souples. H. 75 cm, E. 60 cm. Donne en été de grands capitules jaune vif et des feuilles largement lancéolées, divisées, vert vif.
C. lanceolata, ill. p. 248.
C. **'Sunray',** ill. p. 281.
C. tinctoria, ill. p. 280.
C. verticillata, ill. p. 248.

CORIARIA (Coriariacées)

Genre d'arbustes et de sous-arbrisseaux à feuilles caduques et floraison printanière ou estivale, cultivés pour leur port, leur feuillage et leurs fruits. Semi-rustiques. Ont besoin de plein soleil ou d'ombre légère et d'un sol fertile et bien drainé. Multiplication : bouturage, semis, ou marcottage.
C. terminalis. Sous-arbrisseau. H. 1 m, E. 2 m. Feuilles largement lancéolées, ressemblant à celles des fougères, vert moyen devenant rouge en automne. Donne à la fin du printemps de minuscules fleurs vertes, suivies de petits fruits globuleux noirs. var. *xanthocarpa,* ill. p. 141.

CORNUS (Cornacées)
Cornouiller

Genre d'arbustes et de petits arbres à feuilles caduques (le plus souvent) ou persistantes, cultivés selon les espèces et variétés pour leurs fleurs, leur feuillage ou parfois pour les vives couleurs de leurs rameaux d'hiver. Rustiques, sauf *Cornus capitata* qui est semi-rustique. Ont besoin de soleil ou de mi-ombre et d'un sol bien drainé. Les cultivars à feuilles panachées se colorent mieux en plein soleil. *C. florida, C. kousa* et *C. nuttallii* supportent mal les sols calcaires, peu profonds. *C. canadensis* préfère les sols tourbeux et sableux, ou riches en terreau de feuilles bien décomposé. Multiplication : le semis est réservé, en culture, aux espèces types. Pour les autres : drageonnage, marcottage, ou bouturage, suivant les cas.
C. alba (**Cornouiller blanc).** Vigoureux arbuste buissonnant. H. et E. 3 m. Supporte les sols secs ou humides. Les jeunes rameaux sont rouges en hiver. Feuilles ovales, vert vif, devenant souvent rouges ou orange en automne. Fin

printemps/début été, corymbes aplatis de fleurs étoilées blanc crème, suivies de fruits globuleux blancs, parfois teintés de bleu. 'Elegantissima', ill. p. 106. 'Kesselringii', ill. p. 116. 'Sibirica', ill. p. 118. 'Spaethii', ill. p. 114.
C. alternifolia. Grand arbuste ou parfois petit arbre à branches étalées et étagées horizontalement, à feuilles caduques. H. et E. 8 m. Rustique. Feuilles ovales, vert vif, devenant souvent rouges en automne. Donne au début de l'été des cymes de minuscules fleurs étoilées blanc crème, auxquelles succèdent de petits fruits ronds, noir bleuté. '**Argentea**', ill. p. 62.
C. canadensis, ill. p. 314.
C. capitata, syn. *Dendrobenthamia capitata.* Petit arbre à feuillage étalé persistant ou semi-persistant. H. et E. jusqu'à 10 m. Semi-rustique. Au début de l'été, bractées jaune pâle ou blanches entourant des fleurs insignifiantes, suivies de fruits rouges qui ressemblent à des fraises. Feuilles ovales, gris-vert. Convient pour les régions littorales tempérées, en situation abritée.
C. controversa. Arbre à feuilles caduques, à rameaux étagés horizontalement. H. et E. 15 m. Donne en été des cymes aplaties de petites fleurs étoilées blanches. Feuilles ovales, pointues, vert vif devenant pourpre en automne. '**Variegata**', ill. p. 62.
C. 'Eddie's White Wonder', ill. p. 68.
C. florida (Cornouiller à fleurs). Arbuste ou petit arbre compact à feuilles caduques, préférant un sol fertile. H. 6 m, E. 8 m. Donne au printemps des glomérules de fleurs insignifiantes entourées de 4 grandes bractées blanches ou blanc rosé. Feuilles ovales, pointues, vertes à revers glauque devenant rouges et pourpres en automne. '**Apple Blossom**' a des bractées rose pâle. f. *rubra* a des bractées rose pâle ou vif. '**Spring Song**', ill. p. 63. '**Welchii**', ill. p. 66. '**White Cloud**', ill. p. 58.
C. kousa. Petit arbre ou arbuste à feuillage caduc, d'allure élégante. H. 7 m, E. 5 m. Donne en fin de printemps et au début de l'été des glomérules de fleurs insignifiantes entourées de grandes bractées blanches, suivies, après un été très chaud, de fruits qui ressemblent à des fraises. Feuilles ovales, luisantes, vert foncé devenant pourpre rouge vif en automne. var. *chinensis* a des bractées plus étroites.
C. macrophylla, ill. p. 51.
C. mas (Cornouiller mâle). Arbre ou arbuste ramifié et dense à feuilles caduques. H. et E. 7 m. Rustique. Feuilles ovales, vert foncé devenant pourpre rougeâtre en automne. Donne fin hiver/début printemps, sur des rameaux nus, des petites fleurs jaunes, suivies de fruits oblongs, rouge vif, comestibles. '**Aurea Elegantissima**', H. 2 m, E. 3 m, a des feuilles teintées de rose et bordées de jaune. '**Variegata**', ill. p. 87.
C. 'Norman Hadden', ill. p. 59.
C. nuttallii, ill. p. 49.

COROKIA (Cornacées)

Genre d'arbustes à feuilles persistantes, cultivés pour leur port, leur feuillage, leurs fleurs et leurs fruits. Conviennent aux zones très tempérées où ils résistent bien aux vents. D'assez rustiques à semi-rustiques. Ont besoin de plein soleil et d'un sol fertile et bien drainé. Multiplication par boutures de bois aôut en été, ou semis.
C. cotoneaster, assez rustique, ill. p. 120.
C. × virgata. Arbuste dressé, dense. H. et E. 3 m. Assez rustique (mais moins que le précédent). Feuilles oblongues, luisantes, vert foncé, à dessous blanc. Donne à la mi-printemps de petites et nombreuses fleurs étoilées jaunes à 5 pétales, puis des fruits ovoïdes orange vif. Fait de bonnes haies, en particulier au bord de la mer.

CORONILLA (Légumineuses)
Coronille

Genre de plantes vivaces et d'arbustes à feuilles caduques ou persistantes, cultivés pour leur feuillage et leurs fleurs papilionacées. De rustiques à semi-rustiques; dans les régions assez froides, les espèces semi-rustiques doivent être placées contre un mur orienté au sud ou à l'ouest. Ont besoin de plein soleil et d'un sol léger et bien drainé. Multiplication par boutures de bois tendre en été, ou semis. Planter en talus, ou bord des massifs d'arbustes.
C. valentina subsp. *glauca,* ill. p. 125.

CORREA (Rutacées)

Genre d'arbustes à feuilles persistantes, cultivés pour leurs fleurs. De semi-rustiques à non rustiques (min. 3-5 °C). Aiment le plein soleil ou une ombre partielle et les sols bien drainés, neutres ou acides. Multiplication : semis au printemps ou boutures de bois semi-lignifié à la fin de l'été.
C. backhousiana. Arbuste ramifié, à cime arrondie. H. et E. 2 m. Semi-rustique. Feuilles d'ovales à elliptiques, vertes. Donne au printemps et par intermittence jusqu'à l'automne des groupes de fleurs tubulaires jaune pâle verdâtre.
C. pulchella, ill. p. 142.

CORTADERIA (Graminées), voir BAMBOUS, HERBES, JONCS et LAÎCHES.

C. selloana, syn. *Gynerium argenteum* (Herbe des pampas). Plante vivace formant de grandes touffes. H. jusqu'à 2,50 m, E. 1,20 m. Rustique. Feuilles étroites à extrémités retombantes (1,50 m de long). Donne à la fin de l'été de longues inflorescences plumeuses, argentées, pouvant atteindre 60 cm de long. Les sexes sont représentés par des plants distincts. '**Silver Comet**' et '**Sunningdale Silver**', ill. p. 180.

CORTUSA (Primulacées)

Genre de plantes vivaces à floraison printanière et estivale, apparentées à *Primula* et portant des hampes de fleurs en clochette. Rustiques. Ne conviennent pas pour les régions à climat très chaud et sec, car elles ont besoin d'ombre et d'un sol riche en humus et humide. Multiplication : semis.
C. matthioli, ill. p. 294.

CORYDALIS (Papavéracées)

Genre de plantes annuelles et de plantes vivaces à souches tubéreuses ou à racines fibreuses, dont certaines sont à feuilles persistantes, cultivées pour leurs fleurs printanières ou estivales irrégulières, à éperon, et pour leurs feuilles à limbe fortement divisé. Rustiques. Ont besoin de soleil ou d'ombre légère et d'un sol léger, humifère, bien drainé. Multiplication : semis en automne, ou division durant la période de repos pour les vivaces.
C. bulbosa, syn. *C. cava.* Espèce vivace tubéreuse à floraison printanière. H. 30 cm, E. 10 cm. Rustique. Feuilles basales semi-dressées, très divisées. Grappes denses de fleurs tubulaires pourpre rosé. Les parties aériennes disparaissent en été.
C. cava, voir *C. bulbosa.*
C. cheilanthifolia, ill. p. 289.
C. diphylla, ill. p. 307.
C. lutea, ill. p. 299.
C. ochroleuca, ill. p. 291.
C. popovii, ill. p. 304.
C. solida. Espèce vivace tubéreuse poussant en touffes. H. 30 cm, E. 15 cm. Rustique. Au printemps, grappes terminales érigées de fleurs rouge pourpré. '**George Baker**' (syn. *C.s.* 'G.P. Baker'), ill. p. 307.
C. wilsonii, ill. p. 289.

CORYLOPSIS (Hamamélidacées)

Genre d'arbustes et d'arbres cultivés pour leur courtes grappes de fleurs jaunes, souvent odorantes, qui font leur apparition avant celle des feuilles caduques. Rustiques, mais les gelées tardives peuvent endommager les fleurs. Préfèrent la mi-ombre et les sols humifères, humides, bien drainés, à l'abri des vents froids. Multiplication : bouturage en été, marcottage, ou semis en automne.
C. glabrescens, ill. p. 86.

C. pauciflora, (calcifuge), ill. p. 99.
C. spicata. Arbuste étalé. H. 2 m, E. 3 m. Feuilles très finement dentées, vert pâle dessus, bleu-vert dessous. Donne à la mi-printemps des grappes pendantes de fleurs jaunes en coupe.

CORYLUS (Corylacées)
Noisetier, Coudrier

Genre d'arbres et d'arbustes à feuilles caduques, cultivés pour leur feuillage, leurs chatons et leurs fruits souvent comestibles (noisettes). Rustiques. Aiment le soleil ou la mi-ombre et les sols sains. Multiplication des espèces par semis en automne, des cultivars par greffe à la fin de l'été, ou par drageonnement ou marcottage au début du printemps. Des insectes peuvent détériorer les noisettes.
C. avellana (Noisetier). '**Contorta**', ill. p. 93.
C. colurna (Coudrier de Byzance, Coudrier du Levant, Noisetier de Constantinople). Arbre conique. H. 20 m, E. 7 m. Feuilles ovales larges, fortement et grossièrement dentées, parfois lobées, vert foncé. Donne à la fin de l'hiver de longs chatons jaunes. Les noisettes, entourées d'une enveloppe frangée, sont réunies en petits groupes.
C. maxima (Grand Coudrier). Vigoureux arbuste touffu. H. 6 m, E. 5 m. Feuilles ovales, dentées, vert moyen, longs chatons jaunes (fin de l'hiver) et noisettes brunes, comestibles. '**Purpurea**', ill. p. 89.

CORYNOCARPUS (Corynocarpacées)

Genre d'arbres à feuilles persistantes, cultivés pour leur feuillage et leur aspect général. Non rustiques (min. 10 °C). Ont besoin de plein soleil ou d'une ombre légère et d'un sol fertile, retenant l'humidité, bien drainé. Arroser avec modération les sujets en conteneurs, encore moins à basses températures. Supportent la taille si nécessaire. Multiplication : semis de graines à maturité ou boutures de bois semi-lignifié en été.
C. laevigata, ill. p. 58.

CORYPHANTHA (Cactacées)

Genre de cactées vivaces à tiges vertes, plus ou moins globuleuses, à aiguillons. Les tiges présentent des mamelons séparés par des sillons. Donnent en été des fleurs en entonnoir, puis des fruits verts, cylindriques. Non rustiques (min. 15 °C). Ont besoin de plein soleil et d'un sol bien drainé. Multiplication par semis au printemps ou en été.
C. cornifera, syn. *C. radians,* ill. p. 399.

C. radians, voir *C. cornifera.*
C. vivipara, ill. p. 391.

COSMOS (Composées)

Genre de plantes annuelles et de plantes vivaces tubéreuses fleurissant en été et au début d'automne. De rustiques à semi-rustiques. Ont besoin de soleil et de sols bien drainés. Dans les régions douces et tempérées, les tubercules de l'espèce semi-rustique *C. atrosanguineus* peuvent passer l'hiver dans le sol avec un bon mulch de protection. Multiplication : les espèces vivaces par division, les espèces annuelles par semis au printemps.
C. atrosanguineus, syn. *Bidens atrosanguinea,* ill. p. 208.
C. 'Sensation', ill. p. 269.
C. 'Sunny Gold'. Variété annuelle touffue, dressée, à croissance modérément rapide. H. et E. 45 cm. Semi-rustique. Feuilles très découpées, vert moyen, et grands capitules jaune d'or (été/ début d'automne).

COTINUS (Anacardiacées)

Genre d'arbustes et d'arbres cultivés pour leurs feuilles caduques simples, entières, leurs inflorescences en panicules et leurs couleurs automnales. Rustiques. Aiment le plein soleil; accommodants pour le sol. Multiplication : les espèces par bouturage ou marcottage; par semis pour les espèces types.
C. coggygria, syn. *Rhus cotinus* (Sumac fustet, Arbre à perruques). Arbuste touffu et arrondi. H. et E. 5 m. Feuilles rondes ou ovales, vertes devenant jaunes ou rouges en automne. À partir de la fin de l'été, au moment où se développent des fruits insignifiants, les nombreux pédicelles floraux forment des houppes touffues, rose très clair ou blanches, puis grisâtres. 'Flame', ill. p. 92. 'Notcutt's Variety', ill. p. 89. 'Royal Purple' a des houppes roses et des feuilles rouge-pourpre.
C. obovatus, syn. *Rhus cotinoides.* Vigoureux arbuste ou arbre touffu. H. 10 m, E. 8 m. Grandes feuilles ovales, rose bronze lorsqu'elles sont jeunes, puis vert moyen à maturité, devenant orange, rouges et pourpres en automne. Panicules florales brun rouge pâle.

COTONEASTER (Rosacées)

Genre d'arbustes et d'arbres à feuilles caduques, semi-persistantes ou persistantes, cultivés pour leur feuillage, leurs fleurs et leurs fruits. Certaines espèces s'utilisent isolément pour leur effet décoratif, d'autres pour des haies ou comme couvre-sol. Le plus souvent rustiques. Aiment une situation ensoleillée ou semi-ombragée, et tous les sols de jardins habituels. Multiplication : semis ou bouturage (bouturage nécessaire pour les variétés et cultivars, car le résultat du semis est très variable génétiquement).
C. adpressus. Arbuste à tiges prostrées et à feuilles caduques. H. 50 cm, E. 2 m. Rustique. Petites feuilles ovales à bords ondulés ou en cuiller, vert pâle rougissant en automne. Donne au début de l'été des petites fleurs roses à 5 pétales, puis des fruits globuleux rouges.
C. bullatus var. *macrophyllus.* Arbuste à feuilles caduques. H. 5 m, E. 3 m. Rustique. Grandes feuilles ovales à limbe cloqué, vert foncé devenant rouge en automne. Donne fin printemps/début été des bouquets de petites fleurs roses à 5 pétales, puis des fruits globuleux rouge vif.
C. congestus. Arbuste rampant à feuilles persistantes. H. 20 cm, E. 2 m. Rustique. Forme des masses denses de feuilles ovales, vert mat. Donne au début de l'été des petites fleurs blanc rosé à 5 pétales, puis des fruits globuleux rouge vif. Excellent pour jardins de rocaille.
C. conspicuus. Arbuste très étalé, à branches arquées, à feuilles persistantes. H. 30 cm (mais dans certains cas, il peut dépasser 1 m), E. 2-3 m. Rustique. Feuilles oblongues, luisantes, vert foncé. Donne à la fin du printemps des petites fleurs blanches à 5 pétales, puis des fruits globuleux, écarlates ou rouge orangé, d'1 cm de diamètre environ.
C. 'Cornubia', ill. p. 92.
C. divaricatus, ill. p. 98.
C. franchetii. Arbuste à branches souples, arquées, à feuilles semi-persistantes. H. et E. 3 m. Rustique. Feuilles ovales gris-vert à dessous blanc. Donne au début de l'été des petites fleurs à 5 pétales, blanches teintées de rose, puis une profusion de fruits oblongs rouge orangé vif. var. *sternianus,* ill. p. 117.
C. frigidus. Vigoureux arbuste à feuilles caduques, dressé lorsqu'il est jeune, à port étalé ou arrondi à maturité. H. et E. 6 m. Rustique. Grandes feuilles ovales vert mat. Donne au début de l'été de grands corymbes de petites fleurs blanches à 5 pétales, suivies de petits fruits globuleux rouge vif, abondants.
C. glaucophyllus. Arbuste arqué à feuilles persistantes. H. et E. 4 m. Rustique. Feuilles ovales, vert foncé, à dessous blanc bleuté. Donne en début d'été des corymbes de petites fleurs blanches à 5 pétales, puis en automne des petits fruits globuleux rouges. var. *serotinus,* H. et E. 6 m, fleurit de la mi-été à la fin de l'été et ses fruits rouge vif durent jusqu'au printemps.
C. horizontalis, ill. p. 140.
C. hupehensis. Arbuste élégant à rameaux arqués, à feuilles caduques. H. 2 m, E. 3 m. Rustique. Feuilles ovales, vert foncé devenant jaune en automne. Donne à la fin du printemps de nombreux corymbes de petites fleurs blanches à 5 pétales, suivies de fruits globuleux rouge vif, d'environ 1 cm de diamètre.
C. lacteus, ill. p. 93.
C. microphyllus. Arbuste dense, étalé, prostré, à feuilles persistantes. H. 1 m, E. 2 m. Spécialement rustique. Petites feuilles ovales, vert foncé, lustrées. Donne à la fin du printemps des petites fleurs blanches à 5 pétales, puis des fruits globuleux rouges. var. *cochleatus* est rampante, avec des feuilles plus grandes, en forme de cuiller. var. *thymifolius,* H. 60 cm, est prostrée, avec des rameaux rigides et des feuilles minuscules, très étroites, obtuses, luisantes.
C. prostratus, syn. *C. rotundifolius.* Arbuste étalé à branches arquées, à feuilles persistantes. H. 1,50 m, E. 2,50 m. Rustique. Petites feuilles ovales, luisantes, vert foncé. Donne au début de l'été des petites fleurs blanches à 5 pétales, suivies de fruits globuleux rouges.
C. rotundifolius, voir *C. prostratus.*
C. salicifolius. Vigoureux arbuste à longues branches retombantes, à feuilles persistantes. H. et E. 5 m. Rustique. Feuilles ridées étroitement lancéolées, vert foncé. Donne en fin de printemps et début d'été des petites fleurs blanches à 5 pétales, suivies de groupes de petits fruits globuleux rouge vif.
C. simonsii, ill. p. 116.
C. 'Skogholm', syn. *C.* 'Skogsholmen'. Arbuste étalé à feuilles persistantes. H. 60 cm, E. 3 m. Rustique. Petites feuilles ovales, luisantes, vert foncé. Donne au début de l'été des petites fleurs blanches à 5 pétales, puis des fruits globuleux rouges. Fait un bon couvre-sol.
C. 'Skogsholmen', voir *C.* 'Skogholm'.
C. × *watereri* 'John Waterer'. Vigoureux arbuste à branches arquées, à feuilles persistantes ou semi-persistantes. H. et E. 5 m. Rustique. Feuilles lancéolées, vert foncé. Donne au début de l'été des petites fleurs blanches à 5 pétales, puis une profusion de fruits globuleux rouges réunis en corymbes.

COTULA (Composées)

Genre de plantes vivaces ou annuelles, la plupart à feuilles persistantes, cultivées pour leur feuillage et leurs petits capitules jaunes solitaires. Beaucoup d'espèces s'utilisent pour tapisser les interstices d'un dallage, mais peuvent être très envahissantes. Semi-rustiques. La plupart ont besoin de soleil et d'un sol bien drainé qui ne soit pas trop sec. Multiplication par division au printemps.
C. atrata, ill. p. 307. var. *luteola,* ill. p. 304.
C. coronopifolia. Plante vivace, à feuilles caduques. H. 15 cm, E. 30 cm. Tiges charnues, petites feuilles lancéolées vert moyen et, en été, petits capitules jaunes vif.

COTYLEDON (Crassulacées)

Genre de sous-arbrisseaux, d'arbustes ou plantes herbacées, charnus, succulents, à feuilles persistantes, cultivés pour la diversité de leur feuillage qui va de grandes feuilles ovales grises à de petites feuilles cylindriques vert moyen. Non rustiques (min. 5-7 °C). Se plaisent dans les endroits ensoleillés ou un peu ombragés et dans les sols très bien drainés. Multiplication par semis ou boutures de tiges en été.
C. ladysmithensis, ill. p. 394.
C. orbiculata. Arbuste buissonnant. H. et E. 1 m. Tiges renflées portant des feuilles ovales, vert glauque, couvertes d'une couche farineuse, et parfois bordées de rouge. Les tiges florifères peuvent atteindre jusqu'à 70 cm et portent en automne des cymes de fleurs tubulaires pendantes, orange.
C. paniculata, voir *Tylecodon paniculata.*
C. reticulata, voir *Tylecodon reticulata.*
C. simplicifolia, voir *Chiastophyllum oppositifolium.*
C. undulata, ill. p. 188.

CRAMBE (Crucifères)
Crambé

Genre de plantes annuelles et vivaces cultivées pour leurs belles feuilles et leurs inflorescences d'été. Les côtes charnues des feuilles de *C. maritima* sont comestibles. Rustiques. Poussent dans tous les sols bien drainés; préfèrent les endroits dégagés, en plein soleil, mais supportent un peu d'ombre. Multiplication : division au printemps ou semis en automne ou au printemps.
C. cordifolia (Crambé à feuilles en cœur), ill. p. 188.
C. maritima (Chou marin), ill. p. 233.

CRASSULA (Crassulacées)

Genre de plantes charnues vivaces et d'arbustes et de sous-arbrisseaux charnus succulents, à feuilles persistantes, allant des espèces de 10 cm de haut à des arbustes pouvant atteindre 5 m. La plupart sont faciles à cultiver. De semi-rustiques à non rustiques (min. 5-7 °C). La plupart préfèrent le plein soleil, certains une ombre partielle. Ont besoin d'un sol très bien drainé. Multiplication par semis ou boutures de tiges au printemps ou en automne.
C. arborescens, ill. p. 380.
C. argentea, voir *C. ovata.*
C. deceptrix, ill. p. 396.
C. falcata, ill. p. 385.
C. multicava, ill. p. 391.
C. ovata, syn. *C. argentea, C. portulaca,* ill. p. 379.

C. portulaca, voir *C. ovata.*
C. sarcocaulis, ill. p. 293.
C. schmidtii, ill. p. 393.
C. socialis, ill. p. 390.

CRATAEGUS (Rosacées)
Aubépine, Épine, Mai

Genre d'arbres et d'arbustes à feuilles caduques ou plus rarement persistantes, généralement épineux, cultivés pour leurs fleurs souvent blanches à 5 pétales, parfois doubles, écloses au printemps/été, pour leurs fruits décoratifs qui persistent souvent longtemps, et, dans certains cas, pour leurs couleurs automnales. Rustiques. Préfèrent le soleil, mais peuvent s'adapter à toutes les situations et à tous les sols qui ne soient pas trop humides sauf s'ils sont vraiment très calcaires ou très argileux. Multiplication des espèces par semis en automne, des cultivars par greffage à la fin de l'été. Certaines espèces sont sensibles au feu bactérien.
C. crus-galli **(Épine ergot de coq).** Arbre épineux à feuilles caduques, à cime aplatie. H. 8 m, E. 10 m. Rameaux à fortes épines courbes et feuilles ovales, luisantes, vert foncé devenant rouge vif en automne. Donne à la fin du printemps des grappes de fleurs blanches à anthères roses, puis des fruits ronds rouge vif.
C. flava **(Épine à fruits jaunes),** ill. p. 63.
C. laciniata, syn. *C. orientalis,* ill. p. 58.
C. laevigata, syn. *C. oxyacantha* **(Aubépine, Épine blanche).** 'Paul's Scarlet', ill. p. 64. 'Punicea' est un petit arbre étalé à feuilles caduques. H. et E. 6 m. Feuilles ovales, lobées, dentées, luisantes, vert foncé. Donne en mai-juin des corymbes de fleurs simples écarlates, suivies de fruits ronds, rouges.
C. macrosperma var. *acutiloba,* ill. p. 67.
C. monogyna **(Épine blanche).** Arbre épineux à feuilles caduques, à cime ronde. H. 10 m, E. 8 m. Feuilles ovales larges, profondément lobées, luisantes, vert foncé. Donne en mai des bouquets de fleurs blanches odorantes, puis des fruits ronds ou ovales, rouges. Fait des haies compactes. 'Biflora' a des feuilles plus précoces et quelques fleurs, en plus de la floraison printanière, durant les hivers doux.
C. orientalis, voir *C. laciniata.*
C. oxyacantha, voir *C. laevigata.*
C. pedicellata, ill. p. 67.
C. prunifolia. Arbre à feuilles caduques, à cime étalée, épineux. H. 8 m, E. 10 m. Feuilles ovales, luisantes, vertes, devenant rouges ou orangées en automne. Donne en fin de printemps ou début d'été des fleurs blanches à anthères roses, puis des fruits arrondis, rouge foncé.
C. tanacetifolia. Arbre à feuilles caduques, dressé, parfois épineux. H. 10 m, E. 8 m. Feuilles obovales, profondément découpées, vert

grisâtre. Donne en juin-juillet des bouquets de fleurs odorantes, blanches à anthères rouges, auxquelles succèdent des petits fruits jaune rougeâtre en forme de petites pommes.

CREPIS (Composées)
Crépis

Genre de plantes annuelles, bisannuelles et vivaces à floraison estivale, et parfois automnale, dont certaines sont à feuilles persistantes, à longues racines pivotantes et feuilles en rosettes aplaties. Beaucoup d'espèces sont des mauvaises herbes tenaces, mais certaines se cultivent pour leurs capitules touffus qui ressemblent à ceux des pissenlits. Rustiques. Aiment le soleil et préfèrent les sols bien drainés. Multiplication des annuelles et des bisannuelles par semis en automne, des vivaces par division de touffes à la fin de l'hiver, mais beaucoup d'espèces se reproduisent par dissémination spontanée.
C. aurea, ill. p. 299.
C. rubra, ill. p. 264.

CRINODENDRON (Élaeocarpacées)

Genre d'arbustes et d'arbres de petite taille à feuilles persistantes, cultivés pour leurs fleurs et leur feuillage. Semi-rustiques. Ont besoin de mi-ombre. Le sol doit être fertile, humide mais bien drainé et non calcaire. Multiplication : bouturage ou semis.
C. hookerianum, syn. *Tricuspidaria lanceolata* **(Arbre aux lanternes),** ill. p. 110.

× *Crinodonna corsii,* voir
× *Amarcrinum memoria corsii.*

CRINUM (Amaryllidacées)

Genre de robustes plantes à bulbe tuniqué, cultivées pour leurs ombelles de fleurs en cornet, souvent odorantes. De rustiques à non rustiques (min. 16 °C). Ont besoin de pleine lumière, d'un endroit abrité et d'un sol riche et bien drainé. Multiplication par séparation de bulbes au printemps ou par semis.
C. americanum. Espèce poussant en touffes, à floraison printanière et estivale. H. 40-75 cm, E. 60 cm. Semi-rustique. Porte de 6-10 feuilles basales rubanées, semi-dressées. Tige florifère sans feuilles portant jusqu'à 6 fleurs blanches odorantes, à long tube et pétales et sépales pétaloïdes étroits.
C. asiaticum, ill. p. 350.
C. moorei, ill. p. 335.
C. x powellii, ill. p. 333. 'Album', ill. p. 332.

CROCOSMIA (Iridacées)

Genre de plantes bulbeuses à cormus, cultivées pour les coloris éclatants de leurs fleurs généralement écloses en été. Forment des touffes denses de feuilles en glaive, étroites, dressées. Rustiques. Ont besoin d'un sol bien drainé et d'un endroit dégagé, ensoleillé. Dans les régions très froides, planter dans un endroit abrité ou déterrer les bulbes et les entreposer pendant l'hiver à l'abri du gel. Multiplication par division au début de la croissance, au printemps.
C. aurea. Espèce à floraison estivale. H. 75 cm, E. 20 cm. Feuilles basales dressées, en glaive, étroites. Donne un épi légèrement ramifié de fleurs tubulaires de 5 cm de long, jaunes, à 6 tépales étalés.
C. 'Bressingham Blaze' **(Montbretia),** ill. p. 336.
C. 'Citronella' **(Montbretia),** ill. p. 339.
C. 'Jackanapes' **(Montbretia),** ill. p. 353.
C. 'Lucifer' **(Montbretia),** ill. p. 336.
C. masonorum, ill. p. 336.
C. rosea, voir *Tritonia rubrolucens.*

CROCUS (Iridacées)

Genre de plantes bulbeuses (ou plus précisément à corme), à fleurs à long tube, à périanthe à 6 divisions presque égales, généralement dressées (3 sépales pétaloïdes et 3 pétales), la plupart du temps écloses au printemps ou en automne. Longues feuilles basales, étroites. Certaines espèces à floraison d'automne n'ont pas de feuilles au moment de la floraison, celles-ci n'apparaissant qu'en hiver ou au printemps. La plupart des espèces ne dépassent pas 10 cm de haut au moment de la floraison, avec une envergure de 2,5-8 cm. Idéales pour jardins de rocaille. De rustiques à semi-rustiques. La plupart ont besoin de soleil et d'un sol bien drainé. *C. banaticus* préfère les sols assez humides et la mi-ombre. Planter à une profondeur de 5-6 cm fin été/début automne. Multiplication par semis ou par division (séparation de caïeux).
C. ancyrensis. Floraison au printemps. Rustique. Donne jusqu'à 7 fleurs odorantes, jaune orangé vif, de 5-6 cm de long.
C. angustifolius, syn. *C. susianus.* Bulbe à floraison printanière. Rustique. Fleurs odorantes, jaune d'or vif, rayées ou tachées de bronze à l'extérieur.
C. aureus, voir *C. flavus.*
C. banaticus, ill. p. 368.
C. biflorus, ill. p. 360. subsp. *alexandri* fleurit en début de printemps. Fleurs odorantes, blanches teintées de pourpre. subsp. *pulchricolor* a des fleurs bleu foncé à centre jaune d'or.

C. 'Blue Pearl', ill. p. 360.
C. cancellatus. Floraison d'automne. Rustique. Fleurs étroites bleu pâle, à extérieur légèrement rayé. Les feuilles apparaissent bien après la floraison, au printemps.
C. chrysanthus. Floraison printanière. Rustique. Fleurs odorantes, jaune orangé à stigmates rouge orangé.
C. 'Cream Beauty', ill. p. 357.
C. cvijcii, ill. p. 363.
C. dalmaticus, ill. p. 359.
C. 'E.A. Bowles', ill. p. 363.
C. etruscus, ill. p. 360.
C. flavus, syn. *C. aureus.* Floraison printanière. Rustique. Fleurs odorantes, jaune vif ou jaune orangé.
C. goulimyi, ill. p. 367.
C. imperati. Floraison printanière. Rustique. Donne 1 ou 2 fleurs bicolores odorantes, de 6-8 cm de long, à extérieur jaune ou rayé de violacé, à intérieur blanc ou violacé clair, et à gorge orange.
C. kotschyanus, syn. *C. zonatus,* ill. p. 367. var. *leucopharynx* fleurit en automne. Rustique. Fleurs bleu lilas pâle, à centre et anthères blancs. Les feuilles apparaissent en hiver/printemps.
C. laevigatus. Très variable, fleurissant irrégulièrement pendant un mois ou plus en automne ou en hiver selon les formes. Rustique. Fleurs odorantes, apparaissant en même temps que les feuilles; elles sont généralement pourpre lilas, avec un centre jaune et des rayures plus sombres à l'extérieur, des anthères jaunes et des stigmates rouges.
C. malyi, ill. p. 357.
C. medius, ill. p. 368.
C. minimus, ill. p. 359.
C. niveus. Floraison automnale. Rustique. Donne 1 ou 2 fleurs blanches ou lavande pâle de 10-15 cm de long, à minuscule gorge jaune. Les feuilles apparaissent en même temps que les fleurs ou peu après. Ont besoin de chaleur et de soleil.
C. nudiflorus **(Crocus d'automne),** ill. p. 368.
C. pulchellus, ill. p. 368.
C. sativus, syn. *C.s.* var. *cashmirianus* **(Safran d'automne).** Plante bulbeuse à floraison automnale. Rustique. Les feuilles nombreuses font leur apparition peu après l'apparition des fleurs pourpres de 5-7 cm de long, à nervures sombres et portant 3 longs stigmates jaune orangé dont on tire le safran.
C. sieberi subsp. *sieberi.* Rustique. Fleurs odorantes printanières, blanches à gorge jaune, marquées à l'extérieur de bandes pourpres. subsp. *atticus* a des fleurs odorantes bleu-violet, à stigmates orange. 'Bowles White', ill. p. 356.
C. 'Snow Bunting', ill. p. 357.
C. speciosus. Floraison en automne. Rustique. Fleurs bleu violacé à stries plus sombres et stigmates orange. Feuilles apparaissent en même temps que les fleurs. 'Oxonian', ill. p. 369.
C. susianus, voir *C. angustifolius.*
C. tommasinianus, ill. p. 359.
C. vernus, ill. p. 359. subsp. *albiflorus,* ill. p. 356. 'Jeanne

d'Arc' est à floraison printanière.
H. jusqu'à 10 cm, E. 2,5-8 cm.
Rustique. Fleurs blanches de
10-12 cm de long à grands
stigmates orange. **'Pickwick'**,
ill. p. 360. **'Princess Juliana'**,
ill. p. 359.
C. zonatus, voir *C. kotschyanus.*

___

CROSSANDRA (Acanthacées)

___

Genre de sous-arbrisseaux et
d'arbustes à feuilles persistantes,
cultivés principalement pour leurs
épis terminaux de fleurs. Non
rustiques (min. 15 °C). Ont besoin
d'une ombre partielle ou d'une
pleine lumière et d'un sol riche en
humus et bien drainé.
Multiplication : semis au
printemps ou bouturage.
C. infundibuliformis, syn.
C. undulifolia. H. jusqu'à 1 m,
E. 60 cm. Feuilles d'ovales à
lancéolées, luisantes, vertes. En
été/automne ou plus tôt, épis de
10 cm de long de fleurs rouges à
corolle tubulaire à 5 lobes étalés.
C. nilotica, ill. p. 133.
C. undulifolia, voir
C. infundibuliformis.

___

CROTALARIA (Légumineuses)

___

Genre d'arbustes et de plantes
vivaces à feuilles persistantes et de
plantes annuelles, surtout cultivés
pour leurs grappes de fleurs
papilionacées. Les vivaces
herbacées craignent le froid
(min. 10-15 °C) et les arbustes sont
semi-rustiques. Ont besoin de
pleine lumière et d'un sol bien
drainé. Arroser à volonté les sujets
en conteneurs en pleine croissance,
avec modération le reste du temps.
Multiplication : semis au
printemps ou bouturage en été.
C. agatiflora, ill. p. 91.

___

Crucianella stylosa, voir *Phuopsis
stylosa.*

___

CRYPTANTHUS (Broméliacées)

___

Genre de plantes vivaces épiphytes
à feuilles persistantes poussant en
rosette, cultivées pour leur beau
feuillage vert à zones ou à stries
brunes ou jaunâtres. Non rustiques
(min. 10 °C). Ont besoin de mi-
ombre et d'un sol bien drainé, de
préférence riche en terreau de
feuilles et mêlé de sphaigne.
Arroser avec modération durant la
période de croissance, très peu le
reste du temps. Multiplication par
rejets ou drageonnement à la fin du
printemps.
C. acaulis. H. jusqu'à 15 cm,
E. 30 cm. Rosette lâche, aplatie, de
feuilles lancéolées à bords ondulés,
vert moyen, à marges crénelées.
Une grappe de fleurs odorantes
blanches apparaît en été au centre
de chaque rosette. var. *ruber* a des

feuilles flammées de rouge.
C. bivittatus, ill. p. 222. H. jusqu'à
15 cm, E. 40 cm. Rosette lâche,
aplatie, de feuilles lancéolées à
bords ondulés, vert moyen, à
marges finement dentées,
marquées de deux bandes
longitudinales jaune cuivre ou
chamois. Petites grappes de fleurs
tubulaires blanches au centre de
chaque rosette, généralement en
été.
C. **'Pink Starlight'**, ill. p. 222.
Vigoureux cultivar à rosette étalée.
H. 20 cm ou plus, E. 35 cm ou
plus. Feuilles rubanées, arquées,
ondulées, finement dentées, vertes
à rayures jaunâtres et nuances
roses. Des grappes de fleurs
tubulaires blanches apparaissent
parfois en été au centre de chaque
rosette.
C. zonatus. H. 15 cm, E. 30-40 cm.
Rosettes lâches, étalées, de feuilles
rubanées, ondulées, finement
dentées, vert sépia, à rayures
transversales chamois grisâtre
au-dessus et avec des écailles blanc
grisâtre sur leur face inférieure.
Grappe de fleurs blanches au
centre de chaque rosette,
généralement en été. **'Zebrinus'**
(ill. p. 222) a des feuilles striées
d'argent.

___

CRYPTOGRAMMA
(Polypodiacées)

___

Genre de fougères à feuillage caduc
ou semi-persistant. Rustiques. Ont
besoin d'ombre et d'un sol humide
mais bien drainé, neutre ou acide.
Éliminer les frondes fanées.
Multiplication par spores à la fin
de l'été.
C. crispa, ill. p. 187. Plante
calcifuge.

___

CRYPTOMERIA (Pinacées),
voir **CONIFÈRES.**

___

C. japonica (Cryptomère, Sugi).
Conifère à croissance rapide, à port
columnaire ou conique. H. 30 m,
E. 10 m. Rustique. Écorce fibreuse,
brun-rouge, feuilles en aiguille
courbe, dirigées vers l'extrémité
des ramules, et recourbées vers
l'intérieur, de vert moyen à foncé,
disposées en spirales, et cônes
globuleux, bruns. **'Bandai-sugi'**,
H. et E. 2 m. Arbuste en boule
irrégulière quand il est jeune, avec
des feuilles qui deviennent
légèrement bronzées en hiver.
'Cristata', ill. p. 81. **'Elegans
Compacta'** (syn. *C.j.* 'Elegans
Nana', ill. p. 83). H. 5 m, E. 2 m,
est une forme naine. **'Pyramidata'**,
ill. p. 81. **'Sekkan-sugi'** (ill. p. 83),
H. 10 m, E. 4 m, a des rameaux
semi-retombants et un feuillage
crème doré clair. **'Spiralis'**
(ill. p. 83), H. et E. 3 m, est un
arbre compact à port globuleux
aplati, à feuillage tordu et
croissance très lente.
'Vilmoriniana', H. et E. 1 m, forme
une touffe ronde de feuillage vert
clair devenant bronzé en hiver.

___

CTENANTHE (Marantacées)

___

Genre de plantes vivaces touffues à
feuilles persistantes, cultivées pour
leur feuillage ornemental. Non
rustiques (min. 15 °C). Ont besoin
d'une atmosphère humide, d'une
température égale et d'une ombre
partielle. Préfèrent les sols humides
mais bien drainés et l'eau non
calcaire; ne doivent jamais se
dessécher. Multiplication par
division au printemps.
C. oppenheimiana. Espèce robuste.
H. et E. 1 m ou plus. Feuilles
lancéolées, coriaces, de plus de
30 cm de long, à dessous rouge et
dessus vert foncé, avec des bandes
vert pâle ou blanches le long des
nervures. Donne par intermittence
des inflorescences denses,
unilatérales, de nombreuses petites
fleurs blanches à 3 pétales.
'Tricolor', ill. p. 221.

___

CUDRANIA (Moracées)

___

Genre d'arbres et d'arbustes
épineux à feuilles caduques ou
persistantes, cultivés pour leur
feuillage. Rustiques. Ont besoin de
plein soleil et se développent
particulièrement bien dans les étés
très chauds; préfèrent les sols
fertiles et bien drainés.
Multiplication : boutures de
racines ou semis en automne.
C. tricuspidata. Arbre étalé à
feuilles caduques. H. 7 m, E. 6 m.
Feuilles ovales, vert foncé; sur les
jeunes plantes et les rameaux
vigoureux, elles sont souvent
trilobées. Donne à la mi-été de
minuscules fleurs vertes.

___

CUNNINGHAMIA (Pinacées),
voir **CONIFÈRES.**

___

C. lanceolata (Sapin chinois),
ill. p. 78.

___

CUPHEA (Lythracées)

___

Genre de plantes annuelles, de
plantes vivaces, d'arbustes et de
sous-arbrisseaux à feuilles
persistantes, cultivés pour leurs
grappes de fleurs. Semi-rustiques
ou non rustiques (min. 2-7 °C).
Préfèrent le plein soleil et les sols
fertiles et bien drainés. Arroser
généreusement en période de
croissance, avec modération le
reste du temps. Supprimer les
rameaux florifères après la
floraison pour maintenir un port
touffu. Multiplication : semis au
printemps ou bouturage au
printemps ou en automne pour les
vivaces. Les araignées rouges
peuvent poser des problèmes.
C. cyanea, ill. p. 140.
C. hyssopifolia, ill. p. 126.
C. ignea, ill. p. 140.

___

× CUPRESSOCYPARIS
(Cupressacées), voir **CONIFÈRES.**

___

× *C. leylandii* (« Cyprès » de
Leyland), ill. p. 73. Forme conique,
compacte, à ramules feuillés
rappelant ceux de *Chamaecyparis
nootkaensis*, en plus fin et plus
allongé. **'Castlewellan'** et
'Harlequin', ill. p. 76.

___

CUPRESSUS (Cupressacées), voir
CONIFÈRES.
Cyprès

___

Les cyprès jeunes ont des feuilles
un peu aciculaires; les cyprès
adultes ont des feuilles
squamiformes, de petite taille,
appliquées sur les ramules (seule
l'extrémité de ces feuilles est
parfois un peu libre).
C. arizonica, voir *C. glabra.*
C. cashmeriana, ill. p. 73.
C. glabra var. *arizonica,* syn.
C. arizonica (Cyprès de l'Arizona).
Arbre conique. H. 25 m, E. 3-5 m.
Rustique. Écorce fibreuse,
s'exfoliant, brun grisâtre, et feuilles
en écaille aromatiques, gris-bleu
avec des taches blanches de résine.
Les cônes globuleux sont brun
chocolat.
C. lusitanica (Cyprès pleureur,
Cyprès de Goa, Cyprès de Busaco).
Arbre conique. H. 30 m, E. 8 m.
Semi-rustique. Écorce fissurée
brune, feuilles en écaille,
aromatiques, gris-vert, et petits
cônes globuleux, bleu glauque
lorsqu'ils sont jeunes, brun luisant
à maturité.
C. macrocarpa (Cyprès de Lambert,
Cyprès de Monterey). Arbre à
croissance rapide, à port pyramidal
lorsqu'il est jeune, puis étalé.
H. 20 m, E. 15 m. Semi-rustique
(rustique dans le sud et l'ouest
seulement, où il supporte bien le
voisinage de la mer). Écorce
crevassée. Feuilles en écaille
aromatiques, vert vif assez foncé,
disposées sur les ramules réunies
en groupes allongés. Cônes
globuleux, bruns, luisants.
'Goldcrest', ill. p. 81.
C. sempervirens, ill. p. 77.

___

CYANANTHUS (Campanulacées)

___

Genre de petites plantes vivaces
fleurissant en fin d'été, qui
conviennent pour rocailles, murs
et éboulis. Rustiques. Ont besoin
d'ombre partielle et d'un sol
riche en humus, humide mais
bien drainé. Multiplication :
boutures de bois tendre au
printemps ou semis en automne.
C. lobatus. Espèce rampante.
H. 15 cm, E. 20 cm. Tiges
ramifiées couvertes de feuilles
lobées vert mat. À la fin de
l'été, chaque tige porte une fleur
bleue, en cornet. f. *albus,*
ill. p. 313.
C. microphyllus, ill. p. 323.

CYANOTIS (Commelinacées)

Genre de plantes vivaces rampantes à feuilles persistantes, cultivées pour leur feuillage. Non rustiques (min. 18 °C). Préfèrent les sols riches et le soleil ou une ombre partielle. Multiplication par bouturage au printemps.
C. kewensis. Espèce poussant en rosette, avec des tiges traînantes. H. 5 cm, E. 30 cm. La tige est engainée par des feuilles lancéolées ovales, ayant jusqu'à 5 cm de long, à dessus vert à poils blancs et dessous pourpre à poils bruns, veloutés. Donne, durant presque toute l'année, des grappes de fleurs bleues à 3 pétales.
C. somaliensis, ill. p. 259.

CYATHEA, syn. ALSOPHILA, SPHAEROPTERIS (Cyathéacées)

Genre de fougères arborescentes cultivées pour leur feuillage persistant et leur aspect général. H. de 2 à 8 m. Non rustiques (min. 10 °C). Ont besoin d'une atmosphère humide, de soleil ou d'une ombre partielle et d'un sol riche en humus, conservant l'humidité, mais bien drainé. Multiplication par spores au printemps.
C. australis, ill. p. 72.

CYATHODES (Épacridacées)

Genre d'arbustes à feuilles persistantes, qui ressemblent à des bruyères. Conviennent pour rocailles. D'assez rustiques à non rustiques (min. 7 °C). Ont besoin d'un endroit abrité, ombragé et d'un sol frais, et même tourbeux. Multiplication en été par semis ou boutures de bois semi-lignifié.
C. colensoi, ill. p. 300.

CYCAS (Cycadacées)

Genre de plantes vivaces à feuilles persistantes et tiges ligneuses, à croissance lente, cultivés pour leur allure de palmier. Non rustiques (min. 10-13 °C). Préfèrent la pleine lumière et les sols riches en humus, fertiles et bien drainés. Multiplication au printemps par semis ou par boutures des pousses naissant après la coupe des tiges.
C. revoluta, ill. p. 120.

CYCLAMEN (Primulacées)

Genre de plantes vivaces à tiges tubéreuses, dont certaines sont parfois à feuilles persistantes, cultivées pour leurs fleurs pendantes à 5 pétales récurvés. De rustiques à non rustiques (min. 5-7 °C). Ont besoin d'un sol riche en humus, léger, bien drainé, et de soleil ou d'ombre partielle suivant les espèces. Multiplication par semis en automne. *C. persicum* et ses cultivars sont vulnérables à *Botrytis cinerea*.
C. africanum (Cyclamen d'Afrique), ill. p. 366.
C. alpinum, voir *C. trochopteranthum.*
C. cilicium, ill. p. 367.
C. coum subsp. **coum (Cyclamen de l'île de Cos)** et **'Album' (Cyclamen blanc de l'île de Cos),** ill. p. 370. subsp. **caucasicum** est à floraison d'hiver. H. jusqu'à 10 cm, E. 5-10 cm. Semi-rustique. Feuilles cordiformes à dessins argentés et fleurs carmin vif avec des taches sombres.
C. cyprium. Espèce à floraison d'automne. H. jusqu'à 10 cm, E. 10 cm. Rustique. Feuilles cordiformes, dentées, vert foncé avec des dessins plus clairs, apparaissant en même temps que ou juste après les fleurs blanches, odorantes, bordées de taches carminées.
C. europaeum, voir *C. purpurascens.*
C. fatrense, voir *C. purpurascens.*
C. graecum, ill. p. 367.
C. hederifolium, syn. *C. neapolitanum* **(Cyclamen de Naples),** ill. p. 367. var. **album (Cyclamen blanc de Naples),** ill. p. 366.
C. libanoticum (Cyclamen du Liban), ill. p. 358.
C. mirabile, ill. p. 366.
C. neapolitanum, voir *C. hederifolium.*
C. persicum (Cyclamen de Perse), ill. p. 370. 'Cardinal' fleurit en hiver ou au printemps. H. et E. 20 cm. Non rustique. Feuilles cordiformes marquées de vert foncé et d'argent. Donne des fleurs étroites, généralement parfumées, rose rouge vif, de 6 cm de long, à bouche tachée de carmin. A besoin de beaucoup de lumière en hiver. 'Esmeralda', série Kaori et 'Renown', ill. p. 371. 'Pearl Wave', ill. p. 370.
C. purpurascens, syn. *C. europaeum, C. fatrense,* ill. p. 364.
C. repandum. Espèce à floraison printanière. H. jusqu'à 10 cm, E. 10-15 cm. Rustique. Feuilles cordiformes à dents aiguës, vert foncé à dessins plus clairs. Fleurs étroites odorantes, pourpre rouge.
C. rohlfsianum, ill. p. 367.
C. trochopteranthum, syn. *C. alpinum.* Espèce à floraison printanière. H. et E. 10 cm. Rustique. Feuilles rondes ou cordiformes, zonées d'argent. Donne des fleurs à odeur de moisi, blanches ou carmin pâle, bordées de carmin foncé; les pétales sont tordus.

Cyclobothra lutea, voir *Calochortus barbatus.*

CYDONIA (Rosacées)
Cognassier

Genre monospécifique d'arbre à feuilles caduques et floraison de printemps, cultivé pour ses fleurs et ses fruits parfumés qui s'utilisent en confitures et gelées. Rustique. Aime le soleil et un sol frais bien drainé. Multiplication de l'espèce par semis en automne, des cultivars par boutures de bois tendre en été. Le feu bactérien peut créer des problèmes.
C. oblonga (Cognassier commun). 'Lusitanica' est un arbre étalé. H. et E. 5 m. Feuilles ovales larges, vert foncé à dessous feutré de gris. Donne d'abondantes fleurs à 5 pétales, rose très pâle, auxquelles succèdent des fruits piriformes jaunes. 'Vranja', ill. p. 65.
C. sinensis, voir *Pseudocydonia sinensis.*

CYMBIDIUM, voir ORCHIDÉES.

C. Caithness Ice 'Trinity', ill. p. 254. Orchidée épiphyte à feuilles persistantes pour serres froides bien aérées. H. 75 cm. Donne au début du printemps des épis de fleurs vertes (10 cm de large) à labelle blanc marqué de rouge. Feuilles ovales étroites, jusqu'à 60 cm de long. A besoin de mi-ombre en été.
C. Christmas Angel 'Cooksbridge Sunburst', ill. p. 255. Orchidée épiphyte à feuilles persistantes pour serres froides. H. 75 cm. Donne en hiver des grappes de fleurs jaunes (10 cm de large) à labelles tachetés de rouge. Feuilles ovales étroites, jusqu'à 60 cm de long. A besoin de mi-ombre en été.
C. devonianum, ill. p. 254. Orchidée épiphyte à feuilles persistantes pour serres froides. H. 60 cm. Donne au début de l'été des grappes inclinées de fleurs vert olive de 2,5 cm de large, teintées de pourpre. Feuilles ovales larges, semi-rigides, jusqu'à 30 cm de long. A besoin de mi-ombre en été.
C. elegans, syn. *Cyperorchis elegans,* ill. p. 254. Orchidée épiphyte à feuilles persistantes pour serres froides. H. 75 cm. Donne au début de l'été des grappes inclinées de fleurs jaunes odorantes de 4 cm de large. Feuilles ovales étroites, jusqu'à 60 cm de long. A besoin de mi-ombre en été.
C. grandiflorum, ill. p. 254. Orchidée épiphyte à feuilles persistantes pour serres froides. H. 75 cm. Donne en hiver des grappes de fleurs vertes, de 8 cm de large, à labelle velu, blanc crème tacheté de rouge. Feuilles ovales étroites, jusqu'à 60 cm de long. A besoin de mi-ombre en été.
C. King's Lock 'Cooksbridge', ill. p. 254. Orchidée épiphyte à feuilles persistantes pour serres froides. H. 60 cm. Donne au printemps des grappes de fleurs vertes de 5 cm de large, à labelle marqué de pourpre. Feuilles ovales étroites, jusqu'à 60 cm. A besoin de mi-ombre en été.
C. Pontac 'Mont Millais', ill. p. 253. Orchidée épiphyte à feuilles persistantes pour serres froides. H. 75 cm. Donne au printemps des grappes de fleurs rouge vif foncé de 8 cm de large, bordées et marquées de blanc. Feuilles ovales étroites, jusqu'à 60 cm de long. A besoin de mi-ombre en été.
C. Portlett Bay, ill. p. 252. Orchidée épiphyte à feuilles persistantes pour serres froides. H. 75 cm. Donne au printemps des grappes de fleurs blanches à labelles rouges, de 10 cm de large. Feuilles ovales étroites, jusqu'à 60 cm de long. A besoin de mi-ombre en été.
C. Strathbraan, ill. p. 252. Orchidée épiphyte à feuilles persistantes pour serres froides. H. 60 cm. Donne au printemps des grappes légèrement arquées de fleurs blanches de 5 cm de large, avec des marques rouges sur chaque labelle. Feuilles ovales étroites, jusqu'à 60 cm de long. A besoin de mi-ombre en été.
C. Strathdon 'Cooksbridge Noel', ill. p. 253. Orchidée épiphyte à feuilles persistantes pour serres froides. H. 1 m. Donne en hiver des grappes de fleurs roses, de 5 cm de large, aux labelles teintés de jaune et tachetés de rouge. Feuilles ovales étroites, jusqu'à 60 cm de long. A besoin de mi-ombre en été.
C. Strath Kanaid, ill. p. 253. Orchidée épiphyte à feuilles persistantes pour serres froides. H. 60 cm. Donne au printemps des grappes arquées de fleurs rouge foncé de 5 cm de large; les labelles sont blancs marqués de rouge. Feuilles ovales étroites, jusqu'à 60 cm de long. A besoin de mi-ombre en été.
C. tracyanum, ill. p. 254. Orchidée épiphyte à feuilles persistantes pour serres froides. H. 75 cm. Donne en automne de longues grappes de fleurs odorantes de 8 cm de long, vert olive marqué de taches rougeâtres. Feuilles ovales étroites, jusqu'à 60 cm de long. A besoin de mi-ombre en été.

CYNARA (Composées)

Genre de plantes vivaces cultivées pour leurs grands capitules. L'espèce qui figure ici se cultive à la fois comme légume et comme plante décorative pour massifs. Semi-rustique. A besoin de soleil et d'un sol fertile et bien drainé. Multiplication par semis ou division au printemps.
C. cardunculus (Cardon), ill. p. 190.

CYNOGLOSSUM (Boraginacées)
Cynoglosse, Langue de chien

Genre de plantes annuelles et vivaces cultivées pour leur longue période de floraison, de la fin du printemps au début de l'automne. Rustiques. Ont besoin de soleil et d'un sol fertile mais pas trop riche. Multiplication : division au printemps pour les vivaces ou

semis en automne ou au printemps.
C. amabile 'Firmament', ill. p. 278.
C. nervosum, ill. p. 213.

CYPELLA (Iridacées)

Genre de plantes bulbeuses à floraison estivale, cultivées pour leurs fleurs éphémères qui ressemblent à celles des iris, avec 3 grands sépales pétaloïdes étalés et 3 petits pétales incurvés. Semi-rustiques; peuvent survivre en extérieur dans les régions froides à condition d'être plantées contre un mur ensoleillé. Ont besoin d'un sol léger bien drainé et de soleil. On peut sortir les bulbes durant la période de repos et les faire partiellement sécher en hiver. Multiplication par semis au printemps.
C. herbertii, ill. p. 353.

Cyperorchis elegans, voir *Cymbidium elegans.*

CYPERUS (Cyperacées), voir BAMBOUS, HERBES, JONCS et LAÎCHES.

C. albostriatus, syn. *C. diffusus, C. elegans.* Plante herbacée vivace à feuilles persistantes. H. 60 cm, E. variable. Non rustique. Tige à nervures proéminentes, feuilles vert moyen entourant en été une ombelle ramifiée d'épillets bruns. 'Variegatus' a des feuilles striées de blanc.
C. alternifolius, voir *C. involucratus.*
C. diffusus, voir *C. albostriatus.*
C. elegans, voir *C. albostriatus.*
C. flabelliformis, voir *C. involucratus.*
C. involucratus, syn. *C. alternifolius, C. flabelliformis,* ill. p. 182.
C. longus (Souchet). Plante herbacée étalée. H. 1,50 m, E. variable. Rustique. Grandes feuilles luisantes, vert foncé et, en été, ombelles d'épillets minces, aplatis, marron clair, qui conservent bien leur couleur. Supporte d'avoir les racines dans l'eau.
C. papyrus (Papyrus), ill. p. 181.

CYPHOMANDRA (Solanacées)

Genre d'arbustes et d'arbres à feuilles persistantes, cultivés pour leurs fruits et leur feuillage. Non rustiques (min. 10 °C). À planter

en pleine lumière ou dans une ombre partielle et dans un sol fertile bien drainé. Arroser à volonté les sujets en conteneurs en période de croissance, très peu le reste du temps. Multiplication par semis au printemps. Mouches blanches et araignées rouges peuvent poser des problèmes.
C. betacea (Tomate de La Paz, Tomate en arbre), ill. p. 93.

CYPHOSTEMMA (Vitacées)

Genre de plantes grasses vivaces à feuilles caduques, à tronc et rameaux épais, charnus, presque ligneux. Le dessous des feuilles exsude souvent de petites gouttes de résine. Non rustiques (min. 10 °C). Ont besoin de plein soleil et d'un sol très bien drainé. Conserver au sec en hiver. Difficiles à cultiver. Multiplication par semis au printemps.
C. juttae, syn. *Cissus juttae,* ill. p. 380.

Cypripedilum acaule, voir *Cypripedium acaule.*
Cypripedilum calceolus, voir *Cypripedium calceolus.*
Cypripedilum humile, voir *Cypripedium reginae.*

CYPRIPEDIUM, voir ORCHIDÉES.

C. acaule, syn. *Cypripedilum acaule,* ill. p. 252. Orchidée terrestre à feuilles caduques. H. jusqu'à 40 cm. Rustique. Donne au printemps/été des fleurs solitaires de 4-6 cm de long, vert jaunâtre ou pourpre, à labelle blanc ou rose en forme de poche. Feuilles largement lancéolées, plissées, de 10-30 cm de long. Se plaît dans une ombre partielle.
C. calceolus, syn. *Cypripedilum calceolus* (Sabot de Vénus), ill. p. 254. Orchidée terrestre à feuilles caduques. H. 50 cm. Rustique. Donne au printemps des fleurs solitaires ou groupées par 2, pourpres à labelle jaune, de 3-7 cm de long. Feuilles largement lancéolées, de 5-20 cm de long, disposées en spirale le long de la tige. Tiges et feuilles sont légèrement velues. Préfère une ombre partielle. var. *pubescens* (ill. p. 255) a des fleurs plus grandes, jaune verdâtre marqué de pourpre, de plus grandes feuilles et davantage de poils.
C. macranthon, ill. p. 254. Orchidée terrestre à feuilles caduques. H. 50 cm. Rustique. Fleurs généralement solitaires (printemps/été), de 4-6 cm de long,

violettes ou rouge pourpré. Les tiges et les feuilles ovales (de 4-7 cm de long) sont légèrement velues. Préfère une ombre partielle.
C. reginae, syn. *Cypripedilum humile,* ill. p. 252. Orchidée terrestre à feuilles caduques. H. jusqu'à 1 m. Rustique. Donne au printemps/été des fleurs solitaires ou associées par 2, de 2-5 cm de long, blanches à labelle rose clair. La tige et les feuilles ovales (de 10-25 cm de long) sont velues. Préfère une ombre partielle.

CYRTANTHUS (Amaryllidacées)

Genre de plantes bulbeuses. De semi-rustiques à non rustiques. Ont besoin d'un sol léger et humifère, bien drainé, et de plein soleil. Arroser généreusement durant la période de croissance. Multiplication par semis ou par caïeux.
C. brachyscyphus, syn. *C. parviflorus,* ill. p. 364.
C. mackenii. Floraison estivale; pousse en touffes. H. 40 cm, E. 8-10 cm. Semi-rustique. Feuilles basales, longues, étroites, semi-dressées. Tiges sans feuilles portant chacune une ombelle comprenant jusqu'à 10 fleurs tubulaires blanches, odorantes, légèrement recourbées, de 5 cm de long. var. *cooperii,* ill. p. 353.
C. parviflorus, voir *C. brachyscyphus.*

CYRTOMIUM (Polypodiacées)

Genre de fougères à feuillage persistant. Semi-rustiques. Préfèrent la mi-ombre et les sols riches en humus, humides. Éliminer régulièrement les frondes fanées. Multiplication : division au printemps ou en été, ou par spores en été.
C. falcatum, ill. p. 185.

CYSTOPTERIS (Polypodiacées)

Genre de fougères à feuillage caduc qui conviennent pour jardins de rocaille et bordures. Rustiques. Se plaisent en mi-ombre ou ombre et dans les sols qui ne sèchent jamais complètement. Multiplication par division au printemps, par spores en été ou par bulbilles lorsqu'il y en a.
C. bulbifera. H. 15 cm, E. 25 cm. Frondes largement lancéolées, très divisées, vert pâle, émettant de minuscules bulbilles sur toute leur longueur au niveau du revers du

rachis. Multiplication par bulbilles lorsque celles-ci sont mûres.
C. fragilis. H. 30 cm, E. 25 cm. Frondes largement lancéolées, très divisées en pinnules oblongues, pointues, dentées.

CYTISUS (Légumineuses)

Genre d'arbustes à feuilles peu abondantes, le plus souvent caduques, ou persistantes, cultivés pour leurs abondantes fleurs papilionacées. De rustiques à semi-rustiques. Préfèrent le soleil et les sols bien drainés. Multiplication : les espèces par bouturage en été ou par semis en automne, les hybrides et les cultivars par bouturage en été.
C. albus, syn. *C. leucanthus* (Genêt blanc). Arbuste étalé à feuilles caduques. H. 2,50 m, E. 1 m. Rustique. Feuilles ovales, vert moyen, à 3 minuscules folioles. Donne vers le début de l'été des bouquets denses de fleurs blanc crème.
C. ardoinii, ill. p. 326.
C. battandieri, ill. p. 91.
C. × beanii, ill. p. 289.
C. demissus. Arbuste prostré à feuilles caduques, à croissance lente. H. 10 cm, E. 30 cm. Rustique. Jeunes tiges couvertes de poils denses, portant de minuscules feuilles vert vif à 3 folioles ovales. Donne en fin de printemps et au début de l'été, à l'aisselle des feuilles, des glomérules de 3 ou 4 grandes fleurs jaune vif à poche brune. Convient pour rocailles.
C. × kewensis. Arbuste prostré à feuilles caduques. H. 30 cm, E. jusqu'à 2 m. Rustique. Tiges portant des feuilles duveteuses simples ou à 3 minuscules folioles. Donne en mai des fleurs blanc crème. Convient pour massifs ou jardins de rocaille.
C. leucanthus, voir *C. albus.*
C. nigricans, ill. p. 138.
C. × praecox (Genêt), ill. p. 124. 'Allgold', ill. p. 125.
C. purpureus (Genêt pourpre). Arbuste à feuilles caduques. H. et E. 60 cm. Rustique. Tiges semi-dressées couvertes de feuilles à 3 minuscules folioles. Donne au début de l'été sur le bois de l'année précédente des masses de fleurs pourpres. Convient pour banquettes ou bordures ensoleillées ou à l'ombre légère. f. *albus,* ill. p. 291.
C. scoparius (Genêt à balais). f. *andreanus,* ill. p. 139.
C. supinus. Arbuste à port arrondi, touffu, à feuilles caduques. H. et E. 1 m. Rustique. Feuilles vertes à 3 folioles ovales. Donne du début de l'été à l'automne des bouquets terminaux denses de grandes fleurs jaunes.

D

DABOECIA (Éricacées), voir **BRUYÈRES**.

D. azorica. Sous-arbrisseau calcifuge compact à feuilles persistantes. H. 20 cm, E. jusqu'à 60 cm. Semi-rustique. Feuilles lancéolées vert foncé à dessous gris argent. Donne fin printemps/début été des grappes de fleurs à corolle urcéolée rouge foncé.
D. cantabrica (**Bruyère de Saint-Daboec**). Sous-arbrisseau à tiges plus ou moins rampantes et rameaux redressés, à feuilles persistantes. H. jusqu'à 45 cm, E. 60 cm. Assez rustique; les pousses supérieures peuvent être parfois endommagées par le gel et les vents froids, mais la plante réagit bien aux tailles sévères et produit de nouvelles pousses à la base. Feuilles ovales, à dessus vert luisant et dessous argenté, tomenteux. Donne de juin à la mi-automne des fleurs à corolle urcéolée, rose pourpré, (blanches, pourpres ou mauves chez certaines variétés). 'Bicolor' (ill. p. 146) a des fleurs de couleurs différentes sur la même plante (blanches, pourpres, rayées). 'Snowdrift' (ill. p. 146) a un feuillage vert vif et de longues grappes terminales de fleurs blanches relativement grandes.
D. × scotica. Arbuste compact à feuilles persistantes. H. jusqu'à 15 cm, E. jusqu'à 60 cm. Semi-rustique. Feuilles ovales, à dessus vert foncé et dessous argenté. Donne de la fin du printemps à la mi-automne des fleurs à corolle urcéolée, rose pourpré ou mauves. 'Jack Drake', H. 20 cm, a des petites feuilles vert foncé et des fleurs rouge rubis. 'William Buchanan' (ill. p. 146), H. 45 cm, est un vigoureux cultivar à feuilles vert foncé et fleurs pourpres relativement grandes.

DACTYLIS (Graminées), voir **BAMBOUS, HERBES, JONCS** et **LAÎCHES**.

D. glomerata (**Dactyle aggloméré, Dactyle pelotonné**). 'Variegata' est une herbe vivace à feuilles persistantes poussant en touffes. H. 1 m, E. 20-25 cm. Rustique. Minces feuilles planes, gris-vert à stries argentées. Donne en été des panicules ramifiées d'épillets agglomérés vert-pourpre.

DAHLIA (Composées)

Genre de plantes vivaces à racines tubéreuses, réunies près du collet, à floraison d'été et d'automne, cultivées pour des massifs ou comme fleurs à couper ou d'exposition. Les formes naines s'utilisent pour des plantations tapissantes ou en conteneurs. Semi-rustiques. Ont besoin de soleil et d'un sol bien drainé. Arracher les tubercules après la floraison pour les entreposer à l'abri du gel et les replanter lorsqu'il n'y a plus aucun risque de gelées. Dans les régions chaudes et tempérées, on peut laisser en place toute l'année comme n'importe quelle plante vivace; mais il faut procéder à des multiplications végétatives régulières pour que les plantes conservent leur vigueur. Multiplication des formes horticoles par division des souches début printemps, des autres au printemps par semis, boutures de pousses basales ou division des groupes de tubercules de la souche. Les dahlias peuvent être notamment attaqués par des pucerons et des thrips; en outre, ils succombent rapidement aux infections virales (dues aux thrips et aux pucerons qui véhiculent les virus).

Dahlias horticoles.
Diverses espèces de *Dahlia* prolifiques et à floraison de longue durée ont été hybridées, et de constants croisements, de constantes sélections ont permis d'obtenir de nombreuses formes de capitules et de plantes et une grande diversité de coloris en couleur pure sur tous les pétales des capitules, ou à 2 ou plusieurs couleurs sous forme de stries, panachures, bords colorés différemment (il n'y a toutefois pas de bleu). On peut pincer les rameaux pour favoriser la ramification. Les feuilles sont généralement vert moyen et divisées en folioles ovales, certaines arrondies à leur extrémité, d'autres à marges dentées. Les dahlias se répartissent en plusieurs groupes selon la taille et le type de leurs «fleurs» (qui sont des capitules) bien que celles-ci puissent varier de couleurs et parfois de formes selon le sol et l'environnement. Ces formes sont : simple, anémone, collerette, rosette, dahlias décoratifs, boule, pompon, cactus, semi-cactus et divers; pour des descriptions illustrées, voir page 340. En horticulture, les capitules sont désignés sous le nom de «fleurs», bien que celles-ci se composent en fait de nombreuses très petites fleurs. Cet usage horticole a été conservé pour les descriptions ci-dessous. Toutes les formes dont les fleurs atteignent 15 cm de large conviennent particulièrement bien pour la fleur coupée; celles qui conviennent pour des expositions sont indiquées.
D. 'Angora', ill. p. 340. Dahlia décoratif. H. et E. 1,10 m. Fleurs blanches de 10 cm de large, à pétales fendus à leur extrémité (mi-été).
D. 'Athalie', ill. p. 340. Dahlia cactus. H. et E. 1,20 m. Feuilles luisantes, vert foncé, et fleurs bronze rosâtre de 12-15 cm de large (mi-été). Convient pour expositions.
D. 'Bassingbourne Beauty', ill. p. 341. Dahlia décoratif. H. et E. 1,20 m. Fleurs jaune rosé pâle de 10-15 cm de large à pétales récurvés (été-automne). Convient pour expositions.
D. 'Betty Bowen', ill. p. 341. Dahlia décoratif. H. et E. 1,50 m. Feuilles luisantes, vert foncé. Fleurs pourpres, de 10-15 cm de large, à pétales récurvés (été-automne). Convient pour expositions.
D. 'Biddenham Sunset', ill. p. 341. Dahlia décoratif. H. et E. 1,20 m. Fleurs rouge orangé de 10-12 cm de large (mi-été).
D. 'Bishop of Llandaff', ill. p. 341. Dahlia à fleur simple. H. et E. 1 m. Feuilles vert bronze et fleurs simples, rouge foncé, de 10-12 cm de large (été-automne). Excellent pour massifs.
D. 'Brunton', ill. p. 341. Dahlia décoratif. H. et E. 1,10 m. Fleurs rouges de 8-10 cm de large (été-automne). Convient pour expositions.
D. 'Butterball', ill. p. 341. Dahlia décoratif. H. et E. 1 m. Fleurs jaune vif de 8-10 cm de large (début d'été).
D. 'By the Cring', ill. p. 340. Dahlia cactus. H. et E. 1,10 m. Fleurs lavande lilas de 12 cm de large (été-automne).
D. 'Candy Keene', ill. p. 340. Dahlia semi-cactus. H. et E. 1,20-1,50 m. Variété de *D.* 'Reginald Keene', avec des fleurs roses.
D. 'Chimborazo', ill. p. 341. Dahlia à collerette. H. et E. 1 m. Feuilles luisantes, vert foncé. Fleurs de 10 cm de large à pétales extérieurs rouges et pétales du centre jaunes (été-automne). Convient pour expositions.
D. 'Chinese Lantern', ill. p. 341. Dahlia décoratif. H. et E. 1,10 m. Fleurs jaune flamme de 10-15 cm de large (mi-été).
D. 'Clair de Lune', ill. p. 341. Dahlia à collerette. H. et E. 1 m. Fleurs de 8-10 cm de large, à pétales extérieurs jaune citron et pétales du centre jaune plus pâle (été-automne). Bon cultivar pour expositions.
D. hybrides Coltness, ill. p. 273.
D. 'Comet', ill. p. 341. Dahlia à fleurs d'anémone. H. et E. 1,10 m. Feuilles luisantes, vert foncé. Fleurs rouge foncé de 10-15 cm de large (été-automne).
D. 'Corona', ill. p. 341. Dahlia semi-cactus. H. et E. 45-60 cm.
Fleurs rouge feu de 8-10 cm de large (été-automne).
D. 'Cortez Sovereign', ill. p. 341. Dahlia semi-cactus. H. et E. 1-1,20 m. Fleurs jaune pâle de 10-15 cm de large (été-automne).
D. 'Corton Olympic', ill. p. 341. Dahlia décoratif. H. et E. 1 m. Fleurs de couleur bronze de 25-30 cm de large (été-automne).
D. 'Daleko Jupiter'. Dahlia semi-cactus. H. et E. 1,20 m. Fleurs jaune rougeâtre de 25-30 cm de large (été-automne). L'un des meilleurs cultivars d'expositions.
D. 'Dandy', ill. p. 285.
D. 'Davenport Sunlight', ill. p. 341. Dahlia semi-cactus. H. et E. 1,20 m. Fleurs jaune vif de 15-20 cm de large (été-automne). Bonnes fleurs d'expositions.
D. 'David Howard'. Dahlia décoratif. H. et E. 75 cm. Feuillage de couleur bronze foncé. Fleurs orange bronze de 8-10 cm de large (été-automne).
D. série Disco. Groupe de dahlias dressés, bien ramifiés. H. et E. 45 cm. Fleurs semi-doubles ou doubles, à pétales tuyautés, de couleurs diverses, écloses tout l'été et jusqu'aux premiers froids de l'automne.
D. 'Early Bird', ill. p. 341. Dahlia décoratif. H. et E. 1,20 m. Fleurs jaune moyen de 10-15 cm de large (été-automne).
D. 'East Anglian', ill. p. 341. Dahlia décoratif. H. et E. 1 m. Fleurs jaune orangé de 10-15 cm de large (été-automne).
D. 'Easter Sunday', ill. p. 340. Dahlia à collerette. H. et E. 1 m. Fleurs de 12 cm de large, à pétales intérieurs et extérieurs blancs, avec un centre jaune (été-automne). Convient pour expositions.
D. 'Fascination', ill. p. 341. Dahlia nain. H. et E. 30-45 cm. Fleurs simples, pourpre clair, de 8 cm de large (été-automne). Bon dahlia pour massifs.
D. 'Flutterby', ill. p. 341. Dahlia décoratif. H. et E. 1 m. Fleurs jaune rougeâtre de 10 cm de large (été-automne).
D. 'Frank Hornsey', ill. p. 341. Dahlia décoratif. H. et E. 1,10 m. Feuilles luisantes, vert foncé. Fleurs jaune orangé de 10-15 cm de large, à pétales récurvés (mi-été). Idéal pour expositions.
D. 'Gay Mini', ill. p. 341. Dahlia décoratif. H. et E. 1 m. Fleurs jaune bronze de 8-10 cm de large (été-automne).
D. 'Gay Princess', ill. p. 340. Dahlia décoratif. H. et E. 1 m. Fleurs lavande lilas de 10-15 cm de large (été-automne).
D. 'Gilt Edge', ill. p. 340. Dahlia décoratif. H. et E. 1 m. Fleurs de 15-20 cm de large, à pétales récurvés rose foncé à marges dorées (été-automne). Convient pour expositions.
D. 'Hamari Katrina', ill. p. 341. Dahlia semi-cactus. H. et E. 1,20-

1,50 m. Fleurs jaunes de 20-25 cm de large (été-automne). Bonnes fleurs d'expositions.

D. 'Hayley Jane'. Dahlia semi-cactus. H. et E. 1 m. Fleurs blanches à extrémité rouge-pourpre, de 10-15 cm de large (été-automne).

D. 'Highgate Torch', ill. p. 341. Dahlia semi-cactus. H. et E. 1-1,20 m. Fleurs de couleur feu, de 15-20 cm de large (été-automne).

D. 'Jocondo', ill. p. 341. Dahlia décoratif. H. et E. 1-1,20 m. Fleurs rouge de 30 cm de large ou plus (été-automne). Convient pour expositions.

D. 'Klankstadt Kerkrade'. Dahlia cactus. H. et E. 1,20 m. Feuilles luisantes vert foncé. Fleurs jaune soufre de 10-15 cm de large (été-automne). Bon cultivar pour expositions.

D. 'Lavender Athalie'. Dahlia cactus. H. et E. 1,20 m. Variété de D. 'Athalie', à fleurs lavande lilas de 8-10 cm de large.

D. 'Majestic Kerkrade', ill. p. 340. Dahlia cactus. H. et E. 1,20 m. Variété de D. 'Klankstadt Kerkrade' avec des fleurs jaune rosé foncé.

D. 'Monk Marc', ill. p. 340. Dahlia cactus. H. et E. 60 cm-1 m. Fleurs rose foncé de 10-15 cm de large (été-automne).

D. 'Nina Chester', ill. p. 340. Dahlia décoratif. H. et E. 1 m. Fleurs blanches, parfois teintées de lilas, de 10-15 cm de large (été-automne). Convient pour expositions.

D. 'Noreen', ill. p. 340. Dahlia pompon. H. et E. 1 m. Fleurs pourpre rosâtre de 5 cm de large (été-automne). Convient pour expositions.

D. 'Paul Chester', ill. p. 341. Dahlia cactus. H. et E. 1 m. Fleurs orange jaunâtre de 10-15 cm de large (été-automne). Convient pour expositions.

D. 'Pink Symbol', ill. p. 340. Dahlia semi-cactus. H. et E. 1,20 m. Variété de D. 'Symbol', avec des fleurs roses. Convient pour expositions.

D. 'Pontiac', ill. p. 341. Dahlia cactus. H. et E. 1 m. Feuilles luisantes, vert foncé. Fleurs pourpre rosâtre foncé de 10-15 cm de large (été-automne).

D. 'Quel Diable', ill. p. 341. Dahlia semi-cactus. H. et E. 1,20 m. Fleurs de couleur feu, de 15-20 cm de large (été-automne). Convient pour expositions.

D. 'Rhonda', ill. p. 340. Dahlia pompon. H. et E. 1 m. Fleurs lilas blanchâtre de 5 cm de large (été-automne). Convient pour expositions.

D. 'Scarlet Beauty', ill. p. 341. Dahlia à fleurs en rosette. H. et E. 1 m. Fleurs rouge intense de 10-15 cm de large. Convient pour expositions.

D. 'Shandy', ill. p. 341. Dahlia cactus. H. et E. 1 m. Fleurs brun pâle de 10-15 cm de large (été-automne).

D. 'Small World', ill. p. 340. Dahlia pompon. H. et E. 1 m. Feuilles luisantes, vert foncé. Fleurs blanches de 5 cm de large

(été-automne). Convient pour expositions.

D. 'So Dainty', ill. p. 341. Dahlia semi-cactus. H. et E. 1 m. Fleurs de couleur bronze, 8-10 cm de large (été-automne). Convient pour expositions.

D. 'Temptress'. Dahlia cactus. H. et E. 1 m. Fleurs lilas blanchâtre de 10-15 cm de large (été-automne). Convient pour expositions.

D. 'Vicky Crutchfield', ill. p. 340. Dahlia à fleurs en rosette. H. et E. 1 m. Fleurs roses de 10-15 cm de large (été-automne). Bon cultivar pour expositions.

D. 'Whale's Rhonda', ill. p. 341. Dahlia pompon. H. et E. 1 m. Feuilles luisantes, vert très foncé. Fleurs pourpres de 5 cm de large (été-automne). Convient pour expositions.

D. 'White Klankstadt', ill. p. 340. Dahlia cactus. H. et E. 1-1,20 m. Variété de D. 'Klankstadt Kerkrade', avec des fleurs blanches.

D. 'Wootton Cupid', ill. p. 341. Dahlia boule. H. et E. 1-1,20 m. Fleurs roses de 8-10 cm de large (été-automne). Convient pour expositions.

D. 'Yellow Hammer', ill. p. 341. Dahlia nain à fleurs simples. H. et E. 30-45 cm. Fleurs jaune intense de 8 cm de large (été-automne).

DANAE (Liliacées)

Genre représenté par une seule espèce d'arbuste à fleurs insignifiantes, cultivé pour le caractère décoratif de ses tiges portant des cladodes (tiges foliacées). Rustique. Pousse à mi-ombre, dans les sols légers et humides. Multiplication : semis en automne ou division de l'automne au printemps.

D. racemosa (Laurier d'Alexandrie). Arbuste dense, à grêles rameaux arqués. H. et E. 1 m. Cladodes aplatis, lancéolés, vert foncé brillant, faisant office de feuilles. Donne parfois des baies globuleuses rouges.

DAPHNE (Thyméléacées)

Genre d'arbustes, d'arbrisseaux ou de sous-arbrisseaux à feuilles persistantes, semi-persistantes ou caduques, cultivés pour leurs fleurs tubulaires à 4 lobes étalés, généralement parfumées et, pour certaines espèces, pour leur feuillage et leurs fruits (les graines sont parfois toxiques). Espèces et cultivars nains conviennent pour jardins de rocaille. De rustiques à semi-rustiques. Les exigences et tolérances pour la lumière varient selon les espèces. Ils apprécient un sol fertile et bien drainé, assez frais. Supportent mal les transplantations. Multiplication : les espèces par semis ou par boutures de bois semi-lignifié en été, les cultivars uniquement par boutures.

D. alpina (Daphné des Alpes). Arbuste nain à feuilles caduques. H. 50 cm, E. 40 cm. Rustique. Feuilles ovales, duveteuses, gris-vert. Donne à la fin du printemps des glomérules terminaux de fleurs blanches odorantes. Convient pour jardins de rocaille.

D. arbuscula, ill. p. 306.

D. bholua, ill. p. 118.

D. blagayana, ill. p. 287.

D. × burkwoodii 'Somerset', ill. p. 122.

D. cneorum (Thymélée des Alpes), ill. p. 288. Bon pour rocaille ensoleillée. 'Eximia' est un arbuste prostré. H. 10 cm, E. jusqu'à 50 cm ou plus. Rustique. Petites feuilles persistantes ovales, coriaces, vert foncé. Donne à la fin du printemps des groupes terminaux de fleurs blanches odorantes, teintées de cramoisi à l'extérieur et souvent de rose à l'intérieur.

D. collina. Arbuste compact, surtout dans sa partie supérieure, arrondi, à feuilles persistantes. H. et E. 50 cm. Semi-rustique. Rameaux dressés, densément couverts de feuilles ovales, vert foncé. Donne au milieu et à la fin du printemps des groupes terminaux de petites fleurs odorantes rose-pourpre. Convient pour rocailles.

D. genkwa. Arbuste à feuilles caduques. H. et E. 1,50 m. Rustique. Feuilles ovales, vert clair (bronze lorsqu'elles sont jeunes). Donne vers la mi-printemps des fleurs lilas, légèrement odorantes. Bel arbuste, mais culture et acclimatation difficiles.

D. giraldii. Arbuste dressé à feuilles caduques. H. et E. 60 cm. Rustique. Feuilles oblongues, surtout terminales, vertes à revers glauque. Donne fin printemps/début été des grappes de fleurs odorantes jaune d'or auxquelles succèdent des fruits ovoïdes rouge vif.

D. jasminea, ill. p. 304.

D. laureola (Lauréole, Laurier des bois). Arbuste dressé touffu à feuilles persistantes surtout terminales. H. 1 m, E. 1,50 m. Rustique. Feuilles oblongues, vert foncé brillant. Donne fin hiver/début printemps des fleurs vert pâle légèrement odorantes auxquelles succèdent des fruits globuleux noirs. Aime la mi-ombre ou l'ombre. var. *philippi*, ill. p. 124.

D. mezereum (Bois joli, Bois gentil), ill. p. 142. Aime la mi-ombre. Fruits toxiques. var. *alba* est un arbuste de dressé à étalé, à feuilles caduques vert clair, oblongues. H. et E. 1,20 m. Rustique. Donne fin hiver/début printemps des fleurs blanches au blanc crème odorantes sur des rameaux dénudés. Fruits globuleux jaunes.

D. odora. Arbuste touffu, surtout dans sa partie supérieure, à feuilles persistantes. H. et E. 1,50 m. Semi-rustique. Feuilles ovales, luisantes, vert foncé. Donne de la mi-hiver au début du printemps des fleurs roses très odorantes. 'Aureomarginata', ill. p. 142.

D. petraea 'Grandiflora', ill. p. 306.

D. retusa, ill. p. 123. Semi-rustique.

D. tangutica. Arbuste touffu à feuilles persistantes et rameaux épais. H. et E. 1 m. Rustique. Feuilles ovales étroites, coriaces, vertes. Donne vers la mi-printemps des groupes terminaux de fleurs odorantes, rose pourpre.

DAPHNIPHYLLUM (Daphniphyllacées)

Genre d'arbres et d'arbustes dioïques à feuilles persistantes, cultivés pour leur port et leur feuillage. Rustiques. Ont besoin d'un endroit abrité, à mi-ombre, et d'un sol profond, fertile, bien drainé mais pas trop sec. Multiplication par boutures de bois bien aoûté en été.

D. macropodum, ill. p. 86.

DARMERA, voir PELTIPHYLLUM.

DARWINIA (Myrtacées)

Genre d'arbustes ou arbrisseaux à feuilles persistantes et floraison printanière ou hivernale, cultivés pour leurs fleurs et leur aspect général. Non rustiques (min. 7-10 °C). Ont besoin de pleine lumière et d'un sol bien drainé, neutre ou acide. Arroser avec modération à l'eau non calcaire, en pleine période de croissance, très peu le reste du temps. Multiplication : semis au printemps ou boutures de jeunes rameaux au printemps. Difficiles à cultiver sous abri vitré.

D. citriodora. Arbuste bien ramifié, arrondi. H. et E. 60 cm-1,20 m. Feuilles d'oblongues à largement lancéolées, bleu-vert, dégageant une odeur citronnée lorsqu'on les froisse. Donne au printemps des bouquets terminaux de petites fleurs tubulaires jaunes ou rouges, entourées de bractées pétaloïdes rouges ou jaunâtres.

DATURA (Solanacées)
Stramoine

Genre de plantes herbacées, d'arbres et d'arbrisseaux à feuilles semi-persistantes ou persistantes, cultivés pour leurs fleurs, généralement écloses en été/automne. De rustiques à non rustiques (min. 7-10 °C). Préfèrent la pleine lumière, le soleil et les sols fertiles et bien drainés. Bien arroser les sujets en conteneurs durant la période de croissance, avec modération le reste du temps. Peuvent être taillés sévèrement au début du printemps. Multiplication : semis au printemps ou boutures herbacées au printemps. Mouches blanches et araignées rouges peuvent poser des problèmes.

D. arborea, syn. *D. cornigera*,

Brugmansia arborea (**Stramoine en arbre**). Robuste arbrisseau à cime ronde, à feuilles persistantes ou semi-persistantes. H. et E. jusqu'à 5 m. Non rustique. Feuilles ovales étroites de 20 cm de long ou plus. Donne en été/automne des fleurs blanches pendantes, très parfumées, en entonnoir.
D. × candida, syn. *Brugmansia × candida*, ill. p. 87.
D. cornigera, voir *D. arborea*.
D. '**Grand Marnier**', ill. p. 91.
D. sanguinea, syn. *Brugmansia sanguinea*, ill. p. 91.

DAVIDIA (Davidiacées)

Genre d'arbres à feuilles caduques et floraison printanière et estivale, cultivés pour leur port et leurs belles bractées blanches entourant des têtes florifères insignifiantes. Rustiques, mais ont besoin d'être abrités des grands vents. Ont besoin d'ombre légère et d'un sol fertile, bien drainé, de préférence humide. Multiplication : bouturage ou semis de graines fraîches en automne.
D. involucrata (**Arbre aux mouchoirs, Arbre aux pochettes**), ill. p. 50.

DECAISNEA (Lardizabalacées)

Genre d'arbustes à feuilles caduques et floraison d'été, cultivés pour leur feuillage caduc, leurs fleurs et leurs fruits en forme de saucisses. Assez rustiques. Ont besoin d'un endroit abrité, ensoleillé et d'un sol fertile et pas trop sec. Multiplication par semis en automne, ou bouturage.
D. fargesii, ill. p. 90.

DECUMARIA (Saxifragacées)

Genre de plantes grimpantes à feuilles caduques ou persistantes et tiges ligneuses. Semi-rustiques. Aiment le soleil ou la mi-ombre et les sols bien drainés mais qui ne se dessèchent pas. Tailler si nécessaire après la floraison. Multiplication par boutures de tiges à la fin de l'été ou au début de l'automne.
D. sinensis. H. jusqu'à 5 m. Feuilles ovales de 3-8 cm de long, souvent dentées. Donne fin printemps des corymbes nombreux de petites fleurs vert et blanc à odeur de miel.

DELPHINIUM (Ranunculacées)
Pied-d'alouette, Dauphinelle

Genre de plantes vivaces et annuelles cultivées pour leurs longues grappes de fleurs cupulaires, éperonnées, parfois à casque. De rustiques à semi-rustiques. À planter dans un endroit dégagé, ensoleillé et en sol fertile et bien drainé. Les grands cultivars ont besoin de tuteurs et d'un important apport d'eau et d'engrais au printemps et au début de l'été. Supprimer au printemps les pousses trop minces des plants bien développés pour ne conserver que de 5-7 tiges robustes. En supprimant les grappes dès qu'elles sont fanées, on peut obtenir une seconde floraison à la fin de l'été si les plants reçoivent suffisamment d'eau et d'engrais. Multiplication : les espèces par semis en automne ou au printemps; les cultivars par division.
D. belladonna '**Blue Bees**', ill. p. 192. Espèce vivace dressée, ramifiée. H. 1-1,50 m, E. 60 cm. Rustique. Feuilles palmées. Donne en été des grappes lâches (30 cm de long) de fleurs largement espacées, simples ou parfois semi-doubles, bleu ciel, de 2 cm de large ou plus. Bonnes fleurs à couper. '**Lamartine**' a des fleurs bleu pourpre; celles de '**Wendy**' sont bleu gentiane.
D. brunonianum. Espèce vivace dressée. H. et E. jusqu'à 45 cm. Rustique. Tiges parfois velues portant des feuilles odorantes de forme variable. Au début de l'été, les tiges florifères portent chacune une grappe lâche (jusqu'à 15 cm de long) de fleurs simples de 4 cm de large, bleu bordé de pourpre, à court éperon. Convient pour jardins de rocaille.
D. chinense, voir *D. grandiflorum*.
D. consolida (**Pied-d'alouette des blés**). Série Impérial, ill. p. 276.
D. × cultorum, voir *D. elatum*.
D. elatum, syn. *D. × cultorum* (**Delphinium hybride vivace**). Hybrides. Plantes vivaces dressées. H. 1,30-2,20 m, E. 75 cm-1 m. Rustiques. Tous ont de grandes feuilles palmées et donnent en été des grappes de 40 cm-1,20 m de long, portant des fleurs régulièrement espacées, semi-doubles, très rarement doubles, de 8-10 cm de large et de coloris divers allant du blanc au bleu et au pourpre, généralement avec des yeux de couleur contrastée.
'**Blue Dawn**', ill. p. 192. H. 2,20 m. Fleurs bleu pâle flammé de pourpre rosé, avec des yeux bruns; très longues grappes.
'**Blue Nile**', ill. p. 192. H. 1,70 m. Fleurs bleues avec des yeux blancs légèrement marqués de bleu; grappes jusqu'à 70 cm de long.
'**Bruce**', ill. p. 192. H. 2,20 m. Fleurs pourpre violet, argentées vers le centre, avec des yeux gris-brun; grappes jusqu'à 1,20 m de long.
'**Butterball**', ill. p. 192. H. 1,70 m. Fleurs blanches avec des yeux crème; grappes jusqu'à 50 cm de long.
'**Chelsea Star**', ill. p. 192. H. 2 m. Fleurs d'un violet intense avec des yeux blancs; grappes jusqu'à 1,10 m de long.
'**Emily Hawkins**', ill. p. 192. H. 2,20 m. Les fleurs sont bleu pâle nuancé de lilas, avec des yeux fauves; grappes jusqu'à 80 cm de long.
'**Fanfare**', ill. p. 192. H. 2,20 m. Fleurs de bleu pâle à mauve argenté avec des yeux blanc et violet; grappes de 60-75 cm de long.
'**Fenella**', H. 1,50 m, a des fleurs bleu gentiane flammé de pourpre, avec des yeux noirs; grappes jusqu'à 1 m de long.
'**Gillian Dallas**', ill. p. 192. H. 2 m. Fleurs lilas pâle avec des yeux blancs; grappes jusqu'à 80 cm de long.
'**Langdon's Royal Flush**', ill. p. 192. H. 2 m. Fleurs pourpre rosé avec des yeux crème; grappes jusqu'à 85 cm de long.
'**Loch Leven**', ill. p. 192. H. 1,70 m. Fleurs bleu pâle avec des yeux blancs; grappes jusqu'à 1 m de long.
'**Loch Nevis**', H. 2 m, a des fleurs bleu moyen avec des yeux blancs; grappes jusqu'à 1,10 m de long.
'**Lord Butler**', ill. p. 192. H. 1,50-1,70 m. Fleurs bleu pâle légèrement flammé de lilas clair, avec des yeux blancs marqués de bleu; grappes jusqu'à 75 cm de long.
'**Mighty Atom**', ill. p. 192. H. 1,50-2 m. Fleurs violet moyen avec des yeux brun jaunâtre marqués de violet; grappes jusqu'à 75 cm de long.
'**Olive Poppleton**', ill. p. 192. H. 2-2,50 m. Fleurs blanches avec des yeux fauves; grappes jusqu'à 1 m de long.
Série Pacific est un groupe de formes vivaces à H. variable et d'une grande diversité de coloris. Donnent des fleurs semi-doubles ou doubles sur des grappes très longues.
'**Sandpiper**', ill. p. 192. H. 1,10 m. Fleurs blanches avec des yeux brun crème; grappes jusqu'à 75 cm de long.
'**Spindrift**', ill. p. 192. H. 2 m. Fleurs pourpre rosé, avec des nuances de bleu pâle et des yeux blanc crème; vers le centre le pourpre rosé devient plus pâle et le bleu plus sombre. Les couleurs varient d'un sol à l'autre. Dans les sols acides, les fleurs se nuancent de vert.
'**Strawberry Fair**', ill. p. 192. H. 1,70 m. Fleurs roses avec des yeux blancs; grappes jusqu'à 75 cm de long.
'**Sungleam**', ill. p. 192. H. 1,70-2 m. Les fleurs sont blanches nuancées de jaune pâle avec des yeux jaunes; grappes de 40-75 cm de long.
D. grandiflorum, syn. *D. chinense*. '**Blue Butterfly**' (ill. p. 192) est un cultivar vivace dressé. H. 45 cm, E. 30 cm. Rustique. Feuilles palmées, divisées. Donne en été des grappes lâches, ramifiées (jusqu'à 15 cm de long) de fleurs simples, bleu foncé, de 3,5 cm de large.
D. nudicaule, ill. p. 295.

DENDROBIUM, voir ORCHIDÉES.

Orchidées vivaces; genre groupant de très nombreuses espèces.
D. aphyllum, syn. *D. pierardii*, ill. p. 252. Orchidée épiphyte à feuilles caduques pour serres tempérées. H. jusqu'à 60 cm. Feuilles ovales de 5-8 cm de long. Donne au printemps des fleurs rose tendre de 4 cm de large, avec un grand labelle crème, solitaires ou groupées par 2 ou 3. A besoin de mi-ombre en été.
D. chrysotoxum, ill. p. 255. Orchidée épiphyte à feuilles caduques pour serres tempérées. H. 60 cm. Donne au printemps des grappes de fleurs jaune d'or ou jaune orangé de 2 cm de large, à labelle velu marqué d'un disque rouge orangé ou brun. Feuilles ovales de 5-8 cm de long. A besoin d'un bon éclairage en été mais sans soleil direct.
D. infundibulum, ill. p. 252. Orchidée épiphyte à long pseudobulbe, à feuilles persistantes pour serres froides. H. 30 cm. Au printemps, chaque tige porte jusqu'à 6 fleurs d'un blanc très pur, de 8 cm de large, à labelle marqué de jaune. Feuilles ovales de 5-8 cm de long. A besoin de mi-ombre en été.
D. nobile, ill. p. 253. Orchidée épiphyte pour serres froides. H. 30 cm. Donne en hiver et au printemps des bouquets de 2 ou 3 délicates fleurs roses de 5 cm de large, à labelle proéminent, à disque pourpre marron. Feuilles ovales de 5-9 cm de long. A besoin d'une situation mi-ombragée en été.
D. pierardii, voir *D. aphyllum*.

DENDROMECON (Papavéracées)

Genre d'arbustes à feuilles persistantes, cultivés pour leur feuillage et leurs belles fleurs jaunes. Semi-rustiques. Planter contre un mur orienté au sud ou à l'ouest dans les régions froides. Ont besoin de soleil et d'un sol très bien drainé. Multiplication : boutures de bois tendre en été, semis en automne ou au printemps.
D. rigida, ill. p. 115.

Dendrobenthamia capitata, voir *Cornus capitata*.

Dentaria enneaphylla, voir *Cardamine enneaphyllos*.
Dentaria pentaphylla, voir *Cardamine pentaphyllos*.

DESCHAMPSIA (Graminées), voir BAMBOUS, HERBES, JONCS et LAÎCHES.

D. caespitosa. Herbe vivace à feuilles persistantes poussant en touffes. H. jusqu'à 1 m, E. 25-30 cm. Rustique. Touffes denses de feuilles étroites, vert foncé. Donne en été des panicules de minuscules épillets brun pâle. Supporte la mi-ombre ou le soleil.

DESFONTAINEA (Loganiacées)

Genre d'arbustes à feuilles persistantes, cultivés pour leur feuillage et leurs belles fleurs tubulaires. De rustiques à semi-rustiques. À protéger dans les régions froides. Ont besoin de mi-ombre, principalement dans les régions sèches, et d'un sol humide, de préférence acide. Multiplication par boutures de bois semi-lignifié en été.
D. spinosa, ill. p. 111.

DESMODIUM (Légumineuses)

Genre de plantes vivaces, d'arbustes et de sous-arbrisseaux à feuilles caduques, cultivés pour leurs fleurs papilionacées. Semi-rustiques. Ont besoin de soleil, de chaleur et d'un sol bien drainé. Multiplication : bouturage ou semis en automne. On peut aussi procéder par division au printemps, pour les vivaces.
D. tiliifolium, ill. p. 135.

DEUTZIA (Hydrangéacées)

Genre d'arbustes et d'arbrisseaux à feuilles caduques, cultivés pour leurs masses de fleurs à 5 pétales. De rustiques à assez rustiques. Ont besoin de soleil pour fleurir généreusement et d'un sol fertile et bien drainé. Éclaircir les vieux rameaux après la floraison. Multiplication par bouturage.
D. × elegantissima 'Fasciculata'. Arbuste dressé. H. 2 m, E. 1,50 m. Rustique. Donne fin printemps/ début été des fleurs rose vif. Feuilles ovales, dentées, vert moyen. **'Rosealind',** ill. p. 130.
D. gracilis, ill. p. 121.
D. longifolia. Arbuste à tiges ascendantes. H. 2 m, E. 3 m. Rustique. Donne au début de l'été de grands bouquets de fleurs rose foncé à 5 pétales. Feuilles étroitement lancéolées, vert terne. **'Veitchii',** ill. p. 108.
D. × magnifica. Vigoureux arbuste dressé. H. 2,50 m, E. 2 m. Rustique. Donne au début de l'été des panicules denses de fleurs blanches. Feuilles ovales étroites, vert vif. **'Staphyleoides',** ill. p. 104.
D. monbeigii, ill. p. 126.
D. 'Mont Rose', ill. p. 129.
D. × rosea, ill. p. 122.
D. scabra, ill. p. 104. **'Flore Pleno'** est un arbuste dressé. H. 3 m, E. 2 m. Rustique. Feuilles ovales étroites, vert moyen, entourant au début de l'été des grappes denses, dressées, de fleurs doubles blanches, rose pourpre à l'extérieur.
D. setchuenensis. Arbuste dressé. H. 1,80 m, E. 1,50 m. Assez rustique. Donne au début de l'été des corymbes de petites fleurs blanches. Feuilles ovales étroites, rugueuses, vertes.

DIANELLA (Liliacées)

Genre de plantes vivaces rhizomateuses à feuilles persistantes et floraison d'été. Semi-rustiques; ne peuvent se cultiver en extérieur que dans les régions douces tempérées, sinon elles doivent être placées sous châssis ou dans une serre froide. Ont besoin de soleil et d'un sol bien drainé, neutre ou acide. Multiplication par division ou semis au printemps.
D. caerulea. Espèce poussant en touffes. H. 75 cm, E. 30 cm. Feuilles dominées en été par des panicules terminales de petites fleurs étoilées bleues, auxquelles succèdent des baies bleues.
D. tasmanica, ill. p. 212.

DIANTHUS (Caryophyllacées)
Œillet

Genre de plantes annuelles, bisannuelles et vivaces à feuilles persistantes ou semi-persistantes, cultivées pour leurs fleurs souvent parfumées, et dont certaines font d'excellentes fleurs à couper. Les œillets sont très appréciés pour des bouquets et des décorations de bordures; D. barbatus (Œillet de poète) s'utilise pour des massifs, mais aussi pour des jardins de rocaille, et en fleur coupée. De rustiques à semi-rustiques. Aiment souvent le soleil et un sol bien drainé. Les formes de grande taille ont besoin de tuteurs.
Multiplication : marcottage à la fin de l'été, boutures à la fin du printemps ou semis (le semis n'est intéressant en culture que pour les races génétiquement bien fixées). À protéger de la rouille, des araignées rouges et des infections virales transmises souvent par des pucerons; on trouve toutefois des cultivars résistants à certains virus.

Œillets des fleuristes (issus de *Dianthus caryophyllus*).
Les œillets des fleuristes non remontants sont des plantes vivaces à feuilles vert-gris persistantes qui ont une floraison prolifique à la mi-été et s'utilisent en bordures et massifs et comme fleurs à couper. Chaque tige porte au moins 5 fleurs souvent odorantes, simples, semi-doubles ou doubles, assez grandes; il existe également des formes dont les pétales sont bordés vers l'extérieur d'une couleur plus sombre.
H. 75 cm-1,10 m, E. jusqu'à 30 cm. Généralement assez rustiques.
Les œillets des fleuristes remontants ou «à floraison perpétuelle» sont des plantes vivaces à feuilles persistantes vert-gris qui fleurissent presque tout au long de l'année si on les cultive en serre, mais de façon parfois plus abondante en été. On les utilise surtout comme fleurs à couper; il faut alors procéder à

l'éboutonnage des tiges florales pour ne laisser qu'un seul bouton terminal par tige qui donnera une fleur plus grosse. Fleurs doubles, jusqu'à 10 cm de large, généralement inodores et souvent mouchetées ou striées. H. 1-1,5 m, E. 30 cm ou plus. Rustiques, semi-rustiques (pour les œillets de Nice) ou peu rustiques (œillets américains). Les «mini-œillets» ou multiflores à nombreuses fleurs assez petites ne sont pas éboutonnés, chaque tige portant alors 5 boutons ou plus, de 5-6 cm de large. H. 60 cm-1 m, E. jusqu'à 30 cm.

Œillets mignardise
Les œillets mignardise à l'ancienne ont un port bas, étalé, et donnent des masses de fleurs en une seule période vers la mi-été. On trouve des hybrides de ces œillets avec des œillets des fleuristes.
Les œillets mignardise modernes s'obtiennent souvent par croisement d'un mignardise à l'ancienne avec un œillet des fleuristes à floraison perpétuelle. Ils sont plus vigoureux que les œillets mignardise à l'ancienne et sont très remontants, avec 2 ou 3 floraisons principales durant l'été.

D. 'Albisola', ill. p. 239. Œillet des fleuristes double perpétuel à fleurs orange clair.
D. 'Aldridge Yellow', ill. p. 239. Œillet semi-double des fleuristes non remontant à fleurs jaune clair.
D. 'Alice', ill. p. 238. Œillet mignardise moderne à odeur de girofle, à fleurs semi-doubles, blanc ivoire à œil cramoisi.
D. alpinus, ill. p. 318.
D. 'Annabelle', ill. p. 319.
D. 'Artic'. Œillet des fleuristes double perpétuel multiflore à fleurs blanches mouchetées de rose.
D. 'Astor', ill. p. 239. Œillet des fleuristes double perpétuel à fleurs écarlates; c'est l'un des rares cultivars perpétuels parfumés.
D. barbatus (Œillet de poète). Série Monarch, ill. p. 271. **Série Roundabout** (nain), ill. p. 270.
D. 'Bookham Perfume', ill. p. 239. Œillet des fleuristes non remontant à fleurs semi-doubles, parfumées, cramoisies.
D. 'Borello', ill. p. 239. Œillet des fleuristes double perpétuel à fleurs jaunes.
D. caesius, voir *D. gratianopolitanus*.
D. carthusianorum, ill. p. 294.
D. 'Charles Musgrave', voir *D. 'Musgrave's Pink'*.
D. chinensis (Œillet de Chine). Espèce annuelle ou bisannuelle, rameuse, à croissance lente. H. et E. 15-30 cm. Rustique. Feuilles lancéolées, de vert pâle à vert moyen. Donne en été et au début de l'automne des fleurs à calice tubuleux simples ou doubles, de 2 cm de large ou plus, à pétales étalés, dans des nuances de rose, de rouge (chez l'espèce type) ou de blanc. **Série Baby Doll,** ill. p. 268; **'Fire Carpet',** ill. p. 271; **'Heddewigii',** H. 30 cm, a des fleurs de couleurs variées.
D. 'Christine Hough', ill. p. 239. Œillet des fleuristes non remontant

à fleurs semi-doubles, abricot, marqué et strié de rose.
D. 'Christopher', ill. p. 238. Œillet mignardise moderne à fleurs doubles légèrement parfumées, rouge saumon vif.
D. 'Clara', ill. p. 239. Œillet des fleuristes double perpétuel à fleurs jaunes mouchetées de saumon.
D. 'Constance Finnis', voir *D. 'Fair Folly'*.
D. 'Dad's Favourite'. Œillet mignardise à l'ancienne, à fleurs semi-doubles, odorantes, blanches avec des pétales bordés de marron.
D. deltoides (Œillet couché). Espèce vivace, tapissante, à feuilles persistantes vertes, linéaires. H. 15 cm, E. 30 cm. Rustique. Donne en été des petites fleurs à 5 pétales, blanches, roses ou rouge cerise, poussant en solitaires au-dessus de minuscules feuilles. Convient pour rocailles ou banquettes. **'Flashing Light',** ill. p. 320.
D. 'Doris', ill. p. 238. Œillet mignardise moderne. Croissance compacte donnant une profusion de fleurs odorantes, semi-doubles, roses avec un anneau rouge saumon. Excellente fleur à couper.
D. 'Émile Paré', ill. p. 238. Œillet mignardise à l'ancienne. Groupes de fleurs semi-doubles, rose saumon, avec un feuillage vert moyen, peu courant chez les œillets.
D. 'Eva Humphries', ill. p. 238. Œillet des fleuristes non remontant. Fleurs odorantes, semi-doubles, à pétales blancs bordés de pourpre.
D. 'Fair Folly', syn. *D. 'Constance Finnis'*, ill. p. 238. Œillet mignardise moderne. Fleurs simples de couleurs diverses, généralement rose foncé ou pourpre foncé avec 2 taches blanches sur chaque pétale.
D. 'Forest Treasure', ill. p. 238. Œillet des fleuristes non remontant. Fleurs doubles, blanches avec des taches pourpre rougeâtre sur chaque pétale.
D. 'Gran's Favourite', ill. p. 238. Œillet mignardise à l'ancienne, à fleurs odorantes, blanches ourlées de rouge framboise.
D. gratianopolitanus, syn. *D. caesius,* ill. p. 317.
D. 'Green Eyes', voir *D. 'Musgrave's Pink'*.
D. 'Happiness', ill. p. 239. Œillet des fleuristes non remontant, à fleurs semi-doubles, jaunes striées de rouge orangé.
D. 'Haytor', ill. p. 238. Œillet mignardise moderne à fleurs doubles, blanches, agréablement parfumées. Couramment cultivé, surtout pour fleurs à couper.
D. 'Houndspool Ruby', syn. *D. 'Ruby', D. 'Ruby Doris',* ill. p. 238. Œillet mignardise moderne, variante de *D. 'Doris',* avec des fleurs fortement parfumées, rose rubis à œil plus foncé.
D. hyssopifolius subsp. **monspessulanus,** voir *D. monspessulanus.*
D. 'Joy', ill. p. 238. Œillet

mignardise moderne à fleurs semi-doubles, très parfumées; bonnes fleurs à couper.
D. **'La Bourbille'**, voir *D.* 'La Bourboule'.
D. **'La Bourboule'**, syn. *D.* 'La Bourbille', ill. p. 318.
D. **'Little Jock'**, ill p. 317.
D. **'Manon'**. Œillet des fleuristes remontant à fleurs doubles. C'est l'un des meilleurs cultivars à fleurs roses.
D. **microlepis**, ill. p. 318.
D. **monspessulanus**, syn. *D. hyssopifolius* subsp. *monspessulanus*. Sous-espèce vivace à feuilles persistantes. H. 30 cm, E. 10-15 cm. Rustique. Donne en été sur des tiges ramifiées de nombreuses fleurs très parfumées, à pétales laciniés lavande pâle, poussant au-dessus des touffes de feuilles. Convient pour jardins de rocaille. Préfère les sols pierreux.
D. **'Mrs Sinkins'**, ill. p. 238. Œillet mignardise à l'ancienne, à fleurs doubles très parfumées, frangées, blanches.
D. **'Musgrave's Pink'**, syn. *D.* 'Charles Musgrave', *D.* 'Green Eyes', ill. p. 238. Œillet mignardise à l'ancienne. Il s'agit d'un cultivar ancien à fleurs simples, blanches, à œil vert.
D. **myrtinervius**, ill. p. 318.
D. **neglectus**, voir *D. pavonius*.
D. **'Nina'**, ill. p. 239. Œillet des fleuristes double perpétuel. L'un des meilleurs cultivars à fleurs cramoisies.
D. **'Nives'**, ill. p. 238. Œillet des fleuristes remontant double à fleurs blanches.
D. **pavonius**, syn. *D. neglectus*, ill. p. 315.
D. **'Pierrot'**, ill. p. 238. Œillet des fleuristes remontant double à fleurs rose lavande aux pétales bordés de pourpre.
D. **'Pike's Pink'**, ill. p. 318.
D. **'Pink Calypso'**, voir *D.* 'Truly Yours'.
D. **'Pink Jewel'**, ill. p. 238. Œillet mignardise moderne à fleurs semi-doubles, roses, très parfumées.
D. **'Prudence'**, ill. p. 238. Œillet mignardise à l'ancienne à fleurs odorantes, semi-doubles, blanc rosé à pétales «galonnés» de pourpre.
D. **'Raggio di Sole'**, ill. p. 239. Œillet des fleuristes remontant double à fleurs orange vif.
D. **'Ruby'**, voir *D.* 'Houndspool Ruby'.
D. **'Ruby Doris'**, voir *D.* 'Houndspool Ruby'.
D. **'Truly Yours'**, syn. *D.* 'Pink Calypso', ill. p. 238. Œillet des fleuristes remontant à fleurs doubles roses.
D. **'Valda Wyatt'**, ill. p. 238. Œillet mignardise moderne à fleurs doubles, odorantes, rose lavande.
D. **'Valencia'**, ill. p. 239. Œillet des fleuristes remontant double à fleurs orange doré.
D. **'White Ladies'**, ill. p. 238. Œillet mignardise à l'ancienne. Fleurs doubles très parfumées, blanches avec un centre verdâtre.
D. **'Widecombe Fair'**. Œillet mignardise moderne à fleurs semi-doubles de couleurs

inhabituelles : abricot, s'ouvrant sur un rose bleuté.

DIAPENSIA (Diapensiacées)

Genre de sous-arbrisseaux denses, étalés, à feuilles persistantes, convenant pour jardins de rocaille et éboulis. Rustiques. Ont besoin de mi-ombre et d'un sol frais, sableux, acide. Plantes nettement calcifuges. Difficiles à cultiver dans les régions de basse altitude à climat chaud et sec. Multiplication : semis au printemps ou boutures de bois semi-lignifié en été.
D. **lapponica**. H. et E. 7 cm. Touffes de petites feuilles rondes, spatulées, entières, coriaces. Donne au début de l'été de petites fleurs terminales solitaires blanches.

DIASCIA (Scrophulariacées)

Genre de plantes annuelles et de plantes vivaces à floraison d'été et d'automne, dont certaines sont à feuilles semi-persistantes, cultivées pour leurs fleurs roses. Rustiques. Ont besoin de soleil et d'un sol riche en humus et bien drainé mais qui ne se dessèche pas. Supprimer les vieilles tiges au printemps. Multiplication : bouturage ou semis sous châssis.
D. **cordata**, ill. p. 293.
D. **rigescens**, ill. p. 293.

DICENTRA (Papavéracées)

Genre de plantes vivaces cultivées pour leurs grappes élégantes de fleurs pendantes. Rustiques. Préfèrent la mi-ombre et les sols riches en humus, légers, humides mais bien drainés. Multiplication : division pendant la période de repos ou à la fin de l'hiver; les espèces également par semis en automne ou par bouturage.
D. **cucullaria**, ill. p. 302.
D. **eximia** 'Spring Morning', ill. p. 235.
D. **spectabilis** (Cœur de Jeannette, Cœur de Marie), ill. p. 205. f. *alba*, ill. p. 200.

DICHELOSTEMMA (Liliacées)

Genre de plantes bulbeuses à floraison estivale, cultivées pour leurs inflorescences denses, portées par des tiges sans feuilles. Sont apparentées à *Brodiaea* et leur aspect rappelle celui d'*Allium*. Rustiques, mais doivent être protégées dans les régions froides. Ont besoin de soleil et d'un sol bien drainé.

Arroser généreusement au printemps; laisser sécher après la floraison. Multiplication : semis en automne ou au printemps ou par caïeux en automne avant le début de la période de croissance.
D. **congestum**, syn. *Brodiaea congesta*, ill. p. 337.

DICHORISANDRA (Commélinacées)

Genre de plantes vivaces dressées à feuilles persistantes, cultivées pour leur feuillage ornemental et leurs grappes terminales de fleurs. Non rustiques (min. 15-20 °C). Préfèrent les sols fertiles, humides mais bien drainés, les atmosphères humides et une ombre partielle. Multiplication : division au printemps ou boutures de tiges en été, ou semis de graines fraîches en serre chaude.
D. **reginae**, ill. p. 211.

DICKSONIA (Cyathéacées)

Genre de fougères arborescentes à robustes stipes érigés, à feuillage persistant ou semi-persistant, parfois cultivées pour donner du relief à des plantations de fougères. Semi-rustiques ou non rustiques. Ont besoin de mi-ombre et d'un sol riche en humus et humide. Supprimer régulièrement les frondes fanées. Multiplication par spores en été.
D. **antarctica**, ill. p. 184.

DICTAMNUS (Rutacées)

Genre de plantes vivaces à floraison estivale. Rustiques. Ont besoin de soleil et d'un sol fertile, frais, et bien drainé. Multiplication par semis de graines fraîches à la fin de l'été, ou par division.
D. **albus** (Fraxinelle), ill. p. 201. var. *pupureus*, ill. p. 203.

Didiscus coeruleus, voir *Trachymene coerulea*.

DIEFFENBACHIA (Aracées)

Genre de plantes vivaces à feuilles persistantes, cultivées pour leur feuillage. Non rustiques (min. 15 °C). À cultiver dans un sol fertile, bien drainé et dans une ombre partielle. Multiplication au printemps par boutures de tiges. Renferment un suc toxique qui ne doit pas entrer en contact avec la bouche, les yeux et la peau. Les araignées rouges peuvent poser des problèmes.
D. **'Exotica'**, syn. *D. seguine* 'Exotica', ill. p. 221.
D. **'Memoria'**, voir *D. seguine*

'Memoria Corsii'.
D. **seguine**. H. et E. 1 m ou plus. Feuilles largement lancéolées, atteignant jusqu'à 45 cm de long, luisantes, vert foncé. Donne par intermittence des fleurs insignifiantes groupées sur un spadice entouré d'une étroite spathe foliacée. **'Exotica'**, voir *D.* 'Exotica'. **'Memoria Corsii'**, syn. *D.* 'Memoria', a des feuilles gris-vert marquées de vert foncé et tachetées de blanc. **'Rudolph Roehrs'**, syn. *D.s.* 'Roehrsii', ill. p. 224.

DIERAMA (Iridacées)

Genre de plantes bulbeuses à feuilles linéaires basales, persistantes, poussant en touffes, et floraison d'été, avec des panicules d'épis pendants de fleurs en entonnoir ou en clochette. Semi-rustiques. Préfèrent les endroits abrités, ensoleillés et les sols bien drainés pouvant conserver de l'humidité en été à la période de croissance. Les parties aériennes disparaissent partiellement en hiver. Multiplication : division des bulbes au printemps ou semis en automne ou au printemps. Supportent mal d'être dérangées; après la division, il faut compter au moins un an avant de voir apparaître une nouvelle floraison.
D. **pendulum**, ill. p. 336.
D. **pulcherrimum**, ill. p. 335.

DIERVILLA (Caprifoliacées)

Genre d'arbustes à feuilles caduques, à floraison d'été ou de printemps, suivant les espèces, proches des Weigelias. Rustiques. Apprécient une ombre légère et se plaisent dans les sols assez fertiles et bien drainés, sauf *D. lonicera* qui supporte les sols arides et caillouteux. Multiplication : boutures de bois aoûté à la fin de l'été.
D. **sessiifolia**. Arbuste étalé. H. et E. 1 m. Feuilles ovales étroites sessiles, pointues, vertes, souvent bronzées lorsqu'elles sont jeunes. Donne en été des bouquets denses de petites fleurs tubulaires jaune pâle.

DIETES (Iridacées)

Genre de plantes rhizomateuses vivaces à feuilles persistantes, cultivées pour leurs belles fleurs printanières ou estivales. Semi-rustiques. Ont besoin de soleil ou d'une ombre partielle et d'un sol riche en humus, bien drainé, qui ne se dessèche pas trop. Multiplication : semis en automne ou au printemps ou division au printemps.
D. **bicolor**, ill. p. 337.

DIGITALIS (Scrophulariacées)
Digitale

Genre de plantes bisannuelles et de plantes vivaces dont certaines sont à feuilles persistantes, cultivées pour leurs grappes unilatérales et terminales de fleurs à corolle tubulaire à 2 lèvres. De rustiques à semi-rustiques. Les espèces qui sont décrites ci-dessous peuvent être cultivées dans des environnements très divers, y compris dans des endroits secs, mais elles préfèrent la mi-ombre et les sols humides et bien drainés. Multiplication par semis au printemps.
D. ambigua, voir *D. grandiflora.*
D. canariensis, voir *Isoplexis canariensis.*
D. ferruginea, ill. p. 202.
D. grandiflora, syn. *D. ambigua* **(Digitale jaune à grandes fleurs).** Espèce vivace à feuilles persistantes. H. 75 cm, E. 30 cm. Rustique. Donne en été des fleurs tubulaires dirigées vers le bas, jaune crème, poussant au-dessus d'une rosette de feuilles ovales lancéolées, dentées, à dessous duveteux.
D. lutea. Espèce vivace dressée. H. 75 cm, E. 30 cm. Rustique. Donne en été des flèches délicates de fleurs étroitement tubulaires, tournées vers le bas, jaune crème, se dressant au-dessus d'une rosette de feuilles ovales, lisses, à nervures assez épaisses.
D. purpurea (Digitale pourpre, Gant de Notre-Dame). Espèce vivace dressée très calcifuge (sa présence en un endroit avec la fougère grand-aigle indique au premier coup d'œil un sol acide), souvent cultivée en bisannuelle. H. 1-1,50 m, E. 60 cm. Rustique. Feuilles ovales vertes en rosette. Donne en été de hautes grappes érigées de fleurs tubulaires rose-pourpre, à macules brunes à l'intérieur, bordées de rose clair. f. *alba,* ill. p. 262. Des variétés à fleurs rouge pourpré, blanches ou à macules très marquées sont disponibles.

DIMORPHOTHECA (Composées)

Genre de plantes annuelles, de plantes vivaces et de sous-arbrisseaux à feuilles persistantes. Semi-rustiques. Se plaisent au soleil, dans les sols fertiles et bien drainés. Éviter l'excès d'humidité. Couper les sommités fanées pour prolonger la floraison. Multiplication : par semis sous châssis au printemps ou en automne. Sensibles aux atteintes du *Botrytis* lorsque les étés sont humides.
D. annua, voir *D. pluvialis.*
D. berberiae, voir *Osteospermum jucundum.*
D. pluvialis, syn. *D. annua* **(Souci pluvial),** ill. p. 263.

DIONAEA (Droséracées)
Dionée

Genre de plantes vivaces insectivores, à feuilles persistantes poussant en rosette. Les pièges sont situés à l'extrémité des pétioles. Non rustiques (min. 5 °C). Ont besoin d'une ombre partielle et d'une atmosphère humide; à cultiver dans un mélange de tourbe et de sphagnum très humide. Ne pas arroser à l'eau calcaire. Multiplication par division des rejetons ou semis au printemps.
D. muscipula (Gobe-mouche, Attrape-mouches), ill. p. 261.

DIONYSIA (Primulacées)

Genre de plantes vivaces à feuilles persistantes, formant des coussins. Rustiques. Ont besoin de soleil et d'un sol bien drainé. Craignent les hivers humides. Multiplication par boutures en été ou par semis. À protéger contre le *Botrytis.*
D. aretioides, ill. p. 311.
D. tapetodes, ill. p. 312.

DIOSCOREA (Dioscoréacées)
Igname

Genre de plantes vivaces tubéreuses ou rhizomateuses, dont certaines sont des plantes à tiges dressées et d'autres des plantes grimpantes volubiles, à feuilles persistantes, surtout cultivées pour leurs feuilles décoratives. Les fleurs, insignifiantes, sont généralement jaunes. Non rustiques (min. 18 °C). Préfèrent le plein soleil ou une ombre partielle et un sol fertile, bien drainé. Multiplication : éclats des tubercules au printemps ou en automne ou semis au printemps, ou boutures herbacées.
D. discolor, ill. p. 177.
D. elephantipes, syn. *Testudinaria elephantipes* **(Pied-d'éléphant),** ill. p. 387.

DIOSPHAERA, voir
TRACHELIUM.

DIOSPYROS (Ébénacées)
Plaqueminier

Genre d'arbres et d'arbustes à feuilles caduques, cultivés pour leur feuillage et leurs fruits. Rustiques. Ont besoin de plein soleil et poussent mieux dans des régions où les étés sont très chauds. Préfèrent les sols fertiles et bien drainés. Pour obtenir des fruits, la présence de plants des deux sexes est souvent nécessaire. Multiplication par semis en automne.

D. kaki (Plaqueminier kaki, Kaki). Arbre étalé à feuilles caduques. H. 10 m, E. 7 m. Feuilles ovales, luisantes, vert foncé, devenant orange, rouges et pourpres en automne. Donne en été des fleurs minuscules, blanc jaunâtre, auxquelles succèdent, sur les arbres femelles, de gros fruits comestibles, globuleux, jaunes ou orange.
D. lotus (Plaqueminier faux lotier). Arbre étalé à feuilles caduques. H. 15 m, E. 6 m. Feuilles ovales, luisantes, vert foncé; donne en été de minuscules fleurs vertes teintées de rouge auxquelles succèdent, sur les plants femelles, des fruits globuleux, pourpres ou jaunes, au goût désagréable.

DIPCADI (Liliacées)

Genre de plantes bulbeuses à floraison printanière, surtout cultivées pour leur intérêt botanique. Supportent le gel, mais pas les hivers humides, très froids. Ont besoin de chaleur, de soleil et d'un sol léger, bien drainé. Sont en repos durant l'été. Multiplication par semis en automne.
D. serotinum, ill. p. 363.

DIPELTA (Caprifoliacées)

Genre d'arbustes d'origine chinoise à feuilles caduques, cultivés pour leurs belles fleurs tubulaires. Après la floraison, 2 des bractées qui entourent les fleurs s'élargissent et deviennent brunâtres et parcheminées en entourant les fruits. Rustiques. Ont besoin de soleil ou d'ombre légère et d'un sol fertile et bien drainé. Multiplication par bouturage en sec, marcottage, ou semis (uniquement pour les espèces types).
D. floribunda, ill. p. 85.
D. yunnanensis, ill. p. 84.

DIPHYLLEIA (Berbéridacées)

Genre de plantes vivaces à racines traçantes et feuilles un peu en forme de parasol. Conviennent bien pour jardins en sous-bois léger. Rustiques. Ont besoin d'un sol assez humide. Multiplication par division au printemps ou par semis en automne.
D. cymosa. H. 60 cm, E. 30 cm. Grandes feuilles arrondies. Donne au printemps des cymes lâches de fleurs blanches insignifiantes, auxquelles succèdent des baies bleu indigo.

Diplacus glutinosus, voir *Mimulus aurantiacus.*

DIPLADENIA, voir
MANDEVILLA.

DIPLARRHENIA (Iridacées)

Genre représenté par une seule espèce de plante vivace à floraison estivale. Semi-rustique. A besoin de soleil et d'un sol bien drainé. Multiplication par semis ou division au printemps.
D. moraea, ill. p. 234.

Diplazium japonicum, voir *Lunathyrium japonicum.*

DIPTERONIA (Acéracées)

Genre d'arbres à feuilles caduques, cultivés pour leur feuillage et leurs fruits. Rustiques. Ont besoin de soleil et d'un sol fertile et bien drainé. Multiplication : boutures de bois semi-aoûté en été ou semis en automne.
D. sinensis. Arbre étalé, parfois buissonnant. H. 10 m, E. 6 m. Grandes feuilles imparipennées de 20 à 30 cm de long, vert moyen, comportant de 7-11 folioles d'ovales à lancéolées. Donne en été des fleurs insignifiantes, blanc verdâtre, auxquelles succèdent des samares de fruits rougeâtres à ailes arrondies.

DISANTHUS (Hamamélidacées)

Genre comprenant une seule espèce d'arbuste à feuilles caduques et floraison d'automne, cultivé pour son aspect général et ses coloris d'automne. Rustique. A besoin d'une ombre partielle et d'un sol riche en humus, humide mais sans excès, neutre ou acide. Multiplication : marcottage au printemps ou semis.
D. cercidifolius. Arbuste à cime arrondie. H. et E. jusqu'à 5 m (croissance lente). Feuilles ovales arrondies, vert bleuté, devenant rouges, pourpres, orange ou jaunes en automne. Donne au moment de la chute des feuilles ou plus tard, des petites fleurs rouge sombre groupées par 2, dos à dos.

DISPORUM (Liliacées)

Genre de plantes vivaces fleurissant au printemps ou au début de l'été. Conviennent surtout pour jardins en sous-bois. Assez rustiques. Ont besoin d'un endroit frais, semi-ombragé et d'un sol acide riche en humus. Multiplication : division ou semis au printemps.
D. hookeri. H. 75 cm, E. 30 cm. Assez rustique. Feuilles ovales étroites, vert moyen. Donne au printemps des groupes de fleurs axillaires en clochettes pendantes, blanc verdâtre, auxquelles

succèdent en automne des baies rouge orangé.

DISTICTIS (Bignoniacées)

Genre de plantes grimpantes à vrilles, à feuilles persistantes, à tiges ligneuses, cultivées pour les couleurs de leurs fleurs en trompette. Non rustiques (min. 5-7 °C). Ont besoin de lumière et d'un sol bien drainé. Bien arroser en été, moins le reste du temps. Des supports sont nécessaires. Éclaircir éventuellement les rameaux en surnombre au printemps. Multiplication : boutures herbacées au début de l'été ou de bois semi-lignifié en automne.
D. buccinatoria, syn. *Phaedranthus buccinatorius*, ill. p. 163.

DISTYLIUM (Hamamélidacées)

Genre d'arbustes et d'arbres à feuilles persistantes, cultivés pour leur feuillage et leurs grappes de fleurs. Rustiques. Préfèrent les endroits abrités, en mi-ombre, et les sols humides, tourbeux. Multiplication par boutures de bois semi-lignifié en été.
D. racemosum. Arbuste étalé. H. 1 m, E. 3 m. (Il devient nettement plus grand en Chine et au Japon, qui sont ses pays d'origine.) Feuilles oblongues, coriaces, luisantes, vert foncé. Donne au printemps de petites fleurs en étoile à calice rouge et anthères pourpres.

DIZYGOTHECA (Araliacées)

Genre d'arbustes et d'arbres cultivés pour leurs feuilles persistantes digitées et leur aspect général. En été, les formes arborescentes qui poussent en pleine terre donnent des fleurs insignifiantes. Non rustiques (min. 18 °C, serre chaude). Préfèrent une ombre partielle et un sol fertile et bien drainé. Multiplication : semis ou marcottage aérien au printemps ou boutures de tiges en été. Mouches blanches, araignées rouges et cochenilles peuvent poser des problèmes.
D. elegantissima, syn. *Aralia elegantissima*, ill. p. 95.

DOCYNIA (Rosacées)

Genre d'arbres à feuilles persistantes ou semi-persistantes, à floraison printanière, cultivés pour leurs fleurs et leur feuillage, proches du genre *Cydonia*. Semi-rustiques. Ont besoin de pleine lumière et d'un sol bien drainé. Multiplication : bouturage en été,

semis en automne ou au printemps.
D. delavayi. Arbre étalé. H. et E. 8 m ou plus. Feuilles d'ovales à lancéolées, à dessous feutré de blanc. Donne des fleurs odorantes à 5 pétales, blanches, roses lorsqu'elles sont en boutons, auxquelles succèdent en automne des fruits ovoïdes jaunes, duveteux, ayant l'allure de pommes.

DODECATHEON (Primulacées)
Gyroselle

Genre de plantes vivaces à floraison printanière et estivale, cultivées pour leurs ombelles bractéolées de fleurs caractéristiques à pétales récurvés (un peu comme les Cyclamen) et étamines proéminentes. Période de repos après la floraison. Rustiques. Préfèrent la mi-ombre et un sol silico-argileux humide ou tourbeux, mais bien drainé. Multiplication : semis en automne ou division.
D. hendersonii, ill. p. 287.
D. meadia (Gyroselle de Virginie). H. 20 cm, E. 15 cm. Rustique. Feuilles ovales, vert pâle. Donne au printemps, au-dessus du feuillage, des fleurs rose pourpré portées par des tiges robustes. Préfère une ombre partielle. f. *alba*, ill. p. 287.
D. 'Red Wings', ill. p. 288.

DODONAEA (Sapindacées)

Genre d'arbres et d'arbustes cultivés principalement pour leur feuillage persistant et leur aspect général. De semi-rustiques à non rustiques (min. 3-5 °C). Préfèrent le soleil et les sols bien drainés. Multiplication : semis au printemps ou boutures de bois semi-lignifié en été.
D. viscosa 'Purpurea', ill. p. 119.

Dolichos lablab, voir *Lablab purpureus*.
Dolichos lignosus, voir *Lablab purpureus*.

DOMBEYA (Sterculiacées)

Genre d'arbustes et d'arbres à feuilles persistantes, cultivés pour leurs fleurs. De peu rustiques à non rustiques (min. 5-18 °C, selon les espèces ; certaines peuvent être cultivées en plein air sur la Côte d'Azur). Ont besoin de pleine lumière ou d'une ombre légère et d'un sol fertile, bien drainé. Arroser généreusement les sujets en pots durant leur période de croissance, moins lorsque les températures baissent. Peuvent se rabattre après la floraison. Multiplication : semis au printemps ou bouturage en été.

Mouches blanches et araignées rouges peuvent poser des problèmes.
D. burgessiae, syn. *D. mastersii*, ill. p. 118.
D. x cayeuxii, ill. p. 61.
D. mastersii, voir *D. burgessiae*.

DONDIA, voir HACQUETIA.

DORONICUM (Composées)
Doronic

Genre de plantes vivaces cultivées pour leurs capitules. Rustiques. Ont besoin de pleine lumière (sauf *D. grandiflorum*, qui aime l'ombre) ou d'une ombre légère, et d'un sol frais bien drainé. Multiplication par division en automne.
D. austriacum. H. 45 cm, E. 30 cm. Feuilles cordiformes, vert vif, velues, à bords ondulés. Donne au printemps sur des tiges minces des capitules solitaires jaunes.
D. cordatum, voir *D. pardalianches*.
D. pardalianches, syn. *D. cordatum*, ill. p. 199.
D. 'Spring Beauty'. H. 45 cm, E. 30 cm. Feuilles cordiformes, vert vif. Donne au printemps des capitules doubles jaune vif.

DOROTHEANTHUS (Aizoacées)

Genre de plantes grasses annuelles à tiges sarmenteuses ou traînantes, qui conviennent pour des endroits très secs et chauds, des jardins de rocaille, des interstices de dallages. Semi-rustiques. Ont besoin de soleil et poussent bien dans les sols pauvres, très bien drainés. Supprimer les fleurs fanées pour prolonger la floraison. Multiplication par semis sous châssis au début du printemps ou en pleine terre à la mi-printemps.
D. bellidiformis, syn. *Mesembryanthemum criniflorum* (Ficoïde). Série Magic Carpet, ill. p. 269.

DORYANTHES (Agavacées)

Genre de plantes vivaces à feuilles persistantes poussant en rosette, cultivées pour leurs fleurs. Non rustiques (min. 10 °C). Ont besoin de soleil et d'un sol riche en humus, bien drainé. Multiplication par semis au printemps, par bulbilles à maturité ou par drageonnement après la floraison.
D. palmeri, ill. p. 194.

DORYCNIUM (Légumineuses)

Genre de plantes vivaces et de sous-arbrisseaux à feuilles caduques ou semi-persistantes,

cultivées pour leur feuillage, leurs fleurs papilionacées et leurs fruits. Rustiques. Ont besoin de plein soleil et d'un sol assez sec, très bien drainé. Multiplication : boutures en été ou semis en automne.
D. hirsutum. Sous-arbrisseau dressé à feuilles caduques. H. et E. 60 cm. Feuilles gris argent à 3 folioles ovales. Donne en fin d'été et au début de l'automne des bouquets terminaux de fleurs papilionacées blanches teintées de rose, auxquelles succèdent des gousses brun rougeâtre.

Douglasia vitaliana, voir *Vitaliana primuliflora*.

DOXANTHA, voir MACFADYENA.

D. capreolata, voir *Bignonia capreolata*.

DRABA (Crucifères)

Genre de plantes bisannuelles à floraison printanière et de plantes vivaces à feuillage persistant ou semi-persistant, à racines traçantes. Certaines espèces forment des coussins moelleux, verts, formés de rosettes de feuilles terminant des tiges courtes, qui deviennent bruns en hiver. De rustiques à semi-rustiques. Ont besoin de soleil, de chaleur et d'un sol bien drainé (plante calcicole). Supportent mal les hivers humides. Multiplication : semis en automne, sous châssis.
D. aizoides (Drave faux-aizoon). Espèce vivace tapissante à feuilles semi-persistantes. H. et E. 15 cm. Rustique. Feuilles linéaires, à soies raides, en rosette sur des tiges dressées. Grappes courtes de fleurs jaune vif à 4 pétales. Convient pour éboulis et rocailles.
D. longisiliqua, ill. p. 311.
D. mollissima, ill. p. 312.
D. rigida, ill. p. 311.

DRACAENA (Agavacées)

On considère souvent que ces plantes font partie soit du genre *Pleomele* qui sont les vrais *Dracaena*, soit d'un autre genre, *Cordyline*, qui a des fruits un peu différents de ceux des *Pleomele*. Dans le commerce, les horticulteurs ne font pas toujours la distinction.
Genre d'arbustes et d'arbres à feuilles persistantes, cultivés pour leur feuillage et leur aspect général. Non rustiques (min. 18 °C). Ont besoin de pleine lumière ou d'ombre partielle et d'un sol bien drainé. Arroser avec modération les sujets en conteneurs, beaucoup moins à basses températures. Multiplication : semis pour ceux à feuillages verts ou marcottage aérien au printemps, ou boutures

(nécessaires pour ceux à feuilles panachées) de tiges en été. Les cochenilles peuvent poser des problèmes.

D. deremensis, syn. *Pleomele deremensis.* Plante arborescente ramifiée, à croissance lente. H. 3 m, E. 1 m. Feuilles lancéolées, plus ou moins arquées, luisantes, vert foncé, jusqu'à 45 cm de long. Les plantes adultes peuvent éventuellement donner en été de grandes panicules de petites fleurs rouges à l'extérieur et blanches à l'intérieur. **'Warneckii',** ill. p. 94.

D. draco, syn. *Pleomele draco* **(Dragonnier),** ill. p. 72.

D. marginata, syn. *Pleomele marginata.* Plante arborescente dressée à croissance lente. H. 3 m ou plus, E. 2 m. Feuilles étroites et longues, vertes à marges rouges. Donne rarement des fleurs. **'Tricolor',** ill. p. 71.

D. sanderiana, syn. *Pleomele sanderiana,* ill. p. 119.

DRACOCEPHALUM (Labiacées)

Genre de plantes annuelles et vivaces à floraison d'été, qui conviennent pour rocailles et bordures. Rustiques. Préfèrent le soleil et les sols fertiles, bien drainés (plante calcicole). Multiplication : semis ou division au printemps ou en automne.

D. ruyschianum. Espèce vivace dressée. H.45 cm, E. 30 cm. Donne au début de l'été des fleurs à corolle bilabiée, verticillées, bleues. Feuilles lancéolées, vert moyen.

DRACUNCULUS (Aracées)

Genre de robustes plantes vivaces à souche charnue tubérisée, donnant des spathes larges. De rustiques à semi-rustiques, en cas d'hiver rigoureux, doivent être protégés. Multiplication : par division ou par semis.

D. vulgaris, syn. *Arum dracunculus* **(Serpentaire),** ill. p. 336. Plante pour talus et rocailles au soleil.

Drejerella guttata, voir **Justicia brandegeana.**

DRIMYS (Magnoliacées)

Genre d'arbres de petite taille et d'arbustes à feuilles persistantes, cultivés pour leur feuillage et leurs fleurs étoilées. De semi-rustiques à peu rustiques (dans les régions froides doivent être placées contre un mur orienté au sud ou à l'ouest). Ont besoin de soleil ou de mi-ombre et d'un sol fertile, humide mais bien drainé. Multiplication par boutures de bois aoûté en été, par semis ou marcottage.

D. axillaris, voir *Pseudowintera axillaris.*

D. colorata, voir *Pseudowintera colorata.*

D. winteri, ill. p. 51.

DROSERA (Droséracées)
Rossolis

Genre de plantes vivaces insectivores à feuilles persistantes. De rustiques à non rustiques (min. 5-10 °C). À cultiver au soleil dans un mélange de tourbe et de mousse qui ne doit pas se dessécher. Multiplication par semis ou division.

D. capensis (Drosera du Cap), ill. p. 261. Exotique, non rustique.

D. spathulata (Rossolis spatulé), ill. p. 261.

DRYAS (Rosacées)
Dryade

Genre de plantes vivaces tapissantes, rampantes, à tiges ligneuses, à feuilles persistantes vert foncé brillant, souvent crénelées, à fleurs cupulaires. S'utilisent sur des murs, dans des jardins de rocaille et comme couvre-sol. Rustiques. Préfèrent le soleil et les sols bien drainés. Apprécient les sols caillouteux, même calcaires. Multiplication : semis, ou boutures de bois semi-lignifié en été, ou marcottage.

D. drummondii. Espèce rampante, buissonnante. H. 5 cm, E. variable. Tiges robustes couvertes de petites feuilles ovales, crénelées, dentées, coriaces, vert foncé. Donne en fin

de printemps et au début de l'été des fleurs inclinées blanc crème.

D. octopetala (Dryade à 8 pétales), ill. p. 315.

D. × suendermannii. Espèce rampante, buissonnante. H. 5 cm, E. variable. Ressemble à *D. drummondii* mais avec des fleurs inclinées crème pâle.

DRYOPTERIS (Polypodiacées)

Genre de fougères à feuillage caduc ou semi-persistant dont beaucoup forment de belles touffes en couronne assez régulière. De rustiques à non rustiques. Ont besoin d'ombre et d'un sol humide, mais sans excès. Supprimer régulièrement les frondes fanées. Multiplication par spores en été ou par division en automne ou en hiver.

D. erythrosora. Fougère à feuillage semi-persistant. H. 45 cm, E. 30 cm. Semi-rustique. Frondes largement triangulaires, rose cuivré quand elles sont jeunes, puis virant au vert foncé, divisées en pinnules dentées se maintenant jusqu'au milieu de l'hiver.

D. filix-mas (Fougère mâle), ill. p. 184.

D. goldiana. Fougère à feuillage caduc. H. 1 m, E. 60 cm. Rustique. Frondes ovales assez larges, de 1 m environ de long, vert clair, divisées en de nombreuses pinnules oblongues, dentées.

D. hexagonoptera, voir *Thelypteris hexagonoptera.*

D. marginalis. Fougère à feuillage caduc. H. 60 cm, E. 30 cm. Rustique. Frondes lancéolées, vert assez foncé, de 1 m environ de long, divisées en de nombreuses pinnules oblongues entières.

DUDLEYA (Crassulacées)

Genre de plantes grasses vivaces à rosette basale, très proches de *Echeveria* (et souvent intégrées dans ce genre). Non rustiques (min. 7 °C). Ont besoin de plein soleil et d'un sol très bien drainé. Arroser légèrement lorsque les plantes sont en semi-repos, au milieu de l'été. Multiplication par semis ou division au printemps ou en été

D. pulverulenta, syn. *Echeveria*

pulverulenta, ill. p. 385.

DURANTA (Verbénacées)

Genre d'arbres et d'arbustes à croissance rapide, à feuilles persistantes, cultivés pour leurs courtes grappes de petites fleurs et leur aspect général. Non rustiques (min. 18 °C, végétaux de serre chaude). Ont besoin de pleine lumière et d'un sol fertile, bien drainé. Arroser abondamment les plantes en pots durant la période de croissance, avec modération le reste du temps. Multiplication : semis au printemps ou boutures de bois semi-lignifié en été.

D. plumieri, voir *D. repens.*

D. repens, syn. *D. plumieri,* ill. p. 118.

DUVALIA (Asclépiadacées)

Genre de plantes grasses vivaces, poussant en touffes ou tapissantes, à tiges sans feuilles, courtes et épaisses; très proches de *Stapelia.* Fleurs étoilées, à pétales épais, récurvées. Non rustiques (préfèrent min. 20 °C). Ont besoin d'une ombre partielle et d'un sol très bien drainé. Multiplication par semis ou boutures de tiges au printemps ou en été.

D. corderoyi, ill. p. 396.

DYCKIA (Broméliacées)

Genre de plantes vivaces à feuilles épaisses persistantes groupées en rosette, cultivées pour leur aspect général. Non rustiques (min. 7-10 °C). Ont besoin de pleine lumière et d'un sol bien drainé contenant du sable ou du gravier très fin. Arroser avec modération en hiver. Multiplication par division au printemps.

D. remotiflora, ill. p. 222. H. et E. 50 cm. Forme des rosettes denses de feuilles ovales, récurvées, vert mat, épineuses, avec des écailles grises sur leur face inférieure. Donne en été/automne, au-dessus du feuillage, des épis de fleurs orangées.

E

ECCREMOCARPUS (Bignoniacées)
Bignone du Chili

Genre de sous-arbrisseaux grimpant à l'aide de vrilles, à feuillage persistant, appréciés pour leurs fleurs qui s'épanouissent durant une longue période. Une seule espèce est couramment cultivée. Semi-rustique; dans les zones froides, cultiver en annuelle. À planter en pleine lumière ou au soleil et dans un sol bien drainé. Multiplication au début du printemps, par semis.
E. scaber, ill. p. 175.

ECHEVERIA (Crassulacées)

Genre de plantes vivaces succulentes, en rosette. Non rustiques (min. 5 ºC). Ont besoin de soleil, d'une bonne aération et d'un sol très bien drainé. Multiplication par semis, par boutures de tiges, de feuilles ou par drageons, au printemps ou en été.
E. agavoides, ill. p. 394.
E. derenbergii. Plante formant des colonies. H. 4 cm, E. 30 cm. Elle produit des rosettes sur courte tige, regroupant des feuilles vert grisé, arrondies. Au printemps, sur des tiges florales de 8 cm de long, fleurs en coupe, jaune et rouge ou orange. Produit souvent d'abondants rejets.
E. elegans, ill. p. 391.
E. gibbiflora. Plante en rosette. H. 1 m, E. 15 cm. Tiges couronnées de feuilles arrondies vert grisé, souvent teintées de rouge ou de marron. Les hampes feuillées, de 60 cm de long, portent en automne et en hiver des fleurs en coupe, rouges à intérieur jaune.
E. pulverulenta, syn. *Dudleya pulverulenta,* ill. p. 385.
E. pulvinata, ill. p. 385.
E. secunda, ill. p. 393.

ECHINACEA (Composées)

Genre de plantes vivaces à floraison estivale ou automnale. Rustiques. Aiment le soleil et les sols riches en humus, bien drainés. Multiplication par division, ou par semis au printemps.
E. purpurea, syn. *Rudbeckia purpurea.* **'Robert Bloom'**, ill. p. 204. **'White Lustre'** est une vigoureuse plante dressée. H. 1,2 m, E. 45 cm. En été, grands capitules solitaires, en forme de marguerites, blancs à centre proéminent conique marron orangé, sur de vigoureuses tiges. Les feuilles sont vert foncé, lancéolées.

ECHINOCACTUS (Cactacées)

Genre de cactées vivaces, à croissance lente, de forme globuleuse. Non rustiques (min. 17 ºC, serre tempérée); les températures basses peuvent provoquer des taches jaunes sur *E. grusonii.* Ont besoin de plein soleil et d'un sol très bien drainé. Multiplication par semis au printemps.
E. grusonii, ill. p. 381.

ECHINOCEREUS (Cactacées)

Genre de cactées vivaces, de forme globuleuse ou allongée et traînante ou columnaire, se ramifiant beaucoup avec l'âge. Certaines espèces ont des racines tubéreuses. Les boutons floraux, formés à l'intérieur des tiges couvertes d'aiguillons, transpercent l'épiderme pour donner des fleurs à stigmate vert émeraude, proéminent, se maintenant longtemps, suivies de fruits épineux en forme de poire. Non rustiques (min. 5-8 ºC); quelques espèces supportent les gels légers en conditions sèches. Ont besoin de plein soleil et d'un sol très bien drainé. Multiplication par semis ou par boutures de tiges, au printemps ou en été.
E. baileyi, voir *E. reichenbachii* var. *baileyi.*
E. leucanthus, syn. *Wilcoxia albiflora,* ill. p. 389.
E. pentalophus, ill. p. 384.
E. reichenbachii. Cactée vivace, de forme columnaire. H. 35 cm, E. 20 cm. Min. 7 ºC. Tige un peu ramifiée, multicolore, présentant de 12-23 côtes et des aiguillons de 1,5 cm de long, disposés en peigne. Au printemps, fleurs en trompette, de 12 cm de diamètre, roses ou pourpres, de couleur plus sombre à la base des pétales.
var. *baileyi,* syn. *E. baileyi,* ill. p. 383.
E. schmollii, syn. *Wilcoxia schmollii,* ill. p. 383.
E. triglochidiatus. Cactée vivace, formant une touffe. H. 30 cm, E. 15 cm (min. 5 ºC). Courte tige épaisse, vert foncé : chaque aréole porte de 3-5 aiguillons ayant jusqu'à 2,5 cm de long. Au printemps, fleurs en entonnoir, de 7 cm de diamètre, rouge vif, à étamines rouges saillantes et à stigmate vert.
var. *paucispinus,* ill. p. 395.

ECHINOFOSSULOCACTUS (Cactacées)

Genre de cactées vivaces, de forme variable, à tiges vertes, présentant des côtes étroites et ondulées, pourvues d'aiguillons. Non rustiques (min. 5 ºC). Une situation ensoleillée et un sol bien drainé sont nécessaires. Multiplication par semis au printemps ou en été.
E. pentacanthus, ill. p. 396.
E. violaciflorus, ill. p. 392.

ECHINOPS (Composées)

Genre de plantes vivaces à floraison estivale, appréciées pour leurs capitules globuleux entourés de bractées épineuses. Rustiques. Le plein soleil et les sols sans leur conviennent. Multiplication par division ou semis en automne ou au printemps.
E. bannaticus, ill. p. 190.
E. ritro **'Veitch's Blue'**, ill. p. 211.
E. sphaerocephalus, ill. p. 188.

ECHINOPSIS (Cactacées)

Genre de cactées vivaces, de forme allant de globuleuse à columnaire, ramifiées pour la plupart. Non rustiques (min. 5 ºC). Ont besoin de plein soleil et d'un sol très bien drainé. Faciles à cultiver. Multiplication par semis ou par rejets, au printemps ou en été.
E. multiplex, ill. p. 382.

ECHIUM (Boraginacées)
Vipérine

Genre de plantes annuelles, bisannuelles, vivaces et d'arbustes à feuillage souvent persistant, cultivés pour leurs fleurs. De rustiques à non rustiques (min. 3 ºC). Ont besoin de soleil et d'un sol léger. Multiplication par semis au printemps, ou par bouturage.
E. bourgaeanum, voir *E. wildpretii.*
E. vulgare (Vipérine commune), forme naine tillée. H. p. 275. Rustique.
E. wildpretii, syn. *E. bourgaeanum.* Plante vivace érigée, non ramifiée. H. 2,5 m ou plus, E. 60 cm. Peu rustique. Feuilles étroites, lancéolées, de 30 cm de long, à poils argentés, en rosette dense. Vers la fin du printemps et en été, inflorescences compactes, de 1 à 1,5 m de long, de petites fleurs rouges en forme d'entonnoir.

EDGEWORTHIA (Thyméléacées)

Genre d'arbustes à feuillage caduc ou persistant, appréciés pour leurs fleurs s'épanouissant en fin d'hiver et début printemps. Rustiques, mais les fleurs peuvent être endommagées par des gelées. À planter contre un mur orienté au sud ou à l'ouest. Ont besoin de plein soleil et de sols bien drainés. N'aiment pas être transplantés. Multiplication par bouturage en été ou par semis en automne.
E. chrysantha, syn. *E. papyrifera.* Arbuste à port ouvert et aéré, de forme arrondie. H. et E. 1,5 m. Les rameaux très souples produisent en fin d'hiver et début printemps des inflorescences terminales rondes de fleurs jaunes parfumées, tubulaires. Feuilles caduques ovales, vert sombre. En France, ne réussit qu'en climat méditerranéen.
E. papyrifera, voir *E. chrysantha.*

EDRAIANTHUS (Campanulacées)

Genre de plantes vivaces à durée de vie courte, certaines à feuilles persistantes, le plus souvent à souche centrale. Au printemps, les plantes émettent des tiges prostrées, portant les feuilles et les fleurs. Conviennent bien aux jardins de rocaille, aux terrains cailloux et à la décoration d'auges. Rustiques. Ont besoin de soleil et d'un sol bien drainé. Multiplication par bouturage en début d'été ou par semis en automne.
E. pumilio, ill. p. 322.
E. serpyllifolius, ill. p. 321. **'Major'**, H. 1 cm, E. jusqu'à 5 cm, forme des tapis compacts de minuscules feuilles persistantes ovales, vert foncé. En début d'été, fleurs campanulées, violet foncé, de 1,5 cm de large, sur de très courtes tiges. A besoin d'une situation abritée. Multiplication par semis.

Edwardsia microphylla, voir *Sophora microphylla.*

EGERIA (Hydrocharitacées)

Genre de plantes aquatiques vivaces, flottantes ou immergées, appréciées pour leur feuillage semi-persistant ou persistant. Elles ressemblent aux plantes du genre *Elodea,* mais portent des fleurs plus visibles, s'épanouissant au-dessus de la surface de l'eau. Utiles en aquarium, pour oxygéner le milieu et permettre aux poissons

de déposer leurs œufs. Non rustiques (min. 1 °C). Ont besoin d'une situation ensoleillée. Éclaircir régulièrement. Multiplication par bouturage de tiges au printemps ou en été.
E. densa, syn. *Anacharis densa, Elodea densa.* Plante immergée, s'étalant en surface. E. variable. Forme une masse dense de petites feuilles semi-persistantes, verticillées, lancéolées, vert foncé, portées par de vigoureuses et longues tiges. En été, petites fleurs blanches à 6 divisions pétaloïdes.

EHRETIA (Boraginacées)

Genre d'arbres à floraison estivale, appréciés pour leur feuillage caduc et leurs fleurs à 5 lobes étalés. Semi-rustiques. Ont besoin de soleil ou de mi-ombre et d'un sol bien drainé. Multiplication par boutures de bois tendre en été.
E. dicksonii, ill. p. 64. S'accommode de tous les sols, même calcaires.

EICHHORNIA (Pontédériacées)

Genre de plantes vivaces aquatiques, flottantes ou poussant en bordure des eaux, à feuilles persistantes ou semi-persistantes. Non rustiques (min. 1 °C). Apprécient une situation ensoleillée et aérée, en eau chaude ou tempérée. Quand elles prolifèrent, il est nécessaire de les éclaircir régulièrement. Multiplication par stolons.
E. crassipes (Jacinthe d'eau), ill. p. 374.

ELAEAGNUS (Élaeagnacées) Chalef

Genre d'arbustes et d'arbres cultivés pour leurs feuilles caduques ou persistantes, leurs petites fleurs fréquemment odorantes, donnant souvent des fruits ornementaux. Les espèces à feuilles persistantes sont utiles pour réaliser des abris ou des haies, plus particulièrement en bordure de mer. De rustiques à semi-rustiques. Les *Elaeagnus* poussent bien au soleil, et ont besoin d'un sol sain, bien drainé. Tailler les haies vers la fin de l'été. Multiplication des espèces par semis en automne ou par boutures de rameaux semi-aoûtés en été; pour les cultivars : greffage en juillet-août.
E. angustifolia (Olivier de Bohême), ill. p. 90.
E. × ebbingei. Arbuste touffu. H. et E. 5 m. Rustique. Feuilles persistantes lustrées, d'oblongues à ovales, vert foncé, argenté sur le revers. Quelques fleurs parfumées, campanulées, d'un blanc argenté, du milieu à la fin de l'automne. Les feuilles de 'Gilt Edge' sont bordées

de jaune doré. **'Limelight',** ill. p. 121.
E. macrophylla. Arbuste dense, inerme. H. et E. 3 m. Rustique. Feuilles persistantes larges et ovales : à l'état jeune, elles sont d'un gris argenté puis deviennent vert foncé, lustrées au-dessus, restant gris argenté en dessous. Du milieu à la fin de l'automne, fleurs parfumées en cloche, jaune crème, argentées à l'extérieur, suivies de fruits rouges ellipsoïdes.
E. pungens 'Maculata', ill. p. 95.

ELAEOCARPUS (Élaeocarpacées)

Genre d'arbustes et d'arbres appréciés pour leur feuillage persistant et leur floraison printanière et estivale. De semi-rustiques à non rustiques (min. 5 °C). Ont besoin de lumière ou d'un ombrage partiel (éviter le plein soleil) et d'un sol assez fertile; apprécient un sol tourbeux. Arroser abondamment en période de croissance, moins en hiver. Multiplication par semis au printemps ou par boutures de rameaux semi-aoûtés en été. Araignées rouges et aleurodes peuvent poser des problèmes.
E. cyaneus, voir *E. reticulatus.*
E. reticulatus, syn. *E. cyaneus.* Arbuste de forme arrondie. H. et E. 3 m, parfois jusqu'à 12 m ou plus. Non rustique. Feuilles persistantes d'elliptiques à lancéolées, dentées et lustrées. En été, fleurs blanches campanulées, frangées, en grappes axillaires, auxquelles succèdent, en automne, des fruits globulaires bleu foncé.

ELEOCHARIS (Cypéracées), voir BAMBOUS, HERBES, JONCS et LAÎCHES.

E. acicularis (Scirpe épingle). Plante vivace, rhizomateuse, à feuillage persistant, se propageant en surface. H. jusqu'à 10 cm, E. variable. Rustique. Feuilles basales très étroites, d'un vert moyen. Les tiges, dépourvues de poils, non ramifiées, de section carrée, portent en été de minuscules épillets solitaires marron.

ELEUTHEROCOCCUS, syn. ACANTHOPANAX (Araliacées)

Genre d'arbres et d'arbustes cultivés pour leur feuillage caduc et leurs fruits. Minuscules fleurs, le plus souvent d'un blanc verdâtre. Rustiques. Préfèrent le plein soleil et ont besoin d'un sol bien drainé. Multiplication par semis au printemps ou par boutures de racines vers la fin de l'hiver.
E. sieboldianus, ill. p. 113.

Elodea crispa, voir *Lagarosiphon major.*
Elodea densa, voir *Egeria densa.*

ELSHOLTZIA (Labiacées)

Genre de plantes annuelles, vivaces, d'arbustes et de sous-arbrisseaux à feuillage caduc, appréciés pour leurs fleurs bleues s'épanouissant généralement en fin d'été et en automne. Rustiques. Ont besoin de plein soleil et d'un sol fertile, bien drainé. Tailler sévèrement le vieux bois au début du printemps. Multiplication par boutures herbacées, en été; également par semis ou division.
E. stautonii, ill. p. 141.

Elymus arenarius, voir *Leymus arenarius.*

EMBOTHRIUM (Protéacées)

Genre d'arbres à feuillage persistant, appréciés pour leurs fleurs. Semi-rustiques, mais il faut les abriter des vents froids. Ont besoin de pleine lumière et d'un sol humide, bien drainé, acide. Multiplication par drageonnage au printemps ou en automne ou par semis en automne.
E. coccineum, ill. p. 66.

EMILIA (Composées)

Genre de plantes annuelles et vivaces, dont les capitules donnent de bonnes fleurs à couper. Conviennent bien aux régions chaudes et sèches. Semi-rustiques. Le soleil et un sol sain leur sont nécessaires. Multiplication par semis sous châssis au printemps ou à l'extérieur vers la fin du printemps.
E. flammea, voir *E. javanica.*
E. javanica, syn. *E. flammea* (Cacalie écarlate), ill. p. 285.

EMMENOPTERYS (Rubiacées)

Genre d'arbres appréciés surtout pour leur feuillage caduc. Leurs fleurs n'apparaissent que rarement en France, lors d'étés chauds. D'assez rustiques à semi-rustiques, mais les jeunes pousses peuvent être endommagées par les gels tardifs. Ont besoin d'un sol profond, fertile, bien drainé et frais. Multiplication par boutures herbacées en été.
E. henryi, ill. p. 53. Rustique dans le midi et l'ouest de la France seulement.

ENCEPHALARTOS (Cycadacées)

Genre d'arbres à feuillage persistant, appréciés pour leur aspect proche de celui des palmiers. Non rustiques (min. 16 °C, serre tempérée). Ont besoin de plein soleil et d'un sol sain, fertile. Arroser copieusement lors de la période de croissance, faiblement le reste du temps. Multiplication par semis au printemps.
E. ferox, ill. p. 120.

ENCYCLIA, voir ORCHIDÉES.

E. cochleata. Orchidée épiphyte, pour serre froide. H. 30 cm. À l'état jeune, la plante ne fleurit qu'en été, puis en vieillissant, par intermittence, toute l'année. Inflorescences dressées de fleurs vertes, de 5 cm de long, à labelles à extrémités pourpre sombre, à sépales et à pétales ressemblant à des rubans. Feuilles persistantes, étroites, ovales, de 15 cm de long. En été, une situation semi-ombragée est nécessaire.
E. radiata. Orchidée épiphyte, pour serre froide. H. 25 cm. En été, inflorescences dressées de fleurs blanc crème, de 1 cm de diamètre, de forme bien arrondie, très parfumées, à labelles blancs, rayés de rouge. Feuilles persistantes étroites, ovales, de 10-15 cm de long.

ENDYMION, voir HYACINTHOIDES.

ENKIANTHUS (Éricacées)

Genre d'arbres et d'arbustes à feuillage caduc ou parfois persistant, à floraison printanière, appréciés pour leur masse de petites fleurs campanulées ou urcéolées, ainsi que pour leurs couleurs automnales. De rustiques à semi-rustiques. Ont besoin de soleil ou de mi-ombre et d'un sol acide, tourbeux, frais et sain. Multiplication par boutures de rameaux semi-aoûtés en été ou par semis au printemps.
E. campanulatus, ill. p. 85.
E. cernuus var. **rubens,** ill. p. 98.
E. perulatus, ill. p. 95.

ENSETE (Musacées)

Genre de plantes vivaces, cultivées pour leur feuillage persistant ressemblant à celui des bananiers et pour leurs fruits. Elles présentent de fausses tiges, constituées de pétioles engainants qui se chevauchent. Non rustiques (min. 15 °C). À cultiver au soleil ou à l'ombre légère et dans un sol riche. Multiplication par semis au printemps ou par division toute l'année.
E. ventricosum, syn. *Musa*

arnoldiana, *M. ensete* (**Bananier d'Abyssinie**), ill. p. 195.

EOMECON (Papavéracées)

Genre comptant une seule espèce de plante vivace, se propageant rapidement dans le sol par ses rhizomes. À utiliser dans les jardins de rocaille. Assez rustique. A besoin de mi-ombre et d'un sol frais bien drainé. Multiplication par semis ou par division au printemps.
E. chionantha. Plante vivace vigoureuse, se propageant par ses rhizomes. H. jusqu'à 40 cm, E. variable. Grandes feuilles vert pâle, cordées. En été, les tiges érigées portent chacune une grande inflorescence de nombreuses petites fleurs blanches, ressemblant à des coquelicots.

EPACRIS (Épacridacées)

Genre d'arbustes ressemblant aux bruyères; appréciés pour leurs fleurs. Non rustiques (min. 5 °C). Ont besoin de plein soleil et d'un sol riche en humus, bien drainé, neutre ou acide. Les tiges fleuries peuvent être raccourcies après la floraison pour que les arbustes gardent leur forme. Multiplication par semis au printemps ou par boutures de rameaux aoûtés à la fin de l'été.
E. impressa, ill. p. 123.

EPHEDRA (Éphédracées)

Genre d'arbustes à feuilles persistantes, appréciés pour leur port dressé ou couché et leurs tiges vertes, leurs feuilles en forme de petites écailles, qui leur donnent une allure de prêle. Rustiques. Ont besoin de plein soleil et d'un sol bien drainé. Multiplication par semis en automne ou par division en automne ou au printemps.
E. gerardiana. Arbuste étalé, à feuilles persistantes et à minces tiges vertes, érigées, ressemblant à des joncs. H. 60 cm, E. 2 m. Les feuilles et les fleurs sont insignifiantes. Petites fructifications rouges sphériques.

EPIDENDRUM, voir ORCHIDÉES

E. difforme, ill. p. 254. Orchidée épiphyte, à cultiver en serre tempérée. H. 23 cm. Surtout en automne, grandes inflorescences de fleurs vertes, de 3 cm de diamètre au plus. Feuilles persistantes plus ou moins rigides, ovales, jusqu'à 8 cm de long. A besoin de mi-ombre en été. Éviter de pulvériser, car cela peut tacher les feuilles. Multiplication par division au printemps.

E. ibaguense, syn. *E. radicans,* ill. p. 253. Orchidée épiphyte, pour serre froide. H. 2 m ou plus. Elle fleurit presque constamment, portant une succession de fleurs rouge foncé, à labelles frangés, de 3 cm de diamètre au plus. Feuilles persistantes rigides, ovales, jusqu'à 9 cm de long. Demande la mi-ombre en été. Multiplication par bouturage au printemps.
E. radicans, voir *E. ibaguense.*

EPIGAEA (Éricacées)

Genre d'arbustes rampants, à floraison printanière et à feuilles persistantes. Rustiques. Ont besoin de mi-ombre et d'un sol acide, humide, riche en humus. La plupart des espèces sont difficiles à cultiver. Multiplication par semis au printemps ou par marcottage.
E. gaultherioides, syn. *Orphanidesia gaultherioides,* ill. p. 304.
E. repens. Arbuste rampant. H. 10 cm, E. 30 cm. Tiges poilues à feuilles ovales, coriaces. Au printemps, bouquets terminaux de 4-6 fleurs cupulaires blanches, parfois teintées de rose. Relativement facile à cultiver.

EPILOBIUM, syn. CHAMAENERION (Onagracées)
Épilobe

Genre de plantes annuelles, bisannuelles, vivaces et de sous-arbrisseaux à feuilles caduques, cultivés pour leurs fleurs estivales de couleur allant de rose foncé à blanc. Utiles pour talus secs. Plusieus espèces sont envahissantes. Rustiques. Exigences variables selon les espèces pour la lumière et le sol. Multiplication des espèces par semis en automne et des cultivars par boutures herbacées, au printemps.
E. angustifolium (**Laurier de Saint-Antoine**). f. *album,* ill. p. 188.
E. chlorifolium var. *kaikourense,* ill. p. 314.
E. glabellum, ill. p. 291.

EPIMEDIUM (Berbéridacées)

Genre de plantes vivaces rhizomateuses, généralement à feuilles persistantes. Fleurs printanières à 4 sépales pétaloïdes et 4 pétales éperonnés. Bons couvre-sol. Rustiques. À cultiver à mi-ombre ou à la rigueur au soleil et dans un sol riche en humus, retenant bien l'humidité, mais néanmoins bien drainé. Rabattre au printemps, juste avant l'apparition des nouvelles pousses. Multiplication par division ou par semis.
E. grandiflorum 'Rose Queen', ill. p. 226. 'Violaceum' est

tapissante. H. et E. 30 cm. Au printemps, alors que les feuilles apparaissent, elle produit des bouquets de fleurs pendantes, lilas foncé, munies de longs éperons. Feuilles divisées en 3 folioles, ovales-cordiformes, rouge brunâtre à l'état jeune, vert moyen par la suite.
E. pubigerum, ill. p. 225.
E. × rubrum, ill. p. 226.
E. × versicolor. Plante tapissante. H. et E. 30 cm. Au printemps, petits bouquets pendants de fleurs jaunes, à longs éperons colorés de rouge. Feuilles divisées en folioles ovales-cordiformes, vert frais, teinté de pourpre rougeâtre. 'Neosulphureum', ill. p. 229.
E. × warleyense, ill. p. 232.
E. × youngianum 'Niveum', ill. p. 224.

EPIPHYLLUM (Cactacées)
«Cactus-Orchidée»

Genre de cactées vivaces, à tiges vertes, aplaties, en forme de ruban, à bords crénelés. Les fleurs apparaissent en bordure, au niveau des encoches. Non rustiques (min. 5-11 °C). À cultiver au soleil ou sous un ombrage léger et dans un sol riche, bien drainé. Multiplication par boutures de tiges au printemps ou en été.
E. ackermannii, voir *Nopalxochia ackermannii.*
E. anguliger, ill. p. 382.
E. crenatum. Cactée vivace, érigée puis retombante. H. et E. 3 m. (Min. 11 °C.) Tiges vertes aplaties; au printemps et en été, fleurs blanches, en entonnoir, de 20 cm de diamètre, à larges pétales, légèrement parfumées.
E. 'Deutsche Kaiserin', voir *Nopalxochia phyllanthoides.*
E. 'Gloria', ill. p. 384.
E. 'Jennifer Ann', ill. p. 387.
E. lauii, ill. p. 382.
E. 'M. A. Jeans', ill. p. 384.

EPIPREMNUM (Aracées)

Genre de plantes grimpantes, ligneuses, à tiges radicantes, cultivées pour leur beau feuillage persistant. On y inclut parfois *Pothos.* Non rustiques (min. 18 °C, serre assez chaude, humide). À cultiver sous un ombrage léger, évitant un ensoleillement direct. Tout sol bien drainé et retenant l'humidité leur convient. Arroser régulièrement, parcimonieusement par temps froid. Multiplication par bouturage vers la fin du printemps ou par marcottage en été.
E. aureum 'Marble Queen', syn. *Scindapsus aureus* 'Marble Queen', ill. p. 177.
E. pictus 'Argyraeus', syn. *Scindapsus pictus* 'Argyraeus', ill. p. 177.

EPISCIA (Gesnériacées)

Genre de plantes vivaces, rampantes ou érigées, à faible vigueur, appréciées pour leurs feuilles persistantes et la couleur de leurs fleurs. On les utilise comme couvre-sol ou en panier suspendu. Non rustiques (min. 18 °C). Ont besoin d'humidité en été, d'une situation assez ombragée et d'un sol riche en humus, bien drainé. Bien arroser mais éviter l'eau stagnante. Multiplication par bouturage en été ou par division (ou encore à partir de stolons enracinés, pour les espèces stolonifères).
E. cupreata, ill. p. 257.
E. dianthiflora, ill. p. 255.

EPITHELANTHA (Cactacées)

Genre de cactées vivaces, à croissance très lente, de forme sphérique, densément couvertes d'aiguillons très courts. Non rustiques (min. 10 °C). Ont besoin de plein soleil et d'un sol bien drainé. Risque de pourriture, lorsqu'on les arrose excessivement. Multiplication par semis ou par boutures de tiges au printemps ou en été.
E. micromeris, ill. p. 391.

ERANTHIS (Ranunculacées)
Helléborine

Genre de plantes vivaces à tubercules formant une touffe, appréciées pour leurs fleurs en coupe, entourées d'une collerette de bractées laciniées. Rustiques. Aiment la mi-ombre et un sol riche en humus, bien drainé, ne se desséchant pas trop. La partie aérienne disparaît en été. Multiplication par semis de graines fraîches ou par division des touffes après la floraison, lorsque la plante est encore feuillée.
E. cilicicus, voir *E. hyemalis.*
E. hyemalis, syn. *E. cilicicus,* ill. p. 371.

ERCILLA (Phytolaccacées)

Genre comptant une seule espèce de plante grimpante à tiges radicantes, appréciée pour son beau feuillage persistant, recouvrant densément les rameaux. Semi-rustique. À cultiver au soleil ou à l'ombre légère en sol bien drainé. Tailler après la floraison si nécessaire. Multiplication par boutures de tiges vers la fin de l'été ou en automne, ou par semis.
E. spicata, voir *E. volubilis.*
E. volubilis, syn. *E. spicata.* Plante volubile. H. 5 m. Feuilles persistantes ovales, vert moyen, de 2,5 cm à 5 cm de long. Au printemps, grappes de fleurs comprenant chacune 5 tépales verdâtres et de 6-8 étamines blanches, suivies parfois de baies pourpres.

EREMURUS (Liliacées)

Genre de plantes vivaces à racines charnues, cultivées pour leurs majestueuses hampes florales chargées en fin de printemps ou en été de fleurs en coupe peu profonde. De rustiques à semi-rustiques (à protéger en cas de grand froid). Apprécient une situation chaude et ensoleillée et un sol sableux bien drainé. La végétation a tendance à reprendre tôt et les jeunes pousses peuvent geler. Aussi, vers la fin de l'hiver, il est conseillé de protéger spécialement les racines et les bourgeons en les recouvrant de feuilles de fougères séchées. Tuteurer les espèces et les hybrides de grande taille. Multiplication par division au printemps ou en début d'automne ou par semis en automne.

E. himalaicus, ill. p. 188.
E. robustus, ill. p. 189.
E. **Hybrides Shelford.** Port et couleur des fleurs variables. H. 1,5 m, E. 60 cm. Assez rustiques. De longues grappes de fleurs, orange, jaune clair, roses ou blanches, s'épanouissent abondamment au milieu de l'été. Feuilles rubanées en rosettes basales.

ERIA, voir **ORCHIDÉES.**

E. coronaria. Orchidée épiphyte pour serre froide. H. 23 cm. Ramilles chargées de fleurs parfumées, de forme arrondie, de 1 cm de diamètre, blanc crème, à labelles marqués de rouge et de jaune, en automne. Feuilles persistantes larges, ovales, brillantes, de 10 cm de long. Situation semi-ombragée en été, et compost humide toute l'année.

ERICA (Éricacées), voir **BRUYÈRES.**
Bruyère

Plantes de terre de bruyère ou la plupart du temps pour sol non calcaire. Aiment les sols sableux. Exposition ensoleillée, ou mi-ombre à la rigueur.

E. arborea (Bruyère en arbre). Bruyère arborescente, à port dressé. H. 6 m, E. 1,5 m. Semi-rustique, mais craint les gels accompagnés de vents froids. Feuilles persistantes d'un vert vif, ressemblant à des aiguilles, verticillées par 3 ou 4. De la fin de l'hiver à la fin du printemps, fleurs campanulées blanc rosé, parfumées. **'Albert's Gold',** H. 2 m, conserve son feuillage doré toute l'année. var. *alpina* (ill. p. 146) a un feuillage vert vif, et des grappes compactes de fleurs blanches. À tailler pour maintenir sa forme et favoriser la croissance de nouvelles pousses.

E. australis (Bruyère d'Espagne). Bruyère arborescente. H. jusqu'à 2,2 m, E. 1 m. Assez rustique, cependant les tiges peuvent être endommagées par la neige et le gel. Feuilles persistantes étroites en aiguille, verticillées par 4. Au printemps, fleurs à corolle subcylindrique, blanches ou rose pourpré. **'Mr Robert'** présente des fleurs blanches. **'Riverslea'** a des fleurs rose pourpre vif, associées le plus souvent par 4.

E. canaliculata, ill. p. 146. Arbuste érigé. H. jusqu'à 3 m, E. 1 m. Semi-rustique. Feuilles persistantes vert foncé, en aiguille, verticillées par 3. Fleurs en coupe, d'un blanc nacré, parfois teinté de rose, en hiver (sous serre) ou au début du printemps en plein air. Demande un sol acide.

E. carnea, syn. *E. herbacea* (Bruyère des neiges). Arbuste étalé. H. jusqu'à 60 cm, E. jusqu'à 45 cm ou plus. Rustique. Verticilles de 4 feuilles persistantes, en aiguille, vert moyen ou foncé. Du début de l'hiver à la fin du printemps, fleurs tubulaires ou campanulées, rouges ou roses, blanches à l'occasion. Bon couvre-sol. **'Ann Sparkes'** (ill. p. 147), H. 15 cm. Son feuillage doré devient bronze en hiver. Fleurs rose foncé. **'C.J. Backhouse'** (ill. p. 147) a des fleurs rose pâle, du milieu de l'hiver au début du printemps. **'December Red'** (ill. p. 147) a un port étalé et une croissance vigoureuse. En hiver, fleurs rose foncé. **'Foxhollow'** est un cultivar vigoureux, étalé, présentant un feuillage jaune doré en été, à extrémités orangées au printemps. Quelques fleurs rose pâle. **'Springwood White'** (ill. p. 146), H. 15 cm, est un excellent couvre-sol. De la fin de l'hiver au printemps, grandes fleurs blanches à anthères marron. C'est le plus vigoureux des cultivars à fleurs blanches. **'Vivellii'** (ill. p. 147), H. 15 cm, a un feuillage vert bronze sombre. De la fin de l'hiver au printemps, fleurs rose pourpré foncé. **'Westwood Yellow'** (ill. p. 147) est un cultivar compact, à feuillage jaune doré et à fleurs rose foncé.

E. ciliaris (Bruyère ciliée). Bruyère à port diffus. H. jusqu'à 30 cm, E. 40 cm. Semi-rustique (elle peut être endommagée lors d'hivers rigoureux). Feuilles vertes aciculaires, verticillées par 3 ou 4. En été, longues grappes spiciformes presque unilatérales de fleurs urcéolées, rose vif. Plante de climat doux. **'Corfe Castle'** (ill. p. 147) produit de l'été au début de l'automne des fleurs rose saumoné. **'David McClintock'** (ill. p. 146) a un feuillage gris vert clair et de l'été au début de l'automne, des fleurs blanches à extrémité rose foncé. **'White Wings'** (ill. p. 146) a des feuilles gris-vert sombre et des fleurs blanches.

E. cinerea (Bruyère cendrée). Sous-arbuste compact. H. 50 cm, E. 45-60 cm. Rustique. Feuilles, persistantes vert en aiguille. Du début de l'été au début de l'automne, fleurs en grelot, colorées dans des nuances de rose et de rouge foncé, blanches à l'occasion

(rose pourpré chez le type). A besoin d'un sol acide. Préfère les situations sèches et chaudes. **'Atrorubens'** est un cultivar portant d'abondantes fleurs rouge rubis. **'C.D. Eason'** (ill. p. 147) a un feuillage vert foncé et des fleurs rouge vif. **'Cevennes'** a un port dressé et une profusion de fleurs mauves. **'Contrast'** a des fleurs pourpre très sombre. **'Eden Valley'** (ill. p. 147), H. 20 cm, a des fleurs blanches à extrémités mauve lavande. **'Glencairn'** (ill. p. 147), H. 20 cm, a un feuillage à extrémités roses et rouges, plus particulièrement au printemps. Fleurs magenta. **'Hookstone Lavender'** (ill. p. 147), H. 40 cm, a un port un peu diffus. Abondantes fleurs lavande pâle. **'Hookstone White'** (ill. p. 146), H. 35 cm, a un feuillage vert vif et de longues grappes de grandes fleurs blanches. **'Purple Beauty'** (ill. p. 147) a un feuillage vert sombre et des fleurs pourpres. **'Rock Pool'** (ill. p. 147), H. 15 cm. Cultivar compact à feuillage doré, teinté d'orange et de rouge en hiver. Fleurs mauves. **'Romiley'** (ill. p. 147), H. 25 cm, porte une masse de fleurs rouge rubis, du début à la fin de l'été. **'Velvet Night'**, H. 25 cm, a des fleurs pourpre sombre, presque noires. **'Windlebrooke'** (ill. p. 147), H. 25 cm. Vigoureux cultivar à feuillage doré, devenant rouge orangé vif en hiver. Fleurs mauves.

E. × darleyensis. Sous-arbuste touffu. Supporte un peu de calcaire. H. 45 cm, E. 1 m ou plus. Rustique. Feuilles persistantes vertes en aiguille. Vers la fin du printemps, jeunes pousses crème, roses ou rouges chez certains cultivars. Grappes de fleurs blanches, roses ou pourpres, du début de l'hiver à la fin du printemps. **'Archie Graham'** (ill. p. 146), H. 50 cm, est un vigoureux cultivar à fleurs rose lilas. **'Arthur Johnson'**, H. 1 m, a un feuillage à extrémités crème et roses, à l'état jeune. Du milieu de l'hiver au printemps, longues grappes de fleurs rose lilas. **'Darley Dale'** (ill. p. 146) a des fleurs mauve pâle du milieu de l'hiver au printemps. **'Ghost Hills'** (ill. p. 146) a un feuillage à extrémités crème au printemps et une profusion de fleurs roses du milieu de l'hiver au printemps. **'White Glow'** (ill. p. 146), H. 30 cm, a des fleurs blanches. **'White Perfection'** (ill. p. 146) a un feuillage vert vif et des fleurs blanches.

E. erigena, syn. *E. mediterranea.* Arbuste dressé et touffu. H. jusqu'à 2 m, E. jusqu'à 1 m. Assez rustique. Les pousses terminales peuvent être endommagées durant les hivers rigoureux, mais la plante repart bien de la base. Feuilles persistantes vert assez foncé, aciculaires. Fleurs en cloche, rose mauve, généralement au printemps (parfois dès le début de l'hiver). Les fleurs de certains cultivars ont une odeur de miel. **'Brightness'** (ill. p. 147), H. 45 cm, a un feuillage vert bronze et des fleurs printanières rose mauve. **'Golden Lady'** (ill. p. 147), H. 30 cm, est un

cultivar à beau port compact. Feuillage doré toute l'année. Fleurs blanches vers la fin du printemps. **'Superba',** H. 1,5 m, a au printemps des fleurs roses à légère odeur de miel.

E. gracilis. Sous-arbuste compact. H. et E. jusqu'à 30 cm. Non rustique (min. 5 °C). Feuilles persistantes vert moyen, en aiguille. Du début de l'automne au début du printemps, bouquets de petites fleurs en grelot, rose violacé. On l'utilise essentiellement comme plante d'appartement ou de cimetière : on peut cependant la planter à l'extérieur en été, en situation abritée.

E. herbacea, voir *E. carnea.*

E. lusitanica (Bruyère du Portugal). Bruyère arbustive, touffue et dressée. H. 2 m, E. 1 m. Assez rustique. Feuilles persistantes vert-gris. De fin hiver à printemps, fleurs de tubulaires à campanulées, roses en bouton, blanc pur à plein épanouissement. **'George Hunt'** a un feuillage doré. Il est rustique, mais a besoin d'une situation abritée.

E. mackaiana. Sous-arbuste étalé. H. jusqu'à 25 cm, E. 40 cm. Rustique. Feuilles persistantes vert foncé, en aiguille. Du milieu de l'été au début de l'automne, têtes de fleurs globuleuses roses, mauve rose ou blanches (rose cramoisi chez le type). Aime les sols frais. **'Dr Ronald Gray'** (ill. p. 146), H. 15 cm, a des feuilles vert foncé et des fleurs blanc pur. **'Plena'** (ill. p. 146) a des fleurs doubles, rose foncé, nuancées de blanc au centre.

E. mediterranea, voir *E. erigena.*

E. scoparia (Bruyère à balai, Brande). Arbuste touffu. H. jusqu'à 3 m, E. 1 m. Rustique. Feuilles persistantes vert sombre, en aiguille. Bouquets de fleurs campanulées marron verdâtre, vers la fin du printemps et en début d'été. **'Minima',** H. 30 cm, a un feuillage vert vif.

E. terminalis (Bruyère de Corse). Bruyère arborescente, à rameaux dressés et rigides. H. et E. jusqu'à 2,5 m. Rustique. Feuilles persistantes aciculaires vert moyen. Fleurs en cloche, rose mauve, du début de l'été au début de l'automne : en se fanant, l'hiver, elles prennent une teinte rousse. Supporte les terrains calcaires.

E. tetralix (Caminet, Clarin). Arbuste étalé. H. jusqu'à 80 cm, E. 45 cm. Rustique. Feuilles persistantes vert grisé, aciculaires, verticillées par 4. Grandes ombelles de fleurs en grelot, roses, de l'été au début de l'automne. Préfère l'humidité. **'Alba Mollis'** (ill. p. 146) a un feuillage gris argenté et des fleurs blanches du début de l'été à la fin de l'automne. **'Con Underwood'** (ill. p. 147) a des fleurs rouge foncé. **'Pink Star'** (ill. p. 147) a des fleurs roses, dressées, disposées en étoile au sommet des rameaux.

E. vagans. Arbuste touffu, vigoureux. H. et E. 75 cm. Rustique. Feuilles persistantes vert moyen, aciculaires. Du milieu de l'été à la fin de l'automne, fleurs en cloche évasée, roses, mauves ou

blanches (roses chez l'espèce type). Reprend après une taille sévère. **'Birch Glow'** (ill. p. 147), H. 45 cm, a un feuillage vert vif et des fleurs rose saumoné. **'Lyonesse'** (ill. p. 146), H. 45 cm, est à feuillage vert foncé. Longues grappes effilées de fleurs blanches à anthères marron. **'St Keverne'**, H. 45 cm. Arbuste buissonnant, à fleurs rose saumon. On peut l'utiliser pour des haies basses. **'Valerie Proudley'** (ill. p. 147), H. 45 cm, a un feuillage doré toute l'année, si on la cultive en pleine lumière. Quelques fleurs blanches en fin d'été et en automne.
E. × veitchii. Bruyère arbustive à végétation touffue. H. jusqu'à 2 m, E. 1 m. Semi-rustique. Feuilles persistantes vert moyen, aciculaires. Du milieu de l'hiver au printemps, fleurs parfumées blanches, presque ovoïdes. **'Exeter'** (ill. p. 146) présente une profusion de fleurs blanches. **'Pink Joy'** (ill. p. 146) a des fleurs roses en bouton, puis blanc pur.
E. × watsonii. Sous-arbuste compact. H. 30 cm, E. 40 cm. Rustique. Feuilles persistantes aciculaires, vert moyen, avec souvent des extrémités de couleur vive au printemps. Du milieu à la fin de l'été, fleurs roses en forme de grelot ovale. **'Dawn'** (ill. p. 146) a un feuillage à extrémités jaune orangé à l'état jeune. Tout l'été, bouquets compacts de fleurs, rose mauve foncé.
E. × williamsii. Sous-arbuste nain. H. 30 cm, E. 60 cm. Rustique. Au printemps, jeune feuillage persistant à extrémités jaune vif. Vers le milieu de l'été, fleurs urcéolées mauves ou roses. **'P.D. Williams'** (ill. p. 146), H. 45 cm, a des fleurs rose mauve foncé. Les extrémités des feuilles gardent parfois leur couleur doré tout l'été.

ERIGERON (Composées)
Vergerette

Genre de plantes annuelles, bisannuelles et vivaces, cultivées pour leurs capitules floraux s'épanouissant généralement en été. Conviennent bien aux jardins de rocaille et à la réalisation de plates-bandes. Rustiques, sauf *E. mucronatus.* Aiment le soleil et les sols bien drainés, n'apprécient pas les hivers humides. Pendant la période de croissance, il faut cependant éviter que le sol se dessèche. Multiplication par division au printemps ou en début d'automne, ou par semis (été ou printemps).
E. alpinus (Vergerette des Alpes), ill. p. 295.
E. aurantiacus. Plante vivace en touffe. H. 20 cm, E. 30 cm. Longues feuilles ovales, vert grisé. En été, capitules orange éclatant.
E. aureus. Plante vivace en touffe. H. 5 cm, E. 10 cm. Petites feuilles spatulées, poilues. En été, fines tiges florales à capitule relativement grand, jaune doré. N'aime pas les hivers humides et pluvieux. Sujette à l'attaque de pucerons.

E. **'Charity'**, ill. p. 235.
E. karvinskianus, syn.
E. mucronatus, ill. p. 317.
E. mucronatus, voir
E. karvinskianus.
E. **'Serenity'**, ill. p. 241.

ERINACEA (Légumineuses)

Genre représenté par une espèce de sous-arbrisseau à rameaux jeunes blanchâtres, à croissance lente, à dures épines pointues, et à fleurs papilionacées. Ses feuilles ont une durée de vie courte. Rustique. A besoin d'une situation abritée, en plein soleil, et d'un sol profond, graveleux, bien drainé (plante calcicole pour situations sèches). Multiplication par semis ou bouturage.
E. anthyllis, syn. *E. pungens,* ill. p. 288.
E. pungens, voir *E. anthyllis.*

ERINUS (Scrophulariacées)

Genre de plantes vicaces à courte durée de vie, utilisables en jardins de rocaille ou pour garnir des murs ou des éboulis. Rustiques. Ont besoin de soleil et d'un sol bien drainé, et donnent facilement des graines. Mais le semis produit une assez grande variabilité. Il vaut donc mieux multiplier les variétés par boutures herbacées, en début d'été.
E. alpinus, ill. p. 306. **'Dr Hanelle'** forme une rosette basale. H. et E. de 5-8 cm. Vers la fin du printemps et en été, petites fleurs aplaties à corolle tubulaire à 5 lobes, rose foncé. Petites feuilles ovales, vert moyen.

ERIOBOTRYA (Rosacées)

Genre d'arbres et d'arbustes cultivés pour leur feuillage persistant, leurs fleurs automnales et leurs fruits comestibles. Semi-rustiques (dans les régions froides et en région parisienne à cultiver contre un mur orienté au sud ou à l'ouest). Les fruits, qui mûrissent au printemps, peuvent être endommagés par les gels tardifs. Ont besoin de soleil et d'un sol fertile, bien drainé. Multiplication par semis en automne ou au printemps ou greffage sur cognassier.
E. japonica (**Néflier du Japon, Bibacier, Loquat**). Arbuste touffu ou arbre étalé. H. et E. 8 m. Vigoureuses pousses et grandes feuilles oblongues, à nervures saillantes, vert foncé, coriaces et brillantes. En début d'automne, grappes de fleurs parfumées à 5 pétales, blanches, suivies de fruits duveteux jaune orangé.

ERIOGONUM (Polygonacées)

Genre de plantes annuelles, bisannuelles, ainsi que de vivaces, de sous-arbrisseaux et d'arbustes à feuilles persistantes, appréciés pour leurs feuilles poilues en rosettes, souvent de couleur blanche ou argentée. De rustiques à non rustiques (min. 5 °C). Ont besoin de soleil et d'un sol bien drainé. Dans les régions à hiver froid et humide, protéger les espèces arbustives et les plantes vivaces. Pour les sujets en pot, arrosages modérés en été, plus réduits au printemps et en automne, très faibles en hiver. Multiplication par semis au printemps ou en automne ou par boutures de rameaux semi-aoûtés en été. Pour les plantes vivaces, diviser les touffes au printemps.
E. arborescens, ill. p. 129.
E. giganteum, ill. p. 107.
E. ovalifolium. Plante vivace de forme arrondie. H. 30 cm, E. 10 cm. Rustique. En été, ombelles de petites fleurs blanches virant au rose, au sommet de tiges ramifiées, couvertes de minuscules feuilles spatulées, poilues, grises.
E. umbellatum, ill. p. 298.

ERIOPHYLLUM (Composées)

Genre de sous-arbrisseaux à feuilles persistantes et de plantes vivaces, en général à feuillage argenté; en été, beaux capitules ressemblant à des marguerites. À utiliser en jardins de rocaille et en bordures. Rustiques. Ont besoin de soleil et d'un sol bien drainé. Multiplication par division ou par semis.
E. lanatum, ill. p. 248.

ERITRICHIUM (Boraginacées)

Genre de plantes vivaces à doux feuillage gris-vert et à fleurs ressemblant à des myosotis. Conviennent aux jardins de rocaille. Rustiques. Ont besoin de soleil et d'un sol bien drainé. Difficiles à cultiver. Multiplication par semis ou division.
E. nanum (**Roi des Alpes**), ill. p. 323. Bonne plante pour rocaille humide.

ERODIUM (Géraniacées)

Genre de plantes vivaces annuelles ou suffrutescentes, utiles en jardins de rocaille. De rustiques à semi-rustiques. Se plaisent au soleil et dans les sols bien drainés. Multiplication par semis ou par division de souche.
E. chrysanthum, ill. p. 298.
E. corsicum, ill. p. 316.
E. manescavii, ill. p. 236.
E. petraeum. Plante vivace, compacte, acaule. H. 15-20 cm, E. 20 cm. Rustique. En été, fleurs solitaires en coupe, roses ou rouges. Feuilles vert-gris, ovales à bords

profondément découpés. Plante calcicole pour rocaille sèche. subsp. *crispum,* ill. p. 295.

ERYNGIUM (Ombellifères)
Panicaut

Genre de plantes bisannuelles et vivaces, à feuillage persistant pour certaines espèces, cultivées pour leurs fleurs, leurs feuilles et leur port. De rustiques à semi-rustiques. À cultiver au soleil et dans un sol fertile, bien drainé. Multiplication des espèces par semis en automne, des cultivars par division au printemps ou par boutures de racines en hiver.
E. alpinum (**Chardon bleu des Alpes**), ill. p. 212.
E. bourgatii, ill. p. 242.
E. eburneum, ill. p. 188.
E. giganteum. Plante bisannuelle en touffe, disparaissant après la floraison. H. 1,2 m, E. 75 cm. Rustique. Vers la fin de l'été, grandes ombelles arrondies de fleurs bleues, entourées de larges bractées épineuses, argentées, ressemblant à des chardons. Les feuilles basales sont cordiformes, vert moyen, les autres vert bleuté.
E. × oliverianum, ill. p. 212.
E. tripartitum, ill. p. 212.
E. variifolium, ill. p. 243.

ERYSIMUM (Crucifères)
Vélar

Genre de plantes annuelles, bisannuelles, vivaces de courte durée de vie et de sous-arbrisseaux à feuillage persistant ou semi-persistant, très proche du genre *Cheiranthus* (giroflée). Belle et abondante floraison. Utiles en jardins de rocaille ou pour talus et bordures. De rustiques à assez rustiques. Ont besoin de soleil et d'un sol bien drainé. Multiplication par semis au printemps ou en automne.
E. barbarea, voir *Barbarea vulgaris.*
E. helveticum, syn. *E. pumilum,* ill. p. 313.
E. hieraciifolium, syn. *Cheiranthus × allionii.* **'Orange Bedder'**, ill. p. 284.
E. pumilum, voir *E. helveticum.*

ERYTHRINA (Légumineuses)
Érythrine

Genre de plantes vivaces, d'arbustes et d'arbres à feuillage caduc ou semi-persistant. Belle floraison du printemps à l'automne. De semi-rustiques à non rustiques (min. 5 °C). Ont besoin de soleil et d'un sol bien drainé. Multiplication par semis au printemps ou par boutures de jeunes rameaux. Les araignées rouges peuvent poser des problèmes.
E. × bidwillii, ill. p. 111.
E. crista-galli (**Érythrine crête-de-coq**), ill. p. 111.

ERYTHRONIUM (Liliacées)

Genre de plantes bulbeuses, à floraison printanière, cultivées pour leurs fleurs pendantes et leurs feuilles parfois joliment marbrées. De rustiques à assez rustiques. Choisir un endroit ombragé et un sol léger et riche en humus, bien drainé, afin que les bulbes ne soient pas en conditions sèches et trop chaudes pendant la période de dormance estivale. Préfèrent les climats frais. Multiplication par semis en automne ou séparation de caïeux.
E. americanum, ill. p. 363.
E. californicum, ill. p. 357.
E. dens-canis (Dent de chien), ill. p. 358.
E. hendersonii, ill. p. 343.
E. oregonum, ill. p. 342.
E. 'Pagoda', ill. p. 347.
E. 'White Beauty', ill. p. 342.

ESCALLONIA (Saxifragacées)

Genre d'arbustes et de petits arbres à feuilles souvent persistantes, cultivés pour leur abondante floraison et leur feuillage brillant. Font de bonnes haies en bordure de mer, car ils résistent assez bien au vent et apprécient les climats doux. Assez rustiques, mais dans les régions froides à protéger des vents forts et à planter contre un mur orienté au sud ou à l'ouest. Ont besoin de plein soleil et d'un sol bien drainé. Tailler les haies et les plantes palissées sur un mur après la floraison. Multiplication par bouturage en été.
E. 'Apple Blossom', ill. p. 109.
E. 'Donard Beauty'. Arbuste aux branches arquées, à tiges minces. H. et E. 1,5 m. Du début au milieu de l'été, fleurs rose foncé parmi les petites feuilles persistantes, ovales, vert sombre.
E. 'Donard Seedling', ill. p. 108.
E. 'Edinensis'. Arbuste vigoureux, à branches arquées. H. 2 m, E. 3 m. Petites feuilles persistantes, oblongues, vert vif. Du début au milieu de l'été, petites fleurs roses. C'est l'un des cultivars les plus rustiques du genre.
E. 'Iveyi', ill. p. 86.
E. 'Langleyensis', ill. p. 110.
E. leucantha, ill. p. 86.
E. rubra var. *macrantha* 'Crimson Spire'. Arbuste dressé, très vigoureux. H. et E. 3 m. Feuilles persistantes ovales, vert foncé. Fleurs rouge foncé, tubulaires, tout l'été. **'Woodside',** ill. p. 133.
E. virgata, ill. p. 105.

ESCHSCHOLTZIA (Papavéracées)

Genre de plantes annuelles ou vivaces, appréciées pour leurs belles fleurs éclatantes, ressemblant à des coquelicots. À utiliser en jardins de rocaille ou pour garnir des fentes de dallage. Rustiques.

Aiment le soleil et la mi-ombre et un sol bien drainé. Enlever les fleurs fanées régulièrement pour allonger la période de floraison. Multiplication par semis en place au printemps ou en septembre.
E. caespitosa, ill. p. 280.
E. californica (Pavot de Californie), ill. p. 282; mélange ill. p. 282.
Série Ballerina, ill. p. 266.

ESPOSTOA (Cactacées)

Genre de cactées vivaces, columnaires, à tige comptant de 10-30 côtes. En vieillissant, les plantes peuvent se ramifier au sommet. La plupart des espèces sont densément couvertes d'un céphalium latéral, dissimulant de courts aiguillons fins. Ce n'est qu'après environ 30 ans que les fleurs cupulaires apparaissent dans le céphalium latéral, laineux. Non rustiques (min. 15 °C). Ont besoin de plein soleil et d'un sol très bien drainé. Multiplication par semis au printemps ou en été.
E. lanata, ill. p. 379.

EUCALYPTUS (Myrtacées)

Genre d'arbres (certains très grands) et d'arbrisseaux appréciés pour leur feuillage persistant, leurs fleurs et leur écorce. De semi-rustiques à peu rustiques. À cultiver en plein soleil, à l'abri des vents forts et froids et dans un sol bien drainé. Multiplication par semis au printemps. Les Eucalyptus supportent les sols secs et rocheux, mais poussent vite et bien en sol profond.
E. camaldulensis. Arbre à croissance rapide, à cime évasée. H. 30 m ou plus, E. 20 m ou plus. Non rustique (min. 3-5 °C, rustique près de la Méditerranée). Les jeunes sujets ont une écorce grise, marron et crème. Feuilles persistantes lancéolées, vertes ou vert bleuté. En été, bouquets de petites fleurs crème. Supporte bien les courants d'air.
E. coccifera, ill. p. 46.
E. dalrympleana, ill. p. 46.
E. ficifolia. Petit arbre à croissance moyennement rapide, de forme arrondie. H. et E. jusqu'à 8 m. Non rustique (min. 1-3 °C, rustique près de la Méditerranée). Feuilles persistantes larges, lancéolées, brillantes, vert terne. Au printemps et en été, grandes panicules de fleurs rouge pâle ou foncé, de 3-4 cm de large.
E. globulus (Gommier bleu). Arbre étalé, à croissance rapide. H. 30 m, E. 12 m. Semi-rustique. L'écorce se détache en lambeaux. Feuilles persistantes grandes, d'ovales à oblongues, bleu argenté à l'état juvénile. Les feuilles adultes sont longues, étroites, brillantes, vert bleuté. Fleurs blanches, avec une touffe d'étamines, en été et en automne ou souvent tout au long de l'année. Supporte bien les sols très humides.

E. gunnii, ill. p. 46.
E. niphophila, ill. p. 57.
E. pauciflora, ill. p. 57.
E. perriniana, ill. p. 72.

EUCHARIS (Amaryllidacées)

Genre de plantes bulbeuses à feuillage persistant, appréciées pour leurs fleurs parfumées blanches, ressemblant à de grands narcisses, à tépales formant une coupe centrale, entourée de 6 lobes étalés. Non rustiques (min. 15 °C). Ont besoin d'un ombrage partiel et d'un sol riche en humus. Multiplication par semis ou par rejets.
E. amazonica, voir *E. grandiflora.*
E. grandiflora, syn. *E. amazonica,* ill. p. 355.

EUCOMIS (Liliacées)

Genre de plantes bulbeuses, à floraison estivale et automnale, appréciées pour leurs denses grappes de fleurs, surmontées d'une touffe de petites bractées foliacées. Presque rustiques (durant les hivers rigoureux, à protéger par une litière de feuilles). Ont besoin de soleil et d'un sol bien drainé. Planter les bulbes au printemps et arroser abondamment pendant la période de croissance estivale. Multiplication par semis ou division des touffes au printemps.
E. bicolor, ill. p. 353.
E. comosa, ill. p. 333.
E. pallidiflora, ill. p. 333.

EUCOMMIA (Eucommiacées)

Genre comportant une seule espèce d'arbre à feuillage caduc. Rustique. Il a besoin de soleil et d'un sol fertile, bien drainé. Multiplication par boutures de rameaux semi-aoûtés en été.
E. ulmoides. Arbre étalé. H. 9 m, E. 8 m. Feuilles vertes pendantes, ovales, pointues, brillantes : quand on les déchire, les morceaux restent reliés par des filaments caoutchouteux. Fleurs discrètes vers la fin du printemps, avant le feuillage.

EUCRYPHIA (Eucryphiacées)

Genre d'arbres et d'arbustes à feuilles persistantes ou semi-persistantes, cultivés pour leurs feuilles et leurs fleurs blanches, souvent parfumées. Peu rustiques. Ont besoin d'une situation chaude et d'un sol léger non calcaire, frais si possible, sauf *E. cordifolia* et *E.* × *nymansensis.* Multiplication en été, par bouturage ou par semis.
E. cordifolia. Arbre largement columnaire. H. 12 m, E. 8 m.

Feuilles persistantes cordiformes vertes. Grandes fleurs blanches, ressemblant à des roses, vers la fin de l'été et en automne. Supporte un sol un peu calcaire.
E. glutinosa, ill. p. 63.
E. lucida, ill. p. 63.
E. milliganii, ill. p. 105.
E. × *nymansensis,* ill. p. 54.

Eugenia australis, voir *Syzygium paniculatum.*
Eugenia paniculata, voir *Syzygium paniculatum.*
Eugenia ugni, voir *Myrtus ugni.*

EUODIA, syn. EVODIA (Rutacées)

Genre d'arbres appréciés pour leurs feuilles caduques ou persistantes, leurs fleurs tardives et leurs fruits. Rustiques pour certaines espèces. Se plaisent au soleil ou à mi-ombre et dans un sol bien drainé. Multiplication par semis.
E. hupehensis. Arbre étalé aimant les sols calcaires. H. et E. 15 m. Ses feuilles caduques ressemblent à celles des frênes : elles comportent de 5-11 folioles d'ovales à oblongues, vert foncé, jaunissant en automne. Grands bouquets de petites fleurs parfumées blanches, à 5 pétales, en fin d'été, suivies de fruits rouges sur les sujets femelles.

EUONYMUS (Célastracées)
Fusain

Genre d'arbustes et d'arbrisseaux à feuillage persistant ou caduc, certains sarmenteux, appréciés pour leur feuillage, leur couleur automnale (pour les caducs) et leurs fruits. De rustiques à semi-rustiques. À cultiver au soleil ou à mi-ombre et dans un sol bien drainé, qui, cependant, ne doit pas être trop sec pour les espèces à feuilles persistantes plantées en plein soleil. *E. japonicus* est sujet à l'oïdium et aux attaques d'une cochenille. Multiplication : semis (surtout pour *E. europaeus*), marcottage pour ceux à feuilles persistantes, ou bouturage sous cloche.
E. alatus (Fusain ailé), ill. p. 116. **'Compactus'** est un arbuste dense et touffu. H. 1 m, E. 3 m. Rustique. Rameaux à ailes subéreuses. Feuilles caduques ovales, vert foncé, rouge éclatant en automne. Ses fleurs d'un blanc verdâtre donnent de petits fruits rouges ou pourpres.
E. europaeus (Fusain d'Europe, Bonnet carré). **'Red Cascade',** ill. p. 115.
E. fortunei. Arbuste sarmenteux à feuilles persistantes dont on ne cultive que la variété *radicans* et ses cultivars. Ses tiges sont plus ou moins rampantes, prostrées. À utiliser comme couvre-sol ou comme plante grimpante. H. 5 m, si on le palisse. E. variable. Rustique. Feuilles ovales, vert

foncé. Du début au milieu de l'été, discrètes fleurs blanc verdâtre. Le feuillage de '**Coloratus**' se colore de pourpre rougeâtre en automne et en hiver. '**Emerald and Gold**', ill. p. 145. '**Emerald Gaiety**', H. 1 m, E. 1,5 m, est touffu, à feuilles arrondies vert foncé, bordées de blanc. Les jeunes feuilles de '**Gold Tip**' sont arrondies, bordées de jaune vif. Elles deviennent blanc crème avec l'âge. '**Kewensis**', H. 10 cm ou plus, a de minces tiges et de minuscules feuilles et forme un tapis dense. '**Sarcoxie**', H. et E. 1,2 m, est vigoureux, dressé, touffu. Feuilles brillantes vert foncé. '**Silver Queen**', ill. p. 119. '**Sunspot**' a des feuilles vert foncé, marquées au centre de jaune doré.
E. hamiltonianus var. *sieboldianus*, syn. *E. yedoensis*. Grand arbuste. H. et E. 6 m ou plus. Rustique. Ses feuilles caduques, ovales, d'un vert moyen, se colorent souvent de rose et de rouge en automne. Vers la fin du printemps, minuscules fleurs vertes, suivies en début d'été de fruits roses à 4 valves. var. *sieboldianus* '**Red Elf**', ill. p. 115.
E. japonicus (Fusain du Japon). Assez rustique. '**Macrophyllus**' est un arbuste dense et dressé. H. 4 m, E. 2 m. Assez rustique. Feuilles persistantes grandes, ovales, vert foncé, brillantes. En été, petites fleurs vertes en forme d'étoile, parfois suivies de fruits roses, sphériques, à arille orangée. On l'utilise plus particulièrement en bord de mer pour réaliser des haies. '**Macrophyllus Albus**', ill. p. 119. Les feuilles de '**Ovatus Aureus**' sont largement bordées de jaune doré.
E. latifolius, ill. p. 116.
E. myrianthus, ill. p. 92.
E. yedoensis, voir *E. hamiltonianus* var. *sieboldianus*.

EUPATORIUM (Composées)
Eupatoire

Genre de plantes vivaces, de sous-arbrisseaux et d'arbustes, souvent à feuilles persistantes, appréciés surtout pour leurs fleurs et parfois leur feuillage. De rustiques à peu rustiques. Ont besoin de plein soleil ou d'un ombrage partiel. La plupart des espèces préfèrent les sols humides, bien drainés, fertiles. Multiplication par semis au printemps ou par division au début du printemps ou en automne; les arbustes et les sous-arbrisseaux peuvent également être bouturés en été. Les araignées rouges et les aleurodes peuvent causer des dégâts.
E. ligustrinum, syn. *E. micranthum*, *E. weinmannianum*. Arbuste de forme arrondie. H. et E. 2-4 m. Semi-rustique. Feuilles persistantes vert vif, de forme elliptique lancéolée. En automne, capitules aplatis blancs odorants associés en bouquets de 10 à 20 cm de large.
E. micranthum, voir *E. ligustrinum*.
E. purpureum, ill. p. 193. Rustique.
E. weinmannianum, voir *E. ligustrinum*.

EUPHORBIA (Euphorbiacées)
Euphorbe

Genre polymorphe d'arbustes, de plantes vivaces (cactiformes ou non), ainsi que de plantes annuelles. Toutes les euphorbes contiennent un latex blanc. Les fleurs, sans intérêt esthétique, sont associées en inflorescences; parfois, des bractées, disposées en coupe et de couleur variable, entourent plusieurs fleurs d'allure insignifiante. De rustiques à non rustiques (min. 5-15 °C). Multiplication par bouturage, par division ou par semis.
E. amygdaloides (Euphorbe des bois). '**Purpurea**' est une plante vivace, érigée. H. et E. 30 cm. Rustique. Les tiges et le feuillage sont verts, fortement colorés de rouge pourpre. Feuilles étroites, ovales. Au printemps, inflorescences entourées de bractées jaunes, en coupe. Sujette aux moisissures. subsp. *robbiae*, ill. p. 228.
E. characias subsp. *characias* et subsp. *wulfenii*, ill. p. 124.
E. cyparissias, ill. p. 228.
E. epithymoides, voir *E. polychroma*.
E. griffithii '**Fireglow**', ill. p. 216.
E. marginata (Euphorbe panachée), ill. p. 263.
E. milii (Couronne d'épines), ill. p. 123. var. *splendens* (syn. *E. splendens*) est un arbuste à croissance lente, étalé, épineux, semi-succulent. H. et E. jusqu'à 1 m. Non rustique (min. 5-7 °C). Feuilles pour la plupart persistantes, d'oblongues à ovales. Par intermittence, toute l'année, et plus spécialement au printemps, bouquets de minuscules fleurs entourées de courtes bractées rouges.
E. myrsinites, ill. p. 311.
E. obesa, ill. p. 397.
E. palustris. Plante vivace touffue. H. et E. 1 m. Rustique. Au printemps, inflorescences vert jaunâtre, entourées de bractées arrondies au-dessus des feuilles d'oblongues à ovales, vertes virant au jaune et à l'orange en automne.
E. polychroma, syn. *E. epithymoides*, ill. p. 232.
E. pulcherrima (Poinsettia), ill. p. 118.
E. seguieriana, ill. p. 228.
E. splendens, voir *E. milii* var. *splendens*.

EUPTELEA (Euptéléacées)

Genre d'arbres, appréciés pour leur beau feuillage caduc. De rustiques à semi-rustiques. Aiment le soleil et un sol frais, sain, fertile. Multiplication par semis en automne, ou par marcottage.
E. polyandra. Arbre à couronne touffue. H. 8 m, E. 6 m. Rustique. Feuilles longuement pétiolées, étroites, ovales, arrondies, inégalement dentées; d'abord vert vif, elles virent au jaune et au rouge en automne. Fleurs insignifiantes au printemps, avant le feuillage.

EURYA (Théacées)

Genre d'arbres et d'arbustes cultivés pour leur feuillage persistant. En été, ils portent des fleurs insignifiantes. De semi-rustiques à non rustiques (min. 7 °C). À planter en ombre légère ou au soleil, dans un sol fertile, bien drainé. Arroser les sujets en pot abondamment en période de pleine croissance, plus faiblement le reste du temps. Multiplication par semis au printemps, ou par bouturage sous cloche.
E. emarginata, ill. p. 144.

EURYALE (Nymphéacées)

Genre comprenant une seule espèce de plante annuelle, aquatique, appréciée pour son feuillage flottant. Non rustique (min. 18 °C). A besoin de soleil, d'une chaleur régulière et d'une bonne quantité de substances nutritives. Multiplication par semis au printemps.
E. ferox, ill. p. 375.

EURYOPS (Composées)

Genre d'arbustes et de sous-arbrisseaux, appréciés pour leur feuillage persistant et leurs capitules jaunes voyants. À utiliser en jardins de rocaille ou en bordures. De rustiques à non rustiques (min. 5-7 °C). À planter au soleil et dans un sol bien drainé. Leur système racinaire n'aime pas être perturbé. Multiplication par boutures herbacées en été.
E. acraeus, syn. *E. evansii*, ill. p. 298.
E. evansii, voir *E. acraeus*.
E. pectinatus, ill. p. 138.

EUSTOMA (Gentianacées)

Genre de plantes annuelles et vivaces, appréciées pour leur floraison. Bonnes plantes à cultiver en pots ou pour produire des fleurs à couper. Non rustiques (min. 4-7 °C). À planter au soleil et dans un sol bien drainé. Multiplication par semis sous châssis vers la fin de l'hiver.
E. grandiflorum, syn. *Lisianthus russellianus*, ill. p. 263. Les **Hybrides F1** (mélange) constituent un groupe de plantes annuelles, dressées. H. 45 cm, E. 30 cm. Feuilles vertes lancéolées. En été, fleurs roses, bleues ou blanches.

EVODIA, voir **EUODIA**

EXACUM (Gentianacées)

Genre de plantes annuelles, bisannuelles et vivaces, cultivées pour leur abondante floraison. Excellentes en pots. Non rustiques (min. 7-10 °C). À cultiver au soleil et dans un sol bien drainé plutôt acide. Multiplication par semis.
E. affine, ill. p. 275.

EXOCHORDA (Rosacées)

Genre d'arbustes à feuilles caduques, cultivés pour leurs abondantes fleurs blanches, voyantes. Rustiques. Réussissent mieux en plein soleil, dans un sol fertile, bien drainé. Tailler juste après la floraison. Multiplication par marcottage, ou par semis en automne. Dans les sols très calcaires, des chloroses peuvent apparaître.
E. giraldii. Arbuste à branches arquées. H. et E. 3 m. Jeunes pousses vert rosâtre et feuilles oblongues, vert moyen. Vers la fin du printemps, grappes dressées de grandes fleurs blanches, à 5 pétales.
E. × macrantha '**The Bride**', ill. p. 103.
E. racemosa. Arbuste à branches arquées et minces. H. et E. 4 m. Vers la fin du printemps, grappes érigées de fleurs blanches à 5 pétales. Feuilles oblongues, vert moyen. Préfère les sols acides.

F

FABIANA (Solanacées)

Genre d'arbustes appréciés pour leur feuillage persistant et leur floraison. Semi-rustiques (dans les régions froides, planter en situation abritée). Ont besoin de soleil et d'un sol léger, sain (humide en été). Multiplication par boutures herbacées en été.
F. imbricata '**Prostata**'. Arbuste très ramifié. H. et E. 2 m. Les rameaux sont densément couverts de minuscules feuilles vertes. En début d'été, abondantes fleurs mauve pâle tubulaires. '**Violacea**', ill. p. 113.

FAGUS (Fagacées)
Hêtre

Genre d'arbres appréciés pour leur port, leur feuillage caduc et leur couleur automnale. Des fleurs, insignifiantes, apparaissent vers la fin du printemps, suivies, en automne, de cupules fructifères, hérissées de saillies à l'extérieur : en se déchirant, les cupules laissent échapper 2 ou 3 fruits (faînes) triangulaires, comestibles. Rustiques. Ont besoin de soleil ou de mi-ombre. Poussent bien dans tout sol, excepté ceux gorgés d'eau. Ils aiment les climats plutôt humides. *F. sylvatica*, utilisé en haie, doit être taillé en été. Multiplication des espèces par semis en automne, des cultivars par greffage. Des dégâts peuvent être occasionnés par divers champignons dont certains sont à l'origine de chancres. Les pucerons et la cochenille du hêtre sont également nuisibles.
F. americana, voir *F. grandifolia*.
F. grandifolia, syn. *F. americana* (**Hêtre d'Amérique**). Arbre à port étalé. H. et E. 20 m. Feuilles ovales, vert pâle et soyeuses à l'état jeune. Leur couleur passe ensuite du vert foncé en été au marron doré en automne.
F. orientalis (**Hêtre d'Orient**). Arbre à port bien étalé. H. 20 m, E. 15 m. Assez grandes feuilles vert foncé, ovales, à bords parfois ondulés. Elles deviennent jaune intense en automne.
F. sylvatica (**Hêtre commun**), ill. p. 43. '**Aurea Pendula**' est un arbre mince à port pleureur. H. 30 m, E. 25 m. Feuilles ovales, à bords ondulés, d'abord jaune vif, puis jaune, orange et marron, en automne. '**Dawyck**', E. 7 m, est un arbre columnaire, aux branches érigées. '**Dawyck Purple**' ressemble au cultivar précédent, mais a un feuillage pourpre foncé. Les feuilles de f. *laciniata* sont profondément

découpées. f. *pendula* (**Hêtre pleureur**), ill. p. 40. f. *purpurea* (**Hêtre pourpre**), ill. p. 39. '**Purpurea Pendula**', H. et E. 3 m, a des branches rigides et retombantes, qui lui confèrent un port pleureur. Son feuillage est pourpre noirâtre. Les feuilles de '**Riversii**' sont pourpre très sombre. Celles de '**Rohanii**' sont profondément découpées, pourpre rougeâtre. '**Zlatia**' porte un feuillage jaune à l'état jeune, devenant vert moyen ou sombre par la suite.

Fallopia baldschuanica, voir *Polygonum baldschuanicum*.

FALLUGIA (Rosacées)

Genre avec une seule espèce d'arbuste à feuilles caduques, apprécié pour ses fleurs et ses grappes de fruits ornementaux. Semi-rustique (dans les régions froides, il faut le protéger en hiver). À cultiver en situation chaude, ensoleillée et dans un sol bien drainé. Multiplication par boutures herbacées en été ou par semis en automne.
F. paradoxa, ill. p. 104.

× FATSHEDERA (Araliacées)

Hybride intergénérique (*Fatsia japonica* 'Moseri' × *Hedera helix* 'Hibernica'); arbuste à floraison automnale, apprécié pour son feuillage persistant. Ses tiges flexueuses peuvent être palissées contre un mur ou un pilier. On peut aussi l'utiliser comme plante d'appartement, en le tuteurant. Semi-rustique. Pousse au soleil ou à l'ombre, dans un sol fertile, bien drainé. Multiplication par bouturage.
× *F. lizei*, ill. p. 120.

FATSIA (Araliacées)

Genre comptant une espèce d'arbuste à floraison automnale, intéressant pour son beau feuillage persistant, ses fleurs et ses fruits. Assez rustique; cependant dans les régions froides, il est préférable de l'abriter des vents forts. Pousse aussi bien au soleil qu'à l'ombre, dans un sol fertile, bien drainé. Multiplication par boutures de rameaux semi-aoûtés en été ou par semis en automne ou au printemps.
F. japonica, syn. *Aralia japonica*,

A. sielboldii. Arbuste dense arrondi. H. et E. 3 m. Les tiges vigoureuses portent de très grandes feuilles palmées, profondément lobées, brillantes, vert foncé. En été, denses ombelles de minuscules fleurs verdâtres, suivies de fruits noirs sphériques. '**Variegata**', ill. p. 119.
F. papyrifera, voir *Tetrapanax papyrifera*.

FAUCARIA (Aizoacées)

Genre de plantes vivaces succulentes, formant des touffes acaules, à feuilles vertes charnues, de forme triangulaire. Leurs fleurs jaunes s'ouvrent l'après-midi seulement, en automne, et aussi en été pour *Faucaria felina*. Les boutons et les fleurs fanées peuvent se teinter d'orange ou de rouge. Non rustiques (min. 6 °C). À cultiver en plein soleil et dans un sol bien drainé. Maintenir au sec l'hiver et arroser modérément au printemps. Multiplication par semis ou bouturage au printemps ou en été.
F. tigrina (**Gueule de tigre**), ill. p. 399.

FEIJOA (Myrtacées)

Genre d'arbres ou d'arbustes à feuillage persistant et à floraison estivale, appréciés pour leurs fleurs voyantes et leurs fruits comestibles. En général, la fructification n'a lieu qu'après un été chaud et si on a planté plus d'un spécimen. Semi-rustiques. Ont besoin d'une situation ensoleillée, abritée et d'un sol léger, humifère, bien drainé. Multiplication par marcottage.
F. sellowiana, ill. p. 111.

FELICIA (Composées)

Genre de plantes annuelles, de sous-arbrisseaux et de quelques rares arbustes à feuillage persistant, cultivés pour leurs capitules généralement bleus, ressemblant à des marguerites. De semi-rustiques à non rustiques (min. 5-7 °C). Ont besoin de soleil et d'un sol bien drainé. Arroser modérément les plantes en pots en période de pleine croissance, plus faiblement le reste du temps; lorsque la température est basse, elles ne supportent pas l'humidité. Supprimer les tiges florales fanées et tailler régulièrement les pousses désordonnées. Multiplication par semis au printemps ou par bouturage herbacé en

été ou en début d'automne.
F. amelloides, syn. *Agathaea coelestis, Aster capensis* (**Marguerite du Cap, Pâquerette bleue**). '**Santa Anita**', ill. p. 136.
F. bergeriana, ill. p. 278.

FENESTRARIA (Aizoacées)

Genre de plantes vivaces acaules succulentes, en touffes. Leurs feuilles, basales, sont charnues, en forme de petite massue, dont l'extrémité est translucide. Non rustiques (min. 6 °C). Ont besoin de soleil et d'un sol bien drainé. Maintenir au sec en hiver. Multiplication par semis au printemps et en été.
F. aurantiaca. H. 5 cm, E. 30 cm. Feuilles basales érigées, brillantes, de vert moyen à glauque, cylindriques, à sommet aplati. Fleurs orangées vers la fin de l'été et en automne, au sommet de longues tiges florales. var. *rhopalophylla*, ill. p. 399.

FEROCACTUS (Cactacées)

Genre de cactées vivaces, à croissance lente, de forme globuleuse devenant columnaire après plusieurs années. Non rustiques (min. 18 °C). À cultiver en plein soleil et dans un sol bien drainé. Multiplication par semis au printemps ou en été. On traite le noircissement des aréoles par un fongicide systémique et en assurant une bonne aération.
F. acanthodes, ill. p. 381.
F. hamatacanthus, syn. *Hamatocactus hamatacanthus*, ill. p. 385.
F. setispinus, syn. *Hamatocactus setispinus*, ill. p. 387.

FERRARIA (Iridacées)

Genre de plantes à rhizome tubéreux, cultivées pour leurs fleurs printanières curieuses, présentant 3 grands tépales externes et 3 petits tépales internes, à bords très ondulés. Leur odeur attire des insectes, permettant ainsi la pollinisation. Semi-rustiques. Ont besoin de plein soleil et d'un sol léger, bien drainé. Planter en automne, arroser en hiver et maintenir au sec après la floraison. La partie aérienne disparaît en été. Multiplication par division à la fin de l'été ou par semis en automne.
F. crispa, syn. *F. undulata*, ill. p. 347.
F. undulata, voir *F. crispa*.

FERULA (Ombellifères)
Férule

Genre de plantes vivaces à floraison généralement estivale, appréciées pour leur forme architecturale. Assez rustiques. Ont besoin de soleil et d'un sol bien drainé. Multiplication par semis de graines fraîches vers la fin de l'été.
F. communis, ill. p. 190.

FESTUCA (Graminées),
voir **BAMBOUS, HERBES, JONCS et LAÎCHES.**

F. glauca. Graminée vivace, en touffe, à feuilles persistantes. H. et E. 10 cm. Rustique. Feuilles étroites, teintées de diverses nuances allant du bleu-vert au blanc argenté. En été, épillets «barbus». On en fait de belles bordures. Diviser tous les 2 ou 3 ans au printemps.

Ficaria ranunculoides, voir *Ranunculus ficaria*.

FICUS (Moracées)

Genre d'arbres et d'arbustes à feuillage persistant ou caduc; certaines espèces sont sarmenteuses ou grimpantes à l'aide de racines adventives. Cultivés pour leur feuillage et parfois pour leurs fruits (*Ficus carica* est le figuier). Toutes les espèces portent des fleurs insignifiantes au printemps ou en été. De rustiques à non rustiques (min. 5-18 °C). Ont besoin de plein soleil ou d'un ombrage léger et d'un sol fertile, bien drainé. Multiplication par semis au printemps, par bouturage de tête ou marcottage aérien en été. Les araignées rouges peuvent poser des problèmes.
F. benghalensis (**Figuier des Banyans**), ill. p. 46.
F. benjamina. Arbre à port pleureur, présentant souvent des racines aériennes. H. et E. 18-20 m. Non rustique (min. 10 °C). Feuilles persistantes minces, ovales, de 7 à 13 cm de long, vert moyen, brillantes. '**Variegata**', ill. p. 57.
F. deltoidea, syn. *F. diversifolia*, ill. p. 120.
F. diversifolia, voir *F. deltoidea*.
F. elastica (**Caoutchouc**). '**Decora**' est un arbre à forte croissance, de forme ovoïde, assez irrégulier. H. jusqu'à 30 m, E. 15-20 m. Non rustique (min. 10 °C). Ses feuilles persistantes sont larges, ovales, coriaces, lustrées, vert foncé, teintées de bronze rosâtre à l'état jeune. '**Doescheri**', ill. p. 46. Les feuilles de '**Variegata**' sont bordées de crème et tachetées de gris-vert.

FILIPENDULA (Rosacées)
Filipendule

Genre de plantes vivaces à floraison printanière et estivale. Rustique. Elles réussissent au soleil si le sol retient bien l'humidité; sinon il est préférable de les cultiver à mi-ombre, en conditions humides. Certaines espèces, comme *F. rubra*, poussent même dans les zones marécageuses. Multiplication par semis en automne ou par division en automne ou en hiver.
F. purpurea, ill. p. 207.
F. rubra, ill. p. 189.
F. ulmaria, syn. *Spiraea ulmaria* (**Reine des prés, Spirée ulmaire**). '**Aurea**', ill. p. 245.

FIRMIANA (Sterculiacées)

Genre d'arbres à feuillage généralement caduc, assurant un bon ombrage. Semi-rustiques. À cultiver au soleil ou sous un ombrage léger, dans un sol fertile, bien drainé, retenant bien l'humidité. Multiplication par semis en automne ou au printemps, ou par bouturage.
F. platanifolia, voir *F. simplex*.
F. simplex, syn. *F. platanifolia*, *Sterculia platanifolia* (**Parasol chinois**), ill. p. 42.

FITTONIA (Acanthacées)

Genre de plantes vivaces rampantes, appréciées essentiellement pour leur feuillage persistant. Bons couvre-sol. Non rustiques (min. 15 °C). Ont besoin d'une atmosphère assez humide, d'une situation mi-ombragée et d'un sol bien drainé. Bien arroser en évitant l'excès d'eau dans le sol, plus particulièrement en hiver. Multiplication par division ou boutures de tiges au printemps, en serre à multiplication.
F. argyroneura, voir *F. verschaffeltii* var. *argyroneura*.
F. verschaffeltii, ill. p. 258. var. *argyroneura* (syn. *F. argyroneura*), ill. p. 256.

FITZROYA (Cupressacées) voir CONIFÈRES.

F. cupressoides, syn. *F. patagonica* (**Alerge**), ill. p. 78.
F. patagonica, voir *F. cupressoides*.

FOENICULUM (Ombellifères)
Fenouil

Genre de plantes vivaces et bisannuelles à floraison estivale. Certaines espèces ont des ombelles de fleurs jaunes présentant un intérêt ornemental. Également appréciées pour leur feuillage à la fois décoratif et à usage culinaire. De rustiques à assez rustiques. À cultiver en situation aérée et ensoleillée et dans un sol fertile, bien drainé. Multiplication par semis.
F. dulce, voir *F. vulgare*.
F. vulgare syn. *F. dulce* (**Fenouil**). '**Purpureum**' est une plante vivace érigée, ramifiée. H. 2 m, E. 45 cm. Assez rustique. Feuilles finement divisées, de couleur bronze. En été, grandes ombelles aplaties de petites fleurs jaunes.

FORSYTHIA (Oléacées)

Genre d'arbustes à feuillage caduc, appréciés pour leurs fleurs à 4 pétales jaunes, abondantes le plus souvent, s'épanouissant au printemps, avant l'émergence des feuilles. Rustiques. Aiment le soleil et les sols bien drainés. Supprimer les vieilles pousses juste après la floraison. Multiplication par bouturage en été, en automne ou en hiver.
F. × *intermedia* '**Arnold Giant**'. Arbuste touffu. H. 1,5 m, E. 2,5 m. Vigoureux rameaux et feuilles oblongues, finement dentées, vert moyen. Du début au milieu du printemps, grandes fleurs jaune foncé. '**Beatrix Farrand**', ill. p. 103. '**Karl Sax**', H. 2,5 m, est un arbuste dense, très florifère, à feuilles devenant rouges ou pourpres en automne. '**Lynwood**', H. 3 m, est vigoureux, dressé; très florifère. '**Spectabilis**', ill. p. 102.
F. '**Minigold**'. Arbuste compact. H. et E. 2 m. Feuilles oblongues, vert moyen. Du début à la mi-printemps, abondantes petites fleurs jaunes.
F. ovata. Arbuste touffu. H. et E. 1 m. Feuilles ovales, entières ou dentées, vert sombre. Au début du printemps, petites fleurs jaune beurré. '**Ottawa**' a un port dressé et d'abondantes fleurs.
F. suspensa, ill. p. 99.

FOTHERGILLA (Hamamélidacées)

Genre d'arbustes à feuilles caduques, remarquables pour leur couleur automnale et leur floraison parfumée, originale. Les fleurs, avec une touffe dense et compacte d'étamines, s'épanouissent au printemps, avant ou pendant l'émergence des feuilles. Rustiques. Ils poussent au soleil ou à mi-ombre, cependant le plein soleil permet d'obtenir de meilleures couleurs automnales. Ont besoin d'un sol riche, neutre ou acide. Multiplication par semis pour les espèces, marcottage pour les variétés.
F. gardenii. Arbuste dense et touffu. H. et E. 1 m. Denses bouquets de minuscules fleurs blanches, parfumées, du milieu à la fin du printemps, le plus souvent avant l'apparition du feuillage.

Feuilles larges, ovales, vert sombre à revers blanchâtre; en automne, elles se colorent de rouge intense.
F. major, syn. *F. monticola*, ill. p. 95.
F. monticola, voir *F. major*.

FRAILEA (Cactacées)

Genre de cactées vivaces, à tiges allant de sphérique à columnaire, pourvues de côtes mamelonnées et d'aiguillons courts, ressemblant pour la plupart à des soies. En été, abondants boutons floraux dont la plupart ne s'épanouissent pas, mais évoluent directement en petits fruits sphériques et brillants. Non rustiques (min. 5 °C). Un ombrage partiel et un sol très bien drainé leur sont nécessaires. Ne sont pas bien adaptées à subir de longues périodes de sécheresse. Multiplication par semis au printemps ou en été.
F. pulcherrima, ill. p. 397.

FRANKLINIA (Théacées)

Genre comptant une seule espèce arbustive, à feuillage caduc, appréciée pour ses fleurs et la couleur des feuilles en automne. Rustique, cependant les étés chauds lui réussissent particulièrement. À cultiver en plein soleil et dans un sol neutre ou acide, humide, bien drainé. Multiplication par semis ou par bouturage sous verre.
F. alatamaha. Arbuste dressé. H. et E. 5 m ou plus. Grandes fleurs estivales, en coupe peu profonde, blanches à étamines jaunes. Feuilles oblongues, brillantes, vert clair, virant au rouge en automne.

FRAXINUS (Oléacées)
Frêne

Genre d'arbres cultivés pour leurs feuilles caduques, divisées en folioles, ainsi que parfois pour leurs fleurs (pour *Fraxinus ornus* et *mariesii*). Rustiques. Ont besoin de soleil et d'un sol fertile, bien drainé, mais pas trop sec. Multiplication des espèces par semis en automne et des cultivars par greffage en été.
F. americana (**Frêne blanc**). Arbre dioïque à croissance rapide, à port étalé. H. 25 m, E. 15 m. Ses grandes feuilles vert foncé comportent de 7-9 folioles lancéolées. Parfois, le feuillage se teinte de jaune et de pourpre en automne.
F. angustifolia. Grand arbre élégant, à port étalé. H. 25 m, E. 12 m. Les feuilles comportent généralement de 7-13 folioles étroites, lancéolées, brillantes, vert foncé.
F. excelsior (**Frêne commun**). Arbre vigoureux, à port étalé. H. 30 m, E. 20 m. Feuilles vert foncé,

comportant généralement de 9-11 folioles ovales. Le feuillage jaunit parfois en automne. En hiver, on distingue très bien ses bourgeons foliaires noirs.

f. *diversifolia* a des feuilles simples ou divisées en 3 folioles. Les feuilles de '**Jaspidea**' ont une couleur variable selon les saisons : jaune au printemps, vert par la suite et finalement doré en automne. L'écorce des jeunes pousses est jaune en hiver. '**Pendula**' (Frêne pleureur), H. 15 m, E. 8-10 m, a des branches arquées puis retombantes.

F. mariesii. Arbre compact à croissance lente. H. 6 m, E. 5 m. Feuilles composées de 3-5 folioles ovales, vert foncé, portées chacune par un pédoncule pourpre. En début d'été, panicules de petites fleurs parfumées, en forme d'étoile, blanc crème, suivies de samares pourpres, oblongues et étroites.

F. ornus (Frêne à fleurs), ill. p. 49.

F. oxycarpa '**Raywood**' (Frêne oxyphylle '**Raywood**'). Arbre vigoureux, d'allure élégante, présentant une couronne compacte. H. 20 m, E. 15 m. Feuilles composées de 5-7 folioles étroites, ovales, brillantes, vert foncé, se teintant de pourpre rougeâtre vif en automne.

F. pennsylvanica, syn. *F. p.* var. *subintegerrima* (Frêne rouge). Arbre à croissance rapide, à port étalé. H. et E. 20 m. Feuilles composées le plus souvent de 7 ou 9 folioles étroites, ovales, d'un vert terne. Les ramilles et le revers des feuilles sont duveteux. '**Patmore**' est résistant aux maladies habituelles et présente des feuilles brillantes, se maintenant longtemps.

F. velutina, ill. p. 53.

FREESIA (Iridacées)

Genre de plantes à cormes, appréciées pour leur floraison pouvant s'étaler de l'hiver au printemps. Leurs fleurs, en entonnoir, généralement parfumées, sont très populaires, particulièrement pour la confection de bouquets. Semi-rustiques. Ont besoin de plein soleil et d'un sol bien drainé. Planter en automne et arroser tout l'hiver. Tuteurer les tiges filiformes. Maintenir les cormes au sec après la floraison. Multiplication par petits cormes prélevés en automne ou par semis en août.

F. alba, syn. *F. lactea, F. refracta* var. *alba.* Plante à floraison hivernale et printanière. H. 30 cm, E. 5 cm. Feuilles en forme de glaive, étroites, érigées, disposées en éventail basal. Grappes de fleurs très parfumées, blanches, de 5 à 8 cm de long, au sommet de tiges dépourvues de feuilles.

F. '**Everett**', ill. p. 355.

F. lactea, voir *F. alba.*

F. refracta var. *alba,* voir *F. alba.*

F. '**Rijnveld's Yellow**'. Plante à floraison hivernale et printanière. H. jusqu'à 30 cm, E. 5 cm. Fleurs parfumées jaunes.

F. '**Romany**'. Plante à floraison hivernale et printanière. H. jusqu'à 30 cm, E. 5 cm. Fleurs doubles, parfumées, mauve pâle.

F. '**White Swan**'. Plante fleurissant en hiver ou au printemps. H. jusqu'à 30 cm, E. 5 cm. Fleurs très parfumées, blanches à gorge crème.

F. '**Yellow River**', ill. p. 355.

FREMONTIA, voir FREMONTODENDRON.

FREMONTODENDRON, syn. FREMONTIA (Sterculiacées)

Genre d'arbustes à feuilles persistantes ou semi-persistantes, cultivés pour leurs grandes fleurs voyantes à calice coloré. Semi-rustiques (dans les régions froides il est préférable de les planter contre un mur orienté au sud ou à l'ouest). Ont besoin de plein soleil et d'un sol léger, bien drainé. N'aiment pas être transplantés. Multiplication par boutures de rameaux semi-aoûtés en été ou par semis en automne ou au printemps.

F. '**California Glory**', ill. p. 91.

F. californicum. Arbuste dressé, vigoureux, à feuillage semi-persistant. H. 6 m, E. 4 m, si on le plante contre un mur. En été, grandes fleurs jaune vif, parmi les feuilles vert mat, à 3 lobes arrondis.

FRITHIA (Aizoacées)

Genre représenté par une espèce de plante vivace, succulente, en rosette. Non rustique (min. 10 °C). A besoin de soleil et d'un sol bien drainé. Multiplication par semis au printemps ou en été.

F. pulchra, ill. p. 393.

FRITILLARIA (Liliacées)
Fritillaire

Genre de plantes à bulbes, cultivées pour leurs fleurs printanières généralement pendantes, le plus souvent en forme de cloche, au sommet de tiges feuillées. De rustiques à semi-rustiques. Ont besoin de plein soleil ou d'un ombrage léger, d'un sol bien drainé, se desséchant un peu mais sans excès en été, lorsque les bulbes sont dormants. *F. meleagris* affectionne les sols humides. Multiplication par bulbilles prélevées en été ou par semis en automne ou en hiver.

F. camschatcensis, ill. p. 343.

F. cirrhosa, ill. p. 346.

F. imperialis (Couronne impériale), ill. p. 332. '**Lutea**', H. jusqu'à 1,5 m, E. 30 cm, est rustique. Feuilles vert pâle,

brillantes, lancéolées, regroupées en verticilles. Le sommet des tiges peut présenter jusqu'à 5 fleurs en forme de cloche bien ouverte, jaunes, de 5 cm de long, associées en bouquets et surmontées d'un toupet de petites bractées ressemblant à des feuilles. '**Rubra Maxima**' est robuste et présente des fleurs rouges.

F. meleagris (Méléagre, Œuf de pintade, Œuf de vanneau), ill. p. 343.

F. pallidiflora, ill. p. 347.

F. persica, ill. p. 332.

F. pontica, ill. p. 347.

F. pudica, ill. p. 363.

F. pyrenaica, ill. p. 343.

F. raddeana, ill. p. 332.

F. recurva, ill. p. 332.

F. verticillata, ill. p. 332.

FUCHSIA (Onagracées)

Genre d'arbustes et d'arbres à feuillage caduc ou semi-persistant, cultivés pour leurs fleurs s'épanouissant généralement du début de l'été au début de l'automne. De rustiques à non rustiques (min. 5 °C). Si la température se maintient au-dessus de 4 °C, le feuillage caduc de certaines espèces peut se maintenir. Les températures au-dessus de 32 °C doivent être évitées. Si des pousses meurent en hiver, rabattre la partie aérienne de la plante au printemps. La plupart des espèces apprécient une situation abritée, qu'elle soit mi-ombragée ou ensoleillée. Le sol doit être fertile, humide, bien drainé. Multiplication par boutures de jeunes pousses. Le semis est utilisé pour obtenir des variétés nouvelles.

Les fleurs, tubulaires, sont presque toujours pendantes et présentent souvent un calice et une corolle de couleurs différentes. Sauf indication contraire, les feuilles sont ovales, vert moyen. Les fruits sont des baies pourpre noirâtre. Les fuchsias peuvent être formés en buisson compact (leur tendance naturelle), en tige (standard) ou en pyramide. Il est possible de cultiver les plantes à tiges souples et retombantes en panier suspendu ou palissées sur un treillage. Les fuchsias plantés en plate-bande d'été doivent parfois être tuteurés.

F. '**Ann Howard Tripp**', ill. p. 132. Arbuste dressé, vigoureux. H. et E. 75 cm. Semi-rustique. Feuilles caduques vert pâle et fleurs blanches, simples ou semi-doubles.

F. '**Annabel**', ill. p. 132. Arbuste dressé. H. 1 m, E. 75 cm. Semi-rustique. Grandes fleurs doubles, blanc crème teinté de rose. Feuilles caduques vert pâle. On le forme facilement en standard sur demi-tige.

F. arborescens (Fuchsia arborescent), ill. p. 132. H. 8 m, E. 2,5 m. Peu rustique. Toute l'année, panicules terminales de fleurs érigées, de mauve pâle à rose, suivies de fruits noirs, à pruine bleu-gris. Feuillage persistant vert moyen ou sombre;

feuilles entières elliptiques.

F. '**Autumnale**', ill. p. 132. Arbuste à tiges souples. H. 2 m, E. 50 cm. Semi-rustique. Apprécié surtout pour ses feuilles caduques panachées de rouge, de doré et de bronze. Fleurs à calice rouge et corolle pourpre rougeâtre. On l'utilise en panier suspendu ou formé en tige avec un port pleureur.

F. × *bacillaris,* ill. p. 133. Arbustes à tiges souples. H. et E. 75 cm. Semi-rustiques. Petites fleurs blanches, roses ou cramoisies, parfois suivies de fruits noirs et luisants. Feuilles caduques petites, vert moyen ou sombre. Bons pour jardins de rocaille ou en panier suspendu.

F. boliviana. Arbuste dressé, à croissance rapide. H. 3 m, E. 1 m. Semi-rustique. Grandes feuilles caduques douces, d'un vert grisé, à nervures centrales rougeâtres. Bouquets de fleurs pendantes écarlates, longuement tubulées, à l'extrémité des rameaux, suivies de fruits noirs, agréablement parfumés. Très sujet aux aleurodes.

'**Alba**' (ill. p. 133) a des fleurs à calice blanc et à pétales écarlates, suivies de fruits verts.

F. '**Bon Accord**'. Arbuste dressé, vigoureux, à feuilles caduques. H. 1,5 m, E. 50 cm. Semi-rustique. Petites fleurs érigées, à calice blanc et à pétales pourpre pâle.

F. '**Cascade**', ill. p. 133. Arbuste rampant, à feuillage caduc. H. 2 m, E. variable. Semi-rustique. Fleurs à calice blanc teinté de rouge et à pétales carmin foncé. Bon pour panier suspendu.

F. '**Celia Smedley**', ill. p. 133. Arbuste dressé, vigoureux, à feuillage caduc. H. 1,5 m, E. 1 m. Semi-rustique. Grandes fleurs simples ou semi-doubles à pétales rouge groseille et à calice formé d'un tube blanc verdâtre et de lobes blanc rosâtre pâle.

F. '**Dollar Princess**', ill. p. 132. Arbuste dressé, à feuilles caduques. H. 1 m, E. 75 cm. Rustique. Petites fleurs doubles, à calice rouge cerise et à pétales pourpres.

F. '**Estelle Marie**', ill. p. 133. Arbuste semi-rustique. H. 1 m, E. 50 cm. Fleurs à pétales mauves et à calice formé d'un tube blanc et de lobes blancs, à extrémités vertes. On l'utilise en plate-bande d'été.

F. fulgens, ill. p. 133. Arbuste dressé à racines tubéreuses. H. 2 m, E. 1 m. Semi-rustique. Grandes feuilles caduques vert pâle, cordées. Fleurs écarlates, longuement tubulées, en glomérules pendants, suivies de fruits verts. L'hiver, conserver les tubercules au sec. Multiplication par division des tubercules au printemps. Très sujet aux aleurodes.

F. '**Golden Dawn**', ill. p. 132. Arbuste dressé, à feuillage caduc. H. 1,5 m, E. 75 cm. Semi-rustique. Fleurs rose saumoné. On peut le former en standard sur demi-tige.

F. '**Golden Marinka**', ill. p. 133. Arbuste rampant. H. 2 m, E. variable. Semi-rustique. Fleurs rouges et feuilles caduques, panachées de doré, à nervures rouges. À cultiver en panier suspendu.

F. 'Harry Gray', ill. p. 132. Arbuste à tiges souples, à feuilles caduques. H. 2 m, E. variable. Semi-rustique. Profusion de fleurs doubles, à pétales de blanc à rose pâle et à calice présentant un tube rose pâle et des lobes blancs, à extrémités vertes. À cultiver en panier suspendu.

F. 'Heidi Weiss', voir *F.* 'White Ann'.

F. 'Jack Acland', ill. p. 132. Arbuste dressé, à feuillage caduc. H. 1,5 m, E. 1 m. Semi-rustique. Grandes fleurs de rose pâle à foncé.

F. 'Jack Shahan', ill. p. 132. Arbuste rampant, vigoureux, à feuillage caduc. H. 2 m, E. variable. Semi-rustique. Grandes fleurs de rose pâle à foncé. Convient bien à la culture en panier suspendu. On peut également le former en tige au port pleureur ou le faire grimper sur un treillage.

F. 'Joe Kusber'. Arbuste à port souple et à feuillage caduc. H. et E. 1 m. Semi-rustique. Grandes fleurs doubles, à pétales pourpre bleuâtre et à calice formé d'un tube blanc et de longs lobes blancs, à extrémités roses.

F. 'Koralle', ill. p. 133. Arbuste dressé. H. et E. 1 m. Non rustique. À l'extrémité des rameaux, fleurs orange saumoné, à calice présentant un long tube étroit, terminé par de petits lobes, et à pétales courts. Feuillage caduc duveteux, vert sombre. On l'utilise pour plates-bandes d'été ou en standard. Aime le soleil.

F. 'Kwintet', ill. p. 132. Arbuste dressé, vigoureux, à feuilles caduques. H. 1,5 m, E. 1 m. Semi-rustique. Fleurs colorées dans des nuances de rose foncé.

F. 'La Campanella', ill. p. 133. Arbuste rampant, traînant, à feuilles caduques. H. 1,5 m, E. variable. Semi-rustique. Petites fleurs semi-doubles, à pétales pourpres et à calice formé d'un tube blanc et de lobes blancs, teintés de rose. On le cultive en panier suspendu ou palissé contre un treillage.

F. 'Lady Thumb', ill. p. 132. Arbuste nain, dressé, à feuillage caduc. H. et E. 50 cm. Semi-rustique. Petites fleurs semi-doubles, à calice rose rougeâtre et à pétales blancs, veinés de rose. On peut le former en petit standard.

F. 'Leonora', ill. p. 132. Arbuste

dressé, vigoureux, à feuillage caduc. H. 1,5 m, E. 1 m. Semi-rustique. Fleurs roses, avec des sépales à extrémités vertes. On peut facilement le former en standard.

F. 'Lye's Unique', ill. p. 133. Arbuste dressé, vigoureux, à feuilles caduques. H. 1,5 m, E. 1 m. Semi-rustique. Petites fleurs à calice blanc, longuement tubulé, et à pétales rouge orangé. On peut facilement le former en grande pyramide.

F. magellanica, ill. p. 132. Arbuste dressé, à feuillage caduc. H. et E. 2 m. Semi-rustique. Petites fleurs à calice rouge écarlate, tubulé, terminé par de longs lobes et des pétales violacé pourpre, suivies de fruits noirs. Étamines saillantes. 'Alba' a des fleurs rose très pâle.

F. 'Mary Poppins', ill. p. 133. Arbuste dressé, à feuillage caduc. H. 1,5 m, E. 75 cm. Semi-rustique. Fleurs à calice rose abricot et à pétales vermillon.

F. 'Mrs Popple', ill. p. 133. Arbuste dressé, vigoureux, à feuilles caduques. H. 1,5 m, E. 75 cm. Semi-rustique. Fleurs à calice rouge, tubulé, à lobes réfléchis et à pétales pourpres. En situation abritée, on peut en faire une haie.

F. 'Nellie Nuttall', ill. p. 132. Arbuste dressé, vigoureux. H. 1 m, E. 75 cm. Semi-rustique. Fleurs à calice rose et à pétales blancs. Feuillage caduc. On l'utilise plus particulièrement pour réaliser des plates-bandes d'été, mais aussi formé en standard sur demi-tige.

F. 'Other Fellow', ill. p. 132. Arbuste dressé, à feuillage caduc. H. 1,5 m, E. 75 cm. Semi-rustique. Petites fleurs à calice blanc et à pétales roses.

F. 'Peppermint Stick', ill. p. 132. Arbuste dressé, à feuilles caduques. H. 1,5 m, E. 1 m. Semi-rustique. Grandes fleurs doubles à calice rouge carminé et à pétales pourpres, teintées de rose. On le forme en standard sur demi-tige.

F. 'Pink Galore', ill. p. 132. Arbuste rampant, à tiges traînantes. H. 1,5 m, E. variable. Semi-rustique. Grandes fleurs doubles, rose pâle. Feuilles caduques. Pousse bien dans de grands paniers suspendus ou palissé contre un treillage.

F. procumbens, ill. p. 133. Arbuste prostré à port retombant ou traînant. H. 10 cm, E. variable. Semi-rustique. Minuscules fleurs

érigées, sans pétales, à calice formé d'un tube jaune orangé pâle et de lobes pourpres à base verte. Petites feuilles caduques, vert foncé. Grands fruits rouges. Bon pour jardin de rocaille ou panier suspendu.

F. 'Red Spider', ill. p. 132. Arbuste rampant, à feuilles caduques. H. 1,5 m, E. variable. Semi-rustique. Longues fleurs rouges, à longs sépales étroits, étalés et à pétales de couleur plus sombre. À cultiver dans un grand panier suspendu ou à palisser contre un treillage.

F. 'Riccartonii', ill. p. 132. Arbuste dressé, à feuillage caduc. H. 2 m, E. 1,5 m. Avec un bon drainage et une situation abritée des vents, il peut être assez rustique. Petites fleurs à pétales pourpres et à calice rouge tubulé, à larges lobes recourbés. On peut l'utiliser en haies.

F. 'Rose of Castile', ill. p. 133. Arbuste dressé, vigoureux, à feuilles caduques. H. 1,5 m, E. 1 m. Rustique. Petites fleurs à calice blanc tubulé, avec des lobes verts en extrémité et des pétales roses, teintés de pourpre. On peut le former en standard.

F. 'Rufus', ill. p. 132. Arbuste vigoureux. H. 1,5 m, E. 75 cm. Semi-rustique. Profusion de petites fleurs rouge vif. Feuilles caduques. Il est facile de le former en standard sur demi-tige.

F. splendens. Arbuste dressé à rameaux longs. H. 2 m, E. 1 m. Semi-rustique. Fleurit au printemps. Petites fleurs à calice à tube saumoné, à petits pétales verts. Feuilles caduques, vert pâle. Sujet aux attaques d'aleurodes.

F. 'Swingtime', ill. p. 132. Arbuste vigoureux, d'allure souple, à feuillage caduc. H. et E. 1 m. Semi-rustique. Grandes fleurs doubles à calice rouge et à pétales blanc crème, veinés de rouge. On l'utilise en panier suspendu, tuteuré, ou formé en standard sur demi-tige.

F. 'Thalia', ill. p. 133. Arbuste dressé. H. et E. 1 m. Semi-rustique. À l'extrémité des rameaux, bouquets de longues fleurs minces à calice rouge, longuement tubulé, à petits lobes et à pétales courts, rouge orangé. Feuillage caduc marron pourpré sombre, velouté. Excellent dans les plates-bandes d'été. Préfère le plein soleil.

F. 'Tom Thumb', ill. p. 132.

Arbuste dressé, à feuillage caduc. H. et E. 50 cm. Semi-rustique. Petites fleurs à calice rouge et à pétales mauve pourpre. On peut le former en petit standard sur courte tige.

F. triphylla. Arbuste nain. H. et E. 60 cm. Semi-rustique. Bouquets de fleurs étroites à calice orangé longuement tubulé, à courts lobes, et à pétales rouge orangé courts. Feuilles lancéolées caduques, vert bronze sombre sur le dessus, pourpres sur le revers. Difficile à cultiver.

F. 'White Ann', syn *F.* 'Heidi Weiss', ill. p. 132. Arbuste dressé, à feuillage caduc. H. 1 m, E. 75 cm. Semi-rustique. Fleurs doubles à calice rouge et à pétales blancs, veinés de rouge cerise. On l'utilise formé en standard sur demi-tige.

F. 'White Spider', ill. p. 132. Arbuste vigoureux, rampant, à feuillage caduc. H. 2 m, E. variable. Semi-rustique. Grandes fleurs rose très pâle, à longs sépales étroits, étalés, à extrémité verte. Bonnes plantes à cultiver en panier suspendu ou à former en standard au port pleureur ou à palisser contre un treillage.

FUNKIA, voir **HOSTA.**

FURCRAEA (Agavacées)

Genre de plantes vivaces succulentes, à feuilles en forme de glaive, dentées, charnues, associées en rosette basale. Le feuillage meurt après la floraison. Elles ressemblent aux agaves, mais s'en différencient par leurs fleurs à périanthe rotacé. Non rustiques (min. 6 °C). Ont besoin de soleil et d'un sol très bien drainé. Multiplication par d'éventuelles bulbilles.

F. foetida, syn. *F. gigantea.* Plante à racine tubéreuse, formant une rosette basale. H. 1 m, E. 5 m. Larges feuilles en forme de glaive, charnues, d'un vert moyen, à bords dentés seulement à la base, jusqu'à 2 m de long. En été, tiges florales jusqu'à 10 m de long, portant des fleurs fortement parfumées, vertes, blanches à l'intérieur. 'Mediopicta', ill. p. 381.

F. gigantea, voir *F. foetida.*

G

GAILLARDIA (Composées)
Gaillarde

Genre de plantes annuelles ou vivaces à floraison estivale. Rustiques. Ont besoin de soleil et préfèrent les sols bien drainés. Tuteurage parfois nécessaire. Multiplication : pour les espèces types, semis d'automne ou de printemps; pour les variétés et cultivars, boutures de racines. Capitules radiés, excellents pour la fleur coupée.
G. aristata (Gaillarde vivace), ill. p. 246.
G. × grandiflora. 'Dazzler', ill. p. 240. **'Wirral Flame'** est vivace. H. 60 cm, E. 50 cm. Donne en été de grands capitules pourpres. Feuilles lancéolées, lobées, vert tendre.
G. pulchella (variétés doubles, panachées). Annuelle. H. 45 cm, E. 30 cm. Feuilles lancéolées, velues, vert grisâtre. Donne en été des capitules doubles, jaunes, roses ou rouge marqué de cramoisi (5 cm de large). **'Lollipops'**, ill. p. 282.

GALANTHUS (Amaryllidacées)
Perce-neige

Plantes bulbeuses à fleurs blanches solitaires, pendantes, au sommet d'un mince pédoncule dressé entre 2 feuilles basales. Périanthe à 6 divisions inégales : 3 grands tépales externes et 3 internes plus petits à pointe verte. Rustiques. Préfèrent les endroits frais, semi-ombreux et les sols humides. Peu exigeantes sur la nature du sol, mais apprécient beaucoup les sols humifères. Éviter de laisser les bulbes se dessécher. Multiplication par division au printemps après la floraison ou à la fin de l'été ou en automne par les caïeux. Il ne faut pas se contenter de planter *G. nivalis*, à floraison généralement très précoce : avec les autres espèces ou sous-espèces, on peut avoir des périodes de floraison d'octobre à avril.
G. 'Atkinsii', ill. p. 369.
G. elwesii, ill. p. 369.
G. gracilis, syn. *G. graecus*, ill. p. 369.
G. graecus, voir *G. gracilis*.
G. ikariae, syn. *G. latifolius*, ill. p. 369.
G. latifolius, voir *G. ikariae*.
G. nivalis (Perce-neige commune, Violier d'hiver, Violette de la Chandeleur, Nivéole, Galantine, Clochette d'hiver). Floraison fin hiver/début printemps. H. 20 cm, E. 5-8 cm. Feuilles basales en lanières étroites, gris-vert. Fleurs blanches (2-2,5 cm de large). Il s'agit d'une espèce assez variable (certaines sous-espèces fleurissent à des périodes différentes : par exemple subsp. *reginae-olgae* en septembre-octobre). **'Flore Pleno'** et **'Pusey Green Tips'**, ill. p. 369. **'Lutescens'** et **'Scharlockii'**, ill. p. 370.
G. plicatus. Floraison fin hiver/début printemps. H. 10-20 cm, E. 5-8 cm. Feuilles basales en larges lanières semi-dressées, à bords recourbés. Fleurs blanches, tépales internes à pointe verte. subsp. **byzantinus** (Byzantine), ill. p. 370.
G. rizehensis, ill. p. 369.

GALAX (Diapensiacées)

Genre représenté par une seule espèce vivace à feuillage persistant, utilisée comme plante tapissante sous les arbustes. Rustique. A besoin d'ombre et d'un sol humide, tourbeux et acide. Multiplication par division des stolons au printemps. Feuillage utile pour les bouquets.
G. aphylla, voir *G. urceolata*.
G. urceolata, syn. *G. aphylla*, ill. p. 291.

GALEGA (Légumineuses)

Genre de plantes vivaces à floraison estivale (corolles papilionacées bleues ou blanches). Rustiques. À cultiver dans un endroit ensoleillé, bien dégagé et dans n'importe quel type de sol bien drainé, si possible frais et profond. Tuteurage souvent utile. Multiplication par semis en automne ou division en hiver.
G. × hartlandii (Rue de chèvre). **'His Majesty'** est une plante vigoureuse. H. jusqu'à 1,50 m, E. 1 m. Donne en été des grappes serrées de petites fleurs lilas clair et blanc. Feuilles d'oblongues à lancéolées, composées de folioles ovales. **'Lady Wilson'**, ill. p. 190.
G. orientalis, ill. p. 211.

GALEOBDOLON (Labiacées)

Genre de plantes vivaces à floraison estivale, souvent intégré dans le genre *Lamium*. Font de bons couvre-sol, mais peuvent être envahissantes. Rustiques. Supportent le soleil et l'ombre et tous types de sol bien drainé. Multiplication : division des stolons en hiver.
G. argentatum, syn. *Lamium galeobdolon* 'Variegatum', *Lamiastrum galeobdolon* 'Variegatum'. Plante tapissante. H. jusqu'à 30 cm, E. variable. Feuilles ovales, vert pâle strié d'argent. Verticilles de fleurs tubulaires jaunes, à 2 lèvres, apparaissant en été.

GALIUM (Rubiacées)
Gaillet, Caille-lait

Genre de plantes vivaces à floraison printanière et estivale; beaucoup sont des mauvaises herbes. *G. odoratum* se cultive comme plante tapissante. Se plaît à l'ombre, mais supporte le soleil; prolifère dans tous les sols bien drainés. Multiplication par division au début du printemps ou en automne.
G. odoratum, syn. *Asperula odorata* (Aspérule odorante, Petit Muguet), ill. p. 232.

GALTONIA (Liliacées)

Genre de plantes bulbeuses à floraison estivale, cultivées pour leurs élégantes grappes de fleurs pendantes campanulées, blanches ou vertes. Assez rustiques. Ont besoin d'un endroit abrité, ensoleillé et à sol bien drainé qui ne se dessèche pas en été. Multiplication par semis au printemps ou division de caïeux en automne ou au printemps.
G. candicans (Jacinthe du Cap), ill. p. 332.
G. viridiflora, ill. p. 337.

GARDENIA (Rubiacées)
Gardénia

Genre d'arbustes que l'on cultive pour leur feuillage persistant et leurs fleurs blanches. Très peu rustiques (à ne planter en plein air toute l'année qu'en lieux abrités sur la Côte d'Azur). Préfèrent la mi-ombre et les sols riches en humus et en sable, bien drainés, neutres ou acides. Les sujets en conteneurs doivent être abondamment arrosés en période de croissance et modérément le reste du temps. Tailler éventuellement après la floraison pour maintenir la forme. Multiplication par boutures de bois semi-lignifié en été. À protéger des aleurodes et des cochenilles.
G. florida, voir *G. jasminoides*.
G. grandiflora, voir *G. jasminoides*.
G. jasminoides, syn. *G. florida*, *G. grandiflora* (Jasmin du Cap). **'Fortuniana'**, ill. p. 126.

GARRYA (Garryacées)

Genre d'arbustes ou de petits arbres à feuillage persistant, cultivés pour les chatons qu'ils forment en hiver et au printemps. Semi-rustiques (à essayer éventuellement en région parisienne en sol chaud et bien drainé). Préfèrent les endroits abrités et ensoleillés (le long des murs orientés au sud ou à l'ouest, par ex.) et s'accommodent de tous les sols légers. Les fortes gelées peuvent endommager les chatons.
G. elliptica, ill. p. 93. **'James Roof'** est un arbuste particulièrement touffu. (Il s'agit d'un clone mâle.) H. et E. 4 m. Feuilles ovales, coriaces, vert foncé, à bords ondulés. Les chatons sont très longs (plus de 30 cm), gris-vert, avec des anthères jaunes (fin hiver/début printemps).

GASTERIA (Liliacées)

Genre de plantes grasses vivaces à feuilles épaisses, charnues, distiques, ou en rosette serrée (parfois, pour certaines espèces, distiques, puis en rosette). Peu rustiques (plantes de serre tempérée, min. 17 °C). Se cultivent facilement au soleil ou en ombre légère, dans un sol très bien drainé. Multiplication : semis ou boutures de feuilles.
G. liliputana, ill. p. 400.
G. verrucosa, ill. p. 400.

× GAULNETTYA (Éricacées)

Hybride intergénérique (*Gaultheria × Pernettya*). Arbustes cultivés pour leur feuillage persistant, leurs fleurs et leurs fruits. Rustiques. Préfèrent l'ombre ou la mi-ombre et les sols humides, tourbeux et acides. Multiplication par drageonnage au printemps ou boutures de bois semi-lignifié en été.
× G. 'Wisley Pearl', ill. p. 122.

GAULTHERIA (Éricacées)

Genre d'arbustes et d'arbrisseaux traçants, cultivés pour leur feuillage persistant, leurs fleurs et leurs fruits. Rustiques. Préfèrent la mi-ombre, les sols humides, humifères, tourbeux, acides. Multiplication : boutures de bois semi-lignifié, semis en automne, ou division des touffes ou drageonnage.

G. cuneata, ill. p. 300.
G. forrestii. H. et E. 1,50 m.
Feuilles oblongues, luisantes, vert foncé. Au printemps, grappes de fleurs blanches et odorantes, suivies de fruits ronds, bleus.
G. nummularioides. Arbuste rampant. H. 15 cm, E. 20 cm. Assez rustique. Petites feuilles coriaces, ovales. Fleurs campanulées blanches marquées de rose qui éclosent à la fin du printemps ou en été à l'aisselle des feuilles supérieures. Fruits ronds, bleu-noir (assez rares).
G. procumbens, ill. p. 327.
G. shallon, ill. p. 130.
G. trichophylla. Arbuste touffu à tiges souterraines traçantes. H. 7-15 cm, E. 20 cm. Rustique. Produit au début de l'été des fleurs roses en forme de cloche, suivies de fruits ovoïdes bleus poussant à l'aisselle des feuilles, petites et ovales.

GAURA (Onagracées ou Oenothéracées)

Genre de plantes vivaces ou annuelles à floraison estivale. Rustiques. Préfèrent les endroits ensoleillés et les sols légers et bien drainés. Multiplication par boutures de bois semi-lignifié en été, ou semis en automne ou au printemps.
G. lindheimeri. Plante vivace touffue. H. 1,20 m, E. 1 m. Donne en été des panicules de fleurs blanches avec des nuances de rose ou de brun à l'extérieur. Feuilles lancéolées vert assez clair.

GAZANIA (Composées)

Genre de plantes vivaces à grands capitules blancs, orangés, ou jaunes, souvent cultivées comme annuelles en pleine terre ou en pots. Semi-rustiques. Ont besoin de beaucoup de soleil et d'une terre relativement légère mais suffisamment humifère. Multiplication par semis au printemps ou boutures à talon au printemps ou en été.
G. 'Daybreak'. H. et E. 20 cm. Porte des feuilles lancéolées et, en été, de grands capitules de couleurs variées (orange, jaune, rose, bronze, blanc) qui demeurent épanouis par temps couvert.
G. pinnata. Plante tapissante vivace. H. 15 cm, E. 30 cm. Capitules rouge orangé avec des anneaux noirs au centre (début de l'été). Feuilles ovales, finement découpées, velues, gris bleuâtre.
G. 'Sundance'. H. et E. 30 cm. Feuilles lancéolées. Donne en été des capitules de plus de 8 cm de large, aux coloris flamboyants, certains striés de rouge et de jaune.
G. uniflora, ill. p. 247.

GELSEMIUM (Loganiacées)

Genre de plantes grimpantes volubiles à feuillage persistant, cultivées pour leurs fleurs odorantes. Semi-rustiques. À cultiver sous serre dans les régions froides. Ont besoin de soleil, d'un sol fertile et bien drainé. Arroser régulièrement, moins souvent lorsqu'il fait froid. Il faut prévoir des supports. Éclaircir au printemps ou après la floraison. Multiplication par semis au printemps ou boutures de bois semi-lignifié en été.
G. sempervirens. H. 6 m. Feuilles d'ovales à lancéolées, pointues, luisantes. Fleurs jaunes en entonnoir, à 5 pétales parfumées, (fin printemps/début été).

GENISTA (Légumineuses)

Genre d'arbustes et d'arbrisseaux à feuillage caduc ou semi-persistant, cultivés pour leurs abondantes fleurs papilionacées en grappes ou en bouquets terminaux. De rustiques à semi-rustiques. Se plaisent en plein soleil, dans les sols pas trop riches, bien drainés. Supportent assez mal les transplantations. Multiplication : boutures pour tous, ou semis en automne pour les espèces types.
G. aetnensis (Genêt de l'Etna), ill. p. 66.
G. cinerea, ill. p. 91.
G. hispanica (Genêt d'Espagne), ill. p. 138.
G. lydia, ill. p. 299.
G. monosperma. Arbrisseau à branches longues, arquées, retombantes, presque sans feuilles. H. 3 m, E. 1,50 m. Semi-rustique. Rameaux minces, d'un gris soyeux, portant au début du printemps des grappes de fleurs blanches parfumées. Feuilles rares, à peine visibles. Se plaît contre les murs exposés au sud ou à l'ouest.
G. pilosa. Sous-arbrisseau à rameaux étalés. H. et E. 50 cm. Rustique. Les feuilles ovales vert foncé, étroites, portent sur le dessous des poils soyeux. Fleurs jaune vif, réunies en grappes feuillées. Convient pour des massifs ou comme couvre-sol. Multiplication : boutures de bois semi-lignifié en été.
G. sagittalis, syn. *Chamaespartium sagittale,* ill. p. 326.
G. tenera 'Golden Showers'. Vigoureux arbuste. H. 3 m, E. 5 m. Semi-rustique. Feuilles oblongues, étroites, gris-vert. Se couvre en été de grappes d'abondantes fleurs parfumées jaune d'or.
G. tinctoria (Genêt commun, Genêt des teinturiers), ill. p. 125. 'Royal Gold' est un arbrisseau à demi prostré. H. et E. 1 m. Rustique. Porte au printemps et en été de longues panicules de fleurs jaune d'or. Feuilles étroitement lancéolées, vert sombre.

GENTIANA (Gentianacées) Gentiane

Genre de plantes annuelles, bisannuelles ou vivaces, certaines à feuillage persistant ou semi-persistant, qu'on cultive pour leurs fleurs (corolle à pétales soudés, évasée avec plusieurs lobes). Conviennent particulièrement bien pour les jardins de rocaille et la culture sur tourbe. Rustiques. Préfèrent en général le soleil et les sols riches en humus, humides, bien drainés. Mais certaines espèces poussent spontanément dans les terrains calcaires, même secs (notamment *G. angustifolia*). Multiplication : division et repiquage au printemps ou semis en automne. Belles plantes pour endroits frais, pas très faciles à cultiver.
G. acaulis, syn. *G. excisa, G. kochiana,* ill. p. 310.
G. angustifolia. Plante vivace à feuillage persistant touffu. H. 10 cm, E. 20 cm. Feuilles oblongues, vert luisant, la plupart en rosettes. Donne en été des fleurs solitaires tubulaires bleues, sur des pédoncules de 7 cm. Aime les sols calcaires.
G. asclepiadea, ill. p. 220.
G. clusii. Plante vivace à feuillage persistant touffu. H. 8 cm, E. 25 cm. Feuilles ovales, luisantes, vertes, en rosettes. Fleurs solitaires en entonnoir, bleues, poussant fin printemps/début été sur des pédoncules de 2,5 à 10 cm. Aime les sols alcalins.
G. excisa, voir *G. acaulis.*
G. gracilipes. Plante vivace, à feuillage semi-persistant et à tiges décombantes. H. 15 cm, E. 20 cm. Forme une rosette centrale de longues feuilles en lanière vert foncé d'où émergent en été les pédoncules portant des fleurs tubulaires bleu pourpré foncé. Supporte un peu d'ombre.
G. kochiana, voir *G. acaulis.*
G. lutea (Grande Gentiane), ill. p. 214.
G. × macaulayi 'Wellsii', ill. p. 327.
G. ornata. Plante vivace à feuillage semi-persistant. H. 5 cm, E. 10 cm. Forme une rosette basale de feuilles. Fleurs solitaires dressées, bleu clair, avec une gorge blanche et des stries externes allant du bleu foncé au blanc crème (fin été). A besoin d'humidité et d'un sol acide.
G. saxosa, ill. p. 314.
G. septemfida, ill. p. 300.
G. sino-ornata, ill. p. 327.
G. verna (Gentiane printanière), ill. p. 310.

GERANIUM (Géraniacées)

Genre de plantes herbacées (rarement à base sous-ligneuse) vivaces, parfois annuelles, cultivées pour leurs belles fleurs régulières à 5 pétales. De rustiques à semi-rustiques. Peuvent pousser dans la plupart des types de sol, à condition qu'ils ne soient pas

excessifs dans leurs caractéristiques. Multiplication par semis ou division.
G. armenum, voir *G. psilostemon.*
G. cinereum. H. 15 cm, E. 30 cm. Rustique. Fleurs cupulaires rouges chez le type (certaines variétés sont roses ou blanches), veinées de pourpre ou de blanc (fin printemps/été). Feuilles vert tendre, lobées, en rosette basale. Convient pour les rocailles. 'Ballerina' et var. *subcaulescens,* ill. p. 319.
G. clarkei 'Kashmir Purple', syn. *G. pratense* 'Kashmir Purple'. Variété traçante. H. et E. 60 cm. Rustique. Donne en été des groupes de fleurs cupulaires rouge foncé. Feuilles profondément divisées. 'Kashmir White' (syn. *G. pratense* 'Kashmir White'), ill. p. 233.
G. dalmaticum, ill. p. 317.
G. endressii, ill. p. 235. 'Wargrave Pink', ill. p. 236.
G. grandiflorum, voir *G. himalayense.*
G. himalayense, syn. *G. grandiflorum,* ill. p. 242.
G. ibericum. H. et E. 60 cm. Rustique. Se couvre en été de fleurs bleu-violet. Feuilles lobées ou découpées, velues.
G. 'Johnson's Blue', ill. p. 242.
G. macrorrhizum, ill. p. 236. 'Ingwersen's Variety', ill. p. 226.
G. maculatum. H. 75 cm, E. 45 cm. Rustique. Donne au printemps des groupes légers de fleurs rose lilas. Feuilles arrondies, vertes devenant fauves et rouges en automne.
G. maderense. Espèce vigoureuse et buissonnante à base ligneuse. H. et E. 1 m. Semi-rustique. Se couvre en été de fleurs magenta. Feuilles palmées, finement découpées, vert assez foncé.
G. × magnificum, ill. p. 242.
G. nodosum, ill. p. 227.
G. orientalitibeticum, ill. p. 293.
G. × oxonianum 'Claridge Druce'. Vigoureux cultivar tapissant. H. et E. 75 cm. Rustique. Donne durant tout l'été des groupes de fleurs cupulaires rose mauve veinées de sombre. Feuilles délicates, arrondies, lobées. 'Winscombe', ill. p. 203.
G. phaeum, ill. p. 197.
G. pratense (Géranium des prés). H. 75 cm, E. 60 cm. Rustique. Tout l'été, fleurs étalées à 5 pétales, bleu mauve, sur pédoncules ramifiés. Feuilles lobées finement découpées, vertes devenant bronze en automne. 'Kashmir Purple', voir *G. clarkei* 'Kashmir Purple'. 'Kashmir White', voir *G. clarkei* 'Kashmir White'.
G. psilostemon, syn. *G. armenum,* ill. p. 205.
G. pylzowianum. Espèce à tige stolonifère et petits tubercules. H. et E. 25 cm. Rustique. Feuilles semi-circulaires, profondément découpées, vert foncé. Donne en été des fleurs solitaires en entonnoir, roses à centre vert. Peut être envahissante.
G. renardii, ill. p. 234.
G. sanguineum, ill. p. 294. var. *striatum* (syn. *G. s.* var. *lancastriense*), ill. p. 316.
G. sylvaticum (Géranium des bois). 'Mayflower', ill. p. 210.

G. wallichianum 'Buxton's Blue', ill. p. 243.
G. wlassovianum. H. et E. 60 cm. Rustique. Tiges veloutées et feuilles arrondies, lobées, vert foncé, veloutées. Donne en été des fleurs solitaires ou en petits groupes, violet foncé.

GERBERA (Composées)

Genre de plantes vivaces qui fleurissent de l'été à l'hiver selon les conditions ambiantes. Semi-rustiques avec des précautions (craignent le froid et l'humidité). À cultiver en plein soleil, dans un sol riche et sain. Multiplication par semis dès la récolte; ou divison de touffes pour les variétés et cultivars horticoles.
G. jamesonii, ill. p. 258.

GEUM (Rosacées)
Benoîte

Genre de plantes vivaces à floraison estivale. Rustiques. Se développent mieux au soleil ou en ombre légère et préfèrent les sols fertiles, équilibrés, bien drainés. Multiplication par division ou semis en automne.
G. × borisii, ill. p. 249.
G. chiloense 'Lady Stratheden' (Benoîte à fleurs jaunes), ill. p. 247.
G. montanum (Benoîte des montagnes). Espèce rhizomateuse touffue, à développement peu rapide. H. 10 cm, E. 25 cm. Fleurs en coupe jaune d'or, en juin, suivies de fruits hérissés, velus. Feuilles lobées, avec un lobe terminal arrondi. Pour jardins de rocaille.

GEVUINA ou GUEVINA (Protéacées)

Genre d'arbres cultivés pour leur feuillage persistant et leurs fleurs. H. et E. 10 m. Semi-rustiques. Préfèrent la mi-ombre et les sols fertiles, bien drainés. Multiplication par boutures de bois semi-lignifié à la fin de l'été ou semis en automne.
G. avellana (Noisetier du Chili). Arbrisseau. H. et E. 10 m. Grandes feuilles lustrées, vertes, à nombreuses folioles ovales, dentées. Épis de minuscules fleurs blanches (fin été), suivies de fruits comestibles rouge corail.

GIBBAEUM (Aizoacées)

Genre de plantes vivaces succulentes, formant une touffe. Les feuilles charnues, souvent de taille inégale, sont disposées par paires. Non rustiques (min. 5 °C). Demandent le plein soleil et un sol très bien drainé. Arroser très peu,

surtout en début d'hiver. Multiplication par semis ou boutures de tiges au printemps ou en été.
G. velutinum, ill. p. 389.

GILIA (Polémoniacées)

Genre de plantes annuelles ou bisannuelles à floraison estivale. Semi-rustiques. Préfèrent le soleil et les sols fertiles et très bien drainés. Tuteurage parfois nécessaire dans les endroits exposés au vent. Multiplication par semis au printemps ou au début de l'automne pour une floraison précoce l'année suivante.
G. capitata, ill. p. 277.

GILLENIA (Rosacées)

Genre de plantes vivaces à floraison estivale. Rustiques. Supportent un soleil pas trop intense, la mi-ombre et tous les types de sols bien drainés. Tuteurage souvent nécessaire. Multiplication : semis en automne ou au printemps.
G. trifoliata, ill. p. 202.

GINKGO (Ginkgoacées), voir CONIFÈRES.

Le Ginkgo est une plante gymnosperme, donc proche des conifères, mais ce n'est pas un conifère; c'est par commodité que sa photographie a été placée avec les conifères.
G. biloba (Arbre aux 40 écus), ill. p. 75.

GLADIOLUS (Iridacées)
Glaïeul

Genre de plantes bulbeuses, à corme, émettant un long épi unilatéral de grandes fleurs en entonnoir, qui surmonte de longues feuilles basales rubanées et pointues. Les fleurs possèdent 3 sépales pétaloïdes et 3 pétales, que nous appellerons tous pétales, selon l'usage horticole. Se prêtent à toutes sortes d'arrangements décoratifs, en bouquets ou en mixed-borders. Nombreux hybrides. De rustiques à semi-rustiques. Ont besoin de soleil, de sols fertiles, humides et bien drainés (sol sableux apprécié). Planter au printemps à 10 cm de profondeur. Bien arroser en été et tuteurer avec discrétion les plus grandes tiges. En automne, déterrer les formes semi-rustiques, couper les tiges et laisser sécher les bulbes dans un endroit frais, à l'abri du gel.
Multiplication par semis pour les espèces types ou par plantation des bulbilles.

Les bulbes que l'on doit conserver nécessitent certaines mesures préventives de protection. Avant de les mettre à sécher dans un endroit aéré, frais et à l'abri du gel, il est prudent, en particulier, de les vaporiser ou de les poudrer avec un fongicide. En cours de séchage, il faut également les traiter avec un insecticide pour détruire le redoutable thrips du glaïeul. D'une façon générale, il faut détruire les bulbes atteints par une maladie et planter uniquement ceux qui sont en parfait état.

Les glaïeuls hybrides
Sur chaque épi, les fleurs sont soit serrées verticalement les unes contre les autres, soit disposées en quinconce, avec un petit intervalle entre chaque fleur. Tous sont rustiques ou semi-rustiques, avec des feuilles raides, assez longues (de 20-50 cm), allant d'un vert céladon très pâle ou d'un bleu-vert métallique à un vert bouteille. On les répartit en deux groupes : Grandiflorus et Primulinus.
Le groupe Grandiflorus donne des épis longs et denses de fleurs en entonnoir, à pétales épais et ondulés ou à pétales minces avec des bordures lisses. Les hybrides à fleurs géantes ont des fleurs qui peuvent atteindre 15 cm de large sur un épi de 65-80 cm de long. Chez les hybrides à grandes fleurs, celles-ci atteignent de 11-14 cm de large (épi : 60 cm environ). Chez les hybrides à fleurs moyennes, celles-ci atteignent de 9-11 cm (épi : environ 60 cm). Et chez les hybrides à petites fleurs, celles-ci atteignent de 6-9 cm sur un épi de 50-60 cm de long.
Le groupe Primulinus (G. primulinus et ses hybrides) donne des épis clairsemés de fleurs en entonnoir à marges lisses (de 6-9 cm de large) avec un pétale supérieur souvent développé en casque par-dessus le stigmate et les anthères. L'épi mesure environ 30 cm de long.

G. 'Amy Beth'. Glaïeul à petites fleurs du groupe Grandiflorus. H. 1,20 m, E. 20-25 cm. Porte en été 7 fleurs lavande serrées, ondulées, à pétales épais.
G. 'Black Lash', ill. p. 334. Glaïeul à petites fleurs du groupe Grandiflorus. H. 1,35 m, E. 15-20 cm. Fin été, 8 ou 9 fleurs serrées, légèrement ondulées, rose foncé, à pétales pointus légèrement retroussés.
G. blandus, voir G. carneus.
G. 'Café au lait', ill. p. 334. Glaïeul du groupe Primulinus. H. 1,10 m, E. 15-20 cm. 4 ou 5 fleurs alternes, couleur café au lait, avec une gorge beige et un pétale en casque (été).
G. 'Carioca', ill. p. 334. Glaïeul à fleurs moyennes du groupe Grandiflorus. H. 1,35 m, E. 30 cm. En été, épis de 8 ou 9 fleurs serrées, très ondulées, orange avec une gorge marquée de rouge vif.
G. carneus, syn. G. blandus. Floraison printanière. H. 20-40 cm, E. 10 cm. Semi-rustique. L'épi porte jusqu'à 8 fleurs en entonnoir très évasé, blanches à l'intérieur, roses à l'extérieur, avec

des marques rose sombre sur les pétales inférieurs.
G. 'Christabel', ill. p. 347.
G. × colvillei, syn. G. nanus. 'Amanda Mahy' fleurit au début de l'été. H. 30-50 cm, E. 10 cm. Semi-rustique. Épis clairsemés de 5-8 fleurs saumon (de 7 cm de long), avec des marques violettes sur les pétales inférieurs. 'The Bride' (ill. p. 334) a des fleurs blanches à la gorge marquée de vert.
G. communis subsp. **byzantinus** (Glaïeul de Byzance), ill. p. 335.
G. 'Dancing Queen', ill. p. 334. Glaïeul à grandes fleurs du groupe Grandiflorus. H. 1,35 m, E. 25 cm. Fin été, épis serrés d'environ 9 fleurs ivoire à la gorge marquée de 2 taches lie-de-vin; les pétales sont minces et soyeux.
G. 'Deliverance', ill. p. 334. Glaïeul à fleurs géantes du groupe Grandiflorus. H. 1,70 m, E. 25-30 cm. Fin été, épis serrés de 9 fleurs aux pétales très ondulés, rose saumon marqué d'orangé.
G. 'Drama', ill. p. 334. Glaïeul à grandes fleurs du groupe Grandiflorus. H. 1,70 m, E. 25-30 cm. Fin été, épis serrés de 8-10 fleurs légèrement ondulées, rose vif avec une gorge jaune marquée de rouge.
G. 'Gigi', ill. p. 334. Glaïeul à petites fleurs du groupe Grandiflorus. H. 1 m, E. 20 cm. Donne à la fin de l'été des épis serrés de fleurs légèrement ondulées, rose foncé, avec une gorge étroite, blanche.
G. 'Green Woodpecker', ill. p. 334. Glaïeul à fleurs moyennes du groupe Grandiflorus. H. 1,50 m, E. 30 cm. Fin été, épis serrés de 10 fleurs vertes à gorge lie-de-vin.
G. 'Ice Cap', ill. p. 334. Glaïeul à grandes fleurs du groupe Grandiflorus. H. 1,70 m, E. 25-30 cm. Fin été/début automne, épis serrés de 10-12 fleurs très ondulées, d'un blanc éclatant.
G. 'Inca Queen', ill. p. 334. Glaïeul à grandes fleurs du groupe Grandiflorus. H. 1,50 m, E. 25 cm. Fin été, épis serrés d'environ 9 fleurs très ondulées, cireuses, rose saumon, avec du jaune citron en bordure des pétales et à la gorge.
G. italicus, syn. G. segetum, ill. p. 335.
G. 'Leonore'. Glaïeul du groupe Primulinus. H. 1,10 m, E. 20 cm. Donne en été des épis de 5-7 fleurs jaune bouton d'or, avec le pétale supérieur en casque.
G. 'Melodie', ill. p. 334. Glaïeul à petites fleurs du groupe Grandiflorus. H. 1,20 m, E. 15-20 cm. Donne, à la fin de l'été, environ 6 fleurs rose saumon, à la gorge flammée longitudinalement de rouge orangé.
G. 'Mexicali Rose', ill. p. 334. Glaïeul à grandes fleurs du groupe Grandiflorus. H. 1,50 m, E. 30 cm. Milieu de l'été, épis serrés de 8 fleurs ondulées, rose soutenu, aux pétales bordés d'une mince ligne blanc argenté.
G. 'Miss America', ill. p. 334. Glaïeul à fleurs moyennes du groupe Grandiflorus. H. 1,50 m, E. 30 cm. Fin été, épis serrés de 10 fleurs très ondulées, rose vif.

G. 'Moon Mirage', ill. p. 334. Glaïeul à fleurs géantes du groupe Grandiflorus. H. 1,70 m, E. 25-35 cm. Fin été/début automne, épis serrés de 9-11 fleurs ondulées, jaune canari clair.
G. nanus, voir *G. × colvillei*.
G. papilio, syn. *G. purpureo-auratus*, ill. p. 342.
G. 'Peter Pears', ill. p. 334. Glaïeul à grandes fleurs du groupe Grandiflorus. H. 1,70 m, E. 35 cm. Fin été, épis serrés de 10 fleurs environ, saumon/abricot à la gorge marquée de rouge.
G. 'Pink Lady', ill. p. 334. Glaïeul à grandes fleurs du groupe Grandiflorus. H. 1,50 m, E. 25-30 cm. Fin été/début automne, épis serrés de 9 fleurs légèrement ondulées, rose vif, à large gorge blanche.
G. primulinus. Floraison estivale. H. jusqu'à 1 m, E. 15-20 cm. Semi-rustique. Porte jusqu'à 20 fleurs bien espacées jaune chrome (de 8-12 cm de long), à pétale supérieur en casque.
G. purpureo-auratus, voir *G. papilio.*
G. 'Renegade', ill. p. 334. Glaïeul à grandes fleurs du groupe Grandiflorus. H. 1,50 m, E. 25 cm. Fin été, épis serrés de 7 ou 8 fleurs chiffonnées, rouge sombre.
G. 'Robin', ill. p. 334. Glaïeul du groupe Primulinus. H. 1,20 m, E. 20 cm. Porte 5 ou 6 fleurs rose pourpre, à pétale supérieur en casque (fin été).
G. 'Rose Supreme', ill. p. 334. Glaïeul à fleurs géantes du groupe Grandiflorus. H. 1,70 m, E. 25-30 cm. Donne à la fin de l'été des épis serrés de 9 fleurs rose vif, strié et moucheté de rose foncé en bordure des pétales, à gorge crème.
G. 'Rutherford', ill. p. 334. Glaïeul du groupe Primulinus. H. 1 m, E. 15-20 cm. Fin été, fleurs rouge sombre avec des éclaboussures crème et un pétale supérieur en casque.
G. segetum, voir *G. italicus.*
G. 'Tesoro', ill. p. 334. Glaïeul à fleurs moyennes du groupe Grandiflorus. H. 1,50 m, E. 20-25 cm. Début automne, épis serrés de fleurs soyeuses, légèrement ondulées, jaune éclatant.
G. 'Victor Borge', ill. p. 334. Glaïeul à grandes fleurs du groupe Grandiflorus. H. 1,70 m, E. 35 cm. Donne à la fin de l'été des épis serrés de 8 fleurs orange vermillon, à la gorge marquée de blanc crème.

GLAUCIDIUM (Paeoniacées)

Genre représenté par une seule espèce de plante vivace à floraison printanière. Particulièrement recommandée pour les jardins boisés. Rustique. A besoin d'une exposition abritée, légèrement ombragée et d'un sol humide et tourbeux. Multiplication par semis en automne.
G. palmatum, ill. p. 227.

GLAUCIUM (Papavéracées)
Pavot cornu

Genre de plantes annuelles, bisannuelles et vivaces, cultivées pour leurs fleurs éclatantes. Semi-rustiques. Se plaisent au soleil, dans les sols fertiles et bien drainés. Multiplication : les espèces annuelles par semis en pleine terre au printemps, les bisannuelles et vivaces par semis en pleine terre au printemps ou en automne.
G. flavum, ill. p. 279.

GLECHOMA (Labiacées)

Genre de plantes vivaces rampantes et radicantes à floraison estivale. Font de bons couvre-sol, mais peuvent être envahissantes. Rustiques. Supportent le soleil et l'ombre, mais préfèrent la mi-ombre. Aiment les sols humides, bien drainés. Multiplication par division au printemps ou en automne, ou bouturage au printemps.
G. hederacea (Lierre terrestre). 'Variegata', ill. p. 256.

GLEDITSIA ou GLEDITSCHIA (Légumineuses)
Févier

Genre d'arbres, souvent épineux, à feuillage caduc, à cime large, cultivés pour leurs qualités ornementales. Fleurs minuscules, souvent suivies par de grandes gousses à la fin des étés chauds. Assez rustiques, mais les jeunes plants peuvent souffrir du gel. Ont besoin de soleil ou d'ombre légère et d'un sol fertile et bien drainé. Multiplication : semis en automne ou greffe en écusson à la fin de l'été.
G. caspica. H. 12 m, E. 10 m. Le tronc est armé de longues épines ramifiées. Feuilles composées de folioles crénelées, luisantes, vert clair.
G. japonica, ill. p. 53.
G. triacanthos (Févier d'Amérique). H. 20 m, E. 15 m. Tronc très épineux. Feuilles composées de folioles crénelées, luisantes, vertes devenant jaunes en automne. f. *inermis* n'a pas de piquants. 'Shademaster' conserve ses feuilles très longtemps. 'Skyline' n'a pas de piquants. C'est un arbre largement conique dont le feuillage devient jaune doré en automne. 'Sunburst', ill. p. 50.

GLOBBA (Zingibéracées)

Genre de plantes vivaces à feuillage persistant, cultivées pour leurs fleurs. Non rustiques (min. 18 °C). Ont besoin d'une forte humidité, d'une ombre partielle et d'un sol riche en humus et bien drainé. Maintenir au sec pendant la période de repos hivernal. Multiplication par semis au printemps ou par division.
G. winitii, ill. p. 224.

GLOBULARIA (Globulariacées)
Globulaire

Genre de plantes vivaces ou d'arbustes à feuillage généralement persistant, à floraison de fin printemps ou d'été, cultivées pour leurs capitules solitaires généralement bleus ou pourpres. De rustiques à assez rustiques. Ont besoin de soleil et d'un sol bien drainé. Multiplication : division au printemps, bouturage en été, ou semis en automne.
G. cordifolia, ill. p. 323. subsp. *bellidifolia,* voir *G. meridionalis.*
G. meridionalis, syn. *G. cordifolia* subsp. *bellidifolia,* ill. p. 320.

GLORIOSA (Liliacées)

Genre de plantes grimpantes à vrilles, à feuillage caduc, à tubercules. Fleurs ressemblant à un lis, à tépales retroussés. Floraison généralement estivale. Non rustiques (min. 8-10 °C). Ont besoin de soleil et d'un sol léger et bien drainé. Arroser assez généreusement en été. Support nécessaire. Faire sécher les tubercules en hiver et les maintenir au frais, mais à l'abri du gel. Multiplication : division ou semis au printemps.
G. superba (Lis du Malabar). H. jusqu'à 2 m, E. 30-45 cm. Tiges minces, feuilles clairsemées, étroitement lancéolées. En été et début d'automne, à l'aisselle des feuilles supérieures, grandes fleurs inclinées rouge orangé, formées de 6 tépales retroussés à marges ondulées, qui passent du jaune-vert au rouge. Les étamines sont nettement proéminentes. 'Rothschildiana', ill. p. 336.

GLOTTIPHYLLUM (Aizoacées)

Genre de plantes grasses vivaces, naines, à feuilles charnues, semi-cylindriques ou cylindriques, souvent aiguës à leur extrémité. Non rustiques (min. 5 °C). À cultiver dans un terrain pauvre et bien drainé et en pleine lumière où elles forment des touffes compactes. Multiplication par semis ou par bouturage au printemps ou en été.
G. nelii, ill. p. 399.

GLOXINIA (Gesnériacées)

Genre de plantes vivaces, rhizomateuses, fleurissant de la fin de l'été à l'automne. Non rustiques (min. 18 °C). Ont besoin d'une ombre légère ou de mi-ombre et apprécient une terre de bruyère additionnée de sable. Les parties aériennes disparaissent à la fin de l'automne ou en hiver; les rhizomes doivent alors être conservés à peu près au sec. Multiplication : division ou semis au printemps, ou boutures de tiges ou de feuilles en été.
N.B. : les plantes appelées couramment Gloxinia dans le commerce horticole sont les *Sinningia*, à souche tubéreuse.
G. perennis, ill. p. 352.

GLYCERIA (Graminées), voir BAMBOUS, HERBES, JONCS et LAÎCHES.

G. aquatica 'Variegata', voir *G. maxima* 'Variegata'.
G. maxima 'Variegata', syn. *G. aquatica* 'Variegata' **(Glycérie aquatique)**, ill. p. 180.

GLYCYRRHIZA (Légumineuses)

Genre de plantes vivaces à floraison estivale. Assez rustiques. Ont besoin de soleil et d'un sol profond, riche et bien drainé (apprécient un sol silico-argileux). Multiplication : semis, ou séparation de drageons racinés.
G. glabra (Réglisse), ill. p. 209.

Gnaphalium dioicum, voir *Antennaria dioica.*

GODETIA (Onagracées)

Genre de plantes annuelles cultivées pour leurs fleurs, utiles pour les bouquets. Rustiques. À planter au soleil dans un sol assez fertile et bien drainé. Multiplication par semis en plein air au printemps ou au début de l'automne. Le *Botrytis* peut poser des problèmes.
G. amoena. Espèce à croissance rapide, à minces tiges dressées. H. 60-80 cm, E. 30 cm. Feuilles lancéolées vert moyen, grisâtre. Donne en été des épis ou des panicules de fleurs roses simples. Les grandes formes (H. 80 cm) ont des fleurs doubles dans diverses nuances de rose, de blanc ou de rouge. **Série à fleurs d'azalée,** taille moyenne, H. 40 cm, a des fleurs roses, semi-doubles. **Série Princess,** naine, H. 30 cm, a des fleurs à pétales froncés, plissés, dans différentes nuances de rose, y compris le saumon (ill. p. 285).

GOMEZA, voir ORCHIDÉES.

G. planifolia, ill. p. 254. Orchidée épiphyte à feuillage persistant, pour serre tempérée (min. 16 °C). H. 25 cm. Donne en automne de petites fleurs vertes (0,5 cm de large). Feuilles ovales, étroites, de 15 cm de long. Maintenir en mi-ombre durant l'été.

Gomphocarpus physocarpus, voir *Asclepias physocarpa*.

GOMPHRENA (Amaranthacées)

Genre de plantes annuelles, bisannuelles et vivaces. Semi-rustiques. Les têtes florales globuleuses s'utilisent en bouquets frais ou secs. Préfèrent le soleil et les sols fertiles et bien drainés. Multiplication par semis sous châssis au printemps.
G. globosa (Amarantoïde), ill. p. 275.

GONGORA, voir **ORCHIDÉES**.

G. quinquenervis, ill. p. 254. Orchidée épiphyte à feuillage persistant pour serre tempérée. H. 25 cm. Donne en été des fleurs odorantes brunes, orange et jaunes (1 cm de large) qui ressemblent à des oiseaux aux ailes déployées et poussent en longs épis pendants. Excellente pour la culture en panier suspendu. En été, doit être placé en mi-ombre.

GORDONIA (Théacées)

Genre d'arbres et d'arbustes à feuillage persistant, cultivés pour leurs fleurs et leur aspect général (ils ressemblent à des camellias). De semi-rustiques à peu rustiques. Préfèrent les sols acides frais, riches en humus, et les endroits ensoleillés ou peu ombragés. Multiplication par boutures de bois semi-lignifié à la fin de l'été, ou par semis en automne ou au printemps.
G. lasianthus (Gordonia à feuilles glabres). H. jusqu'à 3 m en Europe (20 m dans le sud des U.S.A.), E. jusqu'à 10 m. Semi-rustique. Feuilles luisantes d'elliptiques à lancéolées, légèrement dentées. En été, grandes fleurs blanches étalées. A besoin d'un climat estival chaud de type subtropical pour fleurir généreusement.

GRAPTOPETALUM (Crassulacées)

Genre de plantes grasses vivaces poussant en rosettes, très proches de *Echeveria* avec laquelle elles s'hybrident. Non rustiques (min. 5-10 °C). Se cultivent et fleurissent facilement au soleil ou à l'ombre légère dans les sols bien drainés.

Multiplication par semis ou par boutures de feuilles ou de tiges au printemps ou en été.
G. bellum, syn. *Tacitus bellus*, ill. p. 393.
G. paraguayense, ill. p. 398.

GREVILLEA (Protéacées)

Genre d'arbres et d'arbustes cultivés pour leurs fleurs et leur feuillage généralement persistant. De semi-rustiques à non rustiques (min. 5-10 °C). Se plaisent en pleine lumière (mais pas au soleil brûlant) et dans les sols bien drainés, acides de préférence. Les sujets en conteneurs doivent être arrosés régulièrement en été, très peu en hiver. Supportent la taille. Multiplication par semis au printemps ou boutures de bois semi-lignifié au printemps.
G. alpestris, voir *G. alpina*.
G. alpina var. *alpestris*, syn. *G. alpestris*. Petit arbuste dressé. H. et E. 1,20 m. Semi-rustique. Feuilles oblongues ou ovales, à dessus vert foncé, à dessous couvert de poils soyeux. Donne au printemps et en été de courtes grappes de fleurs rouges.
G. banksii, ill. p. 71.
G. juniperina f. *sulphurea*, syn. *G. sulphurea*, ill. p. 137.
G. 'Robyn Gordon', ill. p. 134.
G. sulphurea, voir *G. juniperina* f. *sulphurea*.

GREYIA (Mélianthacées)

Genre d'arbres et d'arbustes à feuillage persistant, semi-persistant ou caduc, à floraison printanière. Non rustiques (min. 16 °C). Ont besoin d'un bon ensoleillement et d'un sol bien drainé. Multiplication par semis au printemps ou bouturage. Les plants cultivés sous abris vitrés ont besoin d'une bonne ventilation.
G. sutherlandii, ill. p. 98.

GRINDELIA (Composées)

Genre de plantes annuelles, bisannuelles, vivaces ou de sous-abrisseaux à feuillage persistant, cultivés pour leurs jolis capitules. Assez rustiques (doivent être abrités dans les régions froides). Ont besoin de soleil et d'un sol bien drainé. Multiplication : semis au printemps ou boutures de bois semi-lignifié à la fin de l'été.
G. chiloensis, syn. *G. speciosa*, ill. p. 139.
G. speciosa, voir *G. chiloensis*.

GRISELINIA (Cornacées)

Genre d'arbres, d'arbustes et de plantes grimpantes à fleurs minuscules, cultivés pour leur

feuillage persistant. Se plaisent dans les zones littorales tempérées où les arbustes font de bonnes haies, car ils résistent bien au vent et à la salinité ambiante. Semi-rustiques. Ont besoin de soleil et d'un sol fertile et bien drainé. Rabattre et tailler les haies au début de l'été. Multiplication par marcottage.
G. littoralis. Arbuste touffu à croissance rapide. H. 6 m, E. 5 m. Feuilles ovales, coriaces, vert pomme. Donne à la fin du printemps de minuscules fleurs vert-jaune. *'Variegata'*, ill. p. 94.
G. lucida. Arbuste à croissance rapide. H. 6 m, E. 5 m. Ressemble à *G. littoralis*, mais avec des feuilles plus grandes, luisantes, d'un vert plus foncé.

GUNNERA (Halorragidacées)

Genre de plantes vivaces à floraison estivale, cultivées principalement pour leur feuillage. Certaines sont très touffues, avec des grandes feuilles; d'autres sont tapissantes, avec de petites feuilles. Semi-rustiques (doivent être abritées du vent en été et paillées en hiver en région un peu froide). Ont besoin d'un sol humide. Multiplication par semis en automne ou au printemps ou par œilletons.
G. chilensis, voir *G. tinctoria*.
G. magellanica, ill. p. 324. Aime la mi-ombre.
G. manicata, ill. p. 190. Aime le soleil.
G. tinctoria, syn. *G. chilensis*. Espèce robuste formant de grosses touffes arrondies à souches très grosses; plantes acaules ou presque. H. et E. 1,50 m et plus. Très grandes feuilles plissées, lobées, de 45-60 cm de large. Donne au début de l'été des grappes compactes, coniques, de minuscules fleurs vert rougeâtre.

GUZMANIA (Broméliacées)

Genre de plantes vivaces épiphytes à feuillage persistant disposé en rosette, cultivées pour leur aspect général. Non rustiques (min. 18 °C). Ont besoin de mi-ombre et apprécient un milieu d'enracinement composé à parts égales de terre riche en humus et de sphaigne ou de copeaux d'écorce utilisés pour la culture des orchidées. Arroser modérément à l'eau adoucie durant la saison de croissance, plus rarement le reste du temps, mais en maintenant le centre des rosettes rempli d'eau du printemps à l'automne. Multiplication par œilletons au printemps ou en été.
G. lingulata, ill. p. 222. H. et E. 30-45 cm. Les rosettes se composent de feuilles rubanées, arquées, vert clair. Donne, généralement en été, un épi de fleurs tubulaires de blanc à jaune, entourées de bractées rouge vif,

var. *minor*, ill. p. 222. H. et E. 15 cm. Feuilles vert-jaune et bractées rouges ou jaunes.
G. monostachia, syn. *G. monostachya*, *G. tricolor*, ill. p. 222. H. et E. 30-40 cm. Rosettes denses de feuilles rubanées, dressées ou arquées, vert pâle ou jaunâtre. Donne, généralement en été, des épis allongés de fleurs tubulaires blanches poussant à l'aisselle de bractées ovales; les bractées supérieures sont rouges, les inférieures vertes striées de brun-pourpre.
G. monostachya, voir *G. monostachia*.
G. tricolor, voir *G. monostachia*.

GYMNOCALYCIUM (Cactacées)

Genre de cactées vivaces globuleuses ou en cylindre court, qui donnent au printemps et en été d'abondantes fleurs tubulaires. Les couronnes portent généralement des bourgeons écailleux. Non rustiques (min. 10 °C). Ont besoin de soleil ou d'une ombre légère et d'un sol très bien drainé. Multiplication par semis ou par œilletons au printemps ou en été.
G. andreae, ill. p. 397.
G. gibbosum, ill. p. 382.
G. mihanovichii 'Red Head', syn. *G. m.* var. *hibotan*, ill. p. 385.

GYMNOCLADUS (Légumineuses)

Genre d'arbres à feuilles composées caduques, cultivés pour leur feuillage et leurs grosses gousses. Rustiques. Ont besoin de soleil et d'un sol profond, fertile et bien drainé. Multiplication par semis en automne.
G. dioica (Chicot du Canada). Arbre étalé à croissance lente. H. 20 m, E. 15 m. Grandes feuilles bipennées à folioles ovales, rosâtres en début de croissance, vert foncé en été, puis jaunes en automne. Se couvre au début de l'été de petites fleurs étoilées blanc verdâtre.

GYNANDRIRIS (Iridacées)

Genre de plantes bulbeuses (à corme) à courte floraison printanière, que l'on cultive surtout pour leur intérêt botanique. Semi-rustiques. Elles demandent une situation ensoleillée, surtout en été. Multiplication par semis ou bulbilles en automne.
G. sisyrinchium, ill. p. 360.

Gynerium argenteum, voir *Cortaderia selloana*.

GYNURA (Composées)

Genre d'arbustes et de plantes semi-

grimpantes vivaces, cultivés pour la valeur ornementale de leurs feuillage persistant et de leurs inflorescences. Non rustiques (min. 16 °C). Se plaisent dans un sol fertile et bien drainé, avec une ombre légère en été. Les tiges ont besoin d'un support. Multiplication par bouturage.
G. aurantiaca, ill. p. 178.

GYPSOPHILA (Caryophyllacées)
Gypsophile

Genre de plantes vivaces, annuelles et parfois sous-ligneuses dont certaines sont à feuilles semi-persistantes. Floraison du printemps à l'automne. Rustiques. Ont besoin de soleil. Peuvent pousser dans les sols secs, sableux et pierreux, mais *Gypsophila paniculata* se plaît mieux dans les sols profonds légers et bien drainés. Supportent mal les transplantations. Rabattre après la floraison pour obtenir une seconde éclosion de fleurs. Multiplication par semis en automne ou au printemps.
G. cerastoides, ill. p. 304.
G. elegans, ill. p. 262.
G. paniculata (Gypsophile brouillard). **'Bristol Fairy'**, ill. p. 200. **'Flamingo'** est un cultivar vivace à durée de vie courte. H. 60-75 cm, E. 1 m. Donne en été des panicules de nombreuses petites fleurs rondes, doubles, rose pâle, sur des pédoncules ramifiés. Les feuilles sont petites, linéaires, vert clair.
G. **'Purple Passion'**. H. 60 cm ou plus. Tiges et feuillage couverts de poils veloutés pourpres. Grappes de fleurs jaune orangé, devenant pourpre avec l'âge.
G. repens. Espèce touffue à feuilles semi-persistantes. H. 20 cm, E. 30 cm ou plus. Se couvre en été de petites fleurs rondes, blanches, lilas ou roses, poussant sur des tiges minces qui portent des feuilles ovales, étroites, vert bleuté. Très bonne plante pour rocailles, murs ou talus secs. Multiplication : par semis ou par division. **'Dorothy Teacher'**, ill. p. 315.

H

HAAGEOCEREUS (Cactacées)

Genre de cactées vivaces à tiges columnaires vertes, côtelées, très épineuses, ramifiées depuis la base. Non rustiques (min. 11 °C). Exigent le plein soleil et un sol très bien drainé. Multiplication par semis ou boutures de tige, au printemps ou en été.
H. versicolor, ill. p. 380.

HABERLEA (Gesnériacées)

Genre de plantes vivaces à feuillage persistant, disposé en rosette, cultivées pour leurs élégants bouquets de fleurs. Utiles dans les murets de pierres sèches. Rustiques. Demandent une ombre légère, un sol humide mais très bien drainé. Ne pas déranger les racines des plantes bien établies. Multiplication par semis au printemps, par boutures de feuilles ou éclats de touffe au début de l'été.
H. rhodopensis. Plante à rosette basale dense. H. 10 cm; E. 15 cm ou plus. Les feuilles portent des poils soyeux sur les deux faces. '**Virginalis**', ill. p. 313.

HABRANTHUS (Amaryllidacées)

Plantes souvent intégrées dans les genres *Hippeastrum* et *Zephyranthes.* Genre de plantes bulbeuses à floraison estivale et automnale, à fleurs en entonnoir. Semi-rustiques. Demandent une situation ensoleillée et abritée, un sol fertile suffisamment humide pendant la saison de végétation. Multiplication au printemps par semis ou rejets.
H. brachyandrus. Bulbe à floraison estivale. H. jusqu'à 30 cm, E. 5-8 cm. Longues feuilles étroites, linéaires, semi-érigées, en touffe basale. Chaque hampe florale porte une fleur rouge rosé de 7-10 cm de long, en entonnoir largement évasé.
H. robustus, ill. p. 366.

HACQUETIA, syn. **DONDIA** (Ombellifères)

Genre comprenant une seule espèce, vivace, rhizomateuse, formant des touffes qui s'étalent lentement, cultivée pour ses inflorescences jaunes ou jaune-vert, qui se développent avant les feuilles, en fin d'hiver ou début de printemps. Bonne plante de rocaille. Rustique. Préfère l'ombre, les sols humides et riches en humus. Ne pas déranger ses racines, fragiles (transplantation difficile). Multiplication par division au printemps ou par semis de graines fraîches à l'automne.
H. epipactis, ill. p. 311.

HAEMANTHUS (Amaryllidacées)

Genre de plantes bulbeuses à floraison estivale, en inflorescences denses composées de petites fleurs en étoile, souvent de couleur vive. Non rustiques (min. 18 °C). Ont besoin de plein soleil ou d'ombre légère, d'un sol bien drainé ou d'un mélange sableux. Faire des apports d'engrais liquide en saison de végétation. Éviter les rempotages fréquents. Multiplication par semis ou caïeux au début du printemps, avant la reprise de la croissance.
H. coccineus, ill. p. 364.
H. katherinae, voir *Scadoxus multiflorus* subsp. *katherinae.*
H. multiflorus, voir *Scadoxus multiflorus.*

HAKEA (Protéacées)

Genre d'arbres et d'arbustes cultivés pour leurs feuilles persistantes et leurs fleurs. Excellente résistance aux vents, excepté dans les régions froides. Peu rustiques. Demandent le plein soleil et un sol fertile et bien drainé. Arroser modérément en période de croissance, peu en hiver, les sujets cultivés en pot. Multiplication par boutures mi-aoûtées en été ou semis en automne.
H. lissosperma, syn. *H. sericea.* Arbuste à port dressé, très ramifié, ressemblant à un pin. H. 5 m, E. 3 m. Longues feuilles gris-vert, fines et très pointues et bouquets de petites fleurs blanches au début de l'été.
H. sericea, voir *H. lissosperma.*

HAKONECHLOA (Graminées), voir **BAMBOUS, HERBES, JONCS** et **LAÎCHES.**

H. macra '**Aureola**', ill. p. 183.

HALESIA (Styracacées)

Genre d'arbres et d'arbustes à feuillage caduc, à floraison printanière, cultivés pour leurs fleurs décoratives en clochette pendante, et leurs fruits ailés. Rustiques, mais ils demandent une situation ensoleillée et abritée, un sol frais mais bien drainé, neutre ou acide. Multiplication par boutures de racines ou semis en automne, ou marcottage.
H. carolina (**Arbre aux cloches d'argent**). Arbre ou arbuste à port étalé. H. 8 m, E. 10 m. Nombreuses fleurs blanches campanulées portées à la fin du printemps sur des rameaux nus, suivies de fruits verts, ailés. Feuilles ovales, vert moyen.
H. monticola, ill. p. 49.

× HALIMIOCISTUS (Cistacées)

Hybride bigénérique (*Cistus × Halimium*). Arbustes à feuillage persistant, cultivés pour leurs fleurs. Assez rustiques, mais à abriter en région froide. À cultiver en plein soleil et en terrain bien drainé. Multiplication en été par boutures semi-ligneuses.
× H. sahucii, ill. p. 127.

HALIMIUM (Cistacées)

Genre d'arbustes à feuillage persistant ou semi-persistant, cultivés pour leurs fleurs décoratives. Bonnes plantes pour les régions côtières. De rustiques à peu rustiques (à abriter dans les régions froides). Se plaisent en plein soleil, dans un sol bien drainé. Multiplication en été par boutures semi-ligneuses.
H. lasianthum. Arbuste buissonnant à port étalé, à feuillage persistant. H. 1 m, E. 1,5 m. Feuilles ovales, gris-vert. Fleurs jaune d'or, très ouvertes, avec une tache rouge foncé au centre; floraison en fin de printemps et début d'été. subsp. *formosum*, ill. p. 137.
H. ocymoides. Arbuste buissonnant à feuillage persistant. H. 60 cm, E. 1 m. Petites feuilles étroites, ovales, gris-vert. Donne au début de l'été des bouquets dressés de fleurs jaune d'or, tachées de rouge-brun à la base des pétales. Assez rustique. '**Susan**', ill. p. 127.
H. umbellatum, ill. p. 127.

HAMAMELIS (Hamamélidacées)

Genre d'arbustes à feuillage caduc, fleurissant entre l'automne et le début du printemps, appréciés pour leurs teintes d'automne et leurs fleurs parfumées résistant au gel, souvent composées de 4 longs pétales linéaires. Rustiques. Se plaisent au soleil ou à mi-ombre, en sol acide, bien drainé, éventuellement tourbeux. Multiplication des espèces par semis à l'automne, des formes horticoles par marcottage ou greffage.
H. × intermedia. '**Arnold Promise**', ill. p. 94. '**Diane**', ill. p. 93. '**Jelena**' est un arbuste étalé. H. et E. 4 m et plus. Feuilles vert vif, larges, ovales, virant au rouge orangé à l'automne. Porte de nombreuses grandes fleurs orange, parfumées, sur ses branches nues, du début au milieu de l'hiver.
H. japonica. Arbuste à port étalé. H. et E. 5 m. Feuilles vert moyen, brillantes, larges, ovales, virant au jaune à l'automne. Fleurs jaunes, parfumées, aux pétales frisés, portées sur les branches nues entre le milieu et la fin de l'hiver. '**Sulphurea**', ill. p. 94. '**Zuccariniana**' a des fleurs plus pâles, jaune citron, au début du printemps, et des feuilles jaune orangé à l'automne.
H. mollis. Arbuste à port étalé. H. et E. 7 m. Feuilles vert moyen, larges, ovales, virant au jaune à l'automne. Fleurs jaunes très parfumées, sur des branches nues, vers la fin de l'hiver. '**Coombe Wood**', ill. p. 94. '**Pallida**', E. 3 m, est plus érigé que l'espèce type et porte des bouquets denses de grandes fleurs jaune soufre.
H. vernalis '**Sandra**', ill. p. 92.
H. virginiana, ill. p. 93.

Hamatocactus hamatacanthus, voir *Ferocactus hamatacanthus.*
Hamatocactus setispinus, voir *Ferocactus setispinus.*

HARDENBERGIA (Légumineuses)

Genre de plantes grimpantes ou de sous-arbrisseaux à tiges ligneuses, cultivés pour leur feuillage persistant et leurs grappes de fleurs papilionacées. Peu rustiques. À cultiver de préférence au soleil, en terrain bien drainé mais qui ne sèche jamais totalement. Multiplication par boutures herbacées en avril ou bien par semis au printemps (faire tremper assez longtemps les graines avant le semis).
H. comptoniana, ill. p. 164.
H. monophylla, voir *H. violacea.*
H. violacea, syn. *H. monophylla.* Plante grimpante volubile à tiges ligneuses. H. 3 m. Feuilles étroites, ovales, de 5-12 cm de long. Fleurs pourpre violet, parfois roses ou blanches, aux pétales supérieurs tachetés de jaune, au printemps. En automne, gousses boursouflées brunâtres de 3-4 cm de long.

HATIORA ou HARIOTA (Cactacées)

Genre de cactées vivaces, épiphytes, à tiges courtes, subcylindriques, articulées, toutes renflées à leur extrémité, en forme de gourde. Non rustiques (min. 17 °C). Demandent du soleil ou une ombre légère et un sol très bien drainé.
H. salicornioides, ill. p. 388.

HAWORTHIA (Liliacées)

Genre de plantes grasses vivaces, formant des rosettes aplaties, à feuilles vertes, de triangulaires à arrondies. Non rustiques (min. 16 °C). À planter à l'ombre légère pour qu'elles restent vertes. En plein soleil, le feuillage vire à l'orangé. Exigent un sol très bien drainé. À garder au sec en hiver. Multiplication par semis ou division du printemps à l'automne.
H. arachnoidea, syn. *H. setata,* ill. p. 390.
H. attenuata. H. 7 cm, E. 25 cm. Donne une rosette basale de feuilles triangulaires vert foncé, de 3 cm de long, ponctuées de petites excroissances blanches. Du printemps à l'automne, fleurs blanches, portées par de longues tiges. var. *clariperla,* ill. p. 389.
H. setata, voir *H. arachnoidea.*
H. truncata, ill. p. 389.

HEBE (Scrophulariacées)
Véronique en arbre, Véronique frutescente

Genre d'arbustes à feuillage persistant, cultivés pour leurs inflorescences (épis, panicules ou grappes denses), et leur feuillage. Conviennent bien aux régions côtières. Les petites espèces et variétés peuvent être plantées en rocaille. D'assez rustiques à semi-rustiques. Apprécient le plein soleil et un sol bien drainé. Multiplication par boutures semi-ligneuses en été.
H. albicans, ill. p. 129.
H. 'Autumn Glory', ill. p. 135.
H. brachysiphon. Arbuste buissonnant, à feuillage dense. H. et E. 1,5 m. Feuilles vert foncé oblongues. Donne en milieu d'été des grappes denses de petites fleurs blanches, à 4 pétales. 'White Gem', ill. p. 126.
H. buchananii. Arbuste nain formant un dôme. H. et E. 15 cm et plus. Tiges très sombres portant de petites feuilles ovales, vert bleuâtre. Donne en été à l'extrémité des tiges des bouquets de petites fleurs blanches à 4 pétales. 'Minor', H. 5-10 cm, a des feuilles plus petites.
H. canterburiensis, ill. p. 291.
H. carnosula. Arbuste à port prostré. H. 15-30 cm, E. 30 cm et plus. Petites feuilles charnues,

oblongues, ovales, légèrement convexes, de teinte glauque. Grappes terminales de nombreuses petites fleurs blanches, à 4 pétales pointus, qui apparaissent en fin de printemps ou début d'été.
H. cupressoides, ill. p. 144.
'Boughton Dome', ill. p. 301.
H. 'E.A. Bowles', ill. p. 135.
H. × franciscana 'Blue Gem'. Arbuste à port étalé. H. 60 cm, E. 1,2 m. Feuilles oblongues, vert moyen. Porte du milieu de l'été au début de l'hiver des grappes denses de petites fleurs bleu violacé à 4 pétales.
H. 'Great Orme', ill. p. 131.
H. hulkeana. Arbuste à port dressé, évasé. H. et E. 1 m. 'Lilac Hint', ill. p. 135.
H. macrantha. Arbuste buissonnant. H. 60 cm, E. 1 m. Feuilles charnues vert vif, ovales, dentées. Grappes de grandes fleurs blanches à 4 pétales, blanc pur, au début de l'été. Se dénude souvent à la base avec l'âge.
H. ochracea. Arbuste buissonnant. H. et E. 50 cm. Les fins rameaux sont couverts de petites feuilles en écaille, vert olive teinté d'ocre. Des bouquets terminaux de petites fleurs blanches à 4 pétales apparaissent en fin de printemps et début d'été.
H. pinguifolia 'Pagei', ill. p. 291.
H. 'Purple Queen', ill. p. 136.
H. rakaiensis. Arbuste à port compact, arrondi. H. 1 m, E. 1,2 m. Donne du début au milieu de l'été de petites grappes denses de petites fleurs blanches à 4 pétales, au milieu de petites feuilles oblongues, vert pâle.
H. recurva, ill. p. 129.

HEDERA (Araliacées)
Lierre

Genre de plantes vivaces grimpantes à tiges ligneuses et feuillage persistant, à port rampant ou grimpant, munies de racines adventives pouvant adhérer à un support. Les lierres sont utilisés pour couvrir les murs et clôtures et comme couvre-sol. Ils demandent environ une année pour bien s'établir, mais leur croissance est ensuite souvent rapide. À l'extrémité de tiges fertiles et en pleine lumière, des ombelles de petites fleurs vert jaunâtre se développent en fin d'été, suivies de fruits globuleux noirs, parfois jaunes, très toxiques. La forme des feuilles des rameaux grimpants est souvent différente de celle des rameaux fertiles. De rustiques à semi-rustiques. Les plantes à feuilles vertes supportent bien l'ombre et les murs orientés au nord. Celles à feuilles jaunes ou panachées demandent plus de lumière pour être colorées convenablement. Elles sont en général moins rustiques et peuvent souffrir des gelées et des vents violents lors d'hivers rigoureux. Supportent presque tous les sols et toutes les situations (soleil ou ombre). Multiplication en fin d'été par boutures herbacées

ou marcottes enracinées.
H. canariensis (Lierre des Canaries). Croissance rapide. H. jusqu'à 6 m, E. 5 m. Semi-rustique. Il peut souffrir d'un hiver sévère mais reprend bien en général. Feuilles des pousses grimpantes stériles vert moyen en été (virant au vert bronzé en hiver), brillantes, d'ovales à presque triangulaires. Tiges pourpre rougeâtre. À cultiver contre un mur, en situation abritée. 'Gloire de Marengo' a des feuilles panachées d'argent et marginé de blanc crème. 'Ravensholst' (ill. p. 179) est vigoureux, avec de grandes feuilles; bon couvre-sol.
H. colchica. Plante grimpante ou rampante. H. 10 m, E. 5 m. Semi-rustique. Très grandes feuilles ovales, peu ou pas lobées, vert foncé. À cultiver contre un mur. 'Dentata' (ill. p. 179, Lierre de Perse) est plus vigoureux et a de grandes feuilles plus clair que l'espèce type, pendantes, évoquant des oreilles d'éléphant. À utiliser contre un mur ou comme couvre-sol. 'Dentata Variegata', H. 5 m, a des feuilles panachées de jaune crème; précieux pour égayer un coin sombre. 'Sulphur Heart' (ill. p. 179), H. 5 m, E. 3 m, a des feuilles panachées, jaune et vert clair.
H. helix (Lierre commun). Vigoureuse plante vivace à port rampant ou grimpant, s'accrochant par elle-même au support. H. 10 m, E. 5 m. Rustique. Feuilles vert foncé à 3 ou 5 lobes. Il couvre rapidement le sol ou un mur mais peut être envahissant. Pour un petit jardin, mieux vaut choisir un cultivar plus décoratif : 'Adam' (ill. p. 179), H. 1,2 m, E. 1 m, est semi-rustique et a de petites feuilles vert clair panachées de jaune crème. Le feuillage peut souffrir du froid en hiver, mais reprend bien au printemps. 'Angularis Aurea' (ill. p. 179), H. 4 m, E. 2,5 m, a des feuilles brillantes, vert clair, tachées de jaune vif. Médiocre couvre-sol. 'Anna Marie' (ill. p. 179), H. 1,2 m, E. 1 m, est rustique et a des feuilles vert clair panachées et marginées de crème. Les feuilles peuvent souffrir du froid en hiver. 'Atropurpurea' (syn. *H. h.* 'Purpurea', ill. p. 179), H. 4 m, E. 2,5 m, a des feuilles vert foncé virant au pourpre sombre en hiver. 'Baltica' est un cultivar remarquablement rustique, à petites feuilles, qui fait un bon couvre-sol dans les coins exposés au froid. 'Buttercup' (ill. p. 179), H. 2 m, E. 2,5 m, rustique, a des feuilles vert clair se teintant de jaune en plein soleil. 'Caenwoodiana', voir *H. h.* 'Pedata'. 'Congesta', H. 45 cm, E. 60 cm, est un cultivar non grimpant, arbustif, à port dressé, à petites feuilles et pousses hélicoïdales; conseillé pour les rocailles. 'Conglomerata', H. et E. 1 m, a de petites feuilles ondulées, non lobées, et peut couvrir un rocher ou un muret. 'Cristata', H. 1 m, voir *H. h.* 'Parsley Crested'. 'Curly Locks', voir *H. h.* 'Manda's Crested'. 'Deltoidea'

(ill. p. 179), H. 5 m, E. 3 m, a des feuilles en cœur. À cultiver uniquement contre un mur. 'Digitata' (ill. p. 179), H. 6 m, a de grandes feuilles et ne convient pas comme couvre-sol. 'Erecta' (ill. p. 179), H. 1 m, E. 1,2 m, est un cultivar non grimpant à port érigé, proche de *H. h.* 'Congesta'. 'Eva' (ill. p. 179), H. 1,2 m, E. 1 m, est rustique et a de petites feuilles gris-vert panachées de crème. Les feuilles peuvent souffrir du froid en hiver. 'Glacier' (ill. p. 179), H. 3 m, E. 2 m, rustique, a des feuilles gris-vert argenté. 'Glymii' (ill. p. 179), H. 2,5 m, E. 2 m, a des feuilles ondulées vert foncé brillant qui virent au pourpre en hiver. Ne convient pas comme couvre-sol. 'Goldheart' (ill. p. 179), H. 6 m, a des feuilles vert foncé à centre jaune vif. Lent à s'implanter, sa croissance est ensuite rapide. Ne convient pas comme couvre-sol. 'Gracilis' (ill. p. 179), H. 5 m, a des feuilles vert foncé nettement lobées, virant au bronze pourpré en hiver. Ne convient pas comme couvre-sol. 'Green Feather', voir *H. h.* 'Triton'. 'Green Ripple' (ill. p. 179), H. et E. 1,2 m, rustique, a des feuilles vert moyen, à nervures vert clair proéminentes. À utiliser comme couvre-sol ou sur un muret. 'Hahn's Self-branching', voir *H. h.* 'Pittsburgh'. 'Heise' (ill. p. 179), H. 30 cm, E. 60 cm, rustique, a de petites feuilles gris-vert panachées de crème; bon couvre-sol pour un coin abrité. var. *hibernica* (ill. p. 179), E. 6 m, très vigoureux, à grandes feuilles vert foncé, peut couvrir une grande surface, sur le sol ou sur un mur. var. *hibernica* 'Sulphurea' (ill. p. 179), H. et E. 3 m, a des feuilles de taille moyenne panachées de jaune soufre. À cultiver contre un mur ou comme couvre-sol, pour mettre en valeur des plantes aux teintes vives. 'Ivalace' (syn. *H. h.* 'Mini Green', ill. p. 179), H. 1 m, E. 1,2 m, rustique, a des feuilles ondulées et frisées, brillantes; bon couvre-sol ou à planter contre un mur bas. 'Königer's Auslese' (syn. *H. h.* 'Sagittifolia'), H. 1,2 m, E. 1 m, rustique, a des feuilles digitées profondément découpées; ne convient pas comme couvre-sol. 'Lobata Major' (ill. p. 179), H. 5 m, très vigoureux, a de grandes feuilles trilobées. 'Manda's Crested' (syn. *H. h.* 'Curly Locks', ill. p. 179), H. et E. 2 m, rustique, a d'élégantes feuilles vert moyen, à bords ondulés, prenant en hiver une teinte cuivrée. 'Merion Beauty' (ill. p. 179), H. 1,2 m, E. 1 m, rustique, a des feuilles délicatement lobées; ne convient pas comme couvre-sol. 'Mini Green', voir *H. h.* 'Ivalace'. 'Nigra' (ill. p. 179), H. et E. 1,2 m, a de petites feuilles vert très foncé qui virent au noir pourpré en hiver. 'Parsley Crested' (syn. *H. h.* 'Cristata', ill. p. 179), H. 2 m, E. 1,2 m, est rustique et a des feuilles vert clair à bord crispé; ne convient pas comme couvre-sol. 'Pedata' (syn. *H. h.* 'Caenwoodiana', ill. p. 179),

H. 4 m, E. 3 m, a des feuilles gris-vert; ne convient pas comme couvre-sol. **'Pittsburgh'** (syn. *H. h.* 'Hahn's Self-branching', ill. p. 179), H. 1 m, E. 1,2 m, rustique, a des feuilles vert moyen; à utiliser comme couvre-sol ou sur un muret. **'Purpurea'**, voir *H. h.* 'Atropurpurea'. **'Sagittifolia'**, voir *H. h.* 'Königer's Auslese'. **'Telecurl'** (ill. p. 179), H. et E. 1 m, rustique, a des feuilles vert clair, ondulées. **'Triton'** (syn. *H. h.* 'Green Feather'), H. 45 cm, E. 1 m, rustique, est un cultivar non grimpant, aux feuilles profondément lobées; bon couvre-sol. **'Woerner'** (ill. p. 179), H. 4 m, E. 3 m, est un cultivar vigoureux aux feuilles lobées, gris-vert, à nervures de teinte plus claire. Elles virent au pourpre en hiver.
H. nepalensis. H. 4 m, E. 2,5 m. Semi-rustique. Fruits jaunes ou rouges. Les jeunes pousses sont sensibles aux gelées tardives. Feuilles vert grisâtre, d'ovales à lancéolées sur les pousses fertiles, feuilles triangulaires sur les pousses stériles. À cultiver contre un mur abrité.
H. pastuchovii. Plante de vigueur moyenne. H. 2,5 m, E. 2 m. Rustique. Feuilles vert foncé, brillantes, en bouclier. À cultiver contre un mur uniquement.
H. rhombea. H. et E. 1,2 m. Rustique. Petites feuilles ovales ou presque triangulaires vert moyen, assez épaisses, parfois légèrement lobées. À cultiver sur un muret. **'Variegata'** a des feuilles portant une étroite bordure blanche.

HEDYCHIUM (Zingibéracées)

Genre de plantes vivaces à rhizome charnu. Belles fleurs parfumées, éphémères, mais produites en grand nombre. À cultiver sous serre ou en massif dans les régions à climat doux. Peu rustiques. Demandent le plein soleil, un sol léger riche et frais. Multiplication par division de rhizomes au printemps; ne pas diviser les rhizomes en période de dormance.
H. coronarium. Plante à port érigé. H. 1,8 m, E. 60 cm-1 m. Peu rustique. Fleurs blanches très parfumées, évoquant des papillons, ponctuées de jaune à la base, en épi dense, en septembre. Feuilles vert moyen lancéolées, duveteuses à la face inférieure.
H. densiflorum, ill. p. 191.
H. gardnerianum, ill. p. 194.

HEDYOTIS, syn. HOUSTONIA (Rubiacées)

Genre de plantes vivaces étalées ou dressées à floraison estivale. Rustiques. Se plaisent en situation mi-ombragée, sur sol humide, sableux, enrichi en terreau de feuilles bien décomposé. Multiplication par division au printemps ou semis.

H. michauxii, ill. p. 323.

HEDYSARUM (Légumineuses)
Sainfoin

Genre de bisannuelles, plantes vivaces et sous-arbrisseaux à feuillage caduc et fleurs papilionacées. Rustiques. Apprécient le soleil et les terrains bien drainés. Multiplication par semis à l'automne ou au printemps.
H. coronarium (Sainfoin d'Espagne, Sainfoin à bouquets), ill. p. 209.

HEERIA, voir HETEROCENTRON.

HELENIUM (Composées)

Genre de plantes annuelles et vivaces fleurissant en fin de printemps, en fin d'été ou en automne, cultivées pour leur abondantes fleurs en forme de marguerite, avec un disque central proéminent. Rustiques. Se plaisent en plein soleil, dans tout sol ordinaire bien drainé. Multiplication par division au printemps ou à l'automne.
H. **'Bressingham Gold'**. Plante vivace touffue, à tiges érigées vigoureuses, à feuilles lancéolées vert moyen. H. 1 m, E. 60 cm. Capitules jaune vif en fin d'été et automne.
H. **'Bruno'**. Plante vivace touffue à port érigé. H. 1,2 m, E. 75 cm. Porte en fin d'été et en automne des capitules rouge teinté de bronze sombre. Tiges vigoureuses, à nombreuses feuilles lancéolées.
H. **'Moerheim Beauty'**, ill. p. 221.
H. **'Windley'**, ill. p. 221.

HELIANTHEMUM (Cistacées)
Hélianthème

Genre de plantes herbacées (annuelles et vivaces), d'arbustes et de sous-arbrisseaux à feuillage persistant, fleurissant du printemps à l'automne, cultivés pour leurs fleurs décoratives. Précieux pour la rocaille, les terrains secs. Rustiques. Ont besoin de plein soleil, d'un sol bien drainé (sol calcaire très apprécié, sauf par *H. umbellatum,* calcifuge). Rabattre légèrement après la floraison. Multiplication par boutures semi-ligneuses au début de l'été.
H. apenninum, ill. p. 291.
H. **'Ben More'**, ill. p. 294.
H. **'Fire Dragon'**, ill. p. 294.
H. guttatum, voir *Tuberaria guttata.*
H. oelandicum subsp. **alpestre**. Petit végétal sous-ligneux très ramifié. H. 7-12 cm, E. 15-20 cm ou plus. Grappes de 3-6 fleurs aplaties, jaune vif, du début au milieu

de l'été. Très petites feuilles oblongues, vert moyen. Peut être planté dans une auge ou un évier de pierre.
H. **'Raspberry Ripple'**, ill. p. 294.
H. **'Wisley Pink'**, ill. p. 293.
H. **'Wisley Primrose'**, ill. p. 298.
H. **'Wisley White'**, ill. p. 291.

HELIANTHUS (Composées)
Soleil

Genre d'annuelles et de plantes vivaces à floraison estivale, appréciées pour leurs grands capitules en forme de grandes marguerites, souvent jaunes. Plantes qui «fatiguent» les sols. Rustiques. Ont besoin de soleil et d'un sol bien drainé. Tuteurage souvent utile. Multiplication par semis; division, à l'automne ou au printemps, pour les vivaces.
H. annuus (Soleil annuel, Tournesol), ill. p. 281. Annuelle à croissance rapide, à port dressé. H. 1-2,30 m et plus, E. 30-45 cm. Grandes feuilles vert moyen. Très grands capitules jaunes, à cœur brun ou pourpré, de 30 cm de diamètre ou plus, en été. Il existe des cultivars de taille plus ou moins élevée. **'Italian White'** (taille moyenne), H. 1,2 m, a des capitules blanc crème à centre noir. **'Russian Giant'** (grande taille), H. 3 m et plus, a des capitules jaunes à centre vert brun. **'Taiyo'** (taille moyenne), ill. p. 280. **'Teddy Bear'** (nain), H. 60 cm, a des capitules très doubles, d'un jaune soutenu, de 15 cm de diamètre.
H. atrorubens **'Monarch'**. Plante vivace à port érigé. H. 2,2 m, E. 1 m. Porte en fin d'été des capitules jaune d'or, sur des tiges ramifiées. Feuilles de texture grossière, lancéolées, vert moyen.
H. série à fleurs de chrysanthème, ill. p. 281.
H. **'Loddon Gold'**, ill. p. 194.
H. × *multiflorus,* ill. p. 194.
H. salicifolius. Plante vivace à port érigé. H. 2,2 m, E. 60 cm. Porte de nombreux petits capitules jaunes à l'extrémité de tiges vigoureuses, très ramifiées. Feuilles vertes étroites, pendantes, linéaires. Fleurit en septembre-octobre.

HELICHRYSUM (Composées)
Immortelle

Genre de plantes annuelles, vivaces, sous-arbrisseaux et arbustes à feuillage persistant, à floraison estivale et automnale. Les fleurs se prêtent bien au séchage et sont décoratives dans les compositions de fleurs séchées. De rustiques à non rustiques (min. 5 °C). Demandent du soleil et un terrain bien drainé. Multiplication des arbustes ou sous-arbrisseaux en été par boutures semi-ligneuses, des vivaces par division ou semis au printemps, des annuelles par semis au printemps.
H. bracteatum (Immortelle à

bractées). **'Bright Bikini'** est une annuelle ramifiée et érigée. H. et E. 30 cm. Semi-rustique. Feuilles lancéolées, vert moyen, et capitules en forme de marguerite, de l'été au début de l'automne, dans de nombreuses teintes dont rouge, rose, orangé, jaune et blanc. **Série Monstrosum,** ill. p. 284.
H. coralloides, ill. p. 301.
H. ledifolium, voir *Ozothamnus ledifolius.*
H. petiolare, ou *H. petiolatum,* ill. p. 143.
H. rosmarinifolium, voir *Ozothamnus rosmarinifolius.*
H. selago, ill. p. 301.
H. splendidum. Arbuste dense, buissonnant. H. et E. 1,2 m. Rustique. Tiges blanches, laineuses, couvertes de petites feuilles oblongues gris argenté. Petits capitules jaune d'or, en bouquets, du milieu de l'été à l'automne, parfois jusqu'en hiver.
H. **'Sulphur Light'**, ill. p. 246.

HELICONIA (Héliconiacées)

Genre de plantes vivaces en touffes, cultivées pour leurs grappes de fleurs colorées et le feuillage des jeunes sujets. Non rustiques (min. 18 °C). Demandent une ombre légère, un mélange riche en humus, bien drainé. Arroser généreusement en saison de végétation, très parcimonieusement quand les parties aériennes meurent en hiver. Multiplication par semis ou division du rhizome au printemps.
H. psittacorum, ill. p. 191.

HELICOTRICHON (Graminées), voir BAMBOUS, HERBES, JONCS et LAÎCHES.

H. sempervirens, syn. *Avena candida, A. sempervirens,* ill. p. 181.

HELIOPSIS (Composées)

Genre de plantes vivaces, parfois annuelles, à floraison estivale. Rustiques. Se plaisent au soleil, en sol bien drainé ou même assez sec. Multiplication par semis ou division à l'automne ou au printemps.
H. **'Ballet Dancer'**, ill. p. 216.
H. **'Light of Loddon'**, ill. p. 191.

Heliosperma alpestris, voir *Silene alpestris.*

HELIOTROPIUM (Boraginacées)
Héliotrope

Genre de plantes annuelles, vivaces et sous-arbrisseaux à feuillage persistant, appréciés pour leurs

fleurs parfumées blanches, bleues ou violettes. De semi-rustiques à non rustiques (min. 5-7 °C). Demandent le plein soleil, un sol fertile et bien drainé. Arroser généreusement les plantes en pot en pleine croissance, modérément le reste de l'année. Au printemps, pincer les jeunes plantes pour les faire buissonner, et rabattre sévèrement les sujets âgés qui se dégarnissent. Multiplication par semis au printemps, par boutures herbacées en été ou boutures semi-ligneuses au début de l'automne.
H. arborescens, syn. *H. peruvianum* **(Héliotrope du Pérou, Fleur des dames, Herbe de Saint-Fiacre),** ill. p. 135.
H. peruvianum, voir *H. arborescens.*

HELIPTERUM (Composées)

Genre de plantes annuelles et vivaces dont les capitules se prêtent bien au séchage. Semi-rustiques. À cultiver au soleil, en sol bien drainé. Multiplication par semis en pleine terre vers le milieu du printemps. Les pucerons attaquent souvent les jeunes plantes.
H. manglesii, syn. *Rhodanthe manglesii,* ill. p. 265.
H. roseum, syn. *Acroclinium roseum,* ill. p. 265.

HELLEBORUS (Ranunculacées)
Hellébore

Genre de plantes vivaces, certaines à feuillage persistant, cultivées pour leur floraison hivernale ou printanière. La plupart des espèces caduques gardent leurs feuilles de l'année précédente pendant une partie de l'hiver. De rustiques à semi-rustiques. Se plaisent à mi-ombre, en sol bien drainé mais retenant l'humidité. Multiplication par semis ou division.
H. atrorubens. Plante vivace à feuillage caduc. H. et E. 30 cm. Rustique. De mars à mai, fleurs pourpre verdâtre. Feuilles vertes palmées, profondément divisées, dentées.
H. cyclophyllus. Plante vivace à feuillage caduc. H. jusqu'à 60 cm, E. 45 cm. Rustique. Donne au début du printemps des fleurs aplaties, jaune-vert, à étamines blanc jaunâtre proéminentes. Feuilles vert vif, palmées, profondément divisées.
H. foetidus (Hellébore fétide), ill. p. 261.
H. lividus. Plante vivace semi-rustique à feuillage persistant. H. et E. 45 cm. Feuilles vert moyen marbré de vert pâle, vert pourpré en dessous, divisées en 3 folioles ovales, à bord denté ou entier. Grands bouquets de fleurs aplaties, jaune-vert suffusé de pourpre, qui s'ouvrent en fin d'hiver. subsp. *corsicus,* ill. p. 260.
H. niger (Rose de Noël), ill. p. 257.

H. orientalis, forme blanche ill. p. 256, forme rose ill. p. 257, forme pourprée ill. p. 258.
H. × sternii, ill. p. 257.
H. viridis (Hellébore vert), ill. p. 261.

HELONIAS (Liliacées)

Genre de plantes vivaces à rhizome, à floraison printanière. Rustiques. Recommandées pour les terrains humides et marécageux. Apprécient une situation dégagée et la mi-ombre. Multiplication par division au printemps ou semis à l'automne.
H. bullata. Plante vivace à port en rosette. H. 40-45 cm, E. 30 cm. Rosettes basales de feuilles en lanière, d'un vert frais, au-dessus desquelles se développent au printemps des épis denses de petites fleurs parfumées, rose pourpré.

HELONIOPSIS (Liliacées)

Genre de plantes vivaces à port en rosette et à floraison printanière. Rustiques. À cultiver à mi-ombre, en sol humide. Multiplication par division à l'automne ou par semis au printemps ou à l'automne.
H. orientalis, ill. p. 226.

Helxine soleirolii, voir *Soleirolia soleirolii.*

HEMEROCALLIS (Liliacées)
Hémérocalle

Genre de plantes vivaces, certaines à feuillage semi-persistant. Les fleurs estivales se succèdent, chacune ne durant qu'une journée. Rustiques. À planter en plein soleil ou en ombre légère, dans un sol fertile, frais (mais supportent assez bien la sécheresse). Multiplication par division en automne ou au printemps. Les attaques de limaces et escargots sont fréquentes au printemps lorsque se développe le feuillage.
H. citrina, ill. p. 215.
H. 'Corky', ill. p. 248.
H. dumortieri. Plante vivace formant une touffe dense. H. 45 cm, E. 60 cm. Fleurs parfumées en trompette, jaune d'or, brunâtres au revers, en début d'été. Feuilles raides, en lanière, de texture grossière, vert moyen.
H. flava, voir *H. lilio-asphodelus.*
H. fulva. Plante vivace vigoureuse formant des touffes. H. 1 m, E. 75 cm. Les fleurs en trompette, roux orangé, se succèdent du milieu à la fin de l'été au-dessus d'un feuillage dense, vert clair, en lanière. **'Kwanso Flore Plena',** ill. p. 216. **'Kwanso Variegata'** a des feuilles panachées de blanc.
H. 'Golden Chimes', ill. p. 216.
H. 'Joan Senior'. Plante vivace

vigoureuse, à feuillage semi-persistant. H. 65 cm, E. 1 m. Fleurs d'un blanc presque pur, en trompette très ouverte, portées sur des tiges ramifiées vers la fin de l'été. Feuilles en lanière, vert moyen.
H. lilio-asphodelus, syn. *H. flava* **(Hémérocalle jaune, Lis jaune),** ill. p. 214.
H. 'Marion Vaughn', ill. p. 214.
H. minor. Plante vivace en touffes compactes. H. 40 cm, E. 45 cm. Au début de l'été, les fleurs parfumées, en trompette, jaune citron, aux tépales externes à revers roux, émergent tout juste au-dessus du feuillage vert moyen, rubané. Celui-ci meurt au début de l'automne.
H. 'Stafford', ill. p. 208.

HEMIGRAPHIS (Acanthacées)

Genre de plantes annuelles et vivaces à feuillage persistant, cultivées pour leur feuillage décoratif. Non rustiques (min. 15 °C). À cultiver à la lumière vive, mais pas en plein soleil, dans un compost humide mais bien drainé. Arroser généreusement en période de croissance, moins en hiver. Multiplication par boutures de tiges au printemps ou en été.
H. repanda, ill. p. 255.

HEPATICA (Ranunculacées)
Hépatique

Genre de plantes vivaces, certaines à feuilles persistantes, fleurissant au début du printemps. Rustiques. Ont besoin de mi-ombre, d'un sol profond, frais, riche en humus. Rhizome épais, très ramifié, fragile. Multiplication par semis de graines fraîches, division ou séparation de pousses latérales au printemps.
H. nobilis, syn. *H. triloba, Anemone hepatica* **(Anémone hépatique).** Plante vivace à croissance lente, formant une petite touffe en dôme. H. 8-10 cm, E. 10-15 cm. Feuilles persistantes arrondies, trilobées, coriaces, d'un vert moyen. Fleurs à nombreux tépales, de blanc à carmin en passant par le rose, de bleu pâle à foncé ou pourpre, au début du printemps. Il en existe également des formes colorées à fleurs très doubles. Excellente plante pour la rocaille ou le sous-bois. var. *japonica,* ill. p. 309.
H. triloba, voir *H. nobilis.*

HEPTAPLEURUM, voir SCHEFFLERA.

HERBERTIA (Iridacées)

Genre de plantes bulbeuses à

floraison printanière ou estivale, cultivées pour leurs fleurs ressemblant aux iris. Aiment le plein soleil et un sol bien drainé. Multiplication par semis à l'automne.
H. pulchella. Plante bulbeuse à floraison estivale. H. 15 cm, E. 5 cm. Feuilles étroites, lancéolées, plissées, dressées et basales. Succession de fleurs bleu violacé, orientées vers le haut, de 5-6 cm de diamètre, en général tachetées de noir au centre.

HERMODACTYLUS (Iridacées)

Genre comptant une seule espèce de plante tubéreuse, cultivée pour sa fleur ressemblant à celle de l'iris. Assez rustique. Exige une situation chaude, ensoleillée, pour une bonne maturation du tubercule en été, et un terrain léger bien drainé. Recommandée sur sol chaud, calcaire. Multiplication par division en fin d'été.
H. tuberosus, syn. *Iris tuberosa,* ill. p. 346.

HESPERALOE (Agavacées)

Genre de plantes grasses, vivaces, à port en rosette et feuilles vert foncé étroites, en lanière, cannelées, à bord souvent pourvu de fibres blanches qui s'effilochent. Genre proche de *Agave* et *Yucca.* De nombreux rejets se développent à la base des rosettes. Non rustiques (min. 3 °C). Demandent une exposition ensoleillée, un sol très bien drainé. Multiplication par semis ou division au printemps ou en été.
H. parviflora, syn. *Yucca parviflora,* ill. p. 383.

HESPERANTHA (Iridacées)

Genre de plantes bulbeuses à corme, à floraison printanière en épis de petites fleurs tubulées à périanthe rotacé. Semi-rustiques. Ont besoin de plein soleil, d'un sol bien drainé. Multiplication par semis à l'automne ou au printemps.
H. buhrii. H. 30 cm, E. 5 cm. Feuilles dressées, linéaires, disposées sur la partie inférieure de tiges ramifiées, dont chacune donne un épi pouvant porter jusqu'à 7 fleurs blanches, teintées de rose ou pourpre à l'extérieur, aplaties, qui s'ouvrent le soir.

HESPERIS (Crucifères)
Julienne

Genre de plantes annuelles, bisannuelles et vivaces fleurissant en fin de printemps ou en été. Rustiques. Aiment une exposition

à l'ombre ou dans la mi-ombre et un sol frais, bien drainé.
H. matronalis se contente d'un sol pauvre. Multiplication par boutures basales au printemps ou par semis à l'automne ou au printemps.
H. matronalis (Julienne des jardins, Julienne des dames), ill. p. 200.

HETEROCENTRON, syn. HEERIA, SCHIZOCENTRON (Mélastomatacées)

Genre d'arbustes et de plantes vivaces à feuillage persistant, à floraison estivale ou automnale. Non rustiques (min. 16 °C). Demandent lumière et sol bien drainé. Multiplication par bouturage en fin d'hiver ou début de printemps.
H. elegans, ill. p. 241.

HETEROMELES (Rosacées)

Genre (souvent intégré dans *Photinia*) comprenant une seule espèce d'arbuste à feuillage persistant et floraison estivale, apprécié pour son feuillage, ses fleurs et ses fruits. Assez rustique, mais demande une protection dans les régions froides. Apprécie le soleil ou une ombre légère, un sol fertile, frais, humifère, bien drainé (redoute le calcaire et les sols très argileux). Multiplication par boutures semi-ligneuses en été ou semis.
H. arbutifolia, syn. *Photinia arbutifolia*. Arbuste buissonnant, à port étalé. H. 6 m, E. 8 m. Feuilles vert foncé, coriaces et brillantes, oblongues, dentées. Grandes panicules aplaties de petites fleurs blanches, à 5 pétales, en fin d'été, suivies de grands bouquets de fruits rouges sphériques.

HEUCHERA (Saxifragacées)

Genre de plantes vivaces à feuillage persistant, à floraison estivale, formant de grandes touffes de feuilles arrondies, parfois teintées ou marbrées de gris. Bons couvre-sol. Rustiques. Préfèrent la mi-ombre, les sols légers retenant l'humidité mais bien drainés. Multiplication des espèces par semis à l'automne ou division à l'automne ou au printemps; des cultivars par division à l'automne ou au printemps en utilisant de jeunes éclats externes de la souche ligneuse.
H. cylindrica 'Greenfinch', ill. p. 233.
H. 'Palace Purple', ill. p. 234.
H. 'Red Spangles', ill. p. 239.

× HEUCHERELLA (Saxifragacées)

Hybride bigénérique (*Heuchera* × *Tiarella*). Plantes vivaces fleurissant en général à la fin du printemps ou en été. Rustiques. Préfèrent la mi-ombre, les sols bien drainés, humifères, légers, de bonne qualité. Multiplication par boutures basales au printemps ou division, au printemps ou à l'automne.
× *H.* 'Bridget Bloom', ill. p. 235.
× *H. tiarelloides*, ill. p. 235.

HEXASTYLIS, voir ASARUM.

HIBBERTIA (Dilléniacées)

Genre d'arbustes et de sous-arbrisseaux parfois grimpants, à feuillage persistant, cultivés pour leurs fleurs. Non rustiques (min. 17 °C). Aiment un sol léger, humifère, bien drainé, le soleil ou une ombre légère. Arroser généreusement en été, moins en hiver. Éclaircir au printemps les tiges en surnombre. Multiplication par boutures semi-ligneuses en été.
H. cuneiformis, syn. *Candollea cuneiformis*, ill. p. 114.
H. scandens. Plante grimpante s'accrochant d'elle-même au support, vigoureuse, à feuillage persistant. H. 6 m. Feuilles d'oblongues à lancéolées, brillantes, vertes, de 4-9 cm de long. Fleurs jaune vif, aplaties, de 4 cm de diamètre, qui apparaissent en été surtout.

HIBISCUS (Malvacées)

Genre de plantes annuelles, vivaces, arbustes ou arbrisseaux, à feuillage caduc ou persistant, cultivés pour leur floraison très décorative. De rustiques à non rustiques (min. 5-15 °C). Ont besoin de soleil et d'un sol bien drainé, riche en humus. Arroser généreusement les sujets en pot en période de croissance, modérément en période de repos. Pincer les jeunes plantes pour stimuler un développement très buissonnant. Si besoin est, rabattre sévèrement les sujets âgés au printemps. Multiplication par semis au printemps pour les annuelles; pour les arbres et arbustes par boutures semi-ligneuses en été; pour les plantes vivaces par division à l'automne ou au printemps. Surveiller les attaques de mouches blanches en serre.
H. rosa-sinensis. Arbuste à port arrondi et feuillage persistant. H. et E. 4 m. Non rustique (min. 10-13 °C). Feuilles brillantes, ovales, en partie dentées. Fleurs éphémères en entonnoir, rouge cramoisi brillant, de 10 cm de diamètre, essentiellement en été, mais aussi au printemps et en automne. Il en existe de nombreuses variétés de teintes différentes, comme 'The President', ill. p. 109.

H. sinosyriacus 'Lilac Queen', ill. p. 113.
H. syriacus. 'Blue Bird', ill. p. 113. 'Diana' est un arbuste à port dressé, à feuillage caduc. H. 3 m, E. 2 m. Rustique. Grandes fleurs en trompette, d'un blanc pur, aux pétales à bord ondulé, en fin d'été et automne. Feuilles ovales, lobées, d'un vert foncé. 'Red Heart', ill. p. 107. 'Woodbridge', ill. p. 109.
H. trionum, ill. p. 264.

HIERACIUM (Composées)
Épervière

Genre de plantes vivaces; la plupart sont des mauvaises herbes mais l'espèce décrite est cultivée pour son feuillage décoratif. Rustiques. Se plaisent au soleil, en sol bien drainé, même pauvre. Multiplication par semis ou division à l'automne ou au printemps.
H. lanatum, ill. p. 248.

HIPPEASTRUM (Amaryllidacées)
Amaryllis

Nom commun un peu abusif, puisque *Hippeastrum* est maintenant séparé de ce genre. Genre de plantes bulbeuses cultivées pour leurs très grandes fleurs en trompette. De semi-rustiques à non rustiques (min. 18 °C). Aiment le plein soleil ou l'ombre légère, un sol bien drainé. Planter les hybrides à grandes fleurs en enterrant le bulbe de moitié. Garder les bulbes au sec pendant la dormance. Les petites espèces doivent également être gardées au sec pendant leur période de dormance. Multiplication par semis au printemps ou par séparation de caïeux.
H. advenum, ill. p. 351.
H. 'Apple Blossom', ill. p. 355.
H. 'Orange Sovereign', ill. p. 355.
H. procerum, voir *Worsleya raineri*.
H. 'Red Lion', ill. p. 355.
H. rutilum, syn. *H. striatum*, ill. p. 364.
H. striatum, voir *H. rutilum*.
H. 'Striped', ill. p. 355.
H. vittatum (Amaryllis de Rouen). Vigoureuse plante bulbeuse à floraison printanière. H. 1 m, E. 30 cm. Non rustique (min. 13 °C). A de 6-8 feuilles basales semi-dressées, rubanées. La hampe florale robuste, dépourvue de feuilles, se termine par une ombelle de 2-6 fleurs blanches rayées de rouge carminé, de 12-20 cm de diamètre.

HIPPOCREPIS (Légumineuses)

Genre de plantes annuelles, vivaces ou arbustives, cultivées pour leurs fleurs papilionacées. Rustiques. Aiment le plein soleil, un sol perméable. Multiplication par semis au

printemps ou à l'automne, ou division. Se ressèment spontanément et peuvent parfois se révéler envahissantes.
H. comosa (Fer-à-cheval), ill. p. 326. 'E.R. Janes' est une vigoureuse plante vivace à souche ligneuse et à rameaux couchés. H. 5-8 cm, E. 15 cm et plus. Les tiges portent des ombelles de fleurs jaunes, de la fin du printemps à la fin de l'été. Feuilles composées pennées, comportant de 9-15 folioles entières, étroites, ovales.

HIPPOPHAE (Élaeagnacées)

Genre d'arbres et d'arbustes à feuillage caduc, à fleurs dioïques insignifiantes, cultivés pour leur feuillage et leurs fruits décoratifs. Il faut planter des sujets mâles et femelles pour obtenir des fruits. Recommandés dans les régions côtières où ils peuvent constituer des haies résistant bien au vent. Rustiques. Demandent une exposition ensoleillée, même en sol pauvre, sec ou très sableux. Multiplication par boutures semi-aoûtées en été, ou en sec en hiver ou semis à l'automne, ou marcottage.
H. rhamnoides (Argousier), ill. p. 92.

HOHERIA (Malvacées)

Genre d'arbres et d'arbustes à feuillage caduc, semi-persistant ou persistant, appréciés pour leur floraison estivale. Semi-rustiques (planter à l'abri d'un mur orienté au sud ou à l'ouest dans les régions un peu froides). Aiment le soleil ou la mi-ombre, un sol fertile, bien drainé. Multiplication par boutures semi-ligneuses en été ou marcottage.
H. angustifolia, ill. p. 63.
H. 'Glory of Amlwch'. Arbre à port étalé et feuillage semi-persistant. H. 7 m, E. 6 m. Feuilles vert vif, brillantes, étroites, ovales, et très nombreuses fleurs assez grandes, blanches, à 5 pétales, du milieu à la fin de l'été.
H. lyallii, ill. p. 63.
H. populnea. Arbre à port étalé et feuillage persistant. H. 12 m, E. 10 m. Feuilles vert foncé, brillantes, ovales, et nombreux glomérules de fleurs blanches, à 5 pétales, en fin d'été et début d'automne. L'écorce des sujets adultes est brun pâle et blanc, s'exfoliant souvent.
H. sexstylosa. Petit arbre ou arbuste à port érigé, feuillage persistant, à croissance rapide. H. 8 m, E. 6 m. Feuilles vert pâle, brillantes, étroites, ovales, dentées. Bouquets de fleurs blanches étoilées vers la fin de l'été.

HOLBOELLIA (Lardizabalacées)

Genre de plantes grimpantes sarmenteuses, surtout cultivées pour leurs feuilles persistantes, digitées, coriaces. Tout juste semi-rustiques en général. Fleurs mâles et femelles sont portées sur la même plante. À cultiver en tout terrain bien drainé, à l'ombre comme en pleine lumière. Multiplication par boutures de tiges en fin d'été ou automne.
H. coriacea. Plante grimpante atteignant 8 m de long. Feuilles vertes, brillantes, à 3 folioles. Donne au printemps des bouquets de petites fleurs mâles, violacées, et, plus bas sur les tiges, des fleurs femelles plus grandes, blanc-vert. Fruits cylindriques pourpres, de 4-6 cm de long.

HOLCUS (Graminées), voir BAMBOUS, HERBES, JONCS et LAÎCHES.

H. mollis 'Variegatus', ill. p. 180.

HOLODISCUS (Rosacées)

Genre d'arbustes à feuillage caduc, cultivés pour leur floraison de fin de printemps ou estivale. Rustiques. Aiment le soleil, tout sol assez chaud, pas trop sec. Multiplication par boutures semi-ligneuses en été, ou marcottage.
H. discolor, ill. p. 87.

HOODIA (Asclépiadacées)

Genre de plantes sans feuilles, vivaces, à tiges charnues vertes, dressées, à côtes nombreuses, souvent ramifiées dès la base. Non rustiques (min. 15 °C). Demandent le plein soleil, un terrain très bien drainé. Plantes de culture délicate. Arroser parcimonieusement en toutes saisons. Multiplication par semis, ou greffage au printemps ou en été.
H. gordonii. Plante grasse vivace, à port érigé, formant une touffe d'aspect variable. H. 80 cm, E. 30 cm. La tige verte est couverte de tubercules courts terminés par une épine, en alignements ondulants. Donne souvent des ramifications. Porte en fin d'été des fleurs à 5 lobes, de teinte pourprée.

HORDEUM (Graminées), voir BAMBOUS, HERBES, JONCS et LAÎCHES

H. jubatum (Orge barbue), ill. p. 181.

HORMINUM (Labiacées)

Genre comptant une seule espèce, plante vivace à port en rosette, indiquée pour la rocaille. Rustique. Apprécie un site mi-ensoleillé, un sol frais bien drainé. Multiplication par division au printemps ou semis à l'automne.
H. pyrenaicum. H. et E. 20 cm. Porte en été des grappes de verticilles de fleurs bleu pourpré ou blanches, à corolle bilabiée, pendantes, à pédoncule court, au-dessus de feuilles ovales, coriaces, vert foncé, de 8-10 cm de long.

HOSTA, syn. FUNKIA (Liliacées)

Genre de plantes vivaces cultivées notamment pour leur feuillage décoratif. Forment de grandes touffes qui constituent un excellent couvre-sol. (Les hauteurs indiquées sont celles du feuillage.) Rustiques. La plupart des espèces préfèrent l'ombre ou la mi-ombre, les sols sains, bien drainés. Multiplication par division au printemps ou en automne. Les plantes multipliées par semis donnent des sujets très variables. Les limaces et escargots attaquent fréquemment les hostas.
H. 'August Moon', ill. p. 244. Robuste plante à croissance rapide. H. 60 cm, E. 1 m. Feuilles ovales, d'un jaune d'or doux, avec une légère pruine bleutée. Des grappes de fleurs en trompette, mauve grisâtre pâle, dominent le feuillage au milieu de l'été. Mi-ombre.
H. crispula, ill. p. 244. Plante en touffe, à croissance lente. H. 75 cm, E. 1 m. Grandes feuilles ovales ou en cœur, à bord ondulé, vert foncé irrégulièrement bordé de blanc. Grappes de fleurs mauves, en trompette, au-dessus du feuillage à la mi-été. Le feuillage est parfois endommagé par des gelées tardives. Excellente espèce à planter en bordure de pièce d'eau. À protéger des vents violents.
H. decorata f. **decorata,** ill. p. 244. Plante en touffe, à croissance lente. H. 45 cm, E. 1 m. Feuilles d'ovales à arrondies, effilées à leur extrémité, vert foncé à bord blanc, étroit et régulier. Grappes denses de fleurs violettes en trompette, au milieu de l'été, suivies de grands fruits ovoïdes vert foncé brillant, puis bruns, décoratifs dans les compositions florales. Préfère les sols sableux, la mi-ombre, par exemple en sous-bois. f. **normalis** a des feuilles vert uni.
H. fortunei. Groupe d'hybrides vigoureux. H. 75 cm-1 m, E. 1 m et plus. Feuilles ovales ou en cœur. **'Albopicta'** (ill. p. 244) a des feuilles vert pâle, à centre jaune crème, virant au vert terne vers le milieu de l'été. Des grappes de fleurs en trompette, violet pâle, s'ouvrent au début de l'été au-dessus du feuillage. **'Aureo-Marginata'** (ill. p. 244, syn.

H. 'Yellow Edge') a des feuilles vert moyen, à bord jaune crème irrégulier. Au milieu de l'été, des grappes de fleurs violettes dominent le feuillage. Une plantation en masse est très décorative. Supporte le soleil.
'Marginato-alba' a des feuilles fines, d'un vert assez foncé, à bord blanc irrégulier. En milieu d'été, grappes de fleurs violettes, en trompette, sur de longues tiges.
'Yellow Edge', voir *H. f.* 'Aurea-marginata'.
H. 'Gold Standard', ill. p. 244. Plante vigoureuse; H. 75 cm, E. 1 m. Feuilles d'ovales à cordiformes, vert pâle virant au doré au milieu de l'été, à bord vert foncé, étroit et régulier. Grappes de fleurs en trompette, violettes, vers le milieu de l'été. Préfère l'ombre légère.
H. 'Halcyon', ill. p. 244. Robuste plante. H. 30 cm, E. 1 m. Feuilles cordiformes, effilées, gris bleuté virant au verdâtre en plein soleil. Le feuillage peut être abîmé par des pluies violentes. Grappes de fleurs mauve violacé, en trompette, s'ouvrant juste au-dessus du feuillage au milieu de l'été.
H. hypoleuca. H. 45 cm, E. 1 m. Feuilles ovales larges, à nervures très espacées, vert pâle au-dessus, d'une blancheur éclatante à la face inférieure. En fin d'été, grappes inclinées de fleurs en trompette violet pâle, avec des bractées vert clair tachées de mauve. Supporte le plein soleil.
H. lancifolia, ill. p. 244. Plante à feuilles arquées. H. 45 cm, E. 75 cm. Feuilles lancéolées étroites, fines, brillantes, vert moyen. Grappes de fleurs en trompette, violettes, en fin d'été et en automne, au-dessus du feuillage.
H. montana. Plante vigoureuse. H. 1,1 m, E. 1 m. Feuilles vert foncé, ovales, brillantes, aux nervures en relief. Grappes de fleurs en trompette, violet clair, dominant nettement le feuillage, en milieu d'été. **'Aureo-Marginata'** (ill. p. 244), à croissance plus lente, a des feuilles irrégulièrement bordées de jaune d'or. C'est le premier *Hosta* à se développer au printemps.
H. plantaginea, ill. p. 244. H. 60 cm, E. 1,2 m. Feuilles ovales, vert pâle luisant. Les hampes florales s'élèvent bien au-dessus du feuillage en été et début d'automne. Fleurs blanches, parfumées, en trompette. Préfère une exposition ensoleillée pour bien fleurir.
H. rectifolia. H. 60 cm, E. 75 cm. Feuilles vert foncé mat, d'ovales à lancéolées. Grandes grappes de fleurs violettes, en trompette, en juillet-août.
H. 'Royal Standard', ill. p. 244. H. 70 cm, E. 1,2 m. Feuilles ovales larges, vert pâle, brillantes. Les fleurs en trompette, d'un blanc pur, légèrement parfumées, s'élèvent nettement au-dessus du feuillage et s'ouvrent le soir. Exposition ensoleillée appréciée.
H. sieboldiana, ill. p. 244. H. 1 m et plus, E. 1,5 m. Grandes feuilles ovales profondément nervurées et ridées, vert glauque. Des grappes

de fleurs en trompette, lilas très pâle, s'ouvrent au début de l'été juste au-dessus du feuillage. Bon couvre-sol. Supporte le soleil, mais son feuillage vire alors au vert terne. var. **elegans** (ill. p. 244) a des feuilles plus grandes et plus bleutées. **'Frances Williams'** (ill. p. 244), à croissance plus lente, a des feuilles bordées de jaune et redoute le plein soleil.
H. tardiflora, ill. p. 244. Plante à croissance lente. H. 30 cm, E. 75 cm. Feuilles vert foncé, étroites, lancéolées, de texture épaisse. Grappes denses de fleurs en trompette, lilas pourpré, juste au-dessus du feuillage, en fin d'été et début d'automne.
H. tokudama. Plante à croissance lente. H. 45 cm, E. 75 cm. Feuilles ridées, bleutées. Floraison en milieu d'été en grappes de fleurs en trompette, lilas gris pâle, juste au-dessus du feuillage. **'Aureo-nebulosa'** (syn. *H. t.* 'Variegata, ill. p. 244) a des feuilles irrégulièrement marquées de jaunâtre au centre.
H. undulata. var. **erromena** est robuste. H. 45 cm, E. 60 cm. Porte nettement au-dessus des feuilles vert moyen, oblongues et ondulées, des fleurs en trompette mauve pâle. Les feuilles de var. **undulata** sont irrégulièrement tachées de blanc la première année, puis rayées de blanc la seconde. Pétioles et bractées sont blancs bordés de vert. var. **unvittata** (ill. p. 244) est vigoureuse, à feuilles ovales vert moyen, à tache blanche allongée au centre.
H. ventricosa, ill. p. 244. H. 70 cm, E. 1 m et plus. Feuilles de cordiformes à ovales, vert assez foncé brillant, plissées. Grappes de fleurs pourpre foncé, au-dessus du feuillage, en fin d'été. **'Aureo-maculata'** (ill. p. 244) porte sur ses feuilles une panachure centrale irrégulière, jaune crème. **'Variegata'** a des feuilles irrégulièrement bordées de crème.
H. venusta. Plante tapissante, vigoureuse. H. 2,5 cm, E. jusqu'à 30 cm. Feuilles d'ovales à lancéolées, vert assez foncé. Nombreuses grappes de fleurs pourprées, en trompette, au-dessus du feuillage en milieu d'été. Bonne plante de rocaille.

HOTTONIA (Primulacées)

Genre de plantes aquatiques submergées, vivaces, à feuillage caduc, cultivées pour leur feuillage et leur floraison décoratifs (hampe allongée émergée). Rustiques. Demandent une exposition ensoleillée, de l'eau claire et fraîche, plutôt acide, dormante ou courante. Éclaircir périodiquement la végétation qui se développe. Multiplication par boutures de tiges au printemps ou en été.
H. palustris, ill. p. 373.

HOUSTONIA, voir HEDYOTIS.

HOUTTUYNIA (Saururacées)

Genre comptant une espèce stolonifère de plante vivace à feuilles coriaces. Bonne plante couvre-sol, bien qu'elle soit parfois envahissante. Rustique. Apprécie la mi-ombre, les sols humides ou l'eau peu profonde, en bordure de bassin ou cours d'eau. Multiplication au printemps par division ou par semis.
H. cordata 'Chamaeleon', syn. *H. c.* 'Variegata', ill. p. 373. **'Flore-Pleno',** H. 15-60 cm, E. variable, a des épis de fleurs insignifiantes au printemps, entourées d'au moins 8 bractées blanches ovales, au-dessus de feuilles charnues cordiformes.

HOVENIA (Rhamnacées)

Genre monospécifique d'arbre à feuillage caduc et à floraison estivale, cultivé pour son feuillage. Assez rustique mais les jeunes pousses sont sensibles au gel. Apprécie une situation dégagée, aérée, un terrain léger et bien drainé. Multiplication par bouturage ou par semis à l'automne.
H. dulcis, ill. p. 52.

HOYA (Asclépiadacées)

Genre d'arbustes à feuillage persistant, à tiges ligneuses sarmenteuses, s'accrochant par des vrilles et/ou des racines aériennes, cultivés pour leurs fleurs et leur feuillage décoratif. Non rustiques (min. 18 °C). À cultiver en sol poreux, léger, bien drainé, à mi-ombre en été. Arroser souvent en période de croissance, peu en hiver. Multiplication par boutures aoûtées en été.
H. australis, ill. p. 166.
H. bella, ill. p. 166.
H. carnosa, ill. p. 166.

HUERNIA (Asclépiadacées)

Genre de plantes vivaces succulentes, à tiges anguleuses, charnues, presque aphylles. Non rustiques (min. 5-8 °C). Ont besoin de soleil ou d'une ombre légère, d'un sol très bien drainé (sableux de préférence). Plantes de culture facile. Multiplication par semis ou boutures de tiges au printemps ou en été.
H. macrocarpa. Port en touffe. H. et E. 10 cm. Tiges avec de 5 à 7 angles gris-vert, et, en été-automne, fleurs pourpres en clochette. var. *arabica,* ill. p. 396.

HUMEA (Composées)

Genre de plantes vivaces et d'arbustes à feuillage persistant. *H. elegans* est la seule espèce cultivée, en général comme bisannuelle. Non rustique (min. 4 °C). Demande du soleil, un sol fertile et bien drainé. Multiplication par semis au printemps.
H. elegans, ill. p. 274.

HUMULUS (Cannabinacées)
Houblon

Genre de plantes dioïques grimpantes herbacées. Rustiques. Précieuses pour cacher une façade inesthétique ou un tronc mort. Fleurs femelles groupées en chatons en cône. Aiment le soleil ou la mi-ombre, tout sol bien drainé, même pauvre. Multiplication par semis ou division.
H. lupulus (Houblon commun). 'Aurea', ill. p. 164.

HUNNEMANNIA (Papavéracées)

Genre de plantes vivaces proches des *Eschscholtzia,* en général cultivées comme des annuelles. Semi-rustiques. Demandent le plein soleil et de la chaleur, un sol très bien drainé. Éliminer régulièrement les fleurs fanées. Tuteurage nécessaire dans les régions ventées. Multiplication par semis sous verre au début du printemps, ou en plein air un peu plus tard.
H. fumariifolia. 'Sunlite' est une plante vivace à port dressé et croissance rapide, cultivée comme une annuelle. H. 60 cm, E. 20 cm. Feuilles oblongues, vert bleuâtre, très divisées. Fleurs en forme de pavot semi-doubles, jaune vif (jusqu'à 8 cm de diamètre), en été et début d'automne.

HYACINTHELLA (Liliacées)

Genre de plantes bulbeuses à floraison printanière en grappes courtes de petites fleurs bleu franc, en forme de clochette, à cultiver en rocaille. Rustiques. Apprécient une situation dégagée et ensoleillée, un sol bien drainé, même sec pendant la dormance des bulbes en été. Multiplication par semis à l'automne.
H. leucophaea, ill. p. 361.

HYACINTHOIDES, syn. ENDYMION (Liliacées)

Genre de plantes bulbeuses à floraison printanière, appréciées pour leurs fleurs généralement bleues. À planter dans les massifs ou à naturaliser dans la pelouse sous des arbres et arbustes. De rustiques à semi-rustiques. Aiment la mi-ombre, un sol frais. Plantation à l'automne, à une profondeur de 10-15 cm. Multiplication par division en fin d'été ou semis à l'automne.
H. hispanica, syn. *Scilla campanulata, S. hispanica,* ill. p. 346. Semi-rustique.
H. italica. H. 15-20 cm, E. 5-8 cm. Touffe basale de feuilles étroites, en lanière, semi-érigées. Une hampe florale dépourvue de feuilles porte une grappe de fleurs bleu clair étoilées, aplaties, de 1 cm de diamètre. Rustique.
H. non-scriptus, syn. *Scilla non-scripta* (Jacinthe des bois), ill. p. 346.

HYACINTHUS (Liliacées)
Jacinthe

Genre de plantes bulbeuses cultivées pour leurs grappes denses de fleurs parfumées, tubulées. Recommandées pour les décorations printanières de massifs et la culture en pot à l'intérieur. Aiment une situation dégagée, le soleil ou la mi-ombre, un sol bien drainé (préfèrent les sols légers, humifères, mais avec des matières organiques bien décomposées). Plantation à l'automne. Pour une floraison hivernale à l'intérieur, forcer des bulbes de gros calibre des cultivars de *Hyacinthus orientalis,* préparés à cet effet avec des techniques spéciales. Les garder au frais après la floraison pour qu'elles terminent leur développement, puis les planter au jardin. Multiplication par séparation de caïeux et bulbilles en fin d'été ou début d'automne.
H. amethystinus, voir *Brimeura amethystina.*
H. orientalis (Jacinthe d'Orient). 'City of Harlem', ill. p. 363. 'Delft Blue', ill. p. 362. 'Jan Bos', ill. p. 359. 'L'Innocence' est à floraison hivernale ou printanière. H. 10-20 cm, E. 6-10 cm. Feuilles semi-dressées, en lanières cannelées, ne se développant pleinement qu'après la floraison. La hampe florale porte une grappe cylindrique dense de fleurs blanc ivoire, parfumées, chacune composée de 6 tépales recourbés. 'Ostara', ill. p. 362. 'Pink Pearl', ill. p. 358.

HYDRANGEA (Saxifragacées)

Genre d'arbustes et de plantes ligneuses grimpantes à feuillage persistant ou caduc, appréciés pour leurs inflorescences aplaties ou en dôme. Chaque inflorescence est composée de nombreuses petites fleurs fertiles insignifiantes, entourées ou entremêlées de fleurs stériles beaucoup plus grandes, à sépales pétaloïdes décoratifs. Chez certaines formes, toutes les fleurs ou presque sont stériles. De rustiques à semi-rustiques. En général, ils aiment une ombre légère (surtout ceux à grandes feuilles), un sol frais, bien drainé. Les racines craignent particulièrement la sécheresse. Demandent plus d'ombre en terrain assez sec, le soleil n'étant supportable qu'en climat doux et humide. Multiplication par bouturage.
H. anomala subsp. *petiolaris,* syn. *H. petiolaris* (Hortensia grimpant), ill. p. 166.
H. arborescens (Hortensia de Virginie). 'Grandiflora', ill. p. 105.
H. aspera subsp. *aspera,* syn. *H. villosa,* ill. p. 112.
H. heteromalla. Arbuste à port arqué, à feuillage caduc. H. et E. 3 m. Rustique. Feuilles vert foncé étroites, ovales, virant au jaune à l'automne. En été, grandes inflorescences aplaties de fleurs blanches. 'Bretschneideri', ill. p. 87.
H. involucrata. Arbuste à port étalé et à feuillage caduc. H. 1,50 m, E. 2 m. Rustique. Feuilles vert moyen larges, ovales. En été, inflorescences à petites fleurs fertiles internes bleues ou roses, entourées de grandes fleurs stériles bleu pâle ou blanches. 'Hortensis', ill. p. 129.
H. macrophylla (Hortensia). Arbuste buissonnant à feuilles caduques. H. 1,5-2 m, E. 2-2,5 m. Rustique. Feuilles ovales, dentées, vert clair brillant. En été, fleurs bleues (pour certaines variétés, en sol nettement acide, riche en sels de fer et d'alumine), pourpres, roses ou blanches. En sol neutre ou alcalin (de pH supérieur à 7), les fleurs sont roses, blanches ou rouges selon les variétés. Le pH n'a pas d'influence sur les fleurs blanches. Les sols très calcaires engendrent des chloroses. Au printemps, rabattre les vieilles tiges à la base, raccourcir les tiges ayant souffert du froid et éliminer les inflorescences séchées. Parmi les hybrides sélectionnés, on distingue deux catégories : les hortensias à inflorescences denses, globuleuses, essentiellement composées de fleurs stériles réparties dans toute l'inflorescence, et ceux à inflorescences aplaties, portant des fleurs fertiles au centre, entourées de fleurs stériles plus grandes. 'Ami Pasquier' (inflorescence globuleuse), H. 60 cm, E. 1 m, est compact, assez nain, à fleurs rouge pourpré foncé ou cramoisi. 'Blue Bonnet' (inflorescence aplatie) et 'Blue Wave' (inflorescence aplatie), ill. p. 113. 'Générale Vicomtesse de Vibraye' (inflorescence globuleuse), ill. p. 130. 'Lilacine' (inflorescence aplatie), ill. p. 112. 'Mme E. Mouillère' (inflorescence globuleuse) a des fleurs blanches virant au rose pâle et préfère la mi-ombre. subsp. *serrata* (inflorescence aplatie), ill. p. 135. subsp. *serrata* 'Bluebird' (inflorescence aplatie), ill. p. 136. subsp. *serrata* 'Preziosa' (inflorescence globuleuse) a des fleurs roses virant au cramoisi. C'est un arbuste remarquable à tiges et feuilles teintées de pourpre. 'Veitchii' (inflorescence aplatie), ill. p. 113.
H. paniculata. 'Brussels Lace',

ill. p. 106. **'Floribunda'**, ill. p. 86. **'Grandiflora'** est un arbuste à feuillage caduc. H. et E. 3 m. Rustique. Grandes feuilles ovales, vert foncé. Énormes panicules coniques de fleurs blanches virant au rose, la plupart stériles, en fin d'été. **'Tardiva'** porte à l'automne à la fois des fleurs stériles et fertiles.
H. petiolaris, voir *H. anomala* subsp. *petiolaris*.
H. quercifolia (**Hortensia à feuilles de chêne**), ill. p. 106.
H. sargentiana. Arbuste dressé, à feuillage caduc. H. 2,5 m, E. 2 m. Semi-rustique. Tiges vigoureuses poilues et très grandes feuilles étroites, ovales, à poils raides, vertes, d'un gris duveteux en dessous. En été/automne, grandes inflorescences : fleurs internes fertiles petites, bleuâtres ou violet clair, fleurs externes stériles plus grandes, blanches, souvent légèrement teintées de lilas.
H. villosa, voir *H. aspera* subsp. *aspera*.

HYDROCHARIS
(Hydrocharitacées)

Genre comptant une espèce de plante dioïque aquatique à feuilles flottantes, cultivée pour ses fleurs et son feuillage. Rustique. Demande une situation dégagée et ensoleillée, une eau calme. Multiplication par séparation de plantules (ou hibernacles : bourgeons renflés se séparant d'eux-mêmes de la plante).
H. morsus-ranae, ill. p. 372.

HYDROCLEYS ou HYDROCLEIS
(Butomacées)

Genre de plantes aquatiques annuelles ou vivaces, à feuillage flottant caduc ou persistant et à fleurs décoratives. Non rustiques (min. 5 °C). À cultiver dans de grands aquariums ou bassins tropicaux avec beaucoup de lumière. Éliminer régulièrement fleurs fanées et feuillage jauni. Multiplication par semis ou boutures terminales toute l'année.
H. nymphoides, ill. p. 375.

HYLOMECON (Papavéracées)

Genre comptant une espèce de plante vivace vigoureuse, cultivée pour ses grandes fleurs. Bonne plante de rocaille, massifs ou sous-bois, bien que parfois envahissante. Rustique. Aime la mi-ombre, un sol frais, humifère. Multiplication par division au printemps ou semis à l'automne.
H. japonicum, ill. p. 290.

HYMENOCALLIS
(Amaryllidacées)

Genre de plantes bulbeuses, certaines à feuillage persistant, cultivées pour leurs belles ombelles de fleurs parfumées, de grande taille. De non rustiques à semi-rustiques (min. 15 °C). Ont besoin d'une situation abritée, au soleil ou à mi-ombre, d'un sol humifère bien drainé. Plantation au milieu du printemps, avec un arrachage à l'automne en région froide. Réduire les apports d'eau en hiver sans laisser la terre sécher complètement, puis rempoter au printemps. Multiplication par séparation de caïeux au printemps.
H. × macrostephana, ill. p. 332.
H. narcissiflora, syn. *Ismene calathina,* ill. p. 351.

HYMENOSPORUM
(Pittosporacées)

Genre comptant une espèce d'arbrisseau à feuillage persistant, à floraison décorative jaune pâle, parfumée. Non rustique (min. 5-7 °C). Préfère le soleil mais supporte une ombre légère. Aime un sol humifère, bien drainé, de préférence neutre ou acide. Arroser généreusement les sujets en pot pendant leur croissance, moins ensuite. Multiplication par semis à l'automne ou au printemps, ou par boutures semi-ligneuses en fin d'été.
H. flavum, syn. *Pittosporum flavum.* Arbrisseau érigé, à feuillage persistant, s'étalant avec l'âge. H. 10 m et plus, E. 5 m et plus. Feuilles ovales acuminées d'un vert foncé lustré. Au printemps et en été, panicules de fleurs parfumées, à 5 pétales imbriqués, crème, puis virant au jaune soufre.

HYPERICUM (Hypéricacées)
Millepertuis

Genre de plantes vivaces, sous-arbrisseaux et petits arbustes à feuillage caduc, semi-persistant ou persistant, cultivés pour leurs fleurs jaunes aux étamines proéminentes. De rustiques à semi-rustiques. Les grandes espèces et variétés demandent un sol assez fertile, pas trop sec, au soleil ou à mi-ombre, les formes plus petites font de bonnes plantes de rocaille et se plaisent au soleil, en sol bien drainé. Tous supportent le calcaire. Multiplication des espèces arbustives par boutures semi-herbacées en été ou semis à l'automne, des variétés par boutures semi-herbacées seulement, en été; les vivaces

peuvent être multipliées par semis ou division à l'automne ou au printemps. *H.* × *inodorum* 'Elstead' est sensible à la rouille, qui forme des taches orangées sur les feuilles; *H.* 'Hidcote' est sensible à un virus qui se traduit par des panachures sur les feuilles.
H. balearicum. Arbuste compact à feuillage persistant. H. et E. jusqu'à 60 cm. Petites feuilles ovales, vertes, à bord ondulé et bout arrondi. Grandes fleurs solitaires, parfumées, en coupe étalée, jaunes, du début de l'été à l'automne. Semi-rustique.
H. beanii 'Gold Cup', voir *H.* × *cyathiflorum* 'Gold Cup'.
H. bellum. Arbuste à feuillage semi-persistant. H. 1 m, E. 1,5 m. Rustique. Fleurs jaune d'or très ouvertes de l'été au début de l'automne. Pousses rouges et feuilles largement ovales, à bord ondulé, vert moyen, rougissant à l'automne.
H. calycinum (**Millepertuis à grandes fleurs**), ill. p. 138.
H. coris. Sous-arbrisseau à feuillage persistant, nain ou prostré. H. 15-30 cm, E. 20 cm et plus. Rustique. Verticilles de 3-6 feuilles linéaires. Panicules de fleurs jaune vif, rayées de rouge, en coupe aplatie, en été. Rocaille abritée, sèche, ou mur sec.
H. × *cyathiflorum* 'Gold Cup', syn. *H. beanii* 'Gold Cup'. Arbuste à branches arquées à feuillage semi-persistant. H. et E. 1 m. Rustique. Pousses brun rosé, feuilles vert foncé, ovales. De grandes fleurs en coupe, jaune d'or, sont produites de l'été au début de l'automne.
H. empetrifolium 'Prostratum', ill. p. 326.
H. 'Hidcote', ill. p. 138.
H. × *inodorum* 'Elstead', ill. p. 138.
H. kouytchense, ill. p. 138.
H. × *moserianum.* Arbuste à feuillage caduc, à tiges arquées rougeâtres. H. 30 cm, E. 60 cm. Rustique. Petites fleurs jaunes en coupe au-dessus de feuilles ovales, vert foncé, en été et jusqu'à octobre. 'Tricolor' a des feuilles bordées de rose et blanc et préfère une situation abritée.
H. olympicum. Sous-arbrisseau à feuillage caduc, dense, à port prostré. H. 15-30 cm, E. jusqu'à 15 cm. Rustique. Les touffes de tiges dressées sont couvertes de petites feuilles ovales, gris-vert. Cymes terminales de fleurs jaune d'or, en coupe, pendant l'été. 'Citrinum', ill. p. 298.
H. patulum. Arbuste érigé à feuillage persistant ou semi-persistant. H. et E. 1 m. Moyennement rustique. Grandes fleurs en coupe, jaune d'or, au-dessus de feuilles ovales vert foncé, de l'été à l'automne. (L'espèce type est rare en Europe, où des variétés plus rustiques la remplacent.)
H. reptans. Arbuste tapissant à feuillage caduc. H. 5 cm, E. 20 cm.

Rustique. Petites feuilles vertes, ovales, virant au jaune ou rouge vif à l'automne. Fleurs aplaties, jaune d'or, en été. Convient pour rocaille.

Hypocirta radicans, voir *Nematanthus gregarius.*

HYPOESTES (Acanthacées)

Genre de plantes vivaces, d'arbustes et de sous-arbrisseaux, pour la plupart à feuillage persistant, cultivés pour leur feuillage et leurs fleurs. Non rustiques (min. 18 °C). Ont besoin de lumière vive, d'un sol bien drainé. Arroser généreusement en été, moins en hiver. Rabattre les tiges dégingandées si besoin est. Multiplication par boutures de tiges au printemps ou en été. *H. phyllostachya* peut être cultivée en annuelle et multipliée par semis au printemps.
H. phyllostachya, syn. *H. sanguinolenta,* ill. p. 221.
H. sanguinolenta, voir *H. phyllostachya.*

HYPOXIS (Hypoxidacées)

Genre de plantes à corme, à floraison printanière ou estivale, cultivées pour leurs fleurs étoilées. Excellentes pour rocailles. De semi-rustiques à rustiques. Aiment le plein soleil, un sol léger, bien drainé. Multiplication par semis à l'automne ou au printemps.
H. angustifolia, ill. p. 365.

HYSSOPUS (Labiacées)
Hysope

Genre de plantes sous-ligneuses à feuillage caduc ou semi-persistant, cultivées pour leurs fleurs, qui attirent abeilles et papillons, et leur feuillage aromatique aux vertus médicinales et culinaires. Peuvent constituer une haie basse. Aiment le plein soleil, un sol fertile et bien drainé (apprécient les sols calcaires secs). Rabattre sévèrement au printemps ou faire une taille légère dans le cas d'une haie. Rustiques. Multiplication par boutures herbacées en été ou par semis à l'automne.
H. officinalis (**Hysope officinale**), ill. p. 136. subsp. *aristatus* est un arbuste dense, érigé, à feuillage semi-persistant ou caduc. H. 60 cm, E. 1 m. Feuilles aromatiques vert vif, étroites, lancéolées. Petites fleurs bleu foncé à 2 lèvres, en bouquets denses, du milieu de l'été au début de l'automne.

I

IBERIS (Crucifères)
Thlaspi

Genre de plantes annuelles, bisannuelles ou vivaces, ou de sous-arbrisseaux à feuillage persistant, à floraison décorative, recommandés pour la rocaille. Certaines espèces sont éphémères, épuisées par la floraison. De rustiques à semi-rustiques. Aiment le plein soleil, un sol bien drainé. Multiplication par semis au printemps, par boutures semi-ligneuses en été pour les sous-arbrisseaux.

I. amara, ill. p. 262. **Série Hyacinth-flowered** est un groupe de plantes annuelles dressées, buissonnantes, à croissance rapide. H. 30 cm, E. 15 cm. Rustiques. Feuilles lancéolées, vert moyen. En fin de printemps et en été, corymbes aplatis de fleurs parfumées, à 4 pétales, de différentes teintes (blanches chez le type).

I. saxatilis, ill. p. 314.

I. sempervirens (Corbeille d'argent), ill. p. 286. **'Snowflake'** est un sous-arbrisseau à port étalé et feuillage persistant. H. 15-30 cm, E. 45-60 cm. Rustique. Feuilles étroites, oblongues, vert foncé brillant. Inflorescences denses, ombelliformes, de fleurs blanches à 4 pétales, à la fin du printemps et au début de l'été. Rabattre après la floraison.

I. umbellata, série Fairy, ill. p. 266.

IDESIA (Flacourtiacées)

Genre monospécifique d'arbre à feuillage caduc et à floraison estivale, cultivé pour son feuillage et ses fruits. Il faut planter des sujets mâle et femelle pour obtenir des fruits. De semi-rustique à rustique (selon les formes géographiques). Apprécie le soleil ou la mi-ombre, un sol fertile, frais mais bien drainé, de préférence profond et neutre ou acide. Multiplication par boutures herbacées en été ou semis en automne.

I. polycarpa, ill. p. 53.

ILEX (Aquifoliacées)
Houx

Genre d'arbres et d'arbustes à feuillage caduc ou persistant, cultivés pour leur feuillage et leurs fruits. Les baies ou drupes, en général globuleuses, variant du rouge au jaune ou noir, sont portées à l'automne et succèdent à des fleurs en général blanches, insignifiantes, qui s'ouvrent au printemps. La plupart des espèces sont à plantes unisexuées, aussi faut-il planter mâle et femelle à assez peu de distance pour avoir des fruits. De rustiques à semi-rustiques. Il leur faut un sol bien drainé (ils aiment les terrains légers acides, mais supportent bien les sols calcaires). À cultiver au soleil ou à l'ombre, de préférence au soleil ou à mi-ombre pour les plantes à feuillage caduc et les variétés panachées. Les houx supportent mal une transplantation mais peuvent être taillés sévèrement à la fin du printemps (sauf les grands sujets adultes). Multiplication par semis (graines stratifiées pour les espèces types) au printemps, ou boutures (avec utilisation d'hormones) semi-ligneuses en fin d'été et début d'hiver, ou greffage pour certaines variétés. Pucerons et mineuses des feuilles peuvent causer des dégâts sur le feuillage.

Ilex × altaclarensis. Groupe d'arbres et d'arbustes vigoureux, à feuillage persistant. Rustiques. Résistants à la pollution et aux embruns.

'Balearica' (ill. p. 70) est un clone d'arbres femelles, à port érigé. H. 12 m, E. 5 m. Jeunes branches de vert à vert olive. Assez grandes feuilles aplaties, larges, ovales, brillantes, vertes, coriaces, à bord lisse ou épineux. Donne de grosses baies rouge vif, généreusement.

'Belgica' est un clone femelle (ill. p. 70) d'arbres érigés. H. 12 m, E. 5 m. Les jeunes branches sont vertes ou vert jaunâtre. Grandes feuilles de lancéolées à oblongues, d'un vert moyen brillant, à bord lisse ou denté. Nombreux fruits rouge orangé.

'Camelliifolia' (ill. p. 70) est une forme femelle d'arbres en pyramide étroite. H. 14 m, E. 3 m. Jeunes tiges pourpres et grandes feuilles oblongues, en général à bord lisse, vert foncé brillant. Gros fruits écarlates. Beau spécimen à isoler.

'Camelliifolia Variegata' (ill. p. 71), H. 8 m, E. 3 m, est proche de la variété précédente, mais à feuilles largement bordées de jaune, et marbrées de vert plus clair.

'Golden King' est un clone d'arbustes femelles buissonnant. H. 6 m, E. 5 m. Jeunes tiges vertes teintées de pourpre. Grandes feuilles d'oblongues à ovales, parfois légèrement épineuses, vertes, bordées de jaune vif, virant au crème sur les feuilles âgées. Baies rouge brunâtre peu nombreuses mais excellente plante pour haie ou à isoler. Un des meilleurs houx.

'Lawsoniana' (ill. p. 70) est un arbuste buissonnant, femelle. H. 6 m, E. 5 m. Proche de la variété précédente, mais à feuilles irrégulièrement tachetées d'or, vert clair au centre. Le feuillage a tendance à revenir à un vert uni.

'N.N. Barnes' (ill. p. 70) est un arbuste femelle à feuillage dense. H. 5,5 m, E. 4 m. Jeunes tiges pourpres et feuilles vert foncé brillant, ovales, à bord entier mais à pointe épineuse. Baies rouges.

'Wilsonii' est un arbre femelle vigoureux compact, à cime en dôme. H. 8 m, E. 5 m. Jeunes tiges vert pourpré; grandes feuilles oblongues, ovales, d'un vert moyen brillant, à nervures proéminentes et grandes épines. Nombreux fruits écarlates de grande taille; bonne plante de haie ou en spécimen isolé.

I. aquifolium (Houx commun), ill. p. 70. Arbre ou arbuste à feuillage persistant, très ramifié, en général dressé. H. 20 m, E. 6 m. Rustique. Feuilles de forme variable, à bord ondulé et épineux, d'un vert foncé brillant. Baies rouge vif.

'Argentea Longifolia' est une forme mâle à port étalé. H. 10 m, E. 6 m. Jeunes tiges vert pourpré. Feuilles vert foncé, épineuses, étroites, ovales, étroitement bordées de blanc crème et teintées de rose lorsqu'elles sont jeunes.

'Argentea Marginata' (ill. p. 70) est un groupe d'arbres femelles et mâles à port columnaire. H. 14 m, E. 5 m. Jeunes tiges vertes, rayées de crème. Feuilles vert foncé, épineuses, larges, ovales, à large bord crème, teintées de rose crevette lorsqu'elles sont jeunes. Nombreuses baies rouge vif. À planter en haie ou en spécimen isolé.

'Argentea Marginata Pendula' (ill. p. 70) est un arbre femelle à port pleureur, à croissance lente. H. 6 m, E. 5 m. Jeunes tiges pourprées, feuilles vert foncé, épineuses, larges, ovales, largement bordées de blanc crème. Baies rouges abondantes. Beau spécimen pour un petit jardin.

'Aurifodina' (ill. p. 71) est un arbuste femelle à feuillage dense et port érigé. H. 6 m, E. 3 m. Jeunes tiges pourprées. Feuilles ovales, épineuses, vert olive bordé de jaune d'or virant au jaune en hiver. Nombreuses baies écarlate foncé.

f. *bacciflava* est un arbre ou arbuste très ramifié, en général dressé. H. 20 m, E. 6 m. Feuilles d'un vert foncé brillant, de forme variable, à bord ondulé et épineux. Fruits jaunes.

'Crispa Aurea Picta' (ill. p. 71) est un arbre mâle à port lâche. H. 10 m, E. 6 m. Feuilles ondulées, étroites, ovales, bordées de quelques épines, vert noirâtre, tachetées de jaune d'or au centre. A tendance à revenir au vert uni.

'Elegantissima' (ill. p. 71) est un arbuste mâle buissonnant, à port compact. H. 6 m, E. 5 m. Jeunes tiges vertes, striées de jaune. Petites feuilles vert vif, ovales, épineuses, bordées de crème, rose vif lorsqu'elles sont jeunes.

'Ferox' est un arbuste mâle. H. 6 m, E. 4 m. Jeunes branches pourpres et feuilles ovales, vert foncé, épineuses sur toute leur face supérieure.

'Ferox Argentea' est proche de la forme précédente, mais les feuilles sont bordées de crème.

'Flavescens' est un clone femelle à port columnaire. H. 6 m, E. 5 m. Jeunes tiges rouge pourpré, feuilles vert foncé teinté de jaune canari et vieil or, qui gardent bien leurs teintes toute l'année en pleine lumière. Nombreuses baies rouges.

'Golden Queen' est un clone au feuillage dense, mâle malgré son nom. H. 10 m, E. 6 m. Feuilles vert foncé, marbré de gris et vert clair, ovales, épineuses, bordées largement de jaune d'or.

'Handsworth New Silver' est un clone femelle à port columnaire. H. 8 m, E. 5 m. Tiges pourprées assez longues. Feuilles vert foncé ponctué de gris, épineuses, oblongues, ovales, largement bordées de blanc crème. Fruits rouge vif à profusion. À planter en haie ou en spécimen isolé dans un petit jardin.

'Mme Briot' (ill. p. 71) est une forme vigoureuse et buissonnante. H. 10 m, E. 5 m. Jeunes tiges vert pourpré. Grandes feuilles larges, ovales, épineuses, vert foncé à bord partiellement jaune et à taches jaune foncé. Baies écarlates.

'Ovata Aurea' (ill. p. 71) est un arbuste mâle à feuillage dense. H. 5 m, E. 4 m. Jeunes tiges brun rougeâtre, feuilles ovales vert foncé, épineuses, bordées de jaune d'or.

'Pyramidalis' (ill. p. 70) est un arbre femelle à feuillage dense. H. 6 m, E. 5 m. Jeunes tiges vertes, feuilles vert moyen, étroites, elliptiques, légèrement épineuses. Nombreux fruits écarlates. Recommandé pour un petit jardin.

'Pyramidalis Aurea Marginata' (ill. p. 71) est un clone femelle érigé. H. 6 m, E. 5 m. Jeunes tiges vertes. Feuilles vert moyen, étroites, elliptiques, à bord jaune d'or proéminent et épines dans la moitié supérieure. Nombreuses baies rouges.

'Pyramidalis Fructo Luteo' est un arbuste femelle à port pyramidal, qui s'élargit avec l'âge. H. 6 m, E. 4 m. Jeunes branches vertes. Feuilles vert foncé, ovales, souvent non épineuses. Baies jaunes. Excellent sujet pour petit jardin.

'Scotica' (ill. p. 70) est un grand arbuste femelle, à port compact, raide. H. 6 m, E. 5 m. Feuilles d'un vert très foncé brillant, ovales, en général non épineuses, légèrement tordues. Baies rouges.

'**Silver Milkboy**' voir *I.a.* 'Silver Milkmaid'.

'**Silver Milkmaid**' (syn. *I.a.* 'Silver Milkboy', ill. p. 70) est un arbuste mâle à feuillage dense. H. 5,5 m, E. 4 m. Feuilles ovales à bord ondulé, très épineuses, d'abord bronze puis vert foncé, avec une tache centrale blanc crème, mais avec une tendance à reprendre une teinte verte unie.

'**Silver Queen**' (ill. p. 71) est un arbuste mâle en dépit de son nom. H. 5 m, E. 4 m. Jeunes tiges pourprées. Feuilles ovales larges, épineuses, d'abord rosées, puis virant au vert très foncé, presque noir, faiblement marbré de gris et bordé de crème.

'**Watereriana**' (ill. p. 71) est un arbuste mâle à feuillage dense. H. et E. 5 m. Jeunes tiges vert strié de jaune. Petites feuilles ovales, à bord épineux ou entier, vert grisâtre ponctué de vert verdâtre, avec un large bord jaune d'or. À cultiver en spécimen isolé.

I. × *aquipernyi*, ill. p. 70. Arbuste à feuillage persistant et port érigé. H. 5 m, E. 3 m. Rustique. Petites feuilles ovales, pointues, épineuses, d'un vert foncé brillant. Grosses baies rouges.

I. chinensis, ill. p. 71. Arbre à feuillage persistant. H. 12 m, E. 6 m. Semi-rustique. Feuilles ovales, de texture fine, vert foncé brillant, à dents arrondies. Fleurs lavande, suivies de fruits ovoïdes écarlate brillant.

I. ciliospinosa, ill. p. 70. Grand arbuste à feuillage persistant et port érigé. H. 6 m, E. 4 m. Rustique. Petites feuilles ovales, coriaces, épineuses, d'un vert assez terne. Baies rouges.

I. cornuta. Arbuste de forme arrondie, à feuillage dense, persistant. H. 2,5 m, E. 5 m. Rustique. Feuilles rectangulaires, d'un vert assez terne, épineuses sauf sur les sujets âgés. Grandes baies rouges peu abondantes. '**Burfordii**' (ill. p. 70) est une forme femelle. E. 2,5 m. Feuilles brillantes avec épine terminale. Porte des fruits en abondance. '**Rotunda**', H. 1 m, E. 1,2 m, femelle également, donne peu de fruits mais se révèle précieux pour les plantations en bac ou les petits jardins.

I. crenata. Arbre à feuillage persistant, à port assez raide. H. 6 m, E. 3 m. Rustique. Petites feuilles ovales, vert foncé, à dents arrondies. Fruits noirs, brillants. À planter en groupe ou haie. '**Bullata**', voir *I.c.* 'Convexa'. '**Convexa**' (syn. *I.c.* 'Bullata', ill. p. 70) est un arbuste femelle à feuillage dense. H. 2,5 m, E. 1,2-1,5 m. Jeunes tiges vert pourpré, feuilles ovales, brillantes, boursouflées. Fruits noirs, brillants. '**Helleri**' (ill. p. 70) est un arbuste femelle en forme de monticule. H. 1,2 m, E. 1-1,2 m. Jeunes branches vertes et feuilles ovales, peu épineuses. Fruits noirs, brillants. '**Latifolia**' (ill. p. 70) est un petit arbre ou un grand arbuste femelle à port d'érigé à étalé. H. 6 m, E. 3 m. Jeunes branches vertes et

feuilles larges, ovales, à petites dents. Baies noires, brillantes. Var. *paludosa* (ill. p. 70) est un arbuste prostré. H. 15-30 cm, E. variable. Feuilles ovales, vert foncé, petites, à dents arrondies. Fruits noirs, brillants. Aime les endroits humides. '**Variegata**' (ill. p. 71) est une forme mâle arbustive. H. 4 m, E. 2,5 m. Feuilles ovales tachetées de jaune, mais ayant tendance à virer au vert uni.

I. dipyrena. Arbre conique à feuillage dense, persistant. H. 12 m, E. 8 m. Rustique. Feuilles elliptiques, vert foncé, certaines épineuses de façon variable, d'autres à bord entier, surtout sur les arbres âgés. Fruits rouge foncé.

I. fargesii, ill. p. 70. Petit arbre ou grand arbuste à feuillage persistant, d'aspect conique. H. 6 m, E. 5 m. Rustique. Jeunes tiges vertes ou pourpres, feuilles linéaires dentées, vertes. Petites baies rouges. var. *brevifolia* (ill. p. 70), H. 4 m, a une forme arrondie, un feuillage dense.

I. georgei. Arbuste compact, à feuillage persistant. H. 5 m, E. 4 m. Semi-rustique. Feuilles ovales lancéolées, épaisses, épineuses, d'un vert foncé brillant. Baies rouges.

I. × *koehneana*, ill. p. 70. Arbuste conique à feuillage persistant. H. 6 m, E. 5 m. Rustique. Jeunes tiges pourprées. Feuilles oblongues légèrement ondulées, épineuses, vert foncé lustré. Fruits rouges.

I. laevigata. Arbuste à port étalé et feuillage caduc. H. 2,5 m, E. 2 m. Rustique. Feuilles ovales dentées, vert lustré. Fruits rouge orangé.

I. latifolia. Arbuste érigé à feuillage persistant. H. 20 m, E. 5 m. Semi-rustique. Jeunes tiges vert olive. Feuilles oblongues, vert foncé, très grandes (de 10 à 20 cm de long), à épines courtes; nombreuses baies rouges.

I. macrocarpa, ill. p. 70. Arbre érigé à feuillage caduc. H. 10 m, E. 6 m. Rustique. Grandes feuilles ovales, dentées, vert moyen. Grandes baies noires.

I. opaca, ill. p. 70. Arbre érigé à feuillage persistant. H. 14 m (aux USA, mais moins en Europe), E. 1,2 m. Rustique, mais ne se plaît pas en sol calcaire. Feuilles ovales, vert olive au-dessus, vert-jaune en dessous, à bord entier ou épineux de façon variable. Fruits rouges.

I. pedunculosa, ill. p. 71. Arbre ou arbuste érigé à feuillage persistant. H. 10 m, E. 6 m. Rustique. Feuilles vert foncé, ovales, à bord entier. Baies rouge vif portées par un long pédoncule. N'aime pas les sols calcaires.

I. pernyi, ill. p. 70. Arbuste à croissance lente, à feuillage persistant. H. 10 m, E. 4 m. Rustique. Jeunes tiges vert pâle et petites feuilles vert foncé, brillant, épineuses, à extrémité triangulaire. Baies rouges.

I. serrata. Arbuste buissonnant à feuillage caduc. H. 4 m, E. 2,5 m. Rustique. Petites feuilles ovales, finement dentées, vert brillant, joliment teintées en automne. Fleurs roses suivies de petits fruits

rouges. Apprécie peu les sols calcaires. f. *leucocarpa* (ill. p. 71) a des baies blanches.

I. verticillata, ill. p. 70. Arbuste dense, à feuillage caduc. H. 2 m, E. 1,2-1,5 m. Rustique. Jeunes tiges vert pourpré. Feuilles ovales ou lancéolées, dentées, d'un vert pourpré, virant au jaune en automne. Baies rouges en abondance sur les branches nues, demeurant longtemps sur la plante pendant l'hiver. Apprécie peu le calcaire.

I. yunnanensis. Arbuste à feuillage persistant, touffu. H. 4 m, E. 2,5 m. Pousses pubescentes. Petites feuilles ovales plus ou moins lancéolées, à bord crénelé, vert brunâtre lorsqu'elles sont jeunes, puis vert brillant à maturité. Baies rouges.

ILLICIUM (Illiciacées)

Genre d'arbustes à feuillage persistant, fleurissant au printemps ou au début de l'été, cultivés pour leurs fleurs et leur feuillage. De semi-rustiques à rustiques. Demandent la mi-ombre, un sol frais, neutre ou acide ou à la rigueur légèrement calcaire. Multiplication par boutures semi-ligneuses en été.

I. anisatum (Badianier). Arbuste de forme conique, à croissance lente. H. et E. 6 m. Rustique. Feuilles aromatiques, ovales, vert foncé brillant. Fleurs jaune verdâtre, à nombreux tépales étroits, au printemps. Fruits en étoile, aromatiques.

I. floridanum. Arbuste buissonnant à feuillage persistant. H. et E. 1,60 m. Semi-rustique. Feuilles coriaces, lancéolées, vert foncé, très aromatiques. Fleurs étoilées rouge-marron ou pourprées, à nombreux pétales étroits, au printemps.

IMPATIENS (Balsaminacées)
Impatiente, Balsamine

Genre de plantes annuelles ou vivaces à fleurs à 3 sépales pétaloïdes (dont un à éperon) et 3 pétales, à tiges en général charnues mais cassantes. De semi-rustiques à non rustiques (min. 10 °C). Apprécient le soleil ou surtout la mi-ombre, un sol frais humifère, léger. Multiplication par semis ou boutures de tiges au printemps ou en été. Araignées rouges, mouches blanches et pucerons peuvent causer des dégâts sous abri.

I. balsamina (Balsamine), ill. p. 264. '**Blackberry Ice**' est une annuelle à croissance rapide, touffue. H. 45-60 cm, E. 45 cm. Semi-rustique. Feuilles vert pâle, lancéolées, et grandes fleurs doubles blanches, tachées de pourpre, en été et début d'automne.

I. série Confection, ill. p. 271.

I. série Duet. Groupe de plantes vivaces touffues, à feuillage

persistant, à croissance rapide, cultivées souvent comme des annuelles. H. et E. 30 cm. Semi-rustiques. Feuilles ovales, d'un vert frais. Fleurs doubles ou semi-doubles, dans les tons de rouge et orangé, marqué de blanc.

I. série Novette. Groupe de vivaces touffues, à croissance rapide et feuillage persistant, cultivées souvent comme des annuelles. H. et E. 15 cm. Semi-rustiques. Feuilles ovales, vert frais. Fleurs éperonnées, aplaties, dans un mélange de teintes, du printemps à l'automne (rouge, ill. p. 271, saumon, ill. p. 265). '**Red Star**', ill. p. 271.

I. repens, ill. p. 248.

I. série Rosette, ill. p. 269.

I. sultanii, voir *I. walleriana*.

I. série Super Elfin. Groupe de plantes vivaces touffues à feuillage persistant, à croissance rapide, cultivées souvent en annuelles. H. et E. 20 cm. Semi-rustiques. Feuilles ovales, vert frais. Du printemps à l'automne, fleurs éperonnées, aplaties, de différentes teintes. '**Lipstick**', ill. p. 270.

I. série '**Tom Thumb**'. Groupe de plantes vivaces à feuillage persistant et croissance rapide, touffues, cultivées souvent comme des annuelles. H. et E. 20-30 cm. Semi-rustiques. Feuilles ovales, vert frais et, du milieu du printemps à l'automne, grandes fleurs doubles, de 7-8 cm de diamètre, arrondies, éperonnées, dans les tons de rouge, rose, pourpre ou blanc.

I. walleriana, syn. *I. sultanii*. Plante vivace à feuillage persistant, en général cultivée comme une annuelle. H. et E. jusqu'à 60 cm. Semi-rustique. Feuilles ovales, vert frais. Fleurs aplaties, éperonnées, rouge vif, du printemps à l'automne.

INCARVILLEA (Bignoniacées)

Genre de plantes vivaces fleurissant à la fin du printemps ou en été, utiles pour les rocailles et les massifs. Fleurs à corolle tubulaire à sommet évasé. De rustiques à semi-rustiques (protéger éventuellement les souches en hiver par des feuillages séchés ou un paillis). Aiment le plein soleil, un sol léger, humifère, bien drainé. Multiplication par semis à l'automne et au printemps.

I. delavayi, ill. p. 237.

I. mairei, ill. p. 237. '**Frank Ludlow**', forme une touffe compacte. H. et E. 30 cm. Rustique. Les tiges courtes portent au début de l'été des fleurs en trompette d'un rose soutenu. Feuilles divisées en plusieurs folioles.

INDIGOFERA (Légumineuses)
Indigotier

Genre de plantes vivaces, d'arbustes et de sous-arbrisseaux à feuillage caduc, cultivés pour leurs feuilles et leurs petites fleurs papilionacées. Semi-rustiques. Dans les régions un peu froides, les plantes peuvent souffrir en hiver mais repartent en général du pied au printemps. Demandent le plein soleil, un sol léger, fertile et bien drainé (même assez sec). Éliminer le bois mort au printemps. Multiplication par boutures aoûtées en été pour les ligneux ou semis à l'automne; division pour les vivaces.

I. decora. Arbuste buissonnant à feuillage caduc. H. 50 cm, E. 1 m. Feuilles vert foncé luisant, comportant de 7-13 folioles ovales. Longs racèmes de fleurs blanc et rose vers la fin de l'été.
I. dielsiana, ill. p. 130.
I. gerardiana, voir *I. heterantha.*
I. heterantha, syn. *I. gerardiana,* ill. p. 109.
I. pseudotinctoria. Arbuste à feuillage caduc, à tiges arquées. H. 1,5 m, E. 2 m. Les feuilles vert foncé sont composées de folioles ovales, en général de 7-9. Petites fleurs roses en longues grappes denses de l'été au début de l'automne.

INULA (Composées)
Aunée

Genre de plantes vivaces parfois rhizomateuses, à floraison estivale. Rustiques. À cultiver au soleil, en tout sol profond bien drainé. Multiplication par semis ou division au printemps ou à l'automne.
I. acaulis. Plante vivace rhizomateuse formant une touffe. H. 5-10 cm, E. 15 cm. Feuilles velues, de lancéolées à elliptiques. Capitules en forme de marguerite, jaune d'or, presque acaules, en été. Bonne plante de rocaille.
I. ensifolia, ill. p. 248.
I. hookeri, ill. p. 215.
I. magnifica, ill. p. 191.

IOCHROMA (Solanacées)

Genre d'arbustes et d'arbrisseaux à feuillage persistant et à floraison décorative (grappes de fleurs tubulaires). Non rustiques (min. 5-10 °C, supportent le plein air dans le midi de la France). Demandent une lumière vive ou la mi-ombre, une terre fertile et bien drainée. En période de croissance, arroser généreusement les sujets en pot, modérément en période de repos. Pincer les jeunes plantes pour les faire buissonner. Multiplication en été par boutures herbacées ou semi-ligneuses. Mouches blanches et araignées rouges peuvent causer des dégâts sur le feuillage.
I. cyaneum, syn. *I. tubulosum,* ill. p. 118.
I. tubulosum, voir *I. cyaneum.*

IONOPSIDIUM (Crucifères)

Genre de plantes annuelles, dont une seule espèce est cultivée pour être utilisée en bordure basse ou dans la rocaille. Rustique. Aime la mi-ombre, un sol fertile et bien drainé. Multiplication par semis en place au printemps, au début de l'été ou début de l'automne.
I. acaule. Annuelle dressée à croissance rapide. H. 10 cm, E. 4 cm. Feuilles ovales cordiformes, vert moyen. Nombreuses petites fleurs lilas clair, à 4 pétales, en été et début d'automne.

IPHEION (Liliacées)

Genre de plantes bulbeuses aux nombreuses fleurs étoilées bleues, blanches ou jaunes au printemps, qui font de belles potées pour les serres froides. Assez rustiques. Apprécient une situation abritée, avec un soleil tamisé, une terre bien drainée. Plantation à l'automne. Après la floraison, les feuilles meurent en été. Multiplication par bulbilles en fin d'été ou début automne.
I. uniflorum 'Froyle Mill', ill. p. 360. **'Wisley Blue',** H. 10-15 cm, E. 5-8 cm, a des feuilles vert pâle, linéaires, basales, semi-dressées, à odeur d'oignon lorsqu'on les froisse. Tiges courtes portant chacune une fleur bleu pâle orientée vers le haut, de 3-4 cm de diamètre.

IPOMAEA (Convolvulacées)
Ipomée

Genre de plantes (annuelles, vivaces, arbustes) à tige érigée, et de nombreuses plantes grimpantes à tiges ligneuses ou herbacées. De semi-rustiques à peu rustiques (min. 10 °C). Apprécient les sols humifères, bien drainés, la lumière vive ou le soleil. Tuteurage nécessaire. Arroser généreusement en période de croissance, moins ensuite. Éclaircir ou rabattre les tiges entremêlées au printemps. Multiplication par semis au printemps, bouturage ou marcottage selon les espèces et variétés. Sensibles aux araignées rouges et mouches blanches.
I. alba, syn. *I. bona-nox, Calonyction aculeatum.* Plante grimpante volubile à feuillage persistant et tiges herbacées, cassantes, exsudant un suc blanchâtre lorsqu'elles sont blessées. H. 7 m et plus. Non rustique (min. 10 °C). Feuilles ovales ou trilobées de 20 cm de long environ. Fleurs blanches parfumées, jusqu'à 15 cm de long et largement ouvertes au bout (15 cm de diamètre), s'ouvrant le soir en été.
I. bona-nox, voir *I. alba.*

I. coccinea, syn. *Quamoclit coccinea.* Plante grimpante volubile annuelle. Jusqu'à 4 m de longueur de tiges. Non rustique. Feuilles en cœur, pointues. Fleurs écarlates, parfumées, très ouvertes au bout, s'ouvrant en été et automne.
I. hederacea, ill. p. 172.
I. horsfalliae, ill. p. 167. **'Briggsii'** est une plante grimpante vigoureuse, à tiges ligneuses et feuillage persistant. H. 2-3 m. Non rustique (min. 10 °C). Feuilles comportant de 5-7 lobes. Bouquets pédonculés de fleurs en entonnoir, rose foncé ou pourpré, de l'été à l'hiver. Fleurs plus grandes et plus colorées que celles de l'espèce type.
I. imperialis, voir *I. nil.*
I. nil, syn. *I. imperialis.* **'Early Call'** est une plante vivace grimpante à tiges herbacées, velues, en général cultivée comme une annuelle. H. jusqu'à 4 m. Semi-rustique. Feuilles en cœur ou trilobées. Porte de l'été au début de l'automne de grandes fleurs en entonnoir de différentes teintes, à gorge blanche. **'Scarlett O'Hara'** a des fleurs rouge foncé.
I. purpurea, syn. *Convolvulus purpureus* **(Volubilis).** Plante grimpante à tiges herbacées, vivace mais éphémère, à tiges pubescentes, cultivée plutôt en annuelle. H. jusqu'à 5 m. Semi-rustique. Feuilles en cœur, acuminées. De l'été au début de l'automne, fleurs en entonnoir, pourpres, bleu pourpré ou rouge pourpré, à gorge blanche et pétales fins.
I. quamoclit, syn. *Quamoclit pinnata,* ill. p. 168.
I. rubrocaerulea **'Heavenly Blue',** voir *Convolvulus tricolor* 'Heavenly Blue'.
I. tuberosa, voir *Merremia tuberosa.*
I. versicolor, voir *Mina lobata.*

IRESINE (Amaranthacées)

Genre de plantes vivaces, herbacées ou frutescentes, cultivées pour leur feuillage coloré. Non rustiques (min. 15 °C). Exigent un sol riche, bien drainé et une lumière vive pour garder une coloration intense. Pincer l'extrémité des tiges en période de croissance pour stimuler la ramification. Multiplication en janvier par bouturage.
I. herbstii. Plante vivace buissonnante. H. jusqu'à 60 cm, E. 45 cm. Tiges rouges et feuilles rouge pourpré, arrondies, semblant entaillées à leur extrémité, de 10 cm de long environ, à nervures claires ou rouge jaunâtre. Fleurs insignifiantes. **'Aureo-reticulata',** ill. p. 261.

IRIS (Iridacées)

Genre de plantes vivaces rhizomateuses ou bulbeuses (parfois à racines charnues), certaines à feuillage persistant,

cultivées pour leurs fleurs caractéristiques. Chaque fleur comprend 3 segments extérieurs en général de grande taille (sépales la plupart du temps réfléchis, souvent ornés de barbes ou de crêtes), 3 segments intérieurs souvent plus petits (3 pétales généralement dressés, rarement horizontaux ou pendants) et un style à 3 branches. Chez de nombreux Iris, ces 3 branches du style sont pétaloïdes. Les fruits en capsule, verts puis bruns, sont oblongs, souvent côtelés. Selon les espèces et variétés, qui ont des besoins très divers, on peut utiliser les Iris de manières variées : plantes de massifs, rocailles, sous-bois, terrain humide, bordure de pièce d'eau, terrains secs, murs secs ou encore en pot. Les espèces et cultivars décrits sont rustiques (sauf mention contraire); certains groupes ont des exigences particulières présentées ci-dessous. Multiplication des espèces par division de rhizomes ou bulbilles en fin d'été ou par semis en automne, des cultivars par division seulement. Botaniquement, les Iris sont regroupés en un certain nombre de catégories, sous-genres et sections. D'un point de vue horticole, il est pratique de reprendre partiellement cette classification pour des groupes de plantes aux caractéristiques similaires ou ayant des exigences culturales proches. Dans la liste ci-dessous, nous précisons pour chaque Iris si la tige florale est ramifiée. Quand rien n'est précisé, elle n'est pas ramifiée.

I. Iris rhizomateux
1. Les Iris à barbes ont des sépales ornés de «barbes», constituées de nombreux poils, en général colorés.
   a) **Section Pogoniris** (sépales portant des barbes, graine dépourvue d'arille). Ce groupe comprend beaucoup d'Iris, en particulier de très nombreux cultivars horticoles; tous sont dérivés de *I. pallida* et d'espèces proches. Les Iris de cette section se plaisent en plein soleil. Ils sont peu exigeants et se développent bien même en sol pauvre pourvu qu'il soit bien drainé. Dans cette section se trouvent les *Iris* × *hybrida* (**Iris des jardins,** appelés souvent, à tort, Iris germanica). Les Iris des jardins ont une inflorescence ramifiée. Pour des raisons pratiques, on distingue différents groupes d'hybrides d'Iris des jardins, essentiellement en fonction de leur hauteur : miniatures (H. jusqu'à 20 cm), nains (H. 20-40 cm), moyens (H. 40-70 cm), grands (H. 70 cm et plus).
   b) Les Iris de la **section Oncocyclus** (sépales à barbes, graine à arille) ont de grandes fleurs (surtout *I. susiana*), une par tige. Il leur faut un sol bien drainé, le plein soleil et, après la floraison, une période de dormance au sec, en été et au début de l'automne. De culture délicate, ces Iris gagnent à être plantés en serre ou sous châssis dans les régions à pluies estivales assez importantes.
   c) Les **Iris Regelia** (sépales à

barbes, graine à arille) portent 2 fleurs par tige, contrairement aux Iris de la section Oncocyclus qui n'en ont qu'une. Ils sont assez rustiques et aiment les sols calcaires. Il faut une période sèche après la floraison.

2. Les Iris de la section Apogon ont des sépales dépourvus de barbes et de crêtes. On y distingue plusieurs groupes, dont les suivants sont assez répandus. Les **Iris Pacific Coast** regroupent plusieurs espèces de l'ouest des États-Unis, *I. douglasiana* principalement, et leurs hybrides. Ils préfèrent les sols acides ou neutres, enrichis en humus, le soleil ou l'ombre légère. Les **Iris Spuria** (*I. spuria* et ses proches) poussent au soleil ou à mi-ombre, en sol bien drainé, mais frais. De nombreuses espèces et hybrides apprécient des conditions humides, en bordure de pièce ou de cours d'eau. C'est le cas des **Iris de Sibérie** (*I. sibirica* et ses proches), qui poussent en tous sols mais aiment la fraîcheur, et des **Iris japonais** (*I. kaempferi* et *I. laevigata*) et d'*Iris pseudacorus*, qui pousse dans l'eau ou juste à côté.

3. Les Iris à crêtes (sépales équipés de crêtes) constituent la section des **Iris Evansia**. En général, ils apprécient des conditions humides et un sol assez riche en matière organique. Ils sont de rustiques à non rustiques (min. 5 °C).

II. Iris bulbeux
Ces Iris ont des bulbes qui servent d'organes de réserve, avec parfois des racines charnues, épaisses.

1. Les Iris de la section Xiphion comprennent les Iris d'Angleterre, d'Espagne et de Hollande, très cultivés à la fois pour la fleur coupée et les massifs. Tous sont de culture facile en situation ensoleillée, sol bien drainé, de préférence légèrement calcaire. Les **Iris d'Espagne**, dérivés de *I. xiphium*, ont des fleurs colorées diversement de teintes variables, allant de bleu et violet à jaune et blanc. Les feuilles sont canaliculées, rubanées. Floraison fin mai. Les **Iris d'Angleterre** sont issus de *I. xiphioides* aux fleurs bleues ou violettes (parfois blanches), dont les feuilles canaliculées sortent au printemps. Les **Iris de Hollande** sont des hybrides entre variétés d'*I. xiphium* et ont une floraison plus précoce que les Iris d'Espagne.

2. Les Iris de la section Juno ont des bulbes munis de racines charnues, épaisses, persistantes pendant la période de repos, des feuilles canaliculées et des pétales courts. Leurs fleurs sont très belles, mais ils sont de culture assez délicate. Veiller à ne pas abîmer les racines charnues lors de la division ou d'une transplantation.

3. Les Iris de la section Reticulata (bulbes à racines charnues non persistantes pendant la période de repos) comprennent des Iris nains précieux pour leur floraison précoce en saison. À la différence des autres Iris bulbeux, leurs bulbes ont un épiderme réticulé (à mailles). Ils poussent généralement

bien en situation dégagée, ensoleillée, dans un sol bien drainé, humifère.
N.B. : pour toutes les espèces et tous les cultivars décrits ici, le mot diamètre désigne l'envergure de la fleur.

I. acutiloba. Iris rhizomateux Oncocyclus. H. 8-25 cm, E. 30-40 cm. Feuilles vert moyen, étroites, falciformes. Donne à la fin du printemps des fleurs solitaires blanches, veinées de brun pourpré ou violet pourpré, de 5-7 cm de diamètre, avec un reflet brun autour des barbes de chaque sépale.

I. **'Annabel Jane'**, ill. p. 196. Vigoureux iris des jardins de grande taille. H. 1,2 m, E. variable. Tige ramifiée portant de 8-12 fleurs de 15-25 cm de diamètre, à sépales lilas et pétales plus clairs. Floraison en début d'été.

I. aucheri. Iris bulbeux Juno. H. 15-25 cm, E. 15 cm. Feuilles vert moyen canaliculées, serrées contre la tige, ressemblant un peu à celles d'un poireau. À la fin du printemps, jusqu'à 6 fleurs, de bleues à blanches, de 6-7 cm de diamètre.

I. aurea, voir *I. crocea.*
I. bakeriana. Iris bulbeux de la section Reticulata. H. 10 cm, E. 6 cm. Porte au début du printemps une fleur solitaire bleu pâle, de 5-6 cm de diamètre. Chaque sépale a une tache bleu foncé à son extrémité et de petites taches bleu soutenu au centre. Feuilles étroites, presque cylindriques, très courtes au moment de la floraison mais s'allongeant ensuite.

I. **'Bibury'**. Iris des jardins (nain). H. 30 cm, E. variable. Porte de 2-4 fleurs crème, de 10 cm de diamètre, sur une tige ramifiée, à la fin du printemps.

I. **'Blue-eyed Brunette'**, ill. p. 197. Grand iris des jardins. H. 1 m, E. variable. Tige ramifiée portant de 7-10 fleurs de 10-15 cm de diamètre, brunes à reflets bleus et barbe dorée sur les sépales, au début de l'été.

I. **'Bold Print'**, ill. p. 196. Iris des jardins, de taille moyenne. H. 55 cm, E. variable. La hampe florale ramifiée porte en fin de printemps ou en début d'été jusqu'à 6 fleurs de 10-12 cm de diamètre, à pétales blancs bordés de pourpre et sépales blancs à liséré pourpre barbe blanche, teintée de bronze à son extrémité.

I. bucharica, ill. p. 196. Vigoureux iris bulbeux de la section Juno. H. 20-40 cm, E. 15 cm. À la fin du printemps, porte de 2-6 fleurs de 6 cm de diamètre, de jaune à blanc, à sépales jaunes. Feuilles étroites, lancéolées, canaliculées, d'un vert moyen brillant, échelonnées sur la hampe florale.

I. **'Carnaby'**, ill. p. 197. Iris des jardins de grande taille. H. jusqu'à 1 m, E. variable. La tige ramifiée porte de 6-8 fleurs de 15-18 cm de diamètre, à pétales rose pâle et sépales rose foncé, à barbe orange, au début de l'été.

I. chamaeiris, voir *I. lutescens.*

I. chrysographes, ill. p. 196. Iris rhizomateux de la section Apogon. H. 40 cm, E. variable. En fin de printemps et début d'été, la tige ramifiée porte de 1-4 fleurs rouge pourpré ou noir pourpré, de 5-10 cm de diamètre. Apprécie des conditions humides.

I. clarkei. Iris rhizomateux, sans barbe ni crête, proche d'*I. sibirica.* H. 60 cm, E. variable. En fin de printemps et début d'été, la tige robuste donne 2 ou 3 ramifications portant chacune 2 fleurs bleues ou rouge pourpré, de 5-10 cm de diamètre, avec une marque blanche veinée de violet sur chaque sépale. Apprécie des conditions humides.

I. confusa. Iris rhizomateux Evansia, persistant ou semi-persistant. H. 30 cm-1 m, E. variable. Semi-rustique. Tige dressée, ressemblant à un bambou, couronnée d'un éventail de feuilles lâches. Vers le milieu du printemps, la hampe florale très ramifiée porte jusqu'à 30 fleurs blanches qui se succèdent, de 4-5 cm de diamètre. Chaque sépale est tacheté de jaune et pourpre autour de la crête jaune. À planter dans un sol bien drainé, à l'abri d'un mur orienté au sud.

I. cristata, ill. p. 196. Iris Evansia à rhizome très ramifié. H. 10 cm, E. variable. Feuilles lancéolées, en éventail. Donne au début de l'été 1 ou 2 fleurs presque acaules, lilas, bleu lavande ou blanches, de 3-4 cm de diamètre, chaque sépale portant une tache blanche et une crête orangée. À planter à mi-ombre, en sol frais ; idéal pour les massifs tourbeux.

I. crocea, syn. *I. aurea.* Iris rhizomateux Spuria, non barbu. H. 1-1,2 m, E. variable. Longues feuilles. La tige dressée, robuste et peu ramifiée donne au début de l'été des bouquets terminaux de 2-10 fleurs jaune d'or, de 12-18 cm de diamètre, à sépales ondulés. Ses racines fragiles redoutent la transplantation.

I. cuprea, voir *I. fulva.*
I. danfordiae, ill. p. 197. Iris bulbeux Reticulata. H. 5-10 cm, E. 5 cm. Porte au début du printemps 1 fleur jaune, de 3-5 cm de diamètre, à sépales tachetés de vert. Les pétales sont réduits à des soies courtes. Feuilles étroites, très courtes mais s'allongeant après la floraison. A tendance à donner de nombreuses bulbilles et demande une plantation plus profonde que les autres Iris Reticulata.

I. douglasiana, ill. p. 196. Iris rhizomateux Pacific Coast (section Apogon), à feuillage persistant. H. 25-70 cm, E. variable. Feuilles étroites, linéaires, vertes, coriaces. La tige ramifiée donne de 1-3 fleurs rose pourpré, parfois blanches, de 7-12 cm de diamètre, à macules blanches sur les sépales près du centre de la fleur. Floraison en mai.

I. **'Dreaming Spires'**. Iris rhizomateux proche d'*I. sibirica.* H. 1 m, E. variable. En fin de printemps-début d'été, la tige ramifiée donne de 1-4 fleurs de 5-10 cm de diamètre, à pétales lavande et sépales bleu roi. Préfère les sols humides.

I. **'Dreaming Yellow'**, ill. p. 196. Iris rhizomateux proche d'*I. sibirica,* sans barbes. H. 1 m, E. variable. En fin de printemps-début d'été, la tige ramifiée porte de 1-4 fleurs de 5-10 cm de diamètre, pétales blancs, sépales jaune crème pâlissant progressivement. Préfère les sols humides.

I. **'Early Light'**, ill. p. 197. Iris des jardins de grande taille. H. 1 m, E. variable. Au début de l'été, une tige ramifiée porte de 8-10 fleurs de 15-18 cm de diamètre, à pétales crème teinté de jaune citron, et sépales un peu plus foncés, avec des barbes jaunes.

I. **'Elmohr'**. Iris rhizomateux à barbes. H. 1 m, E. variable. La hampe florale ramifiée donne au début de l'été de 2-5 fleurs rouge pourpré, veinées, de 15-20 cm de diamètre.

I. **'Eye Bright'**, ill. p. 197. Iris des jardins nain. H. 30 cm, E. variable. Donne à la fin du printemps de 2-4 fleurs de 7-10 cm de diamètre, jaune vif avec une tache brune entourant la barbe de ses pétales.

I. **'Flamenco'**, ill. p. 197. Iris des jardins de grande taille. H. 1 m, E. variable. Une tige ramifiée porte au début de l'été de 6-9 fleurs de 15 cm de diamètre, à pétales dorés teintés de rouge et sépales blancs ou jaunes bordés de rouge.

I. foetidissima (Iris gigot). Iris rhizomateux à feuillage persistant (section Apogon). H. 30 cm, E. variable. La tige ramifiée porte jusqu'à 9 petites fleurs pourpre, teinté de jaune sur le bord des pétales, du début au milieu de l'été, suivies de capsules cylindriques qui, en s'ouvrant, montrent des graines arrondies rouge écarlate, visibles jusqu'en automne. Se plaît en conditions humides, en bordure de pièce d'eau, mais supporte aussi des conditions plus sèches.

I. forrestii, ill. p. 197. Iris nain rhizomateux proche d'*I. sibirica.* H. 15-40 cm, E. variable. La tige non ramifiée porte de la fin du printemps au début de l'été 1 ou 2 fleurs parfumées de 5-6 cm de diamètre, jaune citron avec des rayures noires sur les sépales et parfois des reflets bruns sur les pétales. Feuilles acuminées, linéaires, vert moyen brillant, glauques en dessous.

I. fulva, syn. *I. cuprea,* ill. p. 197. Iris rhizomateux (section Apogon). H. 80 cm, E. variable. Rustique. Donne fin mai une tige fine, ramifiée, portant de 4-6 fleurs (parfois plus) de 5-7 cm de diamètre, rouge orangé ou cuivré. Se plaît en terrain frais, humide.

I. **'Fulvala'**, ill. p. 196. Iris rhizomateux (section Apogon). H. 45 cm, E. variable. Rustique. En été, une tige en zigzag donne de 4-6 fleurs (parfois plus), veloutées, rouge pourpré, de 5-12 cm de diamètre, groupées par 2 à l'aisselle des feuilles. Marque jaune sur les sépales. Se plaît en conditions humides, bordure de pièce d'eau.

I. **'Geisha Gown'**, ill. p. 196. Iris japonais. H. 80 cm, E. variable. En juin, la tige ramifiée porte de 3-5 fleurs doubles, blanches, veinées de rose pourpré, à style pourpre et marque dorée sur les sépales, de 15-30 cm de diamètre. Feuilles ridées. À planter au soleil ou à mi-ombre, en terrain marécageux ou bordure de pièce d'eau.

I. germanica. Iris barbu rhizomateux. H. 70 cm, E. variable. La tige ramifiée porte jusqu'à 6 fleurs bleu violacé ou pourpré, à barbes jaunes et bleu pâle, de 10-15 cm d'envergure, au printemps.

I. graeberiana. Iris bulbeux Juno. H. 15-35 cm, E. 6-8 cm. Donne à la fin du printemps de 4-6 fleurs bleu cobalt, de 6-8 cm de diamètre, avec une crête blanche sur les sépales. Feuilles canaliculées lancéolées, vert moyen au-dessus, vert grisâtre en dessous.

I. 'Harmony' ill. p. 197. Iris bulbeux (section Reticulata). H. 6-10 cm, E. 6-7 cm. Porte au début du printemps une fleur solitaire, parfumée, bleu pâle, de 5-6 cm de diamètre, avec des marques blanches et une ligne jaune au milieu de chaque sépale. Feuilles étroites, très courtes à la floraison, mais s'allongeant ensuite.

I. histrioides. Iris bulbeux (section Reticulata). H. 10 cm, E. 7 cm. Donne au début du printemps des fleurs solitaires de 6-7 cm de diamètre, bleu violacé, de clair à foncé. Chaque sépale est plus ou moins tacheté de bleu sombre et porte des marques blanches et une ligne jaune en son milieu. Les feuilles étroites sont très courtes à la floraison mais s'allongent ensuite. **'Lady Beatrix Stanley'** a des fleurs bleu pâle et des sépales très tachetés. **'Major'** (ill. p. 197) a des fleurs plus sombres.

I. 'Holden Clough'. Iris rhizomateux sans barbes. H. 50-70 cm, E. variable. Au début de l'été, la tige ramifiée porte de 6-12 fleurs jaunes à veinure couleur terre de Sienne brûlée, très marquée. Fleurs de 5 cm de diamètre. Recommandé en bordure de pièce d'eau ou terrain marécageux mais se plaît aussi dans tout sol riche, bien drainé, pas trop sec.

I. hoogiana, ill. p. 196. Iris Regelia stolonifère à rhizomes épais. H. 60 cm, E. variable. Donne 2 fleurs parfumées, bleu clair à barbes jaune vif, de 7-10 cm de diamètre, fin avril. Culture assez facile.

I. iberica, ill. p. 196. Iris Oncocyclus rhizomateux. H. 15-20 cm, E. variable. Feuilles étroites, arquées, gris-vert. Fleurs solitaires bicolores, de 10-12 cm de diamètre, à la fin du printemps. Les pétales sont jaune pâle, blancs ou bleu pâle veiné de brun pourpre et les sépales sont blancs ou lilas pâle, tachetés et veinés de brun pourpré.

I. innominata, ill. p. 197. Iris rhizomateux du groupe Pacific Coast, sans barbes, à feuillage persistant ou semi-persistant. H. 16-25 cm, E. variable. La tige porte 1 ou 2 fleurs de 6,5-7,5 cm de diamètre, en fin de printemps et début d'été. Teintes très variables, de blanc crème à jaune ou orangé, de rose lilas à bleu ou pourpre. Les

sépales sont souvent veinés de marron ou brun.

I. japonica. Vigoureux iris Evansia rhizomateux. H. 45-80 cm, E. variable. Peu rustique. Feuilles ensiformes, épaisses, brillantes. Donne à la fin du printemps une hampe florale ramifiée avec une succession de fleurs aplaties, gaufrées, mauves, de 4-8 cm de diamètre, à crête jaune sur chaque sépale.

I. 'Joyce', ill. p. 196. Iris bulbeux (section Reticulata). H. 6-10 cm, E. 6-7 cm. Porte au début du printemps une fleur solitaire parfumée, de 5-6 cm de diamètre, bleu clair, à marques blanches et ligne jaune au centre de chaque sépale. Feuilles étroites, très courtes à la floraison, mais s'allongeant ensuite.

I. kaempferi (Iris japonais). Iris rhizomateux (section Apogon). H. 60 cm-1 m, E. variable. La tige ramifiée donne de 3-15 fleurs rouge pourpré, de 8-15 cm de diamètre, avec une marque jaune sur chaque sépale (sépales étalés ou un peu réfléchis). Floraison en début d'été. Se distingue de l'espèce proche I. laevigata par la nervure centrale saillante de ses feuilles longues et dressées. A donné naissance à de très nombreuses formes horticoles, les unes à fleurs doubles, dans les tons de rose, pourpre, lavande et blanc, parfois bicolores. Se plaît à mi-ombre ou ombre légère en terrain humide, marécageux ou en bordure de pièce d'eau.

I. 'Katharine Hodgkin'. Iris bulbeux (section Reticulata). H. 10 cm, E. 7 cm. Fleurs jaunes, de 6-7 cm de diamètre, teintées de bleu pâle, ponctuées et veinées de bleu foncé. Floraison au début du printemps.

I. korolkowii. Iris Regelia stolonifère à rhizomes compacts. H. 40 cm, E. variable. Fin avril, chaque spathe renferme 2 fleurs de 6-8 cm de diamètre, blanches (pétales veinés de brun rosé, sépales veinés de brun).

I. 'Krasnia', ill. p. 196. Iris des jardins. H. 1 m, E. variable. La tige ramifiée porte au début de l'été de 8-12 fleurs de 13-18 cm de diamètre, à pétales pourpres et sépales blancs bordés de pourpre.

I. laevigata, ill. p. 197. Iris rhizomateux (section Apogon), proche d'I. kaempferi. H. 60 cm-1 m, E. variable. La tige peu ramifiée donne de 2-4 fleurs, bleu lavande chez le type, bleu pourpré ou blanc chez certaines variétés ou certains cultivars, de 5-12 cm de diamètre, du début au milieu de l'été. Feuilles proches de celles d'Iris kaempferi, mais sans nervure centrale saillante. Se plaît au soleil ou à mi-ombre, en conditions humides ou eau peu profonde. **'Regal'** a des fleurs simples, rouge cyclamen, **'Snowdrift'** des fleurs doubles, blanches. **'Variegata',** H. 25 cm, a des feuilles rayées de vert et blanc et refleurit souvent au début de l'automne.

I. latifolia, syn. I. xyphioides (Iris d'Angleterre), ill. p. 196. Iris bulbeux (section Xiphion). H. 70 cm, E. 15 cm. Fin mai, 1 ou

2 grandes fleurs bleu foncé à pétales violets, de 8-10 cm d'envergure, avec une rayure jaune au milieu de chaque large sépale, apparaissent entre les bractées. Feuilles vert moyen canaliculées et rubanées, réparties le long de la tige florale. **'Blue Giant'** a des pétales bleu pourpré, à taches plus sombres. **'La Nuit'** a des fleurs rouge pourpré foncé ; les fleurs de **'Mont Blanc'** sont d'un blanc pur.

I. lutescens, syn. I. chamaeiris (Iris nain). Iris barbu rhizomateux (section Pogoniris) ; croissance rapide et aspect très variable. H. 10 cm, E. variable. Une tige donne 1 ou 2 fleurs, jaunes chez le type, violettes, pourpres, blanches ou bicolores chez certaines variétés ou certains cultivars, à barbes jaunes, de 6-8 cm de diamètre, en avril. **'Nancy Lindsay'** a des fleurs jaunes, parfumées.

I. magnifica, ill. p. 196. Iris bulbeux Juno. H. 30-60 cm, E. 15 cm. Donne au printemps de 3-7 fleurs lilas très pâle, de 6-8 cm de diamètre, avec une tache jaune centrale sur chaque sépale, à l'aisselle des feuilles. Feuilles canaliculées, lancéolées, vert moyen brillant, réparties sur la tige. Culture assez facile.

I. 'Margot Holmes'. Iris rhizomateux proche d'I. sibirica. H. 25 cm, E. variable. Rustique. Donne au début de l'été 2 ou 3 fleurs rouge pourpré, de 10-15 cm de diamètre. Sépales veinés de jaune.

I. 'Mary Frances', ill. p. 196. Iris des jardins de grande taille. H. 1 m, E. variable. En début d'été, la tige ramifiée porte de 6-9, parfois jusqu'à 12 fleurs rose violacé de 15 cm de diamètre.

I. 'Matinata', ill. p. 196. Iris des jardins de grande taille. H. 1 m, E. variable. En début d'été, la tige ramifiée porte de 6-9, parfois jusqu'à 12 fleurs de 15 cm de diamètre, bleu pourpré foncé.

I. missouriensis, syn. I. tolmeiana, ill. p. 196. Iris d'origine américaine rhizomateux (section Apogon), très variable. H. jusqu'à 75 cm, E. variable. La tige ramifiée donne de 2-3 fleurs par spathe, bleu pâle, lavande, lilas, bleues ou blanches, de 5-8 cm de diamètre, en fin de printemps. Les sépales sont en général marqués de jaune.

I. 'Moutain Lake', ill. p. 196. Iris proche d'I. sibirica, rhizomateux. H. 1 m, E. variable. En fin de printemps, la tige ramifiée porte de 1-4 fleurs bleues, veinées de bleu foncé sur les sépales, de 5-10 cm de diamètre. Préfère les sols humides.

I. pallida (Iris à parfum, Iris de Florence). Iris à barbes rhizomateux (section Pogoniris). H. 70 cm-1 m ou plus, E. variable. Donne fin avril de 2-6 fleurs parfumées mauves, de 8-12 cm de diamètre, à barbes jaune foncé, dans des spathes argentées, sur des tiges ramifiées. Les feuilles glauques ensiformes. Les feuilles de **'Aurea Variegata'** (ill. p. 196) sont rayées de vert et jaune.

I. 'Paradise Bird', ill. p. 196. Iris des jardins de grande taille. H. 85 cm, E. variable. En début de l'été de

8-10 fleurs de 15 cm de diamètre, à sépales rouge magenta et pétales plus clairs.

I. 'Peach Frost', ill. p. 197. Iris des jardins de grande taille. H. 1 m, E. variable. La tige ramifiée porte de 6-10 fleurs de 15 cm de diamètre au début de l'été. Pétales rose pêche et sépales blanc bordé de rose pêche, à barbe orangée.

I. 'Piona'. Iris des jardins de taille moyenne. H. 45 cm, E. variable. La tige porte jusqu'à 6 fleurs violettes à barbes jaune d'or, de 8-10 cm de diamètre. Les feuilles vert moyen sont teintées de pourpre à la base.

I. 'Professor Blaauw'. Iris bulbeux (section Xiphion). H. 80 cm, E. 15 cm. Donne du printemps au début de l'été 1 ou 2 fleurs bleu violacé, de 6-8 cm de diamètre. Feuilles vert moyen, canaliculées, étroites, lancéolées, dispersées le long de la tige florale.

I. 'Promise'. Iris des jardins miniature. H. 15-20 cm, E. variable. La tige ramifiée donne au printemps de 2-5 fleurs rouges, veinées, de 5-10 cm de diamètre, avec une rayure jaune à la gorge de chaque sépale.

I. pseudacorus (Iris des marais), ill. p. 197. Robuste iris rhizomateux (section Apogon). H. jusqu'à 2 m, E. variable. La tige florale ramifiée porte de 4-12 fleurs jaune d'or, de 5-12 cm de diamètre, souvent veinées de brun, avec une tache jaune sombre sur les sépales, vers le début de l'été. Longues feuilles ensiformes gris-vert, ridées. Préfère les ruisseaux ou le bord immédiat des eaux. **'Variegata'** a au printemps un feuillage rayé de jaune et vert qui redevient souvent vert avant la floraison.

I. pumila. Iris rhizomateux (section Pogoniris). H. 10-15 cm, E. variable. Porte en mars une tige florale de 1 cm de longueur, avec 2 ou 3 fleurs tubulées, de 2,5-5 cm de diamètre, de teinte jaune (chez le type), pourpré, blanc, jaune ou bleu, à sépales à barbes jaunes. Préfère les sols bien drainés.

I. reticulata. Iris bulbeux. H. 10-15 cm, E. 4-5 cm. Porte en février-mars une fleur moyenne solitaire, parfumée, acaule, violet pourpré foncé, de 4-6 cm de diamètre. Feuilles cannelées, linéaires, qui s'allongent après la floraison. **'Cantab'** (ill. p. 196) a des fleurs bleu pâle avec une ligne jaune soutenu. **'Clairette'** a des fleurs bleu pâle, chaque sépale avec une tache bleu foncé à son extrémité et des ponctuations bleu foncé au centre. **'Violet Beauty'** porte des fleurs violet pourpré sombre avec une ligne orangée sur les sépales.

I. 'Rippling Rose', ill. p. 196. Iris des jardins de grande taille. H. 1 m, E. variable. La tige florale ramifiée porte au début de l'été de 6-10 fleurs blanches, de 15 cm de diamètre, à taches pourpres et barbes jaune citron.

I. rosenbachiana, ill. p. 196. Iris bulbeux Juno. H. 10-15 cm, E. 6 cm. Donne au printemps 1 ou 2 fleurs à long tube, de 4-5 cm de diamètre, à petits pétales pourpres tournés vers le bas, et sépales rouge pourpré, à ligne jaune au centre. Feuilles canaliculées, lancéolées, vert moyen, en touffe basale. Plante délicate, à cultiver de préférence en serre ou châssis froid.

I. 'Saffron Jewel'. Iris des jardins de taille moyenne. H. 75 cm, E. variable. Donne au début de l'été de 2-5 fleurs de 5-10 cm de diamètre, à sépales veinés gris-jaune et pétales plus pâles, sur une tige florale ramifiée. Les sépales ont des reflets bleus et des barbes bleues.

I. 'Sapphire Star', ill. p. 196. Iris japonais. H. 1,2 m, E. variable. La tige ramifiée porte en été de 3-5 fleurs lavande veinées de blanc, de 15-30 cm de diamètre. Chaque sépale porte une tache jaune entourée d'un halo blanc. Préfère les sols humides.

I. setosa, ill. p. 197. Iris de la section Apogon, d'aspect très variable. H. 10 cm-1 m, E. variable. À chaque spathe correspondent au prntemps de 2-13 fleurs bleu pourpré ou foncé de 5-8 cm de diamètre. Les sépales portent des marques bleu pâle ou blanches; les pétales sont très réduits.

I. 'Shepherd's Delight', ill. p. 197. Iris des jardins de grande taille. H. 1 m, E. variable. La tige ramifiée donne au début de l'été de 6-10 fleurs rose pâle, de 15-18 cm de diamètre, marquées de jaune.

I. sibirica (Iris de Sibérie). Iris rhizomateux (section Apogon) à feuilles linéaires. H. 50 cm-1,2 m, E. variable. La hampe ramifiée porte fin mai 2 ou 3 fleurs bleues de 5-10 cm de diamètre, par spathe. Préfère les sols humides mais pousse presque partout. Rustique.

I. 'Splash Down'. Iris rhizomateux proche de I. sibirica. H. 1 m, E. variable. En fin de printemps, la tige ramifiée donne de 1-4 fleurs de 5-10 cm de diamètre. Pétales bleu pâle et sépales à fond clair éclaboussé de bleu. Préfère les sols humides.

I. spuria. Iris de la section Apogon, d'aspect variable. H. 50-70 cm, E. variable. La tige dressée, ramifiée, donne de 2-5 fleurs à sépales blanc bleuté veiné de mauve, à pétales érigés mauve violacé chez le type, bleu pourpré pâle, bleu ciel, bleu violacé, blanc ou jaune pour certaines variétés, de 5-12 cm de diamètre, fin mai.

I. 'Stepping Out'. Iris des jardins de grande taille. H. 1 m, E. variable. La tige ramifiée porte de 8-11 fleurs blanches, marquées de bleu pourpré, de 14-15 cm de diamètre, au début de l'été.

I. 'Sun Miracle', ill. p. 197. Iris des jardins de grande taille. H. 1 m,

E. variable. La tige ramifiée porte au début de l'été de 7-10 fleurs jaune pur, de 15-18 cm de diamètre.

I. tectorum, ill. p. 196. Iris Evansia à rhizome épais. H. 25-35 cm, E. variable. Rustique. Feuilles ensiformes, luisantes, fortement nervurées. La tige florale peu ramifiée porte au début de l'été 2 ou 3 fleurs mauve foncé par spathe, de 1-8 cm de diamètre, aux sépales à crête blanche. Situation ensoleillée et abritée, par exemple à l'abri d'un mur donnant au sud ou à l'ouest.

I. tenax, ill. p. 196. Iris (section Apogon). Origine : U.S.A. H. 30 cm, E. variable. Donne en fin de printemps et début d'été 1 ou 2 fleurs de 8-12 cm de diamètre, de bleu lavande à pourpre, aux sépales souvent marqués de jaune. Il en existe aussi des variétés à fleurs blanches, crème ou jaunes. Feuilles étroites, vert foncé, tachées de rose à la base.

I. 'Theseus'. Iris Regeliocyclus (hybride de Regelia et d'Oncocyclus) rhizomateux. H. 45 cm, E. variable. En fin de printemps/début été, donne en général 2 fleurs de 10-15 cm de diamètre, à sépales violets et pétales crème veinés de violet. À cultiver si possible en serre froide ou sous abri vitré.

I. tolmeiana, voir I. missouriensis.

I. tuberosa, voir Hermodactylus tuberosus.

I. unguicularis, syn. I. stylosa. Iris rhizomateux (section Apogon), à feuilles persistantes coriaces, linéaires, en touffe. H. jusqu'à 20 cm, E. variable. Fleurs presque acaules, parfumées, de 5-8 cm d'envergure, mauves à long tube. Elles apparaissent de janvier à mars. Les limaces attaquent souvent les boutons floraux. Excellente fleur à couper. Semi-rustique. Apprécie une situation abritée, contre un mur donnant au sud ou à l'ouest. 'Mary Barnard' a des fleurs bleu violacé et 'Walter Butt' des fleurs lavande pâle.

I. variegata, ill. p. 197. Iris rhizomateux (section Pogoniris). H. 30-50 cm, E. variable. Fin mai, la tige ramifiée donne de 3-6 fleurs de 5-8 cm d'envergure, à pétales jaune vif; sépales blancs bordés de jaune, veinés de rouge-brun. Feuilles falciformes.

I. verna. Iris rhizomateux nain (section Apogon). H. 5 cm, E. variable. Feuilles ensiformes. Donne au printemps (avril-mai) 1, parfois 2 fleurs de 2,5-5 cm d'envergure, bleues, à base orangée. Se plaît à mi-ombre, en

sol frais mais bien drainé.

I. versicolor, ill. p. 196. Iris rhizomateux, robuste, de la section Apogon. H. 60 cm, E. variable. La tige ramifiée porte de 3-5 fleurs (ou plus), violet foncé (chez le type), rouge pourpré, lavande ou pourpre grisâtre, de 5-10 cm d'envergure, en fin de printemps et au début de l'été. Se plaît à l'ombre légère, en sol humide ou eau peu profonde. 'Kermesina' a des fleurs rouge pourpré.

I. xiphioides, voir I. latifolia.

I. xiphium. Iris bulbeux de la section Xiphion (iris d'Espagne). H. 70 cm, E. 30 cm. Feuilles rubanées vertes. Fleurs bleu clair à macule orangée au niveau de la gorge. Il en existe un type à fleurs jaunes. 'Wedgewood', ill. p. 196.

ISATIS (Crucifères)
Pastel

Genre de plantes vivaces à floraison estivale. Rustiques. Aiment le soleil, un terrain fertile et bien drainé. Multiplication par semis à l'automne ou au printemps.

I. tinctoria (Pastel). Vigoureuse plante vivace à port dressé. H. jusqu'à 1,2 m, E. 45 cm. Feuilles glauques, d'oblongues à lancéolées; produit, en été, de grandes cymes de fleurs jaunes à 4 pétales.

Ismene calathina, voir **Hymenocallis narcissiflora**.

ISOPLEXIS (Scrophulariacées)

Genre d'arbustes à feuillage persistant, à floraison décorative, en général en été. Genre proche de Digitalis. Non rustiques (min. 7 °C). Demandent une lumière vive ou la mi-ombre, un sol bien drainé. Arroser généreusement les plantes en pot en période de croissance, modérément ensuite. Éliminer de préférence les grappes florales fanées. Multiplication par semis au printemps ou boutures semi-lignifiées en été.

I. canariensis, syn. Digitalis canariensis, ill. p. 139.

ITEA (Itéacées)

Genre d'arbres et d'arbustes à feuillage caduc ou persistant,

cultivés pour leur feuillage et leurs fleurs. Rustiques, mais à protéger par un mur donnant au sud ou à l'ouest dans la plupart des régions. Ont besoin d'une situation ensoleillée (notamment ceux à feuillage persistant) ou à mi-ombre, d'un sol bien drainé mais pas trop sec (de préférence humifère et sableux). Multiplication en été par boutures aoûtées.

I. ilicifolia, ill. p. 114.

IXIA (Iridacées)

Genre de plantes bulbeuses à floraison printanière ou estivale, à tiges filiformes et épis de fleurs. Semi-rustiques. À cultiver en situation dégagée et ensoleillée, en sol humifère bien drainé. Plantation à l'automne pour une floraison au printemps et en début d'été, au printemps pour une floraison en fin d'été. Laisser sécher après la floraison. Multiplication à l'automne par semis ou par caïeux lors de la plantation.

I. maculata. Fleurit au printemps (mai-juin). H. 40 cm, E. 2,5-5 cm. Feuilles dressées planes, étroites, la plupart basales. La tige florale porte un épi de fleurs orange ou jaunes, de 2,5-5 cm de diamètre, à centre brun ou noir.

I. viridiflora, ill. p. 346.

IXIOLIRION (Amaryllidacées)

Genre de plantes bulbeuses cultivées pour leurs fleurs en entonnoir, en général printanières. Rustiques. Demandent une situation ensoleillée et abritée, un sol bien drainé, mais chaud et sec en été pour permettre la maturation du bulbe. Multiplication par semis ou par séparation de caïeux.

I. montanum, voir I. tataricum.

I. tataricum, syn. I. montanum, ill. p. 346.

IXORA (Rubiacées)

Genre d'arbustes et d'arbres à feuillage persistant et floraison estivale, cultivés surtout pour leurs fleurs. Non rustiques (min. 18 °C). Se plaisent en plein soleil, dans un terrain bien drainé, léger, humifère. Arroser généreusement les plantes en pot pendant leur saison de croissance, modérément ensuite. Multiplication par semis au printemps ou bouturage au printemps.

I. coccinea, ill. p. 133.

J

JACARANDA (Bignoniacées)

Genre d'arbres à feuillage caduc ou persistant, cultivés pour leur feuillage (feuilles bipennées) et leur floraison décorative (fleurs à corolle tubulaire bleue ou violacée) au printemps ou en été. Peu rustiques. Cultivables entièrement en plein air dans les régions méditerranéennes. Poussent en tout sol fertile et bien drainé, en pleine lumière. Arroser généreusement les sujets en pot ou bac pendant leur période de croissance, parcimonieusement en hiver. Les sujets en pot cultivés uniquement pour leur feuillage peuvent être rabattus sévèrement en fin d'hiver. Multiplication par semis au printemps ou boutures aoûtées en été.
J. mimosifolia, syn. *J. ovalifolia,* ill. p. 52.
J. ovalifolia, voir *J. mimosifolia.*

Jacobinia carnea, voir **Justicia carnea.**
Jacobinia coccinea, voir **Pachystachys coccinea.**
Jacobinia pohliana, voir **Justicia carnea.**
Jacobinia spicigera, voir **Justicia spicigera.**

JACQUEMONTIA (Convolvulacées)

Genre de plantes grimpantes à feuillage persistant, appréciées pour leurs fleurs. Non rustiques (min. 16-18 °C). Ont besoin d'un sol bien drainé et de plein soleil. Arroser généreusement en période de croissance. À palisser sur un support. Éclaircir les tiges au printemps en rabattant les vieilles tiges à la base. Multiplication par semis au printemps ou boutures semi-ligneuses en été. Araignées rouges et mouches blanches sont des parasites à surveiller.
J. pentantha. Plante grimpante à feuillage persistant, à croissance rapide. H. 2-3 m. Feuilles en cœur, pointues, et fleurs en entonnoir bleu pur ou bleu violacé, de 2,5 cm de diamètre, groupées en bouquets longuement pédonculés, en été/automne.

JANCAEA ou JANKAEA (Gesnériacées)

Genre comptant une seule espèce de plante vivace en rosette, à feuillage persistant, cultivée pour ses fleurs et son feuillage gris argenté. Bonne plante de serre alpine. Rustique. À cultiver en exposition nord, ou, tout au moins, elle demande en été à être abritée du soleil de midi. Se plaît en sol humide, humifère, même cailouteux en surface. Redoute l'humidité stagnante hivernale. Multiplication par semis au printemps ou boutures de feuilles en milieu d'été.
J. heldreichii, ill. p. 309.

JASIONE (Campanulacées)

Genre d'annuelles, bisannuelles et plantes vivaces à floraison estivale, cultivées pour leur floraison décorative (petites fleurs groupées en capitules). Rustiques. Ont besoin de plein soleil et d'un sol sableux, de préférence non calcaire. Éliminer les vieilles tiges à l'automne. Multiplication par semis; ou division au printemps, pour les espèces vivaces.
J. laevis, syn. *J. perennis.* Plante vivace en touffe. H. 5-30 cm, E. 10-20 cm. Feuilles étroites oblongues, velues, gris-vert. Porte en été des inflorescences bleues, sphériques, sur des tiges dressées. Bonne espèce de rocaille, calcifuge.
J. perennis, voir *J. laevis.*

JASMINUM (Oléacées)
Jasmin

Genre d'arbustes et de plantes grimpantes à tiges ligneuses, cultivés pour leur feuillage caduc ou persistant et surtout leurs fleurs à corolle tubulaire, souvent parfumées. De rustiques à non rustiques (min. 7-18 °C). Demandent une situation ensoleillée et un sol fertile et bien drainé. Éclaircir après la floraison les vieilles tiges de *J. nudiflorum,* qui ne s'accroche pas par lui-même au support. Tailler les autres espèces après la floraison si besoin est. Multiplication en été par boutures semi-ligneuses.
J. angulare. Plante grimpante à tiges ligneuses et feuillage persistant. H. 2 m et plus. Non rustique (min. 7-10 °C). Feuilles vert foncé, composées de 3 folioles ovales. Porte en fin d'été de petits bouquets de fleurs blanches, tubulaires, à 5 lobes, parfumées.
J. grandiflorum (Jasmin d'Espagne). Plante grimpante à tiges ligneuses et à feuillage persistant. H. 2 m. Non rustique (sauf midi de la France), min. 7-10 °C. Feuilles composées de 7-9 folioles. Porte en été/automne des bouquets de fleurs (jusqu'à 50) parfumées, blanches, à dessous rouge, tubulaires, à 5 ou 6 lobes.

J. humile (Jasmin d'Italie), ill. p. 114. **'Revolutum'** est un arbuste buissonnant à feuillage persistant. H. et E. 2,5 m. Rustique. Porte du début du printemps à la fin de l'automne de grandes fleurs parfumées jaune vif, tubulaires, dressées, à 5 lobes étalés, sur de longues pousses vertes. Feuilles vert vif brillant, composées de 3-7 folioles ovales. f. **wallichianum** a des fleurs semi-pendantes et des feuilles comportant de 7-13 folioles.
J. mesnyi, syn. *J. primulinum,* ill. p. 165.
J. nudiflorum (Jasmin d'hiver), ill. p. 119.
J. officinale (Jasmin commun), ill. p. 166.
J. parkeri. Arbuste à feuillage persistant, à port arrondi. H. 30 cm, E. 35-40 cm, ou plus. Rustique en lieu abrité. Porte une masse dense de fines tiges et de rameaux, avec de minuscules feuilles ovales. Fleurs jaunes nombreuses, tubulaires, à 5 lobes, au début de l'été à l'aisselle des feuilles, ou à l'extrémité des rameaux.
J. polyanthum, ill. p. 177.
J. primulinum, voir *J. mesnyi.*
J. rex. Plante grimpante à tiges ligneuses et feuillage persistant. H. 3 m. Non rustique (min. 18 °C). Feuilles vert foncé, coriaces, larges, ovales, de 10-20 cm de long. Des fleurs tubulaires, à 5 lobes, non parfumées, teintées de rose quand elles sont en bouton puis d'un blanc pur, se développent par intermittence, tout au long de l'année si la température est suffisante.

JEFFERSONIA (Berbéridacées)

Genre de plantes vivaces à floraison printanière. Rustiques. À cultiver en ombre ou mi-ombre, et en sol humifère, frais. Le système racinaire étendu réagit mal si on le perturbe. Étaler un paillis sur la souche en fin d'automne en climat assez froid. Multiplication par semis, ou division.
J. diphylla, ill. p. 287.
J. dubia, syn. *Plagiorhegma dubia,* ill. p. 309.

JOVIBARBA (Crassulacées)
Joubarbe

Genre de plantes vivaces à feuillage persistant, qui s'étalent par des stolons courts et sont cultivées pour leurs rosettes de feuilles charnues, d'ovales à pointues. Forment un tapis couvre-sol dans les rocailles, les éboulis, sur les murets ou en serre alpine. Rustiques. Plein soleil, sol caillouteux appréciés. Multiplication par rejets en été.
J. hirta, syn. *Sempervivum hirtum,* ill. p. 238.

JUANULLOA (Solanacées)

Genre d'arbustes à feuillage persistant et à floraison estivale décorative. Non rustiques (min. 15 °C). Les températures basses entraînent la chute des feuilles. Se plaisent en lumière vive, en sol fertile et bien drainé. Arroser modérément les sujets cultivés en pot, surtout en période de repos végétatif. Pincer l'extrémité des tiges des jeunes plantes pour stimuler leur ramification. Multiplication en été par boutures semi-ligneuses. Araignées rouges, mouches blanches et cochenilles sont des parasites à redouter.
J. aurantiaca, ill. p. 139.

JUBAEA (Palmiers)

Genre comprenant une seule espèce de palmier à feuillage persistant, cultivé pour son aspect général. Peu rustique (cultivable entièrement en plein air dans le Midi). A besoin de soleil ou de lumière vive, d'un sol fertile et bien drainé. Supporte bien des périodes de sécheresse assez longues. Arroser modérément les sujets cultivés en pot en période de croissance, et réduire les apports d'eau en hiver. Multiplication par semis au printemps à 25 °C au moins. Les araignées rouges s'attaquent fréquemment à ce palmier.
J. chilensis, syn. *J. spectabilis* **(Cocotier du Chili),** ill. p. 58.
J. spectabilis, voir *J. chilensis.*

JUGLANS (Juglandacées)
Noyer

Genre d'arbres à feuilles imparipennées caduques, aromatiques, cultivés pour leur port, leur feuillage et leurs fruits comestibles pour certaines espèces (noix). Donnent des chatons (fleurs mâles) jaune verdâtre au printemps et en début d'été. Rustiques, mais les jeunes sujets de certaines espèces peuvent souffrir des gelées. Plein soleil, sol fertile, profond, bien drainé généralement recommandés. Multiplication par semis à l'automne.
J. ailantifolia. Arbre à port étalé à pousses robustes. H. et E. 15 m.

Très grandes feuilles composées de 11-17 folioles oblongues, vert vif brillant. Donne à l'automne des noix comestibles. var. *cordiformis*, ill. p. 42.
J. cathayensis. Arbre à port étalé. H. 25 m, E. 20 m. Très grandes feuilles composées de 11-17 folioles vert foncé, d'ovales à oblongues. Porte à l'automne des noix comestibles.
J. cinerea (Noyer cendré). Arbre à croissance rapide, à port étalé. H. 25 m, E. 20 m. Grandes feuilles très aromatiques, composées de 7-19 folioles vert vif, d'ovales à oblongues, pointues. Porte à l'automne des groupes de grosses noix arrondies.
J. microcarpa, syn. *J. rupestris*, ill. p. 65.
J. nigra (Noyer noir), ill. p. 42.
J. regia (Noyer commun), ill. p. 41.
J. rupestris, voir *J. microcarpa*.

JUNCUS (Joncacées), voir **BAMBOUS, HERBES, JONCS** et **LAÎCHES.**
Jonc

J. effusus (Jonc épars). f. *spiralis*, ill. p. 182.

JUNIPERUS (Cupressacées), voir **CONIFÈRES.**
Genévrier

J. chinensis (Genévrier de Chine). Conifère à port conique, formant un arbre (H. 20 m, E. 2-3 m), ou un arbuste étalé chez certaines variétés (H. 1-5 m, E. 3-5 m). Rustique. Écorce s'exfoliant. Feuilles vert foncé, aromatiques, certaines en écaille, d'autres en aiguille, groupées par 2 ou 3 sur la même pousse. Fruits globuleux, charnus, ressemblant à des baies, brun foncé ou noirâtres, recouverts de pruine. 'Aurea', H. 10-15 m, E. 3-4 m, est une forme à croissance lente, à silhouette ovale ou conique, à feuillage doré. 'Kaizuka', H. et E. 5 m, forme un buisson étalé, irrégulier, et donne de nombreux galbules 'Keteleeri', ill. p. 77. 'Obelisk', ill. p. 80. 'Pyramidalis', H. 10 m, E. 1,2 m, est une forme columnaire dense, à branches érigées portant des feuilles bleu-vert en aiguille. 'Robusta Green', voir *J. virginiana* 'Robusta Green'. 'Stricta' (ill. p. 82), H. jusqu'à 5 m, E. jusqu'à 1 m, a un port conique, un jeune feuillage bleu-vert.
J. communis (Genévrier commun). Conifère très variable, prenant la forme d'un arbuste étalé ou celle d'un arbre dressé, élancé selon les formes géographiques. H. 30 cm-8 m ; E. 1-4 m. Rustique. Feuilles en aiguille, aromatiques, vert moyen argenté ou vert-jaune vif, groupées par 3, et galbules ovoïdes, charnus,

verdâtres, qui virent au bleu glauque puis noircissent à maturité, la troisième année. 'Compressa', H. 75 cm, E. 15 cm, est une forme naine, érigée. 'Hibernica', ill. p. 83, H. 3-5 m, E. 1-4 m, est columnaire. 'Hornibrokii', H. 50 cm, E. 2 m, et 'Prostrata', H. 20-30 cm, E. 1-2 m, sont des plantes tapissantes.
J. davurica. 'Expansa Variegata' (ill. p. 83) est un conifère à rameaux traînants ou semi-dressés. H. 75 cm, E. 1,5-2 m. Rustique. Porte en même temps des feuilles en aiguille et des feuilles en écaille, aromatiques, vert bleuâtre panaché de jaune.
J. drupacea. Conifère columnaire. H. 10-15 m, E. 1-2 m. Rustique. Feuilles en aiguille, aromatiques, vert clair, groupées par 3, et galbules bruns, charnus, presque globuleux.
J. horizontalis (Genévrier rampant). Conifère à port prostré, étalé, finissant par former un tapis de près de 50 cm d'épaisseur. Rustique. Feuilles en écaille ou en aiguille, aromatiques, bleu-vert ou gris bleuté, et galbules bleu pâle. 'Douglasii' (ill. p. 82) a un feuillage glauque qui vire au pourpré en hiver. 'Plumosa' a des feuilles gris-vert virant au pourpré en hiver. 'Plumosa Compacta' est plus dense que la forme précédente et vire en hiver au bronze pourpré. 'Prince of Wales' a un feuillage vert vif, teinté de bleu à l'état jeune et virant au brun pourpré en hiver. 'Turquoise Spreader' (ill. p. 82) a un feuillage vert turquoise. 'Wiltonii' a des feuilles gris bleuté qui gardent leur teinte tout l'hiver.
J. × media. Groupe de conifères à port conique. H. 15 m, E. 2-3 m. Rustiques. Écorce s'exfoliant. Feuilles en général en écaille, vert foncé, dégageant une odeur désagréable lorsqu'on les froisse. Galbules globuleux, blancs ou noir bleuté. Les cultivars peuvent être utilisés comme couvre-sol ou en sujets isolés dans un petit jardin. Certaines formes sont souvent présentées comme des variétés de *J. chinensis*. 'Blaauw', H. et E. 2 m, est un arbuste étalé à feuillage vert bleuté. 'Blue Gold' (ill. p. 83), H. jusqu'à 1 m, E. 1 m, est une forme étalée au feuillage panaché bleu et jaune d'or. 'Hetzii' (syn. *J. virginiana* 'Hetzii') H. 3-4 m, E. 4 m, a un feuillage gris-vert. 'Pfitzeriana' (ill. p. 83), H. 3 m, E. 3-5 m, est un arbuste étalé, aplati au-dessus, à feuillage gris-vert. 'Pfitzeriana Aurea' (ill. p. 83) a un feuillage doré. 'Pfitzeriana Glauca' (ill. p. 82) a des feuilles gris bleuté. 'Plumosa', H. 1 m, E. 2-3 m, est un arbuste étalé à rameaux pendants, au feuillage vert moyen. 'Plumosa Aurea' (ill. p. 83) est plus dressé, avec un feuillage vert doré, virant au bronze en hiver.
J. procumbens, ill. p. 82. Conifère à port prostré. H. 75 cm, E. 2 m. Rustique. Écorce brun-rouge.

Les branches épaisses portent des feuilles en aiguille, aromatiques, vert clair ou jaune-vert et des fruits charnus, globuleux, bruns ou noirs. 'Nana' (ill. p. 82), H. 15-20 cm, E. 75 cm, est une forme tapissante, moins vigoureuse.
J. recurva. Conifère conique à croissance lente. H. jusqu'à 15 m, E. jusqu'à 8 m. Rustique. L'écorce lisse se délite en fins copeaux. Les rameaux pleureurs à feuilles en aiguille, aromatiques, incurvées, sont gris-vert ou vert bleuté. Galbules charnus noirs, globuleux ou ovoïdes. var. *coxii* a des feuilles plus longues, vert vif. 'Densa' (ill. p. 82) est un arbuste étalé, H. 30 cm, E. 1 m, à feuilles vertes sur des rameaux dressés à leur extrémité.
J. rigida. Conifère arbustif à port étalé. H. et E. 8 m. Rustique. Écorce grise ou brune s'exfoliant en lanières. Feuilles en aiguille, aromatiques, vert vif, groupées par 3, sur des rameaux pendants. Fruits globuleux, charnus, noir pourpré.
J. sabina (Genévrier Sabine). Conifère à port étalé. H. jusqu'à 4 m, E. 3-5 m. Rustique. Écorce brun-rouge feuilletée. Pousses fines, portant en général des feuilles en écaille, aromatiques, vert foncé, qui dégagent une odeur désagréable lorsqu'on les froisse. Galbules arrondis bleu-noir. 'Blue Danube', H. 2 m, E. 2-4 m, est une forme étalée dont les rameaux se redressent à leur extrémité, à feuillage gris bleuté. 'Cupressifolia' (ill. p. 82), H. 2 m, E. 4 m, est une forme femelle donnant des fruits, à branches horizontales ou ascendantes, et feuilles bleu-vert. 'Mas' (ill. p. 82) a des branches ascendantes. Feuilles bleues au-dessus, vertes en dessous, pourprées en hiver. var. *tamariscifolia* (ill. p. 82), H. 1 m, E. 2 m, porte des rangées étagées de feuilles en aiguille courbe, vert vif ou bleu-vert.
J. scopulorum. Conifère à croissance lente, en pyramide. H. 10 m, E. 4 m. Rustique. L'écorce brun rougeâtre s'exfolie sur les branches. Feuilles aromatiques en écaille, de gris-vert à vert foncé. Galbules bleus, charnus, globuleux. 'Skyrocket' (syn. *J. virginiana* 'Skyrocket', ill. p. 82), H. 8 m, E. 75 cm, est très étroit, à feuillage bleu glauque. 'Springbank' (ill. p. 82) est vigoureux, étroit, avec des rameaux à extrémité pendante et un feuillage bleu argenté. 'Tabletop', H. 2 m, E. 5 m, a une forme aplatie au-dessus, des feuilles bleu argenté.
J. squamata. Conifère à port de prostré à étalé. H. 30 cm-4 m, E. 1-5 m. Rustique. Écorce brun-rouge. Feuilles en aiguille, aromatiques, vert frais ou vert bleuté, groupées à l'extrémité des rameaux. Galbules noirs, charnus et ovoïdes. 'Blue Carpet',

H. 30 cm, E. 2-3 m, est vigoureux, prostré, à feuillage bleu glauque. 'Blue Star' (ill. p. 82), H. 50 cm, E. 60 cm, forme un buisson dense, arrondi, au feuillage bleu. 'Chinese Silver' (ill. p. 82), H. et E. 3-4 m, a des rameaux inclinés vers le bas à leur extrémité, des feuilles bleutées, argentées à la face inférieure. 'Holger' (ill. p. 82), H. et E. 2 m, a de jeunes feuilles jaune soufre qui contrastent avec le feuillage adulte bleu acier. 'Meyeri', H. et E. 5 m, s'étale et a des feuilles bleu acier.
J. virginiana (Genévrier de Virginie). Conifère à croissance lente, conique ou largement columnaire. H. 20 m, E. 8 m. Rustique. Feuilles aromatiques, en écaille et en aiguille gris-vert mélangées sur la même pousse. Galbule charnu, ovoïdes, violet-brun, pruineux. 'Burkii', ill. p. 80. 'Grey Owl' (ill. p. 82), H. 3 m, E. 3-5 m, est un cultivar à port bas, étalé, à branches ascendantes et feuillage gris argenté. 'Hetzii', voir *J. × media* 'Hetzii'. 'Robusta Green' (syn. *J. chinensis* 'Robusta Green'), ill. p. 80. 'Skyrocket', voir *J. scopulorum* 'Skyrocket'.

JUSTICIA (Acanthacées)
Carmantine

Genre de plantes vivaces, sous-arbrisseaux et arbustes à feuillage persistant, surtout cultivés pour leurs fleurs. Non rustiques (min. 10-15 °C). Ont besoin de soleil ou mi-ombre, d'un sol léger fertile, bien drainé. Arroser généreusement les sujets cultivés en pot lorsqu'ils sont en pleine croissance, modérément le reste de l'année. Certaines espèces demandent une taille régulière. Multiplication par bouturage au printemps ou au début de l'été. Les mouches blanches sont un parasite fréquent.
J. adhatoda, syn. *Adhatoda vasica* (Carmantine en arbre). Arbuste érigé, peu ramifié, à feuillage persistant. H. 2-3 m, E. 1-2 m. Min. 15 °C. Feuilles vert clair, ovales, pointues, à nervures proéminentes. Porte en été des épis terminaux denses de fleurs blanches tubulaires bilabiées, veinées de rose ou pourpré sur la lèvre inférieure. On peut le rabattre sévèrement au début du printemps pour limiter sa hauteur. Il est parfois confondu en culture avec *Duvernoia adhatodoides*.
J. brandegeana, syn. *Beloperone guttata*, *Drejerella guttata*, ill. p. 134. 'Chartreuse', ill. p. 136.
J. carnea, syn. *Jacobinia carnea*, *J. pohliana*, ill. p. 131.
J. coccinea, voir *Pachystachys coccinea*.
J. ghiesbreghtiana, voir *J. spicigera*.
J. spicigera, syn. *J. ghiesbreghtiana*, *Jacobinia spicigera*, ill. p. 140.

K

KADSURA (Magnoliacées)

Genre de plantes grimpantes sarmenteuses à feuillage persistant, cultivées pour leur feuillage et leurs fruits. Fleurs mâles et femelles sont portées par des plantes différentes, aussi faut-il planter les deux sexes pour obtenir des fruits. Semi-rustiques. À cultiver en situation assez chaude, à mi-ombre, en tout sol. Multiplication par boutures de tiges en fin d'été.
K. japonica. Plante grimpante à feuillage persistant. H. 3-4 m. Feuilles vert moyen, d'ovales à lancéolées. Petites fleurs crème, en forme de coupe, solitaires, parfumées, portées en été à l'aisselle des feuilles et suivies de baies rouge vif.

KAEMPFERIA (Zingibéracées)

Genre de plantes vivaces rhizomateuses formant des touffes, cultivées pour leurs fleurs en épis et leur feuillage aromatique. Non rustiques (min. 18 °C). En période de croissance, demandent une atmosphère humide, la mi-ombre, un sol humide, riche en humus. Laisser le sol sécher et mettre en serre tempérée pendant la dormance hivernale.
K. pulchra, ill. p. 240.

KALANCHOE (Crassulacées)

Genre de plantes grasses vivaces ou arbustes, à feuilles ovales ou linéaires, très charnues, à fleurs en clochette ou tubulaires. Non rustiques (min. 7-15 °C). Demandent le plein soleil ou la mi-ombre, et un sol bien drainé. Multiplication par semis, rejets ou boutures de tiges au printemps ou en été.
K. beharensis, ill. p. 381.
K. blossfeldiana. Plante grasse buissonnante. H. et E. 30 cm. Min. 10 °C. Feuilles d'ovales à oblongues, vert foncé brillant, à bord denté, et bouquets de fleurs tubulaires, écarlates, de 0,5 cm de diamètre, au printemps. Il en existe de nombreux hybrides dans toute une gamme de teintes (rose saumon, **'Flaming Katy'**, ill. p. 385).
K. daigremontiana, ill. p. 383.
K. fedtschenkoi. Plante vivace charnue. H. et E. 1 m. Min. 10 °C. Feuilles ovales, dentées, gris-bleu. Fleurs orangées, en clochette, de 2 cm de long, en fin d'hiver. Ont besoin d'une situation ensoleillée. **'Variegata',** ill. p. 383.

K. pumila. Plante grasse à port rampant. H. 10 cm, E. variable. Min. 10 °C. Feuilles ovales gris blanchâtre poudreux, à bord denté. Porte au printemps des fleurs roses, tubulaires, de 1 cm de long. Convient bien pour un panier suspendu en situation ensoleillée.
K. 'Tessa', ill. p. 385.
K. tomentosa (Plante panda), ill. p. 387.
K. tubiflora, syn. *Bryophyllum tubiflorum,* ill. p. 388.
K. uniflora, syn. *Kitchingia uniflora.* Plante grasse à port rampant. H. 6 cm, E. variable. Min. 15 °C. Feuilles vert moyen, arrondies, de 0,5-3 cm de long; en fin d'hiver, fleurs en clochette rouge pourpré teinté de jaune, de 1 cm de long. Préfère la mi-ombre.
K. 'Wendy', ill. p. 384.

KALMIA (Éricacées)

Genre d'arbustes ou d'arbres à feuillage persistant et à floraison estivale, vénéneux, cultivés pour leurs corymbes de fleurs caractéristiques, en coupe ou campanulées. Rustiques. Apprécient le soleil ou la mi-ombre, un sol acide, tourbeux et frais. Multiplication par boutures semi-aoûtées en été ou semis à l'automne. Plante de terre de bruyère.
K. angustifolia (Laurier des moutons). f. *rubra,* ill. p. 133.
K. latifolia (Laurier des montagnes, Laurier américain), ill. p. 109. **'Ostbo Red'** est un arbuste dense, buissonnant. H. et E. 3 m. Feuilles ovales, brillantes, vertes. Grands bouquets de fleurs rose soutenu au début de l'été, aux boutons gaufrés caractéristiques. Préfère le plein soleil.

KALMIOPSIS (Éricacées)

Genre monospécifique d'arbuste à feuillage persistant et floraison printanière, cultivé pour ses fleurs. Rustique. Se plaît à mi-ombre, en sol acide, tourbeux, frais. Multiplication par boutures herbacées ou semi-ligneuses en été.
K. leachiana 'M. Le Piniec'. Arbuste buissonnant à feuillage persistant. H. et E. 30 cm. Bouquets terminaux de petites fleurs rose pourpré, en clochette ouverte, du début à la fin du printemps. Petites feuilles ovales, vert foncé luisant.

KALOPANAX (Araliacées)

Genre comptant une seule espèce d'arbre à floraison automnale, à feuillage caduc, cultivé pour son feuillage et ses fruits décoratifs. Rustique, mais les tiges peu lignifiées des jeunes sujets peuvent souffrir du gel. À planter de préférence au soleil ou à mi-ombre, en sol fertile, frais mais bien drainé. Multiplication par boutures herbacées en été.
K. pictus, syn. *K. ricinifolius, Acanthopanax ricinifolium,* ill. p. 53.
K. ricinifolius, voir *K. pictus.*

KENNEDIA ou **KENNEDYA** (Légumineuses)

Genre de plantes grimpantes ou rampantes à tiges ligneuses, à feuillage persistant, cultivées pour leurs fleurs papilionacées. Non rustiques (min. 5-7 °C). Ont besoin de lumière vive, d'un sol riche en terre franche et terre de bruyère. Arroser régulièrement en période de croissance, parcimonieusement par temps froid. À palisser sur un support. Éliminer les tiges en surnombre après la floraison ou au début du printemps. Multiplication par semis au printemps ou boutures aoûtées en été.
K. rubicunda, ill. p. 163.

KERRIA (Rosacées)

Genre comptant une seule espèce d'arbuste à feuillage caduc, cultivé pour ses fleurs jaunes. Rustique. Demande du soleil ou la mi-ombre, un sol fertile, bien drainé. Éclaircir les vieilles tiges après la floraison. Multiplication par boutures herbacées en été ou division à l'automne.
K. japonica (Corète du Japon), ill. p. 99. **'Pleniflora'** est un gracieux arbuste, vigoureux, à feuilles caduques. H. et E. 3 m. Pousses vertes et feuilles étroites ovales, dentées, vert vif. Donne vers la mi-printemps de grandes fleurs doubles, jaune d'or.

KIGELIA (Bignoniacées)

Genre comprenant une seule espèce d'arbre à feuillage persistant, cultivé pour ses fleurs, ses fruits cylindriques et l'ombre qu'il apporte. Non rustique (min. 16 °C). Apprécie la lumière vive, un sol humifère, bien drainé. Arroser modérément les sujets cultivés en pot, très parcimonieusement quand la température est basse.

Multiplication par semis au printemps, à 23 °C au moins.
K. pinnata. Arbre assez touffu, à port étalé. H. et E. 8 m et plus. Feuilles composées de 7-11 folioles d'oblongues à ovales. De l'automne au printemps, des fleurs en clochette rouge pourpré, parfumées, s'ouvrent le soir. Fruits bruns cylindriques, à enveloppe dure, non comestibles, de 30-45 cm de long, qui persistent longtemps sur la plante.

KIRENGESHOMA (Saxifragacées)

Genre de plantes vivaces fleurissant en fin d'été ou en automne. Rustiques. À cultiver à mi-ombre, en sol frais, profond, non calcaire. Multiplication par semis ou division à l'automne ou au printemps.
K. palmata, ill. p. 221.

KITAIBELIA (Malvacées)

Genre comptant une seule espèce de plante vivace à floraison estivale. Rustique. Demande le plein soleil, un sol fertile, plutôt sec. Multiplication par semis à l'automne ou au printemps.
K. vitifolia. Plante vivace buissonnante à port érigé. H. jusqu'à 1,5 m, E. 60 cm. Porte en été et automne de petits bouquets de fleurs en coupe aplatie, roses ou blanches. Feuilles palmées grossièrement dentées.

Kitchingia uniflora, voir *Kalanchoe uniflora.*

Kleinia articulata, voir *Senecio articulatus.*

KNAUTIA (Dipsacacées)

Genre de plantes annuelles et vivaces à floraison estivale. Rustiques. Demandent le plein soleil, un sol bien drainé. Tuteurage nécessaire. Multiplication par division pour les vivaces, ou par semis à l'automne.
K. arvensis (Scabieuse). Plante vivace dressée. H. 1,2 m, E. 45 cm. Des capitules de fleurs bleu lilas apparaissent en été. Les tiges sont couvertes de feuilles étroites, ovales ou en forme de lyre, profondément découpées.
K. macedonica, syn. *Scabiosa rumelica* **(Scabieuse rumelica),** ill. p. 208.

KNIGHTIA (Protéacées)

Genre d'arbres à feuillage persistant et floraison estivale, cultivés pour leurs fleurs, leur feuillage et leur aspect général. Semi-rustiques, avec de préférence un min. de 3-5 °C. Poussent en tout sol bien drainé, assez fertile, au soleil ou à l'ombre légère. Arroser modérément les sujets cultivés en pot et réduire les apports d'eau en hiver. Multiplication par semis au printemps.
K. excelsa. Arbre érigé à feuillage persistant. H. 20 m ou plus, E. 2-4 m. Feuilles coriaces, vert foncé, brillantes, d'oblongues à lancéolées, grossièrement crénelées. Porte en été des grappes denses de fleurs tubulaires d'un rouge foncé.

KNIPHOFIA (Liliacées)

Genre de plantes vivaces, certaines à feuillage persistant. De rustiques à semi-rustiques. Se plaisent en plein soleil, en sol bien drainé, mais demeurant frais tout l'été. Multiplication des espèces par semis ou division au printemps, des cultivars par division uniquement, au printemps.
K. 'Atlanta'. Plante vivace à feuillage persistant et port dressé. H. jusqu'à 1 m, E. 45 cm. Rustique. En été, des tiges robustes portent des grappes terminales denses de fleurs tubulaires jaune orangé vif. Feuilles épaisses, ressemblant à celles des graminées. Recommandée en région côtière. Peu de différences entre espèces.
K. caulescens, ill. p. 221.
K. galpinii, voir *K. triangularis.*
K. 'Little Maid', ill. p. 245.
K. 'Percy's Pride', ill. p. 220.
K. 'Royal Standard', ill. p. 216.
K. thomsonii var. ***snowdenii,*** ill. p. 216.
K. triangularis, syn. *K. galpinii,* ill. p. 221.

KOCHIA (Chénopodiacées)

Genre de plantes annuelles et vivaces, parfois rassemblées avec le genre *Bassia.* Seule *K. scoparia* f. *trichophylla* est couramment cultivée. Semi-rustique. Se plaît au soleil, en sol fertile et bien drainé. Un support peut être nécessaire en région ventée. Multiplication par semis sous châssis au début du printemps ou en plein air vers le milieu du printemps.
K. scoparia f. ***trichophylla,*** ill. p. 279.

KOELREUTERIA (Sapindacées)

Genre d'arbres remarquables à feuilles caduques imparipennées ou bipinnées et à floraison estivale, cultivés pour leur feuillage, leurs fleurs jaunes et leurs fruits. De rustiques à non rustiques (min. 10 °C). Demandent le plein soleil, et apprécient des étés chauds, un sol fertile et bien drainé. Multiplication par semis à l'automne ou boutures de racines en fin d'hiver, ou par drageons.
K. paniculata (Savonnier), ill. p. 65.

KOHLERIA (Gesnériacées)

Genre de plantes vivaces dressées, à rhizome écailleux, cultivées pour leurs fleurs tubulaires décoratives, qui se développent en été surtout. Non rustiques (min. 15 °C). À cultiver en sol frais mais bien drainé, en plein soleil ou à mi-ombre. Arroser parcimonieusement en hiver, tout excès risquant d'entraîner la pourriture du rhizome. Multiplication au printemps par division du rhizome, ou semis.
K. digitaliflora, ill. p. 204.
K. eriantha, ill. p. 209.

KOLKWITZIA (Caprifoliacées)

Genre comptant une seule espèce d'arbuste à port dressé, à feuillage caduc, cultivé pour sa floraison généreuse. Rustique. A besoin de plein soleil, d'un sol fertile et bien drainé. Éliminer le vieux bois, les pousses abîmées ou malades après la floraison. Multiplication par boutures herbacées en été.
K. amabilis. Arbuste à feuillage caduc, à branches arquées. H. et E. 3 m. Écorce s'exfoliant et feuilles ovales, vert foncé. Fleurs campanulées, blanches ou roses à gorge jaune, en fin de printemps et début d'été. **'Pink Cloud',** ill. p. 88.

L

LABLAB (Légumineuses)
Dolique

Genre monospécifique de plante grimpante à tiges ligneuses et feuillage caduc, cultivée pour ses fleurs papilionacées (elle est utilisée sous les tropiques comme engrais vert et pour la nourriture des animaux, ainsi que pour ses graines et gousses comestibles). Souvent cultivée en annuelle. Non rustique (min. 5-10 °C). À cultiver au soleil, en tout sol bien drainé. Multiplication par semis au printemps.
L. purpureus, syn. *Dolichos lablab, D. lignosus* (**Dolique d'Égypte**). ill. p. 169.

+ LABURNOCYTISUS
(Légumineuses)

Arbre à feuillage caduc, cultivé pour ses fleurs décoratives. C'est un hybride de greffage (chimère) entre *Laburnum anagyroides* et *Cytisus purpureus.* Rustique. Aime le plein soleil, se plaît en tout sol pas trop humide. Multiplication par greffage en fin d'été sur *Laburnum.*
+ L. adamii. Arbre à feuillage caduc et port étalé. H. 8 m, E. 6 m. Porte en fin de printemps et début d'été trois types de fleurs : jaunes de laburnum, pourpres de cytisus, enfin des fleurs ressemblant à celles de *Laburnum anagyroides,* jaune et chamois pourpré. Feuilles vert foncé, composées de 3 folioles ovales.

LABURNUM (Légumineuses)
Cytise

Genre d'arbres à feuilles caduques, cultivés pour leur floraison généreuse en grappes de fleurs pendantes, au printemps et en été. Rustiques. Se plaisent en plein soleil, en tout sol sans humidité stagnante. Les graines sont toxiques, ainsi que les fleurs et toute la plante. Multiplication des espèces par semis à l'automne, des hybrides par greffage en été.
L. alpinum, ill. p. 66.
L. anagyroides (**Aubour, Cytise, Faux-ébénier**). Arbre à feuilles caduques et à port évasé. H. et E. 7 m. Feuilles gris-vert composées de 3 folioles ovales. Des grappes denses, courtes et pendantes de grandes fleurs papilionacées jaunes font leur apparition en fin de printemps et début d'été.
L. × watereri '**Vossii**', ill. p. 65.

LACHENALIA (Liliacées)

Genre de plantes bulbeuses à floraison hivernale et printanière, à fleurs tubulaires ou en clochette. Certaines ont des fleurs joliment mouchetées. Semi-rustiques, à cultiver en pot ou en massif. Demandent une lumière vive, et un sol bien drainé. Plantation au début de l'automne, laisser sécher en été quand le feuillage meurt. Multiplication à l'automne par semis ou par caïeux.
L. glaucina, ill. p. 355.
L. mutabilis. Plante bulbeuse à floraison hivernale et printanière. H. jusqu'à 30 cm, E. 5-8 cm. 2 feuilles basales en lanière, semi-érigées. La hampe florale porte une grappe de près de 25 fleurs tubulaires de 1 cm de long, lilas ou pourpré en bouton, puis, lorsqu'elles s'ouvrent, à tépales brun rougeâtre au bout d'un tube vert.
*L. '**Nelsonii**', ill. p. 371.
L. orchioides. Plante bulbeuse à floraison hivernale et printanière. H. 15-30 cm, E. 5-8 cm. 2 feuilles vertes basales, en lanière, semi-érigées, parfois tachetées de brun pourpré ou noirâtre. La tige porte une grappe de fleurs blanches parfumées, tubulaires, de 1 cm de long, à demi-dressées, teintées de bleu et de rouge.
*L. '**Quadricolor**', ill. p. 371.
L. rubida. Plante bulbeuse à floraison hivernale. H. jusqu'à 25 cm, E. 5-8 cm. Porte 2 feuilles semi-érigées, en lanière, vert tacheté de pourpre, basales, et une grappe lâche de fleurs pendantes, tubulaires, rouge rubis se teintant de jaune à leur extrémité, de 2-3 cm de long.

LAELIA, voir ORCHIDÉES.

L. anceps, ill. p. 253. Orchidée épiphyte à feuillage persistant, non rustique (min. 15 °C environ). H. 25 cm. Fleurs rose lilas, de 6 cm de diamètre, chacune avec un labelle mauve soutenu, formant de longs épis à l'automne. Feuilles ovales, raides, de 10-15 cm de long. Beaucoup de lumière et de chaleur le jour, mais pas de soleil vif.
L. cinnabarina, ill. p. 255. Orchidée épiphyte à feuillage persistant pour serre tempérée. H. 15 cm. Porte des bouquets de fines fleurs orange, de 5 cm et plus de diamètre, en général au printemps. Feuilles étroites, ovales, raides, de 8-10 cm de long. Elle a besoin de beaucoup de lumière en été, mais il faut éviter le soleil vif.

× LAELIOCATTLEYA, voir ORCHIDÉES.

× L. Rojo '**Mont Millais**', ill. p. 253. Orchidée épiphyte à feuillage persistant pour serre tempérée. H. 30 cm. Porte en hiver et au printemps des fleurs rouge orangé, de 2 cm de diamètre, sur des tiges arquées. Feuilles ovales, jusqu'à 15 cm de long. Lui donner suffisamment de lumière en été, sans soleil vif.

LAGAROSIPHON
(Hydrocharitacées)

Genre de plantes vivaces aquatiques submergées, stolonifères, à feuillage semi-persistant et à port étalé, cultivées pour leur feuillage décoratif. Plantes oxygénatrices. Rustiques. Apprécient le plein soleil. Éclaircir régulièrement la végétation pour éviter l'envahissement. Multiplication par boutures de tiges au printemps ou en été.
L. major, syn. *Elodea crispa,* ill. p. 375.

LAGERSTROEMIA (Lythracées)

Genre d'arbres et arbustes à floraison estivale, feuillage persistant ou caduc, appréciés pour leurs fleurs. De rustiques à non rustiques (min. 3-5 °C, plante d'orangerie dans la moitié nord de la France). Apprécient la lumière vive, les sols fertiles et bien drainés. Arroser généreusement les sujets cultivés en pot pendant leur période de croissance, moins en période de repos végétatif. Pour leur conserver un port d'arbustes, rabattre sévèrement à chaque printemps les tiges de la saison précédente. Multiplication par semis au printemps; boutures aoûtées en été, ou au printemps.
L. indica (**Lilas d'été**), ill. p. 64.
L. speciosa (**Lilas des Indes**). Arbre à feuilles caduques, à silhouette arrondie. H. 15-20 m, E. 10-15 m. Non rustique. Feuilles de vert moyen à foncé, étroites, ovales, de 8-18 cm de long. Panicules de fleurs en entonnoir, de rose à rose pourpré, en été-automne, souvent même après la chute des feuilles.

LAGUNARIA (Malvacées)

Genre comptant une seule espèce

d'arbre à feuillage persistant, cultivé pour sa floraison en été-automne et son allure d'ensemble. Non rustique (min. 3-5 °C). Apprécie un sol fertile, bien drainé et le plein soleil. Arroser généreusement les sujets cultivés en bac pendant leur croissance estivale, modérément le reste de l'année. Il supporte la taille si besoin est. Multiplication par semis au printemps ou boutures semi-ligneuses en été. Les araignées rouges sont un parasite fréquent sous abri.
L. patersonii. Arbre érigé, à croissance rapide, à feuillage persistant, de forme pyramidale lorsqu'il est jeune. H. 14 m, E. 7 m. Feuilles ovales, de texture grossière, vert mat au-dessus, vert blanchâtre en dessous. Fleurs roses ressemblant à celles de l'hibiscus, de 5 cm de diamètre, en été.

LAGURUS (Graminées), voir BAMBOUS, HERBES, JONCS et LAÎCHES.

L. ovatus (**Gros minet, Queue de lièvre**), ill. p. 180.

LAMARCKIA (Graminées), voir BAMBOUS, HERBES, JONCS et LAÎCHES.

L. aurea. Graminée annuelle formant des touffes. H. et E. 20 cm. Assez rustique. Les tiges filiformes portent des feuilles vert pâle et en été des épis dorés, orientés dans une même direction. Demande le plein soleil et un sol léger.

Lamiastrum galeobdolon '**Variegatum**', voir *Galeobdolon argentatum.*

LAMIUM (Labiacées)
Lamier

Genre de plantes vivaces ou annuelles à floraison printanière ou estivale, la plupart semi-persistantes et parmi lesquelles figurent quelques adventices (mauvaises herbes). Certaines espèces sont intéressantes comme couvre-sol. Rustiques. Ont besoin d'un sol frais, bien drainé. Craignent l'humidité stagnante en hiver. Multiplication par semis ou par division.
L. galeobdolon '**Variegatum**', voir *Galeobdolon argentatum.*
L. maculatum, ill. p. 226. '**Album**',

ill. p. 224. **'Beacon Silver'** est une plante vivace tapissante, à feuillage semi-persistant. H. 20 cm, E. 1 m. Feuilles ovales, argentées teintées de mauve, avec parfois un étroit bord vert. En été apparaissent des verticilles de fleurs rose mauve, à lèvre supérieure formant un capuchon, sur des tiges courtes. Aime la mi-ombre. **'White Nancy'**, ill. p. 224.
L. orvala, ill. p. 228. Aime les endroits chauds.

LAMPRANTHUS (Aizoacées)

Genre de plantes grasses, vivaces, buissonnantes ou rampantes, et de sous-arbrisseaux, à fleurs en forme de marguerite. Les plantes se lignifient au bout de quelques années et il est préférable de les renouveler. Bonnes plantes à massif d'été, notamment en conditions arides. Les feuilles rougissent en plein soleil. Non rustiques (min. 5 °C par temps sec et sol sec). Demandent le plein soleil, un sol très bien drainé. Multiplication par semis ou boutures de tiges au printemps ou à l'automne.
L. aurantiacus, ill. p. 388.
L. haworthii. Plante grasse, vivace, de dressée à prostrée. H. 50 cm, E. variable. Feuilles gris bleuté, cylindriques, de 5 cm de long. Porte au printemps de très nombreuses fleurs en marguerite, rouge cerise, de 7 cm de diamètre, qui ne s'ouvrent qu'au soleil.
L. spectabilis, syn. *Mesembryanthemum spectabilis*, ill. p. 384.

LANTANA (Verbénacées)

Genre de plantes vivaces et d'arbustes à feuillage persistant, cultivés pour leurs fleurs. Non rustiques (min. 10-13 °C). À planter au soleil, en sol fertile et bien drainé. Arroser généreusement les sujets cultivés en pot pendant leur saison de croissance estivale, modérément ensuite. Pincer l'extrémité des tiges des jeunes plantes pour les inciter à buissonner. Multiplication par semis au printemps ou boutures semi-ligneuses en été. Les araignées rouges et les mouches blanches sont des parasites fréquents.
L. camara. Arbuste à port d'arrondi à étalé, à rameaux épineux. H. et E. 1-2 m. Feuilles vert foncé, ovales, finement ridées. Porte du printemps à l'automne de petites fleurs tubulaires à 5 lobes, en inflorescences denses, aplaties, jaunes puis virant au rouge. Il en existe de nombreuses formes horticoles aux teintes variées.
L. delicatissima, voir *L. montevidensis*.
L. montevidensis, syn. *L. delicatissima, L. sellowiana*, ill. p. 135.
L. sellowiana, voir *L. montevidensis*.

L. 'Spreading Sunset', ill. p. 139.

LAPAGERIA (Liliacées)

Genre comptant une seule espèce de liane, à tiges ligneuses et à feuillage persistant, appréciée pour ses grandes fleurs campanulées. Semi-rustique. Demande la mi-ombre, un sol riche en humus, bien drainé. Arroser modérément, à peine quand la plante n'est pas en pleine croissance. Éclaircir au printemps les tiges en surnombre. Multiplication par semis au printemps, après avoir fait tremper les graines pendant 48 heures, ou bien par marcottage au printemps ou à l'automne. Belle liane pour serre froide.
L. rosea, ill. p. 168.

Lapeirousia cruenta, voir *Anomatheca laxa*.
Lapeirousia laxa, voir *Anamotheca laxa*.

LARDIZABALA (Lardizabalacées)

Genre de plantes grimpantes à tiges ligneuses et à feuillage persistant décoratif. Fleurs mâles et femelles sont portées par la même plante en fin d'automne ou hiver. À palisser sur un treillage ou une pergola. De rustiques à semi-rustiques. À cultiver au soleil ou à mi-ombre, en sol bien drainé. Multiplication par semis au printemps ou boutures de tiges en fin d'été et automne.
L. biternata. Plante grimpante à tiges ligneuses et à feuillage persistant. H. 4 m. Semi-rustique. Feuilles arrondies, composées de folioles vert foncé, coriaces, larges, ovales. Fleurs brunes en hiver, à petits pétales blanchâtres, les mâles en épis pendants, les femelles solitaires. Porte en hiver et au printemps des fruits pourpres de 5-8 cm de longueur, ressemblant à des baies et contenant de nombreuses graines.

LARIX (Pinacées), voir CONIFÈRES.
Mélèze

L. decidua (**Mélèze commun**). Conifère à feuillage caduc et à croissance rapide; port conique à l'état jeune, s'élargissant ensuite à branches assez espacées. H. 25-30 m, E. 5-15 m. Rustique. Pousses brun-jaune en hiver. Feuilles vert clair, éparses sur les rameaux longs, disposées en rosette sur les rameaux courts; petits cônes ovïdes, érigés.
L. kaempferi, syn. *Pseudolarix kaempferi* (**Mélèze du Japon**). Conifère columnaire à feuillage caduc, à croissance rapide, à cime conique. H. 30 m, E. 8 m. Rustique. Pousses rouge pourpré puis vert et feuilles en aiguille aplatie,

vert grisâtre ou bleuté. Cônes à écailles récurvées.

LATHRAEA (Scrophulariacées)

Genre de plantes vivaces à port étalé qui poussent en parasites sur les racines des arbres, sur le saule ou le peuplier dans le cas de *L. clandestina*. Ces plantes n'ont pas de vraies feuilles. Rustiques. Poussent à l'ombre légère du feuillage de l'arbre-hôte, si possible en conditions humides. Leurs racines n'aiment pas être déplacées. Multiplication par semis de graines fraîches en fin d'été.
L. clandestina, ill. p. 228.

LATHYRUS (Légumineuses)

Genre de plantes annuelles et vivaces, beaucoup s'accrochant à un support par des vrilles, cultivées pour leurs belles grappes de fleurs à corolle papilionacée. Les fleurs sont suivies de gousses longues et fines. Généralement rustiques. À cultiver en sol humifère, bien drainé, fertile, et en pleine lumière. Leur donner un support et éliminer régulièrement les fleurs fanées. Rabattre les tiges des espèces vivaces en fin d'automne. Multiplication des annuelles par semis (après trempage des graines) au début du printemps ou de l'automne, des vivaces par semis à l'automne ou division au printemps. *Botrytis* et mildiou peuvent causer des dégâts sur les fleurs et les feuilles.
L. grandiflorus (**Gesse à grandes fleurs**), ill. p. 167.
L. latifolius (**Pois vivace, Pois de Chine**), ill. p. 169.
L. nervosus. Plante grimpante herbacée, H. jusqu'à 5 m. Rustique. Les feuilles gris-vert sont composées de 2 folioles, d'une vrille ramifiée et de 2 larges stipules. Fleurs bleu pourpré, parfumées, formant en été des grappes longuement pédonculées.
L. odoratus (**Pois de senteur**). Plante grimpante annuelle de croissance moyennement vigoureuse. H. jusqu'à 3 m. Feuilles paripennées, vert moyen, munies de vrilles. Les fleurs parfumées se succèdent de l'été au début de l'automne, dans divers tons de rose, bleu, pourpre ou blanc. Il en existe des cultivars nains, non grimpants. **'Bijou'**, ill. p. 268; **'Knee Hi'**, ill. p. 264; **'Lady Diana'**, ill. p. 172; **'Red Ensign'**, ill. p. 168; **'Selana'**, ill. p. 166; **'Xenia Field'**, ill. p. 167.
L. rotundifolius. Plante grimpante herbacée à tiges ailées. H. jusqu'à 1 m. Rustique. Les feuilles sont composées de stipules étroites, d'une paire de folioles et d'une vrille à 3 ramifications. Porte en été de petites grappes de 3-8 fleurs, de pourpre à rose.
L. sylvestris. Plante grimpante herbacée à tiges ailées. H. jusqu'à 2 m. Rustique. Les feuilles sont

composées de stipules étroites, d'une paire de folioles et d'une vrille terminale ramifiée. En été et en début automne, grappes de 4-10 fleurs roses, marquées de vert et pourpre.
L. vernus, ill. p. 227. **'Albo-roseus'** est une plante vivace formant une touffe. H. et E. 30 cm. Rustique. Au printemps, sur les tiges fines portent de 3-5 fleurs blanc et rose soutenu. Feuilles fines, divisées, paripennées à 2 ou 3 paires de folioles.

LAURUS (Lauracées)
Laurier

Genre d'arbres à feuillage persistant décoratif. En général rustiques, mais le feuillage peut souffrir de gelées sévères ou de vents très froids. À planter en situation abritée, au soleil ou à mi-ombre, en sol fertile et bien drainé. Ils peuvent également être cultivés en bacs et taillés pendant l'été. Multiplication par boutures aoûtées en été ou semis à l'automne.
L. nobilis (**Laurier-sauce, Laurier noble**). Arbre à port large, conique. H. 12 m, E. 10 m. Feuilles vert foncé, coriaces et brillantes, étroites, ovales, très aromatiques et utilisées en cuisine. Petites fleurs étoilées jaune pâle au printemps, suivies de fruits globuleux ou ovoïdes, verts puis noirs.

LAVANDULA (Labiacées)
Lavande

Genre de plantes vivaces ou sous-arbrisseaux à feuillage persistant et à floraison en général estivale, à feuilles entières ou divisées, souvent gris-vert, cultivées pour leurs fleurs et leur feuillage aromatique. Forment des haies basses décoratives et parfumées. De rustiques à semi-rustiques. Ont besoin de plein soleil, d'un sol fertile et bien drainé. Tailler légèrement les haies au printemps pour qu'elles conservent un port compact. Multiplication en été par boutures semi-ligneuses. Fleurs appréciées par les abeilles.
L. angustifolia **'Hidcote'** ill. p. 135. **'Munstead'**, voir *L.* 'Munstead'.
L. dentata. Sous-arbrisseau. buissonnant à feuillage persistant. H. et E. 1 m. Rustique. Feuilles aromatiques finement découpées, dentées, gris-vert. Du milieu à la fin de l'été, épis denses de petites fleurs tubulaires bleu lavande, à bractées pourpres, légèrement parfumées.
L. 'Munstead', syn. *L. angustifolia* 'Munstead'. Sous-arbrisseau buissonnant, compact, à feuillage persistant. H. et E. 60 cm. Rustique. Feuilles gris-vert, étroites, oblongues, aromatiques. Porte du milieu à la fin de l'été des épis denses de petites fleurs parfumées, tubulaires, bleues.
L. stoechas, ill. p. 135. Calcifuge.

LAVATERA (Malvacées)
Lavatère

Genre de plantes annuelles, bisannuelles, vivaces ou sous-arbrisseaux et arbustes à feuillage semi-persistant, à floraison en général estivale. Rustiques. Exigent du soleil et un sol bien drainé. Multiplication des plantes vivaces, sous-arbrisseaux et arbustes par boutures herbacées au début du printemps ou en été, des annuelles et bisannuelles par semis au printemps ou au début de l'automne (semis également utilisé pour les Lavatères vivaces).
L. assurgentiflora, ill. p. 109.
L. cachemiriana, syn. *L. cachemirica*, ill. p. 189.
L. cachemirica, voir *L. cachemiriana*.
L. olbia (Lavatère d'Hyères). 'Rosea', ill. p. 109.
L. trimestris (Lavatère à grandes fleurs). 'Mont Blanc', ill. p. 262; 'Silver Cup', ill. p. 268.

LAYIA (Composées)

Genre de plantes annuelles pour situation chaude et sèche. À cultiver en plein soleil, en sol bien drainé. Multiplication par semis au printemps sous châssis ou en place en juin.
L. elegans, voir *L. platyglossa*.
L. platyglossa, syn. *L. elegans*. Annuelle buissonnante à croissance rapide et à port étalé. H. 45 cm, E. 30 cm. Feuilles gris-vert lancéolées. Fleurs en forme de marguerite de 5 cm de diamètre, à pétales rayonnants jaunes et centre jaune, du début de l'été au début de l'automne. Bonne fleur à couper.

LEDEBOURIA (Liliacées)

Parfois considéré comme sous-genre de *Scilla*. Genre de plantes bulbeuses, certaines à feuillage persistant, à feuilles étroites lancéolées. Petites fleurs en grappes, à 6 tépales étalés, à extrémité récurvée. Bonnes plantes de serre froide. Semi-rustiques. Il leur faut de la lumière, un sol léger. Multiplication par séparation de caïeux.
L. cooperi, syn. *Scilla adlamii*. Plante bulbeuse à floraison estivale. H. 5-10 cm, E. 2,5-5 cm. Feuilles vertes, basales, semi-érigées, à macules brun pourpré, qui meurent en hiver. La tige porte une grappe de petites fleurs pourpres en clochette.
L. socialis, syn. *Scilla violacea*, ill. p. 363.

LEDUM (Ericacées)

Genre d'arbustes à feuillage persistant, cultivés pour leur feuillage aromatique et leurs petites fleurs blanches. Rustiques. À planter à l'ombre ou à mi-ombre, en sol acide, tourbeux, humide. Éliminer les fleurs fanées. Multiplication par boutures semi-aoûtées en été ou semis à l'automne.
L. groenlandicum (« Thé » du Labrador), ill. p. 122.

LEIOPHYLLUM (Éricacées)

Genre comptant une seule espèce d'arbuste à feuillage persistant et à système racinaire envahissant. Rustique. Se plaît à mi-ombre, en sol bien drainé, tourbeux et acide. Multiplication par semis au printemps ou bouturage en été.
L. buxifolium. Arbuste à feuillage persistant, en dôme. H. 40 cm, E. 45 cm. Les tiges sont couvertes de petites feuilles ovales, coriaces, vert foncé. À la fin du printemps, des corymbes terminaux de boutons rose foncé donnent de petites fleurs étoilées blanches, à étamines proéminentes.

LEMAIREOCEREUS (Cactacées)

Genre de cactées vivaces, columnaires, à tiges côtelées, épineuses, vert foncé. Atteignent 1 m en 5-10 ans. Floraison en été sur les plantes de plus de 2 m de hauteur. Non rustiques (min. 11 °C). Demandent le plein soleil et un sol bien drainé. Multiplication par semis ou boutures de tiges, au printemps ou en été.
L. euphorbioides, syn. *Rooksbya euphorbioides*, ill. p. 380.
L. marginatus, syn. *Marginatocereus marginatus*, ill. p. 379.
L. thurberi. Cactée vivace, columnaire, ramifiée assez bas sur la tige. H. jusqu'à 7 m, E. 3 m. Tiges vert foncé brillant, à 5 ou 6 côtes, aux aréoles à aiguillons très courts, disposées en rangées denses le long des côtes. En été, fleurs blanches, en entonnoir.

LEONOTIS (Labiacées)

Genre de plantes annuelles ou vivaces à feuillage persistant ou semi-persistant, de sous-arbrisseaux et arbustes, cultivés pour leurs fleurs à corolle bilabiée et leur aspect général. De semi-rustiques à non rustiques (min. 5-7 °C). Ont besoin de plein soleil, d'un sol riche, bien drainé. Arroser généreusement les sujets en conteneurs pendant leur période de croissance, beaucoup moins ensuite. Rabattre les vivaces, arbustes et sous-arbrisseaux à environ 15 cm du sol au début du printemps. Multiplication par

semis au printemps ou boutures herbacées au début de l'été.
L. leonurus (Queue de lion), ill. p. 117.

LEONTOPODIUM (Composées)

Genre de plantes vivaces assez éphémères, à floraison printanière, cultivés pour leurs inflorescences laineuses. Bonnes plantes de rocaille. Rustiques. À planter au soleil, dans un sol bien drainé, sableux ou caillouteux. À abriter des vents dominants et des fortes pluies car les touffes redoutent l'humidité hivernale. Multiplication par division au printemps ou semis de graines fraîches. Il faut en semer une assez grande quantité car de nombreuses graines ne sont pas viables.
L. alpinum (Edelweiss), ill. p. 286.
L. stracheyi. Plante vivace formant une touffe étalée et arrondie, d'aspect laineux. H. et E. 10 cm. Inflorescences en étoile, blanc argenté, qui se développent au printemps entre les feuilles épaisses, ovales, argentées. Bonne espèce de serre alpine.

LEPTOSPERMUM (Myrtacées)

Genre d'arbres et d'arbustes cultivés pour leur feuillage persistant et leurs nombreuses fleurs. Se plaisent en région côtière à l'abri des vents violents. Semi-rustiques, à planter à l'abri d'un mur exposé au sud ou à l'ouest en région froide. Apprécient le plein soleil et un sol fertile et bien drainé. Multiplication en été par boutures semi-ligneuses.
L. flavescens, ill. p. 107.
L. humifusum, ill. p. 128.
L. scoparium. 'Keatleyi' est un arbuste arrondi. H. et E. 3 m. Feuilles aromatiques, gris-vert, étroites, lancéolées, mettant bien en valeur les fleurs étoilées rose pâle, très nombreuses, qui font leur apparition en fin de printemps et été. 'Nicholsii' a des feuilles bronze pourpré et des fleurs cramoisies, plus petites. 'Red Damask', ill. p. 99.

LEUCADENDRON (Protéacées)

Genre d'arbres et arbustes à feuillage persistant, cultivés pour leur feuillage et leur floraison de l'automne au printemps. Non rustiques (min. 5-7 °C). Demandent une lumière vive, un sol léger très bien drainé à base de sable, de préférence avec peu d'azote et phosphates. Arroser modérément les sujets en pot pendant leur saison de croissance; parcimonieusement ensuite. Multiplication par semis au printemps, ou marcottage.
L. argenteum (Arbre d'argent), ill. p. 72.

Leucanthemum maximum, voir *Chrysanthemum superbum*.

LEUCHTENBERGIA (Cactacées)

Genre monospécifique de cactée vivace. Elle rappelle certains *Aloe* par son feuillage, mais ses fleurs, fruits et graines ressemblent à ceux de *Ferocactus*. Non rustique (min. 16 °C). Exige le plein soleil, un terrain très bien drainé. À garder tout à fait au sec en hiver, et arroser parcimonieusement du printemps à l'automne. Multiplication par semis au printemps ou en été.
L. principis, ill. p. 387.

LEUCOCORYNE (Liliacées)

Genre de plantes bulbeuses à floraison printanière, à ombelles lâches de fleurs aplaties. Peu rustiques. Ont besoin de plein soleil et d'un sol bien drainé. À planter à l'automne et arroser jusqu'après la floraison. La dormance a lieu en été. Multiplication par semis ou bulbilles à l'automne.
L. ixioides, ill. p. 346.

LEUCOGENES (Composées)
« Edelweiss de Nouvelle-Zélande »

Genre de plantes vivaces à feuillage persistant et base ligneuse, surtout cultivées pour leur feuillage. Bonnes plantes de serre alpine dans les régions où les étés sont frais. De rustiques à semi-rustiques. Il leur faut du soleil, un sol bien drainé, sableux et tourbeux. Redoutent l'humidité hivernale et peuvent de ce fait se révéler difficiles à cultiver. Multiplication par semis de graines fraîches ou boutures herbacées en fin de printemps et début d'été.
L. grandiceps, ill. p. 329.
L. leontopodium. Plante vivace en rosette. H. et E. 12 cm. Semi-rustique. Feuilles d'oblongues à ovales, se chevauchant, de blanc argenté à jaunâtre. Porte au début de l'été jusqu'à 15 petits capitules étoilés, laineux, blanc argenté, entourés de bractées blanches épaisses, feutrées.

LEUCOJUM (Amaryllidacées)
Nivéole

Genre de plantes bulbeuses cultivées pour leurs fleurs pendantes en clochette, blanches ou roses, à l'automne ou au printemps. De rustiques à semi-rustiques. Certaines espèces préfèrent une situation humide, à mi-ombre, les autres se plaisent au soleil en sol bien drainé.

Multiplication par division au printemps ou au début de l'automne, ou par semis à l'automne.
L. aestivum (semi-rustique), ill. p. 332.
L. autumnale (Nivéole automnale), ill. p. 366.
L. vernum (Nivéole perce-neige), ill. p. 356. Pour gazons ou sous-bois à mi-ombre.

LEUCOSPERMUM (Protéacées)

Genre d'arbustes à feuillage persistant, cultivés pour leurs inflorescences. Non rustiques (min. 10 °C). Se plaisent en pleine lumière, en terrain sableux, bien drainé, avec un peu de phosphates et nitrates. Arroser modérément en période de croissance les sujets cultivés en pot, très peu le reste de l'année. Multiplication par semis au printemps. Plantes difficiles à cultiver longtemps sous serre; une bonne ventilation est capitale.
L. reflexum, ill. p. 98.

LEUCOTHOE (Éricacées)

Genre d'arbustes à feuillage persistant, semi-persistant ou caduc, cultivés pour leur feuillage et leurs fleurs souvent blanches. Rustiques. À planter à l'ombre ou à mi-ombre, en terrain acide, humide. Multiplication en été par boutures semi-ligneuses.
L. fontanesiana. Arbuste à feuillage persistant et branches arquées. H. 1,5 m, E. 3 m. Feuilles vertes, lancéolées, coriaces, brillantes, pointues et dentées. Porte au milieu du printemps des grappes courtes, pendantes, axillaires de petites fleurs blanches. **'Rainbow'**, ill. p. 145.
L. keiskei. Arbuste à feuillage semi-persistant et à branches dressées ou semi-dressées. H. et E. 60 cm. Feuilles ovales, vert brillant. Porte en début d'été des grappes axillaires et terminales de fleurs blanches à corolle urcéolée, pendantes. Bonne espèce de rocaille, massif tourbeux ou serre alpine. Se plaît sous climat doux, humide.

LEWISIA (Portulacacées)

Genre de plantes vivaces, certaines à feuillage persistant, à rosettes de feuilles succulentes et à longues racines pivotantes. La plupart des espèces conviennent bien pour serre alpine, rocaille ou auge de pierre. Rustiques. Les espèces à feuilles persistantes demandent un terrain humifère, à mi-ombre, frais mais bien drainé, neutre ou acide. Éviter de laisser stagner de l'eau sur l'intérieur des rosettes de feuilles. Les espèces à feuilles caduques perdent leurs feuilles en été et apprécient le soleil, les sols

bien drainés, neutres ou acides; laisser sécher après la floraison. Multiplication par semis au printemps ou rejets en été. Les graines des hybrides de *L. cotyledon* donnent peu de plantes fidèles au géniteur.
L. columbiana. Plante vivace en rosette. H. 15 cm et plus, E. 10-15 cm. Feuilles vertes brillantes, épaisses, aplaties, étroites, oblongues; au début de l'été, bouquets terminaux de petites fleurs en coupe, de blanc à rose soutenu, nettement veinées. Se plaît en sol frais.
L. hybrides Cotyledon, ill. p. 294.
L. 'George Henley', ill. p. 292.
L. rediviva, forme rose ill. p. 319, forme blanche ill. p. 313.
L. tweedyi, ill. p. 304.

LEYCESTERIA (Caprifoliacées)

Genre d'arbustes et sous-arbrisseaux à feuillage caduc, cultivés pour leurs bouquets de fleurs décoratives. De rustiques à semi-rustiques. À planter en plein soleil, sol fertile et bien drainé. Multiplication par boutures herbacées au printemps, ou semis ou division à l'automne.
L. formosa. Arbuste à port dressé. H. et E. 2 m. Rustique. Pousses bleu-vert et feuilles ovales vert foncé. En été et au début de l'automne, petites fleurs blanches en entonnoir à l'extrémité de bouquets pendants de bractées rouge pourpré, suivies de fruits sphériques, rouge pourpré. Rabattre les tiges peu vigoureuses au niveau du sol au début du printemps.

LEYMUS (Graminées), voir BAMBOUS, HERBES, JONCS et LAÎCHES.

L. arenarius, syn. *Elymus arenarius* (**Élyme des sables**). Vigoureuse graminée herbacée, traçante, à port étalé, vivace. H. jusqu'à 1,5 m, E. variable. Rustique. Grandes feuilles glauques. Donne en fin d'été des épis terminaux de fleurs vert grisâtre sur des tiges dressées. Plante précieuse pour retenir les dunes en région côtière.

LIATRIS (Composées)

Genre de plantes vivaces à floraison estivale, à souche tubéreuse. Rustiques. Se plaisent au soleil, en sol bien drainé. Multiplication par division au printemps.
L. callilepis, voir *L. spicata*.
L. pynostachya. Plante vivace en touffe. H. 1,2 m, E. 30 cm. En été, longs épis de capitules pourpres. Les feuilles vert foncé, qui ressemblent à celles des graminées, forment une touffe basale.
L. spicata, syn. *L. callilepis*, ill. p. 237.

LIBERTIA (Iridacées)

Genre de plantes vivaces rhizomateuses, cultivées pour leur feuillage, leurs fleurs et fruits décoratifs. De rustiques à semi-rustiques. Demandent une situation abritée, ensoleillée ou à mi-ombre, en sol bien drainé. Multiplication par division au printemps ou semis à l'automne ou au printemps.
L. grandiflora, ill. p. 200.

Libocedrus chilensis, voir *Austrocedrus chilensis*.
Libocedrus decurrens, voir *Calocedrus decurrens*.

LIGULARIA (Composées)
Ligulaire

Genre de plantes vivaces cultivées pour leur feuillage et leurs grands capitules en marguerite. De rustiques à semi-rustiques. À cultiver à mi-ombre, en sol humide mais bien drainé. Multiplication par division au printemps ou par semis à l'automne ou au printemps. Les limaces s'attaquent fréquemment au feuillage.
L. dentata 'Desdemona', syn. *Senecio clivorum* 'Desdemona'. Plante vivace en touffe compacte. H. 1,2 m, E. 60 cm. Rustique. Feuilles basales en cœur, coriaces, vert brunâtre foncé, presque acajou en dessous, à long pétiole. Vers la fin de l'été, bouquets terminaux de grands capitules orange vif, sur des tiges ramifiées.
L. przewalskii, ill. p. 191.
L. stenocephala, ill. p. 191.
L. tussilaginea. Plante vivace en touffe lâche. H. et E. 60 cm. Rustique. Grandes feuilles basales, arrondies, vert moyen, dentées, au-dessus desquelles des tiges ramifiées, laineuses, portent en fin d'été des bouquets de capitules jaune pâle. **'Aureo-maculata'** a des feuilles panachées de blanc et jaune; elle est semi-rustique.

LIGUSTRUM (Oléacées)
Troène

Genre d'arbres et arbustes à feuilles caduques, persistantes ou semi-persistantes, cultivés pour leur feuillage et parfois leurs fleurs. Rustiques. À planter au soleil ou à mi-ombre, les formes à feuillage panaché préférant la lumière vive. Tout sol bien drainé, même calcaire, leur convient. Tous sauf *L. lucidum* peuvent être rabattus au printemps pour limiter leur développement. Multiplication en été par boutures semi-ligneuses.
L. japonicum (**Troène du Japon**). Arbuste dense, buissonnant, à feuillage persistant. H. 6 m,

E. 2,5 m. Feuilles ovales, brillantes, vert olive. Porte du milieu de l'été au début de l'automne des panicules coniques de petites fleurs tubulaires blanches à 4 pétales. **'Rotundifolium'** est une forme à croissance lente, à feuillage dense, coriace, aux feuilles arrondies.
L. lucidum. Arbre ou arbuste à feuillage persistant. H. 10 m, E. 8 m. Grandes feuilles ovales, pointues, vert brillant. Donne en fin d'été et début d'automne de grandes panicules de petites fleurs à corolle tubulaire blanche, à 4 pétales. **'Excelsum Superbum'**, ill. p. 95.
L. ovalifolium (**Troène de Californie**), ill. p. 94. **'Aureum'** est un arbuste vigoureux, dense, dressé, à feuillage semi-persistant. H. 4 m, E. 3 m. Feuilles ovales, brillantes, vert moyen, largement bordées de jaune d'or. En été, panicules denses de petites fleurs tubulaires blanches, à 4 pétales, odorantes, suivies de fruits noirs, sphériques. Après la plantation, rabattre les haies à 30 cm et tailler sévèrement les 2 premières années; se contenter ensuite de tailler quand besoin est pendant la saison de végétation.
L. sinense (**Troène de Chine**), ill. p. 86.
L. 'Vicaryi', ill. p. 121.
L. vulgare (**Troène d'Europe**). Arbuste buissonnant à feuillage caduc ou semi-persistant. H. et E. 5 m. Feuilles vertes, étroites, lancéolées. Porte du début au milieu de l'été des panicules de petites fleurs blanches parfumées, à corolle tubulaire à 4 pétales, puis des fruits noirs, sphériques. Rabattre les haies à 30 cm après la plantation puis les tailler sévèrement pendant 2 ans. Il suffit ensuite de tailler quand besoin est pendant la saison de végétation. **'Aureum'**, H. et E. 2 m, a un feuillage jaune d'or.

LILIUM (Liliacées)
Lis

Genre de plantes bulbeuses à floraison en général estivale, cultivées pour leurs belles fleurs, souvent parfumées. Chaque bulbe à écailles charnues donne une tige feuillue, non ramifiée, avec dans certains cas des racines adventives dans la partie souterraine de la tige. Feuilles en général lancéolées ou linéaires, parfois jusque 25 cm de long, disséminées ou en verticilles, portant parfois des bulbilles à leur aisselle. Les fleurs, en général plusieurs par tige, sont généralement en trompette plus ou moins aplatie ou avec les 6 «pétales» récurvés évoquant un turban (les «pétales» de *Lilium* sont botaniquement les pièces du périanthe, avec des sépales et pétales identiques). Pour tous les lis, nous utiliserons le terme pétales pour tous les tépales. E. jusqu'à 30 cm. Rustiques, sauf mention contraire. Les lis se plaisent en plein soleil, en sol bien drainé (sauf mention contraire encore). Multiplication par semis à l'automne ou au printemps, par bouturage d'écailles du bulbe en été ou par les caïeux formés sur la partie souterraine de la tige, à l'automne. Les maladies cryptogamiques (comme le *Botrytis* ou pourriture grise) et à virus, ainsi que les larves de la criocère du lis peuvent endommager les plantes.

L. amabile. Floraison estivale. Racines adventives sur la tige. H. 50-95 cm. La tige porte des feuilles lancéolées, avec en général des bulbilles à l'aisselle des feuilles. Jusqu'à 10 fleurs rouges, à périanthe récurvé, inclinées, au parfum désagréable. Chaque pétale de 5-5,5 cm de long, est tacheté de noir.

L. 'Amber Gold', ill. p. 338. Floraison estivale. H. 1,2-1,5 m. Fleurs d'un jaune soutenu, ponctuées de marron à la gorge, pendantes.

L. 'Apollo', ill. p. 338. Floraison estivale. H. 1,2 m. Fleurs orange pâle, orientées vers le bas, aux pétales très récurvés.

L. auratum (Lis doré du Japon). Floraison estivale. Racines adventives sur la tige. H. 1 m-1,5 m. Longues feuilles lancéolées, disséminées sur la tige. Porte jusqu'à 10 grandes fleurs parfumées, parfois plus, en trompette très ouverte, blanches. Chaque pétale, de 12-18 cm de long, est parcouru d'une bande centrale jaune, et souvent ponctué de rouge. Mi-ombre, sol acide ou neutre. var. *platyphyllum* (ill. p. 338) a des feuilles plus larges, les pétales portent une bande centrale jaune et moins de taches.

L. 'Black Beauty', ill. p. 338. Floraison estivale. H. 1,5-2 m. Fleurs rouge très foncé, en trompette très ouverte, orientée vers l'extérieur, à centre vert et pétales récurvés, bordés de blanc.

L. 'Black Dragon'. Floraison estivale. H. 1,5 m. Fleurs en trompette ouverte, rouge pourpré sombre à l'extérieur, blanches à l'intérieur.

L. 'Black Magic', ill. p. 338. Floraison estivale. H. 1,2-2 m. Fleurs parfumées en trompette, brun pourpré à l'extérieur, blanches à l'intérieur.

L. 'Bonfire'. Fleurit en fin d'été. H. 1,2-1,5 m. Fleurs en coupe orientées vers l'extérieur, à larges pétales blanc teinté de rose à l'extérieur, et cramoisi foncé, tacheté de cramoisi plus clair, à l'intérieur.

L. 'Bright Star', ill. p. 338. Floraison estivale. H. 1-1,5 m. Fleurs blanches aplaties. Les pétales sont récurvés à leur extrémité, avec une bande médiane orange à l'intérieur.

L. 'Brushmarks', ill. p. 338. Fleurit en début d'été. H. 1,3 m. Fleurs orange en forme de coupe, orientées vers le haut, à gorge verte. Les pétales portent des marques et parfois des points rouge sombre.

L. bulbiferum. Floraison estivale. Racines adventives. H. 40 cm-1,5 m. La tige porte des feuilles éparses lancéolées; en général, bulbilles à l'aisselle des feuilles. De 1-5 fleurs rouge orangé (ou plus), en coupe aplatie, orientées vers le haut. Chaque pétale de 6-9 cm de long est ponctué de noir ou rouge sombre. var. *croceum* (ill. p. 338) a des fleurs orangées et ne donne en général pas de bulbilles.

L. canadense. Floraison estivale. Racines adventives sur la tige. H. jusqu'à 1,5 m. Feuilles lancéolées plus ou moins étroites, en général groupées en verticilles. Donne environ 10 fleurs en clochette pendante, jaunes ou rouges. Chaque pétale de 5-8 cm de long est tacheté de rouge foncé ou pourpre dans sa partie inférieure.

L. candidum (Lis de la Saint-Jean, Lis de la Madone, Lis blanc), ill. p. 338. Floraison début été. H. 1-2 m. La tige florale porte des feuilles lancéolées disséminées et de 5-20 fleurs parfumées, blanches, en entonnoir très ouvert, dirigées vers l'extérieur, à axe horizontal. Chaque pétale de 5-8 cm de long est légèrement récurvé au bout. La plante donne à l'automne des feuilles basales qui demeurent tout l'hiver mais sont ensuite remplacées par les tiges florales. Se plaît entre autres en sol alcalin.

L. carniolicum, voir *L. pyrenaicum* var. *carniolicum*.

L. cernuum. Floraison début été. Racines adventives. H. jusqu'à 90 cm. Longues feuilles éparses linéaires. De 7-15 fleurs parfumées, pendantes, révolutées, en général rose pourpré ponctué de pourpre. Pétales de 3,5-5 cm de long.

L. chalcedonicum, syn. *L. heldreichii,* ill. p. 338. Floraison estivale. H. 50 cm-1,5 m. Feuilles éparses, en général lancéolées, les inférieures étalées, les supérieures plus petites et ascendantes. Porte jusqu'à 12 fleurs pendantes, révolutées, légèrement parfumées, à pétales rouges ou orangés, de 5-7 cm de long, en ombelles.

L. 'Connecticut King', ill. p. 338. Fleurit du début au milieu de l'été. H. 1 m. Fleurs étalées, en forme de coupe, orientées vers le haut, jaune vif.

L. 'Corsage', ill. p. 338. Floraison estivale. H. 1,2 m. Fleurs orientées vers l'extérieur, à pétales récurvés, teintés de rose à l'extérieur; roses à l'intérieur, à centre blanc et petits points marron.

L. davidii. Floraison estivale. Racines adventives. H. 1,80 m. Feuilles linéaires disséminées. De 5-20 fleurs pendantes, révolutées, rouge orangé, à pétales de 5-8 cm de long, ponctués de pourpre foncé, en grappes.

L. 'Destiny', ill. p. 338. Fleurit en début d'été. H. 1-1,2 m. Fleurs en coupe, orientées vers le haut, jaune ponctué de brun.

L. 'Enchantment', ill. p. 338. Fleurit en début d'été. H. 1 m. Fleurs en coupe, orientées vers le haut, légèrement inclinées, rouge orangé ponctué de noir à la gorge.

L. 'First Love'. Floraison estivale. H. 1,5 m. Fleurs légèrement parfumées, orientées vers l'extérieur. Pétales à bande centrale jaune, vert pâle à la base, à bords roses.

L. hybrides Golden Clarion, ill. p. 338. Fleurit en fin de printemps et début de l'été. H. 1-2 m. Fleurs orientées vers l'extérieur, en trompette, jaune plus ou moins foncé, parfois teintées de rouge pourpré à l'extérieur.

L. hansonii, ill. p. 338. Floraison en début d'été. Racines adventives. H. 1-1,5 m. Longues feuilles de lancéolées à ovales, en verticilles. De 3-12 fleurs parfumées, pendantes, révolutées, jaune d'or. Les pétales épais, de 3-4 cm de long, sont ponctués de brun pourpré à la base.

L. 'Harmony', ill. p. 338. Floraison estivale. H. 1 m. Fleurs orangées orientées vers le haut, ponctuées de brun.

L. heldreichii, voir *L. chalcedonicum.*

L. henryi. Fleurit en fin d'été. Racines adventives sur la tige. H. 2,50 m. Feuilles lancéolées éparses. De 5-20, parfois jusqu'à 70 fleurs pendantes, révolutées, orangées. Les pétales de 6-8 cm de long portent des points sombres et des «verrues» proéminentes vers la base. Apprécie les sols calcaires.

L. Imperial Gold (groupe des), ill. p. 338. Floraison estivale. H. 2 m. Fleurs parfumées, aplaties, blanc ponctué de marron, avec une rayure jaune médiane sur chaque pétale.

L. 'Journey's End', ill. p. 338. Fleurit en fin d'été. H. 2 m. Fleurs orientées vers l'extérieur, rose foncé, ponctué de brun, à pétales récurvés, blancs à l'extrémité et au bord.

L. 'Karen North', ill. p. 338. Floraison estivale. H. jusqu'à 1,4 m. Fleurs révolutées, orientées vers le bas, à pétales rose orangé, légèrement ponctués de rose foncé.

L. 'Lady Bowes Lyon', ill. p. 338. Floraison estivale. H. 1-1,2 m. Fleurs orientées vers le bas, rouge ponctué de noir, à pétales récurvés.

L. lancifolium, syn. *L. tigrinum* (Lis tigré). Floraison estivale. Racines adventives. H. 60 cm-1,5 m. Longues feuilles étroites, lancéolées. Donne de 5-10, parfois jusqu'à 40 fleurs pendantes, rose orangé à rouge orangé, révolutées. Les pétales, de 7-10 cm de long, sont mouchetés de pourpre. var. *flaviflorum* a des fleurs jaunes. La vigoureuse var. *splendens* (ill. p. 338) a de plus grandes fleurs, rouge orangé vif.

L. lankongense. Floraison estivale. Racines adventives sur la tige. H. jusqu'à 1,2 m. Feuilles lancéolées. Jusqu'à 15 fleurs en grappes parfumées, pendantes, révolutées. Les pétales, de 4-6,5 cm de long, à rayure centrale verte, ponctués de rouge pourpré, sont mauves. À planter à mi-ombre dans les régions chaudes.

L. leichtlinii. Floraison estivale. Racines adventives. H. jusqu'à 1,2 m. Feuilles de linéaires à étroites et lancéolées. Donne de 1-6 fleurs pendantes jaunes, révolutées. Pétales de 6-8,5 cm de long, ponctués de rouge pourpré sombre. À planter à mi-ombre. Difficile à cultiver.

L. longiflorum, ill. p. 338.

Floraison estivale. Racines adventives. H. 30 cm-1 m. Feuilles disséminées, lancéolées. Donne de 1-6 fleurs parfumées, blanches, campanulées. Chaque pétale, de 13-20 cm de long, est légèrement récurvé au bout.

L. mackliniae, ill. p. 338. Fleurit fin printemps et début été. Racines adventives. H. jusqu'à 40 cm. Petites feuilles d'étroites lancéolées à étroites ovales, disséminées ou groupées en verticilles en haut de la tige. De 1-6 fleurs rose pâle, en général pendantes, en clochette ouverte, à extérieur rose pourpré. Pétales de 4,5-5 cm de long. À planter à mi-ombre.

L. maculatum. Floraison en début d'été. Racines adventives. H. jusqu'à 60 cm. Feuilles disséminées, de lancéolées à ovales. Nombreuses fleurs tournées vers le haut, en coupe, jaunes, orange ou rouges avec des points plus sombres. Pétales de 8-10 cm de long.

L. martagon (Lis martagon), ill. p. 338. Floraison estivale. Racines adventives. H. 1-1,5 m. Feuilles de lancéolées à ovales, groupées en verticilles. Jusqu'à 50 fleurs parfumées, pendantes, révolutées. Les pétales, de 3-4,5 cm de long, sont rose pourpré, souvent ponctués de pourpre sombre. var. *album* a des fleurs d'un blanc pur.

L. monadelphum, syn. *L. szovitsianum,* ill. p. 338. Floraison en début d'été. Racines adventives. H. 50 cm-1,50 m. Feuilles disséminées, de lancéolées à ovales. Donne en général de 1-5, parfois jusqu'à 30 fleurs parfumées, pendantes, à demi révolutées, jaunes, avec des points rouge foncé ou pourpres à l'intérieur. Pétales de 6-10 cm de long.

L. nanum. Fleurit en fin de printemps ou en été. H. 45 cm. Feuilles linéaires éparses. Fleurs solitaires en clochette évasée, en général pendantes, rose pourpré, à pétales de 5 cm de long. À planter en mi-ombre. var. *flavidum* a des fleurs jaune pâle.

L. nepalense, ill. p. 338. Floraison estivale. Racines adventives. H. 70 cm-1 m. Feuilles lancéolées, disséminées. Fleurs odorantes, pendantes, campanulées, blanc verdâtre ou jaune verdâtre, à base intérieure pourpre foncé. Pétales jusqu'à 15 cm de long.

L. hybrides Olympic, ill. p. 338. Floraison estivale. H. 1,2-2 m. Fleurs parfumées en trompette, orientées vers l'extérieur, en général roses ou pourpres à l'extérieur et à gorge jaune. Il en existe également des variantes en blanc, crème, jaune ou rose.

L. pardalinum, ill. p. 338. Floraison estivale. H. 2 m. Longues feuilles étroites elliptiques, en général groupées en verticilles. Jusqu'à 10 grandes fleurs pendantes, révolutées, en général parfumées. Pétales de 5-9 cm de long, à partie supérieure rouge. La partie inférieure orangée est tigrée de marron.

L. ponticum, voir *L. pyrenaicum* var. *ponticum*.

L. pumilum, syn. *L. tenuifolium.* Floraison en début d'été. Racines

adventives. H. 40 cm. Petites feuilles linéaires, disséminées. Porte en général jusqu'à 7, mais parfois jusqu'à 30 petites fleurs légèrement parfumées, pendantes, révolutées. Pétales de 3 cm de long, écarlates, avec ou sans points noirs à la base.
L. pyrenaicum. Fleurit en fin de printemps et début d'été. Souvent à racines adventives. H. 1 m. Feuilles disséminées, de linéaires à étroites et elliptiques, glabres. Donne jusqu'à 12 fleurs odorantes, pendantes, révolutées. Pétales de 4-6,5 cm de long, jaune clair ou jaune-vert, à points pourpres. var. *carniolicum* (syn. *L. carniolicum*) a des fleurs tachetées de rouge ou orangé. Les feuilles sont glabres ou duveteuses. var. *ponticum* (syn. *L. ponticum*) porte des fleurs jaune foncé, rayées et ponctuées de pourpre ou rouge-brun; feuilles duveteuses en dessous.
L. regale (Lis royal), ill. p. 338. Floraison estivale. Racines adventives. H. 1,50 m. Feuilles linéaires, disséminées. Porte jusqu'à 25 fleurs parfumées, en entonnoir. Pétales de 12-15 cm de long, blancs à l'intérieur, à gorge jaune, rose pourpré à l'extérieur.
L. rubellum, ill. p. 338. Fleurit en fin de printemps-début d'été. Racines adventives. H. 30-80 cm. Feuilles disséminées, étroites, ovales. Jusqu'à 9 fleurs parfumées, en entonnoir très ouvert, rose tacheté de rouge sombre à la base des pétales de 6-8 cm de long.
L. speciosum. Fleurit en fin d'été. Racines adventives. H. 1-1,7 m. Longues feuilles larges, lancéolées, éparses. Donne jusqu'à 12 fleurs parfumées, pendantes, récurvées, blanches ou roses. Chaque pétale, jusqu'à 10 cm de long, est ponctué de rose ou cramoisi. À planter en sol neutre ou acide. var. *album* a des fleurs blanches et des tiges pourpres. var. *rubrum* (ill. p. 338) a des fleurs rouge carmin, des tiges pourpres.
L. 'Sterling Star', ill. p. 338. Floraison estivale. H. 1-1,2 m. Fleurs blanches, en coupe ouverte vers le haut, ponctuées de brun.
L. superbum. Floraison estivale. Racines adventives. H. 1,5-3 m. Feuilles de lancéolées à elliptiques, en général groupées en verticilles. Porte jusqu'à 40 fleurs pendantes en grappes, récurvées, orangées. Pétales de 6-10 cm de long, ponctués de marron. À planter en sol neutre ou acide.
L. szovitsianum, voir *L. monadelphum.*
L. tenuifolium, voir *L. pumilum.*
L. × testaceum. Floraison estivale. H. 1-1,5 m. Feuilles éparses, linéaires, souvent tordues. Donne de 6-12 fleurs parfumées, pendantes, révolutées, jaune brunâtre ou orangé clair. Pétales de 8 cm de long, en général ponctués de rouge à l'intérieur.
L. tigrinum, voir *L. lancifolium.*
L. wallichianum. Fleurit en fin d'été et automne. Racines adventives. H. jusqu'à 2 m. Semi-rustique. Longues feuilles linéaires ou lancéolées, disséminées. Porte de 1-4 fleurs parfumées, campanulées, orientées

vers l'extérieur, blanches ou crème, marquées de vert ou jaune à la base. Pétales de 15-30 cm de long.

LIMNANTHES (Limnanthacées)

Genre de plantes annuelles utilisées dans les rocailles ou en bordure de massifs. Rustiques. Se plaisent au soleil, en sol fertile et bien drainé. Multiplication par semis en place au printemps ou au début de l'automne. Se ressèment spontanément.
L. douglasii, ill. p. 280.

LIMONIUM (Plumbaginacées)
Statice, Lavande de mer

Genre de plantes annuelles, bisannuelles ou vivaces à floraison estivale et automnale, parfois cultivées en annuelles, et de sous-arbrisseaux, certains à feuillage persistant. De rustiques à non-rustiques (min. 10 °C). À cultiver en plein soleil, en sol bien drainé. Pour les vivaces, multiplication par division au printemps; par semis à l'automne ou au début du printemps pour tous.
L. bellidifolium. Plante vivace à feuillage persistant formant une touffe, à souche ligneuse. H. 15-20 cm, E. 10 cm. Rustique. Rosettes de feuilles arrondies, vert foncé. Des tiges florales très ramifiées portent une profusion de petites fleurs «immortelles», bleues, en trompette, en été-automne, que l'on peut facilement faire sécher. Bonne espèce de rocaille.
L. latifolium, syn. *Armeria latifolia, A. pseudarmeria.* '**Blue Cloud',** ill. p. 242.
L. sinuatum, ill. p. 266. '**Fortress'** est une plante vivace dressée, buissonnante, à croissance lente, cultivée en annuelle. H. 45 cm, E. 30 cm. Semi-rustique. Feuilles lyrées ou pinnatifides, vert foncé. En été et automne, épillets de petites fleurs tubulaires dans une gamme de teintes, notamment rose, jaune et bleu.
L. suworowii, syn. *Psylliostachys suworowii, Statice suworowii,* ill. p. 274.

LINARIA (Scrophulariacées)
Linaire

Genre de plantes annuelles, bisannuelles ou vivaces, fleurissant au printemps, en été ou en automne, précieuses pour les jardins de rocaille et les bordures. Rustiques. Se plaisent au soleil ou à mi-ombre, en tout sol bien drainé. Multiplication par semis au printemps ou à l'automne. Se ressèment spontanément.
L. alpina (Linaire des Alpes). Plante annuelle, bisannuelle ou vivace éphémère, formant une

touffe compacte, à système racinaire réduit. H. 15 cm, E. 10-15 cm. Verticilles de feuilles charnues, gris-vert, de lancéolées à linéaires. Des fleurs violet pourpré à cœur jaune, ressemblant à celles du muflier, se succèdent en grappes lâches pendant l'été.
L. dalmatica, voir *L. genistifolia* var. *dalmatica.*
L. genistifolia. Plante vivace érigée. H. 1,2 m, E. 25 cm. Porte du milieu de l'été à l'automne des grappes de petites fleurs ressemblant à celles du muflier, jaune et orangé. Feuilles vert moyen luisant, lancéolées. var. *dalmatica* (syn. *L. dalmatica*), H. 1-1,2 m, E. 60 cm, a des fleurs jaune d'or, beaucoup plus grandes, vers la fin de l'été, et des feuilles plus larges et plus glauques.
L. maroccana '**Fairy Lights',** ill. p. 274.
L. purpurea. Plante vivace à port dressé. H. 1 m, E. 60 cm. Porte vers la fin de l'été des grappes de fleurs ressemblant à celles du muflier, bleu pourpré, marquées de blanc à la gorge, au-dessus de feuilles gris-vert, étroites, ovales. '**Canon Went',** ill. p. 203.
L. trionithophora, ill. p. 210.

LINDERA (Lauracées)

Genre d'arbres et arbustes dioïques à feuillage caduc ou persistant, cultivés pour leur feuillage, souvent aromatique, et leurs teintes d'automne. Les sujets femelles donnent des fruits si les sujets mâles sont plantés à proximité. Rustiques. À planter à mi-ombre, en sol frais. Multiplication par boutures herbacées en été ou semis à l'automne.
L. benzoin (Laurier benzoin), ill. p. 99.
L. obtusiloba. Arbuste buissonnant à feuilles caduques. H. et E. 6 m. Feuilles aromatiques, souvent trilobées, vert vif, virant au jaune crème à l'automne, teinté partiellement de rouge rosé. Des bouquets de petites fleurs étoilées jaune moutarde clair, portées sur les rameaux nus au début du printemps, sont suivis de petits fruits sphériques noirs.

LINDHEIMERA (Composées)

Genre de plantes annuelles fleurissant en fin d'été et début d'automne. Rustiques. À cultiver au soleil, en sol fertile et bien drainé. Multiplication par semis, sous verre au début du printemps ou en place à la fin du printemps.
L. texana, ill. p. 280.

LINNAEA (Caprifoliacées)

Genre monospécifique de plante vivace, à feuillage persistant, à port rampant et floraison estivale, qui

forme un tapis dense. Précieux couvre-sol dans les massifs tourbeux, la rocaille. Rustique. À planter à mi-ombre, en sol humide, acide, tourbeux. Multiplication par division au printemps, par boutures herbacées en été ou semis à l'automne.
L. borealis, ill. p. 315.

LINUM (Linacées)
Lin

Genre de plantes annuelles, bisannuelles et vivaces, arbustes et sous-arbrisseaux, certains à feuillage persistant, cultivés notamment pour leurs fleurs. Bonnes plantes de rocaille calcaire. De rustiques à semi-rustiques, mais certaines espèces demandent une situation abritée dans les régions froides. À planter au soleil, en sol humifère, bien drainé. Multiplication des arbustes et sous-arbrisseaux par boutures semi-ligneuses en été ou semis à l'automne, des plantes annuelles, bisannuelles ou vivaces par semis à l'automne.
L. arboreum, ill. p. 298.
L. flavum (Lin jaune). Plante vivace buissonnante à souche parfois ligneuse. H. 45 cm, E. 15 cm. Rustique. Feuilles vertes, étroites, ovales, et en été fleurs jaunes en entonnoir ouvert dirigé vers le haut, groupées en bouquets terminaux. '**Compactum',** ill. p. 325.
L. 'Gemmell's Hybrid'. Plante vivace à souche ligneuse et feuillage semi-persistant. H. 15 cm, E. 20 cm. Rustique. Feuilles ovales gris-vert. En été, des fleurs à pédoncule court, d'un jaune chrome vif, en entonnoir très ouvert, sont groupées en bouquets terminaux. Préfère les sols alcalins.
L. grandiflorum (Lin à grandes fleurs). '**Rubrum',** ill. p. 271.
L. narbonense, ill. p. 243.
L. perenne (Lin vivace), ill. p. 296.
L. salsoloides, voir *L. suffruticosum* subsp. *salsoloides.*
L. suffruticosum subsp. *salsoloides,* syn. *L. salsoloides.* Plante vivace à tiges étalées, parfois lignifiées à la base. H. 30 cm, E. 8 cm. Rustique. Des tiges fines portent des feuilles gris-vert et, en été, une succession de fleurs éphémères, blanc nacré teinté de rose, en coupe, groupées en bouquets terminaux.

Lippia citriodora, voir *Aloysia triphylla.*

LIQUIDAMBAR
(Hamamélidacées)

Genre d'arbres à feuillage caduc, à fleurs monoïques insignifiantes, cultivés pour leurs feuilles alternes, à limbe palmatilobé, ressemblant à celles de l'érable, et leurs teintes d'automne. Rustiques. À planter au soleil ou à mi-ombre, en sol fertile, frais ou humide mais bien drainé.

Ils se développent moins bien en sol pauvre, calcaire. Multiplication par marcottage ou semis.

L. formosana, syn. *L. f.* var. *monticola*. Arbre large, conique. H. 12 m, E. 10 m. Grandes feuilles trilobées ou à 5 lobes, dentées, pourpres à l'état jeune, vert foncé en été, puis orangées, rouges et pourpres à l'automne.

L. orientalis. Arbre buissonnant, à croissance lente. H. 6 m, E. 4 m. Petites feuilles à 5 lobes, vert moyen virant à l'orangé en automne.

L. styraciflua (Copalme d'Amérique), ill. p. 44. 'Lane Roberts' est un arbre à port de conique à étalé. H. 20 m, E. 12 m. Les pousses ont des côtes liégeuses. Feuilles à 5 lobes, vert luisant, virant à l'automne au pourpre rougeâtre.

LIRIODENDRON (Magnoliacées)
Tulipier

Genre d'arbres à feuillage caduc, cultivés pour leur feuillage et leur floraison estivale. Les fleurs ne se développent que sur les sujets adultes et sont presque dissimulées par le feuillage. Rustiques. À planter au soleil ou à mi-ombre, en sol profond, fertile et bien drainé, de préférence légèrement acide. Multiplication des espèces par semis à l'automne, des formes horticoles par greffage en fin d'été. Éviter les élagages.

L. chinense. Croissance rapide et port étalé. H. 25 m, E. 12 m. Porte de grandes feuilles vert foncé, semblant entaillées au bout, profondément lobées de chaque côté, qui virent au jaune à l'automne. Fleurs en coupe, blanc jaunâtre, marquées d'orangé à la base, au milieu de l'été.

L. tulipifera (Tulipier de Virginie), ill. p. 39. 'Aureomarginatum', ill. p. 44.

LIRIOPE (Liliacées)

Genre de plantes vivaces à feuillage persistant, et rhizome charnu, renflé. Certaines espèces font de bons couvre-sol. Rustiques. À planter au soleil, en sol bien drainé. Multiplication par division au printemps ou semis à l'automne.

L. muscari, ill. p. 250. 'Majestic' a un port étalé. H. 30 cm, E. 45 cm. Porte en fin d'automne des grappes très serrées de fleurs violacées en clochette, au-dessus de feuilles linéaires d'un vert vif.

Lisianthus russellianus, voir *Eustoma grandiflorum*.

LITHOCARPUS (Fagacées)

Genre d'arbres à feuillage persistant décoratif, souvent intégré parmi les *Quercus*.

Rustiques. À planter au soleil ou à mi-ombre, en sol bien drainé, neutre ou acide. À abriter des vents violents. Multiplication par semis à l'automne.

L. densiflorus. Arbre à port étalé. H. et E. 10 m. Feuilles coriaces, vert foncé luisant, ressemblant à celles du châtaignier, et épis dressés de fleurs jaune pâle, au printemps et souvent à nouveau à l'automne.

L. henryi, ill. p. 72.

LITHODORA, syn.
LITHOSPERMUM (Boraginacées)
Grémil

Genre de sous-arbrisseaux et de vivaces à feuillage persistant, cultivés pour leurs fleurs à pétales étalés. Bonnes plantes de rocaille. Rustiques. À planter en plein soleil, sol frais mais bien drainé. Certaines espèces sont calcifuges. Ne pas transplanter une fois la plante établie. Multiplication par boutures semi-aoûtées en milieu d'été ou semis à l'automne.

L. diffusa, syn. *Lithospermum diffusum*. 'Grace Ward' est un petit arbuste à port compact, semi-prostré. H. 30 cm, E. jusqu'à 30 cm. Les tiges traînantes portent des feuilles lancéolées, duveteuses, vert terne. Au début de l'été se développent des fleurs en entonnoir bleu foncé, très nombreuses, en grappes. Calcifuge. Rabattre les tiges après la floraison. 'Heavenly Blue', ill. p. 297.

L. oleifolia, syn. *Lithospermum oleifolium*, ill. p. 296.

LITHOPHRAGMA (Saxifragacées)

Genre de plantes vivaces tubéreuses, cultivées pour leurs fleurs décoratives. La dormance des plantes a lieu en été. Rustiques. Se plaisent partout sauf en ombre complète, de préférence en sol humifère et frais. Multiplication par semis ou division au printemps ou à l'automne.

L. parviflorum, ill. p. 286.

LITHOPS (Aizoacées)
Pierre vivante, Plante-caillou

Genre de plantes vivaces succulentes, prostrées, portant des paires presque soudées de feuilles renflées, séparées à la face supérieure par une fissure d'où émerge une fleur en forme de marguerite. Après la floraison, les feuilles se dessèchent progressivement jusqu'au printemps, quand se développe une paire de jeunes feuilles, disposées à angle droit par rapport aux anciennes. Dans un délai de 3-5 ans, la plante forme peu à peu une touffe. Non rustiques (min. 3-5 °C). Ont besoin de plein soleil, d'un mélange sableux, très

drainant. Arroser régulièrement pendant la saison de végétation (mi-été/début automne) puis cesser les apports d'eau en hiver. Multiplication par semis au printemps ou en été.

L. aucampiae. Plante grasse vivace, de forme ovoïde. H. 1 cm, E. 3 cm. La paire de feuilles brunes a une surface aplatie marquée de taches sombres. Fleur jaune en fin d'été ou début d'automne.

L. dorotheae, ill. p. 398.

L. karasmontana, ill. p. 389.

L. lesliei. Plante grasse, vivace, de forme ovoïde. H. 1 cm, E. 2 cm. Ressemble à *L. aucampiae*, mais la face supérieure des feuilles est convexe. var. **albinica**, ill. p. 390.

L. marmorata, ill. p. 389.

L. pseudotruncatella. Plante grasse vivace, de forme ovoïde. H. 3 cm, E. 4 cm. Porte une paire de feuilles de gris clair à bleu ou lilas, à marbrures sombres sur la face supérieure convexe. La fissure centrale ne sépare complètement les feuilles que chez les sujets adultes. Fleur jaune en fin d'été ou début d'automne. var. *pulmonuncula*, ill. p. 398.

L. schwantesii. Plante grasse vivace, de forme ovoïde, assez variable. H. et E. 3 cm. Paire de feuilles en général rugueuses, souvent marquées de lignes en creux ou ponctuations rouges ou bleues sur leur face supérieure aplatie ou légèrement convexe. Fleur jaune en fin d'été ou début d'automne. var. *kuibisensis*, ill. p. 398.

LITHOSPERMUM, voir
LITHODORA.

LITTONIA (Liliacées)

Genre de plantes grimpantes tubéreuses, vivaces, appréciées pour leur floraison estivale en clochette pendante. Non rustiques (min. 16 °C). Il leur faut du plein soleil, un sol riche et bien drainé. À palisser sur un support. Les parties aériennes meurent en hiver. Arracher les tubercules et les conserver au sec, dans un endroit hors gel. Multiplication par semis au printemps; les tubercules se divisent parfois naturellement.

L. modesta, ill. p. 339.

LIVISTONA (Palmiers)

Genre de palmiers à feuillage persistant, cultivés pour leur silhouette décorative. Bouquets de fleurs insignifiantes en été. Peu rustiques (la plupart sont cultivables en plein air en régions méditerranéennes). Ont besoin de soleil ou de mi-ombre, d'un mélange terreux bien drainé, de préférence neutre ou acide. Arroser modérément les sujets cultivés en pot et réduire les arrosages en hiver. Multiplication par semis au printemps à 23 °C au moins. Les

araignées rouges sont un parasite fréquent sur les plantes en conteneur.

L. chinensis, ill. p. 58.

LLOYDIA (Liliacées)

Genre de plantes bulbeuses à floraison estivale, cultivées pour leurs gracieuses petites fleurs en clochette. De rustiques à semi-rustiques. De culture délicate, à planter à mi-ombre, en sol humifère ou tourbeux, bien drainé. Il leur faut de l'humidité en été et des conditions plutôt sèches en hiver. Multiplication par semis au printemps.

L. serotina, ill. p. 364.

LOBELIA (Campanulacées)

Genre de plantes annuelles ou vivaces, et (rarement) d'arbustes à feuillage caduc ou persistant, à floraison décorative. Certains lobelias conviennent aux jardins sauvages. De rustiques à non rustiques (min. 5 °C). Se plaisent au soleil, en sol frais mais bien drainé. Redoutent l'humidité stagnante en hiver. Dans les régions froides, il peut être préférable d'arracher à l'automne les arbustes et espèces vivaces pour les garder sous châssis dans un mélange bien drainé. Multiplication des annuelles par semis en fin d'hiver sous abri, ou au printemps, des espèces vivaces par semis ou division au printemps, des cultivars vivaces par division uniquement, et des arbustes par boutures semi-aoûtées en été.

L. cardinalis. Plante vivace formant une touffe. H. 80 cm, E. 25 cm. Rustique. Porte vers la fin de l'été des grappes de fleurs irrégulières écarlate brillant. Feuilles lancéolées vert frais ou teintées de bronze.

L. 'Cherry Ripe', ill. p. 208.

L. erinus 'Blue Cascade'. Plante annuelle, à croissance lente, en touffe étalée. H. 20 cm, E. 15 cm. Semi-rustique. Feuilles vert pâle, d'ovales à lancéolées. Petites fleurs irrégulières bleu pâle, qui se succèdent sans interruption en été et début d'automne. 'Cambridge Blue' est compact, à fleurs bleues. 'Colour Cascade' a des fleurs dans un mélange de teintes (bleu, rouge, rose, mauve ou blanc). 'Crystal Palace', ill. p. 278. 'Red Cascade' a des fleurs rouges à œil blanc. 'Sapphire', ill. p. 276.

L. fulgens. Plante vivace en touffe. H. 1 m, E. 25 cm. Semi-rustique. Porte du milieu à la fin de l'été des grappes de fleurs irrégulières écarlate vif. Feuilles lancéolées vert rougeâtre.

L. 'Queen Victoria', ill. p. 208.

L. tupa. Plante vivace en touffe. H. 1,5-2 m, E. 1 m. Semi-rustique. Porte en fin d'été de grands épis de fleurs rouge brique, irrégulières, au-dessus de feuilles vert clair,

étroites, ovales, velues. Se plaît en situation abritée et ensoleillée.
L. 'Vedrariensis'. Plante vivace formant des touffes. H. 1 m, E. 30 cm. Rustique. Porte en fin d'été des grappes de fleurs irrégulières pourpres. Feuilles lancéolées vert foncé.

LOBIVIA (Cactacées)

Genre de cactées vivaces, de sphériques à columnaires, formant peu à peu des colonies et dont les fleurs ne durent que 1 ou 2 jours. Non rustiques (min. 5 °C). De culture facile, à exposer au plein soleil et à planter en sol bien drainé. Multiplication par semis ou boutures de tiges du printemps à l'automne.
L. backebergii, ill. p. 393.
L. haageana, ill. p. 387.
L. pentlandii, ill. p. 393.
L. shaferi, ill. p. 399.

LOBULARIA (Crucifères)

Genre de plantes annuelles fleurissant en été et début d'automne. Rustiques. À planter au soleil, en sol fertile et bien drainé. Éliminer les fleurs fanées pour stimuler la poursuite de la floraison. Multiplication par semis sous châssis au printemps ou en place à la fin du printemps.
L. maritima, syn. *Alyssum maritimum* **(Corbeille d'argent).** Vivace sous-ligneuse à port étalé et croissance rapide. H. 15 cm, E. 30 cm. Feuilles gris-vert lancéolées. Inflorescences arrondies de petites fleurs blanches parfumées, à 4 pétales, en été et début d'automne. **'Little Dorrit',** ill. p. 262; **'Wonderland',** ill. p. 266.

LOISELEURIA (Éricacées)

Genre monospécifique d'arbuste à feuillage persistant, rampant et prostré, à floraison décorative. Rustique. À planter en plein soleil, dans un sol acide, humifère, bien drainé. De culture délicate. Multiplication par semis au printemps ou division de souche. Plante pour rocailles.
L. procumbens, ill. p. 317.

LOMATIA (Protéacées)

Genre d'arbres et arbustes à feuillage persistant, cultivés pour leur feuillage et leurs fleurs, à 4 pétales étroits contournés. Peu rustiques, à abriter du vent en région froide. À planter au soleil ou à mi-ombre, en sol acide, frais mais bien drainé. Multiplication par boutures aoûtées en été.
L. silaifolia, ill. p. 129.

LONICERA (Caprifoliacées)
Chèvrefeuille

Genre d'arbustes à feuillage caduc, semi-persistant ou persistant, et de plantes grimpantes à tiges ligneuses, surtout cultivés pour leurs fleurs tubulaires à lobes des pétales parfois étalés, souvent parfumées. Les plantes grimpantes peuvent être menées en forme arbustive. De rustiques à non rustiques (min. 5 °C). Poussent bien en tout sol fertile, bien drainé, au soleil ou à mi-ombre. Les baies de certaines espèces sont toxiques. Après la floraison, élaguer le bois ayant fleuri des plantes grimpantes. Ne tailler les arbustes que pour éliminer le bois mort ou limiter leur développement. Multiplication par semis, par bouturage et souvent par division.
L. × americana, ill. p. 173.
L. × brownii 'Dropmore Scarlet', ill. p. 168.
L. etrusca (Chèvrefeuille d'Italie). Plante grimpante à tiges ligneuses, feuillage persistant ou semi-persistant. H. jusqu'à 4 m. Semi-rustique. Feuilles ovales, vert moyen, bleutées en dessous. En été-automne, fleurs jaune pâle, tubulaires, parfumées, à extérieur jaune plus foncé teinté de rouge. À planter au soleil.
L. fragrantissima. Arbuste buissonnant à feuillage semi-persistant. H. 2 m, E. 4 m. Rustique. Feuilles ovales vert foncé. Fleurs parfumées blanc crème, à tube court, qui s'ouvrent en hiver et en début de printemps.
L. 'Gold Flame', voir *L. × heckrottii.*
L. × heckrottii, syn. L. 'Gold Flame', ill. p. 167.
L. henryi. Liane à feuillage semi-persistant. H. jusqu'à 10 m. Rustique. Feuilles étroites, ovales, vert foncé, plus claires en dessous; en été-automne, épis terminaux de fleurs rouge pourpré ou jaunâtre, à long tube, suivies de baies noires.
L. hildebrandiana. Liane à tiges ligneuses et feuillage persistant. H. jusqu'à 25 m. Semi-rustique. Feuilles ovales, vert moyen, plus claires en dessous. Fleurs blanches ou crème, à long tube, virant à l'orange crème, groupées par paires à l'aisselle des feuilles et à l'extrémité des pousses en été. Plein soleil.
L. japonica (Chèvrefeuille du Japon). 'Aureo-reticulata' est une plante grimpante à tiges ligneuses, duveteuses et à feuillage semi-persistant. H. jusqu'à 10 m. Rustique. Feuilles ovales, parfois lobées, vert vif à nervures jaune vif. Fleurs parfumées à long tube, blanc virant au jaune, en été-automne. Précieux pour dissimuler une souche, un mur ou une clôture inesthétiques. **'Halliana',** ill. p. 173.
L. ledebourii, ill. p. 110.
L. morrowii. Arbuste étalé à feuillage caduc. H. 2 m, E. 3 m. Rustique. Feuilles ovales, vert grisâtre et, en fin de printemps et début d'été, petites fleurs à tube court, blanc crème virant au jaune.
L. nitida. Arbuste buissonnant, à feuillage dense, persistant. H. 2 m, E. 3 m. Rustique. Petites feuilles ovales, vert foncé luisant. À la fin du printemps, minuscules fleurs blanc crème, parfumées, à tube court, suivies de petits fruits sphériques pourpres. Bonne plante pour haies. **'Baggesen's Gold',** ill. p. 145. **'Yunnan'** est plus dressé, à branches robustes et feuilles plus grandes, à floraison plus abondante.
L. periclymenum (Chèvrefeuille des bois). 'Graham Thomas', ill. p. 173. **'Serotina'** est une plante grimpante à tiges ligneuses et feuilles caduques. H. jusqu'à 7 m. Rustique. Feuilles vert moyen, d'ovales à oblongues, gris-vert en dessous. Fleurs à long tube, pourpre foncé, très parfumées, du milieu à la fin de l'été. À cultiver au soleil ou à l'ombre indifféremment, mais ne fleurit pas à l'ombre.
L. pileata, ill. p. 144.
L. × purpusii, ill. p. 141.
L. sempervirens (Chèvrefeuille de Virginie), ill. p. 168.
L. standishii. Arbuste buissonnant à feuillage semi-persistant. H. et E. 2 m. Rustique. Écorce s'exfoliant; feuilles oblongues, vert foncé; fleurs blanc crème, parfumées, à tube court, en hiver.
L. tatarica (Chèvrefeuille de Tartarie), ill. p. 108. **'Hack's Red'** est un arbuste buissonnant à feuillage caduc. H. et E. 2,5 m. Rustique. Donne en fin de printemps et début d'été des fleurs blanches ou roses, à tube court, suivies de fruits rouges sphériques. Feuilles ovales, vert foncé.
L. × tellmanniana, ill. p. 175.
L. xylosteum (Chèvrefeuille des haies), ill. p. 108.

LOPHOCEREUS (Cactacées)

Genre de cactées vivaces, columnaires, à tiges côtelées, se ramifiant avec l'âge. Des fleurs apparaissent le soir, uniquement sur les sujets dépassant 2 m de hauteur. La partie de la tige qui fleurit donne de nombreux aiguillons fins, longs, qui finissent par la recouvrir. Non rustiques (min. 10 °C). Demandent le plein soleil, un sol bien drainé. Multiplication par semis au printemps ou en été.
L. schottii, ill. p. 380. **'Monstrosus'** est une cactée vivace columnaire. H. 7 m, E. 2 m. Tiges irrégulières, de vert olive à vert foncé, comportant de 4-15 côtes, sans aiguillons. Donne des fleurs roses en entonnoir, de 3 cm de diamètre, le soir en été.

LOPHOPHORA (Cactacées)

Genre de cactées vivaces à croissance très lente, qui ressemblent à de petites boulettes bleutées, avec jusqu'à 10 côtes peu distinctes, séparées par une ligne dentelée. Longues racines pivotantes. Les aréoles florifères donnent des touffes de poils blancs, courts. Non rustiques (min. 5-10 °C). Il leur faut du plein soleil, un sol bien drainé. Les racines pourrissent facilement, aussi n'arroser que parcimonieusement, du printemps à l'automne. Multiplication par semis au printemps ou à l'automne.
L. williamsii (Peyote, Plante qui fait les yeux émerveillés), ill. p. 391.

LOTUS (Légumineuses)
Lotier

Genre de plantes annuelles ou vivaces ou de plantes suffrutescentes à floraison estivale, à feuillage persistant ou semi-persistant, cultivées pour leurs feuilles composées de 3 folioles et leurs fleurs à corolle papilionacée. De rustiques à non rustiques (min. 5 °C). Se plaisent au soleil, en sol bien drainé. Multiplication par boutures herbacées en début d'été; semis à l'automne ou au printemps. Pour les annuelles, multiplication uniquement par semis.
L. berthelotii, ill. p. 240.

LUNARIA (Crucifères)
Lunaire

Genre de plantes bisannuelles et vivaces, cultivées pour leurs fleurs et leurs fruits argentés (monnaie-du-pape). Rustiques. Se plaisent au soleil ou à l'ombre, de préférence à mi-ombre, en sol bien drainé. Multiplication des espèces vivaces par semis à l'automne ou au printemps, ou par division au printemps, des bisannuelles par semis uniquement. Se ressèment facilement.
L. annua, syn. *L. biennis* **(Monnaie-du-pape, Monnayère, Herbe aux écus),** ill. p. 269; **'Variegata'** ill. p. 267.
L. biennis, voir *L. annua.*
L. rediviva. Vivace formant une rosette. H. 60-75 cm, E. 30 cm. Fleurs à 4 pétales, lilas ou blanches, suivies de fruits argentés. Feuilles vert moyen.

LUNATHYRIUM (Polypodiacées)

Genre de fougères à feuillage caduc ou semi-persistant. Non rustiques (min. 5 °C). Demandent une situation légèrement ombragée, un sol frais, humifère. Éliminer les frondes sèches. Multiplication par division au printemps ou semis des spores en été.
L. japonicum, syn. *Diplazium japonicum.* Fougère étalée à feuillage semi-persistant. H. 30 cm, E. 25 cm. Frondes lancéolées, très fines, vert clair, divisées en folioles oblongues indentées.

LUPINUS (Légumineuses)
Lupin

Genre de plantes annuelles, vivaces et parfois arbustes à feuillage semi-persistant, cultivés pour leurs longues grappes terminales dressées de fleurs papilionacées. Rustiques. Se plaisent au soleil, en sol bien drainé. Multiplication par semis et par division (sauf pour les annuelles, reproduites par semis uniquement).
L. arboreus (Lupin en arbre), ill. p. 137.
L. 'Inverewe Red', ill. p. 205.
L. 'La Chatelaine', ill. p. 204.
L. 'Tom Reeves'. Plante vivace formant des touffes. H. 75 cm-1 m, E. 75 cm. En début d'été, des grappes dressées de fleurs jaune pur s'élèvent au-dessus des feuilles vert moyen, profondément digitées.

LURONIUM (Alismatacées)

Genre de plantes vivaces semi-aquatiques, du bord des eaux ou de marais, à feuillage caduc, cultivées pour leur feuillage et leurs fleurs. Rustiques. À planter en eau peu profonde, au soleil. Éclaircir quand les plantes deviennent envahissantes. Multiplication au printemps, par semis ou division.
L. natans, syn. *Alisma natans* (Flûteau). Plante vivace semi-aquatique à feuilles caduques. H. 5 cm, E. 30 cm. Petites feuilles vert moyen, d'elliptiques à lancéolées pour les feuilles caulinaires flottantes; en été, petites fleurs blanches tachetées de jaune.

LUZULA (Graminées),
voir BAMBOUS, HERBES, JONCS et LAÎCHES.
Luzule

L. nivea, ill. p. 181.

LYCASTE, voir ORCHIDÉES.

L. cruenta, ill. p. 255. Orchidée épiphyte, vigoureuse, à feuillage caduc, à cultiver en serre froide. H. 30 cm. Fleurs parfumées jaune et vert, de 5 cm de diamètre, solitaires, au printemps. Feuilles larges, ovales, fines, côtelées, jusqu'à 30 cm de long. À garder à mi-ombre en été, en évitant les pulvérisations d'eau, qui tachent les feuilles.

LYCHNIS (Caryophyllacées)

Genre de plantes annuelles et vivaces à floraison estivale. Rustiques. À planter au soleil, en tout sol bien drainé. Multiplication par semis, ou division à l'automne ou au printemps.
L. alpina, syn. *Viscaria alpina.* Plante vivace en touffe. H. 5-15 cm, E. 10-15 cm. Touffes denses de feuilles épaisses, linéaires, vert foncé. En été, les tiges collantes portent chacune une inflorescence arrondie de fleurs de rose pâle à foncé, plus rarement blanches, à 5 pétales étalés, frangés. À planter notamment dans les rocailles non calcaires.
L. chalcedonica (Croix de Malte), ill. p. 216.
L. coeli-rosa, voir *Silene coeli-rosa.*
L. coronaria (Coquelourde des jardins). Plante vivace formant des touffes. H. 80 cm, E. 25 cm. Feuilles ovales, grises; tiges ramifiées ovales portant en été des bouquets de fleurs à 5 pétales, rouge pourpre vif. **'Abbotswood Rose'**, ill. p. 239.
L. flos-jovis (Fleur de Jupiter), ill. p. 239.
L. × haagena. Plante vivace à vie courte, formant une touffe. H. 45 cm, E. 30 cm. Porte en été des bouquets de grandes fleurs à 5 pétales, blanches, orange ou rouges. Les feuilles ovales sont d'un vert moyen. À renouveler régulièrement par semis.
L. viscaria. Plante vivace en touffe. H. 20-60 cm, E. 30-45 cm. Du début au milieu de l'été, les fleurs étoilées, rouge pourpré, sont groupées en panicules étroites au-dessus des feuilles vert foncé, d'étroites ovales à oblongues. À planter en jardin de rocaille ou en bordure de massif. **'Splendens Plena'**, ill. p. 239.

LYCIUM (Solanacées)
Lyciet

Genre d'arbustes à feuillage caduc, certains aux longues tiges souples grimpantes, cultivés pour leur port, leurs fleurs et leurs fruits. Précieux en sol pauvre, sec et en région côtière. On peut les planter en haie. Rustiques ou semi-rustiques. Se plaisent en plein soleil, sol bien drainé, plutôt pauvre. Éliminer le bois mort en hiver et rabattre les tiges si besoin est pour limiter le développement. Rabattre sévèrement les haies au printemps. Multiplication par boutures herbacées en été, par semis à l'automne ou boutures ligneuses en hiver.
L. barbarum, syn. *L. halimifolium* (Lyciet jasminoïde). Arbuste à tiges arquées, souvent épineuses, feuillage caduc. H. 2,5 m, E. 5 m. Les fleurs roses ou pourpres, en entonnoir, apparaissent à la fin du printemps et en été, et sont suivies de baies subsphériques rouge orangé. Feuilles lancéolées vert moyen ou gris-vert.
L. halimifolium, voir *L. barbarum.*

LYCORIS (Amaryllidacées)

Genre de plantes bulbeuses fleurissant en fin d'été et début d'automne, en ombelles décoratives. Peu rustiques. Mieux vaut les protéger et les planter en pots ou en serre en région froide. Aiment le soleil, les sols bien drainés. Il leur faut une période de chaleur en été pour permettre la maturation des bulbes et leur floraison. Faire des apports réguliers d'engrais liquide pendant la croissance. Après la dormance estivale, arroser du début de l'automne à l'été suivant, quand le feuillage meurt. Multiplication par semis au printemps, ou par caïeux.
L. aurea. Plante bulbeuse fleurissant en fin d'été. H. 30 cm, E. 15 cm. Porte une ombelle de 5-10 fleurs jaune vif, à tépales récurvés, à étamines très visibles. Feuilles basales en lanière qui se développent au printemps.
L. radiata, ill. p. 351.

LYGODIUM (Schizéacées)

Genre de fougères grimpantes, à feuillage caduc ou semi-persistant, portant en général deux types de frondes : stériles, et fertiles. De semi-rustiques à non rustiques (min. 5 °C). À planter à l'ombre ou à mi-ombre, en sol frais tourbeux et humifère. Arroser beaucoup en été, et très peu en hiver. Les associer par exemple à des plantes arbustives qui leur serviront de support. Palisser les sujets cultivés en pot sur un support solide. Éliminer régulièrement les frondes fanées. Multiplication par division au printemps ou par semis de spores en été.
L. japonicum. Fougère grimpante à feuillage caduc. H. 2 m, E. variable. Non rustique. Les frondes stériles, d'un vert moyen, sont composées de folioles digitées très fines; les frondes fertiles sont plus larges, comportant de 3-5 lobes et un lobe terminal plus long.
L. palmatum. Fougère grimpante à feuillage caduc. H. 2 m, E. variable. Frondes stériles vert moyen, palmées, comportant de 5-7 lobes, et frondes fertiles linéaires, plus ou moins palmées.

LYONIA (Éricacées)

Genre d'arbustes à feuillage caduc, semi-persistant ou persistant, cultivés pour leurs grappes de petites fleurs caractéristiques. Rustiques. À planter à l'ombre ou à mi-ombre, en sol frais, acide, tourbeux. Multiplication en été par boutures semi-ligneuses.
L. ligustrina. Arbuste buissonnant. H. et E. 2 m. Feuilles caduques vert foncé, ovales, mettant bien en valeur les grappes denses de fleurs blanches globuleuses fin printemps et début été.
L. ovalifolia. Arbuste buissonnant à feuillage caduc ou semi-persistant. H. et E. 2 m. Rameaux rouges et feuilles vert foncé, ovales. Grappes de fleurs blanches en fin de printemps et début d'été.

LYSICHITON ou LYSICHITUM (Aracées)

Plantes vivaces, de bord des eaux ou marécages, cultivées pour leur feuillage caduc et leurs inflorescences décoratives. Rustiques. Se plaisent en plein soleil, mais supportent la mi-ombre. À planter en bordure d'eau dormante ou courante. Multiplication par semis en fin d'été, ou division de rhizomes.
L. americanum, ill. p. 377.
L. camtschatcense, ill. p. 372.

LYSIMACHIA (Primulacées)
Lysimaque

Genre de plantes vivaces à floraison printanière et estivale, à planter dans les massifs ou les rocailles. De rustiques à semi-rustiques. Se plaisent au soleil ou à mi-ombre, en sol frais ou humide mais bien drainé. Apprécient les sols argileux. Multiplication par division au printemps ou semis à l'automne.
L. clethroides, ill. p. 202.
L. ephemerum. H. 1 m, E. 30 cm. En été, grappes de fleurs étoilées blanc grisâtre, suivies de fruits vert clair. Feuilles glauques.
L. nummularia (Herbe aux écus). **'Aurea'**, ill. p. 326.
L. punctata, ill. p. 214.

LYTHRUM (Lythracées)

Genre de plantes vivaces ou annuelles à floraison estivale, qui se plaisent en bordure de pièce d'eau ou en terrain marécageux. Rustiques. À planter au soleil ou à mi-ombre, en sol frais ou humide. Multiplication des cultivars par division au printemps, des espèces par semis ou division, au printemps ou à l'automne.
L. salicaria (Salicaire, Lysimaque rouge). **'Firecandle'**, ill. p. 205. **'Robert'** est une plante vivace en touffe. H. 75 cm, E. 45 cm. Grappes de fleurs rose pâle, à 4 pétales, du milieu à la fin de l'été. Feuilles lancéolées vert moyen.
L. virgatum 'Rose Queen'. Plante vivace en touffe. H. 1 m, E. 60 cm. Grappes de fleurs rose clair, à 4 pétales, en milieu et fin d'été, au-dessus de feuilles lancéolées vert moyen. **'The Rocket'**, ill. p. 205.

M

MAACKIA (Légumineuses)

Genre d'arbres à feuillage caduc et floraison estivale décorative (grappes terminales érigées). Rustiques. À planter au soleil, en sol bien drainé. Multiplication par semis à l'automne, ou bouturage de racines.
M. amurensis, ill. p. 63.

MACADAMIA (Protéacées)

Genre d'arbres cultivés pour leur feuillage persistant et leurs fruits. Non rustiques (min. 10-13 ºC, à essayer en plein air sur la Côte d'Azur). Se plaisent en plein soleil ou à l'ombre légère en sol humifère, bien drainé. Arroser abondamment en saison de croissance, modérément le reste de l'année. Multiplication par semis à l'automne ou au printemps ou par greffage.
M. integrifolia (Noyer du Queensland), ill. p. 47. Ses noix sont comestibles.

MACFADYENA, syn. **DOXANTHA** (Bignoniacées)

Genre de plantes grimpantes à tiges ligneuses et feuillage persistant, cultivées pour leurs fleurs ressemblant un peu à celles des digitales. Peu rustiques (min. 5 ºC). À planter au soleil, en tout sol fertile, bien drainé. Arroser régulièrement, peu en période de repos végétatif. Éclaircir les tiges en surnombre après la floraison ou au printemps. Multiplication par boutures semi-ligneuses en été, ou par semis.
M. unguis-cati, ill. p. 174.

MACLEAYA (Papavéracées)

Genre de plantes vivaces à floraison estivale, cultivées pour leur haute silhouette et leur beau feuillage. Rustiques. À planter au soleil en tout sol bien drainé. S'étendent rapidement. Multiplication par division au début du printemps ou boutures de racines en hiver.
M. microcarpa 'Coral Plume', ill. p. 189.

MACLURA (Moracées)

Genre comptant une douzaine d'espèces dont une seule espèce d'arbre est cultivée, pour son feuillage caduc vert, luisant, et ses curieux fruits. Il faut planter des sujets mâles et femelles pour obtenir des fruits. Rustique, mais les jeunes sujets peuvent souffrir du gel. Aime le plein soleil. Dans les régions froides, il ne se plaît que si les étés sont assez chauds. Apprécie tout sol non imbibé d'eau. Multiplication par semis à l'automne ou boutures de racines en fin d'hiver.
M. pomifera (Oranger des Osages, Bois d'arc). Arbre à port étalé. H. 15 m, E. 12 m. Rameaux épineux et feuilles ovales, vert foncé, virant au jaune à l'automne. Petites fleurs jaune verdâtre en été, suivies de gros fruits ronds, ridés, vert pâle.

Macroplectrum sesquipedale, voir *Angraecum sesquipedale*.

MAGNOLIA (Magnoliacées)

Genre d'arbres et arbustes à feuillage caduc, semi-persistant ou persistant, cultivés pour leurs fleurs décoratives, souvent parfumées. Les feuilles sont en général ovales. Rustiques ou semi-rustiques. Les fleurs et boutons floraux des espèces ou variétés à floraison précoce peuvent cependant être abîmés par le gel. À planter au soleil ou à mi-ombre, à l'abri du vent, si possible en sol fertile, bien drainé. *M. delavayi*, *M. kobus* et *M. wilsonii* supportent un sol assez calcaire. Les autres espèces préfèrent les sols neutres ou acides, alcalins seulement s'ils sont profonds et humifères. Les sols secs, sableux, doivent être enrichis de fumier et terreau de feuilles bien décomposé avant plantation. Multiplication des espèces par boutures semi-ligneuses en été ou par semis à l'automne, des formes horticoles par boutures semi-lignifiées en été ou greffage au printemps ou en été.
M. acuminata (Magnolia à feuilles acuminées). Vigoureux arbre à feuillage caduc, à port pyramidal, s'élargissant avec l'âge. H. 20 m, E. 10 m. Rustique. Des fleurs en coupe, parfumées, vert bleuâtre, apparaissent fin printemps parmi les grandes feuilles ovales, vert foncé, et sont suivies de petits fruits allongés, mûrs, puis rouges.
M. campbellii, ill. p. 38. 'Charles Raffill' est un arbre vigoureux, à feuillage caduc, à port dressé, puis étalé. H. 15 m, E. 10 m. Semi-rustique. Avant l'apparition des feuilles, grandes fleurs parfumées, en coupe, rose pourpré, de la fin de l'hiver au début du printemps sur les sujets âgés de 15 ans au moins. Grandes feuilles ovales, vert moyen. 'Darjeeling', ill. p. 38. 'Kew's Surprise' porte des fleurs rose pourpré plus foncé. var. *mollicomata*, ill. p. 38.
M. 'Charles Coates', ill. p. 48.
M. cylindrica, ill. p. 59.
M. dawsoniana. Arbre ou arbuste à feuillage caduc et cime large. H. 15 m, E. 10 m. Semi-rustique. Les sujets âgés (20 ans à partir du semis ou 10 ans après greffage) donnent au début du printemps, avant les feuilles, de grandes fleurs en coupe, parfumées, rose lilas pâle, à profusion. Feuilles ovales, coriaces, vert foncé, brillant.
M. delavayi. Arbre ou arbuste à silhouette arrondie, dense, à feuillage persistant. H. et E. 10 m. Semi-rustique. Grandes fleurs évasées, légèrement parfumées, blanches ou rosées, éphémères, se développant par intermittence du milieu de l'été à l'automne. Très grandes feuilles ovales, vert bleuté à la face supérieure, glauques à la face inférieure.
M. denudata, syn. *M. heptapeta*. Arbuste buissonnant, arrondi, ou arbre à port étalé, feuillage caduc. H. et E. 10 m. Rustique. Porte au printemps de nombreuses fleurs blanches parfumées, en coupe, avant que se développent les feuilles obovales vert moyen.
M. fraseri, ill. p. 50.
M. globosa. Arbuste buissonnant à feuillage caduc. H. et E. 5 m. Rustique. En juin, les grandes feuilles ovales, vert foncé brillant, mettent bien en valeur les fleurs parfumées, en coupe, blanc crème à anthères rouges.
M. grandiflora (Magnolia à grandes fleurs). Arbre à feuillage persistant, port largement conique ou arrondi. H. et E. 15 m (en climat doux et humide, 10-15 m en climat moins favorable). Assez rustique. Grandes fleurs blanches très parfumées, par intermittence du milieu de l'été à l'automne. Feuilles ovales, brillantes, vert moyen ou foncé. 'Exmouth', ill. p. 51. 'Ferruginea' a des feuilles vert foncé, teintées de rouille à la face inférieure.
M. heptapeta, voir *M. denudata*.
M. hypoleuca, syn. *M. obovata*, ill. p. 39.
M. kobus, ill. p. 48.
M. liliiflora (Magnolia à fleurs pourpres). Arbrisseau à port évasé, à feuillage caduc. H. et E. 3 m. Du milieu du printemps à l'été, fleurs parfumées, dressées, évasées, rose pourpré à l'extérieur (l'intérieur des pétales est blanc crème), parmi les feuilles ovales, vert foncé. 'Nigra', ill. p. 85.
M. × *loebneri* 'Leonard Messel', ill. p. 85.
M. macrophylla (Magnolia à grandes feuilles). Arbre à port arrondi, feuillage caduc. H. et E. 10 m. Rustique. Très grandes feuilles ovales, vert clair. En juin-juillet, très grandes fleurs évasées, très parfumées, blanc crème.
M. obovata, voir *M. hypoleuca*.
M. salicifolia, ill. p. 59.
M. sargentiana. Arbre à feuillage caduc et port érigé. H. 15 m, E. 10 m. Semi-rustique. En avril-mai, grandes fleurs parfumées, largement campanulées, comportant de 10-12 pétales, blanc rosé à l'intérieur, rose pourpré à l'extérieur. Les feuilles ovales vert foncé ne se développent qu'après la floraison.
M. sieboldii. Arbuste ou petit arbre à port étalé, à feuillage caduc. H. 8 m, E. 9 m. Rustique. Fleurs parfumées, en coupe, blanches à anthères cramoisies, de fin printemps à mi-été, au-dessus de feuilles ovales vertes.
M. sinensis. Grand arbuste à port étalé et feuillage caduc. H. 6 m, E. 8 m. Rustique. En fin de printemps et début d'été, fleurs parfumées, inclinées, en coupe, blanches à anthères cramoisies. Feuilles ovales vertes, duveteuses à la face inférieure.
M. × *soulangeana*, ill. p. 85. 'Alba Superba' est un arbre ou arbuste dressé, à silhouette arrondie et feuillage caduc. H. 7 m. E. 5 m. Rustique. Grandes fleurs blanches ressemblant à des tulipes, parfumées, légèrement teintées de rose, au début du printemps et également début d'été. La première floraison commence avant le développement des feuilles ovales, vert moyen ou vert foncé. 'Brozzonii', H. 8 m, E. 6 m, a un port d'arbre, de grandes et longues fleurs blanches teintées de pourpre. Les fleurs de 'Lennei' sont grandes, d'un rose pourpré soutenu à l'extérieur, blanc crème à l'intérieur. 'Rustica Rubra' (syn. *M.* × *s.* 'Rubra'), ill. p. 85.
M. sprengeri var. *diva*. Arbre à port étalé et feuillage caduc. H. 15 m, E. 10 m. Rustique. Grandes fleurs parfumées, en coupe évasée, à nombreux pétales, d'un rose soutenu, vers le milieu du printemps, avant l'apparition des feuilles ovales, vert foncé. 'Wakehurst', ill. p. 38.
M. stellata (Magnolia étoilé), ill. p. 97.
M. tripetala (Magnolia parasol), ill. p. 51.
M. × *veitchii* 'Peter Veitch', ill. p. 38.
M. virginiana. Arbre ou arbuste à couronne conique, feuillage caduc ou semi-persistant. H. 15 m, E. 10 m. Rustique. Fleurs globuleuses très parfumées, blanc crème, en été. Feuilles oblongues, brillantes, vert moyen ou foncé, blanc bleuâtre en dessous.
M. 'Wada's Memory', ill. p. 59.
M. × *watsonii*, voir *M.* × *wieseneri*.
M. × *wieseneri*, syn. *M.* × *watsonii*, ill. p. 63.
M. wilsonii, ill. p. 63.

× MAHOBERBERIS (Berbéridacées)

Hybrides bigénériques (*Berberis* × *Mahonia*). Arbustes d'intérêt moyen, cultivés pour leur feuillage persistant et leurs fleurs. Rustiques. À planter au soleil ou à mi-ombre, en sol fertile et bien drainé. Multiplication en été par bouturage.
× **M. aquisargentii.** Arbuste érigé à feuillage dense. H. et E. 2 m. Feuilles vert foncé brillant, souvent à 3 folioles, certaines oblongues et finement dentées, les autres ressemblant aux feuilles du houx. Bouquets terminaux de fleurs jaunes, peu nombreuses, en fin de printemps.

MAHONIA (Berbéridacées)

Genre d'arbustes cultivés pour leur feuillage persistant (feuilles imparipennées), leurs faisceaux de grappes courtes de fleurs jaunes, parfumées, souvent en clochette arrondie et, pour les grandes espèces et cultivars, leur écorce profondément fissurée. Les grands Mahonias font de beaux sujets à isoler; ceux à port étalé sont intéressants comme couvre-sol. De rustiques à semi-rustiques. Se plaisent à l'ombre ou à mi-ombre, en sol bien drainé, pas trop sec (les Mahonias sont en général peu exigeants sur la nature du sol). Multiplication : semis, division des souches, bouturage.
M. acanthifolia. Arbuste à port érigé. H. 4 m, E. 2 m. Rustique. Grandes feuilles vert foncé, composées de 17-27 folioles épineuses. Longues grappes denses de fleurs jaune mimosa en fin d'automne et début d'hiver.
M. aquifolium, ill. p. 125. Supporte bien les sols calcaires.
M. bealei. Arbuste à tiges érigées. H. et E. 2 m. Rustique. Grandes feuilles vert bleuté composées de 9-15 folioles larges, ovales, épineuses. Grappes denses dressées de fleurs jaune citron parfumées, en fin d'hiver et début de printemps.
M. × heterophylla. Arbuste à port étalé. H. 1 m, E. 1,5 m. Rustique. Jeunes pousses rouge pourpré et feuilles brillantes, vert vif, composées de 5-9 folioles étroites, lancéolées, à bord ondulé ou enroulé, virant au rouge pourpré en hiver. Porte au printemps de petites grappes de fleurs jaunes. Fruits noir bleuté ovoïdes.
M. japonica, ill. p. 119.
M. lomariifolia. Arbuste érigé. H. 3 m, E. 2 m. Assez rustique. Grandes feuilles vert brillant, chacune comportant de 21-33 folioles épineuses ovales. Fleurs parfumées, jaune vif, groupées en grappes denses, dressées à l'extrémité des tiges, en fin d'automne et hiver. Fruits noir bleuté ovoïdes.
M. × media '**Buckland**' et '**Charity**',

ill. p. 93.
M. repens. Arbuste à tiges dressées, stolonifère, traçant. H. 50 cm, E. 2 m. Rustique. Les feuilles bleu-vert terne sont composées de 3-5 folioles ovales, à bord épineux. Grappes terminales denses de fleurs jaune d'or au printemps (avril-mai). Fruits pruineux noirs.

MAIANTHEMUM (Liliacées)
Maïanthème, Petit Muguet, Fleur de Mai

Genre de plantes vivaces à rhizomes horizontaux envahissants. Utiles comme couvre-sol en sous-bois ou parties sauvages du jardin. Rustiques. Se plaisent à l'ombre en sol humifère, frais, sableux, neutre ou acide. Multiplication par semis à l'automne ou division.
M. canadense, ill. p. 303.

MAIHUENIA (Cactacées)

Genre de cactées d'altitude, à croissance lente et floraison estivale, formant peu à peu des colonies aux tiges cylindriques. Assez rustiques. À planter au soleil, en sol bien drainé, et à protéger de l'humidité hivernale. Multiplication par semis ou boutures de tiges au printemps ou en été.
M. poeppigii, ill. p. 397.

MALCOLMIA (Crucifères)

Genre de petites plantes annuelles fleurissant du printemps à l'automne. Rustiques. À cultiver au soleil, en sol fertile et bien drainé. Multiplication par semis en place au printemps, en été ou début d'automne. Se ressèment spontanément.
M. maritima (Julienne de Mahon, Giroflée de Mahon, Mahonille), ill. p. 267.

MALEPHORA (Aizoacées)

Genre de plantes grasses, vivaces, dressées ou prostrées, à feuilles semi-cylindriques. Non rustiques (min. 5 °C). À planter au soleil, en terrain très bien drainé. Multiplication par semis ou boutures de tiges au printemps ou en été.
M. crocea, ill. p. 400.

MALOPE (Malvacées)

Genre de plantes annuelles aux fleurs décoratives, tenant très bien en vase. Rustiques. À cultiver au soleil, en tout sol fertile et bien

drainé. Multiplication par semis en place au printemps. Se ressèment spontanément.
M. trifida, ill. p. 268.

MALUS (Rosacées)
Pommier

Genre d'arbres et arbustes à feuillage caduc (parfois semi-persistant), à floraison en général printanière, appréciés pour leurs fleurs blanches, roses ou carminées, à 5 pétales arrondis, en forme de coupe, leurs fruits et leurs teintes d'automne. Leurs fruits peuvent souvent être utilisés pour faire des compotes ou gelées. Rustiques. Se plaisent en plein soleil mais supportent une ombre légère. La plupart des sols non détrempés d'eau leur conviennent. En hiver, éliminer le bois mort ou malade, tailler pour maintenir une ramure équilibrée et favoriser une floraison abondante et régulière. Multiplication par greffage en fente ou en écusson. Les maladies à surveiller sont le plus souvent l'oïdium et la tavelure.
M. × arnoldiana, ill. p. 60.
M. baccata, syn. *Malus sibirica* (**Pommier à petits fruits**). Arbre à port étalé et cime arrondie (le bout des branches est pendant). H. et E. 15 m. Feuilles ovales, vert brillant, et floraison généreuse au milieu du printemps, en petites fleurs simples, blanc crème, suivies de petites pommes rondes, jaunes ou rouge clair. var. *mandschurica,* ill. p. 48.
M. '**Cowichan**', ill. p. 67.
M. *floribunda,* ill. p. 61.
M. '**Golden Hornet**', ill. p. 69.
M. *hupehensis,* ill. p. 48.
M. '**John Downie**', ill. p. 67.
M. '**Katherine**'. Arbre à port arrondi. H. et E. 6 m. Feuilles ovales, vert moyen. Grandes fleurs doubles, rose pâle, virant au blanc, vers la fin du printemps. Petites pommes rondes, rouges teintées de jaune.
M. '**Lemoinei**', ill. p. 62.
M. '**Magdeburgensis**', ill. p. 61.
M. '**Marshall Oyama**', ill. p. 68.
M. *niedzwetskyana.* Arbre à port étalé. H. 6 m, E. 8 m. Feuilles elliptiques, rouges à l'état jeune, puis bronzées. À la fin du printemps, corymbes de fleurs simples, rouge foncé, suivies de grosses pommes ornementales peu nombreuses, un peu coniques, rouge pourpré.
M. *prattii.* Arbre d'abord érigé puis à couronne s'élargissant. H. et E. 10 m. Feuilles ovales à pétiole rouge, vert moyen, virant au rouge orangé à l'automne. Fleurs simples, blanches, en fin de printemps, suivies de petites pommes rondes ou ovoïdes, rouges ou jaunes.
M. '**Professor Sprenger**', ill. p. 68.
M. '**Profusion**', ill. p. 50.
M. *prunifolia,* ill. p. 67.
M. × *purpurea.* Petit arbre à port évasé. H. 8 m, E. 10 m. Écorce rouge assez foncé. Jeunes feuilles ovales, rouge pourpré virant au vert brillant. Corymbes de fleurs

simples très hâtives, rouge rubis, qui pâlissent peu à peu, en fin de printemps. Des pommes arrondies, rouge pourpré, leur succèdent.
M. '**Royalty**', ill. p. 62.
M. *sargentii,* ill. p. 84.
M. *sibirica,* voir *M. baccata.*
M. *sieboldii,* ill. p. 97.
M. *spectabilis* (**Pommier à bouquets**). Arbre à cime arrondie s'étalant avec l'âge. H. et E. 10 m. Feuilles ovales, vert brillant. Grandes fleurs simples ou semi-doubles, rose clair, rouge rosé en bouton, du milieu à la fin du printemps. Pommes rondes, jaunes.
M. *trilobata.* Arbre à branches érigées. H. 15 m, E. 7 m. Feuilles trilobées vert vif, ressemblant à celles d'un érable, prenant en général des teintes vives à l'automne. Fleurs simples, blanches, en début d'été, suivies de rares petites pommes rondes ou piriformes, jaunes ou rouges.
M. *tschonoskii.* Arbre à port conique, érigé. H. 12 m, E. 7 m. Feuilles ovales, vert moyen, prenant à l'automne des teintes chaudes : orangé, rouge écarlate et pourpre. Fleurs simples blanches, à la fin du printemps, suivies de pommes rondes, vert jaunâtre teinté de rouge.
M. '**Veitch's Scarlet**', ill. p. 66.
M. *yunnanensis* var. *veitchii,* ill. p. 64.
M. × *zumi* '**Calocarpa**', ill. p. 68.

MALVA (Malvacées)
Mauve

Genre de plantes herbacées annuelles, bisannuelles, vivaces ou suffrutescentes, à floraison abondante. Rustiques. À cultiver en plein soleil, en sol assez fertile et bien drainé. Multiplication des espèces par semis à l'automne, des formes vivaces par bouturage en fin de printemps ou été. On peut stimuler l'émission des pousses basales en rabattant les tiges après la première floraison.
M. moschata, ill. p. 203.

MALVAVISCUS (Malvacées)

Genre d'arbustes à feuillage persistant et fleurs décoratives. Non rustiques (min. 15 °C). À cultiver en pleine lumière, en sol fertile et bien drainé. Arroser généreusement les sujets cultivés en pot pendant la saison de végétation, modérément en hiver. On peut éventuellement rabattre les tiges florales en fin d'hiver. Multiplication par semis au printemps ou boutures semi-aoûtées en été. Mouches blanches et araignées rouges sont des parasites fréquents.
M. arboreus, ill. p. 89.

MAMMILLARIA (Cactacées)

504

Genre de cactées globuleuses, hémisphériques ou columnaires, cultivées pour leurs anneaux de fleurs qui se développent à l'aisselle de mamelons. Non rustiques (min. 5-10 °C). À planter en plein soleil et en sol très bien drainé. Les garder au sec en hiver, sans quoi les racines pourrissent facilement. Multiplication par semis au printemps ou en été.
M. bocasana, ill. p. 391.
M. elongata, ill. p. 390.
M. geminispina, ill. p. 386.
M. hahniana, ill. p. 386.
M. microhelia, ill. p. 398.
M. plumosa, ill. p. 389.
M. schiedeana, ill. p. 390.
M. sempervivi, ill. p. 392.
M. zeilmanniana, ill. p. 393.

MANDEVILLA, syn. DIPLADENIA (Apocynacées)

Genre de plantes grimpantes à feuillage caduc, semi-persistant ou persistant, à tiges ligneuses, cultivées pour leurs grandes fleurs en trompette. De semi-rustiques à non rustiques (min. 7-10 °C). À cultiver en sol bien drainé, en situation ensoleillée ou légèrement ombragée en été. Arroser généreusement en saison de croissance, parcimonieusement le reste de l'année. À palisser sur un support. Éclaircir et rabattre les tiges en surnombre au début du printemps. Multiplication par semis au printemps ou boutures semi-ligneuses en été. Mouches blanches et araignées rouges sont des parasites fréquents.
M. × amabilis 'Alice du Pont', ill. p. 167.
M. laxa, syn. *M. suaveolens.* Plante grimpante à feuillage caduc ou semi-persistant, à croissance rapide. H. 5 m et plus. Semi-rustique. Feuilles ovales, en cœur à la base. Corymbes de fleurs blanches parfumées en été.
M. splendens, ill. p. 163.
M. suaveolens, voir *M. laxa.*

MANDRAGORA (Solanacées) Mandragore

Genre de plantes vivaces en rosette à grosses racines charnues, s'enfonçant en profondeur. Rustiques. Demandent du soleil ou une ombre légère, de la chaleur, un sol profond, léger, bien drainé. Supportent mal la transplantation. Multiplication par semis à l'automne.
M. officinarum, ill. p. 311.

MANETTIA (Rubiacées)

Genre de plantes grimpantes à feuillage persistant, tiges herbacées ou semi-ligneuses, cultivées pour leurs petites fleurs décoratives. Non rustiques (min. 10 °C de préférence). À cultiver en sol humifère bien drainé, en situation légèrement ombragée en été. Arroser régulièrement, parcimonieusement par temps froid. À palisser sur un support. Rabattre éventuellement les tiges au printemps. Multiplication par boutures herbacées en février. Les mouches blanches sont un parasite fréquent.
M. bicolor, voir *M. inflata.*
M. inflata, syn. *M. bicolor;* ill. p. 164.

MARANTA (Marantacées)

Genre de plantes vivaces ou suffrutescentes à feuillage persistant, souvent coloré d'élégantes panachures. Non rustiques (min. 18 °C). Il leur faut en permanence une atmosphère humide, assez chaude, une situation ombragée, à l'abri des courants d'air. Apprécient un mélange humifère, bien drainé. Multiplication par division au printemps ou boutures de tiges en été.
M. leuconeura. 'Erythroneura' (syn. *M. l.* 'Erythrophylla'), ill. p. 259. var. *kerchoviana,* ill. p. 260.

Marginatocereus marginatus, voir *Lemaireocereus marginatus.*

MARTYNIA (Martyniacées)

Genre de plantes annuelles ou vivaces cultivées pour leurs fleurs campanulées et leurs curieux fruits (capsule avec deux cornes courbes). Aiment une situation ensoleillée et abritée, un sol fertile, bien drainé, léger. Multiplication par semis sous verre au début du printemps.
M. annua, syn. *M. louisiana,* ill. p. 264.
M. louisiana, voir *M. annua.*

MASDEVALLIA, voir ORCHIDÉES.

Orchidées à pétales et labelles peu développés, mais sépales fréquemment très colorés. Certaines sont épiphytes, d'autres lithophytes, d'autres terrestres.
M. coccinea, ill. p. 253. Orchidée épiphyte de serre froide, à feuillage persistant. H. 20 cm. Fleurs de couleurs variables de 8 cm de long, solitaires, de mars à juin. Feuilles étroites, ovales, de 12-20 cm de long. Situation ombragée en été.
M. infracta, ill. p. 252. Orchidée épiphyte de serre froide à feuillage persistant. H. 15 cm. Porte de mai à juillet des fleurs rouge et blanc, arrondies, de 5 cm de long, à sépales verdâtres prolongés en longs appendices. Feuilles lancéolées, de 10-15 cm de long. Situation ombragée en été.
M. tovarensis, ill. p. 252. Orchidée épiphyte de serre froide, à feuillage persistant. H. 15 cm. Donne à l'automne des fleurs par 2-5, blanc laiteux, à sépales prolongés en appendices courts. Feuilles elliptiques, spatulées, de 10-15 cm de long. Situation ombragée en été.
M. wagneriana, ill. p. 254. Orchidée épiphyte à feuillage persistant, de serre froide. H. 8 cm. En été, fleurs jaune pâle, de 4 cm de long, à sépales prolongés en longs appendices, solitaires ou par 2. Feuilles étroites, ovales, de 10 cm de long. Situation ombragée en été.

MATTEUCIA (Polypodiacées)

Genre de fougères rhizomateuses à stipe court et vertical, à feuillage caduc. Rustiques. Se plaisent à mi-ombre, en sol humide. Éliminer régulièrement les frondes sèches et diviser les sujets trop touffus. Multiplication par division à l'automne ou en hiver.
M. struthiopteris, ill. p. 186.

MATTHIOLA (Crucifères) Giroflée quarantaine

Genre de plantes herbacées (annuelles, bisannuelles et vivaces) et suffrutescentes à feuillage persistant. Les fleurs de la plupart des giroflées annuelles et bisannuelles sont très parfumées et tiennent bien en vase. De rustiques à non rustiques (min. 4 °C). À cultiver au soleil ou à mi-ombre, en sol fertile, bien drainé, de préférence calcaire. Il est parfois nécessaire de tuteurer les grandes variétés. Protéger en hiver les plantes cultivées en bisannuelles à l'extérieur. Pour avoir une floraison dès le premier été, semer des graines d'annuelles sous verre au début du printemps ou en plein air vers le milieu du printemps. Semer les graines d'espèces vivaces sous abri au début du printemps. Multiplication des plantes suffrutescentes par boutures semi-ligneuses en été. Plantes sensibles aux pucerons, altises, à la hernie des Crucifères, à l'oïdium et au *Botrytis.*
M. série Brompton, en mélange ill. p. 265; ill. p. 267.
M. série East Lothian. Groupe de bisannuelles buissonnantes et éphémères, à port dressé et croissance rapide, cultivées en annuelles. H. et E. 30 cm. Rustiques. Feuilles lancéolées, gris-vert. En été, inflorescences longues (15 cm et plus) de fleurs parfumées, simples, à 4 pétales, ou doubles, dans des tons de rose, rouge, pourpre, jaune et blanc.
M. 'Giant Excelsior', ill. p. 265.
M. 'Giant Imperial', ill. p. 262.
M. incana. Bisannuelle ou parfois vivace, buissonnante, à croissance rapide, cultivée en annuelle. H. 30-60 cm, E. 30 cm. Rustique. Feuilles lancéolées, gris-vert. En été, fleurs parfumées à 4 pétales,

---

généralement pourpres, groupées en inflorescences de 7-15 cm de long.
M. série Ten-week. Groupe de plantes bisannuelles ou vivaces éphémères, buissonnantes, dressées, à croissance rapide, cultivées souvent en annuelles. H. et E. jusqu'à 30 cm. Semi-rustiques. Feuilles lancéolées, gris-vert. En été, fleurs parfumées à 4 pétales, groupées en inflorescences de 15 cm de long au moins, dans une palette de teintes variées. Il en existe des cultivars à fleurs doubles, nains notamment (ill. p. 268).

MAURANDIA, voir ASARINA.

Maurandia atrosanguineum, voir *Rhodochiton atrosanguineum.*

MAXILLARIA, voir ORCHIDÉES.

M. picta. Orchidée épiphyte, à feuillage persistant, de serre tempérée. H. 25 cm. Fleurs jaunes, parfumées, de 2,5 cm de diamètre, marquées de rouge-brun à l'extérieur. Porte en hiver des fleurs solitaires sous le feuillage. Feuilles étroites, ovales, de 20-30 cm de long. A besoin de mi-ombre en été.
M. porphyrostele, ill. p. 255. Orchidée épiphyte à feuillage persistant, de serre tempérée. H. 20 cm. Porte au printemps des fleurs solitaires, jaunes, à labelle blanc et rouge, de 1 cm de diamètre. Feuilles étroites, ovales, de 20 cm de long. Donner beaucoup de lumière en été, mais sans soleil brûlant.

MAZUS (Scrophulariacées)

Genre de plantes vivaces rampantes, à floraison printanière. À planter dans les rocailles ou entre des dalles. Semi-rustiques. Aiment une situation abritée et ombragée, un sol frais. Multiplication par division au printemps ou semis.
M. reptans, ill. p. 308.

MECONOPSIS (Papavéracées)

Genre de plantes herbacées (annuelles, bisannuelles ou vivaces), certaines éphémères, d'autres monocarpiques (qui meurent après la floraison), à fleurs très décoratives comportant de 4-10 pétales. Rustiques. À planter à l'ombre et en situation fraîche, surtout dans les régions chaudes. La plupart des espèces préfèrent les sols humifères, frais, humides sans excès, neutres ou acides. Multiplication par semis.
M. grandis, M. quintuplinervia,

M. cambrica, M. × sheldonii et leurs cultivars peuvent également être multipliés par division après la floraison.
M. betonicifolia (Pavot bleu de l'Himalaya), ill. p. 212.
M. cambrica (Pavot jaune), ill. p. 232.
M. grandis (Pavot bleu). Plante vivace dressée. H. 80 cm, E. 30 cm. Les tiges robustes portent au début de l'été des fleurs en coupe légèrement inclinées, pourpre plus ou moins bleuté. Les feuilles oblongues légèrement dentées, duveteuses, dressées, vert moyen, sont groupées en rosettes à la base de la plante. À diviser tous les 2 ou 3 ans pour éviter que la plante ne perde de sa vigueur.
'Branklyn', ill. p. 212.
M. integrifolia, ill. p. 247.
M. napaulensis, ill. p. 189.
M. quintuplinervia (Pavot bleu quintuplinervia), ill. p. 228.

MEDICAGO (Légumineuses)
Luzerne

Genre de plantes annuelles, vivaces ou de sous-arbrisseaux à feuillage persistant, cultivés pour leurs fleurs. Bonnes plantes pour région côtière à climat doux car elles résistent bien au vent. Rustiques, mais à planter contre un mur exposé au sud ou à l'ouest dans les régions froides. Aiment une situation ensoleillée, un sol bien drainé. Éliminer le bois mort au printemps. Multiplication des arbustes par boutures herbacées ou semi-ligneuses en été ou par semis à l'automne ou au printemps, des annuelles et vivaces par semis à l'automne ou au printemps.
M. arborea (Luzerne arborescente). Arbuste dense, buissonnant, à feuillage persistant. H. et E. 2 m. Des bouquets de petites fleurs papilionacées jaunes apparaissent du milieu du printemps à la fin de l'automne, voire jusqu'en hiver, auxquelles succèdent de curieuses gousses aplaties, enroulées sur elles-mêmes, vertes puis brunes. Feuilles vert foncé, composées de 3 folioles étroites triangulaires, à poils soyeux lorsqu'elles sont jeunes.

MEDINILLA (Melastomatacées)

Genre d'arbrisseaux et d'arbustes cultivés pour leurs fleurs à bractées colorées et leur feuillage persistant. Non rustiques (min. 16-18 °C). Ont besoin d'ombre légère, d'un sol bien drainé, humifère. Arroser généreusement les sujets cultivés en pot pendant leur saison de végétation, modérément le reste de l'année. Multiplication par boutures herbacées au printemps ou en été.
M. magnifica, ill. p. 109.

MEGASEA, voir BERGENIA.

MELALEUCA (Myrtacées)

Genre d'arbres et arbustes odorants à feuilles persistantes, étroites, coriaces, à floraison printanière ou estivale, cultivés pour leurs fleurs et leur allure générale. Non rustiques (min. 4-7 °C). Demandent une lumière vive, un sol bien drainé. Arroser modérément les sujets cultivés en pot, très peu quand la température est fraîche. Multiplication par semis au printemps ou boutures semi-ligneuses en été.
M. elliptica, ill. p. 110.
M. hypericifolia. Arbuste arrondi. H. et E. 2-3 m. Non rustique. Feuilles d'oblongues à elliptiques, vertes. En été, fleurs portant un pinceau, de 2-2,5 cm de long, d'étamines cramoisies, en général groupées en épis en forme de goupillon, de 4-8 cm de long.
M. nesophylla, ill. p. 112.
M. squarrosa. Arbre ou arbuste érigé, à tiges filiformes. H. 3-6 m, E. 2-4 m. Non rustique. Petites feuilles ovales, vert foncé. Porte fin printemps/début été des épis denses, de 4 cm de long, de fleurs parfumées, portant un petit pinceau d'étamines crème.

MELIA (Méliacées)

Genre d'arbres à floraison printanière, cultivés pour leurs feuilles caduques pennées ou bipennées, leurs grappes axillaires de fleurs et leurs fruits drupacés. Presque semi-rustiques. À planter en plein soleil, en sol bien drainé. Multiplication par semis à l'automne.
M. azedarach (Lilas des Indes), ill. p. 49.

MELIANTHUS (Mélianthacées)

Genre de plantes vivaces et d'arbustes, surtout cultivés pour leurs persistantes imparipennées. Non rustiques (min 5 °C, peuvent être cultivés sur la Côte d'Azur). Demandent une situation ensoleillée, un sol fertile et bien drainé. Arroser généreusement les sujets cultivés en conteneur pendant l'été, modérément le reste de l'année. Les longues tiges peuvent être rabattues au printemps. Multiplication par semis au printemps ou boutures de bois vert en été. Les araignées rouges sont un parasite fréquent.
M. major. Arbuste peu ramifié, à port étalé. H. et E. 2-3 m. Feuilles de 30-45 cm de long, comportant de 7-13 folioles ovales, dentées, vert glauque. Fleurs tubulaires rouge brunâtre, en grappes terminales de 15 cm de long, en été.

MELICA (Graminées), voir BAMBOUS, HERBES, JONCS et LAÎCHES.

M. altissima (Mélique). Graminée vivace à feuillage persistant, formant des touffes. H. 60 cm, E. 20 cm. Rustique. Tiges fines et larges feuilles vert moyen, rêches en dessous. Porte en été d'étroits panicules d'épillets pendants, de teinte fauve. **'Atropurpurea'**, ill. p. 181.

MELIOSMA (Sabiacées)

Genre d'arbres et arbustes à feuillage caduc ou persistant, portant en fin de printemps ou en été des panicules de fleurs petites, blanches. Rustiques. Se plaisent au soleil, en sol profond, fertile et bien drainé. Multiplication par semis à l'automne.
M. veitchiorum, ill. p. 53.

MELITTIS (Labiacées)
Mélitte

Genre monospécifique de plante vivace à floraison estivale. Rustique. Se plaît à mi-ombre, en sol humifère fertile, bien drainé. Multiplication par semis à l'automne ou division au printemps ou au printemps.
M. melissophyllum (Mélisse des bois), ill. p. 234.

MELOCACTUS (Cactacées)

Genre de cactées vivaces, globuleuses, côtelées. Les plantes adultes portent à leur sommet une formation « laineuse », constituée notamment de mamelons serrés sur lesquels s'épanouissent des fleurs en entonnoir, suivies de fruits allongés ou arrondis rouges, roses ou blancs. Non rustiques (min. 18 °C). Ont besoin de plein soleil et d'un sol très bien drainé. Multiplication par semis au printemps ou en été.
M. communis (Cactus melon), ill. p. 392.

MENTHA (Labiacées)
Menthe

Genre de plantes vivaces, certaines à feuillage semi-persistant, cultivées pour leur feuillage décoratif et aromatique, utilisé pour la cuisine et les infusions. Ces plantes cependant assez envahissantes et doivent être cultivées avec précaution. Rustiques. À planter au soleil comme à la mi-ombre, en tout sol bien drainé, de préférence humide. Multiplication par division au

printemps ou à l'automne.
M. × gentilis 'Variegata'. Plante étalée. H. 45 cm, E. 60 cm. Forme un tapis de feuilles ovales, vert foncé, tachetées et rayées de jaune, au soleil surtout. En été, les tiges portent des verticilles de petites fleurs bilabiées mauve pâle.
M. × piperita (Menthe poivrée). **'Citrata'** est une plante étalée. H. et E. 60 cm. Rustique. Tiges vert rougeâtre, portant en été des verticilles de petites fleurs pourpres, bilabiées, au-dessus d'un tapis de feuilles ovales, vert moyen, légèrement dentées, à parfum poivré.
M. requienii (Menthe corse). Plante prostrée. H. jusqu'à 5 cm, E. variable. Les feuilles vert pomme, arrondies, dégagent un fort parfum lorsqu'on les froisse. Porte de minuscules fleurs lavande pourpré. À planter dans la rocaille ou dans un dallage, à mi-ombre et en sol frais.
M. rotundifolia, voir *M. suaveolens*.
M. suaveolens, syn. *M. rotundifolia*. **'Variegata'**, ill. p. 233.

MENTZELIA (Loasacées)

Genre de plantes annuelles ou vivaces, et d'arbustes à feuillage persistant. De rustiques à non rustiques (min. 4 ° C). Planter les espèces rustiques au soleil, en sol fertile, léger, bien drainé, les espèces non rustiques en pot, sous serre. Multiplication par semis au printemps, ou par boutures semi-ligneuses en été pour les arbustes.
M. lindleyi, syn. *Bartonia aurea* **(Bartonia dorée)**, ill. p. 280.

MENYANTHES (Gentianacées)
Trèfle d'eau

Genre de plantes vivaces aquatiques (eau peu profonde), à feuillage caduc, cultivées pour leur feuillage et leurs fleurs. Rustiques. Se plaisent en situation dégagée et ensoleillée. Éliminer les fleurs fanées et le feuillage sec. Diviser au printemps les touffes trop denses. Multiplication au printemps par boutures de tiges.
M. trifoliata, ill. p. 372.

MENZIESIA (Éricacées)

Genre d'arbustes et d'arbrisseaux à feuillage caduc, à croissance lente, cultivés surtout pour leurs petites fleurs à corolle urcéolée ou campanulée. Rustiques, mais craignent les gelées tardives. À planter en site légèrement ensoleillé pour avoir une floraison correcte; sol fertile, frais, acide. Multiplication par boutures herbacées en été ou semis à l'automne.
M. ciliicalyx var. *purpurea*, ill. p. 123.

MERENDERA (Liliacées)

Genre de plantes à corme proches de *Colchicum*. Assez rustiques. À planter au soleil, en sol bien drainé. En région froide et humide, à cultiver de préférence sous châssis ou en serre non chauffée pour que les cormes bénéficient en été d'une période de sécheresse. Planter à l'automne et arroser en hiver et au printemps. Multiplication à l'automne par semis ou bulbilles.
M. bulbocodium, voir *M. montana.*
M. montana, syn. *M. bulbocodium,* ill. p. 368.
M. robusta. H. 8 cm, E. 5-8 cm. Au printemps, fleurs en entonnoir, rose pourpré ou blanches, de 5-6 cm de large. Feuilles basales.

MERREMIA (Convolvulacées)

Genre de plantes grimpantes à feuillage persistant, cultivées pour leurs fleurs. Non rustiques (min. 10 °C). Se plaisent en sol fertile, bien drainé, en pleine lumière. Arroser modérément, surtout en période de repos végétatif. À palisser sur un support. Multiplication par semis au printemps. Les araignées rouges sont un parasite fréquent.
M. tuberosa, syn. *Ipomaea tuberosa.* Croissance rapide. H. 6 m et plus. Feuilles à 7 lobes. Fleurs jaunes, en entonnoir, en été surtout, suivies de fruits globuleux brun ivoire.

MERTENSIA (Boraginacées)

Genre de plantes vivaces cultivées pour leurs fleurs en entonnoir. Rustiques. Se plaisent à mi-ombre, en sol humifère léger, bien drainé. Multiplication par division au printemps ou semis à l'automne.
M. echioides, ill. p. 297.
M. maritima, ill. p. 309.
M. virginica, ill. p. 228.

MERYTA (Araliacées)

Genre d'arbres appréciés pour leur feuillage persistant décoratif. Non rustiques (min. 5 °C). À cultiver au soleil ou à l'ombre légère, en sol humifère. Arroser généreusement les sujets cultivés en pot pendant leur saison de croissance, moins le reste de l'année. Multiplication par boutures semi-ligneuses en été ou semis en fin d'été.
M. sinclairii, ill. p. 72.

Mesembryanthemum criniflorum, voir *Dorotheanthus bellidiformis.*
Mesembryanthemum spectabilis, voir *Lampranthus spectabilis.*
Mesembryanthemum cordifolitum, voir *Aptenia cordifolia.*

MESPILUS (Rosacées)
Néflier

Genre comptant une espèce de petit arbre ou de grand arbuste à feuilles caduques, cultivé pour son port, son feuillage, ses fleurs et ses fruits comestibles. Rustique. À planter à mi-ombre ou au soleil ; peu exigeant pour le sol (supporte les sols arides, mais pas les sols humides à l'excès). Multiplication de l'espèce par semis à l'automne ; greffage pour les variétés fruitières.
M. germanica (Néflier commun), ill. p. 58.

METASEQUOIA (Taxodiacées), voir CONIFÈRES.

M. glyptostroboides, ill. p. 74.

METROSIDEROS (Myrtacées)

Genre d'arbustes, d'arbres et de plantes grimpantes à feuillage persistant, appréciés pour leurs fleurs printanières ou estivales. Peu rustiques. Se plaisent en pleine lumière, en sol fertile et bien drainé. Supportent la taille si nécessaire. Multiplication par semis ou bouturage au printemps.
M. excelsa, ill. p. 56.
M. robusta. Arbre à silhouette arrondie. H. 20 m, E. 10 m. Feuilles arrondies, vert foncé, épaisses. Porte en fin d'été des cymes denses de fleurs, essentiellement composées de longues étamines rouge foncé.

MICHELIA (Magnoliacées)

Genre d'arbres et d'arbustes généralement à feuillage persistant, à floraison hivernale ou estivale, appréciés pour leurs fleurs et leur feuillage. Peu rustiques. À planter en sol humifère, bien drainé, neutre ou acide, au soleil ou à mi-ombre. Arroser généreusement les sujets cultivés en conteneur en saison de croissance, moins en hiver. Multiplication par boutures semi-ligneuses en été ou semis à l'automne ou au printemps.
M. doltsopa, ill. p. 56.
M. figo, ill. p. 62.

MICROBIOTA (Cupressacées), voir CONIFÈRES.

M. decussata, ill. p. 82. Conifère arbustif nain à port étalé. H. 50 cm, E. 2-3 m. Rustique. Porte des bouquets aplatis de feuilles la plupart en écaille, jaune-vert, qui virent au bronze en hiver. Chaque « fruit » globuleux, jaune-brun, ne contient qu'une graine. Ce « fruit » est en réalité une simple enveloppe charnue.

MICROLEPIA (Polypodiacées)

Genre de fougères à feuillage caduc, semi-persistant ou persistant, à cultiver en pot ou panier suspendu. Non rustiques (min. 15 °C, mais la plupart préfèrent une serre chaude). Se plaisent à l'ombre ou à mi-ombre, en sol frais et humide. Éliminer régulièrement les frondes sèches. Multiplication par division au printemps ou spores en été.
M. strigosa, ill. p. 184.

MILLA (Liliacées)

Genre de plantes bulbeuses à floraison estivale, appréciées pour leurs fleurs parfumées composées de 6 tépales en étoile, aplatis à leur extrémité. Semi-rustiques. Demandent une situation abritée et ensoleillée, un sol bien drainé. Plantation au printemps. Arracher les bulbes après la floraison, les garder au sec en hiver. Multiplication au printemps par semis ou bulbilles.
M. biflora. H. 30-45 cm, E. 8-10 cm. Longues feuilles étroites, basales. La tige porte une ombelle lâche de 2-6 fleurs dressées, blanches, de 3-6 cm de diamètre, chacune longuement pédicellée (jusqu'à 20 cm).

MILTONIA, voir ORCHIDÉES.

M. candida var. *grandiflora,* ill. p. 254. Orchidée épiphyte à feuillage persistant, de serre tempérée. H. 20 cm. À l'automne, fleurs brunes à labelle crème, tachetées de jaune, associées en grappes. Feuilles étroites, ovales, de 20-30 cm de long. À garder à mi-ombre en été.
M. clowesii, ill. p. 254. Orchidée épiphyte à feuillage persistant, de serre tempérée. H. 20 cm. Porte au début de l'été de grandes grappes de fleurs jaunes, rayées de rouge-brun, à labelle blanc et mauve de 4 cm de diamètre environ. Feuilles larges, ovales, de 30 cm de long. À garder à mi-ombre en été.

MILTONIOPSIS, voir ORCHIDÉES.

M. Anjou 'St Patrick', ill. p. 253. Orchidée épiphyte, à feuillage persistant, pour serre froide. H. 15 cm. Porte, en été surtout, des bouquets de fleurs de 10 cm de diamètre, cramoisi foncé, au labelle marqué de rouge et jaune. Feuilles lisses, étroites, ovales, de 10-12 cm de long. Demande une situation ombragée en été.

M. Robert Strauss 'Ardingly', ill. p. 252. Orchidée épiphyte à feuillage persistant, pour serre froide. Porte, à des saisons variables, des bouquets de fleurs de 10 cm de diamètre, blanches à marques brun rougeâtre et pourpres. Feuilles lisses, étroites, ovales, de 10-12 cm de long. Demande une situation ombragée en été.

MIMOSA (Légumineuses)

Genre de plantes vivaces, parfois arbustes, cultivées pour leur feuillage persistant et leurs fleurs. Non rustiques (min 16 °C). Aiment la mi-ombre, un sol fertile et bien drainé. Arroser généreusement les sujets cultivés en conteneur pendant leur saison de croissance, modérément ensuite. Multiplication par semis au printemps, par boutures semi-ligneuses également, en été, pour les arbustes. Les araignées rouges sont un parasite fréquent.
M. pudica (Sensitive), ill. p. 144.

MIMULUS (Scrophulariacées)

Genre de plantes annuelles, vivaces et de sous-arbrisseaux à feuillage persistant. Les petites espèces se plaisent dans les coins humides de la rocaille. De rustiques à semi-rustiques. La plupart apprécient le plein soleil, un sol humide. Multiplication des plantes vivaces par division au printemps, des sous-arbrisseaux par boutures herbacées en fin d'été, des annuelles et de toutes les espèces par semis en automne ou au début du printemps.
M. 'Andean Nymph', ill. p. 235.
M. aurantiacus, syn. *M. glutinosus, Diplacus glutinosus,* ill. p. 139.
M. glutinosus, voir *M. aurantiacus.*
M. lewisii, ill. p. 237.
M. luteus, ill. p. 247.
M. série Malibu. Groupe de plantes vivaces très ramifiées, à croissance rapide, cultivées en annuelles. H. 15 cm, E. 30 cm. Semi-rustiques. Feuilles ovales, vert moyen. En été, fleurs tubulaires rouges, jaunes ou orangées (orange, ill. p. 285).
M. 'Royal Velvet', ill. p. 240.

MINA (Convolvulacées)

Genre de plantes grimpantes à feuillage caduc ou semi-persistant, cultivées pour leurs fleurs en général éphémères, mais très nombreuses. De semi-rustiques à non rustiques (min 10 °C). À cultiver au soleil, en sol riche, bien drainé mais pas sec. Multiplication par semis au printemps.
M. lobata, syn. *Ipomaea versicolor, Quamoclit lobata,* ill. p. 168.

MIRABILIS (Nyctaginacées)
Belle-de-nuit

Genre de plantes vivaces, souvent cultivées en annuelles, à floraison estivale, parfois à racines tubéreuses. Semi-rustiques. Se plaisent en situation abritée, en sol fertile et bien drainé, à mi-ombre. En climat assez froid, il est conseillé de prélever les tubercules et de les conserver en hiver dans un local à l'abri du gel. Multiplication par semis ou division des tubercules au printemps.
M. jalapa, ill. p. 205.

MISCANTHUS (Graminées),
voir **BAMBOUS, HERBES, JONCS,** et **LAÎCHES.**

M. sinensis. 'Gracillimus', ill. p. 183; 'Zebrinus', ill. p. 180.

MITCHELLA (Rubiacées)

Genre de sous-arbrisseaux rampants, appréciés pour leur feuillage persistant et leurs fruits. Bons couvre-sol, en sous-bois notamment, bien qu'ils soient parfois difficiles à implanter. Rustiques. Se plaisent à l'ombre, en sol humifère, neutre ou acide. Multiplication au printemps par division des stolons enracinés ou à l'automne par semis.
M. repens. Sous-arbrisseau tapissant, à tiges prostrées. H. 5 cm, E. variable. Petites feuilles ovales, en cœur à la base, vert foncé brillant. En début d'été, petites fleurs blanches parfois teintées de rose, tubulaires, parfumées, par paires, auxquelles succèdent des fruits rouge écarlate, sphériques. À planter dans la rocaille ou en massif tourbeux.

MITELLA (Saxifragacées)

Genre de plantes vivaces en touffe, à tiges fines et floraison estivale. Rustiques. À planter à l'ombre, en sol humifère, frais. Multiplication par division au printemps ou semis à l'automne.
M. breweri, ill. p. 324.

MITRARIA (Gesnériacées)

Genre comptant une espèce de plante grimpante à tiges ligneuses et feuillage persistant. Semi-rustique. À cultiver à mi-ombre, en sol acide, tourbeux. Multiplication par semis au printemps ou boutures de tiges en été.
M. coccinea, ill. p. 164.

MOLINIA (Graminées),
voir **BAMBOUS, HERBES, JONCS** et **LAÎCHES.**

M. caerulea subsp. *arundinacea.* Graminée vivace, herbacée, formant des touffes. H. 2 m, E. 60 cm. Rustique. Larges feuilles aplaties, gris-vert. Donne en été des panicules étalées d'épillets pourpres sur des tiges raides, érigées. À planter en situation ensoleillée, sèche, et sol acide. subsp. *caerulea* 'Variegata', H. 60 cm, a des feuilles vert moyen rayé de jaune, et, en fin d'été, des panicules d'épillets pourprés.

MOLTKIA (Boraginacées)

Genre de plantes vivaces et de sous-arbrisseaux à feuillage caduc, semi-persistant ou persistant, cultivés pour leurs fleurs estivales à corolle tubulaire en entonnoir. D'assez rustiques à peu rustiques. Se plaisent au soleil, en sol bien drainé, neutre ou acide. Multiplication par boutures semi-ligneuses en été ou semis à l'automne.
M. petraea. Arbuste buissonnant à feuillage semi-persistant. H. 45 cm, E. 60 cm. Peu rustique. Longues feuilles étroites, poilues. Des bouquets de boutons pourpre rosé s'ouvrent en été en fleurs tubulaires, bleu violacé.
M. suffruticosa, ill. p. 297.

MOLUCELLA (Labiacées)

Genre de plantes annuelles et vivaces, appréciées pour leurs fleurs qui se prêtent assez bien au séchage. Semi-rustiques. À planter au soleil, en sol riche, bien drainé. Multiplication par semis sous verre au printemps ou en place en fin de printemps.
M. laevis (Clochette d'Irlande), ill. p. 279.

MONARDA (Labiacées)
Monarde

Genre de plantes annuelles et vivaces, cultivées pour leurs fleurs et leur feuillage aromatique. Rustiques. À planter au soleil, en sol frais. Multiplication des espèces et cultivars par division au printemps, ou par semis au printemps pour les espèces uniquement.
M. didyma (Monarde pourpre). 'Cambridge Scarlet', ill. p. 209. 'Croftway Pink', ill. p. 203.
M. fistulosa, ill. p. 210.

MONSTERA (Aracées)

Genre de plantes grimpantes à tiges ligneuses et racines aériennes, appréciées pour leurs grandes feuilles décoratives. Portent par intermittence des fleurs insignifiantes, blanc crème, entourées d'une spathe en capuchon. Non rustiques (min. 14 °C). Demandent un sol bien drainé, riche en humus, une situation légèrement ombragée en été. Arroser modérément, surtout quand la température baisse. À palisser sur un support. Si nécessaire, raccourcir les tiges au printemps. Multiplication en été par bouture d'œil (à l'aisselle d'une feuille) ou bouture terminale.
M. deliciosa, ill. p. 178.

MORAEA (Iridacées)

Genre de plantes à corme, à fleurs éphémères ressemblant à l'iris. Les espèces sont généralement semi-rustiques, demandent du soleil, un sol bien drainé; les garder au sec pendant leur dormance. Multiplication par semis à l'automne ou au printemps.
M. huttonii, ill. p. 339.

MORINA (Morinacées)

Genre de plantes vivaces à feuillage persistant, dont une seule espèce est couramment cultivée, pour ses fleurs et son feuillage ressemblant à celui des chardons. Rustique, mais à protéger des vents desséchants. Aime une situation ensoleillée, un sol humide, bien drainé, de préférence sableux. Multiplication par division aussitôt après la floraison ou plutôt par semis de graines fraîches en fin d'été.
M. longifolia, ill. p. 202.

MORISIA (Crucifères)

Genre comptant une espèce de plante vivace en rosette, à longue racine pivotante. Bonne espèce de rocaille, éboulis, serre alpine. Rustique. Se plaît au soleil, en sol caillouteux, bien drainé. Multiplication par semis à l'automne ou boutures de racines en hiver.
M. hypogaea, voir *M. monanthos.*
M. monanthos, syn. *M. hypogaea*, ill. p. 312.

MORUS (Moracées)
Mûrier

Genre d'arbres à feuilles caduques, cultivés pour leur feuillage et leurs fruits comestibles. Fleurs insignifiantes au printemps. De rustiques à peu rustiques. À planter en plein soleil, en sol fertile et bien drainé. Multiplication par boutures herbacées en été ou semis à l'automne.

M. alba (Mûrier blanc, Mûrier commun). 'Laciniata' (Mûrier à feuilles laciniées), ill. p. 65. 'Pendula' est un arbre pleureur à feuilles caduques. H. 3 m, E. 5 m. Feuilles rondes, parfois lobées, vert pâle, virant au jaune à l'automne. Fruits comestibles, ovales, charnus, roses, rouges ou pourpres, qui mûrissent en été.
M. nigra (Mûrier noir). Arbre à feuilles caduques et cime large, dense. H. 12 m, E. 15 m. Feuilles en cœur, vert foncé, virant au jaune à l'automne. Fruits comestibles ovales, charnus, rouge pourpré foncé en fin d'été ou début d'automne. Arbre pour climats doux.

MULGEDIUM, voir CICERBITA.

MUSA (Musacées)
Bananier

Genre de plantes vivaces arborescentes souvent drageonnantes, à feuillage persistant. Le faux tronc est constitué de gaines de feuilles emboîtées. Cultivés pour leur feuillage, leurs fleurs et leurs fruits (les bananes, mais toutes ne sont pas comestibles). Non rustiques (min. 15 °C). À planter au soleil ou à mi-ombre, en sol bien drainé, riche en humus. Multiplication par semis; pour les espèces drageonnantes, par séparation des drageons après la floraison.
M. arnoldiana, voir *Ensete ventricosum.*
M. basjoo, syn. *M. japonica* (Bananier japonais), ill. p. 195.
M. ensete, voir *Ensete ventricosum.*
M. japonica, voir *M. basjoo.*
M. ornata (Bananier à fleurs décoratives), ill. p. 194.

MUSCARI (Liliacées)

Genre de plantes bulbeuses à floraison printanière, à bouquet de feuilles basales étroites, en lanière, qui apparaissent au printemps juste avant les fleurs. Les tiges florales portent des grappes denses de petites fleurs, la plupart resserrées à leur extrémité. De rustiques à semi-rustiques. Aiment une situation ensoleillée, un sol bien drainé. Plantation à l'automne. Multiplication par division des bulbilles et caïeux en fin d'été ou semis à l'automne.
M. armeniacum, ill. p. 362. 'Blue Spike', H. 20 cm, E. 8-10 cm, est rustique. Donne de 3-6 feuilles basales, longues, étroites, semi-dressées, des grappes denses de fleurs bleu foncé, en clochette, parfumées. L'extrémité resserrée de la fleur est bordée de bleu pâle ou de petites « dents » blanches.
M. aucheri, syn. *M. tubergenianum*, ill. p. 361.
M. botryoides (Muscari raisin). H. 20 cm, E. 5-8 cm. Rustique. Porte de 2-4 feuilles basales,

étroites, semi-dressées, qui s'élargissent légèrement vers leur extrémité, et de minuscules fleurs bleues, presque sphériques, à extrémité resserrée et bordure dentée blanche.
M. comosum (Muscari à toupet, Poireau roux). Fleurit à la fin du printemps. H. 20-30 cm, E. 10-12 cm. Rustique. Jusqu'à 5 feuilles basales, en lanières semi-dressées, gris-vert. Grappe lâche de fleurs fertiles en clochette, bleu verdâtre, avec en haut une touffe de fleurs stériles filiformes, bleu pourpré.
'Plumosum' (syn. *M. c. 'Monstrosum'*), ill. p. 360.
M. latifolium, ill. p. 346.
M. macrocarpum, ill. p. 363.
M. neglectum, syn. *M. racemosum,* ill. p. 362.
M. paradoxum, voir *Bellevalia pycnantha.*
M. pycnantha, voir *Bellevalia pycnantha.*
M. racemosum, voir *M. neglectum.*
M. tubergenianum, voir *M. aucheri.*

MUTISIA (Composées)

Genre de plantes grimpantes à feuillage persistant, s'accrochant par des vrilles, et d'arbrisseaux dressés. Semi-rustiques. À planter en sol bien drainé. Multiplication par semis au printemps, par boutures de tiges en été ou marcottage à l'automne.
M. decurrens, ill. p. 175.

MYOPORUM (Myoporacées)

Genre d'arbres et d'arbustes à feuillage persistant, cultivés pour leur allure générale, utilisés en haies et écrans. De peu rustiques à non rustiques (min. 2-5 ºC). Se plaisent au soleil, en sol bien drainé, même aride, supportent les sols calcaires. Arroser modérément les sujets cultivés en pot. Multiplication

par semis ou bouturage.
M. laetum. Arbre ou arbuste à port arrondi. H. 6 m, E. 5 m. Feuilles lustrées, vert clair, étroites, ovales. Bouquets axillaires de petites fleurs blanches (corolle à tube court, à 5 lobes), ponctuées de pourpre, au printemps/début d'été. De petits fruits oblongs, rouge pourpré, leur succèdent.
M. parvifolium, ill. p. 130.

MYOSOTIDIUM (Boraginacées)

Genre comptant une seule espèce de plante vivace à feuillage persistant, convenant pour régions à hivers doux. Semi-rustique. Se plaît en sol frais, à mi-ombre. Un paillage lui est bénéfique. C'est une plante délicate à cultiver, qu'il ne faut pas déplacer une fois bien implantée. Multiplication par division au printemps ou semis de graines mûres, en été ou automne.
M. hortensia, syn. *M. nobile,* ill. p. 243.
M. nobile, voir *M. hortensia.*

MYOSOTIS (Boraginacées)

Genre de plantes annuelles, bisannuelles et vivaces, à floraison décorative. La plupart des espèces conviennent pour la rocaille, les massifs, les bordures. *M. scorpioides* est plutôt une espèce d'eaux peu profondes. Rustiques. Se plaisent en général au soleil ou à mi-ombre, en sol fertile, bien drainé. Multiplication par semis à l'automne.
M. alpestris (Myosotis des Alpes), ill. p. 310.
M. australis. Plante vivace éphémère, formant des touffes. H. 12 cm, E. 8 cm. Feuilles ovales, de texture grossière. Bouquets denses de fleurs jaunes ou blanches, en entonnoir évasé, en été. Bonne espèce pour terrain

caillouteux.
M. 'Blue Ball', ill. p. 278.
M. caespitosa, voir *M. laxa* subsp. *caespitosa.*
M. laxa subsp. *caespitosa,* syn. *M. caespitosa.* Annuelle ou plante vivace éphémère. H. 12 cm, E. 15 cm. Feuilles lancéolées, coriaces, vert foncé. Porte au printemps des bouquets de fleurs bleu vif, arrondies.
M. palustris, voir *M. scorpioides.*
M. scorpioides, syn. *M. palustris* (Myosotis des marais, Ne m'oubliez pas). **'Mermaid',** ill. p. 374.

Myrceugenia apiculata, voir *Myrtus luma.*

MYRIOPHYLLUM (Halorragidacées)

Genre de plantes vivaces aquatiques, flottantes ou immergées, à feuillage caduc décoratif. La plupart des espèces sont idéales pour la ponte des poissons. De rustiques à non rustiques (min. 5 ºC). Aiment le plein soleil. S'étendent rapidement : limiter leur développement si besoin est. Multiplication par boutures de tiges au printemps ou en été.
M. aquaticum, syn.
M. proserpinacoides, ill. p. 374.
M. proserpinacoides, voir *M. aquaticum.*
M. verticillatum, ill. p. 375.

MYRRHIS (Ombellifères)
Cerfeuil musqué

Genre monospécifique de plante vivace à floraison estivale. Rustique. À planter au soleil comme à l'ombre, en sol humide bien drainé. Multiplication par semis à l'automne ou au printemps.
M. odorata, ill. p. 201.

MYRTILLOCACTUS (Cactacées)

Genre de cactées vivaces, ramifiées, à tiges vert bleuté, épineuses, côtelées. Fleurs étoilées qui s'ouvrent la nuit. Non rustiques (min. 11-12 ºC). Il leur faut une situation ensoleillée, un sol bien drainé. Multiplication par semis ou boutures de tiges au printemps ou en été.
M. geometrizans, ill. p. 378.

MYRTUS (Myrtacées)
Myrte

Genre d'arbustes et d'arbrisseaux à feuillage persistant, parfois d'arbres, appréciés pour leurs fleurs, leurs fruits et leur feuillage aromatique très décoratif. De semi-rustiques à peu rustiques (ce qui est le cas le plus fréquent). À planter à l'abri d'un mur orienté au sud ou à l'ouest dans les régions un peu froides, en plein soleil, dans un sol bien drainé. Multiplication par boutures semi-aoûtées en fin d'été, ou par semis.
M. apiculata, voir *M. luma.*
M. communis, ill. p. 97. var. *tarentina* est un arbuste buissonnant. H. et E. 2 m. Semi-rustique. Petites feuilles étroites, ovales, vertes à reflets cuivrés. Du milieu du printemps au début de l'été, fleurs parfumées, en coupe blanches, à bouquet dense d'étamines, suivies de fruits blancs sphériques.
M. luma, syn. *M. apiculata, Myrceugenia apiculata,* ill. p. 87.
M. ugni, syn. *Eugenia ugni.* Arbuste buissonnant. H. 1,5 m, E. 1 m. Semi-rustique. Feuilles ovales, lustrées, vert foncé. Porte à la fin du printemps des fleurs en coupe, légèrement inclinées, parfumées, rose clair, auxquelles succèdent des fruits sphériques, rouge corail, aromatiques et comestibles.

N

NANDINA (Berbéridacées)

Genre comprenant une seule espèce d'arbuste à feuillage persistant ou semi-persistant, à floraison estivale décorative. Semi-rustique. Se plaît en situation ensoleillée et abritée, en sol fertile, bien drainé mais pas trop sec. Rabattre au printemps les vieilles tiges inesthétiques sur les sujets bien établis. Multiplication en été par boutures semi-ligneuses.
N. domestica. Arbuste élégant, dressé. H. et E. 2 m. Feuilles pennées composées de folioles étroites, lancéolées, vertes, rouge pourpré à l'état jeune et en automne-hiver. Vers le milieu de l'été, grandes panicules de petites fleurs blanches étoilées, suivies sous climat assez chaud de fruits rouges sphériques. **'Firepower'**, ill. p. 119.

NARCISSUS (Amaryllidacées)
Narcisse

Genre de plantes bulbeuses à floraison décorative. Les narcisses ont en général des feuilles linéaires ou en gouttière. Fleurs à périanthe tubuleux dont le limbe est formé de 6 pièces libres (qui sont réfléchies, étalées ou érigées), portant au niveau de la gorge un tube ou «coronule» de forme variable. Le périanthe de chaque fleur est donc composé d'une coronule et de «pétales» (3 sépales et 3 pétales, identiques, en fait). Par commodité, le mot pétale sera employé dans la suite de cet article pour désigner les 6 pièces libres du périanthe (qui sont d'ailleurs plus nombreuses dans les fleurs doubles). Rustiques, sauf mention contraire. Se plaisent au soleil ou à mi-ombre, en sol bien drainé. Les cultivars de la division 8 (Narcisses tazetta, appelés Narcisses à bouquets), semi-rustiques, préfèrent nettement le plein soleil. Éliminer les fleurs fanées et couper ce qui reste du feuillage en été. La plupart des variétés se multiplient naturellement par des caïeux. Diviser les touffes denses tous les 3-5 ans, mais au moins 6 semaines après la floraison. Les espèces botaniques peuvent être multipliées par semis de graines fraîches en fin d'été ou en automne. Le virus de la mosaïque du narcisse, la pourriture basale (sclérotiniose), les limaces, les larves de la mouche du narcisse, les anguillules des bulbes et des tiges peuvent être source de problèmes importants.
D'un point de vue horticole, les narcisses sont classés dans les divisions suivantes :

Div. 1. Trompette. Les fleurs en général solitaires ont une coronule en forme de trompette, plus longue que les pétales. Floraison printanière.
Div. 2. À grande couronne. Fleurs solitaires à coronule d'une longueur comprise entre un tiers et une fois la longueur des pétales. Floraison printanière.
Div. 3. À petite couronne. Fleurs solitaires à coronule inférieure ou égale au tiers de la longueur des pétales. Floraison : printemps ou début d'été.
Div. 4. À fleurs doubles. Fleurs généralement solitaires, de grande taille, doubles, à coronule remplacée par des pièces pétaloïdes. Certains ont des fleurs plus petites, en bouquets de 4 et plus, souvent parfumées. Floraison : printemps ou début d'été.
Div. 5. Triandrus et ses hybrides. Plusieurs fleurs pendantes, parfumées, sur la même tige. Floraison printanière.
Div. 6. Cyclamineus. Hampe florale portant plusieurs fleurs à longue «trompette». Pétales étroits, pointus, récurvés. Floraison printanière.
Div. 7. Jonquilla et ses hybrides. Fleurs délicatement parfumées, en général par 2 et plus par tige. Coronule courte parfois bombée. Pétales souvent plats, larges et arrondis. Floraison printanière.
Div. 8. Tazetta. Les fleurs parfumées des variétés à petites fleurs sont groupées, de 2-12 par tige; celles des variétés à grandes fleurs par 3 ou 4 seulement. Tous ont une petite coronule (de longueur comprise entre un tiers et la moitié de celle des pétales). Floraison : de la fin de l'hiver au milieu du printemps. Semi-rustiques. Les bulbes «préparés» peuvent être cultivés en pot à l'intérieur pour une floraison en milieu d'hiver.
Div. 9. Poeticus et *N.* × *poetaz.* Hampe multiflore. Petite coronule très colorée et pétales blancs ou jaunes. Floraison printanière.
Div. 10. Espèces sauvages. Fleurs très variables (souvent de petites fleurs à coronule ondulée en entonnoir à fleurs en trompette). Floraison : de fin d'hiver à début d'été.
Div. 11. À coronule (ou coupe) divisée, «éclatée». Fleurs solitaires, à coronule fendue sur un tiers ou plus de sa longueur; le nombre d'entailles est variable. Bord des segments de la coronule appliqué sur les pétales. Floraison printanière.
Div. 12. Divers. Cette catégorie comprend des hybrides aux fleurs de forme variable, intermédiaire. Certains hybrides à coronule ondulée figurent ici. Floraison : fin d'hiver et printemps.

***N.* 'Actaea'**, ill. p. 348. Div. 9. Fleurit en fin de printemps. H. 40 cm. Fleurs parfumées à pétales blanc brillant et coronule bombée, courte, jaune citron, bordée de rouge orangé.
N. albus* var. *plenus-odoratus, voir *N. poeticus* 'Flore Pleno'.
***N.* 'Ambergate'**, ill. p. 349. Div. 2. Fleurit à la mi-printemps. H. 45 cm. Fleurs à coronule courte, très évasée, rouge, à pétales orangés.
N. assoanus, syn. *N. juncifolius, N. requienii.* Div. 10. Fleurit en milieu de printemps. H. 15 cm. Proche de *N. jonquilla,* mais feuilles fines, cylindriques, et fleurs arrondies jaune clair, à parfum légèrement citronné. Se plaît au soleil, en sol très bien drainé.
N. asturiensis, syn. *N. minimus.* Div. 10. Fleurit en fin d'hiver ou début de printemps. H. 8 cm. Petites fleurs jaune citron à trompette et pétales fins. Préfère le plein soleil.
***N.* 'Bartley'**, ill. p. 349. Div. 6. Fleurit au début du printemps. H. 35 cm. Longues fleurs jaune d'or, à pétales récurvés et trompette étroite. Les fleurs durent longtemps.
***N.* 'Binkie'**, ill. p. 349. Div. 2. Fleurit au début du printemps. H. 30 cm. Les fleurs sont d'abord jaune citron pâle, la coronule vire au blanc teinté de soufre, avec un bord ondulé jaune citron.
***N.* 'Birma'.** Div. 3. Fleurit à la mi-printemps. H. 45 cm. Fleurs à pétales jaune pâle et coronule orange vif, à bord très ondulé.
***N.* 'Bob Minor'**, ill. p. 349. Div. 1. Vigoureuse plante fleurissant au début du printemps. H. 20 cm. Petites fleurs jaune d'or, à pétales ondulés et trompette dressée.
***N.* 'Bridal Crown'**, ill. p. 348. Div. 4. Fleurit à la fin du printemps. H. 40 cm. Petites fleurs parfumées, très durables, semi-doubles, à pétales blanc laiteux arrondis et segments pétaloïdes blancs mêlés à d'autres plus courts, orange safran, au centre.
***N.* 'Brunswick'.** Div. 2. Fleurit au début du printemps. H. 40 cm. Fleurs durables, à pétales blancs et longue coronule évasée, jaune frais virant au jaune citron, à bord plus foncé. Feuillage vert bleuté. Excellent en bouquets.
N. bulbocodium* subsp. *bulbocodium, ill. p. 349. Div. 10. Floraison printanière. H. 15 cm. Fleurs jaune d'or, à coronule conique bien développée et pétales étroits, pointus, très réduits. Se plaît au soleil, en terrain humide. Semi-rustique. var. *citrinus,* H. 15 cm, a des feuilles fines, vert foncé, et des fleurs jaune citron pâle. Semi-rustique.
N. campernellii, voir *N.* × *odorus.*
N. canaliculatus, ill. p. 348. Div. 8. Fleurit au milieu du printemps. H. 25 cm. Porte un bouquet de 4 fleurs parfumées (et plus) par tige, chacune à pétales récurvés, blancs, et coronule en tube court, jaune foncé.
N. cantabricus. Div. 10. Fleurit au printemps et parfois en fin d'automne. H. 10 cm. Proche de *N. bulbocodium* subsp. *bulbocodium,* mais moins vigoureux. Fleurs blanc laiteux. Se plaît sous serre froide.
***N.* 'Cantatrice'.** Div. 1. Fleurit au milieu du printemps. H. 40 cm. Fleurs à pétales blanc pur et trompette fine, blanc laiteux.
***N.* 'Capax Plenus',** voir *N.* 'Eystettensis'.
***N.* 'Cassata'**, ill. p. 349. Div. 11. Fleurit au milieu du printemps. H. 40 cm. Coronule jaune primevère, fendue en segments à bord ondulé, et larges pétales blanc laiteux.
***N.* 'Charity May'**, ill. p. 349. Div. 6. Floraison printanière. H. 30 cm. Petites fleurs jaune citron pâle à larges pétales récurvés et coronule légèrement plus foncée.
***N.* 'Cheerfulness'**, ill. p. 348. Div. 4. Fleurit à la fin du printemps. H. 40 cm. Proche de *N.* 'Bridal Crown', mais à fleurs très doubles, à pétales blanc laiteux et segments pétaloïdes intérieurs blancs également, quelques-uns plus courts, jaune orangé, vers le centre de la fleur. Bonne fleur à couper.
N. cyclamineus, ill. p. 349. Div. 10. Fleurit en fin d'hiver-début de printemps. H. 15 cm. Fleurs jaune d'or clair, fines, inclinées, à pétales étroits, récurvés, et longue trompette étroite.
***N.* 'Daydream'.** Div. 2. Fleurit au milieu du printemps. H. 35 cm. Fleurs arrondies, durables, à larges pétales jaune soufre, avec un halo presque blanc, et coronule évasée, jaune citron, virant au blanc soufré.
***N.* 'Dove Wings'**, ill. p. 348. Div. 6. Fleurit à la mi-printemps. H. 30 cm. Petites fleurs à pétales blanc laiteux et coronule assez longue, jaune tendre.
***N.* 'Eystettensis',** syn. *N.* 'Capax Plenus'. Div. 4. Fleurit à la mi-printemps. H. 20 cm. Fleurs doubles, délicates, composées de segments pétaloïdes pointus, d'un jaune tendre.
***N.* 'February Gold'**, ill. p. 349. Div. 6. Vigoureuse plante fleurissant en début de printemps. H. 30 cm. Fleurs solitaires, tenant longtemps, à pétales jaune d'or clair et longue trompette légèrement plus foncée. Bonne variété à naturaliser ou à utiliser en bordure.
***N.* 'February Silver'**, ill. p. 348. Div. 6. Robuste plante fleurissant au début du printemps. H. 30 cm. Fleurs durables, à pétales blanc laiteux et longue trompette penchée, d'abord jaune citron, puis virant au jaune crème avec le temps.
***N.* 'Fortune'**, ill. p. 349. Div. 2.

Fleurit de début à mi-printemps. H. 40 cm. Fleurs à pétales jaune foncé, côtelés, et coronule évasée, orange cuivré ; bonne tenue en vase.

N. 'Foxfire'. Div. 2. Fleurit à la mi-printemps. H. 35 cm. Fleurs arrondies, à pétales blanc pur. Petite coronule blanche teintée à bordure orange teinté de corail.

N. 'Golden Ducat', ill. p. 349. Div. 4. Fleurit au milieu du printemps. H. 38 cm. Fleurs doubles, jaune d'or, de forme variable, intéressante en bouquets.

N. 'Hawera', ill. p. 349. Div. 5. Fleurit à la mi-printemps. H. 20 cm. Fleurs inclinées d'un jaune citron délicat. Aime une situation ensoleillée. Bonne plante à cultiver en pot.

N. 'Home Fires,' ill. p. 349. Div. 2. Fleurit au début du printemps. H. 45 cm. Fleurs à pétales pointus, d'un jaune citron soutenu et coronule orangée à bordure lobée et ondulée.

N. 'Ice Follies', ill. p. 348. Div. 3. Fleurit au début du printemps. H. 40 cm. Fleurs à pétales blanc laiteux et coronule très large, presque aplatie, jaune frais virant au crème.

N. 'Irene Copeland', ill. p. 348. Div. 4. Fleurit à la mi-printemps. H. 35 cm. Grandes fleurs doubles composées de segments pétaloïdes blanc laiteux, mêlés à d'autres, plus courts, jaune crème pâle. Bonne tenue en vase.

N. 'Jack Snipe', ill. p. 348. Div. 6. Vigoureuse plante fleurissant du début à la mi-printemps. H. 25 cm. Fleurs durables blanc laiteux, ressemblant à celles de N. 'Dove Wings', mais à pétales plus étroits, à bord incurvé. Coronule de taille moyenne, jaune citron foncé.

N. jonquilla (Petite Jonquille), ill. p. 349. Div. 10. Plante multiflore fleurissant au print-emps. H. 30 cm. Fleurs très parfumées, en bouquets de 6 et plus, à pétales jaunes, effilés, coronule jaune d'or foncé. Feuilles caractéristiques, junciformes.

N. 'Jumblie', ill. p. 349. Div. 6. Fleurit au début du printemps. H. 20 cm. Porte de 2-3 fleurs qui tiennent longtemps, à grands pétales jaune d'or et coronule jaune orangé. Convient à la culture en pot.

N. juncifolius, voir N. assoanus.

N. 'Kilworth', ill. p. 348. Div. 2. Vigoureuse plante fleurissant en fin de printemps. H. 40 cm. Pétales pointus, blanc laiteux, et coronule rouge orangé. Fait beaucoup d'effet planté en masses.

N. 'Kingscourt', ill. p. 349. Div. 1. Vigoureuse plante fleurissant à la mi-printemps. H. 42 cm. Coronule évasée bombée, jaune d'or, et larges pétales arrondis plus pâles.

N. 'Lemon Glow', ill. p. 349. Div. 1. Fleurit à la mi-printemps. H. 45 cm. Fleurs jaune pâle, à trompette large, à bordure jaune citron clair, lobée et nettement récurvée.

N. 'Liberty Bells', ill. p. 349. Div. 5. Vigoureuse plante fleurissant à la mi-printemps. H. 30 cm. Fleurs jaune clair, légèrement parfumées.

N. 'Little Beauty', ill. p. 348.

Div. 1. Fleurit au début du printemps. H. 10 cm. Fleurs à pétales blanc laiteux et trompette jaune vif. À naturaliser dans une pelouse.

N. 'Merlin', ill. p. 348. Div. 3. Fleurit à la mi-printemps. H. 35 cm. Fleurs à pétales larges, arrondis, d'un blanc brillant, et coronule jaune d'or, assez large et aplatie, à petit œil vert et bordure rouge orangé, ondulée. Fait beaucoup d'effet.

N. minimus, voir N. asturiensis.

N. 'Minnow'. Div. 8. Fleurit du début à la mi-printemps. H. 20 cm. Bouquets de 4 fleurs (et plus) par tige, parfumées, à pétales arrondis jaune crème et coronule jaune vif. Se multiplie rapidement. Recommandé pour la culture en pot ou la rocaille.

N. minor, syn. N. nanus, ill. p. 349. Div. 10. Fleurit au début du printemps. H. 20 cm. Fleurs à pétales jaune tendre, se chevauchant légèrement, trompette plus foncée, presque en tube, à bord ondulé.

N. 'Mount Hood'. Div. 1. Vigoureuse plante fleurissant à la mi-printemps. H. 40 cm. Fleurs durables, à pétales blanc laiteux et trompette bombée, d'abord jaune crème, puis blanc laiteux, à bord très ondulé et ouvert.

N. nanus, voir N. minor.

N. obvallaris. Div. 10. Vigoureuse plante fleurissant au début du printemps. H. 30 cm. Fleurs jaune d'or à pétales courts et trompette large, sur des tiges raides.

N. × odorus, syn. N. campernellii. Div. 10. Robuste plante fleurissant à la mi-printemps. H. 20-30 cm. En général, 2 fleurs jaune d'or foncé, très parfumées.

'Rugulosus' (ill. p. 349), H. 30 cm, est vigoureux et porte jusqu'à 4 fleurs à petite coronule, jaune d'or.

N. 'Paper White Grandiflora', syn. N. papyraceus 'Grandiflora', N. p. 'Paper White Snowflake'. Div. 8. Fleurit en fin d'hiver et jusqu'à la mi-printemps. H. 35 cm. Semi-rustique. Donne 10 fleurs durables (ou plus), très parfumées, étoilées, d'un blanc nacré avec une petite coronule bombée abritant des étamines jaune safran, bien visibles. Peut fleurir tout l'hiver à l'intérieur.

N. papyraceus 'Grandiflora' voir N. 'Paper White Grandiflora'. **'Paper White Snowflake',** voir N. 'Paper White Grandiflora'.

N. 'Passionale' ill. p. 348. Div. 2. Fleurit à la mi-printemps. H. 40 cm. Fleurs à pétales blanc laiteux et longue coronule rose teinté d'abricot.

N. 'Pencrebar', ill. p. 349. Div. 4. Fleurit à la mi-printemps. H. 20 cm. Petites fleurs parfumées, arrondies, très doubles, souvent par 2. Segments pétaloïdes externes et internes jaune pâle, régulièrement mêlés d'autres, plus foncés.

N. poeticus (Narcisse des poètes, Porillon, Jeannette). Div. 10. Espèce fleurissant en fin de printemps, d'aspect variable. H. 40 cm. Chaque fleur parfumée est composée de pétales blanc

nacré et d'une petite coronule courte et évasée, jaune ou orangée, à bordure rouge. Facile à naturaliser dans une pelouse, s'accommode de tous terrains, sauf s'ils sont très humides. **'Flore Pleno',** syn. N. albus var. plenus-odoratus, H. 40 cm, a des fleurs d'un blanc pur, doubles, à cœur orangé ou jaune verdâtre peu visible, en fin de printemps. Se prête bien aux bouquets. var. **recurvus,** H. 40 cm, a des fleurs durables de grande taille, à pétales récurvés et trompette jaune verdâtre très courte à bordure cramoisie, en fin de printemps.

N. 'Portrush', ill. p. 348. Div. 3. Fleurit en fin de printemps. H. 35 cm. Petites fleurs à pétales blanc laiteux nacré, teinté de vert, et petite coronule courte, blanc crème à œil vert vif.

N. 'Pride of Cornwall', ill. p. 348. Div. 8. Fleurit à la mi-printemps. H. 40 cm. Grandes fleurs parfumées à pétales blanc laiteux et coronule jaune vif à bordure rouge orangé. Excellente fleur à couper.

N. pseudonarcissus (Faux Narcisse, Aiault). Div. 10. Espèce d'aspect très variable, fleurissant en début de printemps. H. 15-30 cm. Fleurs inclinées à pétales jaune paille se chevauchant; grande trompette d'un jaune souvent plus foncé. Facile à naturaliser.

N. requienii, voir N. assoanus.

N. 'Rip van Winkle', ill. p. 349. Div. 4. Fleurit en début de printemps. H. 15 cm. Fleurs doubles, à pétales denses, plats, effilés, d'un jaune citron tirant sur le vert.

N. romieuxii, ill. p. 349. Div. 10. Fleurit en début de printemps. H. 10 cm. Rustique, mais à cultiver de préférence sous châssis ou en serre froide. Proche de N. bulbocodium subsp. bulbocodium, mais chaque fleur parfumée a une grande coronule aplatie d'un jaune pâle brillant.

N. rupicola, ill. p. 349. Div. 10. Fleurit à la mi-printemps. H. 8 cm. Ressemble à N. assoanus, mais a un feuillage vert bleuté et des fleurs solitaires jaune citron, moins parfumées; coronule à 6 lobes.

N. 'St Keverne', ill. p. 349. Div. 2. Vigoureuse plante fleurissant du début à la mi-printemps. H. 40 cm. Fleurs solitaires à pétales jaune d'or pâle et coronule un peu plus foncée, ayant presque les dimensions d'une trompette.

N. 'Salome'. Div. 2. Vigoureuse plante fleurissant en fin de printemps. H. 40 cm. Fleurs durables, à larges pétales blanc laiteux, arrondis; longue coronule évasée, rose saumoné à bordure teintée de jaune d'or, légèrement ondulée.

N. 'Satin Pink', ill. p. 348. Div. 2. Fleurit à la mi-printemps. H. 40 cm. Larges pétales côtelés, blanc laiteux, et longue coronule rose chamois tendre, bombée, à peine évasée, ayant presque les dimensions d'une trompette.

N. 'Sealing Wax', ill. p. 349. Div. 2. Fleurit du milieu à la fin du printemps. H. 45 cm. Pétales jaune d'or et coronule rouge vif; fleurs solitaires.

N. 'Silver Chimes'. Div. 8. Vigoureuse plante fleurissant du milieu à la fin du printemps. H. 30 cm. Jusqu'à 10 fleurs parfumées à larges pétales blanc laiteux; coronule cylindrique courte, d'un jaune crème pâle. Feuillage vert foncé. Se plaît en situation chaude.

N. 'Spellbinder', ill. p. 349. Div. 1. Fleurit au début du printemps. H. 40 cm. Fleurs jaune soufre, durables, à longue trompette bombée, blanc légèrement teinté de jaune pâle à l'intérieur, sauf la bordure lobée, repliée, teintée de jaune citron.

N. 'Stratosphere'. Div. 7. Fleurit à la mi-printemps. H. 40 cm. Porte en général 3 fleurs parfumées, à pétales jaune d'or, et coronule plus foncée.

N. 'Suzy', ill. p. 349. Div. 7. Robuste plante fleurissant à la mi-printemps. H. 40 cm. Porte de 3-4 fleurs durables, parfumées et de grande taille, à pétales jaune d'or clair; grande coronule jaune orangé.

N. 'Sweetness', ill. p. 349. Div. 7. Fleurit en début de printemps. H. 40 cm. Fleurs solitaires, parfumées, à pétales jaune d'or clair et coronule droite, fine.

N. 'Tahiti', ill. p. 349. Div. 4. Robuste plante fleurissant à la mi-printemps. H. 40 cm. Fleurs solitaires, doubles, d'allure assez lâche, à pétales et segments pétaloïdes jaune d'or, entremêlés d'autres segments pétaloïdes plus courts, orangé vif.

N. tazetta (Narcisse de Constantinople, Narcisse à bouquets). Div. 10. Fleurit en février-mars. Espèce très variable. H. 30-40 cm. Porte en général de 2 à 12 petites fleurs parfumées, à pétales fins, blancs ou jaunes; coronule courte, blanche ou jaune.

N. 'Tête à tête', ill. p. 349. Div. 6. Fleurit en début de printemps. H. 15-30 cm. Fleurs durables, à pétales jaune doré, récurvés, et coronule bombée, jaune orangé. Variété très sensible aux virus.

N. 'Thalia', ill. p. 348. Div. 5. Vigoureuse plante à floraison printanière. H. 40 cm. 3 fleurs blanc laiteux (et plus) par tige, de forme irrégulière, souvent à pétales en hélice, coronule bombée.

N. 'Tresamble'. Div. 5. Vigoureuse plante fleurissant au début du printemps. H. 40 cm. Jusqu'à 6 fleurs par tige, à pétales blanc laiteux et coronule blanc crème à bordure plus pâle.

N. 'Trevithian'. Div. 7. Vigoureuse plante fleurissant au début ou à la mi-printemps. H. 45 cm. 2 ou 3 grandes fleurs parfumées, arrondies, jaune tendre, à larges pétales et coronule courte.

N. triandrus, ill. p. 349. Div. 10. Fleurit au début du printemps. H. 12 cm. Fleurs pendantes, blanc laiteux, à pétales étroits, récurvés, et coronule assez longue, en tube. C'est une bonne espèce pour la culture en pot.

N. 'Trousseau', ill. p. 348. Div. 1. Fleurit en début de printemps. H. 40 cm. Fleurs à pétales blanc laiteux et trompette droite, jaune

citron pâle, à bord lobé, évasé, virant au chamois crème, teinté de rose pâle.
N. 'Tudor Minstrel'. Div. 2. Fleurit à la mi-printemps. H. 40 cm. Pétales blancs, pointus. Coronule jaune chrome, étroite.
N. 'Waterperry'. Div. 1. Fleurit à la mi-printemps. H. 25 cm. Fleurs à pétales blanc crème assez terne et coronule étalée, jaune tendre, virant au jaune teinté de chamois, rose abricot au bord.
N. watieri, ill. p. 348. Div. 10. Fleurit à la mi-printemps. H. 10 cm. Semi-rustique. Fleurs assez grandes, parfumées, de texture cristalline, blanches, à coronule courte, lobée. Feuillage gris bleuté.

NAUTILOCALYX (Gesnériacées)

Genre de plantes vivaces buissonnantes, à port dressé, cultivées pour leurs fleurs et leur feuillage persistant. Non rustiques (min. 15 °C). Demandent une atmosphère humide, une ombre légère et un sol bien drainé. Éviter toute humidité stagnante, en hiver surtout. Multiplication par boutures de tiges en été ou semis au printemps si l'on peut se procurer des graines.
N. lynchii, ill. p. 261.

Neanthe bella, voir **Chamaedorea elegans.**

NECTAROSCORDUM (Liliacées)

Genre de plantes bulbeuses, proches du genre *Allium* (et souvent intégrées à lui), à longues feuilles linéaires, dressées. Le feuillage froissé dégage une forte odeur d'oignon. Les tiges portent une ombelle terminale de fruits pouvant être séchée pour réaliser des compositions hivernales. Rustiques. À planter à mi-ombre, dans une prairie ou en massif, en tout sol ni trop sec, ni imbibé d'eau. Multiplication par bulbilles en fin d'été ou semis à l'automne.
N. dioscoridis, voir *N. siculum* subsp. *bulgaricum.*
N. siculum subsp. **bulgaricum,** syn. *N. dioscoridis,* ill. p. 333.

NEILLIA (Rosacées)

Genre d'arbustes à feuilles caduques, cultivés pour leur port gracieux et leurs nombreuses grappes de petites fleurs. Rustiques. À planter au soleil ou à mi-ombre, en sol bien drainé (n'aime pas les sols très secs). Sur les sujets bien établis, rabattre à la base quelque vieilles tiges après la floraison. Multiplication par bouturage en été ou rejets à l'automne.
N. thibetica, ill. p. 108.

NELUMBO (Nymphéacées)
Lotus, Nélumbium

Genre de plantes vivaces aquatiques à feuillage caduc, appréciées pour leur feuillage et leurs fleurs proches des Nénuphars. De semi-rustiques à non rustiques (min. 1-7 °C, la glace ne doit en aucun cas atteindre les racines). Demandent une situation dégagée et ensoleillée, avec une profondeur d'eau de 60 cm environ. Éliminer les feuilles mortes; on peut laisser les fleurs donner des fruits décoratifs, en pomme d'arrosoir. Diviser au printemps les sujets trop développés. Multiplication des espèces par semis au printemps, des formes horticoles par division au printemps.
N. lutea (Lotus jaune d'Amérique). Vigoureuse plante. H. et E. 1 m. Semi-rustique. Feuilles vert foncé, arrondies, sur des tiges robustes, de 30-60 cm de long. Grandes fleurs jaunes en forme de calice, qui s'ouvrent en été.
N. nucifera (Lotus des Indes), ill. p. 373. **'Alba Striata'** est une plante vigoureuse. H. 2,5 m, E. 1,2 m. Non rustique (min. 1 °C). Les tiges robustes portent de très grandes feuilles rondes, glauques. De grandes fleurs blanches, parfumées, en forme de calice, de 15 cm de diamètre, bordées de cramoisi, s'ouvrent en été. **'Alba Grandiflora'** a des fleurs blanc pur et **'Rosea Plena'** des fleurs roses, doubles, pouvant atteindre 30 cm d'envergure.

NEMATANTHUS (Gesnériacées)

Genre de plantes vivaces et d'arbustes à feuillage persistant et tiges souples, cultivés pour leurs fleurs et leur feuillage. Non rustiques (min. 15 °C). Aiment la mi-ombre, un sol humifère, frais mais bien drainé. Arroser modérément les sujets cultivés en pot, en laissant la terre sécher presque complètement entre les arrosages. Pincer l'extrémité des tiges des jeunes sujets pour stimuler leur ramification. Multiplication par boutures herbacées en été.
N. gregarius, syn. *N. radicans, Hypocirta radicans,* ill. p. 125.
N. radicans, voir *N. gregarius.*

NEMESIA (Scrophulariacées)
Némésie

Genre de plantes annuelles, vivaces et parfois de sous-arbrisseaux à feuillage persistant, cultivés comme plantes à massif ou plantes de serre. Fleurs à corolle à 2 lèvres et à éperon. Semi-rustiques. Se plaisent au soleil, en sol fertile et bien drainé. Rabattre les tiges après la floraison. Pincer l'extrémité des pousses des jeunes

plantes pour les faire buissonner. Multiplication par semis sous verre au début du printemps ou en place à la fin du printemps.
N. strumosa. Annuelle rameuse à croissance rapide. H. 20-45 cm, E. 15 cm. Feuilles linéaires dentées, vertes, et, en été, fleurs jaunes, blanches ou pourpres, de 2,5 cm de diamètre, tenant bien en vase. **Série Carnival,** ill. p. 272. **Série Triumph,** ill. p. 283.

NEMOPHILA (Hydrophyllacées)
Némophile

Genre de plantes annuelles précieuses pour la rocaille ou en bordure. Rustiques. À cultiver au soleil en sol fertile, bien drainé. Multiplication par semis en place au printemps. Plantes sensibles aux pucerons.
N. insignis, voir *N. menziesii.*
N. maculata, ill. p. 263.
N. menziesii, syn. *N. insignis,* ill. p. 277.

NEOLLOYDIA (Cactacées)

Genre de cactées vivaces, de sphériques à columnaires, à aiguillons denses et tubercules courts disposés en spirales. La plupart des espèces non greffées sont très difficiles à cultiver. Non rustiques (min. 16 °C). Ont besoin de plein soleil, d'un sol bien drainé. Arroser parcimonieusement du printemps à l'automne, garder au sec en hiver. Multiplication par semis au printemps ou en été.
N. conoidea, ill. p. 395.

NEOMARICA (Iridacées)

Genre de plantes vivaces rhizomateuses à feuillage persistant et floraison estivale, ressemblant à l'iris. Portent des bouquets de fleurs éphémères. Non rustiques (min. 10 °C). Apprécient la mi-ombre, un sol fertile, frais, de préférence riche en humus. Arroser abondamment en été. Réduire les arrosages en hiver, mais sans laisser sécher la terre. Multiplication par semis au printemps ou par division au printemps ou en été.
N. caerulea, ill. p. 337.

NEOPANAX, voir PSEUDOPANAX.

NEOPORTERIA (Cactacées)

Genre de cactées vivaces, de sphériques à columnaires. Les gousses ovoïdes, rouges, brunes ou vertes ressemblent à celles des *Wigginsia.* Non rustiques

(min. 8 °C). Demandent le plein soleil, un sol très bien drainé. Multiplication par semis au printemps ou en été.
N. chilensis. Cactus vivace d'abord sphérique, puis columnaire. H. 30 cm, E. 10 cm. La tige vert pâle est densément couverte d'aiguillons acérés, dorés, de différentes longueurs. Porte en été des fleurs aplaties rose orangé ou blanches, de 5 cm de diamètre.
N. napina. Cactus vivace de forme sphérique aplatie. H. 3 cm, E. 5 cm. Aiguillons noirs, très courts, pressés contre la tige brun chocolat. Porte en été des fleurs aplaties jaunes, de 5 cm de diamètre. var. *mitis,* ill. p. 391.
N. villosa, ill. p. 390.

NEOREGELIA (Broméliacées)

Genre de plantes vivaces épiphytes, à port en rosette et feuillage persistant, appréciées pour leur allure d'ensemble. Non rustiques (min. 10 °C). Se plaisent à mi-ombre, dans un mélange composé à parts égales de terre humifère et de mousse de sphaigne ou d'écorce broyée. Arroser à l'eau douce, modérément en saison de croissance, parcimonieusement le reste de l'année, en maintenant le cœur de la rosette rempli d'eau du printemps à l'automne. Multiplication par rejets au printemps ou en été.
N. carolinae, syn. *Aregelia carolinae, Nidularium carolinae.* H. 30 cm, E. 60 cm. Feuilles en lanière finement dentées et pointues, vert vif, lustrées, formant une rosette fournie. À maturité, en général en été, la rosette produit un bouquet de fleurs bleu pourpré, entourées de bractées rouge vif.
f. **tricolor** (ill. p. 222) a des feuilles rayées de blanc ivoire, se teintant de rose à maturité.
N. concentrica, ill. p. 222. H. 30 cm, E. jusqu'à 70 cm. Feuilles vertes lustrées, en lanière, de larges à ovales, à petites dents épineuses noires, formant des rosettes denses. Chaque rosette porte à maturité, en été, un bouquet dense de fleurs bleu pâle, entourées de bractées rose lilas. **'Plutonis'** a des bractées teintées de rouge.

NEPENTHES (Nepenthacées)

Genre de plantes vivaces insectivores, en général épiphytes, à feuillage persistant. Les feuilles forment un piège coloré, pendant, pouvant se refermer pour retenir et digérer les insectes. À cultiver en panier suspendu par exemple. Non rustiques (min. 18 °C). Demandent une atmosphère humide, la mi-ombre, un compost humide, fertile, enrichi en tourbe et mousse de sphaigne. Multiplication par semis au printemps ou boutures de tiges au printemps ou en été.
N. hookeriana, ill. p. 223.

NEPETA (Labiacées)

Genre de plantes vivaces à odeur forte, à floraison estivale, précieuses en bordure et rocailles. Rustiques. Se plaisent au soleil, en tout sol frais mais bien drainé. Multiplication par division au printemps ou semis.
N. × *faassenii*, ill. p. 242.
N. govaniana, ill. p. 213.

NEPHROLEPIS (Polypodiacées)

Genre de fougères à feuillage persistant ou semi-persistant (frondes retombantes). Non rustiques (min. 5 °C). Aiment une situation ombragée, un sol frais, mais supportent également une relative sécheresse comme un excès d'eau. Éliminer les frondes fanées et diviser régulièrement les touffes. Multiplication par division en été ou début d'automne.
N. exaltata, ill. p. 186.

NERINE (Amaryllidacées)

Genre de plantes bulbeuses, certaines à feuillage semi-persistant, cultivées pour leurs ombelles de fleurs roses ou rouges, parfois blanches. La plupart fleurissent en automne avant qu'apparaissent les feuilles. De semi-rustiques à peu rustiques. À planter au soleil, en sol léger, sableux. Plantation en fin d'été. Ne pas déplacer une fois bien implantées. Arroser jusqu'à ce que les feuilles meurent, puis laisser au sec. Multiplication par semis de graines fraîches ou division des rejets après la disparition des feuilles.
N. 'Blanchefleur'. Floraison automnale. H. 30-50 cm, E. 15-20 cm. Semi-rustique. Feuilles basales, en lanière, semi-érigées, et inflorescence dense de 5-10 fleurs blanc pur.
N. bowdenii, ill. p. 354. f. *alba*, ill. p. 354.
N. 'Brian Doe', ill. p. 354.
N. filifolia. Floraison automnale. H. jusqu'à 25 cm, E. 8-10 cm. Semi-rustique. Feuilles filiformes semi-érigées en touffe basale. La tige fine porte des fleurs rose pâle aux pétales étroits.
N. masonorum. Floraison automnale. H. 15-20 cm, E. 12-15 cm. Semi-rustique. Feuilles basales filiformes, semi-érigées, en touffe. La tige porte des fleurs roses, à pétales à bord très frisé.
N. 'Orion', ill. p. 354.
N. sarniensis (Amaryllis de Guernesey, Lis de Guernesey), ill. p. 354.
N. undulata, ill. p. 354.

NERIUM (Apocynacées)

Genre d'arbustes à feuillage persistant, cultivés pour leurs fleurs à corolle à 5 lobes. Non rustiques (min. 10 °C). Se plaisent en plein soleil, en sol bien drainé. Arroser généreusement les sujets en conteneur pendant leur saison de croissance, parcimonieusement le reste de l'année. Pincer l'extrémité des tiges des jeunes sujets pour favoriser leur ramification. Multiplication par semis au printemps ou boutures semi-ligneuses en été.
N. oleander (**Laurier rose**), ill. p. 88.

NERTERA (Rubiacées)

Genre de plantes vivaces à port rampant, appréciées pour la profusion de leurs petits fruits sphériques semblables à des perles, à l'automne. Excellentes plantes de serre froide. Semi-rustiques. Il leur faut une situation abritée à mi-ombre, en sol caillouteux, sableux, frais, mais bien drainé. Redoutent l'humidité hivernale. Multiplication par semis, division ou boutures terminales au printemps.
N. depressa, voir *N. granadensis*.
N. granadensis, syn. *N. depressa*, ill. p. 327.

NICOTIANA (Solanacées)
Tabac

Genre de plantes annuelles ou vivaces en général cultivées au jardin en annuelles, et d'arbustes à feuillage semi-persistant. De rustiques à non rustiques (min. 1 °C). Apprécient le soleil et un sol fertile, bien drainé, frais, profond. Multiplication par semis au printemps.
N. affinis, voir *N. alata*.
N. alata, syn. *N. affinis* (**Tabac blanc odorant**), ill. p. 200. '**Lime Green**' est une plante vivace dressée, en général cultivée en annuelle. H. 60 cm, E. 30 cm. Semi-rustique. Feuilles ovales, vert moyen. Porte en fin d'été et en automne des grappes de fleurs en trompette évasée, jaune verdâtre, spécialement parfumées le soir.
Série Sensation, ill. p. 270.
N. **série Domino**, ill. p. 263.
N. glauca. Plante sous-ligneuse érigée à feuillage semi-persistant. H. et E. 3 m. Semi-rustique. Les tiges vigoureuses, glauques, portent des feuilles étroites, ovales, charnues, glauques. En été et début d'automne, belles fleurs tubulaires jaune vif.
N. langsdorfii, ill. p. 278.
N. sylvestris, ill. p. 188.

Nidularium carolinae, voir *Neoregelia carolinae*.

NIEREMBERGIA (Solanacées)

Genre de plantes vivaces à floraison estivale, parfois cultivées en annuelles, et de sous-arbrisseaux à feuillage caduc ou semi-persistant. Semi-rustiques. Se plaisent à mi-ombre en sol frais mais bien drainé. Multiplication par division au printemps, boutures sous cloche en été ou semis à l'automne, à l'abri.
N. caerulea, voir *N. hippomanica* var. *violacea*.
N. hippomanica var. *violacea*, syn. *N. caerulea*. '**Purple Robe**', ill. p. 275.
N. repens, ill. p. 314.

NIGELLA (Ranunculacées)
Nigelle

Genre de plantes annuelles cultivées pour leurs fleurs (bonnes fleurs à couper) et leurs fruits décoratifs. Rustiques. Se plaisent au soleil, en sol fertile et bien drainé. Éliminer les fleurs fanées pour prolonger la floraison si l'on ne veut pas garder les fruits. Multiplication par semis en place au début du printemps.
N. damascena (**Nigelle de Damas, Cheveux de Vénus**). Annuelle à croissance rapide, port dressé. H. 60 cm, E. 20 cm. Feuilles très découpées, vert vif. Fleurs estivales bleues ou blanches, à nombreux pétales, entourées d'une collerette, suivies de fruits renflés arrondis, verts puis bruns, que l'on peut faire sécher. '**Miss Jekyll**' et '**Persian Jewels**', ill. p. 277.

NOLANA (Nolanacées)

Genre de plantes annuelles à port prostré ou diffus, utiles pour les coins secs et chauds, la rocaille, les bordures. Rustiques. Se plaisent au soleil, en sol fertile, bien drainé. Multiplication par semis en place au printemps.
N. atriplicifolia, voir *N. paradoxa*.
N. grandiflora, voir *N. paradoxa*.
N. paradoxa, syn. *N. atriplicifolia, N. grandiflora*. Annuelle à port prostré et à croissance assez lente. H. 10 cm, E. 15 cm. Feuilles ovales, vert moyen, et en été, fleurs en entonnoir bleu tendre, jusqu'à 5 cm de diamètre, à gorge blanche.

Nolina recurvata, voir *Beaucarnea recurvata*.
Nolina tuberculata, voir *Beaucarnea recurvata*.

NOMOCHARIS (Liliacées)

Genre de plantes bulbeuses ressemblant au lis, portant en été des grappes lâches de fleurs à périanthe rotacé ou en cloche évasée, souvent ponctuées d'autres couleurs. Rustiques. En région tempérée, se plaisent à mi-ombre, en sol riche, bien drainé, humifère.

Apprécient pendant leur croissance estivale un sol frais, mais non imbibé d'eau. Dormantes en hiver. Multiplication par semis au printemps.
N. mairei, voir *N. pardanthina*.
N. pardanthina, syn. *N. mairei*, ill. p. 333.

NOPALXOCHIA (Cactacées)

Genre de cactées vivaces, épiphytes, à tiges à base cylindrique et en rubans aplatis en haut. Proche d'*Epiphyllum*, avec lequel il peut être hybridé. Aiguillons insignifiants. Les tiges meurent parfois après une floraison abondante. Non rustiques (min. 10 °C). À planter à la lumière, en sol assez riche, bien drainé. Culture facile. Multiplication au printemps ou en été par boutures de tiges.
N. phyllantoides, syn. *Epiphyllum* '**Deutsche Kaiserin**', ill. p. 383.

NOTHOFAGUS (Fagacées)

Genre d'arbres à feuillage caduc ou persistant, cultivés pour leur port, leur feuillage et leurs teintes d'automne dans le cas des espèces caduques. Fleurs insignifiantes en fin de printemps. Semi-rustiques en général. Se plaisent au soleil ou à mi-ombre, à l'abri d'autres arbres car ils redoutent les vents violents. Préfèrent les sols profonds, fertiles, frais, bien drainés. À éviter en sol calcaire. Multiplication par semis à l'automne.
N. antarctica. Arbre à feuillage caduc et port largement conique, avec parfois plusieurs troncs. H. 15 m, E. 10 m. Rustique. Petites feuilles arrondies, vert foncé brillant, virant au jaune à l'automne. Tronc et branches principales parfois tordus.
N. betuloides, ill. p. 48.
N. dombeyi, ill. p. 47.
N. obliqua, ill. p. 42.
N. procera, ill. p. 42.

NOTHOLIRION (Liliacées)

Genre de plantes bulbeuses à floraison printanière ou estivale, proches de *Lilium*, cultivées pour leurs fleurs. Rustiques. Les jeunes feuilles sortent souvent tôt en saison et risquent ainsi d'être abîmées par les gelées printanières, aussi est-il préférable de les cultiver en serre froide dans les régions à gelées tardives. Se plaisent à mi-ombre ou au soleil, en sol humifère, bien drainé. Le bulbe meurt après la floraison. Multiplication par caïeux au printemps ou à l'automne (les plantes fleuriront au bout de 2-3 ans). Multiplication possible également par semis au printemps.
N. campanulatum, ill. p. 335.

513

NOTHOPANAX, voir **PSEUDOPANAX.**

NOTOCACTUS (Cactacées)

Genre de cactées vivaces à tige allongée ou globuleuse, à côtes courtes couvertes d'aiguillons. Genre proche de *Parodia* et *Wigginsia*. Non rustiques (min. 10 °C). À planter au soleil en sol bien drainé. Faciles à cultiver et faire fleurir; laisser au sec en hiver, mais sans excès. Multiplication par semis au printemps ou en été.
N. haselbergii, ill. p. 395.
N. leninghausii, ill. p. 388.
N. mammulosus, ill. p. 397.
N. rutilans, ill. p. 391.

NOTOSPARTIUM (Légumineuses)

Genre d'arbustes sans feuilles, ressemblant à des genêts, à floraison estivale, cultivés pour leur port, leurs pousses vertes et leurs fleurs. Semi-rustiques (à planter contre un mur donnant au sud ou à l'ouest dans les régions froides). Se plaisent en situation ensoleillée et abritée, en sol bien drainé. Les sujets âgés ont parfois besoin d'être tuteurés. Multiplication par boutures semi-ligneuses en été ou semis à l'automne.
N. carmichaeliae. Arbuste à tiges arquées. H. 2 m, E. 1,5 m. Porte à la mi-été des bouquets denses de fleurs papilionacées rose lilas, sur des pousses vertes, retombantes.

NUPHAR (Nymphéacées)

Genre de plantes vivaces à fort rhizome enterré, aquatiques (eau profonde : de 50 cm à 1 m), cultivées pour leurs larges feuilles caduques, érigées, flottantes ou submergées, et leurs fleurs. Rustiques. À cultiver au soleil ou à l'ombre, en eau courante ou dormante. Souvent plantées pour remplacer les nymphéas là où ceux-ci ne se plairaient pas. Éliminer fleurs et feuilles fanées et diviser régulièrement les touffes. Multiplication par division au printemps en sol submergé.
N. advena. E. 1,2 m. Feuilles flottantes, arrondies, ovales, vert moyen, les centrales parfois dressées. Petites fleurs jaunes teintées de brun ocre en été, suivies de fruits décoratifs (capsules).
N. lutea (Nénuphar jaune), ill. p. 377.

NYMANIA (Aitoniacées)

Genre comptant une espèce d'arbuste à feuillage persistant et floraison printanière, cultivé pour ses fleurs et ses fruits. Non rustique (min. 7-10 °C). À planter au soleil, en sol fertile et bien drainé. Arroser modérément les sujets cultivés en pot, réduire les apports d'eau en période de repos végétatif. Multiplication par semis au printemps ou boutures semi-ligneuses en été.
N. capensis, ill. p. 116.

NYMPHAEA (Nymphéacées)
Nénuphar, Nymphéa, Lis d'eau

Genre de plantes vivaces aquatiques (profondeur d'eau : de 25-50 cm), à feuillage caduc et floraison estivale, appréciées pour leurs feuilles flottantes (quelques-unes sont érigées) en général arrondies ou ovales, un peu cordiformes, et leurs fleurs colorées. De rustiques à non rustiques (min. 10 °C). À planter en situation dégagée et ensoleillée, en eau dormante. Éliminer le feuillage fané pour éviter de salir l'eau. Ces plantes ont des rhizomes ou des tubercules, à diviser au printemps ou en début d'été tous les 3 ou 4 ans. Les variétés non rustiques peuvent être traitées comme des annuelles. Multiplication par semis ou par éclats.
N. alba (Grand Nénuphar, Nénuphar blanc), ill. p. 376.
E. jusqu'à 3 m. Rustique. Feuilles vertes et fleurs en coupe, semi-doubles, d'un blanc pur, de 10 cm de diamètre au maximum, en été.
N. 'American Star', ill. p. 376.
E. jusqu'à 1,2 m. Rustique. Jeunes feuilles vert pourpré ou bronze virant au vert vif ensuite. Fleurs semi-doubles, en étoile, de 10 cm de diamètre, rose foncé, portées tout l'été au-dessus de l'eau.
N. 'Attraction', ill. p. 376.
E. jusqu'à 2 m. Rustique. Feuilles vert foncé. Porte en été des fleurs semi-doubles, en coupe, rouge tacheté de blanc, de 15 cm de diamètre.
N. 'Blue Beauty', ill. p. 376.
E. jusqu'à 2,5 m. Non rustique. Feuilles vert foncé tachetées de brun au-dessus, vert pourpré en dessous. Fleurs bleu foncé, parfumées, arrondies, semi-doubles, pouvant atteindre 30 cm de diamètre, en été.
N. capensis (Nénuphar bleu du Cap). E. jusqu'à 2 m. Non rustique. Grandes feuilles ovales vert moyen, souvent teintées de pourpre en dessous. Fleurs bleu ciel, semi-doubles, de 15-20 cm de diamètre, en été.
N. caroliniana 'Nivea', ill. p. 376.
E. jusqu'à 1,2 m. Rustique.

Feuilles vert pâle et, en été, fleurs parfumées, en coupe, semi-doubles, d'un blanc pur, de 10-15 cm de diamètre.
N. 'Escarboucle', ill. p. 376.
E. jusqu'à 3 m. Rustique. Feuilles vert foncé. En été, fleurs semi-doubles, en coupe, cramoisies à cœur doré, de 10-15 cm de diamètre.
N. 'Fire Crest', ill. p. 376.
E. jusqu'à 1,2 m. Rustique. Feuilles vert foncé envahi de pourpre. En été, fleurs semi-doubles, d'un rose soutenu, de 15-20 cm de diamètre, à étamines rouges.
N. 'Gonnère'. E. jusqu'à 1,5 m. Rustique. Feuilles vert franc et, en été, fleurs blanches, arrondies, très doubles, de 15-20 cm de diamètre.
N. 'Green Smoke'. E. jusqu'à 2 m. Non rustique. Feuilles vert bronze, à taches vertes. Fleurs simples, étoilées, de 10-20 cm de diamètre, d'abord vertes puis virant au bleu.
N. 'James Brydon', ill. p. 376.
E. jusqu'à 2,5 m. Rustique. En été, fleurs en forme de pivoine, doubles, parfumées, cramoisi teinté d'orange, de 15-20 cm de diamètre, au-dessus du feuillage vert foncé.
N. × *laydekeri* 'Fulgens', ill. p. 376.
E. jusqu'à 1 m. Rustique. Feuilles vert foncé, teintées de vert pourpré à la face inférieure. En été, fleurs en étoile, semi-doubles, cramoisi vif, de 15-20 cm de diamètre.
N. 'Mme Auguste Tézier'.
E. jusqu'à 1,5 m. Non rustique. Feuilles vert pourpré tachées et ponctuées de brun. En été, fleurs semi-doubles, de 10-15 cm de diamètre, bleu lavande à centre brun, s'ouvrant le soir.
N. 'Margaret Mary'. E. jusqu'à 45 cm. Semi-rustique. Feuilles vert foncé au-dessus, brun clair en dessous. Fleurs simples, bleues, de 5-8 cm de diamètre, se succédant presque toute l'année si la plante est gardée à l'abri du gel.
N. marliacea. 'Albida', ill. p. 376.
E. jusqu'à 2 m. Rustique. Feuilles vert foncé, à face inférieure rouge et vert pourpré. En été, fleurs parfumées, en coupe, semi-doubles, blanc pur, de 15-20 cm de diamètre. 'Carnea' (ill. p. 376) a des feuilles vert foncé et des fleurs étoilées, semi-doubles, rose tendre, à cœur doré, de 15-25 cm de diamètre. 'Chromatella' (ill. p. 376) a des feuilles vert olive, abondamment mouchetées de brun et bronze, et des fleurs en coupe, semi-doubles, jaune canari, de 15-20 cm de diamètre.
N. 'Midnight'. E. jusqu'à 1,2 m. Non rustique. Petites feuilles vert foncé tachées de brun au-dessus, de pourpre en dessous. En été, fleurs semi-doubles, pourpres, de 10-15 cm de diamètre.
N. odorata 'Sulphurea Grandiflora'. E. jusqu'à 1 m. Rustique. Feuilles vert foncé mouchetées de brun. En été, fleurs parfumées, étoilées, semi-doubles, jaunes, de 10-15 cm de diamètre.
N. pygmaea. 'Alba', ill. p. 376.

E. jusqu'à 30 cm. Rustique. Petites feuilles vert foncé, teintées de vert pourpré en dessous, et à fleurs simples, étoilées, blanches, de 2-3 cm de diamètre, en été.
'Helvola' (ill. p. 376), E. jusqu'à 45 cm, est rustique et a des feuilles petites, vert olive, abondamment mouchetées de pourpre ou brun. En été, fleurs jaunes, semi-doubles, de 2-4 cm de diamètre.
N. 'Rose Arey', ill. p. 376.
E. jusqu'à 1,5 m. Rustique. Feuilles vert rougeâtre. En été, fleurs semi-doubles, de 10-15 cm de diamètre, rose foncé, pâlissant avec le temps, à parfum anisé marqué.
N. 'St Louis'. E. jusqu'à 2 m. Non rustique. Feuilles vert vif tachetées de brun lorsqu'elles sont jeunes. En été, fleurs semi-doubles, jaune vif, de 15-25 cm de diamètre.
N. 'Sunrise', ill. p. 376. E. jusqu'à 2 m. Rustique. Les feuilles vert moyen sont duveteuses sur le pétiole et la face inférieure. En été, fleurs semi-doubles, jaunes, de 10-15 cm de diamètre.
N. 'Virginalis', ill. p. 376.
E. jusqu'à 1,5 m. Rustique. Feuilles vert pourpré. En été, fleurs semi-doubles, blanches, de 10-15 cm de diamètre.
N. 'Wood's White Knight'. E. jusqu'à 2 m. Non rustique. Feuilles vert moyen, tachetées de sombre en dessous. En été, fleurs semi-doubles, de 10-20 cm de diamètre, blanc crème, à étamines dorées proéminentes, et qui s'ouvrent le soir.

NYMPHOIDES (Menyanthacées)

Genre de plantes vivaces aquatiques (eau assez profonde) à feuillage caduc, flottant, appréciées pour leurs fleurs. De rustiques à non rustiques (min. 5 °C). Se plaisent en situation dégagée et ensoleillée. Multiplication par division au printemps ou en été.
N. peltata, ill. p. 377.

NYSSA (Nyssacées)
Tupelo

Genre d'arbres à feuillage caduc, aux fleurs insignifiantes, cultivés pour leur feuillage à belles teintes d'automne. Rustiques. À planter au soleil ou à mi-ombre. Ils sont particulièrement beaux après un été chaud. Aiment un sol humide, neutre ou acide. N'apprécient pas d'être transplantés. Multiplication par boutures semi-lignifiées en été ou semis à l'automne.
N. sinensis, ill. p. 55.
N. sylvatica, ill. p. 45.

O

OCHNA (Orchnacées)

Genre d'arbres et d'arbustes, cultivés pour leurs fleurs et leurs fruits. Non rustiques (min. 10 °C). Se plaisent en pleine lumière, en sol bien drainé. Arroser modérément les sujets cultivés en conteneur et réduire les apports d'eau en période de repos végétatif. Tailler au début du printemps si besoin est. Multiplication par semis au printemps ou boutures semi-ligneuses en été.
O. serrulata. Arbuste très ramifié, en dôme irrégulier, à feuillage persistant, semi-persistant à température basse. H. 1,50 m, E. 1-2 m ou plus. Feuilles étroites, elliptiques, dentées, lustrées. Porte au printemps et en été des fleurs jaune vif à 5 pétales, puis des fruits rouges en forme de volant, contenant de 1-5 graines, ressemblant à des baies, regroupés sur un réceptacle coloré.

× ODONTIODA, voir ORCHIDÉES.

Il s'agit d'hybrides entre les genres *Cochlioda* et *Odontoglossum.*
× *O. (Odontioda* Chantos × *Odontioda* Marzorka) × *Odontoglossum* Buttercrisp, ill. p. 255. Orchidée épiphyte de serre froide, à feuillage persistant. H. 25 cm. Porte des grappes arquées de fleurs rouges à motifs orangés et jaunes, de 8 cm de diamètre. Période de floraison variable. Feuilles étroites, ovales, de 10-15 cm de long. À mettre à la mi-ombre en été.
× *O.* Mount Bingham, ill. p. 253. Orchidée épiphyte de serre froide, à feuillage persistant. H. 25 cm. Fleurs rouges bordées de rose, de 9 cm de diamètre, disposées en grappes. Période de floraison variable. Feuilles étroites, ovales, de 10-15 cm de longueur. À mettre à la mi-ombre en été.
× *O.* Pacific Gold × *Odontoglossum cordatum,* ill. p. 253. Orchidée épiphyte de serre froide, à feuillage persistant. H. 25 cm. Porte de longues grappes de fleurs brun chocolat, rayées et marquées de jaune, de 7 cm de diamètre. Période de floraison variable. Feuilles étroites, ovales, de 10-15 cm de long. À mettre à la mi-ombre en été.
× *O.* Petit Port, ill. p. 253. Orchidée épiphyte de serre froide, à feuillage persistant. H. 25 cm. Grappes de fleurs rouge intense, de 8 cm de diamètre, à labelle tacheté de rose et jaune. Période de floraison variable. Feuilles étroites, ovales, de 10-15 cm de long.

À mettre à la mi-ombre en été.

× ODONTOCIDIUM, voir ORCHIDÉES.

Hybrides bigénériques entre *Odontoglossum* et *Oncidium.*
× *O.* Arthur Elle 'Colombian', ill. p. 253. Orchidée épiphyte de serre froide, à feuillage persistant. H. 25 cm. Porte de longues grappes de fleurs jaune pâle marquées de brun, de 6 cm de diamètre. Période de floraison variable. Feuilles étroites, ovales, de 10-15 cm de long. À mettre à la mi-ombre en été.
× *O.* Tiger Butter × *Wilsonara* Wigg's 'Kay', ill. p. 253. Orchidée épiphyte de serre froide, à feuillage persistant. H. 25 cm. Porte des grappes de fleurs mouchetées, rouge foncé brunâtre, de 5 cm de diamètre, à labelle jaune. Période de floraison variable. Feuilles étroites, ovales, de 10-15 cm de long. À mettre à la mi-ombre en été.
× *O.* Tiger Hambuhren, ill. p. 255. Orchidée épiphyte de serre froide, à feuillage persistant. H. 25 cm. Fleurs jaune foncé, marquées de brun noisette, de 8 cm de diamètre, groupées en longues grappes. Période de floraison variable. Feuilles étroites, ovales, de 10-15 cm de diamètre. À mettre à la mi-ombre en été.
× *O.* Tigersun 'Orbec', ill. p. 254. Orchidée épiphyte de serre froide, à feuillage persistant. Ressemble beaucoup à *O.* Tiger Hambuhren, mais les fleurs sont un peu plus petites avec des motifs plus clairs.

ODONTOGLOSSUM, voir ORCHIDÉES.

O. bictoniense, ill. p. 252. Orchidée épiphyte de serre froide, à feuillage persistant. H. 25 cm. Fleurs vert olive, de 4 cm de diamètre, marquées de brun foncé et à labelle blanc, parfois teinté de rose, associées en grappes, en fin d'été. Feuilles étroites, ovales, de 10-15 cm de long. À mettre à la mi-ombre en été.
O. cervantesii, ill. p. 252. Orchidée épiphyte de serre froide, à feuillage persistant. H. 8 cm. Porte en hiver des hampes de fleurs blanches à motifs brun clair disposés comme des toiles d'araignée, de 2,5 cm de diamètre. Feuilles étroites, ovales, de 10-15 cm de long. À protéger du soleil en été.
O. cordatum, ill. p. 253. Orchidée épiphyte de serre froide, à feuillage persistant. H. 12 cm. Porte au printemps des inflorescences de fleurs jaune marqué de brun, de

2,5 cm de diamètre. Feuilles étroites, ovales, de 10-15 cm de long. Mettre à la mi-ombre en été et garder au sec en hiver.
O. crispum, ill. p. 252. Orchidée épiphyte de serre froide, à feuillage persistant. H. 15 cm. Porte de longues hampes de fleurs arrondies, de 8 cm de diamètre, blanc pur ou bien moucheté ou teinté de rose, à labelle marqué de rouge et jaune. Période de floraison variable. Feuilles étroites, ovales, de 10-15 cm de long. À mettre à la mi-ombre en été.
O. Eric Youg, ill. p. 254. Orchidée épiphyte de serre froide, à feuillage persistant. H. 15 cm. Fleurs jaune pâle à labelle blanc, mouchetées de jaune foncé, de 8 cm de diamètre, associées en grappes. Période de floraison variable. Feuilles étroites, ovales, de 10-15 cm de long. À mettre à la mi-ombre en été.
O. grande, syn. *Rossioglossum grande,* ill. p. 253. Orchidée épiphyte de serre froide, à feuillage persistant. H. 15 cm. Hampes de fleurs jaunes fortement marquées de brun noisette, jusqu'à 15 cm de diamètre, à l'automne. Feuilles raides, larges, ovales, de 15 cm de long. À mettre à l'ombre en été et garder au sec en hiver.
O. Le Nez Point, ill. p. 253. Orchidée épiphyte de serre froide, à feuillage persistant. H. 15 cm. Porte à des périodes variables des hampes de fleurs cramoisies, de 6 cm de diamètre. Feuilles étroites, ovales, de 10-15 cm de long. À mettre à la mi-ombre en été.
O. rossii, ill. p. 252. Orchidée épiphyte de serre froide, à feuillage persistant. H. 8 cm. Porte à l'automne des hampes de fleurs de blanc à rose, de 2,5 cm de diamètre, ponctuées de brun beige. Feuilles étroites, ovales, de 10-15 cm de long. À mettre à la mi-ombre en été.
O. Royal Occasion, ill. p. 252. Orchidée épiphyte de serre froide, à feuillage persistant. H. 15 cm. Porte des hampes de fleurs blanches, de 8 cm de diamètre, tachetées de jaune, en automne-hiver. Feuilles étroites, ovales, de 10-15 cm de long. À mettre à la mi-ombre en été.

× ODONTONIA, voir ORCHIDÉES.

Hybrides bigénériques entre *Odontoglossum* et *Miltonia.*
× *O.* Olga. Orchidée épiphyte de serre froide ou tempérée, à feuillage persistant. H. 15 cm. À l'automne surtout, hampes de fleurs blanc pur, de 10 cm de diamètre, à grand labelle marqué de rouge-brun. Feuilles étroites, ovales, de 12 cm de long. À garder à la mi-ombre en été.

OENOTHERA (Oenothéracées)
Œnothère, Onagre

Genre de plantes annuelles, bisannuelles et vivaces (généralement herbacées), appréciées pour leurs fleurs estivales, éphémères mais abondantes. Rustiques. Se plaisent en plein soleil, en sol sableux, bien drainé. Multiplication par semis ou division à l'automne ou au printemps.
O. acaulis. Plante vivace en touffe. H. 15 cm, E. 20 cm. Feuilles d'oblongues à ovales, dentées ou lobées. Fleurs blanches, en coupe, virant au rose, s'ouvrant en été au coucher du soleil. Bonne plante de rocaille.
O. caespitosa. Plante annuelle ou bisannuelle presque acaule, en touffe. H. 12 cm, E. 20 cm. Feuilles vert moyen, étroites, ovales, dentées. Les fleurs, qui s'ouvrent l'été au coucher du soleil, sont blanches, parfumées, se teintant de rose avec l'âge. Bonne espèce de rocaille, drageonnante.
O. missouriensis (Œnothère à gros fruits), ill. p. 325.
O. tetragona. Plante vivace en touffe. H. 45-60 cm, E. 45 cm. Rustique. Vers la fin de l'été, grappes denses de fleurs parfumées, en coupe, jaune vif. Les feuilles, portées par des tiges vert rougeâtre, sont étroites, d'ovales à lancéolées, vert moyen, lustrées.
'Fireworks', ill. p. 246.

OLEA (Oléacées)

Genre d'arbres cultivés pour leur feuillage persistant et leurs fruits comestibles. De presque semi-rustiques à peu rustiques. Demandent une situation ensoleillée, un sol profond, fertile, très bien drainé. Multiplication par boutures semi-ligneuses en été ou semis à l'automne.
O. europaea (Olivier). Arbre à port étalé, à croissance lente. H. et E. 10 m. Peu rustique. Grande longévité. Feuilles étroites, oblongues, gris-vert au-dessus, argentées en dessous. Petites fleurs blanches parfumées, en grappes courtes à la fin de l'été, suivies de petits fruits ovales, verts puis brun foncé, comestibles. A besoin d'un climat de type méditerranéen.

OLEARIA (Composées)

Genre d'arbres et d'arbustes à feuillage persistant, cultivés pour leur feuillage et leurs capitules.

Plusieurs espèces peuvent former un écran résistant au vent dans les régions côtières à climat doux. De rustiques à semi-rustiques. Aiment le plein soleil, un sol bien drainé; supportent un sol calcaire. Éliminer le bois mort au printemps. Multiplication en été par boutures semi-ligneuses.

O. × haastii, ill. p. 107.
O. ilicifolia. Arbuste dense, buissonnant. H. et E. 3 m. Rustique. Feuilles raides, linéaires, oblongues, dentées, gris-vert, à parfum musqué. Bouquets de capitules blancs parfumés, au début de l'été. Supporte assez bien l'air pollué.
O. macrodonta. Vigoureux arbuste dressé, ayant souvent le port d'un arbre. H. 6 m, E. 5 m. Semi-rustique. Feuilles dentées ressemblant au houx, gris-vert au-dessus, blanc argenté en dessous. Grandes inflorescences de capitules blancs, parfumés, au début de l'été.
O. nummulariifolia, ill. p. 104.
O. phlogopappa. Arbuste assez variable, à port compact. H. et E. 2 m. Semi-rustique. Feuilles oblongues, gris-vert, à bord denté. Nombreuses panicules de capitules blancs au printemps. var. **subrepanda,** ill. p. 126.
O. × scilloniensis. Arbuste dense, arrondi. H. et E. 2 m. Semi-rustique. Feuilles étroites, oblongues, à bord ondulé, gris-vert, qui mettent bien en valeur une profusion d'inflorescences blanches à la fin du printemps.
O. virgata, ill. p. 86.
O. 'Zennorensis'. Arbuste dense, arrondi. H. et E. 2 m. Semi-rustique. Feuilles étroites, oblongues, dentées, vert olive foncé. Grandes inflorescences de petits capitules blancs à la fin du printemps.

OMPHALODES (Boraginacées)

Genre de plantes annuelles et vivaces, certaines à feuillage persistant ou semi-persistant. Bons couvre-sol, notamment pour jardins de rocaille. De rustiques à semi-rustiques. À planter à l'ombre ou à mi-ombre, en sol frais mais bien drainé, excepté O. linifolia, qui préfère le soleil. Multiplication au printemps par semis (ou division, pour les vivaces).

O. cappadocica, ill. p. 289.
O. linifolia (Gazon blanc, Nombril-de-Vénus), ill. p. 262.
O. verna (Petite Bourrache), ill. p. 289.

ONCIDIUM, voir ORCHIDÉES.

O. flexuosum, ill. p. 255. Orchidée épiphyte de serre froide ou tempérée, à feuillage persistant. H. 25 cm. En automne, panicules de nombreuses petites fleurs jaune vif, à grand labelle, de 0,5 cm de diamètre. Feuilles étroites, ovales, de 10 cm de long. À cultiver de préférence sur des morceaux d'écorce. À garder à mi-ombre en été.
O. ornithorhynchum, ill. p. 252. Orchidée épiphyte à feuillage persistant, de serre froide. H. 15 cm. Fleurit généreusement à l'automne, avec des hampes denses, arquées, de fleurs rose lilas très parfumées, de 0,5 cm de diamètre, rehaussées de jaune. Feuilles étroites, ovales, de 10 cm de long. À garder à mi-ombre en été.
O. papilio, ill. p. 255. Orchidée épiphyte de serre chaude, à feuillage persistant. H. 15 cm. Porte à divers moments des fleurs brun orangé, marquées de jaune, de 8 cm de diamètre, qui se succèdent en haut des tiges. Feuilles ovales marbrées, semi-érigées, de 10-15 cm de long. À exposer à une lumière vive en été, mais sans soleil brûlant.
O. tigrinum, ill. p. 254. Orchidée épiphyte de serre froide ou tempérée, à feuillage persistant. H. 25 cm. Porte à l'automne des panicules ramifiées de fleurs parfumées, brun marqué de jaune, de 5 cm de diamètre, à grand labelle jaune. Feuilles ovales, de 15 cm de long. À mettre à mi-ombre en été.

ONOCLEA (Polypodiacées)
Onoclée

Genre monospécifique de fougère à feuillage caduc qui colonise rapidement les terrains humides. Assez rustique (protéger la souche en hiver). À cultiver au soleil ou à l'ombre, en sol demeurant humide en permanence. Supporte un sol lourd. Éliminer régulièrement les frondes fanées. Multiplication par division à l'automne ou en hiver.
O. sensibilis, ill. p. 186.

ONONIS (Légumineuses)
Bugrane

Genre de plantes annuelles, vivaces, d'arbustes et de sous-arbrisseaux à feuillage caduc ou semi-persistant, appréciés pour leur floraison printanière ou estivale. Bonnes plantes pour la rocaille, les murets et les talus. Rustiques. À planter au soleil, en sol bien drainé. Multiplication par semis à l'automne ou au printemps, les arbustes également par boutures herbacées en été.
O. fruticosa, ill. p. 293.
O. natrix (Bugrane gluante), ill. p. 299.

ONOPORDUM ou ONOPORDON (Composées)

Genre de fortes plantes annuelles, bisannuelles et vivaces d'aspect varié, de l'espèce acaule à celle à longues et fortes tiges ramifiées. Rustiques. À cultiver au soleil ou à mi-ombre, en sol bien drainé, en situation aérée. Multiplication par semis en plein air à l'automne ou au printemps.
O. acanthium (Chardon aux ânes, Chardon d'Écosse), ill. p. 266.

ONOSMA (Boraginacées)

Genre de plantes annuelles, bisannuelles, vivaces et de sous-arbrisseaux à feuillage semi-persistant, cultivés pour leurs fleurs estivales à long tube, penchées. Conviennent pour rocailles et talus. Rustiques. Se plaisent au soleil, en sol bien drainé, notamment calcaire. Craignent les étés humides. Multiplication par boutures herbacées en été ou semis à l'automne, ou division pour les vivaces.
O. albo-roseum, ill. p. 292.

OOPHYTUM (Aizoacées)

Genre de plantes grasses, vivaces, poussant en touffes, à deux feuilles ovoïdes très charnues, soudées. Celles-ci sont couvertes d'une membrane fine, sèche, excepté au printemps quand la membrane s'ouvre sur une nouvelle paire de feuilles. Les fleurs émergent de la petite fissure centrale à la face supérieure. De culture délicate. Non rustiques (min. 5 °C). Se plaisent au soleil, en sol bien drainé. Multiplication par semis ou boutures de tiges au printemps ou en été.
O. nanum, ill. p. 390.

OPHIOPOGON (Liliacées)

Genre de plantes vivaces à feuilles persistantes linéaires ou étroitement lancéolées. De rustiques à semi-rustiques. À planter au soleil ou à mi-ombre, en sol fertile, bien drainé. Multiplication par division au printemps ou semis à l'automne.
O. jaburan. Plante vivace gazonnante. H. 15 cm, E. 30 cm. Rustique. Feuilles vert foncé radicales. En début d'été, grappes de fleurs blanches à périanthe étalé, suivies de baies bleu foncé. 'Variegatus' est semi-rustique, à feuillage rayé de blanc ou jaune, et beaucoup moins robuste.
O. japonicus (Herbe aux turquoises), ill. p. 260.
O. planiscapus 'Nigrescens', ill. p. 259.

OPHRYS, voir ORCHIDÉES.

O. fusca, ill. p. 254. Orchidée terrestre à feuilles caduques. H. 10-40 cm. Rustique. Porte au printemps des épis de fleurs jaune verdâtre, de 0,5 cm de long, à labelle pourpre ou brun jaunâtre. Feuilles ovales ou lancéolées, de 8-12 cm de long. À cultiver dehors, à l'ombre, en situation sèche. En été, garder les sujets cultivés en pot à mi-ombre.
O. lutea, ill. p. 254. Orchidée terrestre à feuilles caduques. H. 10-30 cm. Rustique. Porte au printemps des épis courts de fleurs de 1 cm de long, à sépales verdâtres, pétales jaunes et labelle jaune vif, à centre marron-pourpre. Feuilles basales ovales, de 5-10 cm de long. Mêmes conseils de culture que pour O. fusca.

OPHTHALMOPHYLLUM (Aizoacées)

Genre de plantes grasses, vivaces, en touffe, proches des Lithops. Chaque plante a 2 feuilles cylindriques très charnues, à face supérieure légèrement convexe. Non rustiques (min. 5 °C). Se plaisent au soleil, dans un compost bien drainé. Arroser en fin d'été et début d'automne; à garder ensuite quasiment au sec. Multiplication par semis ou boutures de tiges au printemps ou en été.
O. villetii, ill. p. 392.

OPLISMENUS (Graminées), voir BAMBOUS, HERBES, JONCS et LAÎCHES.

O. hirtellus 'Variegatus', ill. p. 257.

OPLOPANAX (Araliacées)

Genre d'arbustes à feuillage caduc et floraison estivale, cultivés pour leur port, leurs fruits et leur feuillage épineux. Rustiques, mais les jeunes pousses redoutent les gelées tardives. À planter de préférence en situation fraîche, à mi-ombre, en sol frais. Multiplication par semis à l'automne ou boutures de racines en fin d'hiver.
O. horridus. Arbuste à port ouvert étalé, peu ramifié. H. et E. 2 m. Les tiges épineuses portent de grandes feuilles ovales, palmées comme les feuilles d'érable, vert moyen. Du milieu à la fin de l'été, ombelles denses de petites fleurs étoilées blanc verdâtre, suivies de fruits rouge écarlate sphériques.

OPUNTIA (Cactacées)
Raquette, Nopal

Genre de cactées vivaces, à tiges articulées, charnues, aplaties (en «raquette») et fleurs rotacées. La taille va de petites plantes couvre-sol à de très grandes plantes, avec des aiguillons et des sétules «barbelées». À maturité, profusion de fruits verts, jaunes, rouges ou pourpres, piriformes, à aiguillons courts (figues de Barbarie), comestibles chez certaines espèces. D'assez rustiques (mais pas d'humidité en hiver) à non rustiques (min. 5-10 °C). À planter au soleil, en sol bien drainé. Multiplication par semis ou boutures de tiges au printemps ou en été.

O. brasiliensis. Cactus à port d'arbre. H. 5,5 m, E. 3 m. Non rustique (min. 10 °C). La tige verte, cylindrique, ramifiée, est constituée d'articles ovales, aplatis, épineux. Perd ses tiges latérales lorsqu'elles ont 2 ou 3 ans. Très nombreuses fleurs jaunes, très ouvertes, de 4 cm de diamètre, au printemps et en été, sur les plantes de plus de 60 cm de haut, suivies de petits fruits jaunes.

O. cylindrica. Cactus buissonnant. H. 4-6 m, E. 1 m. Non rustique (min. 10 °C). Tiges cylindriques, de 4-5 cm de diamètre, portant des feuilles éphémères, vert foncé, jusqu'à 2 cm de long, sur les jeunes pousses. Les aréoles portent de 0-3 aiguillons barbelés. Très nombreuses fleurs rose-rouge très ouvertes au printemps et en été, sur les plantes de plus de 2 m de haut, suivies de fruits jaune verdâtre.

O. erinacea, ill. p. 386.
O. humifusa, ill. p. 398.
O. microdasys (Oreille-de-lapin). Cactus buissonnant. H. et E. 60 cm. Non rustique (min. 10 °C). Articles verts, aplatis, ovales, de 8-18 cm de long, se tachant de brun à température basse. Aréoles dépourvues d'aiguillons, à glochides blancs, jaunes, bruns ou rouges, disposés en rangées diagonales. Très nombreuses fleurs jaunes, en entonnoir, de 5 cm de diamètre, apparaissant en été sur les plantes de plus de 15 cm de haut, suivies de petits fruits rouge foncé. var. *alba,* ill. p. 387.
O. robusta, ill. p. 381.
O. tunicata, ill. p. 388.
O. verschaffeltii, ill. p. 394.

ORCHIDÉES ou ORCHIDACÉES

Famille de plantes vivaces, à feuillage persistant, semi-persistant ou caduc, cultivées pour leurs fleurs originales. Celles-ci possèdent 3 sépales, externes, pétaloïdes, et 3 pétales, internes, dont l'inférieur appelé labelle est en général plus grand et diffère des autres par la forme, les motifs et les teintes. Cette famille compte environ 750 genres et 17 500 espèces (mais ces chiffres peuvent être discutés), sans compter un nombre impressionnant d'hybrides, sélectionnés notamment pour leur facilité de culture et leur vigueur. On distingue notamment orchidées épiphytes et terrestres.

Orchidées épiphytes (non rustiques, origine exotique)
Les épiphytes ont des fleurs plus grandes et plus colorées que les espèces terrestres, et sont donc plus souvent cultivées. Dans la nature, elles se développent sur les branches d'arbres, puisant les éléments nutritifs nécessaires par leurs racines accrochées, l'humidité par leurs racines aériennes. La plupart sont constituées d'un rhizome horizontal, d'où émergent souvent des tiges renflées, servant d'organes de réserve et appelées pseudo-bulbes. Ce sont les plus jeunes pseudo-bulbes qui donnent feuilles et fleurs. Les autres épiphytes sont constituées d'un rhizome dressé à croissance permanente. Les hampes florales apparaissent alors à l'aisselle des feuilles émises par le rhizome. Sous climat tempéré, les orchidées épiphytes doivent être cultivées sous serre.
N.B. : certaines orchidées non rustiques, d'origine exotique, sont lithophytes, vivant sur des rochers. D'autres encore sont saprophytes, et il existe quelques orchidées aquatiques ou semi-aquatiques.

Culture des orchidées épiphytes
Non rustiques, les épiphytes peuvent être réparties en 3 groupes en fonction de leurs exigences culturales : espèces de serre froide, qui demandent un minimum de 8 °C, un maximum de 14 °C; celles de serre tempérée, avec une fourchette de 13-17 °C; et celles de serre chaude, qui apprécient une température de 18-27 °C. En été, l'ombrage de la serre, la ventilation permettent d'éviter que la température ne monte trop. Les orchidées de serre froide peuvent être sorties pour l'été, ce qui favorise leur floraison. Les autres types peuvent également passer l'été dehors si la température nocturne est suffisante.
La luminosité nécessaire en été est indiquée individuellement pour chaque plante. Toutes les orchidées épiphytes demandent cependant à être abritées du soleil direct pour éviter des brûlures du feuillage, en été, mais ont besoin de beaucoup de lumière en hiver.
Cultivées dehors ou sous serre, les orchidées épiphytes demandent un mélange de culture spécial, acheté chez les horticulteurs spécialisés ou bien préparé à partir d'un mélange de matériaux fibreux (tourbe ou écorce ou racines de polypodes) et de matériaux poreux (sphagnum et/ou billes d'argile expansée). La plupart peuvent être cultivées en pot mais certaines se prêtent particulièrement bien à la culture en panier de lattes de bois ou bien fixées sur un morceau d'écorce (les racines étant entourées de mousse humide) et suspendues dans la serre. Il faut maintenir dans tous les cas une forte humidité atmosphérique.
En été, arroser généreusement (en général, il vaut mieux utiliser de l'eau non calcaire) et faire éventuellement des bassinages sur le feuillage, sauf pour *Phalaenopsis.* Arroser plus modérément en hiver, et bassiner éventuellement le feuillage de temps à autre si les plantes sont en croissance. Certaines orchidées sont en repos végétatif l'hiver et demandent très peu d'eau. Après tout arrosage, laisser bien «ressuyer».
Rempoter régulièrement; si les plantes sont prêtes à fleurir, faire le rempotage après la floraison.

Orchidées terrestres
Les orchidées terrestres ont un système racinaire fasciculé ou tubérisé et puisent l'eau et les éléments nutritifs par la voie habituelle, c'est-à-dire les racines et les rhizomes. Certaines peuvent être plantées dans les massifs, mais d'autres demandent à être cultivées en pot sous climat tempéré et protégées sous abri en hiver. Il est difficile de restituer, surtout à l'extérieur, les conditions de milieu et notamment de sol demandées par ces plantes à exigences souvent très bien définies; la culture en pot est donc généralement utilisée pour elles, sauf dans les régions à climat très doux. Beaucoup sont d'origine européenne, avec une rusticité variable, en rapport avec leur origine exacte.

Culture des orchidées terrestres
Ces orchidées sont rustiques, semi-rustiques ou non rustiques (min. 18 °C). Les espèces de *Cypripedium,* originaires pour la plupart de la zone tempérée Nord, peuvent être cultivées dehors, de préférence en sol neutre ou acide, mais ne supportent pas les gelées sévères si elles sont cultivées en pot ou sans couverture protectrice de neige. Elles redoutent également les sols très humides en hiver.
En fonction des exigences écologiques de chaque espèce, il faut lui fournir un sol qu'elle apprécie ou qu'elle exige (sols légers, argileux, calcaires, etc., suivant les cas).

Multiplication des orchidées
Semis (délicat) pour les espèces types, et division pour les cultivars.

Les orchidées sont illustrées pages 252 à 255. Voir également : *Ada,* × *Aliceara, Angraecum, Anguloa, Bifrenaria, Bletilla, Brassavola,* × *Brassocattleya,* × *Brassolaeliocattleya, Bulbophyllum, Calanthe, Calypso, Cattleya, Coelogyne, Cymbidium, Cypripedium, Dendrobium, Encyclia, Epidendrum, Eria, Gomeza, Gongora, Laelia,* × *Laeliocattleya, Lycaste, Masdevallia, Maxillaria, Miltonia, Miltoniopsis,* × *Odontioda,* × *Odontocidium, Odontoglossum,* × *Odontonia, Oncidium, Ophrys, Orchis, Paphiopedilum, Peristeria, Phaius, Phalaenopsis, Pleione,* × *Potinara, Serapias,* × *Sophrolaeliocattleya, Spiranthes, Vanda,* × *Vuylstekeara,* × *Wilsonara,* et *Zygopetalum.*

ORCHIS, voir ORCHIDÉES.

O. morio (Orchis bouffon) ill. p. 254. Orchidée terrestre à feuillage caduc. H. 40 cm. Assez rustique. Fleurs pourpres, mauves,

rarement blanches, de 1 cm de long, qui s'ouvrent au printemps le long des tiges. Feuilles ovales ou oblongues, en bouquet basal, de 10-16 cm de long. Se plaît au soleil ou à mi-ombre.

Oreocereus celsianus, voir *Borzicactus celsianus.*

ORIGANUM (Labiacées)
Origan

Genre de plantes annuelles, vivaces et de sous-arbrisseaux à feuillage caduc, conservant parfois en hiver des rosettes de feuilles. Certaines espèces sont cultivées comme plantes aromatiques, d'autres pour leurs épis ou panicules de fleurs tubulaires, bilabiées, roses ou parfois pourprées ou blanches. Utiles pour habiller les rocailles, talus et murets. Rustiques. Se plaisent au soleil, en tout sol, mais de préférence en sol alcalin, bien drainé. Multiplication par division au printemps, par boutures de pousses non fleuries en début d'été ou semis à l'automne ou au printemps.
O. amanum. Sous-arbrisseau compact, arrondi. H. et E. 15-20 cm. Porte tout l'été des fleurs rose pâle ou blanches; petites feuilles vert pâle, en cœur. Bonne espèce de serre froide, redoutant les atmosphères humides.
O. dictamnus. Sous-arbrisseau. H. 15 cm, E. 40 cm. Les tiges arquées sont couvertes de feuilles aromatiques arrondies, duveteuses, gris blanchâtre. Porte en été des glomérules de fleurs rose pourpré.
O. 'Kent Beauty', ill. p. 293.
O. laevigatum, ill. p. 294.
O. vulgare (Marjolaine, Marjolaine bâtarde, Marjolaine-origan, Origan vulgaire). Plante vivace à souche tapissante. H. et E. 45 cm. Feuilles ovales, aromatiques, vert assez foncé, au-dessus desquelles les tiges filiformes, très ramifiées, portent en été des panicules courtes de petites fleurs tubulaires mauves, bilabiées. 'Aureum', ill. p. 245.

ORNITHOGALUM (Liliacées)
Ornithogale

Genre de plantes bulbeuses appréciées pour leurs fleurs printanières en général en étoile (périanthe à 6 divisions étalées et libres), blanches, crème ou vertes. De rustique (en général) à non rustiques (min. 7 °C). Ont besoin de soleil ou de mi-ombre, d'un sol bien drainé. Arracher et laisser sécher les espèces non rustiques si elles sont cultivées dehors, pour les remettre en place au printemps. Multiplication par semis ou rejets.
O. arabicum (Étoile de Bethléem), ill. p. 351.
O. balansae, syn. *O. oligophyllum,* ill. p. 356.
O. lanceolatum, ill. p. 357.
O. montanum, ill. p. 357.

O. narbonense, ill. p. 350.
O. oligophyllum, voir *O. balansae.*
O. thyrsoides, ill. p. 351.
O. umbellatum (Dame d'onze heures, Étoile de Bethléem). H. 10-30 cm, E. 10-15 cm. Rustique. Feuilles linéaires, semi-érigées, vertes avec une ligne blanche dans l'axe de la face supérieure. Au printemps, corymbe lâche de fleurs étoilées, blanches à revers vert.

ORONTIUM (Aracées)

Genre comptant une espèce de plante aquatique du bord des eaux, vivace, cultivée pour son feuillage caduc flottant, ses spadices et spathes. Rustique. À planter en plein soleil, sans trop l'immerger. Éliminer les fleurs fanées. Multiplication par semis de graines fraîches, à la mi-été, ou par division.
O. aquaticum, ill. p. 377.

OROYA (Cactacées)

Genre de cactées vivaces sphériques, à fleurs à pièces pétaloïdes internes en tube, pièces pétaloïdes externes très ouvertes. Non rustiques (min. 10 °C). Demandent une situation ensoleillée, bien drainée. Multiplication par semis au printemps ou en été.
O. neoperuviana, ill. p. 385.

Orphanidesia gaultherioides, voir *Epigaea gaultherioides.*

ORYCHOPHRAGMUS (Crucifères)

Genre de plantes annuelles fleurissant en fin de printemps ou en été. Semi-rustiques. À cultiver au soleil, en sol fertile et bien drainé. Multiplication par semis au printemps.
O. violaceus, ill. p. 275.

OSCULARIA (Aizoacées)

Genre de plantes grasses, vivaces, buissonnantes et étalées, à feuilles triangulaires, trapues, et nombreuses fleurs parfumées en forme de marguerite. Non rustiques (min. 3 °C). Aiment le plein soleil, un sol bien drainé. Multiplication par semis ou boutures de tiges, au printemps ou en été.
O. deltoides, ill. p. 391.

OSMANTHUS (Oléacées)

Genre d'arbres et d'arbustes cultivés pour leur feuillage persistant et leurs petites fleurs parfumées blanches ou crème. *O.* × *burkwoodii* et *O. heterophyllus* peuvent être plantés en haie. De rustiques à assez rustiques. Se plaisent au soleil ou à l'ombre, en sol bien drainé. Rabattre les tiges après la floraison pour limiter éventuellement leur développement. Tailler les haies à la mi-été. Multiplication en été par boutures semi-ligneuses, ou marcottage.
O. armatus. Arbuste dense, buissonnant. H. et E. 5 m. Rustique. Grandes feuilles vertes oblongues, rigides, dentées. En automne, fleurs parfumées blanches à 4 pétales imbriqués, suivies de fruits ovoïdes, noir pourpré.
O. × *burkwoodii,* syn. × *Osmarea burkwoodii,* ill. p. 84.
O. delavayi, syn. *Siphonosmanthus delavayi,* ill. p. 84.
O. forrestii, voir *O. yunnanensis.*
O. fragrans (Olivier odorant). Arbre ou arbuste dressé, à feuillage persistant. H et E. 6 m. Presque semi-rustique. Fleurs très parfumées, blanches, terminales et axillaires, en début d'été, parmi les feuilles oblongues, vertes, luisantes. f. *aurantiacus* a des fleurs orangées.
O. heterophyllus. 'Aureomarginatus', ill. p. 95. 'Gulftide' est un arbuste dense, buissonnant. H. 2,5 m, E. 3 m. Rustique. Feuilles vert foncé brillant, dentées, ressemblant au houx et mettant en valeur à l'automne les fleurs blanches, tubulaires, à 4 pétales.
O. yunnanensis, syn. *O. forrestii.* Arbuste d'abord érigé puis étalé, à port d'arbre. H. et E. 10 m. Rustique. Grandes feuilles lancéolées, vert olive foncé, bronze à l'état jeune. Porte en fin d'hiver ou début de printemps des bouquets de fleurs blanc crème, à 4 pétales.

× *Osmarea burkwoodii,* voir *Osmanthus* × *burkwoodii.*

OSMUNDA (Osmondacées)
Osmonde

Genre de fougères à feuillage caduc (frondes bipinnées ou simples). Rustiques. À planter à l'ombre, excepté *O. regalis,* qui supporte également le soleil. *O. cinnamomea* demande un sol humide. *O. regalis* se plaît en terrain très humide en permanence. Éliminer régulièrement les frondes fanées. Multiplication par division de souches, ou par semis de spores à maturité.
O. cinnamomea. H. 1 m, E. 45 cm. Frondes stériles externes lancéolées, dressées, vert pâle, à pinnules profondément découpées, entourant les frondes fertiles brunes plus petites, toutes émises par une souche à racines longues et profondes.
O. regalis (Osmonde royale, Fougère royale), ill. p. 186.

OSTEOMELES (Rosacées)

Genre d'arbustes appréciés pour leur port, leur floraison estivale (corymbes de petites fleurs blanches à 5 pétales) et leur feuillage persistant (feuilles imparipennées). Semi-rustiques (à planter, en climat un peu froid, à l'abri d'un mur exposé au sud ou à l'ouest). Demandent une situation ensoleillée, un sol fertile et bien drainé. Multiplication en été par boutures herbacées, ou semis.
O. schweriniae, ill. p. 106.

OSTEOSPERMUM (Composées)

Genre de plantes vivaces, de sous-arbrisseaux et arbrisseaux à feuillage persistant. Peu rustiques. À planter en région chaude, méditerranéenne, en situation ensoleillée et en sol bien drainé. Multiplication par bouturage au printemps, ou semis.
O. barberiae, voir *O. jucundum.*
O. 'Buttermilk', ill. p. 245.
O. jucundum, syn. *O. barberiae, Dimorphoteca barberiae,* ill. p. 236.
O. 'Nairobi Purple'. Plante vivace semi-prostrée. H. 30 cm, E. 30-45 cm. Peu rustique. Capitules rouge pourpré velouté, ressemblant aux marguerites, avec des rayures sombres vers l'extérieur des pétales ligulés, en été. Feuilles lancéolées, vert frais. Fleurit plus abondamment en sol pauvre.
O. 'Whirligig', ill. p. 234.

OSTROWSKIA (Campanulacées)

Genre comptant une espèce de plante calcifuge vivace dressée fleurissant en début d'été. Rustique. Se plaît en situation un peu ombragée, en sol riche, frais, mais bien drainé. Culture délicate, car elle demande une période de repos végétatif après la floraison. La mettre alors sous châssis pour qu'elle reste au sec jusqu'à la fin de l'automne. Multiplication par semis à l'automne ou au printemps, ou par division.
O. magnifica. H. 1,5 m, E. 45 cm. Porte du début à la mi-été de très grandes fleurs d'un délicat bleu lilas clair, veiné de pourpre. Verticilles de feuilles ovales.

OSTRYA (Bétulacées)

Genre d'arbres à feuillage caduc, cultivés pour leurs feuilles, ressemblant à celle des charmes, leurs inflorescences et leurs fruits. Rustiques. À planter au soleil ou à mi-ombre, en sol fertile et bien drainé. Multiplication par semis à l'automne.
O. carpinifolia (Charme houblon).

Arbre à cime arrondie. H. et E. 15 m. Écorce grise, feuilles ovales, vert foncé luisant, qui virent au jaune à l'automne. À la mi-printemps, inflorescences jaunes ressemblant à celles du houblon, suivies de bouquets de fruits blanc verdâtre. Au printemps, longs et nombreux chatons mâles.
O. virginiana (Ostryer), ill. p. 50.

OTHONNOPSIS (Composées)

Genre de sous-arbrisseaux à feuillage persistant, cultivés pour leurs capitules en forme de marguerite, en été. Assez rustiques. Se plaisent au soleil, à la chaleur, en terrain bien drainé. Multiplication par semis ou division.
O. cheirifolia, ill. p. 298.

OURISIA (Scrophulariacées)

Genre de plantes vivaces (parfois sous-ligneuses) à feuillage persistant et rameaux rampants. Recommandées pour les massifs, les rocailles en sol humifère. Rustiques. À planter en site protégé, en sol humide, tourbeux. Multiplication par division ou semis au printemps.
O. caespitosa, ill. p. 314.
O. macrocarpa. Vigoureuse plante prostrée. H. 60 cm, E. 20 cm. Rosettes de feuilles vert foncé, coriaces, en cœur. Porte à la fin du printemps des grappes de fleurs tubulaires en coupe évasée à 5 lobes presque égaux, blanches à cœur jaune.
O. microphylla, ill. p. 316.

OXALIS (Oxalidacées)

Genre de plantes vivaces (certaines tubéreuses ou bulbifères ou à racines fibreuses) et de sous-arbrisseaux à feuillage semi-persistant, cultivés pour leurs fleurs (régulières, à 5 pétales) et leur feuillage souvent décoratif. Les feuilles ont en général moins de 2 cm de diamètre, ou sont divisées en 3 folioles ou plus. Certaines espèces peuvent être envahissantes ; les plus petites espèces et variétés conviennent à la rocaille. De rustiques à non rustiques (min. 5 °C). À planter au soleil ou à mi-ombre, en sol humifère, léger, bien drainé. Multiplication par division à l'automne ou au début du printemps, ou semis.
O. acetosella (Pain de coucou). Plante vivace à rhizome rampant, à floraison printanière. H. 5 cm, E. 30-45 cm. Rustique. Forme des tapis de feuilles trilobées ressemblant au trèfle. Les pédoncules délicats portent des fleurs blanches, en coupe, d'1 cm de diamètre, à 5 pétales veinés de pourpre. Préfère la mi-ombre.

f. *rosea,* ill. p. 305.
O. adenophylla, ill. p. 306.
O. deppei, syn. *O. tetraphylla,*
ill. p. 293.
O. depressa, syn. *O. inops,*
ill. p. 318.
O. inops, voir *O. depressa.*
O. **'Ione Hecker'.** Plante vivace
rhizomateuse en touffe. H. 5 cm,
E. 5-8 cm. Rustique. Les feuilles
vert-gris sont composées de folioles
étroites, oblongues, à bord ondulé.
Porte en été des fleurs en
entonnoir, de 4 cm de diamètre,
bleu pourpré pâle, veiné de sombre.
O. lobata, ill. p. 237.
O. tetraphylla, voir *O. deppei.*

OXYDENDRUM ou
OXYDENDRON (Éricacées)

Genre comptant une seule espèce
d'arbre à feuilles caduques, cultivé
pour ses fleurs et ses teintes
d'automne spectaculaires.
Rustique. À planter en situation
dégagée, au soleil ou à mi-ombre,
pour une bonne coloration
automnale, en sol frais, acide.
Multiplication par boutures
herbacées en été ou semis à
l'automne.
O. arboreum, ill. p. 50.

OXYPETALUM (Asclépiadacées)

Genre de plantes vivaces ou sous-
ligneuses, érigées ou grimpantes,
dont une espèce seulement est
couramment cultivée. Non
rustique (min. 5 °C). À traiter en
annuelle dans les régions froides.
Demande du soleil, un sol bien
drainé. Pincer l'extrémité des tiges
pour stimuler la ramification.
Multiplication par semis au
printemps.
O. caeruleum, syn. *Tweedia
caerula,* ill. p. 173.

OZOTHAMNUS (Composées)

Genre d'arbustes à floraison
estivale, cultivés pour leur feuillage
persistant et leurs petites
inflorescences denses. D'assez
rustiques à semi-rustiques. À
planter en plein soleil, en terrain
bien drainé. Multiplication par
boutures semi-lignifiées en été.
O. ledifolius, syn. *Helichrysum
ledifolium,* ill. p. 128.
O. rosmarinifolius, syn.
Helichrysum rosmarinifolium,
ill. p. 106.

P

PACHISTIMA, voir **PAXISTIMA**

PACHYCEREUS (Cactacées)

Genre de cactées vivaces, columnaires, à croissance lente, se ramifiant avec l'âge. Les fleurs en entonnoir sont très rares en culture, n'apparaissant que sur des sujets de plus de 3 m de haut. Non rustiques (min. 10 °C). Ont besoin de soleil, d'un sol bien drainé. Multiplication par semis au printemps ou en été.
P. pringlei, ill. p. 381.

PACHYPHRAGMA (Crucifères)

Genre de plantes vivaces à rosette de feuilles basales, souvent utilisées comme couvre-sol sous des arbustes. Rustiques. À cultiver en sol frais, au soleil ou à mi-ombre. Multiplication par division ou par semis en automne.
P. macrophyllum, syn. *Thlaspi macrophyllum,* ill. p. 224.

PACHYPHYTUM (Crassulacées)

Genre de plantes grasses vivaces, en rosette ; proche du genre *Echeveria,* avec lequel il peut être facilement hybridé. Non rustiques (min. 5-10 °C). Ont besoin de soleil, d'un sol bien drainé. Multiplication par semis, boutures de feuilles ou de tiges au printemps ou en été.
P. compactum, ill. p. 400.
P. oviferum, ill. p. 395.

PACHYPODIUM (Apocynacées)

Genre de plantes vivaces, arbustives ou arborescentes, en général à tiges renflées. La plupart des espèces sont épineuses. Non rustiques (min. 15 °C). Apprécient le soleil, un sol très bien drainé. Culture délicate. Multiplication par semis au printemps ou en été.
P. lameri, ill. p. 378

PACHYSANDRA (Buxacées)

Genre de plantes vivaces et de sous-arbrisseaux à port rampant, cultivés pour leur feuillage persistant décoratif. Utilisés comme couvre-sol. Rustiques.

Supportent l'ombre en sol bien drainé. Multiplication par division au printemps, ou bouturage.
P. axillaris. Sous-arbrisseau tapissant. H. 20 cm, E. 25 cm. Les tiges sont couronnées de 3-6 feuilles ovales dentées, coriaces. Porte à la fin du printemps de petites fleurs blanches en grappes dressées.
P. terminalis, ill. p. 328. **'Variegata'** est une plante vivace ligneuse (petit arbuste) à port rampant. H. 20 cm, E. 30 cm. Feuilles panachées de crème, groupées à l'extrémité des tiges. En début d'été, grappes de petites fleurs blanches.

PACHYSTACHYS (Acanthacées)

Genre de plantes vivaces et d'arbustes à feuillage persistant, cultivés pour leurs fleurs. Non rustiques (min. 18 °C). À cultiver à mi-ombre, dans un mélange terreux fertile et bien drainé. Arroser généreusement les sujets cultivés en pot en période de croissance, modérément le reste de l'année. Multiplication en début d'été par boutures herbacées. Araignées rouges et mouches blanches sont des parasites fréquents.
P. cardinalis, voir *P. coccinea.*
P. coccinea, syn. *P. cardinalis, Jacobinia coccinea, Justicia coccinea.* Arbuste vigoureux. H. 1,50 m, E. 1 m. Feuilles ovales, vert luisant. En été et automne, fleurs rouge vif, tubulaires, en épis terminaux serrés.
P. lutea, ill. p. 125.

× PACHYVERIA (Crassulacées)

Hybride bigénérique *(Echeveria × Pachyphytum).* Plantes charnues vivaces, à feuilles en rosette, parfois presque acaules. Non rustiques (min. 7 °C). Demandent le plein soleil ou une ombre légère, un sol très bien drainé. Multiplication au printemps ou en été par boutures de feuilles ou de tiges.
× P. glauca, ill. p. 386.

PAEONIA (Ranunculacées)
Pivoine

Genre de plantes vivaces (pivoines herbacées) et d'arbustes (pivoines ligneuses) à feuillage caduc, surtout cultivés pour leurs fleurs, mais aussi leur feuillage et, chez certaines espèces, leurs fruits colorés. Rustiques, sauf mention contraire, bien que les jeunes

pousses puissent souffrir des dernières gelées printanières (notamment pour les pivoines ligneuses). Se plaisent au soleil (supportent aussi l'ombre légère), en sol riche, bien drainé. Les variétés herbacées hautes ou à très grosses fleurs doivent souvent être tuteurées. Toutes les espèces peuvent être multipliées par semis à l'automne, les espèces herbacées par éclats, les espèces ligneuses par marcottage ou greffage sur racines en été. Les pivoines herbacées peuvent également être multipliées par division, à l'automne ou au début du printemps.

Formes horticoles
Sauf mention contraire, les pivoines décrites ci-dessous fleurissent à la fin du printemps ou au début de l'été et ont de grandes feuilles divisées en folioles ovales, lancéolées, parfois linéaires. Les fleurs sont simples, semi-doubles, doubles, ou ressemblent à celles des anémones.
Les **fleurs simples** sont en général en forme de coupe, avec 1 rangée de grands pétales souvent gaufrés, incurvés, et un bouquet central d'étamines.
Les **fleurs semi-doubles** ressemblent aux fleurs simples, mais ont 2 ou 3 rangées de pétales (en fait, 1 rang de pétales et 1 ou 2 rangs de pièces pétaloïdes).
Les **fleurs doubles** sont arrondies, en général composées de 1 ou 2 rangées externes de pétales, les autres pétales (ou plutôt pièces pétaloïdes) étant plus petits, de plus en plus denses et réduits vers le centre de la fleur. Les étamines sont absentes ou réduites à quelques-unes, insignifiantes.
Les **pivoines à fleur d'anémone** comportent en général 1 ou 2 rangées de larges pétales externes, incurvés, tandis que le centre de la fleur est entièrement rempli de nombreuses pièces pétaloïdes étroites, parfois profondément découpées, qui sont des étamines transformées.
Dans la suite de cet article, nous emploierons le mot «pétales» pour les pétales vrais et les pièces pétaloïdes.

P. **'Argosy',** ill. p. 199. Pivoine ligneuse. H. et E. 1,5 m. Grandes fleurs simples, jaune citron, avec une tache pourpre cramoisi à la base. Difficile à multiplier.
P. arietina, voir *P. mascula.*
P. **'Auguste Dessert',** ill. p. 198. Pivoine herbacée (pivoine de Chine). H. et E. 75 cm. Feuillage très coloré à l'automne. Très nombreuses fleurs parfumées, semi-doubles ; pétales rose carmin, à bord ondulé blanc argenté.
P. **'Avant Garde',** ill. p. 198. Pivoine herbacée. H. et E. 1 m. Feuillage luxuriant. Fleurs simples, parfumées, de taille moyenne à

grande, rose pâle veiné de sombre ; étamines à anthères jaune doré et filets jaune rougeâtre. Les fleurs, qui tiennent bien en bouquet, sont portées par des tiges raides à la mi-printemps.
P. **'Ballerina',** ill. p. 198. Pivoine herbacée. H. et E. 1 m. Feuillage très coloré à l'automne. Fleurs doubles, parfumées, d'abord rose teinté de lilas, puis pâlissant. Les pétales des rangs externes sont larges et incurvés ; les pétales internes sont incurvés également, mais plus étroits, plus denses, de taille plus inégale et souvent à bord légèrement gaufré.
P. **'Baroness Schroeder',** ill. p. 198. Vigoureuse pivoine herbacée. H. et E. 1 m. Très florifère ; grandes fleurs doubles, parfumées, globuleuses, d'abord teintées de rose pâle, puis virant au blanc presque pur. Plusieurs rangées de pétales externes aplatis, et pétales internes incurvés, gaufrés, très serrés. L'une des plus belles pivoines pour fleur à couper.
P. **'Bowl of Beauty',** ill. p. 198. Pivoine herbacée. H. et E. 1 m. Très grandes fleurs d'anémone, à pétales externes rose carminé et nombreuses pièces pétaloïdes étroites, serrées, blanc ivoire.
P. corallina, voir *P. mascula.*
P. **'Cornelia Shaylor',** ill. p. 198. Pivoine herbacée. H. et E. 85 cm. Fleurs doubles, parfumées, d'abord teintées de rose, puis pâlissant jusqu'au blanc rosé, nombreuses en début d'été. Pétales ondulés, denses.
P. **'Dayspring'.** Pivoine herbacée. H. et E. 70 cm. Nombreuses fleurs simples, parfumées, rose pâle, groupées en bouquets.
P. delavayi, ill. p. 199. Pivoine ligneuse. H. 1,50 m, E. 1,20 m. Feuilles divisées en folioles ovales, pointues, à pétiole souvent rougeâtre. Petites fleurs simples, en coupe aplatie, rouge cramoisi, à bractées ressemblant à des feuilles, sous la fleur.
P. **'Duchesse de Nemours',** syn. *P.* **'Mrs Gwyn Lewis',** ill. p. 198. Vigoureuse pivoine herbacée (pivoine de Chine). H. et E. 70 cm. Nombreuses fleurs doubles, très parfumées, à pétales externes très grands, incurvés, d'abord vert très pâle en bouton, puis blanc pur ; pétales internes à bord irrégulier, denses vers le centre, jaune crème à leur base.
P. emodi, ill. p. 198. Pivoine herbacée. H. 1,20 m, E. 1 m. Feuillage vert lustré. Porte à l'extrémité de hautes tiges plusieurs grandes fleurs parfumées simples, blanc pur, à étamines jaune d'or.
P. **'Evening World'.** Pivoine herbacée. H. et E. 1 m. Grandes fleurs d'anémone, nombreuses, à pétales externes rose teinté de rouge et pièces pétaloïdes internes très serrées, rose pâle.
P. **'Félix Crousse',** syn. *P.* 'Victor

Hugo'. Vigoureuse pivoine herbacée. H. et E. 80 cm. Profusion de fleurs doubles parfumées, rouge rubis. Nombreux pétales ondulés, serrés.

P. 'Festiva Maxima'. Pivoine herbacée (pivoine de Chine). H. et E. 1 m. Feuillage dense, étalé, et grandes fleurs doubles parfumées, portées par des tiges robustes. Grands pétales d'allure assez lâche, à bord irrégulier ; pétales blanc pur, les internes à liseré basal cramoisi.

P. 'Globe of Light', ill. p. 198. Pivoine herbacée. H. et E. 1 m. Grandes fleurs d'anémone, parfumées. Pétales externes rose pur, pièces pétaloïdes jaune d'or clair.

P. 'Instituteur Doriat', ill. p. 199. Pivoine herbacée (pivoine de Chine). H. et E. 1 m. Feuillage très coloré à l'automne. Nombreuses grandes fleurs simples tardives, à pétales rose velouté.

P. 'Kelway's Gorgeous', ill. p. 198. Pivoine herbacée. H. et E. 85 cm. Nombreuses fleurs simples, rouge carmin, avec une touche de rose saumon.

P. 'Kelway's Majestic'. Pivoine herbacée. H. et E. 1 m. Nombreuses grandes fleurs d'anémone, parfumées, rose cerise vif pour les pétales externes ; pièces pétaloïdes rose lilas, tachetées d'argenté ou de doré.

P. 'Kelway's Supreme', ill. p. 198. Pivoine herbacée. H. et E. 1 m. Feuillage coloré à l'automne. Porte pendant une longue période de grandes fleurs doubles très parfumées, groupées en bouquets sur les plantes adultes. Larges pétales incurvés, d'un rose tendre virant au blanc laiteux. Cette variété donne souvent aussi des fleurs axillaires simples ou semi-doubles.

P. 'Knighthood', ill. p. 199. Pivoine herbacée. H. et E. 75 cm. Fleurs doubles, à pétales serrés, assez étroits, ondulés, d'un rouge sombre inhabituel.

P. 'Krinkled White', ill. p. 198. Pivoine herbacée. H. et E. 80 cm. Grandes fleurs simples, étalées, blanc laiteux, parfois légèrement teintées de rose pâle. Grands pétales à bord ondulé.

P. 'Laura Dessert', ill. p. 199. Pivoine herbacée. H. et E. 90 cm. Fleurs doubles, parfumées, à pétales externes blanc rosé ; les pétales internes serrés, incurvés, sont teintés de jaune citron soutenu et leurs bords souvent profondément découpés.

P. lobata, voir **P. peregrina.**

P. lutea. Arbuste dressé (pivoine ligneuse). H. et E. 1 m et parfois plus. Fleurs simples, en général jaune vif ; il existe des formes à fleurs jaune pourpré ou brunâtre. var. **ludlowii** (ill. p. 199), H. et E. 2,5 m, est cultivée autant pour ses grandes feuilles vert vif, divisées en folioles pointues, profondément découpées, que pour ses fleurs en coupe, jaune d'or.

P. 'Mme Louis Henri', ill. p. 199. Pivoine ligneuse. H. et E. 1,5 m. Fleurs lâches, semi-doubles, rose mordoré, à grands pétales externes nettement teintés de rouge rouille. Les pétales internes plus petits portent un onglet rouge à la base.

P. 'Magic Orb', ill. p. 198. Pivoine herbacée. H. et E. 1 m. Feuillage très coloré à l'automne. Nombreuses grandes fleurs doubles très parfumées, avec plusieurs rangs externes de larges pétales gaufrés, d'un rose cerise intense, et un cœur de pétales internes serrés, plus petits et incurvés, et plus clairs.

P. mascula, syn. **P. arietina,** **P. corallina,** ill. p. 198. Pivoine herbacée. H. et E. 80 cm. Feuillage glabre, brillant, vert foncé et tiges rouge sombre. Fleurs simples, rouge pourpré ou carminé, parfois blanches, à bouquets d'anthères jaune d'or sur des filets pourprés. Les fruits déhiscents, composés de 2-5 follicules en forme de croissant, s'ouvrent sur des graines noir pourpré.

P. mlokosewitschii, ill. p. 199. Pivoine herbacée. H. et E. 75 cm. Feuillage vert bleuté, parfois bordé de rouge pourpré et dominé par de grandes fleurs simples, jaune assez pâle.

P. 'Mother of Pearl', ill. p. 198. Pivoine herbacée. H. 75 cm, E. jusqu'à 60 cm. Feuilles gris-vert mettant bien en valeur les fleurs simples, rose églantine.

P. moutan, voir **P. suffruticosa.**

P. 'Mrs Gwyn Lewis', voir **P. 'Duchesse de Nemours'.**

P. officinalis (Pivoine des jardins, Pivoine officinale). Pivoine herbacée. H. et E. 80 cm. Cette pivoine officinale à fleurs simples, rouges, longtemps cultivée, mais maintenant assez rare, est remplacée par de grands hybrides, comme **'China Rose'** (ill. p. 198), H. et E. 60 cm, à beau feuillage vert foncé et fleurs simples, à pétales incurvés, rose saumoné contrastant avec un bouquet central d'étamines jaune orangé, ou **'Rubra Plena'** (ill. p. 199), H. et E. 80 cm, à feuillage divisé en folioles larges ovales ; fleurs doubles, rose cramoisi vif, pétales gaufrés.

P. peregrina, syn. **P. lobata.** Pivoine herbacée. H. et E. 70 cm. Fleurs simples ou semi-doubles très ouvertes, rouge rubis. **'Sunshine'** (ill. p. 199) a des feuilles vert vif brillant et de grandes fleurs simples, rouge vermillon teinté de rose saumon.

P. potaninii. Pivoine ligneuse. H. 60 cm, E. variable. Feuilles profondément divisées, à folioles étroites, ovales, irrégulièrement découpées ou lobées, et petites fleurs simples, jaune ocré. Proche de P. delavayi, mais plus envahissante et à bractées moins visibles sous les fleurs. var. **trollioides** a des feuilles finement divisées et des fleurs jaunes.

P. 'Président Poincaré'. Pivoine herbacée. H. et E. 1 m. Feuillage très coloré à l'automne. Nombreuses fleurs parfumées doubles, rouge cramoisi clair.

P. 'Sarah Bernhardt', ill. p. 198. Pivoine herbacée (pivoine de Chine). H. et E. 1 m. Nombreuses fleurs hâtives parfumées, très grandes et très doubles, à grands pétales gaufrés, d'un rose brillant, pâlissant sur les bords en blanc rosé argenté.

P. 'Shirley Temple', ill. p. 198. Pivoine herbacée. H. et E. 90 cm. Nombreuses fleurs rose tendre virant au blanc à peine rosé, très doubles, à larges pétales disposés en verticilles ; pièces pétaloïdes internes plus petites et plus lâches.

P. 'Silver Flare', ill. p. 198. Pivoine herbacée. H. et E. 1 m. Feuillage très coloré à l'automne. Tiges teintées de rouge brunâtre. Nombreuses fleurs parfumées, simples, à pétales longs et fins, rose carminé à bordure blanc argenté très décorative.

P. 'Sir Edward Elgar', ill. p. 199. Pivoine herbacée. H. et E. 75 cm. Feuillage très coloré à l'automne. Nombreuses fleurs simples, cramoisi teinté de brun chocolat, à bouquet central lâche d'étamines jaune citron clair.

P. 'Souvenir de Maxime Cornu', ill. p. 199. Pivoine ligneuse. H. et E. 1,5 m. Grandes fleurs parfumées doubles, à pétales jaune d'or chaud, très denses au centre, à bords ondulés, rouge orangé.

P. suffruticosa, syn. **P. moutan (Pivoine en arbre).** Pivoine ligneuse. H. 1,50 m, E. 1 m. Grandes fleurs en coupe, variables (simples ou semi-doubles), à pétales incurvés blancs ou roses, parfois carmin. A donné naissance à de nombreux cultivars à fleurs semi-doubles ou doubles. **'Joseph Rock'**, voir P. s. 'Rock's Variety'. **'Reine Elisabeth'** (ill. p. 198), H. et E. 2 m, à de grandes fleurs très doubles, à larges pétales rose foncé, teintés de rouge feu et légèrement ondulés au bord. **'Renkaku'**, H. et E. 1 m, a des fleurs doubles à larges pétales ivoire, disposés en 3 (ou plus) rangs lâches, entourant un gros bouquet d'étamines jaune d'or. **'Rock's Variety'** (syn. P. s. 'Joseph Rock', ill. p. 198) a de grandes fleurs aplaties semi-doubles, blanches ; les pétales internes ont une tache basale marron foncé. Difficile à multiplier.

P. tenuifolia, ill. p. 199. Pivoine herbacée. H. et E. 45 cm. Feuilles élégantes, finement divisées en nombreux segments linéaires. Fleurs simples, cramoisi foncé, à anthères jaune d'or.

P. veitchii, ill. p. 198. Pivoine herbacée. H. et E. 80 cm. Feuilles vert vif, divisées en folioles d'oblongues à elliptiques. Porte en début d'été des fleurs simples, en coupe, inclinées, rose pourpré.

P. 'Victor Hugo', voir P. 'Félix Crousse'.

P. 'White Wings', ill. p. 198. Pivoine herbacée. H. et E. 85 cm. Feuillage vert foncé, lustré, très coloré à l'automne. Donne en été de nombreuses grandes fleurs parfumées, simples, à larges pétales blancs, parfois teintés de jaune soufre, légèrement gaufrés au bord.

P. 'Whitleyi Major', ill. p. 198. Pivoine herbacée. H. 1 m, E. 60 cm. Tiges et feuilles sont teintées de brun rougeâtre. Grandes fleurs simples, blanc ivoire, à reflets satinés ; bouquet central d'étamines jaune clair.

P. wittmanniana, ill. p. 199. Pivoine herbacée. H. et E. 1 m.

Grandes fleurs simples, jaune paille, à bouquet central d'anthères jaunes, à filets pourpres. Feuilles divisées en folioles larges ovales, vert luisant au-dessus, plus pâles en dessous.

PALIURUS (Rhamnacées)

Genre d'arbres et d'arbustes épineux, à feuillage caduc et floraison estivale, cultivés pour leurs feuilles et leurs fleurs. Peu rustiques. Demandent le plein soleil, un sol bien drainé. Multiplication par boutures herbacées en été ou semis à l'automne, ou drageonnage.

P. spina-christi (Épine du Christ, Argalou), ill. p. 90.

PAMIANTHE (Amaryllidacées)

Genre comptant une seule espèce de plante bulbeuse fleurissant en février-mars, à feuillage persistant, appréciée pour ses grandes fleurs parfumées. Non rustique (min. 18 °C, plante de serre chaude humide). À planter en sol riche et bien drainé, en atmosphère humide. Réduire les apports d'eau en hiver. Multiplication par semis au printemps ou bulbilles en fin d'hiver.

P. peruviana, ill. p. 342.

PANCRATIUM (Amaryllidacées)
Pancrais

Genre de plantes bulbeuses à grandes fleurs parfumées écloses en été. De rustiques à semi-rustiques. À planter au soleil, en sol bien drainé, chaud et sec en été pendant la dormance des bulbes. Planter à 15 cm de profondeur. Multiplication par semis à l'automne ou séparation de caïeux au début de l'automne.

P. illyricum (Pancrais d'Illyrie), ill. p. 350.

P. maritimum (Pancrais maritime, Lis matthiole, Lis narcisse). Fleurit en mai-juin. H. 30 cm, E. 25-30 cm. Semi-rustique. Feuilles basales en lanière, gris-vert, érigées. Donne une inflorescence de 5-12 fleurs blanches, à 3 sépales colorés et 3 pétales..

PANDANUS (Pandanacées)

Genre d'arbres et d'arbustes à feuillage persistant décoratif et silhouette originale (le tronc émet des racines adventives fixées dans le sol, feuilles engainantes, linéaires). Non rustiques (min. 18 °C). Demandent une lumière vive ou la mi-ombre, un sol fertile, bien drainé. Arroser généreusement les sujets cultivés en pot pendant leur période de

croissance, modérément le reste de l'année. Multiplication par semis ou bouturage de bourgeons latéraux. Les araignées rouges sont un parasite fréquent.
P. tectorius 'Veitchii', voir *P. veitchii.*
P. veitchii, syn. *P. tectorius* 'Veitchii', ill. p. 143.

PANDOREA (Bignoniacées)

Genre de plantes grimpantes à tiges ligneuses, cultivées pour leurs assez grandes fleurs à corolle infundibuliforme et leurs feuilles persistantes décoratives, à folioles entières ou dentées. Peu rustiques (min. 5 °C). À cultiver au soleil, en tout sol fertile bien drainé. Tailler après la floraison pour limiter la croissance. Multiplication par semis au printemps ou boutures de tiges ou marcottage en été.
P. jasminoides, syn. *Bignonia jasminoides,* ill. p. 166.
P. ricasoliana, voir *Podranea ricasoliana.*

PANICUM (Graminées), voir BAMBOUS, HERBES, JONCS et LAÎCHES.

P. capillare (Herbe de Guinée), ill. p. 182.

PAPAVER (Papavéracées)
Pavot

Genre de plantes annuelles et vivaces, certaines à feuillage semi-persistant, cultivées pour leurs fleurs décoratives. Rustiques. À planter au soleil ou en pleine lumière, en sol frais mais bien drainé de préférence. Multiplication par semis à l'automne ou au printemps. Se ressème spontanément. Il est préférable de semer les pavots annuels en place, car ils supportent mal le repiquage.
P. alpinum, voir *P. burseri.*
P. atlanticum. Plante vivace rhizomateuse en touffe. H. et E. 10 cm. Feuilles ovales, dentées, velues. Porte, en été, des fleurs simples, orangées. Bonne espèce de rocaille.
P. burseri, syn. *P. alpinum* (Pavot des Alpes). Plante vivace en touffes, à feuillage semi-persistant, cultivée souvent en annuelle ou bisannuelle. H. et E. 10 cm. Feuilles glauques, finement découpées. Porte, de juin à août compris, des fleurs simples, blanches, jaunes, ou orangées. Bonne espèce pour la rocaille, les talus ou murets.
P. commutatum 'Lady Bird'. Plante annuelle dressée, ramifiée, à croissance rapide. H. et E. 45 cm. Feuilles elliptiques, vert moyen, profondément lobées. En été, fleurs simples, rouges, tachées de noir au centre.

P. miyabeanum, ill. p. 324.
P. nudicaule (Pavot d'Islande). Plante vivace à rosette de feuilles radicales. H. 40 cm, E. 10 cm. En été, les pédoncules velus portent chacun une fleur simple, parfumée, blanc et jaune, parfois marquée de vert à l'extérieur. Il en existe de nombreuses variétés aux teintes différentes (notamment orange et rouge). Feuilles ovales, dentées, vert bleuté. Bonne espèce pour la rocaille.
P. orientale (Pavot d'Orient). Plante vivace en touffe. H. 1 m, E. 40 cm. Porte de mai à août des fleurs simples, rouge vermillon brillant, avec une tache noire à la base des pétales. Feuilles larges, lancéolées, découpées, vert moyen, velues. A souvent besoin de tuteurage.
'Allegro Viva', ill. p. 209 ; 'Indian Chief' a des fleurs rouge acajou foncé, 'May Queen' a des fleurs doubles, orangées, 'Mrs Perry' de grandes fleurs rose saumoné ; 'Perry's White', ill. p. 202.
P. rhoeas (Coquelicot). Serie Shirley (à fleurs doubles), ill. p. 266 ; (à fleurs simples), ill. p. 272.
P. somniferum (Pavot à opium). Plante annuelle dressée à croissance rapide. H. 50 cm-1 m, E. 30 cm. Feuilles oblongues, découpées, glauques. Porte en été de grandes fleurs simples, de 10-15 cm de diamètre, dans des tons de rose, rouge, pourpre ou blanc, en été. Il en existe des variétés à fleurs doubles, comme la série à fleur d'œillet, aux pétales frangés, de teintes diverses ; série à fleur de pivoine, ill. p. 265 ; 'Pink Beauty' a des fleurs rose saumon et 'White Cloud' de grandes fleurs blanches.

PAPHIOPEDILUM, voir ORCHIDÉES.
Sabot de Vénus

Les *Paphiopedilum* sont caractérisés notamment par un labelle en forme de sabot. Ce sont des orchidées terrestres, ou lithophytes, ou rarement épiphytes.
P. appletonianum, ill. p. 252. Orchidée terrestre à feuillage persistant. H. 8 cm. Non rustique (min. 13 °C). Fleurs vert-jaune au printemps, de 6 cm de diamètre, à labelle renflé, brun verdâtre, et pétales teintés de rose à leur extrémité, solitaires sur de longues tiges fines. Feuilles, tachetées, de 10 cm de long. À garder à la mi-ombre en été.
P. bellatulum, ill. p. 252. Orchidée terrestre à feuillage persistant. H. 5 cm. Non rustique (min. 18 °C). Au printemps, fleurs blanches, arrondies, presque acaules, à labelle renflé, de 8 cm de diamètre, tachetées de marron pourpré, solitaires. Feuilles ovales, étroites, marquées de taches claires, de 8 cm de long. Situation mi-ombragée en été.
P. Buckhurst 'Mont Millais', ill. p. 254. Orchidée terrestre à feuillage persistant. H. 10 cm. Non rustique (min. 13 °C). En hiver, fleurs solitaires jaune et blanc,

tacheté de rouge, de 12 cm de diamètre. Feuilles ovales de 10 cm de long. Aime la mi-ombre en été.
P. callosum, ill. p. 252. Orchidée terrestre à feuillage persistant. H. 8 cm. Non rustique (min. 13 °C). Fleurs blanches, veinées de pourpre et vert, de 8 cm de diamètre, portées au printemps et en été sur de longues tiges. Feuilles ovales, mouchetées, de 10 cm de long. Situation mi-ombragée en été.
P. fairrieanum, ill. p. 252. Orchidée terrestre à feuillage persistant. H. 8 cm. Non rustique (min. 10 °C). En été et à l'automne, fleurs solitaires blanchâtres de 5 cm de diamètre, veinées de pourpre et vert, à labelle renflé vert violacé. Feuilles étroitement ovales vert clair, de 8 cm de long. À cultiver à la mi-ombre en été.
P. Freckles, ill. p. 252. Orchidée terrestre à feuillage persistant. H. 10 cm. Non rustique (min. 13 °C). En hiver, fleurs blanches, tachetées de brun rougeâtre, de 10 cm de diamètre, solitaires. Feuilles ovales de 10 cm de long. Situation mi-ombragée en été.
P. haynaldianum, ill. p. 254. Orchidée terrestre à feuillage persistant. H. 12 cm. Non rustique (min. 13 °C). Surtout au printemps, fleurs à longs pétales vert, rose et blanc, marqués de brun, jusqu'à 15 cm de diamètre. Feuilles ovales, de 20-25 cm de long. Situation mi-ombragée en été.
P. Lyric 'Glendora', ill. p. 253. Orchidée terrestre à feuillage persistant. H. 10 cm. Non rustique (min. 13 °C). Fleurs brillantes, blanc, rouge et vert, de 10 cm de diamètre, solitaires, en hiver. Feuilles ovales, de 15 cm de long. Situation mi-ombragée en été.
P. × maudiae, ill. p. 253. Orchidée terrestre à feuillage persistant. H. 10 cm. Non rustique (min. 13 °C). Fleurs solitaires sur de longues tiges, au printemps et en début d'été, de 10 cm de diamètre, vert pomme ou rouge pourpré. Feuilles ovales, mouchetées, de 10 cm de long. Situation mi-ombragée en été.
P. niveum, ill. p. 252. Orchidée terrestre à feuillage persistant. H. 5 cm. Non rustique (min. 13 °C). Fleurs solitaires ou groupées par 2, au printemps et automne, blanches, de 4 cm de diamètre. Feuilles oblongues-ovales, ponctuées de vert grisâtre, de 8 cm de long. Aime la mi-ombre en été.
P. sukhakulii, ill. p. 254. Orchidée terrestre à feuillage persistant. H. 8 cm. Non rustique (min. 13 °C). Au printemps et en été, fleurs solitaires sur de longues tiges vertes, tachetées de pourpre et noir, à labelle pourpre, de 8 cm de diamètre. Feuilles ovales, mouchetées, de 10 cm de long. Situation mi-ombragée en été.
P. venustum, ill. p. 255. Orchidée terrestre à feuillage persistant. H. 10 cm. Non rustique (min. 13 °C). Porte, en automne, des fleurs solitaires différemment colorées, du rose à l'orangé, à veines vertes et taches sombres, de 6 cm de diamètre. Feuilles ovales,

mouchetées, de 10 cm de long. Situation mi-ombragée en été.

PARADISEA (Liliacées)

Genre de plantes vivaces cultivées pour leurs fleurs et leur feuillage. Rustiques. Demandent une situation ensoleillée, un sol fertile et bien drainé. Multiplication par division de souches au printemps ou semis à l'automne. Après division, il faut souvent attendre une année jusqu'à ce que les plantes refleurissent.
P. liliastrum (Lis de Saint-Bruno). Plante en touffe, à racines charnues. H. 30-60 cm, E. 30 cm. Tiges fines, portant en début d'été des grappes de fleurs blanches, en coupe, au-dessus de feuilles étroites vertes, graminiformes.

PARAHEBE (Scrophulariacées)

Genre de plantes vivaces, d'arbustes et de sous-arbrisseaux à feuillage persistant ou semi-persistant, à floraison estivale, proches des genres *Hebe* et *Veronica.* Bonnes plantes de rocaille. Rustiques. Aiment le soleil et un sol bien drainé, humifère et sableux. Multiplication en été par boutures semi-ligneuses.
P. catarractae, ill. p. 296.
P. lyallii. Arbuste prostré, à feuillage semi-persistant. H. 15 cm, E. 25 cm. Feuilles ovales, dentées, coriaces. En début d'été, tiges dressées portant des bouquets lâches de fleurs blanches veinées de rose, aplaties.
P. perfoliata, voir *Veronica perfoliata.*

PARAQUILEGIA (Ranunculacées)

Genre de plantes vivaces en touffe, cultivées pour leurs fleurs en coupe et leur feuillage ressemblant aux fougères. De culture délicate. Préfèrent les hivers secs et les climats frais. Rustiques. Demandent du soleil, un sol bien drainé. Multiplication par semis à l'automne.
P. grandiflora, ill. p. 304.

PARNASSIA (Saxifragacées)

Genre de plantes vivaces à feuilles radicales (sauf une ou deux caulinaires), à floraison estivale, à belles fleurs solitaires en forme de coupe. Bonnes plantes de rocaille humide. Rustiques. Apprécient le plein soleil, un sol humide en permanence (prairies humides, tourbières, marécage). Multiplication par semis à l'automne.
P. palustris (Herbe du Parnasse), ill. p. 290.

PAROCHETUS (Légumineuses)

Genre comprenant une seule espèce de plante vivace à feuillage persistant. Semi-rustique. À planter à mi-ombre, en sol humide, caillouteux. Multiplication par division de racines ou boutures en fin d'été.
P. communis (Fleur des dieux), ill. p. 324.

PARODIA (Cactacées)

Genre de cactées arrondies. Boutons floraux laineux, s'ouvrant en fleurs en entonnoir. Non rustiques (min. 10 °C). Demandent le plein soleil ou une ombre légère, un sol très bien drainé. Arroser de temps à autre, très peu en hiver. Multiplication par semis au printemps ou en été.
P. chrysacanthion, ill. p. 388.
P. nivosa, ill. p. 394.
P. sanguiniflora, ill. p. 394.

PARONYCHIA (Caryophyllacées)

Genre de plantes annuelles ou vivaces à feuillage persistant, formant un tapis assez lâche de tiges prostrées. Bonnes plantes de rocailles et murets. Rustiques. À planter au soleil, en sol bien drainé, sec. Multiplication par division au printemps.
P. capitata. Vigoureuse plante vivace tapissante, à feuillage persistant. H. 1 cm, E. 40 cm. Petites feuilles ovales, argentées. En été, fleurs insignifiantes entourées de bractées soyeuses. Bon couvre-sol.
P. kapela subsp. **serpyllifolia,** ill. p. 331.

PARROTIA (Hamamélidacées)

Genre d'arbres à feuilles caduques, appréciés pour leurs fleurs et leurs teintes d'automne. Rustiques, mais les boutons floraux peuvent souffrir de gelées tardives. À planter au soleil ou à l'ombre légère, en sol bien drainé. Supportent les terrains calcaires, mais la coloration automnale est en général plus marquée en sol acide. Multiplication par boutures un peu aoûtées en été, ou semis à l'automne.
P. persica, ill. p. 55.

PARROTIOPSIS (Hamamélidacées)

Genre monospécifique (considéré par certains botanistes comme faisant partie du genre précédent) d'arbre ou d'arbuste à feuilles caduques, apprécié pour ses inflorescences denses entourées de bractées décoratives. Rustique. À planter au soleil ou à l'ombre légère, en sol bien drainé, sauf sol peu profond sur une roche calcaire. Multiplication en été par boutures herbacées ou par semis.
P. jacquemontiana. Petit arbre ou arbuste. H. 5 m, E. 4 m. Feuilles vertes virant au jaune à l'automne. Porte en avril des bouquets de fleurs minuscules, à touffes d'étamines jaunes, entourées de bractées blanches.

PARTHENOCISSUS (Vitacées)
Vigne vierge

Genre de plantes, ligneuses la plupart du temps, grimpantes, s'accrochant le plus souvent par des vrilles, à feuilles caduques prenant souvent de belles teintes d'automne. Chez certaines espèces, l'extrémité élargie des vrilles est munie de petites ventouses qui se fixent au support. Fleurs verdâtres, insignifiantes, en été. Couvrent rapidement une façade ou une clôture ou peuvent grimper sur de grands arbres. De rustiques à semi-rustiques. Multiplication par semis pour les espèces, par boutures en sec pour les cultivars de *P. quinquefolia* et pour *P. henryana.*
P. henryana, syn. *Vitis henryana.* Plante grimpante à vrilles adhésives. Tiges anguleuses, ligneuses. H. jusqu'à 10 m et plus. Assez rustique. Feuilles composées de 5 folioles, dentées dans leur partie supérieure, ovales, de 3-6 cm de long, d'aspect velouté, bronze rougeâtre, à nervures principales blanchâtres. Petites baies bleu foncé à l'automne. Les teintes d'automne sont plus accentuées dans le cas d'une orientation nord ou est.
P. quinquefolia, syn. *Ampelopsis quinquefolia* (Vigne vierge vraie). Plante grimpante à tiges ligneuses, à vrilles non adhésives. H. 15 m et plus. Rustique. Feuilles composées de 5 folioles ovales, acuminées, dentées, vert assez terne, plus pâle en dessous, prenant à l'automne de belles teintes cramoisies. Baies bleu-noir en automne. Idéale pour couvrir une façade ou un grand mur.
P. thompsonii, syn. *Vitis thompsonii,* ill. p. 176.
P. tricuspidata, syn. *Ampelopsis veitchii* (Lierre japonais, Vigne vierge japonaise), ill. p. 176. **'Lowii'** et **'Veitchii',** ill. p. 176.

PASSIFLORA (Passifloracées)
Passiflore, Fleur de la Passion

Genre de plantes grimpantes s'accrochant par des vrilles, à tiges ligneuses et feuillage persistant ou semi-persistant, cultivées pour leurs fleurs caractéristiques, à sépales (4 ou 5) pétaloïdes, à pétales en nombre égal aux sépales, présentant au centre, sur la partie interne de la corolle, autour du réceptacle, une couronne de filaments souvent colorés. De nombreuses espèces portent à l'automne des fruits charnus, ovoïdes ou arrondis, comestibles, de jaune à orangé. De semi-rustiques à non rustiques (min. 5-16 °C). À planter en tout sol fertile, bien drainé, au soleil, en site aéré. Arroser généreusement en saison de croissance, moins le reste de l'année. Palisser les tiges. Éclaircir et rabattre les tiges en surnombre au printemps. Multiplication par semis au printemps ou boutures semi-lignifiées au printemps, ou par marcottage.
P. 'Allardii'. Plante vigoureuse à feuillage persistant. H. 7-10 m. Non rustique (min. 7 °C). Feuilles trilobées. Fleurs de 7-10 cm de diamètre, blanches teintées de rose, à couronne pourpre, en été-automne.
P. antioquiensis, syn. *Tacsonia vanvolxemii.* Plante à feuillage persistant, à croissance rapide. H. 5 m et plus. Peu rustique (min. 7 °C). Feuilles duveteuses, à 3 lobes profonds. Fleurs rouge cramoisi, de 10-15 cm de diamètre, à calice en tube allongé, en été et automne.
P. caerulea, ill. p. 172.
P. × caerulea-racemosa. Vigoureuse plante à feuillage persistant. H. 10 m. Non rustique (min. 7-10 °C). Feuilles trilobées. Fleurs pourpres, de 8 cm de diamètre, en été-automne.
P. × caponii 'John Innes', ill. p. 172.
P. coccinea, ill. p. 163.
P. 'Exoniensis'. Plante à feuillage persistant, vigoureuse, à croissance rapide. H. 8 m et plus. Non rustique (min. 7 °C). Feuilles duveteuses, à 3 lobes profonds. Fleurs roses, de 8 cm de diamètre, à couronne blanchâtre, en été-automne.
P. manicata, ill. p. 175.
P. quadrangularis (Barbadine), ill. p. 173.
P. racemosa. Plante à croissance rapide, à feuillage persistant. H. 5 m. Peu rustique. Feuilles coriaces, ondulées, souvent à 3 lobes profonds. En été-automne, grappes terminales inclinées de fleurs cramoisies, de 8-10 cm de diamètre, à courte couronne blanc et pourpre.

PATERSONIA (Iridacées)

Genre de plantes vivaces rhizomateuses, en touffe, à feuilles radicales, linéaires, persistantes, fleurissant au printemps et en début d'été. Peu rustiques. Apprécient le plein soleil, un sol léger, bien drainé. À ne plus déplacer une fois plantées. Multiplication par semis à l'automne.
P. umbrosa, ill. p. 352.

PAULOWNIA (Scrophulariacées)

Genre d'arbres à feuilles caduques, appréciés pour leurs grandes feuilles et leurs fleurs ressemblant un peu à des digitales, écloses avant que ne sortent les feuilles. Rustiques, mais les jeunes pousses et boutons floraux des jeunes sujets peuvent être endommagés en hiver par des gelées sévères. Demandent le plein soleil, un sol fertile et frais mais bien drainé. Dans les régions froides, on peut les cultiver pour leur feuillage uniquement, en rabattant sévèrement les jeunes pousses au début du printemps. Il en résulte des feuilles de très grande taille. Multiplication par semis à l'automne ou au printemps, ou par boutures de racines en hiver.
P. fortunei. Arbre à port étalé. H. et E. 15 m. Grandes feuilles ovales, vert moyen. Porte au milieu du printemps de grandes fleurs parfumées lilas pâle à l'extérieur, blanc tacheté de pourpre à l'intérieur.
P. imperialis, voir *P. tomentosa.*
P. tomentosa, syn. *P. imperialis* (Paulownia impérial), ill. p. 49. À la suite d'une erreur matérielle indépendante de notre volonté, la photo publiée est celle d'un Catalpa.

PAXISTIMA, syn. PACHISTIMA (Célastracées)

Genre d'arbustes et de sous-arbrisseaux nains à feuillage persistant décoratif et port étalé. Bons couvre-sol. Rustiques. Préfèrent l'ombre, les sols frais, humifères. Multiplication par division au printemps ou boutures semi-ligneuses en été.
P. canbyi. Sous-arbrisseau. H. 15-30 cm, E. 20 cm. Feuilles linéaires ou oblongues et, en été, courts épis pendants de petites fleurs blanc verdâtre.

PEDILANTHUS (Euphorbiacées)

Genre de plantes grasses vivaces, buissonnantes, à floraison estivale, à latex toxique. Donnent des involucres renflés de petites bractées vert jaunâtre, roses, rouges ou brunes, en forme de tête d'oiseau. Non rustiques (min. 10-11° C). Aiment le soleil ou la mi-ombre, un sol bien drainé. Multiplication par semis ou boutures de tiges au printemps ou en été.
P. tithymaloides. H. 1 m, E. 30 cm. Tiges fines, érigées, formant un coude à chaque nœud. Feuilles vert moyen à nervures proéminentes en dessous. En été, bractées rouges, à l'extrémité des tiges. Préfère la mi-ombre. **'Variegata',** ill. p. 381.

PELARGONIUM (Géraniacées)
Géranium

Appellation impropre mais très utilisée. Genre de plantes vivaces suffrutescentes, parfois arbustes, en général à floraison estivale, à feuillage persistant (sauf mention contraire), souvent cultivées en annuelles. Appréciées pour leurs fleurs décoratives et utilisées comme plantes en pot ou à massif. Dans une atmosphère chaude, floraison quasi ininterrompue. Non rustiques (min. 1 °C), sauf mention contraire. N'apprécient pas une atmosphère très humide (car notamment risques de maladies). Aiment un sol bien drainé, une situation ensoleillée. Éliminer régulièrement les fleurs fanées et faire des apports d'engrais liquide pour les plantes cultivées en pot. Ne pas trop arroser. On peut conserver les plantes en hiver à l'abri, après les avoir rempotées et rabattu les tiges à 10 ou 12 cm. Multiplication par boutures herbacées.

Les Pélargoniums peuvent être classés en quatre groupes ; tous fleurissent en été-automne sauf mention contraire.
Pélargonium zonale et Pélargonium des jardins (*P. × hortorum,* qui sont des hybrides de *P. zonale* et *P. inquinans*) : plantes à feuilles arrondies, marquées d'une « zone » sombre caractéristique, à fleurs simples (5 pétales), semi-doubles ou doubles.
Pélargonium des fleuristes (*P. × domesticum*) : plantes arbustives à feuilles d'arrondies ou ovales, très dentées, à fleurs en trompette, évasées, très colorées, abîmées par la pluie.
Géranium-lierre (*P. × hederae-folium*) : plantes retombantes, idéales pour paniers suspendus et jardinières, à feuilles arrondies, lobées et fleurs ressemblant à celles des pélargoniums zonales, mais à pétales plus étroits.
Pélargonium à feuilles aromatiques (notamment *P. capitatum*) et autres espèces : plantes à petites fleurs irrégulières, en étoile ; les formes parfumées sont cultivées pour leur feuillage odorant.

P. **'Alberta'**, ill. p. 206. Pélargonium des jardins. H. 45 cm, E. 30 cm. Porte des ombelles de petites fleurs simples, blanc et cramoisi. À utiliser comme plante à massif.
P. **'Autumn Festival'**, ill. p. 206. Pélargonium des fleuristes buissonnant. Fleurs rose saumoné à gorge blanche.
P. **'Bredon'**, ill. p. 206. Pélargonium des fleuristes à croissance vigoureuse. H. 45 cm, E. jusqu'à 30 cm. Grandes fleurs rouge-brun.
P. **'Caligula'**, ill. p. 207. Pélargonium des jardins miniature. H. 15-20 cm, E. 10 cm. Petites fleurs doubles, cramoisies, et petites feuilles vert foncé.
P. **capitatum** (Géranium à la rose, Géranium rosat), ill. p. 207. Pélargonium suffrutescent à feuillage aromatique. H. 30-60 cm, E. 30 cm. Fleurs mauves et feuilles lobées, à odeur intense. Surtout cultivé pour extraire l'essence de

géranium utilisée en parfumerie, mais peut aussi faire une plante en pot.
P. **crispum** 'Old Spice'. Pélargonium à feuillage odorant, à port érigé. H. jusqu'à 1 m, E. 30-45 cm. Petites feuilles arrondies, lobées, panachées de vert pâle et crème, à odeur de citron, à bord finement crispé comme le persil. Fleurs simples, rose pourpré pâle. **'Variegatum'** (ill. p. 207) a des feuilles panachées de jaune d'or et de petites fleurs lilas. Le feuillage a tendance à virer au blanc crème en hiver.
P. **'Dale Queen'**, ill. p. 206. Pélargonium des jardins buissonnant. H. 25-30 cm, E. 25 cm. Fleurs simples, rose saumon délicat. Particulièrement indiqué pour la culture en pot.
P. **série Diamond.** Groupe de pélargoniums des jardins à croissance lente, compacts, buissonnants, cultivés souvent comme des annuelles. H. et E. 30-60 cm. Semi-rustiques. Feuilles arrondies, lobées, vert moyen à clair, à zone bronze ou rouge sombre. Grandes inflorescences en dôme de fleurs simples, résistant à la pluie, dans toute une gamme de teintes rouges et roses (écarlate, ill. p. 272).
P. **'Dolly Varden'**, ill. p. 207. Pélargonium des jardins. H. 30 cm, E. 25 cm. Feuilles vertes joliment marquées de brun pourpré, blanc et cramoisi. Fleurs simples, écarlates.
P. **'Élégante'**, ill. p. 207. Pélargonium à feuilles de lierre, retombant. H. et E. jusqu'à 60 cm. Feuillage panaché à bord blanc crème, virant parfois au rose ; fleurs semi-doubles, mauve pâle. À planter dans une suspension.
P. **'Emma Hossler'.** Pélargonium des jardins nain. H. 20-25 cm, E. 15 cm. Porte de grandes fleurs mauve rose, très doubles. Précieux pour les jardinières.
P. **'Flower of Spring'**, ill. p. 207. Pélargonium des jardins robuste. H. 60 cm, E. 30 cm. Feuilles vert et blanc, fleurs rouges simples.
P. **× fragrans,** ill. p. 206. Pélargonium à feuillage odorant, très buissonnant. H. et E. 30 cm. Feuilles gris-vert, arrondies, légèrement lobées, à forte odeur de pin. Porte de petites fleurs blanches, veinées de rouge.
P. **'Fraicher Beauty'**, ill. p. 206. Pélargonium des jardins. H. 30 cm, E. 25 cm. Fleurs très doubles, de forme parfaite, au coloris délicat : blanc avec une fine bordure rouge. Excellente plante en pot.
P. **'Francis Parrett'**, ill. p. 206. Pélargonium des jardins. H. 15-20 cm, E. 10 cm. Fleurs mauve pourpré, très doubles. Petites feuilles vertes. Bonne variété pour les jardinières.
P. **'Friesdorf'**, ill. p. 206. Pélargonium des jardins. H. 25 cm, E. 15 cm. Feuillage vert foncé et fleurs simples, rouge écarlate, à pétales étroits. À planter en jardinière ou en massifs.
P. **frutetorum.** Pélargonium rampant (non classé). H. et E. jusqu'à 60 cm. Feuilles

inhabituelles, à 5 lobes, semblant entaillées, à tache centrale brun foncé. Fleurs simples rose saumon, à longue tige. **'The Boar'** (ill. p. 206) peut être planté dans une suspension.
P. **'Irene'**, ill. p. 206. Pélargonium des jardins. H. 45 cm, E. 25-30 cm. Grandes fleurs rouge cramoisi, semi-doubles.
P. **'Ivalo'**, ill. p. 206. Pélargonium des jardins buissonnant, à entre-nœuds courts. H. 25-30 cm, E. 25 cm. Grandes fleurs semi-doubles, rose pâle, à cœur blanc ponctué de cramoisi.
P. **'Lesley Judd'**, ill. p. 206. Vigoureux pélargonium des fleuristes buissonnant. H. 30-45 cm, E. jusqu'à 30 cm. Fleurs d'un rose saumon doux, à tache rouge centrale.
P. **'Mabel Grey'**, ill. p. 207. Pélargonium à feuillage aromatique. H. 45-60 cm, E. 30-45 cm. Feuilles dentées, de texture grossière, à fort parfum citronné. Fleurs mauves, à 5 ou 7 lobes pointus.
P. **'Mme Fournier'**, ill. p. 207. Pélargonium des jardins à entre-nœuds courts. H. 15-20 cm, E. 10 cm. Petites fleurs simples, écarlates, qui contrastent bien avec le feuillage presque noir. À cultiver en pot ou comme plante à massif.
P. **'Manx Maid'**, ill. p. 206. Pélargonium des fleuristes. H. 30-40 cm, E. 25 cm. Fleurs et feuilles de petite taille pour ce type de géranium. Fleurs roses, veinées et ponctuées de rouge sombre.
P. **'Mauritania'**, ill. p. 206. Pélargonium des jardins. H. 30 cm, E. 25 cm. Fleurs simples, blanches, avec un anneau rose saumon vers le centre.
P. **'Mini Cascade'**, ill. p. 206. Pélargonium à feuilles de lierre, à entre-nœuds courts, port retombant. H. et E. 30-45 cm. Nombreuses fleurs rouges, simples. Éliminer régulièrement les fleurs fanées pour une floraison prolongée.
P. **'Mr Henry Cox'**, ill. p. 206. Pélargonium des jardins. H. 30 cm, E. 15 cm. Feuillage vert moyen marqué de rouge, jaune et brun pourpré. Fleurs simples, roses.
P. **'Mrs Pollock'**, ill. p. 207. Pélargonium des jardins. H. 30 cm, E. 15 cm. Chaque feuille dorée porte au centre une marque gris-vert, traversée par une zone de teinte bronze. Petites fleurs simples, rouge orangé.
P. **'Mrs Quilter'**, ill. p. 207. Pélargonium des jardins. H. 30 cm, E. 25 cm. Feuilles jaunes à larges zones brunes et fleurs simples, roses.
P. **'Orange Ricard'**, ill. p. 207. Vigoureux pélargonium des jardins. H. 45-60 cm, E. 30 cm. Porte de très nombreuses fleurs orangées, semi-doubles, de grande taille.
P. **série Orbit.** Groupe de pélargoniums des jardins buissonnants à croissance lente, cultivés comme des annuelles. H. et E. 60 cm. Semi-rustiques. Feuilles arrondies, lobées, vert moyen à zones bronze ou rouge, et grandes inflorescences bombées de

fleurs simples, en teintes séparées ou en mélange, dans des tons de blanc, rose, rouge et orangé (saumon, ill. p. 265).
P. **'Paul Humphris'**, ill. p. 206. Pélargonium des jardins compact, buissonnant. H. 30 cm, E. 25 cm. Fleurs rouge sombre, très doubles. Bonne plante en pot.
P. **peltatum.** Pélargonium retombant, à tiges cassantes, qui a donné naissance aux géraniums-lierre. Longueur des tiges et E. jusqu'à 1,5 m. Feuilles charnues, à lobes pointus, et fleurs simples, mauves ou blanches. Les cultivars conviennent pour les jardinières et suspensions. **'Amethyst'** (ill. p. 206) a des fleurs très doubles, d'un mauve pourpré clair. Les fleurs de **'Lachskönigin'** sont semi-doubles, mauve pourpré. **'Tavira'** (ill. p. 206) a des fleurs simples, cramoisies.
P. **'Purple Emperor'**, ill. p. 206. Pélargonium des fleuristes. H. 45 cm, E. 30 cm. Fleurs rose mauve, à coloration centrale plus soutenue. Fleurit jusqu'en automne.
P. **'Purple Unique'**, ill. p. 207. Vigoureux pélargonium arbustif, dressé (non classé). H. et E. 1 m et plus. Feuilles lobées, arrondies, très aromatiques. Fleurs simples, en trompette, pourpre clair. À palisser contre un mur ensoleillé.
P. **'Rollinson's Unique'**, ill. p. 206. Pélargonium arbustif (non classé). H. 60 cm et plus, E. 30 cm. Feuilles entaillées, ovales, et petites fleurs simples, en trompette, rouge lie-de-vin veinées de pourpré.
P. **'Rouletta'**, ill. p. 206. Vigoureux pélargonium à feuilles de lierre. H. et E. 60 cm-1 m. Fleurs blanc et rouge, semi-doubles.
P. **'Royal Oak'**, ill. p. 207. Pélargonium aromatique, buissonnant, compact. H. 40 cm, E. 30 cm. Feuilles en forme de feuilles de chêne, légèrement collantes, à odeur épicée, vert foncé à marques centrales brunes. Petites fleurs rose mauve.
P. **'Schöne Helena'**, ill. p. 206. Pélargonium des jardins. H. 30-45 cm, E. 25 cm. Porte de très nombreuses grandes fleurs semi-doubles rose saumon.
P. **série Sprinter.** Groupe de pélargoniums des jardins à port buissonnant, ramifié, à croissance lente, cultivés comme des annuelles. H. et E. 30-60 cm. Semi-rustiques. Feuilles lobées, arrondies, vert clair ou moyen. Grandes inflorescences bombées de fleurs simples, dans des tons de rouge. Très florifères.
P. **'Timothy Clifford'**, ill. p. 206. Pélargonium des jardins à entre-nœuds courts. H. 15-20 cm, E. 10 cm. Feuilles vert foncé et fleurs rose saumon très doubles.
P. **'Tip Top Duet'**, ill. p. 206. Pélargonium des fleuristes buissonnant, très ramifié. H. 30-40 cm, E. 25 cm. Feuilles et fleurs petites. Fleurs blanches, veinées de rose, à pétales supérieurs ponctués de rouge sombre.
P. **tomentosum**, ill. p. 207. Pélargonium aromatique buissonnant. H. 30-60 cm, E. 1 m. Grandes feuilles arrondies, à peine lobées, veloutées, gris-vert,

à fort parfum mentholé. Porte des ombelles de petites fleurs blanches. Pincer l'extrémité des tiges pour limiter son développement. Craint le plein soleil.

PELLIONIA (Urticacées)

Genre de plantes vivaces rampantes, à feuillage persistant décoratif, précieux comme couvre-sol. Non rustiques (min. 15 °C). Il leur faut une atmosphère humide, à l'abri des courants d'air, pas de soleil direct, un sol humide. Multiplication par boutures de tiges en hiver.
P. daveauana, syn. *P. repens,* ill. p. 259.
P. repens, voir *P. daveauana.*

PELTIPHYLLUM, syn. DARMERA (Saxifragacées)

Genre monospécifique de plante vivace cultivée pour son feuillage inhabituel (feuilles radicales à large limbe pelté, à nombreux lobes). Elle est parfois rattachée au genre *Darmera.* Convient bien pour une bordure de pièce d'eau. Rustique. À planter à mi-ombre ou à l'ombre, en sol humide. Multiplication par division au printemps ou semis à l'automne ou au printemps.
P. peltatum, ill. p. 197.

PENNISETUM (Graminées), voir BAMBOUS, HERBES, JONCS et LAÎCHES.

P. alopecuroides, syn. *P. compressum.* Graminée vivace formant des touffes. H. 80 cm, E. 45 cm. Rusticité variable. Feuilles étroites, vert moyen, à gaines velues au bout. Porte en fin d'été des panicules arquées, à soies décoratives pourprées, qui persistent jusqu'en hiver.
P. compressum, voir *P. alopecuroides.*
P. longistylum, voir *P. villosum.*
P. ruppellii, voir *P. setaceum.*
P. setaceum, syn. *P. ruppellii.* Graminée annuelle formant des touffes. H. 80 cm, E. 45 cm. Rustique. Feuilles et tiges rugueuses, vert moyen. Porte en été des panicules denses d'épillets rouge cuivré à soies barbues décoratives, qui persistent jusqu'en hiver.
P. villosum, syn. *P. longistylum,* ill. p. 181.

PENSTEMON ou PENTSTEMON (Scrophulariacées)

Genre de plantes vivaces, de sous-arbrisseaux et de petits arbustes, la plupart à feuillage persistant ou semi-persistant. Fleurs tubulaires bilabiées (lèvre inférieure trilobée, lèvre supérieure bilobée). De

rustiques à semi-rustiques. Se plaisent au soleil, en sol frais et bien drainé. Multiplication des espèces par semis à l'automne ou au printemps, ou par boutures de pousses non fleuries vers la mi-été; des cultivars par bouturage ou par division des souches.
P. 'Apple Blossom', ill. p. 235.
P. barbatus, syn. *Chelone barbata.* Plante vivace à feuillage semi-persistant. H. 1 m., E. 30 cm. Rustique. Porte de la mi-été à l'automne des grappes de fleurs tubulaires, à 2 lèvres, rouge rosé (lèvre inférieure «barbue»). Feuilles oblongues vert moyen.
P. confertus. Belle plante vivace à feuillage semi-persistant, en touffe. H. 60 cm, E. 30 cm. Rustique. Porte en début d'été des thyrses de fleurs jaune crème, au-dessus de longues feuilles lancéolées linéaires, vert moyen.
P. davidsonii. Sous-arbrisseau prostré à feuillage persistant. H. 8 cm, parfois plus, E. 15 cm et plus. Rustique. Des fleurs en entonnoir, de violet à rouge rubis, à lèvres proéminentes, se forment en fin de printemps et début d'été à l'aisselle des feuilles. Petites feuilles coriaces, d'ovales à arrondies. Rabattre après la floraison. subsp. *menziesii,* H. 5 cm, E. 20 cm, a un port plus prostré et des feuilles entières ou dentées, des fleurs bleu violacé.
P. diffusus, voir *P. serrulatus.*
P. 'Evelyn'. Plante vivace buissonnante, à feuillage semi-persistant. H. et E. 45 cm. Rustique. Grappes de petites fleurs tubulaires roses à partir de la mi-été. Feuilles vert clair, largement lancéolées.
P. fruticosus, syn. *P. scouleri.* Sous-arbrisseau dressé, à souche ligneuse et feuillage persistant. H. et E. 15-30 cm. Rustique. Feuilles de lancéolées à ovales. En début d'été, fleurs bleu violacé. Bonne espèce de rocaille. Rabattre après la floraison.
P. 'Garnet', ill. p. 207.
P. hartwegii. Plante vivace dressée, à feuillage semi-persistant. H. 80 cm-1 m, E. 30 cm. Rustique. Porte des bouquets de fleurs rouge grenat, légèrement inclinées, tubulaires, presque bilabiées, de la mi-été à la fin de l'été. Feuilles lancéolées vert moyen.
P. heterophyllus 'True Blue'. Sous-arbrisseau à feuillage semi-persistant. H. et E. 25 cm ou plus. Rustique. Feuilles vert pâle, de linéaires à lancéolées. Fleurs bleu pur, en entonnoir, portées par les pousses latérales courtes en été. Rabattre après la floraison. Bon cultivar de rocaille.
P. hirsutus. Plante vivace à feuillage persistant. H. 60 cm, E. 30 cm. Rustique. Porte en été des fleurs velues, tubulaires, pourpres ou bleu violacé. Feuilles ovales, vert foncé. Bonne espèce de rocaille. **'Pygmaeus',** ill. p. 320.
P. isophyllus, ill. p. 131.
P. newberryi. Sous-arbrisseau tapissant à feuillage persistant. H. 15-20 cm, E. 30 cm. Rustique. Branches couvertes de petites feuilles ovales, coriaces, vert foncé. Porte des bouquets courts de fleurs

tubulaires à 2 lèvres, rose soutenu, en début d'été. Rabattre après la floraison. Bonne espèce de rocaille. f. *humilior,* ill. p. 294.
P. 'Pennington Gem', ill. p. 235.
P. pinifolius, ill. p. 294.
P. 'Pink Endurance', ill. p. 236.
P. procerus. Plante vivace dressée, à feuillage semi-persistant. H. 50 cm, E. 20 cm. Rustique. Feuilles d'oblongues à lancéolées. Donne en été de fines grappes de fleurs bleu pourpré. Bonne espèce de rocaille.
P. rupicola. Sous-arbrisseau prostré à feuillage persistant. H. 5 cm, E. 15 cm. Rustique. Feuilles charnues, bleu-gris, d'arrondies à ovales. En été, fleurs variables, rose pâle à foncé.
P. scouleri, voir *P. fruticosus.*
P. serrulatus, syn. *P. diffusus,* ill. p. 295.
P. 'Six Hills'. Sous-arbrisseau prostré à feuillage persistant. H. 5 cm, E. 15 cm. Rustique. Feuilles arrondies, charnues, gris-vert. Porte en été des fleurs lilas pâle, à l'extrémité des tiges. Bon cultivar de rocaille.

PENTAPTERYGIUM, voir AGAPETES.

PENTAS (Rubiacées)

Genre de plantes vivaces et de sous-arbrisseaux, la plupart à feuillage persistant, cultivés pour leurs fleurs roses ou blanches. Non rustiques (min. 15 °C). Aiment le soleil ou une ombre légère, un sol fertile et bien drainé. Arroser généreusement en période de croissance, plus modérément le reste de l'année. Peuvent être rabattus en fin d'hiver. Multiplication par boutures herbacées en été ou semis au printemps. Sensible aux aleurodes.
P. carnea, voir *P. lanceolata.*
P. lanceolata, syn. *P. carnea,* ill. p. 131.

PEPEROMIA (Pipéracées)

Genre de plantes annuelles, vivaces ou suffrutescentes, appréciées pour leur feuillage persistant décoratif. Non rustiques (min. 10 °C). À planter en lumière vive ou à mi-ombre, dans un mélange à base de tourbe de préférence. Ne pas trop arroser car l'humidité constante et excessive leur est néfaste. Multiplication par division, semis, boutures de feuilles ou tiges au printemps ou en été.
P. caperata, ill. p. 256.
P. glabella, ill. p. 261.
P. marmorata, ill. p. 260.
P. metallica. Plante vivace à feuillage persistant, à tiges dressées, ramifiées, brun rougeâtre. H. et E. 25 cm. Feuilles vertes, étroites, ovales, de 3-4 cm de long, à reflets métalliques, à bande

médiane claire au-dessus, vert rougeâtre en dessous. Fleurs insignifiantes.
P. obtusifolia 'Variegata', ill. p. 261.

PERESKIA (Cactacées)

Genre de cactées, certaines grimpantes, à feuilles caduques et tiges ligneuses vertes, puis brunes. Ce serait un genre primitif de cactées, donnant de vraies feuilles à la différence de la plupart des genres de cette famille. Non rustiques (min. 18 °C). Demandent le plein soleil, un sol bien drainé. Arroser modérément en été. Multiplication par boutures de tiges au printemps ou en été.
P. aculeata (Groseillier des Barbades), ill. p. 379. **'Godseffiana'** est une cactée à croissance rapide, d'abord dressée, puis grimpante. H. jusqu'à 10 m, E. 5 m. Feuilles larges, ovales, légèrement charnues, brun orangé, en général pourprées en dessous, de 9 cm de long, virant au vert luisant à maturité. Tiges florales courtes portant des fleurs simples, rotacées, crème à cœur orangé, de 5 cm de diamètre, apparaissant à l'automne sur les sujets de plus d'1 m de hauteur. Rabattre sévèrement les tiges latérales à l'automne.
P. grandifolia, syn. *Rhodocactus grandifolius,* ill. p. 380.

PERILLA (Labiacées)

Genre de plantes annuelles à feuillage décoratif. Semi-rustiques. Aiment le plein soleil, un sol fertile et bien drainé. Pincer l'extrémité des tiges des jeunes plantes pour les faire buissonner. Multiplication par semis sous verre au début du printemps ou bouturage.
P. frutescens. Plante buissonnante, dressée, à croissance moyennement rapide. H. 60 cm, E. 30 cm. Feuilles aromatiques, ovales, dentées, rouge pourpré. Porte en été des groupes de petites fleurs tubulaires blanches.

PERISTERIA, voir ORCHIDÉES.

P. elata. Orchidée épiphyte à feuillage semi-persistant, pour serre froide ou tempérée. H. 1 m. En été, longues hampes de fleurs cireuses, blanc crème, de 8 cm de diamètre. Petit labelle légèrement tacheté de pourpre. Feuilles larges, ovales, cannelées, de 45 cm de long. Situation mi-ombragée en été.

PERISTROPHE (Acanthacées)

Genre de plantes vivaces ou de sous-arbrisseaux d'origine tropicale, en général à feuillage persistant, appréciés pour leurs

fleurs. Non rustiques (min. 15 °C). Il leur faut du soleil ou de la mi-ombre, un sol bien drainé. Ne pas trop arroser en hiver. Multiplication par boutures de tiges au printemps ou en été.
P. angustifolia, voir *P. hyssopifolia.*
P. hyssopifolia, syn. *P. angustifolia.* Plante vivace buissonnante, à feuillage persistant. H. jusqu'à 60 cm, E. 1-1,2 m. Feuilles lancéolées, pointues au bout, de 8 cm de long. Cymes de fleurs tubulaires rose foncé en hiver.
'Aureo-variegata', ill. p. 224.

PERNETTYA (Éricacées)

Genre d'arbustes de petite taille à feuillage persistant, cultivés pour leurs fruits décoratifs qui demeurent longtemps sur la plante. Il faut les planter en groupe pour obtenir une pollinisation croisée et des fruits. (Les Pernettya sont dioïques, mais pas strictement ; certaines plantes sont hermaphrodites). Rustiques. Aiment le soleil ou la mi-ombre, un sol frais mais bien drainé, acide. Ils fructifient mieux en plein soleil. Multiplication par boutures semi-ligneuses en été, ou semis.
P. mucronata. Arbuste dense, buissonnant, s'étalant par des tiges souterraines. H. et E. 70 cm. Feuilles ovales, lustrées, vert foncé, pointues, qui mettent bien en valeur en fin de printemps et début d'été les petites fleurs blanc rosé ressemblant à celles de la bruyère. Fruits charnus, sphériques, de teinte rouge plus ou moins sombre suivant la variété. Les bouquets de fruits font une belle décoration pour la maison. Les fruits de **'Cherry Ripe'** (femelle) sont gros, rouge cerise. **'Edward Balls'** (mâle) a des pousses robustes, dressées, rouges, et des feuilles vert vif, très pointues. **'Mulberry Wine'** (femelle), ill. p. 142 ; **'Wintertime'** (femelle), ill. p. 141.
P. pumila. Arbuste rampant, tapissant. H. 5 cm, E. 30-60 cm. Les branches prostrées portent en début d'été de petites fleurs blanches, campanulées, au milieu de toutes petites feuilles coriaces, arrondies. Fruits ronds, roses ou blancs. Bonne espèce pour la rocaille ou les massifs tourbeux.

PEROVSKIA (Labiacées)

Genre de sous-arbrisseaux à feuilles caduques, cultivés pour leur feuillage gris-vert, aromatique, et leurs fleurs bleues. Assez rustiques. Aiment le plein soleil, un sol très bien drainé. Rabattre sévèrement, presque à la base, lors de la reprise de la végétation au printemps. Multiplication par boutures herbacées en fin de printemps, ou semis.
P. atriplicifolia (Perovskia à feuilles d'arroche). Sous-arbrisseau dressé. H. 1,5 m, E. 1 m. Les tiges glauques portent des feuilles

étroites, ovales, irrégulièrement dentées. De la fin de l'été à la mi-automne, fleurs bilabiées, bleu violacé, en longues panicules grêles terminales. **'Blue Spire',** ill. p. 136.
P. 'Hybrida'. Sous-arbrisseau érigé. H. 1 m, E. 75 cm. Feuilles ovales, profondément lobées et dentées, et, de la fin de l'été à la mi-automne, longues panicules de fleurs bilabiées bleu lavande foncé.

PETASITES (Composées)

Genre de plantes vivaces rhizomateuses envahissantes, cultivées pour leurs grandes feuilles et utilisées comme couvre-sol. Rustiques. Supportent le soleil comme la mi-ombre et préfèrent les sols frais mais bien drainés. Multiplication par division au printemps ou en automne.
P. japonicus, ill. p. 229.

PETREA ou PETRAEA (Verbénacées)

Genre d'arbustes et de plantes grimpantes à tiges ligneuses, à feuillage persistant, cultivés pour leurs fleurs. Non rustiques (min. 18 °C). Demandent une lumière vive, un sol fertile et bien drainé. Arroser régulièrement, peu en période de repos végétatif. Éclaircir et rabattre les tiges en surnombre au printemps. Multiplication par boutures semi-ligneuses en été. Cochenille et aleurodes sont des parasites fréquents.
P. volubilis, ill. p. 164.

PETROCOSMEA (Gesnériacées)

Genre de plantes vivaces rhizomateuses à feuillage persistant. Non rustiques (min. 5 °C). À planter à l'ombre, en sol tourbeux, bien drainé. Multiplication par semis au début du printemps ou boutures de feuilles en début d'été.
P. kerrii, ill. p. 314.

PETROPHYTUM ou PETROPHYTON (Rosacées)

Genre d'arbustes à feuillage persistant et floraison estivale, appréciés pour leurs épis de petites fleurs duveteuses. À cultiver en rocaille ou serre alpine. Rustiques. À planter au soleil, en sol caillouteux, alcalin, bien drainé. De culture délicate. Multiplication par boutures herbacées ou semi-ligneuses en été ou semis à l'automne. Pucerons et araignées rouges sont des parasites fréquents par temps chaud.
P. caespitosum. Arbuste tapissant. H. 5-8 cm, E. 10-15 cm. Petites feuilles ovales, groupées. Les tiges

florales, de 2 cm de long, portent en été un épi conique de petites fleurs blanches, pelucheuses.
P. hendersonii. Arbuste formant un dôme. H. 5-10 cm, E. 10-15 cm. Tiges ramifiées, couvertes de feuilles arrondies, bleu-vert. Épis coniques de petites fleurs blanches, duveteuses, sur des tiges de 2,5 cm de long, en été.

PETRORHAGIA (Caryophyllacées)

Genre de plantes annuelles et vivaces à floraison décorative. Bonnes plantes de rocaille ou de talus. Rustiques. Se plaisent au soleil en sol sableux et bien drainé. Multiplication par semis à l'automne ; se ressèment généreusement.
P. saxifraga, syn. *Tunica saxifraga,* ill. p. 315. **'Rosette'** est une plante vivace tapissante. H. et E. 20 cm. Touffes gazonnantes de feuilles très fines. En été, les tiges grêles portent une profusion de fleurs, de blanches à rose pâle, parfois veinées de rose foncé, simples ou doubles.

PETUNIA (Solanacées)

Genre de plantes vivaces, cultivées comme des annuelles, à fleurs colorées très décoratives. Semi-rustiques. À cultiver en situation ensoleillée, à l'abri du vent, en sol fertile et bien drainé. Éliminer régulièrement les fleurs fanées. Multiplication par semis sous verre au début du printemps. Sensibles à des maladies à virus, notamment le virus de la mosaïque du concombre et les taches bronzées de la tomate.
P. × hybrida (nombreux cultivars provenant du croisement de *P. axillaris* et *P. violacea*). Plantes vivaces buissonnantes, ramifiées, à croissance moyennement rapide. H. 15-60 cm, E. 30 cm. Feuilles ovales, vert moyen ou foncé. En été, fleurs en trompette large, simples ou doubles, dans une large gamme de teintes (par coloris séparés ou en mélange), dont bleu, violet, pourpre, rouge, rose et blanc. Les fleurs varient en forme et taille : celles des hybrides à grandes fleurs font 8-10 cm de diamètre, mais demandent souvent à être protégées de la pluie ; celles des hybrides à fleurs moyennes sont plus petites (5 cm de diamètre), mais résistent mieux à la pluie.
Les variétés suivantes sont des hybrides à grandes fleurs :
   'Blue Frost', ill. p. 275.
   Série Cascade, à tiges traînantes ou retombantes ; fleurs simples dans différentes teintes.
   'Colour Parade' offre de nombreuses teintes de fleurs simples, d'allure chiffonnée.
   Série Flash a des fleurs simples, en mélange de teintes vives.
   Série Picotee offre une palette de couleurs vives ; fleurs simples à bord contrasté (rouge, ill. p. 272).

   Série Recoverer a des fleurs simples dans différentes teintes unies ou mélangées (blanc, ill. p. 262).
   Série Star offre des teintes variées de fleurs simples, rayées de blanc (cramoisi, ill. p. 270).
   Série Victorious, ill. p. 266.
Les variétés suivantes sont des hybrides à fleurs moyennes :
   Série Bonanza, ill. p. 267.
   'Cherry Tart' a des fleurs doubles, blanc et rose soutenu.
   'Gypsy' est un cultivar à fleurs simples, rouge saumoné.
   Série Jamboree a des tiges pendantes à fleurs simples dans différentes teintes.
   'Mirage Velvet', ill. p. 270.
   Série Picotee Ruffled a des fleurs simples, froissées, bordées de blanc, dans différents coloris.
   'Red Satin' a des fleurs simples, rouge écarlate brillant.
   Série Resisto a des fleurs simples résistant bien à la pluie, dans toute une gamme de teintes (bleu, ill. p. 276 ; rouge, ill. p. 272 ; rose, ill. p. 269).
   Série Pearl est une variété naine en mélange, à petites fleurs simples.

PHACELIA (Hydrophyllacées)

Genre de plantes annuelles, bisannuelles et vivaces. La plupart sont rustiques. À planter au soleil, en sol fertile et bien drainé. Les grandes espèces demandent souvent à être tuteurées. Multiplication par semis en place au printemps ou en début d'automne.
P. campanularia, ill. p. 278.

PHAEDRANASSA (Amaryllidacées)

Genre de plantes bulbeuses à fleurs tubulaires, souvent pendantes. Semi-rustiques. Aiment le plein soleil ou la mi-ombre, un sol assez riche, bien drainé. Réduire les arrosages en hiver. Multiplication par semis ou bulbilles au printemps.
P. carmioli, ill. p. 335.

Phaedranthus buccinatorius, voir *Distictis buccinatoria.*

PHAIUS, voir ORCHIDÉES.

Plantes épiphytes ou, souvent, terrestres.
P. tankervilleae, ill. p. 253. Orchidée terrestre à feuillage semi-persistant. H. 75 cm. Non rustique (min. 10 °C). Longues hampes de fleurs de 12 cm de diamètre, brunes à l'intérieur, gris argenté à l'extérieur, à long labelle tubulaire rose marqué de rouge, s'ouvrant au printemps et en début d'été. Feuilles étroites, ovales, côtelées, de 90 cm de long environ. À mettre à mi-ombre en été.

PHALAENOPSIS, voir **ORCHIDÉES**.

P. **Allegria**, ill. p. 252. Orchidée épiphyte à feuillage persistant, pour serre chaude. H. 15 cm. Saison de floraison variable ; bouquets de fleurs blanches, jusqu'à 12 cm de diamètre. Feuilles charnues, larges, ovales, de 15 cm de long. Demande la mi-ombre en été.

P. **cornu-cervi**, ill. p. 254. Orchidée épiphyte à feuillage persistant, pour serre chaude. H. 15 cm. Fleurs vert jaunâtre de 5 cm de diamètre, portant des marques brunes, solitaires ou groupées par petit nombre, se succédant en été (labelle surtout blanc et jaune). Feuilles coriaces, ovales, de 10 cm à parfois 30 cm de long. Situation mi-ombragée en été.

P. **Lady Jersey × Lippeglut**, ill. p. 253. Orchidée épiphyte de serre chaude, à feuillage persistant. H. 15 cm. Porte de longues grappes retombantes de fleurs roses, de 9 cm de diamètre ; saison de floraison variable. Feuilles ovales, de 10 cm de long. Situation mi-ombragée en été.

P. **Lundy**, ill. p. 254. Orchidée épiphyte de serre chaude, à feuillage persistant. H. 15 cm. Porte des hampes de fleurs jaunes, rayées de rouge, de 8 cm de diamètre ; saison de floraison variable. Feuilles largement ovales, de 25 cm de long. À garder à la mi-ombre en été.

PHALARIS (Graminées), voir **BAMBOUS, HERBES, JONCS** et **LAÎCHES**.

P. **arundinacea** var. *picta*, ill. p. 180.

PHELLONDENDRON (Rutacées)

Genre d'arbres de petite taille, cultivés pour leurs feuilles composées imparipennées, caduques, très colorées à l'automne. Fleurs mâles et femelles sont portées par des plantes différentes. Rustiques, mais les jeunes pousses peuvent être abîmées par des gelées tardives. Aiment le plein soleil, un sol fertile et bien drainé. Particulièrement colorés après un été chaud. Multiplication par boutures herbacées en été, par semis à l'automne ou boutures de racines en fin d'hiver.

P. **chinense**, ill. p. 54.

PHILADELPHUS (Saxifragacées)
Seringat

Genre d'arbustes à feuilles caduques, à floraison décorative et parfumée en fin de printemps et début d'été. Rustiques. À planter au soleil, en sol fertile et bien drainé. Après la floraison, tailler éventuellement et rabattre les plus vieilles tiges. Multiplication par boutures en été.

P. **'Beauclerk'**, ill. p. 103.

P. **'Belle Étoile'**, syn. *P. purpureo-maculatus*, ill. p. 104.

P. **'Boule d'Argent'**, voir *P. × lemoinei*.

P. **coronarius** (Seringat des jardins). 'Aureus' est un arbuste dressé. H. 2,5 m, E. 1,5 m. Porte en fin de printemps et début d'été des grappes de fleurs blanc crème, à 4 pétales, très parfumées. Les jeunes feuilles ovales, jaune doré, virent au jaune-vert en été. À protéger du plein soleil. 'Variegatus', ill. p. 107.

P. **'Dame Blanche'**, ill. p. 105.

P. **delavayi**. Arbuste érigé. H. 3 m, E. 2,5 m. En juin, bouquets denses de fleurs blanches, à 4 pétales, très parfumées, à sépales verts, parfois teintés de pourpre. Feuilles vertes, ovales et dentées. f. *melanocalyx*, ill. p. 107.

P. **× lemoinei**, ill. p. 106. 'Boule d'Argent', ill. p. 105. 'Manteau d'Hermine', ill. p. 126.

P. **magdalenae**. Arbuste buissonnant. H. et E. 4 m. Écorce s'exfoliant sur les tiges âgées. Feuilles vert brillant, étroites, ovales, mettant bien en valeur les fleurs blanches à 4 pétales, en fin de printemps et début d'été.

P. **'Manteau d'Hermine'**, voir *P. × lemoinei*.

P. **'Sybille'**. Arbuste à branches arquées. H. 1,2 m, E. 2 m. Du début à la mi-été, très nombreuses fleurs très parfumées, à 4 pétales, blanches, avec une tache centrale rose. Feuilles ovales, vert moyen.

PHILESIA (Liliacées)

Genre comptant une espèce d'arbuste à feuillage persistant, cultivé pour ses fleurs. Semi-rustique ; ne se plaît qu'en région à climat doux et humide. À planter à mi-ombre, en sol acide, frais, humifère. Multiplication par drageons.

P. **magellanica**. Arbuste dressé. H. 1,5 m, E. 1 m. En juin, fleurs tubulaires, rouge écarlate. Feuilles vert foncé, blanc bleuâtre à la face inférieure, étroites-oblongues.

PHILLYREA (Oléacées)
Filaria

Genre d'arbres de petite taille et d'arbustes à fleurs insignifiantes, appréciés pour leur feuillage persistant. Semi-rustiques, demandent une situation abritée en région un peu froide. À planter de préférence au soleil, en sol bien drainé. Multiplication en été par boutures semi-aoûtées.

P. **angustifolia**. Arbuste dense, buissonnant. H. et E. 3 m. Feuilles vert foncé, étroites-oblongues. En avril-mai, petites fleurs parfumées, blanc verdâtre, à corolle à 4 divisions, suivies de fruits ovoïdes noir bleuté.

P. **latifolia**. Petit arbre ou arbuste arrondi. H. et E. 4 m. Feuilles vert foncé, ovales, pointues, lustrées. Porte en fin de printemps et début d'été des glomérules de petites fleurs parfumées blanches (corolle à 4 divisions), puis des fruits sphériques noir bleuté.

PHILODENDRON (Aracées)

Genre de plantes herbacées et, le plus souvent, de plantes grimpantes ligneuses, sarmenteuses, à racines aériennes ; feuilles persistantes décoratives. Portent de façon intermittente des fleurs insignifiantes. Non rustiques (min. 15-18 °C). À cultiver à mi-ombre, dans un mélange bien drainé, riche en humus. À palisser sur un support. On peut rabattre l'extrémité des jeunes tiges pour les faire ramifier. Multiplication en été par bouturage ou marcottage.

P. **cordatum**. Plante grimpante de vigueur moyenne. H. 6 m. Feuilles en cœur, d'un vert sombre, brillant, jusqu'à 45 cm de long.

P. **erubescens**. Plante grimpante ligneuse. H. 3 m. Feuilles cordiformes allongées, de 25 cm de long environ, à long pétiole vert-rouge et limbe vert foncé à reflet bronzé, lustré.

P. **melanochrysum**, ill. p. 178.

P. **pinnatifidum**. Arbuste dressé, robuste, non ramifié. H. jusqu'à 3 m, E. 1-2 m. Feuilles pinnées vert foncé, lustrées, de 60 cm d'envergure.

P. **sagittatum**, voir *P. sagittifolium*.

P. **sagittifolium**, syn. *P. sagittatum*. Plante grimpante ligneuse à croissance lente. H. 2-3 m. Feuilles sagittées, cordiformes, jusqu'à 60 cm de long, vert foncé brillant.

P. **scandens**, ill. p. 178.

P. **selloum**, ill. p. 120.

PHLEBODIUM (Polypodiacées)

Genre de fougères à feuillage persistant ou semi-persistant. Non rustiques (min. 15 °C). Demandent une lumière vive ou la mi-ombre, un sol riche en humus, frais, bien drainé. Multiplication par division de rhizomes ou semis de spores en été.

P. **aureum**, syn. *Polypodium aureum*, ill. p. 185. 'Mandaianum', ill. p. 184.

PHLOMIS (Labiacées)

Genre d'arbustes et de plantes vivaces cultivés pour leur feuillage, caduc, et leurs fleurs estivales décoratives à corolle bilabiée (lèvre supérieure en casque), groupées en verticilles axillaires denses. Rustiques. Se plaisent au soleil en site aéré, en sol bien drainé. Multiplication par semis au printemps, par boutures herbacées en été ; pour les vivaces, par division.

P. **cashmeriana**. Plante vivace dressée. H. 60 cm, E. 45 cm. Porte en juillet de nombreuses fleurs pourpre pâle. Feuilles étroites, ovales, vert moyen, à face inférieure blanche, duveteuse.

P. **fruticosa** (Sauge de Jérusalem), ill. p. 138.

P. **italica**, ill. p. 130.

P. **russeliana**, ill. p. 214.

PHLOX (Polémoniacées)

Genre de plantes annuelles et vivaces, fleurissant en général en fin de printemps et en été, certaines à feuillage persistant ou semi-persistant, cultivées pour leurs inflorescences denses souvent très colorées. Fleurs tubulaires à limbe à 5 lobes étalés. De rustiques à semi-rustiques. Se plaisent au soleil ou à mi-ombre, en sol frais, bien drainé. Multiplication par boutures de pousses non fleuries au printemps ou en été ; des espèces types par semis au printemps. Les phlox vivaces peuvent être multipliés également par division en début de printemps ou boutures de racines en hiver. *P. maculata*, *P. paniculata* et leurs cultivars sont à protéger des attaques d'anguillules.

P. **adsurgens**. Plante vivace prostrée, tapissante, à feuillage persistant. H. 10 cm, E. 30 cm. Rustique. Les tiges portent des feuilles ovales, de vert clair à vert moyen. En été, bouquets terminaux de fleurs blanches, roses ou pourpres, étalées, à pétales se chevauchant. Bonne espèce de rocaille ou massif tourbeux. Se plaît à mi-ombre, en sol acide, tourbeux, 'Wagon Wheel', ill. p. 316.

P. **bifida**, ill. p. 321.

P. **caespitosa**. Plante vivace compacte, cespiteuse, à feuillage persistant. H. 8 cm, E. 12 cm. Rustique. Feuilles étroites, linéaires. En été, fleurs solitaires presque acaules, aplaties, blanches ou lilas. À planter dans la rocaille ou dans une auge, au soleil, en sol bien drainé.

P. **'Camla'**, ill. p. 319.

P. **'Chatahoochee'**, ill. p. 296.

P. **divaricata**. Plante vivace rampante, à feuillage semi-persistant. H. 40 cm, E. 20 cm. Rustique. Les tiges dressées portent en début d'été des fleurs bleu lavande, étalées, en bouquets lâches. Feuilles ovales. Espèce de rocaille ou de massif tourbeux. Se plaît à mi-ombre, en sol frais bien drainé, de préférence tourbeux. subsp. *laphamii*, ill. p. 296.

P. **douglasii**. 'Boothman's Variety', ill. p. 320 ; 'Crackerjack', ill. p. 319. **'May Snow'** est une plante vivace à feuillage persistant, en dôme. H. 8 cm, E. 20 cm. Rustique. Très nombreuses fleurs blanches, aplaties, en début d'été. Feuilles lancéolées vert moyen. Bonne variété pour rocaille, muret ou talus. **'Red Admiral'**, cultivar vigoureux, compact, H. 15 cm, a des fleurs cramoisies.

P. drummondii (Phlox annuel). Série Beauty est un groupe d'annuelles compactes, dressées, à croissance moyennement rapide. H. 15 cm, E. 10 cm. Semi-rustiques. Feuilles vert clair, lancéolées. En été et au début de l'automne, inflorescences de fleurs étoilées dans de nombreuses teintes, dont rouge, rose, bleu violacé, pourpre et blanc. **'Carnival'** a des fleurs plus grandes, à centre de couleur contrastée. Série Cecily, ill. p. 270. **'Petticoat'** a des fleurs bicolores. Série Twinkle, rouge pourpré ill. p. 270 ; rouge vif ill. p. 271.

P. 'Emerald Cushion', ill. p. 321.

P. hoodii. Plante vivace compacte, prostrée, à feuillage persistant. H. 5 cm, E. 10 cm. Rustique. Fleurs solitaires blanches, aplaties, s'ouvrant en début d'été au-dessus de fines feuilles duveteuses. Bonne espèce de rocaille, à planter au soleil, en terrain bien drainé.

P. maculata. Plante vivace dressée. H. 1 m, E. 45 cm. Rustique. Porte en été des panicules pyramidales de fleurs tubulaires rouges, au-dessus de feuilles ovales luisantes, vert moyen. **'Alpha'** a des fleurs roses. **'Omega',** ill. p. 202.

P. paniculata. Plante vivace dressée, rarement cultivée, remplacée dans les jardins par des cultivars très colorés. H. 80 cm, E. 60 cm. Rustique. En fin d'été (surtout en août), fleurs tubulaires roses à 5 lobes, en inflorescences largement coniques se dressant au-dessus de feuilles ovales, lancéolées, vert moyen. **'Amethyst'** a des fleurs violettes. **'Brigadier',** ill. p. 205 ; **'Bright Eyes'** a des fleurs roses à œil rouge. **'Eva Cullum',** ill. p. 204. **'Harlequin',** ill. p. 205. **'Norah Leigh',** ill. p. 210. **'Sir John Falstaff'** a de grandes fleurs saumon, à œil rouge cerise.

P. stolonifera. Plante vivace prostrée, à feuillage persistant. H. 10-15 cm, E. 30 cm ou plus. Rustique. Porte en début d'été de petites fleurs bleu pâle. Feuilles d'oblongues à ovales. Préfère les sols frais, acides, tourbeux ; à planter en massif ombragé ou rocaille. **'Ariane',** ill. p. 313 ; **'Blue Ridge'** porte une profusion de fleurs bleu lavande.

P. subulata (Phlox mousse). Plante vivace tapissante à feuillage persistant. H. 10 cm, E. 20 cm. Rustique. Feuilles linéaires. En début d'été, très nombreuses fleurs étoilées, blanches, roses ou mauves. Bonne espèce pour rocaille ensoleillée. **'Marjory',** ill. p. 318.

PHOENIX (Palmiers)

Genre de palmiers à feuillage persistant, cultivés pour leurs feuilles terminales pinnatifides, pour leur silhouette (ports variés, parfois presque acaule, parfois à stipe très élevé) et, pour certaines espèces, leurs fruits comestibles. Généralement non rustiques (min. variable selon espèces et saisons. Le palmier-dattier supporte -10 ºC en période de ralentissement important de végétation, mais il lui faut au moins 18 ºC en période de végétation, pour bien fleurir et fructifier). À cultiver en tout sol fertile, sableux bien drainé, au soleil, bien qu'ils supportent une ombre légère. Arroser modérément les sujets cultivés en conteneur, surtout en hiver. Multiplication par semis au printemps à 24 ºC minimum.

P. canariensis (Dattier des Canaries). Palmier à stipe dressé, robuste. H. 20 m, E. 10 m et plus. Peu rustique (supporte le plein air toute l'année dans le midi de la France). Feuilles arquées, pennées, jusqu'à 6 m de long, divisées en folioles lancéolées, acuminées, coriaces, vert vif. Fruits oblongs, de jaunes à rouges, non comestibles.

PHORMIUM (Liliacées)

Genre de plantes vivaces à feuillage persistant, cultivées pour leurs belles feuilles acuminées, en forme de lanière, plates et rigides. Semi-rustiques. À planter au soleil, en sol frais mais bien drainé. Supportent bien les climats maritimes. Multiplication par division ou semis au printemps.

P. colensoi, voir *P. cookianum.*

P. cookianum, syn. *P. colensoi.* H. 1 m pour les feuilles, 2,50 m pour la hampe florale. E. 60 cm. Touffes de feuilles érigées, vertes. Hampes de fleurs vert jaunâtre pâle en été. **'Tricolor'** a des feuilles rayées verticalement de rouge, jaune et vert. **'Variegatum'** a des feuilles rayées longitudinalement de crème.

P. tenax (Lin de Nouvelle-Zélande). H. 2 m, E. 1-2 m. Touffes de feuilles raides, vert foncé. En été, fleurs tubulaires en un rouge assez terne, sur des tiges courtes, vert légèrement glauque. Se plaît en bord de mer. **'Aurora'** a des feuilles rayées verticalement de rouge, bronze, rose saumon et jaune. **'Bronze Baby',** ill. p. 258. **'Dazzler',** ill. p. 223. **'Purpureum',** ill. p. 194. **'Veitchii'** a des feuilles larges, rayées de blanc crème.

PHOTINIA (Rosacées)

Genre d'arbres et d'arbustes à feuillage caduc ou persistant, à petites fleurs blanches ou blanc rosé, cultivés pour leur feuillage et, dans le cas des espèces caduques, leurs teintes d'automne et leurs fruits. D'assez rustiques à semi-rustiques (à protéger des vents

violents et froids). Se plaisent au soleil ou à mi-ombre, en sol léger, humifère, frais, bien drainé ; les espèces caduques préfèrent généralement un sol acide. Tous supportent assez mal le calcaire et les sols très lourds. Multiplication des espèces persistantes et caduques par boutures semi-ligneuses en été, des espèces caduques également par semis à l'automne.

P. arbutifolia, voir *Heteromeles arbutifolia.*

P. × fraseri. Groupe d'arbustes hybrides à feuillage persistant. Semi-rustiques. Belles feuilles oblongues. Résistent bien aux gelées tardives. Les jeunes pousses sont très décoratives. **'Birmingham',** ill. p. 85. **'Red Robin'** est dressé, compact. H. 6 m, E. 4 m. Feuilles vert foncé brillant, rouges à l'état jeune. En fin de printemps, larges panicules de fleurs à 5 pétales.

P. serratifolia, syn. *P. serrulata.* Arbuste dressé ou petit arbre à couronne buissonnante, à feuillage persistant. H. 7 m, E. 6 m. Assez rustique. Feuilles oblongues, acuminées, rouges à l'état jeune, puis vert foncé luisant. Petites fleurs à 5 pétales en mai, groupées en panicules corymbiformes, parfois suivies de fruits rouges. Les jeunes pousses peuvent souffrir de gelées tardives au printemps.

P. serrulata, voir *P. serratifolia.*

P. villosa. Arbuste dressé ou petit arbre à feuillage caduc. H. et E. 3 m. Rustique. Feuilles ovales, vert foncé, puis rouge orangé brillant en automne. Corymbes de fleurs à 5 pétales en fin de printemps, puis fruits rouges globuleux. Préfère les sols acides.

PHUOPSIS (Rubiacées)

Genre comptant une espèce de plante vivace tapissante fleurissant de mai à septembre, cultivée pour ses petites fleurs tubulaires à 5 lobes évasés. Bon couvre-sol, notamment pour rocaille et talus. Rustique. Demande le plein soleil, un sol frais bien drainé. Multiplication par division au printemps, ou semis à l'automne.

P. stylosa, syn. *Crucianella stylosa,* ill. p. 292.

PHYGELIUS (Scrophulariacées)

Genre d'arbustes et de sous-arbrisseaux à feuillage persistant ou semi-persistant, cultivés pour leurs fleurs tubulaires décoratives. Assez rustiques (à planter en situation abritée en région parisienne). Aiment le plein soleil, un sol fertile, léger et bien drainé, mais pas trop sec sauf en hiver. Le gel peut provoquer la chute du feuillage et abîmer les tiges. Dans ce cas, rabattre au ras du sol au printemps ou au niveau du bois sain. Multiplication par boutures herbacées au printemps.

P. aequalis, ill. p. 134. **'Yellow Trumpet',** ill. p. 137.

P. capensis (Fuchsia du Cap, Scrofulaire du Cap). 'Coccineus' est un sous-arbrisseau érigé à feuillage persistant ou semi-persistant. H. 1m, E. 2 m. Assez rustique. Fleurs tubulaires pendantes rouges, de juillet au début de l'automne, groupées par 2-5 ; feuilles ovales lancéolées vertes.

Phyllanthus nivosus, voir ***Breynia disticha.***

PHYLLITIS (Aspléniacées)

Genre de fougères à feuillage persistant ou semi-persistant. De rustiques à peu rustiques. Se plaisent à mi-ombre, en sol frais mais bien drainé. Multiplication des espèces par spores en été, des variétés sélectionnées par division au printemps.

P. scolopendrium, syn. *Asplenium scolopendrium, Scolopendrium vulgare* (Scolopendre, Langue de cerf, Langue de bœuf), ill. p. 187. Aime les vieux murs et les rocailles humides. **'Crispum',** ill. p. 187.

PHYLLOCLADUS (Podocarpacées), voir **CONIFÈRES.**

P. aspleniifolius. Conifère dressé, à croissance lente. H. 5-10 m, E. 3-5 m. Semi-rustique. Porte des pousses aplaties (cladodes) en plus des vraies feuilles. Ces cladodes sont vert foncé terne, ressemblant un peu dans leur forme à des feuilles de céleri. Donne des fructifications ressemblant à des noix, à coque blanche et base charnue rouge, non comestibles.

P. trichomanoides, ill. p. 78.

PHYLLODOCE (Éricacées)

Genre d'arbustes nains à feuillage persistant, à branches érigées, cultivés pour leurs fines feuilles linéaires ressemblant à celles de la bruyère, et leurs fleurs réunies en ombelles ou en grappes. Rustiques. Demandent la mi-ombre, un sol frais, acide, tourbeux (ou terre de bruyère). Multiplication par boutures semi-ligneuses en fin d'été, semis au printemps, ou marcottage.

P. caerulea, syn. *P. taxifolia,* ill. p. 288.

P. empetriformis, ill. p. 288.

P. × intermedia. 'Drummondii', ill. p. 287. **'Fred Stoker'** est un petit arbuste étalé. H. et E. 25 cm. Feuilles étroites, vert vif. Porte de la fin du printemps au début de l'été des bouquets terminaux de fleurs rouge pourpré vif, urcéolées, sur de fines hampes rouges.

P. taxifolia, voir *P. caerulea.*

PHYLLOSTACHYS (Graminées, Bambusées), voir **BAMBOUS, HERBES, JONCS** et **LAÎCHES.**

P. aurea (Bambou doré). Bambou à rhizomes traçants, formant des touffes, à feuillage persistant. H. 6-8 m, E. variable. Rustique. Tiges dressées vertes, puis jaune crème (ou jaune terne au soleil). Feuilles glauques et épis floraux insignifiants.
P. aureosulcata. Bambou poussant en touffes, à feuillage persistant. H. 6-8 m, E. variable. Rustique. Cannelures jaunes sur des tiges pruineuses, vert brunâtre. Feuilles vert moyen, jusqu'à 15 cm de long. Épis floraux insignifiants.
P. bambusoides, ill. p. 182.
P. flexuosa, ill. p. 182.
P. 'Henonis', voir *P. nigra* var. *henonis.*
P. nigra. Bambou formant des touffes, à feuillage persistant. H. 6-8 m (3,50 m en France), E. variable. Rustique. Tiges cannelées, brun verdâtre, virant au noir la deuxième saison. Feuilles vert moyen et épis floraux insignifiants. var. *henonis* (syn. *P.* 'Henonis'), ill. p. 182.
P. viridiglaucescens, ill. p. 183.

PHYSALIS (Solanacées)
Coqueret

Genre de plantes annuelles et vivaces ou de sous-arbrisseaux, cultivées pour les calices colorés, à limbe accrescent, renflés en forme de lampion, qui, à l'automne, forment une sorte de vessie membraneuse autour du fruit en baie. De rustiques à semi-rustiques. À cultiver au soleil, en terrain bien drainé. Multiplication par division pour les vivaces, par semis au printemps ou à l'automne, pour tous.
P. alkekengi (Amour-en-cage, Alkékenge, Lanterne japonaise). Plante vivace traçante à port étalé, parfois cultivée en annuelle. H. 70 cm, E. 60 cm. Assez rustique (planter en un endroit chaud assez ensoleillé). Fleurs blanches pendantes, insignifiantes, en été, suivies à l'automne de fruits ronds, rouge orangé, vif, entourés du calice orange, renflé. Feuilles ovales, vert moyen.
P. peruviana (Coqueret du Pérou, Alkékenge du Pérou). Port étalé. H. et E. jusqu'à 1, 2 m. Semi-rustique. Fleurs insignifiantes, jaune maculé de rouge, en été, suivies de fruits ronds, jaunes, entourés du calice renflé, de couleur crème. Feuilles vert moyen, cordiformes.

PHYSOCARPUS (Rosacées)

Genre d'arbustes à feuilles caduques, fleurissant en général en fin de printemps et début d'été, à feuilles et fleurs ornementales.

Rustiques. Se plaisent au soleil, en sol fertile, pas trop sec. Préfèrent les sols acides. Éclaircir éventuellement de temps à autre les sujets bien établis en rabattant à la base quelques vieilles tiges après la floraison. Multiplication par boutures semi-lignifiées en été.
P. opulifolius. Arbuste dense à tiges arquées. H. 2 m, E. 4 m. Écorce s'exfoliant. Feuilles vert moyen, larges, ovales, dentées et trilobées. Glomérules terminaux de petites fleurs blanches tachées de rose, en juin. 'Dart's Gold', ill. p. 114.

PHYSOPLEXIS (Campanulacées)

Genre monospécifique, parfois intégré au genre *Phyteuma*, de plante vivace en touffe, à fleurs décoratives. Bonne espèce pour la rocaille, les auges de pierre. Rustique. À planter au soleil, ou en ombre légère, à abriter du soleil brûlant. Multiplication par semis à l'automne ou division.
P. comosa, syn. *Phyteuma comosum,* ill. p. 320.

PHYSOSTEGIA (Labiacées)

Genre de plantes vivaces à floraison estivale. Rustiques. À planter de préférence au soleil, en sol bien drainé. Multiplication par division ou semis.
P. virginiana. Plante vigoureuse, en touffes larges. H. 1 m, E. 60 cm. Porte en juillet-août des épis de fleurs mellifères à 2 lèvres, la supérieure en capuchon, rose pourpré; tiges quadrangulaires. Intéressante pour la fleur coupée. Feuilles lancéolées oblongues, dentées, vert moyen. 'Summer Snow' a des fleurs blanc pur. 'Variegata', ill. p. 204. 'Vivid', ill. p. 236.

PHYTEUMA (Campanulacées)

Genre de plantes vivaces fleurissant au printemps ou en début d'été, précieuses pour la rocaille ou les sous-bois légèrement ombrés. Rustiques. À planter au soleil ou à mi-ombre, en sol bien drainé. Multiplication par semis à l'automne.
P. comosum, voir *Physoplexis comosa.*
P. scheuchzeri, ill. p. 297.

PHYTOLACCA (Phytolaccacées)

Genre de plantes vivaces, d'arbres et d'arbustes à feuillage semi-persistant ou persistant, parfois plantes grimpantes, cultivés pour leur allure générale et leurs fruits décoratifs souvent violet pourpré. De rustiques à non-rustiques. Se plaisent au soleil comme à

mi-ombre, en sol frais, fertile. Multiplication par semis à l'automne ou au printemps; bouturage herbacé et division pour les vivaces.
P. americana. Plante vivace dressée. H. et E. 1,5 m. Rustique. Feuilles vert clair, d'ovales à lancéolées, teintées de pourpre à l'automne. En été, fleurs unisexuées, en coupe aplatie, blanc et vert, parfois teintées de rose, réunies en grappes dressées terminales, suivies de baies toxiques rondes, charnues, pourpre noirâtre.
P. clavigera. Plante vivace dressée, robuste. H. et E. 1, 2 m. Rustique. Tiges cramoisies en automne, feuilles vert clair, d'ovales à lancéolées, virant au jaune à l'automne et, en été, grappes dressées de fleurs roses, en coupe aplatie, suivies de baies toxiques rondes, cramoisi virant au noir.

PICEA (Pinacées)
Épicéa

Genre de conifères généralement pyramidaux ou coniques. Les épicéas de la section Eupicea ont les aiguilles quadrangulaires aussi, ou presque aussi épaisses que larges, ceux de la section Omorica des aiguilles aplaties, disposées en spirales ou pectinées. Branches presque verticillées. Cônes pendants, parvenant à maturité le premier automne. Écailles lignifiées et flexibles.
Les épicéas sont de bons arbres forestiers. Ils ont généralement besoin d'un air humide. Assez peu exigeants pour le sol, ils supportent mal les sols très pauvres, peu profonds, ou très secs. Voir aussi CONIFÈRES.
P. abies, syn. *P. excelsa* (Épicéa commun, Sapin de Norvège, Sapin rouge), ill. p. 76. Conifère à croissance rapide, à port étroit conique à l'état jeune, s'élargissant ensuite. H. 45 m, E. 8 m. Rustique. Feuilles en aiguille, vert foncé lustré, et cônes pendants. 'Clanbrassiliana', H. et E. 5 m, est à croissance lente et a un port arrondi et étalé. 'Gregoryana' (ill. p. 83), H. et E. 80 cm, à croissance lente, a une forme dense, globuleuse. 'Inversa', H. 10 m, E. 2 m, a un tronc érigé mais des branches latérales pendantes. 'Little Gem', H. et E. 50 cm, est nain, globuleux et très dense. 'Nidiformis', H. 1 m, E. 1,8 m, est similaire, mais plus grand et de croissance plus rapide. 'Ohlendorffii' (ill. p. 82), H. 2 m, E. 1 m, est à croissance lente et devient conique avec l'âge. 'Reflexa' (ill. p. 82), H. 30 cm, E. 5 m, est une forme prostrée très étalée, mais qui peut être tuteurée pour former un dôme de feuillage pleureur.
P. alba, voir *P. glauca.*
P. breweriana (Épicéa de Brewer), ill. p. 77.
P. engelmannii, (Épicéa d'Engelmann), ill. p. 77.
P. excelsa, voir *P. abies.*

P. glauca, syn. *P. alba* (Sapinette blanche, Épinette blanche). Conifère conique. H. 25 m, E. 4-5 m. Rustique. Les pousses portent des feuilles vert glauque. Cônes oblongs, brun clair. var. *albertiana* 'Conica' (syn. *P. g.* 'Albertiana Conica', ill. p. 83), H. 2 m, E. 1 m, a un port conique régulier, une croissance lente, des feuilles plus longues et des cônes plus petits. 'Coerulea', ill. p. 77. 'Echiniformis', H. 50 cm, E. 1 m, est une forme naine, arrondie et souvent aplatie en haut.
P. likiangensis. Conifère dressé. H. 40 m, E. 5-10 m. Rustique. Feuilles espacées, blanc bleuâtre. Les cônes, de 8-15 cm de long, sont presque cylindriques, rouge rosé quand ils sont jeunes.
P. mariana, syn. *P. nigra* (Sapinette noire). Conifère conique. H. 30 m, E. 3 m. Rustique. Feuilles bleu-vert. Cônes ovales, gris-brun foncé. Aime les sols humides. 'Doumetii', ill. p. 80. 'Nana' (ill. p. 82), H. 50 cm, E. 80 cm, est un bel arbuste nain à feuillage vert bleuté.
P. morrisonicola, ill. p. 79.
P. nigra, voir *P. mariana.*
P. omorika (Épicéa de Serbie), ill. p. 75. 'Gnom' (ill. p. 82) est un conifère arbustif à branches pendantes, arquées au bout. H. jusqu'à 1,5 m, E. 1, 2 m. Rustique. Feuilles vert foncé au-dessus, blanches en dessous. 'Nana', H. et E. 1 m, est un cultivar à croissance lente, à port conique plus ou moins arrondi.
P. orientalis (Sapinette d'Orient). Conifère dense, pyramidal. H. 20 m en culture, E. 5 m. Rustique. Feuilles vert foncé brillant, très courtes. Cônes d'ovoïdes à cylindriques, de 6-10 cm de long, pourpre foncé, bruns à maturité. 'Aurea' a un jeune feuillage doré au printemps, puis virant au vert. 'Skylands', ill. p. 76.
P. pungens (Sapin du Colorado, Sapin bleu). Conifère conique. H. 30 m, E. 5 m. Rustique. Écorce gris-brun, écailleuse, et feuilles acérées, gris-vert ou glauques. Cônes brun clair, cylindriques, à écailles fines. 'Glauca Globosa', voir *P. p.* 'Montgomery'. 'Hoopsii', H. 15 m, a un feuillage bleu glauque. 'Koster', ill. p. 77. 'Montgomery' (syn. *P. p.* 'Glauca Globosa', ill. p. 82), H. et E. 1 m, est nain, compact, étalé ou conique, à feuilles gris bleuté.
P. sitchensis (Sapin de Sitka). Conifère très vigoureux, largement conique. H. 40 m, en situation humide, 15-20 m en conditions assez sèches. E. 6-10 m. Assez rustique (sensible aux gelées tardives). Écorce s'exfoliant sur les sujets âgés. Feuilles vert vif, très pointues, et cônes pendants brun pâle, de 5-10 cm de long. Conseillé en situation difficile ou exposée aux vents.
P. smithiana. Conifère à croissance assez lente, d'abord conique, puis columnaire à branches horizontales et ramules pleureurs. H. 50 m, E. 6 m. Rustique. Feuilles vert foncé et cônes brun clair, cylindriques, de 10-20 cm de long.

PICRASMA (Simarubacées)

Genre d'arbres et d'arbustes à feuilles caduques, cultivés pour leurs teintes d'automne. Fleurs insignifiantes en fin de printemps. Rustiques. À planter au soleil ou à mi-ombre, en sol fertile, bien drainé, de préférence neutre ou acide. Multiplication par semis à l'automne.
P. quassioides, ill. p. 69.

PIERIS (Éricacées)

Genre d'arbustes ou de petits arbres à feuillage persistant, cultivés pour leurs feuilles et leurs nombreuses petites fleurs à corolle urcéolée, groupées en panicules terminales. En général d'assez rustiques à semi-rustiques. Demandent une situation abritée, à mi-ombre, en sol frais, acide. Les jeunes pousses peuvent être abîmées par les gelées tardives et doivent dans ce cas être rabattues. Multiplication par semis, marcottage ou bouturage.
P. 'Bert Chandler'. Arbuste buissonnant. H. 2 m, E. 1,5 m. Rustique. Feuilles lancéolées, rose vif à l'état jeune, puis jaune crème, blanches et finalement vert foncé. Donne, très rarement, des fleurs blanches pendantes, en panicules terminales.
P. floribunda, ill. p. 95.
P. formosa, syn. *P. formosana.* Arbuste dense, buissonnant. H. et E. 2 m. Assez rustique. Grandes feuilles oblongues, vert foncé brillant, bronze à l'état jeune. Porte des panicules érigées terminales de fleurs blanches à la mi-printemps. var. *forrestii* 'Wakehurst', ill. p. 110. 'Henry Price' a des feuilles veinées, rouge bronze à l'état jeune.
P. formosana, voir *P. formosa.*
P. japonica, ill. p. 84. 'Daisen' est un arbuste dense, arrondi. H. et E. 2 m. Assez rustique. Feuilles étroites, ovales, d'abord bronze, puis vert foncé lustré. Panicules pendantes de fleurs rose soutenu, rouges en bouton, au printemps. 'Dorothy Wyckoff' a des boutons cramoisis, des fleurs roses ; feuillage bronze en hiver. Le jeune feuillage de 'Mountain Fire' est rouge brillant. 'Scarlett O'Hara', ill. p. 95. 'Variegata', de croissance lente, a de petites feuilles bordées de blanc.
P. nana, syn. *Arcterica nana.* Arbuste nain, prostré. H. 5 cm, E. 10-15 cm. Minuscules feuilles ovales, coriaces, vert foncé, en général par verticilles de 3, sur des tiges fines, qui s'enracinent facilement. Porte en avril-mai des petites grappes terminales de fleurs blanches, à calice vert ou rouge. Excellente espèce de rocaille.

PILEA (Urticacées)

Genre de plantes annuelles vivaces, quelquefois suffrutescentes, buissonnantes ou retombantes à feuillage persistant, cultivées pour leur feuillage décoratif. Non rustiques (min. 16 °C). À cultiver en tout sol bien drainé à l'abri du soleil direct et des courants d'air. Ne pas trop arroser en hiver. Pincer éventuellement l'extrémité des tiges en saison de végétation pour stimuler le buissonnement. Multiplication par boutures de tige en début d'année, des annuelles par semis au printemps ou en automne. Fréquentes attaques d'araignées rouges en serre.
P. cadierei (Plante aluminium), ill. p. 256.
P. nummulariifolia, ill. p. 261.

PILEOSTEGIA (Saxifragacées)

Genre de plantes grimpantes s'accrochant par des racines aériennes, à tiges ligneuses et feuillage persistant. Rustiques. Se plaisent au soleil ou à l'ombre, en tout sol bien drainé. Utiles pour un mur orienté au nord. Multiplication en été par boutures semi-ligneuses.
P. viburnoides, syn. *Schizophragma viburnoides,* ill. p. 166.

PILOSOCEREUS (Cactacées)

Genre de cactées vivaces, columnaires, en forme de cierge, à floraison estivale, à tige surmontée d'un céphalium (formation en forme de poils et de crins). Non rustiques (min. 11 °C). Apprécient le plein soleil, un sol bien drainé. Multiplication par semis ou boutures de tiges au printemps ou en été.
P. palmeri, ill. p. 380.

PIMELEA (Thyméléacées)

Genre de plantes vivaces, d'arbustes ou d'abrisseaux à feuillage persistant, cultivés pour leurs fleurs et leur allure d'ensemble. Non rustiques (min. 13 °C). À cultiver en sol neutre ou acide, léger, dans un endroit bien aéré. Multiplication par semis ou bouturage sous verre.
P. ferruginea, ill. p. 130.

PINELLIA (Aracées)

Genre de plantes vivaces à racines tubéreuses, à floraison estivale, donnant des spathes vertes, en capuchon, entourant un spadice érigé, fin. Rustiques. À planter au soleil ou à mi-ombre, en sol humifère. Bien arroser au printemps et en été. Multiplication par rejets au début du printemps.
P. ternata. H. 15-25 cm, E. 10-15 cm. Tiges dressées, couronnées de feuilles aplaties, ovales, constituées de 3 parties. Une tige dépourvue de feuilles porte une spathe tubulaire verte, de 5-6 cm de long, formant un capuchon au bout.

PINGUICULA (Lentibulariacées)
Grassette

Genre de plantes vivaces acaules à floraison estivale, à feuilles vert clair en rosette basale, visqueuses, pouvant piéger les insectes et les digérer. Fleurs bilabiées à lèvre inférieure portant un éperon. De rustiques à non rustiques (min. 7 °C). Demandent du soleil et un sol humide. Multiplication par division au début du printemps ou semis.
P. caudata (Grassette à long éperon). Plante en rosette. H. 12-15 cm, E. 5 cm. Non rustique. Feuilles étroites, ovales, à bord révoluté. En été, fleurs à long pédoncule, rouge carmin.
P. grandiflora, ill. p. 322.

PINUS (Pinacées)
Pin

Genre de conifères de taille variable, à feuilles réunies en général par 2 à 5, à branches verticillées. Les cônes, généralement dirigés vers le bas, sont composés d'écailles ligneuses. Voir aussi CONIFÈRES.
P. aristata, ill. p. 80.
P. armandii. Conifère conique, à port assez ouvert. H. 20 m, E. 5-8 m. Rustique. Feuilles souvent coudées à proximité de leur base, pendantes, bleu glauque ; cônes verts, coniques, de 10-20 cm de long, bruns à maturité.
P. banksiana (Pin de Banks), ill. p. 79.
P. bungeana (Pin Napoléon), ill. p. 80.
P. cembra (Pin cembro, Arolle), ill. p. 78. var. *pumila,* voir *P. pumila.*
P. cembroides, ill. p. 81.
P. chylla, voir *P. wallichiana.*
P. contorta, ill. p. 79. var. *latifolia,* ill. p. 78.
P. coulteri, ill. p. 74.
P. densiflora. Conifère largement et irrégulièrement aplati au sommet. H. 15 m, E. 5-7 m. Rustique. Écorce écailleuse, brun rougeâtre, feuilles vert bleuâtre et cônes coniques plus ou moins ovoïdes ou oblongs, jaune terne ou brun pâle. 'Alice Verkaden', H. et E. 75 cm, est une forme naine, arrondie, à feuillage vert frais. 'Umbraculifera' (syn. *P.d.* 'Tagyosho'), H. 4 m, E. 6 m, est une forme à croissance lente, arrondie ou en parasol.
P. excelsa, voir *P. wallichiana.*
P. griffithii, voir *P. wallichiana.*
P. halepensis (Pin d'Alep), ill. p. 79.
P. heldreichii var. *leucodermis,* voir *P. leucodermis.*
P. × holfordiana, ill. p. 73.

P. insignis, voir *P. radiata.*
P. jeffreyi, ill. p. 75.
P. laricio, syn. *P. nigra* (Pin noir). Conifère d'abord pyramidal, puis plus étalé. var. *corsicana,* syn. var. *maritima* (Pin Laricio de Corse), H. 30 m, E. 8 m, à croissance rapide, est d'abord pyramidal, puis la cime s'aplatit. Feuilles vert-gris réunies par 2 et cônes d'ovoïdes à coniques, jaunes ou brun-gris pâle. subsp. *nigra* (Pin noir d'Autriche), ill. p. 76.
P. leucodermis, syn. *P. heldreichii* var. *leucodermis* (Pin de Bosnie), ill. p. 76. 'Compact Gem' (ill. p. 83) est un conifère nain, dense, à port largement conique. H. et E. 30 cm. Rustique. Feuilles vert foncé, réunies par 2. Sa croissance est de 2-3 cm seulement par an. 'Schmidtii' (ill. p. 83) est une forme naine à port globuleux et feuilles vert foncé.
P. montana, voir *P. mugo.*
P. montezumae (Pin de Montezuma), ill. p. 74.
P. mugo, syn. *P. montana* (Pin de montagne). Conifère arbustif à taille et port variables. H. 3-5 m (parfois 10 ou 20 m), E. 5-8 m. Rustique. Feuilles de vert vif à vert foncé, réunies par 2, et cônes ovoïdes bruns. 'Gnom', H. et E. jusqu'à 2 m, et 'Mops', H. 1 m, E. 2 m, sont des cultivars de forme arrondie.
P. muricata (Pin d'Anthony), ill. p. 75.
P. nigra, voir *P. laricio.*
P. parviflora, ill. p. 77. 'Adcock's Dwarf' est un conifère nain, dense, arrondi, à croissance lente. H. 3 m, E. 1,5-2 m. Rustique. Porte des feuilles gris-vert, réunies le plus souvent par 5.
P. peuce (Pin de Macédoine), ill. p. 73.
P. pinaster (Pin maritime, Pin des Landes), ill. p. 75.
P. pinea (Pin parasol), ill. p. 81.
P. ponderosa (Pin jaune), ill. p. 75.
P. pumila, syn. *P. cembra* var. *pumila.* Conifère arbustif, à port variable, souvent étalé. H. 2-3 m, E. 3-5 m. Feuilles réunies le plus souvent par 5, bleu vert vif. Cônes ovoïdes, d'abord violet-pourpre, puis rouge-brun, enfin jaune-brun à maturité.
P. radiata, syn. *P. insignis* (Pin de Monterey), ill. p. 76.
P. rigida, ill. p. 78.
P. strobus (Pin Weymouth), ill. p. 74. f. *nana* est un conifère nain, arrondi, dense. H. 1-2 m, E. 2-3 m. Rustique. Écorce grise, d'abord lisse, puis fissurée. Porte des feuilles gris-vert réunies le plus souvent par 5.
P. sylvestris (Pin sylvestre). Conifère érigé, à branches d'abord verticillées, sur les jeunes arbres, puis, avec l'âge, développant une cime étalée arrondie. H. 15-40 m suivant les races, E. 8-10 m. Rustique. Écorce craquelée, brun-rouge dans la partie supérieure du tronc, fissurée et gris pourpré dans la partie inférieure. Feuilles bleu-vert, réunies le plus souvent par 2. Cônes coniques verts, puis brun gris pâle ou brun terne à maturité. 'Aurea' (ill. p. 83), H. 10 m, E. 4 m, a des feuilles jaune d'or en hiver et au printemps, puis bleu-

vert. 'Beuvronensis', H. et E. 1 m, est un arbuste arrondi. 'Doone Valley' (ill. p. 82), H. et E. 1 m, est un arbuste dressé, de forme irrégulière. f. *fastigiata*, ill. p. 80. 'Gold Coin' (ill. p. 83), H. et E. 2 m, est une version naine de *P.s.* 'Aurea'. 'Nana' (ill. p. 82), H. et E. 50 cm, est un cultivar à feuilles très espacées.
P. thunbergii, ill. p. 78.
P. virginiana, ill. p. 79.
P. wallichiana, syn. *P. chylla, P. excelsa, P. griffithii* (Pin pleureur de l'Himalaya, Pin de l'Himalaya), ill. p. 75.

PIPTANTHUS (Légumineuses)

Genre d'arbustes à feuillage caduc ou semi-persistant, cultivés pour leur feuillage et leurs fleurs papilionacées. Assez rustiques. À planter à l'abri d'un mur exposé au sud ou à l'ouest dans les régions un peu froides. Se plaisent au soleil, en sol fertile et bien drainé. Multiplication par semis à l'automne.
P. laburnifolius, voir *P. nepalensis.*
P. nepalensis, syn. *P. laburnifolius,* ill. p. 114.

PISTACIA (Anacardiacées)

Genre d'arbres et d'arbrisseaux résineux cultivés pour leur feuillage, caduc ou persistant, et leur silhouette. Peu rustiques. À cultiver au soleil, dans un sol très bien drainé, même sec. Arroser modérément les sujets cultivés en conteneur en période de croissance, parcimonieusement le reste de l'année. Multiplication par semis au printemps ou drageonnage.
P. lentiscus (Lentisque, Arbre au mastic). Arbrisseau buissonnant à feuillage persistant. H. 6 m, E. 3 m. Feuilles paripennées composées de 3-6 paires de folioles vert foncé, coriaces, ovales, lancéolées, lustrées. Des bouquets axillaires de fleurs insignifiantes au printemps et en début d'été donnent à l'automne des fruits globuleux, rouges puis noirs.
P. terebinthus (Térébinthe). Arbre à feuilles caduques, à port arrondi ou ovoïde. H. 15 m (5 m dans le Midi), E. 3-6 m. Feuilles composées de 7-9 folioles coriaces, en général vert foncé brillant. Porte au printemps et en début d'été des panicules axillaires de fleurs insignifiantes, suivies en automne de petits fruits ovoïdes (drupes), rouges puis brun pourpré.

PISTIA (Aracées)

Genre comptant une espèce de plante vivace stolonifère aquatique d'eau douce, flottante. Petites feuilles groupées en rosette. Le feuillage est persistant dans une eau à température de 19-21 °C au moins. Convient aux pièces d'eau hors gel et aquariums tropicaux, en eau peu profonde. Non rustique (min. 10-15 °C). Se plaît au soleil ou à mi-ombre. Éliminer le feuillage fané. Multiplication par séparation des plantules en été, pendant la saison de végétation.
P. stratiotes (Laitue d'eau), ill. p. 375.

PITTOSPORUM (Pittosporacées)

Genre d'arbres, d'arbrisseaux et d'arbustes cultivés pour leur feuillage persistant ornemental et leurs fleurs souvent parfumées. De rustiques à non rustiques (min. 7°C). À cultiver plutôt sous climat doux, ou à l'abri d'un mur donnant au sud ou à l'ouest. *P. crassifolium* et *P. ralphii* peuvent constituer des haies résistant bien au vent dans les régions côtières et préfèrent le soleil, comme les formes panachées ou à feuilles pourpres. Les autres se plaisent au soleil comme à l'ombre légère, mais toutes demandent un sol bien drainé. Multiplication des espèces types par semis au printemps, ou par bouturage en été ; des variétés horticoles par bouturage.
P. crassifolium. Arbrisseau dense, à port buissonnant. H. 5 m, E. 3 m. Semi-rustique. Feuilles oblongues, vert foncé, gris feutré en dessous. Corymbes de petites fleurs parfumées, étoilées, rouge pourpre foncé au printemps. 'Variegatum', ill. p. 71.
P. dallii, ill. p. 72.
P. eugenioides. Arbre columnaire. H. 10 m, E. 5 m. Semi-rustique. Feuilles étroites, ovales, à bord ondulé, vert foncé brillant. Fleurs étoilées jaune pâle, à parfum de miel, au printemps. 'Variegatum', ill. p. 71.
P. flavum, voir *Hymenosporum flavum.*
P. 'Garnettii', syn. *P. tenuifolium* 'Garnetti', ill. p. 94.
P. ralphii. Arbre ou arbuste à couronne buissonnante. H. 4 m, E. 3 m. Rustique. Grandes feuilles oblongues, coriaces, gris-vert, très duveteuses en dessous. Porte au printemps de petites fleurs parfumées, étoilées, rouge foncé.
P. tenuifolium, ill. p. 95. 'James Stirling' est un arbre ou arbuste columnaire puis arrondi. H. et E. 5 m. Rustique. Pousses pourpre foncé et petites feuilles rondes, à bord ondulé, vert argenté. Porte en fin de printemps des fleurs à parfum de miel, tubulaires, pourpres. 'Garnettii', voir *P. 'Garnettii'.* 'Tom Thumb', ill. p. 145.
P. undulatum. Petit arbre à port largement conique. H. 7 m, E. 8 m. Semi-rustique. Longues feuilles vert foncé, étroites, ovales, à bord ondulé, pointues. Porte en fin de printemps et début d'été des fleurs étoilées blanches, odorantes, suivies de fruits arrondis orangés.

Plagiorhegma dubia, voir *Jeffersonia dubia.*

PLANTAGO (Plantaginacées)
Plantain

Genre de plantes annuelles, bisannuelles ou vivaces à feuillage persistant, à floraison estivale (en épis). De nombreuses espèces sont des mauvaises herbes, mais quelques-unes sont cultivées pour leur feuillage. De rustiques à non rustiques (min. 7-10 °C). À planter en plein soleil, en sol bien drainé. Multiplication par semis, ou division au printemps, pour les vivaces.
P. nivalis, ill. p. 331.

PLATANUS (Platanacées)
Platane

Genre d'arbres à feuilles caduques, cultivés pour leur port, leur feuillage et leur écorce souvent craquelée et souvent caduque. Fleurs insignifiantes. À l'automne, des bouquets de fruits sphériques, formés d'akènes, pendent des branches et persistent tout l'hiver. De rustiques à semi-rustiques. Aiment le soleil ou l'ombre légère, un sol profond, frais, bien drainé. Multiplication des espèces par semis à l'automne, *P. × acerifolia* par boutures ligneuses en début d'hiver. Tous très sensibles à une maladie cryptogamique, l'anthracnose du platane. Depuis quelques années, le dépérissement du platane ou chancre coloré sévit gravement dans les régions méridionales.
P. × acerifolia, ill. p. 42. 'Suttneri' est un arbre vigoureux, à port étalée. H. 20 m, E. 15 m. Rustique. Écorce craquelée s'exfoliant une fois par an. Grandes feuilles palmées, à 5 lobes, dentées, vert vif taché de blanc crème.
P. orientalis (Platane d'Orient). Arbre à port étalé et écorce peu caduque. H. et E. 25 m et plus. Rustique. Porte de grandes feuilles palmées, à 5 lobes profonds, vert pâle, lustrées.

PLATYCARYA (Juglandacées)

Genre comptant une espèce d'arbre à feuilles caduques, cultivé pour son feuillage et ses fleurs mâles en chatons. Semi-rustique. À planter au soleil, en sol fertile, bien drainé. Multiplication par semis à l'automne.
P. strobilacea. Arbre à port étalé. H. et E. 10 m. Feuilles vert vif, composées de 7-19 folioles, ressemblant à celles du frêne. Chatons mâles verts, dressés, en été. Les inflorescences femelles sont en cône, virant au brun et demeurant sur l'arbre en hiver.

PLATYCERIUM (Polypodiacées)

Genre de fougères épiphytes, à feuillage persistant, à cultiver de préférence en suspension ou fixées sur un morceau d'écorce. Donnent 2 types de frondes : des feuilles stériles aplaties, légèrement convexes, appliquées, arrondies, constituant la partie centrale de la plante ; et des frondes fertiles longues et arquées à extrémité formée de lobes divergents. Non rustiques (min. 5 °C). Se plaisent en conditions chaudes et humides à l'ombre légère, dans un mélange tourbeux et fibreux. Multiplication par séparation de bourgeons adventifs (sauf pour *P. grande* qui n'en émet pas), au printemps ou en été, puis plantation dans du compost, ou bien par semis de spores en été ou début d'automne.
P. bifurcatum, ill. p. 184.

PLATYCODON (Campanulacées)

Genre monospécifique de plante vivace cultivée pour sa floraison estivale tardive. Rustique. À planter au soleil ou à mi-ombre, en sol assez léger. Multiplication par division de pousses basales racinées, ou par semis à l'automne.
P. grandiflorus, syn. *Campanula grandiflorum,* ill. p. 241. var. *mariesii* est une belle plante en touffe. H. et E. 30 cm. Porte à la mi-été de grands boutons floraux ronds, solitaires, terminaux, s'ouvrant en fleurs campanulées, bleu clair ou bleu pourpré ou blanches. Feuilles vert bleuté, ovales, dentées.

PLATYSTEMON (Papavéracées)

Genre comptant une espèce de plante annuelle à floraison estivale. Rustique. Se plaît au soleil, en sol fertile et bien drainé. Multiplication par semis en place au printemps.
P. californicus, ill. p. 279.

PLECTRANTHUS (Labiacées)

Genre de plantes vivaces, de sous-arbrisseaux ou d'arbustes à feuillage caduc, rampants ou buissonnants, cultivés pour leur feuillage décoratif. Non rustiques (min. 18 °C). À cultiver au soleil ou à mi-ombre. Rabattre les tiges si elles sont trop longues et dégarnies. Multiplication par boutures de tiges ou tubercules, selon les espèces.
P. coleoides 'Variegatus', ill. p. 221.
P. oertendahlii. Plante prostrée. H. jusqu'à 15 cm, E. variable. Feuilles vert foncé à nervures blanches, vert rougeâtre en dessous, arrondies, festonnées. Porte de façon

sporadique, toute l'année, des grappes de petites fleurs tubulaires blanches ou mauve pâle.

PLEIOBLASTUS (Graminées, Bambousées), voir **BAMBOUS, HERBES, JONCS** et **LAÎCHES.**

P. variegatus, syn. *Arundinaria fortunei, A. variegata,* ill. p. 180.
P. viridistriatus, syn. *Arundinaria auricoma, A. viridistriata,* ill. p. 183.

PLEIONE, voir **ORCHIDÉES.**

Les *Pleione* sont en général faciles à cultiver.
P. bulbocodioides, ill. p. 253. Orchidée terrestre à feuilles caduques. H. 20 cm. Rustique. Au printemps, en général avant l'apparition d'une feuille solitaire, fleurs roses, rouges ou magenta, de 5-12 cm de diamètre, à marques pourpre sombre sur le labelle. Feuille étroite, lancéolée, de 14 cm de long. Souvent difficile à faire fleurir ; des apports réguliers d'engrais permettent aux pseudo-bulbes d'atteindre une taille suffisante pour fleurir.
P. × confusa. Orchidée terrestre à feuilles caduques. H. 15 cm. Rustique. Fleurs solitaires jaune canari, tachetées de brun ou pourpre sur le labelle, de 5-8 cm de diamètre, au printemps, avant l'apparition du feuillage. Feuilles lancéolées de 10-18 cm de long. À cultiver de préférence en serre alpine, à mi-ombre.
P. hookeriana. Orchidée terrestre à feuillage caduc. H. 8-15 cm. Rustique. Au printemps et en début d'été, fleurs solitaires de 5-7 cm de diamètre, rose lilas, à labelle blanc tacheté de brun pourpré. Elle porte 1 ou 2 feuilles lancéolées de 5-20 cm de long. À cultiver comme *P. × confusa.*
P. humilis. Orchidée terrestre à feuilles caduques. H. 5-8 cm. Rustique. Porte en automne, avant le développement des feuilles, des fleurs blanches ou mauves de 7 cm de diamètre, à labelle frangé, marqué de brun, d'orange ou de cramoisi, solitaires ou réunies par 2. Feuilles lancéolées de 18 cm de long. À cultiver comme *P. × confusa.*

PLEIOSPILOS (Aizoacées)

Genre de plantes grasses vivaces, en touffes, à rosettes presque acaules portant 4 feuilles charnues, dressées, ayant l'allure de galets fendus, à face supérieure aplatie. Fleurs en forme de marguerite. Les espèces se ressemblent beaucoup et sont souvent difficiles à identifier. Non rustiques (min. 5 °C). Demandent le plein soleil, un substrat bien drainé. Multiplication par semis ou division, au printemps ou en été.

P. bolusii, ill. p. 399.
P. simulans, ill. p. 398.

Pleomele deremensis, voir *Dracaena deremensis.*
Pleomele draco, voir *Dracaena draco.*
Pleomele marginata, voir *Dracaena marginata.*
Pleomele sanderiana, voir *Dracaena sanderiana.*

PLUMBAGO (Plumbaginacées)
Dentelaire

Genre de plantes vivaces sous-ligneuses et de plantes grimpantes sarmenteuses à tiges ligneuses, à feuillage persistant ou semi-persistant, cultivées pour leurs fleurs bleues, violettes ou blanches, à corolle à tube longiligne à 5 lobes étalés. De peu rustiques à non rustiques (min. 7 °C). À planter au soleil ou à mi-ombre, en sol fertile, bien drainé. Arroser généreusement, régulièrement en période de croissance active, peu en saison de repos végétatif. Au début du printemps, éventuellement éclaircir ou rabattre les tiges de l'année précédente. Multiplication par boutures en été.
P. auriculata, syn. *P. capensis* (**Dentelaire du Cap**), ill. p. 173. Peu rustique.
P. capensis, voir *P. auriculata.*

PLUMERIA (Apocynacées)

Genre d'arbres et d'arbustes généralement à feuilles caduques, à branches charnues et succulentes, cultivés pour leurs fleurs (corolle gamopétale à 5 lobes) en été-automne. Sève toxique. Non rustiques (min. 13 °C). Demandent le plein soleil ou une lumière vive, un sol poreux. Arroser modérément les sujets cultivés en pot en saison de croissance, les garder au sec en hiver. Multiplication par semis ou boutures terminales en fin de printemps.
P. acuminata, voir *P. rubra* var. *acutifolia.*
P. acutifolia, voir *P. rubra* var. *acutifolia.*
P. rubra (**Frangipanier**), ill. p. 68. var. **acutifolia** (syn. *P. acuminata, P. acutifolia*) est un arbuste à port étalé. H. et E. 4 m ou plus. Donne en été-automne des fleurs parfumées blanches à centre jaune. Feuilles de lancéolées à ovales, de 20-30 cm de long.

PODALYRIA (Légumineuses)

Genre d'arbustes à feuillage persistant, en général à floraison estivale, cultivés pour leurs fleurs odorantes et leur allure générale. Peu rustiques. Demandent du

soleil ou une forte luminosité, un sol fertile et bien drainé. Arroser modérément les sujets cultivés en pot, surtout en période de repos végétatif. Tailler après la floraison si besoin est. Multiplication par semis au printemps ou boutures semi-ligneuses en été.
P. calyptrata. Vigoureux arbuste arrondi. H. et E. 3 m. Feuilles ovales, duveteuses, vert moyen ; en été, fleurs papilionacées roses, de 3-4 cm de diamètre.

PODOCARPUS (Podocarpacées), voir **CONIFÈRES.**

P. alpinus. Conifère arbustif, arrondi, étalé. H. 2 m, E. 3-5 m. Assez rustique. Feuilles linéaires, vert foncé, et enveloppes rondes, charnues, rouge vif, autour des graines.
P. andinus, syn. *Prumnopitys andinus.* Conifère à port en dôme, souvent à plusieurs troncs. H. 15 m, E. 8 m. Assez rustique. Feuilles linéaires aplaties, en aiguille, vert vif, écorce lisse, gris-brun et « fruits » (en réalité enveloppe de la graine) blanc jaunâtre, ressemblant à de petites prunes.
P. macrophyllus. Conifère à cime assez large. H. 15 m, E. 5 m. Assez rustique (un des plus rustiques du genre). Longues feuilles linéaires, vert vif au-dessus, glauques en dessous. Peut être cultivé en arbuste. H. et E. 1-2 m, et planté en conteneur sous climat chaud.
P. nivalis, ill. p. 82. Conifère arbustif, arrondi et étalé. H. 2 m, E. 3-5 m. Assez rustique. Très proche de *P. alpinus,* mais à feuilles plus longues et plus rigides. Supporte bien un sol calcaire.
P. salignus, ill. p. 78.

PODOPHYLLUM (Berbéridacées)

Genre de plantes vivaces rhizomateuses à floraison printanière. Rustiques, mais les jeunes feuilles peuvent souffrir du gel. Se plaisent à mi-ombre, en sol humide, tourbeux. Multiplication par division au printemps ou semis à l'automne.
P. emodi, syn. *P. hexandrum,* ill. p. 225.
P. hexandrum, voir *P. emodi.*

PODRANEA (Bignoniacées)

Genre de plantes grimpantes à feuillage persistant, cultivées pour leurs fleurs estivales à corolle infundibuliforme. Peu rustiques. À cultiver en sol fertile, bien drainé, en pleine lumière, en situation abritée. Arroser régulièrement, peu à température basse. À palisser sur un support. Multiplication par semis au printemps ou boutures semi-ligneuses en été.
P. ricasoliana, syn. *Pandorea*

ricasoliana, Tecoma ricasoliana. Plante à croissance rapide. H. 6 m. Feuilles composées de 7-9 folioles de lancéolées à ovales, à bord ondulé, vert foncé. En été, panicules de fleurs roses assez grandes, parfumées, à nervures plus foncées.

Poinciana pulcherrima, voir *Caesalpinia pulcherrima.*

POLEMONIUM (Polémoniacées)

Genre de plantes annuelles ou le plus souvent vivaces, à floraison en fin de printemps ou en été (corolle à long tube et à 5 lobes). Feuilles composées imparipennées. Rustiques. Se plaisent au soleil ou à mi-ombre, en sol fertile, frais, bien drainé. Multiplication par division au printemps ou semis à l'automne.
P. caeruleum (**Valériane grecque**), ill. p. 242.
P. carneum, ill. p. 240.
P. foliosissimum. Vigoureuse plante vivace en touffe. H. 75 cm, E. 60 cm. Porte en été des bouquets terminaux de fleurs lilas, à étamines jaunes, au-dessus de feuilles d'oblongues à lancéolées, vert moyen.
P. pulcherrimum, ill. p. 241.

POLIANTHES (Amaryllidacées)

Genre de plantes vivaces à souche tubéreuse, cultivées pour leurs fleurs estivales très parfumées. Peu rustiques (il leur faut une situation abritée, au soleil, et un terrain bien drainé). Bien arroser en été. Garder au sec en hiver quand les feuilles ont jauni. Multiplication par semis ou rejets (œilletons) au printemps.
P. geminiflora, syn. *Bravoa geminiflora,* ill. p. 353.
P. tuberosa (**Tubéreuse**). H. 1 m (y compris les hampes florales), E. 10-15 cm. Peu rustique. Rosette, souvent assez étalée, de feuilles linéaires. Grappe de fleurs simples, très parfumées, blanches, en entonnoir, à 6 tépales étalés. Il en existe des cultivars à fleurs doubles.

POLIOTHYRSIS (Flacourtiacées)

Genre comptant une espèce d'arbre à feuilles caduques, cultivé pour son feuillage décoratif. Rustique. À planter au soleil ou à mi-ombre, en sol fertile et bien drainé. Multiplication en été par boutures herbacées.
P. sinensis. Arbre à couronne étalée. H. 7 m, E. 6 m. Longues feuilles ovales, dentées, vert foncé lustré, et pétioles rouge sombre. Porte en juillet des panicules étroites de fleurs parfumées jaunâtres.

POLYGALA (Polygalacées)
Polygale

Genre de plantes annuelles et vivaces, d'arbustes et d'arbres à feuillage persistant, appréciés pour leurs fleurs irrégulières. De rustiques à non rustiques (min. 7 °C). Placer en lumière vive ou à mi-ombre, en sol frais léger, bien drainé. Arroser généreusement les sujets cultivés en pot en période de croissance, moins le reste de l'année. Multiplication par semis au printemps ; boutures semi-ligneuses en été ou marcottage pour les ligneux. Les mouches blanches sont un parasite fréquent.
P. calcarea, ill. p. 324. **'Bulley's Variety',** ill. p. 324.
P. chamaebuxus (Polygale faux-buis), ill. p. 325. var. *grandiflora* (syn. var. *rhodoptera*), ill. p. 308.
P. myrtifolia 'Grandiflora', ill. p. 135.

POLYGONATUM (Liliacées)
Sceau-de-Salomon

Genre de plantes vivaces rhizomateuses à fleurs régulières, fleurissant au printemps ou en début d'été. De rustiques à non rustiques (min. 5 °C). Se plaisent en situation fraîche, mi-ombragée, et en sol fertile, bien drainé. Multiplication par division au début du printemps ou semis à l'automne.
P. canaliculatum, voir *P. commutatum.*
P. commutatum, syn. *P. canaliculatum, P. giganteum.* Plante à tiges arquées. H. 1 m, E. 60 cm. Rustique. Porte à la fin du printemps des bouquets pendants de fleurs blanches en clochette, à l'aisselle des feuilles. Feuilles vert moyen, d'oblongues à ovales.
P. giganteum, voir *P. commutatum.*
P. hirtum, syn. *P. latifolium.* Tiges arquées. H. 1 m, E. 30 cm. Rustique. Bouquets de 2-5 fleurs pendantes, blanches à extrémité verte, s'ouvrant en fin de printemps. Tiges, pétioles et feuilles, vert moyen, allant d'ovales à lancéolées, sont pubescents.
P. hookeri, ill. p. 307.
P × hybridum, ill. p. 197.
P. latifolium, voir *P. hirtum.*
P. odoratum. Plante à tiges arquées. H. 60 cm, E. 30 cm. En fin de printemps, fleurs blanches à extrémité verte, groupées par paires à l'aisselle des feuilles supérieures. Feuilles vert moyen, d'ovales à lancéolées.
P. verticillatum. Plante dressée. H. 1,2 m, E. 45 cm. Rustique. En début d'été, fleurs blanc verdâtre en clochettes étroites, à l'aisselle des feuilles supérieures. Verticilles de feuilles vert moyen, lancéolées.

POLYGONUM (Polygonacées)
Renouée

Genre de plantes annuelles, vivaces, sous-ligneuses, ligneuses, et de plantes grimpantes à tiges ligneuses. Certaines espèces sont envahissantes. De rustiques à semi-rustiques. Se plaisent au soleil comme à mi-ombre, en sol bien drainé. Multiplication par semis pour toutes les espèces, ou division à l'automne ou au printemps pour les vivaces, les plantes grimpantes seulement par boutures semi-ligneuses en été ou marcottage.
P. affine. Plante vivace couvre-sol à souche un peu lignifiée, à feuillage persistant. H. 50 cm, E. 30 cm et plus. Rustique. Les tiges robustes portent de petites feuilles lancéolées vert lustré, qui virent au bronze en hiver. En fin d'été ou début d'automne, épis denses de petites fleurs en entonnoir, rouge rosé. Bonne espèce de rocaille ou talus. **'Darjeeling Red',** H. 25 cm, a de longs épis de fleurs rouge sombre. **'Donald Lowndes',** ill. p. 316.
P. amplexicaule. Plante vivace formant des touffes. H. et E. 80 cm. Rustique. Porte de nombreux épis de petites fleurs rouges ou roses en été-automne. Feuilles vert moyen, ovales ou en cœur. **'Firetail',** ill. p. 208.
P. baldschuanicum, syn. *Bilderdykia baldschuanica, Fallopia baldschuanica,* ill. p. 175.
P. bistorta (Renouée bistorte). **'Superbum',** ill. p. 203.
P. campanulatum, ill. p. 217.
P. capitatum. Plante vivace compacte, à port étalé. H. 15 cm, E. 20 cm. Semi-rustique. Petites feuilles ovales, vertes, à marques sombres. Petites inflorescences sphériques de fleurs roses en été. Bonne espèce pour talus ou rocaille.
P. milletii, ill. p. 208.
P. sphaerostachyum, ill. p. 236.
P. vacciniifolium, ill. p. 327.
P. virginianum, voir *Tovara virginiana.*

POLYPODIUM (Polypodiacées)
Polypode

Genre de fougères à feuillage caduc, semi-persistant ou persistant, cultivées pour leurs frondes souvent sculpturales. De rustiques à non-rustiques (min. 18 °C). À cultiver à mi-ombre, en sol léger, humifère, frais, bien drainé. Multiplication par division de rhizomes au printemps ou semis de spores.
P. aureum, voir *Phlebodium aureum.*
P. glycyrrhiza, ill. p. 184.
P. polypodioides. Fougère naine à feuillage semi-persistant. H. 10 cm, E. 15 cm. Non rustique. Frondes vert moyen, lancéolées, divisées en folioles espacées, issues d'un rhizome écailleux.
P. scouleri, ill. p. 185.

P. virginianum. Fougère rampante à feuillage semi-persistant. H. 30 cm, E. 25 cm. Rustique. Frondes vert moyen, divisées, étroites, lancéolées.
P. vulgare (Polypode commun), ill. p. 187. **'Cornubiense',** ill. p. 186. **'Cristatum'** est une fougère rampante à feuillage persistant. H. et E. 25-30 cm. Rustique. Feuilles vert moyen, divisées, étroites, lancéolées, à crête terminale légèrement pendante, issues d'un rhizome couvert d'écailles brun cuivré.

POLYSCIAS (Araliacées)

Genre d'arbres et d'arbustes appréciés pour leur feuillage persistant. Floraison rare et insignifiante. Non rustiques (min. 18 °C). Il leur faut un léger ombrage, un sol riche en humus, bien drainé. Arroser généreusement les sujets cultivés en pot pendant leur saison de croissance, modérément le reste de l'année. Multiplication par semis au printemps ou bouturage. Les araignées rouges sont un parasite fréquent.
P. filicifolia, ill. p. 120. **'Marginata'** est un arbuste érigé, peu ramifié. H. 2 m ou plus, E. 1 m ou plus. Feuilles de 30 cm de long, composées de nombreuses petites folioles crénelées, allant d'ovales à lancéolées, vert vif à bord blanc.
P. guilfoylei. Arbre à croissance lente, à port arrondi. H. 3-8 m, E. jusqu'à 2 m et plus. Feuilles de 25-40 cm de long, divisées en folioles d'ovales à arrondies, crénelées, vert foncé. **'Victoriae',** ill. p. 94.

POLYSTICHUM (Aspidiacées)
Polystic

Genre de fougères à feuillage caduc, semi-persistant ou persistant. Rustiques. Se plaisent à mi-ombre, en sol frais mais bien drainé, enrichi en matière organique fibreuse. Éliminer régulièrement les frondes fanées. Multiplication des espèces par division au printemps ou semis de spores en été, des cultivars par division uniquement.
P. acrostichoides. Fougère à feuillage persistant. H. 60 cm, E. 45 cm. Frondes fines, lancéolées, vert sombre, à petites folioles. Le feuillage est précieux en art floral.
P. aculeatum. Fougère à feuillage semi-persistant. H. 60 cm, E. 75 cm. Feuilles largement lancéolées, vert jaunâtre puis vert foncé, à folioles d'oblongues à ovales, à bord denté, portées par des pétioles couverts d'écailles brunes. **'Pulcherrimum',** ill. p. 184.
P. lonchitis, ill. p. 184.
P. munitum, ill. p. 184.
P. setiferum, ill. p. 185. **'Densum',** ill. p. 187.

PONCIRUS (Rutacées)

Genre comptant une espèce de petit arbre très épineux à feuillage caduc, cultivé pour ses fleurs, son feuillage et ses petits fruits jaunâtres, en général non comestibles, ressemblant à des oranges. Peut constituer une haie protectrice très efficace. Rustique. Se plaît au soleil, en sol fertile et bien drainé. Multiplication par boutures semi-ligneuses en été ou semis de graines à maturité en automne.
P. trifoliata. H. et E. 5 m. Les robustes pousses vertes épineuses portent des feuilles vert foncé composées de 3 folioles ovales. En fin de printemps, fleurs blanches parfumées à 4 ou 5 grands pétales, suivies de fruits ronds de 3 cm de diamètre.

PONTEDERIA (Pontédériacées)

Genre de plantes vivaces aquatiques d'eau peu profonde, à feuilles caduques, cultivées pour leur feuillage et leurs épis dressés de fleurs bleues. Semi-rustiques. À installer au soleil, dans 25 cm d'eau au moins. Éliminer régulièrement les fleurs fanées. Multiplication au printemps par division ou semis.
P. cordata (Pontédérie à feuilles en cœur), ill. p. 374.

POPULUS (Salicacées)
Peuplier

Genre d'arbres dioïques à feuilles caduques, cultivés pour leur port, leur feuillage et leur croissance en général très rapide. Portent des fleurs en chatons en fin d'hiver et au printemps. Les arbres femelles produisent de très nombreuses graines dans des fruits capsulaires. Ces graines sont munies de poils cotonneux facilitant leur dispersion, ce qui est souvent très désagréable, car elles infestent parfois l'air de façon prolongée dans des zones étendues ; il faut donc éviter les peupliers femelles dans les jardins de crèches et d'écoles. Rustiques. Se plaisent en pleine lumière, en sol frais ou humide, appréciant le voisinage de cours d'eau. *P. alba* convient en région côtière. Le système racinaire très traçant et étendu peut endommager des fondations, aussi les peupliers ne doivent-ils pas être plantés à proximité de bâtiments. Multiplication en hiver par boutures ligneuses. Sensibles au chancre bactérien et à des maladies cryptogamiques.
P. alba (Peuplier blanc), ill. p. 39. Souvent confondu avec *P. canescens,* plus courant. **'Pyramidalis'** est un arbre vigoureux. H. 20 m, E. 5 m. Feuilles larges, ovales, à bord

ondulé ou lobé, vert foncé et blanc en-dessous, virant au jaune à l'automne. 'Raket' (syn. *P. a.* 'Rocket'), ill. p. 43. 'Richardii', H. 15 m, E. 12 m, a des feuilles jaune d'or.

P. balsamifera. Arbre érigé à croissance rapide. H. 20 m, E. 8 m. Feuilles ovales, lustrées, vert foncé, blanchâtres en dessous, dégageant une forte odeur balsamique quand elles sont jeunes.

P. × berolinensis (Peuplier de Berlin). Arbre largement columnaire. H. 25 m, E. 8 m. Feuilles largement ovales, vert vif, à face inférieure pâle.

P. × canadensis (Peupliers euraméricains). 'Eugenei' est un arbre columnaire. H. 30 m, E. 12 m. Jeunes feuilles larges ovales, bronze, puis virant au vert foncé ; chatons rouges au printemps. 'Robusta' et 'Serotina de Selys' (syn. *P. × c.* 'Serotina Erecta'), ill. p. 40.

P. candicans (Peuplier de l'Ontario). Arbre à large cime, à croissance rapide. H. 25 m, E. 10 m. Feuilles ovales, vert foncé, à odeur balsamique quand elles sont jeunes. Très sensible au chancre bactérien. 'Aurora', H. 15 m et plus, E. 6 m, a des feuilles abondamment et irrégulièrement panachées de blanc crème (et de rose, souvent).

P. canescens (Peuplier grisard, Grisard), ill. p. 40.

P. deltoides (Peuplier noir américain). Arbre à port étalé, à croissance très rapide. H. 30 m, E. 20 m. Feuillage luxuriant ; feuilles cordiformes larges, vert vif lustré.

P. lasiocarpa. Arbre à port étalé. H. 15 m, E. 12 m. Très grandes feuilles en cœur, vert vif à nervures rouges, sur de longs pétioles rouges. Porte au printemps des chatons jaunes pendants.

P. maximowiczii, ill. p. 39.

P. nigra (Peuplier noir). Arbre à port étalé, à croissance très rapide. H. 25 m, E. 20 m. Écorce sombre. Jeunes feuilles bronze, d'ovales-triangulaires à rhomboïdales, puis vert brillant, et enfin jaunes à l'automne. Les sujets mâles portent au printemps des chatons rouges. 'Italica' (Peuplier d'Italie), ill. p. 41.

P. szechuanica. Arbre élégant à croissance très rapide, mais sensible aux froids tardifs. H. 25 m, E. 10 m. Écorce gris rosé, craquelée. Grandes feuilles en cœur, vert brillant.

P. tremula (Tremble). Vigoureux arbre à port étalé. H. 15 m, E. 10 m. Feuilles presque arrondies, rouge bronze à l'état jeune, vertes à maturité et jaunes à l'automne. Les pétioles aplatis transversalement font facilement trembler le feuillage au moindre souffle de vent. Bon arbre forestier. 'Erecta', H. 5 m, a un port dressé. 'Pendula' (Tremble pleureur), ill. p. 52.

P. tremuloides (Faux-tremble). Arbre à port étalé, à croissance très rapide. H. 15 m ou plus, E. 10 m. Feuilles arrondies, finement dentées, vertes, virant au jaune à l'automne.

P. trichocarpa (Baumier de l'Ouest). Arbre conique à croissance très rapide. H. 30 m et plus en Europe (60 m aux USA), E. 10 m. Feuilles denses, ovales, brillantes, à forte odeur balsamique quand elles sont jeunes, vert foncé à nervures vertes et face inférieure pâle, virant au jaune à l'automne.

PORTULACA (Portulacacées)

Genre de plantes annuelles et vivaces à feuilles charnues. De rustiques à non rustiques. À cultiver en plein soleil, en sol bien drainé, en endroit sec. Multiplication par semis en place en avril-mai. Fréquemment attaquées par les pucerons.

P. grandiflora (Pourpier à grandes fleurs). Plante annuelle au port plus ou moins prostré, à croissance lente. H. 15-20 cm, E. 15 cm. Feuilles lancéolées, vert vif. Porte en été et début d'automne des fleurs régulières très ouvertes, de 2,5 cm de diamètre, dans les tons de jaune, rouge, orangé, rose ou blanc. 'Cloudbeater' est un cultivar à fleurs doubles. Série Sundance, ill. p. 270. Série Sunnyside a des fleurs doubles, ressemblant à des roses.

PORTULACARIA (Portulacacées)

Genre comptant une espèce d'arbuste à feuilles succulentes, persistantes, cultivé pour son feuillage et son allure d'ensemble. Non rustique (min. 18 °C). Il lui faut du soleil, un sol bien drainé. Arroser modérément les sujets cultivés en pot en saison de croissance, parcimonieusement le reste de l'année. Multiplication en été par boutures semi-ligneuses.

P. afra (Pourpier en arbre), ill. p. 121. 'Variegata', H. et E. 1 m, a des feuilles charnues d'ovales à arrondies, vert vif bordé de crème, et, de la fin du printemps à l'été, de petites fleurs rose pâle en petits bouquets de 3.

POTAMOGETON (Potamogétonacées)

Genre de plantes vivaces aquatiques submergées, ou avec quelques feuilles flottantes, cultivées pour leur feuillage, caduc. Convient aux pièces d'eau et aquariums d'eau froide. Rustiques. Se plaisent au soleil ou à mi-ombre. Éliminer le feuillage fané et éclaircir les touffes si nécessaire. Multiplication au printemps ou en été par boutures de tiges.

P. crispus, ill. p. 374.

POTENTILLA (Rosacées)
Potentille

Genre de plantes annuelles ou vivaces et d'arbustes à feuilles caduques, appréciés pour leurs petites fleurs à 5 larges pétales, et leur feuillage. Les grandes espèces (arbustes notamment) sont précieuses dans les plates-bandes. Les espèces naines sont plutôt destinées à la rocaille. Rustiques. Se plaisent en plein soleil (les herbacées aussi à mi-ombre), mais les fleurs gardent mieux les coloris, orange, rose ou rouge, si elles sont protégées du soleil brûlant. Il leur faut un terrain bien drainé. Multiplication des espèces types vivaces par semis au printemps ou division au printemps ou à l'automne ; des formes horticoles par division uniquement, au printemps ou à l'automne. Les espèces types arbustives peuvent être obtenues par semis à l'automne ou bien par boutures semi-ligneuses en été, les formes horticoles par bouturage uniquement.

P. 'Abbotswood', ill. p. 126.

P. alba (Potentille blanche), ill. p. 313.

P. arbuscula, syn. *P. fruticosa* var. *arbuscula.* Arbuste dense, buissonnant. H. 1 m, E. 1,2 m. Porte, de la mi-été à tard en automne, des fleurs en forme de coupe, jaune d'or, parmi des feuilles gris-vert, divisées en 3 ou 5 folioles étroites-oblongues.

P. argyrophylla. Plante vivace formant des touffes. H. 80 cm, E. 60 cm. Fleurs en coupe, jaune clair, à profusion du début à la fin de l'été, au-dessus de feuilles argentées soyeuses.

P. atrosanguinea, ill. p. 240.

P. aurea, ill. p. 326.

P. 'Beesii', syn. *P.* 'Nana Argentea'. Arbuste compact, à croissance lente. H. 75 cm, E. 1 m. En été-automne, fleurs en coupe, jaune d'or. Feuilles argentées, composées de 3 ou 5 folioles étroites oblongues.

P. davurica, syn. *P. dahurica,* var. *mandschurica,* voir *P.* 'Manchu'.

P. 'Daydawn', ill. p. 129.

P. 'Elizabeth', ill. p. 137.

P. eriocarpa, ill. p. 325.

P. 'Etna'. Plante vivace en touffe. H. 75 cm, E. 45 cm. Porte à la mi-été des fleurs en coupe, rouge-brun, au-dessus de feuilles vert foncé.

P. 'Farrer's White', ill. p. 127.

P. 'Friedrichsenii', ill. p. 137.

P. fruticosa. Espèce très variable d'arbuste dense, buissonnant. H. 1 m, E. 1,5 m. Porte de la fin du printemps au milieu de l'été des fleurs en forme de coupe, jaune vif. Feuilles vert terne pennées, composées de 3-7 folioles étroites, oblongues, acuminées. var. *arbuscula,* voir *P. arbuscula.*

P. 'Gibson's Scarlet'. Plante vivace en touffe. H. et E. 45 cm. Fleurs en forme de coupe, écarlates, du milieu à la fin de l'été. Feuilles vert foncé.

P. 'Gloire de Nancy', syn. *P.* 'Glory of Nancy'. Plante vivace en touffe. H. et E. 45 cm. Grandes fleurs semi-doubles, orange et rouge cuivré, produites tout au long de l'été. Feuilles

vert foncé ressemblant à celles des fraisiers.

P. 'Glory of Nancy', voir *P.* 'Gloire de Nancy'.

P. 'Jackman's Variety'. Arbuste dressé, dense. H. 1,2 m, E. 1,5 m. Grandes fleurs en coupe, jaune vif, de la fin du printemps à l'automne, parmi des feuilles vert foncé composées de 5 folioles étroites oblongues.

P. 'Manchu', syn. *P. davurica* var. *mandschurica,* ill. p. 126.

P. megalantha, ill. p. 247.

P. 'Monsieur Rouillard'. Plante vivace en touffe. H. et E. 45 cm. Fleurs doubles, en coupe, rouge foncé à liseré jaune, portées en été au-dessus de feuilles vert foncé, ressemblant à celles des fraisiers.

P. 'Nana Argentea', voir *P.* 'Beesii'.

P. nepalensis 'Miss Willmott', ill. p. 237.

P. nitida. Plante vivace dense, tapissante. H. 15 cm, E. 20 cm. Feuilles argentées, arrondies, trilobées. Les tiges florales portent 1 ou 2 fleurs roses, aplaties, à cœur plus sombre, en début d'été. Souvent peu florifère. Convient bien pour la rocaille ou les auges en pierre.

P. parvifolia 'Gold Drop'. Arbuste dense, dressé. H. et E. 1,2 m. Porte de nombreuses fleurs en coupe, jaune d'or, de la fin du printemps au début de l'automne, parmi des feuilles vert vif composées de 5 folioles étroites oblongues.

P. recta 'Warrenii', syn. *P. r.* 'Macrantha', ill. p. 246.

P. 'Red Ace', ill. p. 134.

P. 'Sunset', ill. p. 139.

P. 'Tangerine'. Arbuste dense, arrondi. H. 1,2 m, E. 1,5 m. Fleurs en coupe, jaune cuivré pâle, du début de l'été à l'automne. Feuilles vert moyen composées de 5 ou 7 folioles étroites, oblongues.

P. × tonguei. Plante vivace tapissante. H. 10 cm, E. 25 cm. Feuilles arrondies, à 3-5 lobes, vertes. Les branches prostrées portent tout l'été des fleurs aplaties jaune orangé. Bonne espèce de rocaille, ou interstices de dallages.

P. 'Vilmoriniana', ill. p. 137.

P. 'Yellow Queen', ill. p. 247.

POTHOS, voir EPIPREMNUM.

× POTINARA, voir ORCHIDÉES.

Hybrides plurigénériques entre des plantes faisant partie des 4 genres suivants : *Brassavola, Cattleya, Laelia,* et *Sophronitis.*
× *P.* Cherub 'Spring Daffodil', ill. p. 255. Orchidée épiphyte à feuillage persistant, de serre tempérée. H. 15 cm. Hampes de fleurs jaunes, de 5 cm de diamètre, s'ouvrant au printemps. Feuilles rigides, largement ovales, de 10 cm de long. A besoin de beaucoup de lumière en été.

PRATIA (Campanulacées)

Genre de plantes vivaces tapissantes, à petites feuilles persistantes, cultivées pour leurs nombreuses fleurs irrégulières à corolle sublabiée. Bonnes plantes de rocaille. Voisines des *Lobelia*. Certaines espèces peuvent se révéler envahissantes. De rustiques à semi-rustiques. Se plaisent à mi-ombre, en sol frais. Multiplication par division ou semis à l'automne.
P. pedunculata, ill. p. 323. 'County Park' est une plante à port rampant. H. 5 cm, E. variable. Rustique. Petites feuilles d'arrondies à ovales et, en été, nombreuses fleurs bleu violacé. Bon couvre-sol.

PRIMULA (Primulacées)
Primevère

Genre de plantes annuelles et vivaces, certaines à feuillage persistant. Toutes les espèces ont des rosettes de feuilles basales et des fleurs tubulaires, en entonnoir ou en forme de coupe. Les fleurs sont soit solitaires, soit groupées en verticilles étagés sur une tige florale, soit réunies en ombelle ou (rarement) en grappes, ou en épi. On peut trouver des primevères pour toutes les situations : plate-bande, jardin d'éboulis, rocaille, massif tourbeux, jardin d'eau, terrain marécageux, serre. Certaines sont délicates à cultiver, car elles redoutent l'humidité hivernale et la chaleur estivale. De rustiques au non rustiques (min. 7 °C). Multiplication des espèces types par semis, des formes horticoles par division.

Classement des primevères
On distingue notamment, dans une classification basée sur des critères botaniques, les sections et groupes suivants :
1. **Section Cankriaenae.** Primevères à fleurs tubulaires, aplaties au bout, groupées en verticilles étagés sur la hampe florale. Jeunes feuilles révolutées.
2. **Primevères des jardins** (*P. × hortensis*). Ce groupe comprend des hybrides sélectionnés dont les géniteurs font partie de 2 ou plusieurs des 4 espèces de la section Vernales (*P. acaulis, P. elatior, P. juliae, P. officinalis*). Fleurs groupées en ombelle sur des hampes assez robustes. Les coloris des primevères des jardins forment une gamme variée de blancs, roses, rouges, jaunes, violets et bleus.
3. **Primevères de la section Auriculae** (ou auricules). Elles sont originaires des montagnes d'Europe. Les jeunes feuilles sont involutées. Les fleurs sont groupées en ombelle sur une hampe dominant le feuillage ; elles sont aplaties. Les fleurs de *P. auricula* et de beaucoup de ses hybrides ont une tache (un « œil ») centrale

blanche et, chez certaines variétés, un anneau externe en général vert, gris ou blanc, contrastant avec la teinte principale foncée. Il en existe des variétés à fleurs rouges, jaunes, bleues ou violettes.

Culture
Les primevères ont des exigences de culture variées. Pour des raisons de commodité, elles ont été réparties en 9 groupes, cités par la suite par leur numéro seulement.
1. – Plein soleil, sol qui ne sèche pas.
2. – Plein soleil ou mi-ombre, sol frais mais bien drainé.
3. – Mi-ombre, sol frais mais bien drainé.
4. – Mi-ombre, terre argilo-sableuse ou sableuse, humifère, bien drainé.
5. – Plein soleil ou mi-ombre, sol sableux.
6. – Mi-ombre, sol sableux.
7. – Ombre ou mi-ombre, sol frais, tourbeux.
8. – Plein soleil ou mi-ombre, sol tourbeux et sableux.
9. – Mi-ombre, sol sableux et tourbeux.

Sauf mention contraire, toutes les plantes décrites ci-dessous sont vivaces.
P. 'Adrian', ill. p. 231. Section Auriculae. H. 22-25 cm, E. 15-20 cm. Rustique. Fleurs plates, de bleu clair à foncé à œil clair, du milieu à la fin du printemps. Feuilles ovales, vert moyen. Groupe 3.
P. allionii, ill. p. 230. H. 8 cm, E. 8-15 cm. Rustique. Fleurs tubulaires, roses, mauves ou blanches, recouvrant au printemps un coussinet dense de feuilles ovales, vert moyen. Groupe 5.
P. alpicola. Plante compacte. H. 60 cm, E. 30 cm. Rustique. Fleurs pendantes, en clochette, de blanches à jaunes ou pourpres, sur des hampes grêles en début d'été. Feuilles vert moyen, d'ovales à lancéolées. Groupe 7. var. *luna* (ill. p. 231) a des fleurs jaune soufré.
P. aurantiaca. Belle plante (section Cankriaenae). H. 60 cm, E. 30 cm. Rustique. Fleurs tubulaires rouge orangé, en début d'été. Longues feuilles larges, d'ovales à lancéolées, vert moyen. Groupe 1 ou 7.
P. aureata, ill. p. 231. H. et E. 15 cm. Rustique. Donne au printemps de petites ombelles de fleurs aplaties, de crème à jaune. Feuilles ovales, dentées, vert moyen, à nervure centrale rouge pourpré. Groupe 8.
P. auricula (**Auricule, Oreille d'ours**). Section Auriculae. H. 15-25 cm, E. 15 cm. Rustique. Fleurs aplaties, jaunes à tache centrale blanche, parfumées, groupées au printemps en grandes ombelles. Feuilles ovales, de vert pâle à gris-vert, couvertes d'une pruine farineuse. Groupe 5 ou 6.
P. bhutanica, ill. p. 231. H. 15 cm, E. 15-25 cm. Rustique, mais souvent éphémère. Porte au printemps des ombelles de fleurs tubulaires bleu pourpré pâle, à œil blanc ou blanc crème, juste au-dessus de feuilles ovales ou

lancéolées, gaufrées, vert moyen. Groupe 8.
P. 'Blairside Yellow', ill. p. 231 (auricule). H. 2,5 cm, E. 15 cm. Rustique. Au début du printemps, fleurs en clochette jaune d'or. Petites feuilles vert pâle, d'arrondies à ovales. Groupe 3.
P. 'Blossom', ill. p. 231. Plante en rosette (auricule). H. et E. 25 cm. Rustique. Fleurs plates, de cramoisi à rouge vif, à centre doré, très nombreuses, au printemps. Feuilles ovales, vert foncé. Groupe 3.
P. bulleyana, ill. p. 231. Belle plante dressée (section Cankriaenae). H. 60 cm, E. 30 cm. Rustique. Fleurs tubulaires orange foncé, en début d'été. Feuilles ovales-lancéolées, dentées, vert foncé. Groupe 1 ou 7.
P. 'Chloë', ill. p. 231. Section Auriculae. H. 25 cm, E. 20 cm. Rustique. Porte à la fin du printemps des fleurs aplaties noires bordées de vert, à œil blanc. Feuilles ovales, vert foncé. Groupe 2.
P. chungensis, ill. p. 231. Section Cankriaenae. H. 60 cm, E. 30 cm. Rustique. En été, verticilles étagés de fleurs tubulaires orangées, sur des feuilles vert moyen, d'ovales à lancéolées. Groupe 1 ou 7.
P. clarkei, ill. p. 230. H. et E. 10 cm. Rustique. Porte au printemps des fleurs aplaties roses, à œil jaune, juste au-dessus d'une rosette de feuilles vert pâle, d'arrondies à ovales. Groupe 8.
P. clusiana, ill. p. 230. Section Auriculae. H. 25 cm, E. 15 cm. Rustique. Porte au printemps des ombelles de fleurs tubulaires roses à œil blanc. Feuilles ovales, lustrées, vert moyen. Groupe 3.
P. 'Craddock White', ill. p. 230. H. 10 cm, E. 15 cm. Rustique. Au printemps, fleurs parfumées, aplaties et orientées vers le haut, blanches à œil jaune, juste au-dessus de longues feuilles ovales, vert foncé veiné de rouge. Groupe 1 ou 3.
P. 'David Green'. H. 15 cm, E. 20 cm. Rustique. Au printemps, fleurs aplaties, pourpre cramoisi ; feuilles ovales, grossières, vert moyen. Groupe 1 ou 3.
P. denticulata, ill. p. 231. Vigoureuse plante formant des touffes dressées. H. 15-40 cm, E. 30 cm. Rustique. Porte du début au milieu du printemps des inflorescences sphériques de fleurs aplaties lilas, pourpres ou roses, à l'extrémité des tiges robustes. L'espèce type de départ avait des fleurs bleu lavande pâle. Feuilles vert moyen, spatulées et dentées. Groupe 1 ou 3. f. *alba* (ill. p. 230) a des fleurs blanches.
P. edgeworthii, ill. p. 230. H. 10 cm, E. 15 cm. Rustique. Au printemps, fleurs aplaties, mauve pâle à œil blanc, solitaires, parmi des feuilles ovales, dentées, vert pâle. Groupe 8.
P. elatior, ill. p. 231. H. 15-30 cm, E. 15 cm. Rustique. Au printemps, ombelles de petites fleurs légèrement parfumées, tubulaires, jaunes, au-dessus de feuilles ovales, dentées, vert moyen. Groupe 1, 7 ou 9.

P. farinosa, ill. p. 230. H. 30 cm, E. 15 cm. Rustique. Au printemps, des tiges courtes portent des ombelles de fleurs tubulaires, rose-lilas, à gorge jaune. Feuilles ovales, dentées, vert moyen. Groupe 8.
P. flaccida, syn. *P. nutans*, ill. p. 231. H. 30 cm, E. 25 cm. Rustique. En début d'été, chaque tige porte une inflorescence conique de fleurs pendantes, en clochette, bleu lavande au violet, au-dessus de feuilles étroites-ovales, de vert pâle à moyen. Groupe 7 ou 8.
P. florindae, ill. p. 231. Plante en touffe dressée. H. 60 cm, E. 30 cm. Rustique. En été, grandes inflorescences de fleurs pendantes, en clochette, jaune soufre, au-dessus de feuilles larges-lancéolées, vert moyen, dentées. Groupe 1 ou 7.
P. forrestii, ill., p. 231. H. 15-25 cm. E. 15-30 cm. Rustique. En fin de printemps ou début d'été, ombelles denses de fleurs plates, jaunes à œil orangé. Feuilles ovales, dentées, vert foncé. Groupe 8.
P. frondosa, ill. p. 230. H. et E. 15 cm. Rustique. Porte au printemps des ombelles de fleurs aplaties, rose lilas ou bleutées à œil pourpré ou jaune, sur des tiges courtes au-dessus de feuilles ovales, vert moyen, couvertes d'une pruine farineuse. Groupe 8.
P. 'Garryarde Guinevere'. H. 15 cm, E. 20 cm. Rustique. Au printemps, fleurs rose pourpré, aplaties, à œil jaune, parmi des feuilles ovales, dentées, vert bronze. Groupe 1 ou 3.
P. groupe Gold Lace, ill. p. 231. H. 20 cm, E. 25 cm. Rustique. Portent des fleurs aplaties dans différentes teintes, bordées de jaune d'or, du milieu à la fin du printemps. Feuilles ovales, vert moyen, parfois teintées de rouge. Groupe 2 ou 3.
P. gracilipes, ill. p. 230. H. 15 cm, E. 25 cm. Rustique. Au printemps ou en début d'été, fleurs tubulaires solitaires, rose pourpré, au milieu de feuilles ovales, dentées, vert moyen. Groupe 8.
P. helodoxa, ill. p. 231. Section Cankriaenae. H. 60 cm-1 m, E. 30-45 cm. Rustique. Fleurs jaunes en clochette, en été. Feuilles ovales, dentées, vert pâle. Groupe 1 ou 7.
P. hirsuta, syn. *P. rubra*, ill. p. 230. H. 10 cm, E. 15 cm. Rustique. Porte au printemps de petites ombelles de fleurs aplaties rose carminé. Petites feuilles vert foncé, obovales, collantes. Groupe 8.
P. 'Inverewe', ill. p. 231. Plante en touffe dressée (section Cankriaenae). H. 75 cm, E. 45 cm. Rustique. Les fleurs tubulaires, rouge orangé vif, s'ouvrent en été, sur des hampes couvertes d'une pruine farineuse. Feuilles d'ovales à lancéolées, dentées, vert moyen, de texture grossière. Groupe 1 ou 7.
P. ioessa. H. et E. 30 cm. Rustique. Porte au printemps ou en début d'été des bouquets de fleurs en entonnoir, roses ou rose mauve, parfois blanches, au-dessus de feuilles vert moyen, dentées, d'ovales à lancéolées. Groupe 7.
P. 'Janie Hill', ill. p. 231. Section

Auriculae. H. 25 cm, E. 20 cm. Rustique. Fleurs aplaties, de brun foncé à brun doré, à œil doré, du milieu à la fin du printemps. Feuilles ovales, vert moyen. Groupe 2.

P. japonica. Forte plante (section Cankriaenae). H. 30-60 cm, E. 30-45 cm. Rustique. Porte en début d'été des fleurs tubulaires rouge foncé sur des tiges robustes, nettement au-dessus des feuilles oblongues, dentées, grossières, vert pâle. Groupe 1 ou 7. **'Miller's Crimson'** (ill. p. 230) a des fleurs cramoisi intense. **'Postford White'** (ill. p. 230) porte des fleurs blanches.

P × kewensis, ill. p. 231. Plante vigoureuse. H. et E. 30 cm. Non rustique (min. 12 °C). Porte en hiver et au début du printemps des verticilles de fleurs tubulaires jaunes, parfumées, sur des hampes de 40 cm de haut. Feuilles d'ovales à lancéolées, dentées, vert foncé, farineuses. Groupe 4.

P. 'Linda Pope', ill. p. 231. H. 15 cm, E. 25 cm. Rustique. Porte au printemps des fleurs bleu-mauve, aplaties, sur de courtes tiges au-dessus de feuilles ovales, dentées, vert moyen, farineuses. Groupe 5.

P. malacoides (simple, double), ill. p. 230. H. et E. 20-50 cm. Non rustique. Verticilles denses de petites fleurs aplaties, simples ou doubles, roses, rose pourpré ou blanches, en hiver et au printemps. Feuilles ovales. Groupe 4. N'aime pas un ensoleillement intense et prolongé.

P. 'Margaret Martin', ill. p. 231. Section Auriculae. H. 20 cm, E. 15 cm. Rustique. Porte du milieu à la fin du printemps des fleurs aplaties, noir bordé de gris, à œil blanc. Feuilles gris-vert, spatulées, couvertes d'une pruine farineuse. Groupe 2.

P. marginata, ill. p. 231. Section Auriculae. H. 30 cm, E. 20 cm. Rustique. Au printemps, bouquets de fleurs en entonnoir, bleu lilas, au-dessus de feuilles ovales, dentées, vert moyen, à bord farineux. Groupe 5. **'Prichard's Variety'** (ill. p. 231) a des fleurs lilas-pourpre à œil blanc.

P. 'Mark', ill. p. 231. Section Auriculae. H. 25 cm, E. 15-25 cm. Rustique. Porte au printemps des fleurs aplaties, roses à cœur jaune clair. Feuilles ovales, vert très vif. Groupe 2.

P. melanops, ill. p. 230. H. 35 cm, E. 15 cm. Rustique. Porte en été des ombelles de fleurs pendantes, en entonnoir étroit, violet pourpré à œil noir, au-dessus de longues feuilles en lanière, vert moyen. Groupe 7 ou 1.

P. modesta. H. et E. 10 cm. Rustique. Au printemps, inflorescences denses de petites fleurs tubulaires rose pourpré, sur de courtes hampes. Feuilles d'ovales à arrondies, vert moyen, couvertes d'une pruine farineuse jaune. Groupe 8. var. *fauriei* (ill. p. 230), H. et E. 5 cm, a des fleurs pourpre rosé à œil jaune et des feuilles farineuses blanchâtres.

P. 'Moonstone', ill. p. 231. Section Auriculae. H. 25 cm, E. 15-20 cm.

Rustique. Fleurs rondes, doubles, jaune blanchâtre ou verdâtre, en grand nombre au printemps. Feuilles ovales, vert moyen. Groupe 2.

P. 'Mrs. J. H. Wilson', ill. p. 230. Belle plante (auricule). H. 15 cm, E. 20 cm. Rustique. Porte au printemps de petites ombelles de fleurs aplaties pourpres, à cœur blanc. Feuilles ovales, gris-vert. Groupe 2.

P. nutans, voir *P. flaccida.*

P. officinalis, voir *P. veris.*

P. 'Orb'. Section Auriculae. H. 20 cm, E. 15 cm. Rustique. Fleurs aplaties presque noires, bordées de vert foncé, à œil blanc, du milieu à la fin du printemps. Feuilles spatulées, vert foncé, non farineuses. Groupe 2.

P. série Pacific (*P. × hortensis*), ill. p. 283 ; naine, ill. p. 272. Groupe 2.

P. palinuri, ill. p. 231. H. 20 cm, E. 15 cm. Rustique. Bouquets composés de fleurs semi-pendantes, en entonnoir étroit, jaunes, sur des hampes épaisses, en début d'été. Feuilles d'arrondies à ovales, légèrement dentées, de texture grossière, poudreuses, vertes. Groupe 5.

P. petiolaris, ill. p. 230. H. 10 cm, E. 15 cm. Rustique. Fleurs solitaires rose pourpré, à pétales dentés, au printemps. Petites feuilles ovales, dentées, vert moyen. Groupe 8.

P. polyneura, ill. p. 230. Plante en touffe. H. 30 cm, E. 20 cm. Rustique. Inflorescences denses de fleurs rose pâle, rose intense ou rose pourpré, en fin de printemps ou début d'été. Feuilles d'arrondies à ovales, légèrement lobées, duveteuses, vertes. Groupe 7.

P. série Posy (*P. × hortensis*), ill. p. 265. Groupe 2.

P. × pubescens 'Janet', ill. p. 230. Feuillage persistant. H. et E. 15 cm. Rustique. Au printemps, bouquets de fleurs aplaties, rose pourpré, émergeant d'une rosette de feuilles d'ovales à arrondies, charnues, vertes. Groupe 2 ou 8. Multiplication par rejets après la floraison.

P. pulverulenta, ill. p. 230. Section Cankriaenae. H. 60 cm, E. 30 cm. Rustique. Porte en début d'été des fleurs tubulaires rouge foncé, sur des hampes couvertes de pruine farineuse blanchâtre. Feuilles larges-lancéolées, dentées, vert moyen, de texture grossière. Groupe 1 ou 7. **'Bartley'** (ill. p. 230) a des fleurs roses.

P. reidii. H. 10 cm, E. 15 cm. Rustique. Porte en début d'été des bouquets denses de fleurs en clochette, blanc pur, sur de fines hampes. Feuilles ovales, velues, vert pâle. Groupe 8. var. *williamsii* (ill. p. 231) est plus robuste, à fleurs de bleu pâle à bleu pourpré.

P. rosea, ill. p. 230. H. 15 cm, E. 20 cm. Rustique. Porte en début de printemps de petits bouquets de fleurs aplaties, de rose à rouge, sur de courtes tiges, parmi les feuilles d'ovales à lancéolées, vert moyen, souvent teintées de bronze à l'état jeune. Groupe 1 ou 7.

P. rubra, voir *P. hirsuta.*

P × scapeosa, ill. p. 230. H. et

E. 15 cm. Rustique. Bouquets de fleurs aplaties orientées vers l'extérieur, rose mauve, au début du printemps, d'abord dissimulées par des feuilles dentées, larges-ovales, vert moyen, légèrement farineuses, puis la tige florale s'allonge au-dessus des feuilles. Groupe 8.

P. secundiflora, ill. p. 230. H. 30-45 cm. E. 30 cm. Rustique. Des bouquets de fleurs pendantes, en entonnoir, rouge pourpré, apparaissent en été au-dessus de feuilles dentées, lancéolées. Groupe 1 ou 7.

P. sieboldii, ill. p. 230. H. et E. 20 cm. Rustique. Ombelles de fleurs aplaties blanches, roses ou pourpres, qui s'ouvrent en début d'été au-dessus de feuilles ovales, dentées, duveteuses, vert pâle. Groupe 7. **'Dancing Ladies'** est un cultivar à caractères variables, obtenu par semis, à fleurs orientées vers le haut, à pétales profondément fendus. Les pétales sont blancs à revers teinté de rose pâle ou bleu ou bien rose à revers teinté de bleu ; feuilles légèrement dentées. **'Wine Lady'** (ill. p. 230) a des fleurs blanches, fortement teintées de rouge pourpré.

P. sikkimensis, ill. p. 231. H. 45 cm, E. 30 cm. Rustique. En été, bouquets pendants de fleurs en entonnoir jaunes. Feuilles dentées, d'arrondies à ovales, vert pâle. Groupe 1 ou 7.

P. sinensis (Primevère de Chine), ill. p. 230. Plante compacte. H. et E. 15-20 cm. Non rustique. Porte en hiver et au printemps des panicules parfois verticillées de fleurs aplaties, pourpres, rose pourpré, roses ou blanches, à œil jaune. Feuilles ovales, dentées, velues, vert moyen. Groupe 4.

P. sonchifolia, ill. p. 230. H. et E. 30 cm. Rustique. Porte au printemps des ombelles denses de fleurs bleu pourpré, à œil blanc et bord jaune. Feuilles d'ovales à lancéolées, dentées, vert moyen. Groupe 8.

P. série Super Giants (*P. × hortensis*). Plantes souvent cultivées en bisannuelles. H. et E. jusqu'à 30 cm. Rustiques. Portent au printemps de grandes fleurs aplaties, parfumées, dans de nombreuses teintes (bleu, ill. p. 276). Groupe 2.

P. 'Tawny Port'. H. 15 cm, E. 20 cm. Rustique. Porte au printemps des fleurs aplaties rouge lie-de-vin sur de courtes tiges. Feuilles dentées, d'arrondies à ovales, vert rougeâtre. Groupe 1 ou 3.

P. veris, syn. *P. officinalis* (Coucou), ill. p. 231. H. et E. 15 cm. Rustique. Au printemps, bouquets serrés de fleurs tubulaires jaunes, parfumées, sur des hampes robustes. Feuilles d'ovales à lancéolées, dentées, vert moyen. Groupe 1 ou 3.

P. verticillata, ill. p. 231. H. 25 cm (40 cm avec la hampe), E. 20 cm. Peu rustique. Fleurs jaunes en clochette, parfumées, disposées en verticilles, au printemps. Feuilles ovales, dentées, vert moyen. Groupe 4.

P. vialii, ill. p. 230. H. 50 cm,

E. 30 cm. Rustique. Grappes coniques denses de fleurs tubulaires rouge pourpre bleuté, en fin de printemps. Feuilles lancéolées, dentées, vertes. Groupe 3.

P. vulgaris (Primevère acaule), ill. p. 231. H. et E. 15 cm. Rustique. Au printemps, fleurs aplaties, jaune moyen, à œil foncé, solitaires, parmi des feuilles obovales, dentées, vert clair. Groupe 1 ou 3. **'Alba Plena'** a des fleurs doubles blanches. **'Gigha White'** (ill. p. 230) est très florifère, à fleurs blanches à œil jaune. subsp. *sibthorpii* (ill. p. 230) a des fleurs roses ou rose pourpré.

P. 'Wanda'. H. 15 cm, E. 20 cm. Rustique. Au printemps, fleurs solitaires aplaties, pourpre cramoisi, parmi des feuilles ovales, dentées, vert pourpré. Groupe 1 ou 3.

P. warshenewskiana, ill. p. 230. H. et E. 2,5 cm. Rustique. En début de printemps, minuscules fleurs aplaties, rose vif à œil blanc, juste au-dessus de feuilles ovales, dentées, vert pourpré. Groupe 1 ou 3.

PRINSEPIA (Rosacées)

Genre d'arbustes à feuillage caduc, en général épineux, fleurissant au printemps ou en début d'été, appréciés pour leur port, leurs fleurs et fruits. Rustiques. Aiment le plein soleil, une situation dégagée, un sol fertile. En climat un peu froid, se plaisent contre un mur donnant au sud ou à l'ouest. Multiplication par boutures semi-lignifiées en été, ou semis à l'automne.

P. uniflora, ill. p. 105.

PROSTANTHERA (Labiacées)

Genre d'arbustes et de sous-arbrisseaux à feuillage persistant, cultivés pour leurs fleurs et leur feuillage odorant. Peu rustiques (min. 5 °C). Se plaisent au soleil ou à mi-ombre, en sol fertile, bien drainé, de préférence acide (ou tout au moins peu alcalin). Arroser généreusement les sujets cultivés en pot durant leur période de croissance, modérément le reste de l'année. Les tiges peuvent être rabattues après la floraison. Multiplication par semis au printemps ou boutures herbacées.

P. ovalifolia, ill. p. 112.

P. rotundifolia, ill. p. 113.

PROTEA (Protéacées)

Genre de sous-arbrisseaux et d'arbustes à feuillage persistant, surtout cultivés pour leurs inflorescences compactes entourées de bractées colorées, groupées en involucres à plusieurs rangs. De culture délicate. Peu rustiques. Il leur faut une lumière vive, un sol bien drainé, neutre ou acide, un endroit bien aéré. Arroser modérément les sujets cultivés en pot, encore moins en hiver. Les plantes cultivées en serre ont besoin toute l'année d'une bonne ventilation. Tailler au début du printemps si nécessaire. Multiplication par semis au printemps ou par boutures semi-ligneuses en été.

P. cynaroides, ill. p. 129.
P. neriifolia, ill. p. 108.

Prumnopitys andinus, voir *Podocarpus andina.*

PRUNUS (Rosacées)

Genre d'arbres et d'arbustes à feuillage caduc ou persistant. Sont compris dans ce genre les Pruniers, Cerisiers, Abricotiers, Amandiers et Pêchers. Les Prunus ornementaux sont surtout cultivés pour leurs fleurs simples (à 5 pétales) ou doubles, leurs teintes d'automne, et souvent l'aspect de leurs fruits. Presque tous ont des feuilles ovales ou oblongues. Sauf mention contraire, les plantes décrites ici sont rustiques. Les espèces à feuillage persistant se plaisent au soleil comme à l'ombre ; celles à feuilles caduques préfèrent nettement le soleil. Presque toutes peuvent être cultivées en tout sol non détrempé. Multiplication des espèces types à feuilles caduques par semis (marcottage possible dans certains cas), des hybrides et cultivars à feuilles caduques par greffage en été. Multiplication des espèces à feuilles persistantes par boutures semi-ligneuses en été (également semis pour les espèces types). Le feuillage (caduc) est souvent attaqué par les pucerons, chenilles et la maladie du plomb. Les cerisiers, pêchers, abricotiers sont souvent sensibles à la gommose (exsudations gommeuses sur le tronc et les branches, dues à des causes parasitaires ou non).

P. '**Accolade**' (Cerisier 'Accolade'), ill. p. 61.
P. '**Amanogawa**' (Cerisier à fleurs japonais). Arbre érigé, à feuilles caduques. H. 7 m, E. 4 m. Porte à la fin du printemps des fleurs semi-doubles parfumées, rose pâle. Feuilles d'oblongues à ovales, pointues, vert foncé virant à l'automne au rouge et orangé.
P. amygdalus, voir *P. dulcis.*
P. avium (Merisier, Merisier des oiseaux), ill. p. 45. '**Plena**', ill. p. 49.
P. × *blireana.* Petit arbre à cime arrondie et feuillage caduc. H. et E. 4 m. Fleurs roses, doubles, à la mi-printemps ; feuilles ovales, pourpre cuivré.
P. campanulata. Arbre à feuillage caduc et port arrondi. H. et E. 8 m. Peu rustique. Porte au début du printemps des groupes denses de fleurs en coupe, rouge rosé, simultanément avec les feuilles ovales, effilées au bout, vertes. Petits fruits

arrondis, rougeâtres.
P. cerasifera (Prunier myrobolan). '**Nigra**', ill. p. 64. '**Pissardii**' est un arbre à port arrondi. H. et E. 10 m. Petites fleurs rose pâle, à 5 pétales, du début à la mi-printemps, souvent suivies de fruits rouges ressemblant à des prunes. Feuilles caduques ovales, d'abord rouge foncé, puis pourpres.
P. × *cistena,* ill. p. 122.
P. davidiana (Pêcher de David). Arbre à port étalé. À planter en site protégé. H. et E. 8 m. Fleurs très hâtives, en coupe, à 5 pétales, rose pâle, portées en fin d'hiver et début de printemps, avant les feuilles, sensibles aux gelées. Feuilles étroitement ovales, vert vif. Petits fruits ronds jaunâtres.
P. dulcis, syn. *P. amygdalus* (**Amandier**). '**Roseoplena**' est un arbre à port étalé et feuillage caduc. H. et E. 8 m. Porte en fin d'hiver et début de printemps des fleurs doubles roses, avant que ne se développent les feuilles oblongues, pointues, dentées, vert foncé.
P. glandulosa. '**Alba Plena**', ill. p. 121. '**Rosea Plena**' (syn. *P. g.* '**Sinensis**') est un arbuste érigé. H. et E. 1,5 m. Porte en fin de printemps des fleurs doubles d'environ 1 cm de diamètre, rose vif. Feuilles caduques ovales, vert moyen. Fleurit mieux contre un mur orienté au sud ou à l'ouest.
P. '**Hally Jolivette**' (Cerisier à fleurs japonais). Arbre compact, arrondi. H. et E. 5 m. Nombreuses fleurs doubles blanches, s'ouvrant en début de printemps à partir de boutons rosés. Feuilles caduques ovales, vert foncé.
P. × *hillieri* '**Spire**', voir *P.* '**Spire**'.
P. incisa (Cerisier à fleurs japonais), ill. p. 59. '**February Pink**' est un arbre à port étalé. H. et E. 8 m. Feuilles caduques ovales, dentées, vert foncé, rougeâtres à l'état jeune et rouge orangé à l'automne. Porte en février, et parfois avant, des fleurs rose pâle à 5 pétales. Petits fruits arrondis rougeâtre foncé.
P. '**Kanzan**' (Cerisier à fleurs japonais), ill. p. 50.
P. '**Kiku-shidare**' (Cerisier à fleurs japonais), ill. p. 61.
P. '**Kursar**' (Cerisier à fleurs japonais). Arbre à port étalé. H. et E. 8 m. Porte au début du printemps une profusion de petites fleurs rose foncé à 5 pétales. Feuilles caduques vert foncé, virant à l'automne à l'orange brillant.
P. laurocerasus (Laurier-cerise). Arbuste dense buissonnant, à feuillage persistant, s'étalant progressivement. H. 6 m, E. 10 m. Rustique. Grappes de petites fleurs simples, blanches, du milieu à la fin du printemps. Grandes feuilles oblongues, lustrées, vert foncé. Fruits rouges, puis noirs, non comestibles. '**Otto Luyken**', ill. p. 122. '**Schipkaensis**', H. 2 m, E. 3 m, a un port élégant, étalé, des feuilles étroites et des fleurs abondantes. '**Zabeliana**', ill. p. 122.
P. lusitanica (Laurier du Portugal). Arbuste dense, buissonnant, ou plus rarement arbre à port étalé. H. et E. 6 m. Les tiges pourpre rougeâtre portent des feuilles persistantes ovales, vert foncé

lustré. En début d'été, grappes étroites de petites fleurs parfumées, à 5 pétales, blanches, suivies de fruits ovoïdes, charnus, pourpre foncé. subsp. *azorica,* ill. p. 94. '**Variegata**', ill. p. 94.
P. maackii (Cerisier maackii), ill. p. 57.
P. mahaleb (Cerisier de Sainte-Lucie), ill. p. 49.
P. mume (Abricot japonais, Abricotier du Japon). '**Benishidare**' (syn. *P. m.* '**Benishidon**'), ill. p. 98. '**Omoi-no-mama**', ill. p. 97. '**Pendula**' est un arbre pleureur. H. et E. 6 m. Fleurs roses, parfumées, à 5 pétales, en fin d'hiver ou début de printemps, avant les feuilles larges, ovales, vert clair, parfois suivies de fruits jaunes, comestibles, ressemblant aux abricots mais sans intérêt gustatif.
P. '**Okame**' (Cerisier à fleurs japonais). Arbre buissonnant. H. 10 m, E. 8 m. Porte au début du printemps une profusion de fleurs rose carminé, à 5 pétales. Feuilles caduques ovales, dentées, vert foncé, virant au rouge orangé à l'automne.
P. padus (Cerisier à grappes), ill. p. 49. var. *commutata* est un arbre à port étalé, conique à l'état jeune. H. 15 m, E. 10 m. En mai, grappes inclinées de fleurs parfumées à 5 pétales, blanches, suivies de petits fruits noirs. Feuilles caduques ovales, vertes, souvent dès la fin de l'hiver, virant au jaune à l'automne. '**Plena**' a des fleurs doubles, qui durent longtemps, mais pas de fruits. '**Watereri**' a de longues grappes (jusqu'à 20 cm) du milieu à la fin du printemps.
P. '**Pandora**' (Cerisier à fleurs japonais), ill. p. 60.
P. pensylvanica. Arbre à port étalé. H. 15 m, E. 10 m. Écorce s'exfoliant. Feuilles caduques ovales, effilées au bout, vert vif. Porte du milieu à la fin du printemps des bouquets de petites fleurs blanches à 5 pétales, suivies de petits fruits rouges.
P. persica (Pêcher). '**Klara Meyer**' est un arbre à port étalé. H. 5 m, E. 6 m. Porte à la mi-printemps des fleurs doubles, rose vif. Feuilles caduques lancéolées, vert clair. Sensible à la cloque du pêcher. '**Prince Charming**', ill. p. 61.
P. '**Pink Perfection**' (Cerisier à fleurs japonais), ill. p. 60.
P. '**Pink Star**', voir *P. subhirtella* '**Stellata**'.
P. sargentii (Cerisier sargentii), ill. p. 60.
P. serotina (Cerisier noir), ill. p. 39.
P. serrula. Arbre à cime arrondie. H. et E. 10 m. Écorce luisante, brun acajou, qui s'exfolie par bandes. Porte en avril de petites fleurs blanches à 5 pétales parmi des feuilles caduques ovales, acuminées, dentées, vertes, qui virent au jaune à l'automne. Petits fruits ronds, rouge-brun.
P. serrulata (Cerisier à fleurs japonais). Cet arbre, H. 20-25 m, E. 15 m, à feuilles caduques, porte en avril une profusion de fleurs blanches ou roses, de 3-4 cm de large. Petits fruits noirs. var. *spontanea,* ill. p. 49. De l'espèce ou

de ses variétés sont issus de nombreux cultivars ou clones, entre autres : '**Hokusai**', ill. p. 60. '**Mount Fuji**' (syn. *P. s.* '**Shirotae**'), ill. p. 59. '**Shimidsu**' (syn. *P.s.* '**Shogetsu**'), ill. p. 59. '**Shirofugen**', ill. p. 60. '**Tai Haku**', ill. p. 59. '**Ukon**', ill. p. 59.
P. spinosa (Épine noire, Prunellier). '**Purpurea**' (Prunellier pourpre), ill. p. 89.
P. '**Spire**', syn. *P.* × *hillieri* '**Spire**', ill. p. 60.
P. subhirtella (Cerisier à fleurs japonais). Arbre à port étalé. H. et E. 8 m. Porte du début au milieu du printemps une profusion de petites fleurs rose pâle à 5 pétales, avant les feuilles ovales, effilées au bout, vert foncé, virant au jaune à l'automne. Petits fruits arrondis noirs. '**Autumnalis**' donne des fleurs blanches semi-doubles, roses en bouton, pendant les périodes douces de l'hiver. '**Pendula Rubra**', ill. p.61. '**Stellata**' (syn. *P.* '**Pink Star**'), ill. p. 60.
P. tenella (Amandier nain de Russie), ill. p. 123. '**Fire Hill**' est un arbuste buissonnant à branches dressées. H. et E. 2 m. Feuilles caduques étroites, ovales, vert brillant, mettant bien en valeur, vers la fin du printemps, les petites fleurs d'amandier, simples, rose très foncé, suivies de petites amandes.
P. tomentosa. Arbuste dense, buissonnant. H. 3 m, E. 2 m. Porte de petites fleurs rose pâle à 5 pétales, au début du printemps, avant qu'apparaissent les feuilles ovales vertes, à dessous tomenteux. Fruits sphériques, rouge vif. Apprécie les étés chauds.
P. '**Trailblazer**'. Arbre à port étalé. H. et E. 5 m. Porte du début au milieu du printemps des fleurs blanches à 5 pétales, parfois suivies de fruits rouges ressemblant à des prunes. Jeunes feuilles ovales, vert clair, virant au rouge pourpré foncé à maturité.
P. triloba. '**Multiplex**' est un arbre ou arbuste buissonnant. H. et E. 4 m. Fleurs doubles, roses, à la mi-printemps. Feuilles ovales vert foncé, souvent trilobées, virant au jaune à l'automne. Se plaît contre un mur ensoleillé. Rabattre les jeunes pousses à quelques yeux du vieux bois après la floraison.
P. virginiana. '**Schubert**' est un arbre conique. H. 10 m, E. 8 m. Porte à la mi-printemps des grappes denses de petites fleurs blanches, suivies de fruits globuleux pourpre foncé. Jeunes feuilles ovales, vert pâle, virant en été au rouge pourpré foncé.
P. '**Yae-murasaki**' (Cerisier à fleurs japonais), ill. p. 61.
P. × *yedoensis* (Cerisier à fleurs japonais), ill. p. 60.

PSEUDOCYDONIA (Rosacées)

Genre comptant une espèce d'arbre à feuillage caduc ou semi-persistant, à floraison printanière, cultivé pour son écorce, ses fleurs et ses fruits. Assez rustique, mais en région froide, à planter à l'abri

d'un mur donnant au sud ou à l'ouest. Demande le plein soleil, et si possible des étés chauds, un sol bien drainé. Multiplication par semis à l'automne.
P. sinensis, syn. *Cydonia sinensis.* Arbre à port étalé, H. et E. 6 m. Écorce décorative craquelée. Fleurs roses en coupe, vers la fin du printemps, suivies quand l'été est chaud de grands fruits ovoïdes, jaunes. Feuilles ovales, finement dentées, vert foncé.

PSEUDOLARIX (Pinacées), voir **CONIFÈRES.**

P. amabilis, syn. *P. kaempferi, Larix kaempferi* (**Mélèze du Japon**), ill. p. 79.
P. kaempferi, syn. *Larix kaempferi,* voir *P. amabilis.*

PSEUDOPANAX, syn. **NEOPANAX, NOTHOPANAX** (Araliacées)

Genre d'arbres et d'arbustes à feuillage persistant, cultivés pour leur feuillage et leurs fruits. Peuvent être cultivés en bac. Floraison insignifiante en été. Peu rustiques. À cultiver au soleil ou à mi-ombre, en sol fertile, bien drainé. Multiplication par boutures semi-ligneuses en été, ou semis à l'automne ou au printemps.
P. arboreus. Petit arbre à couronne arrondie et branches robustes. H. 6 m, E. 4 m. Grandes feuilles vert foncé brillant, divisées en 5 ou 7 folioles oblongues. Petites fleurs vertes, à odeur de miel, en été, suivies de fruits ronds, noir pourpré.
P. ferox, ill. p. 65.
P. laetus. Arbre ou arbuste à couronne arrondie et branches robustes. H. et E. 3 m. Grandes feuilles coriaces, à long pétiole, à 3 lobes, vert foncé. Minuscules fleurs vert pourpré en été; à l'automne, fruits arrondis, noir pourpré.

PSEUDOSASA (Graminées, Bambusées), voir **BAMBOUS, HERBES, JONCS** et **LAÎCHES.**

P. japonica, syn. *Arundinaria japonica,* ill. p. 182.

PSEUDOTSUGA (Pinacées), voir **CONIFÈRES.**

P. douglasii, voir *P. menziesii.*
P. menziesii, syn. *P. douglasii, P. taxifolia* (**Douglas vert, Sapin de l'Orégon, Sapin de Douglas**). Conifère conique à croissance rapide. H. 60 m (en Europe), E. 12 m. Rustique. Écorce épaisse, liégeuse, fissurée, gris-brun. Feuilles en aiguille, légèrement

aplaties, aromatiques, vert foncé à bandes blanches en dessous. Cônes elliptiques, de 8-10 cm de long, bruns, à bractées dépassant les écailles. Apprécie peu les sols calcaires. 'Fretsii' (ill. p. 82), H. 6 m ou plus, E. 3-4 m, à croissance lente, a des feuilles courtes, larges, vert foncé. var. *glauca* (Douglas bleu), ill. p. 74. 'Oudemansii' (ill. p. 83), pyramidal, à croissance lente, a des branches horizontales, des feuilles courtes, vert foncé.
P. taxifolia, voir *P. menziesii.*

PSEUDOWINTERA (Winteracées)

Genre d'arbres et d'arbustes à feuillage persistant décoratif. De rustiques à semi-rustiques. Aiment l'ombre légère ou la mi-ombre, un sol riche en humus, bien drainé mais retenant bien l'humidité, de préférence neutre ou acide. Supportent la taille si nécessaire. Multiplication par boutures semi-ligneuses en été ou semis à l'automne ou au printemps.
P. axillaris, syn. *Drimys axillaris.* Arbre ou arbuste à port arrondi. H. et E. 3-8 m. Semi-rustique. Feuilles ovales, vert moyen, lustrées, gris bleuté en dessous. Au printemps et en été, bouquets axillaires de petites fleurs étoilées jaune verdâtre, suivies de petits fruits globuleux rouge vif.
P. colorata, syn. *Drimys colorata.* Arbuste buissonnant, étalé. H. 3 m, E. 1,5 m. Semi-rustique. Feuilles ovales vert jaune pâle, tachées et bordées de rouge pourpré; face inférieure glauque. Petites fleurs jaune verdâtre à la mi-printemps. À abriter sauf dans les régions à climat très doux. Aime les terrains boisés.

PSYLLIOSTACHYS (Plumbaginacées)

Genre de plantes annuelles ou vivaces et de sous-arbrisseaux à feuillage persistant, cultivés pour la fleur coupée ou séchée. Conviennent bien aux régions côtières. De rustiques à semi-rustiques. À cultiver au soleil, en sol fertile, bien drainé. Rabattre les tiges des espèces vivaces à l'automne. Multiplication par semis sous verre au début du printemps; vivaces et sous-arbrisseaux peuvent également être multipliés par boutures herbacées au printemps. *Botrytis* et oïdium sont des maladies fréquentes.
P. suworowii, syn. *Statice suworowii,* voir *Limonium suworowii.*

PTELEA (Rutacées)

Genre d'arbres et d'arbustes à

feuillage caduc, cultivés pour leur feuillage et leurs fruits. Rustiques. Se plaisent au soleil, en sol fertile. Multiplication des espèces par boutures herbacées en été ou semis à l'automne, des formes horticoles par boutures herbacées en été, greffage ou marcottage.
P. trifoliata (Orme de Samarie). Arbre ou arbuste buissonnant, à port étalé. H. et E. 7 m. Feuilles aromatiques vert foncé, composées de 3 folioles étroites, ovales. Corymbes de petites fleurs étoilées, vertes, début été, suivies de fruits ailés verts. 'Aurea', ill. p. 113.

PTERIS (Polypodiacées)

Genre de fougères à feuillage caduc, semi-persistant ou persistant. Non rustiques (min. 10 ºC). Se plaisent à la lumière vive comme à l'ombre, en sol frais, tourbeux. Éliminer régulièrement les frondes fanées. Multiplication par division au printemps ou spores en été.
P. cretica, ill. p. 185. 'Albo-lineata' est une fougère à feuillage persistant ou semi-persistant. H. 45 cm, E. 30 cm. Les tiges filiformes portent des feuilles de triangulaires à largement ovales, divisées, vert pâle, à rayure centrale blanc crème, à folioles digitées. 'Mayi', panachée, H. 30 cm, a des frondes à crête frangée au bout.
P. ensiformis. Fougère à feuillage caduc ou semi-persistant. H. 30 cm, E. 25 cm. Frondes vert foncé, souvent blanc-gris au niveau des nervures centrales, grossièrement divisées en folioles digitées. 'Arguta', H. 45 cm, a des frondes d'un vert plus sombre, avec une marque centrale blanc argenté.

PTEROCARYA (Juglandacées)

Genre d'arbres cultivés pour leur feuillage, caduc, et leurs inflorescences monoïques en chatons. Rustiques. À planter au soleil, en tout sol profond, fertile, frais mais bien drainé. Multiplication en été par boutures ou par rejets ou semis à l'automne.
P. fraxinifolia. Arbre à port étalé. H. 25 m, E. 20 m. Grandes feuilles ressemblant à celles du frêne, vert foncé lustré, virant au jaune à l'automne. Longs chatons verts en été, les femelles donnant ensuite des fruits ailés, verts puis bruns.
P. × rehderiana, ill. p. 44.
P. stenoptera. Arbre vigoureux à port étalé. H. 20 m, E. 15 m. Feuilles ressemblant à celles du frêne, vert vif, à pétiole ailé, qui virent au jaune à l'automne. Porte en été de longs chatons verts, suivis chez les sujets femelles de fruits ailés verts.

PTEROCELTIS (Ulmacées)

Genre comptant une espèce d'arbre à floraison insignifiante en été, cultivé pour son feuillage, caduc, et ses fruits. Rustique. Exige le plein soleil et apprécie les étés chauds. Sol bien drainé. Multiplication par semis à l'automne.
P. tatarinowii. Arbre à port étalé. H. 7 m, E. 5 m. Écorce grise, s'exfoliant; feuilles ovales, vert foncé. À l'automne, petits fruits sphériques verts, ailés.

PTEROCEPHALUS (Dipsacacées)

Genre de plantes annuelles et vivaces à feuillage caduc, à floraison estivale, cultivées pour leurs fleurs proches des scabieuses et leurs fruits plumeux. Bonnes plantes de rocaille. Rustiques. Se plaisent au soleil, en sol bien drainé. Multiplication par boutures herbacées ou semi-ligneuses en été, ou semis à l'automne. Se ressèment peu, spontanément.
P. perennis subsp. **perennis,** syn. *P. p.* var. *parnassi,* ill. p. 320.

PTEROSTYRAX (Styracacées)

Genre d'arbres et d'arbustes cultivés pour leur feuillage, caduc, et leurs grandes panicules de fleurs souvent parfumées, à 5 pétales. Rustiques. À planter au soleil ou à mi-ombre, en sol profond, bien drainé, neutre ou acide. Multiplication par boutures de racines ou par semis à l'automne.
P. hispida. Arbre ou arbuste étalé. H. 12 m, E. 8 m. Petites fleurs blanches, du début à la mi-été. Feuilles vert moyen, d'oblongues à ovales.

PTILOTRICHUM (Crucifères)

Genre de plantes vivaces et de petits arbustes à floraison estivale, à feuillage persistant ou semi-persistant. Conviennent pour rocaille, talus et murets. Rustiques. Se plaisent au soleil en sol sableux, bien drainé. Rabattre légèrement après la floraison pour que la plante garde un port compact. Multiplication par boutures herbacées en début d'été ou semis à l'automne.
P. spinosum. Petit arbuste compact, arrondi, à feuillage semi-persistant. H. 20 cm et plus, E. 30 cm. Branches entremêlées, épineuses, et feuilles argentées, d'étroitement ovales à linéaires. Inflorescences sphériques de petites fleurs à 4 pétales, blanches

ou rose pourpré, en début d'été.

PULMONARIA (Boraginacées)
Pulmonaire

Genre de plantes vivaces à floraison en général printanière, certains à feuillage semi-persistant. Rustiques. Se plaisent à l'ombre, en tout sol frais mais bien drainé. Multiplication par division au printemps ou à l'automne, ou par semis.
P. angustifolia. Plante en touffe. H. 25 cm, E. 20-25 cm. Feuilles vert moyen, lancéolées. Porte en début de printemps des grappes de fleurs tubulaires à 5 lobes étalés, bleu azur, parfois violacé. **'Mawson's Variety'**, ill. p. 228.
P. longifolia. Plante en touffe. H. 30 cm, E. 45 cm. Feuilles vert foncé, très étroites, lancéolées, tachetées de blanc. Inflorescences de fleurs tubulaires à 5 lobes étalés, bleu vif, en fin de printemps.
P. rubra. Plante en touffe, à feuillage semi-persistant. H. 30 cm, E. 60 cm. Feuilles largement ovales, veloutées, vert clair. Des grappes de fleurs tubulaires rouge brique, à 5 lobes étalés, s'ouvrent au début du printemps.
P. saccharata, ill. p. 228.
P. 'Sissinghurst White', ill. p. 224.

PULSATILLA (Ranunculacées)

Genre de plantes vivaces proches des Anénomes, certaines à feuillage persistant, cultivées pour leurs feuilles très divisées, en lanière, leurs fleurs, en coupe ou en clochette, souvent couvertes de poils fins, et leurs fruits surmontés d'appendices plumeux. Souche épaisse. Les feuilles se développent après la floraison. Conviennent aux rocailles. Rustiques. À planter en plein soleil, en sol riche en humus, bien drainé, en situation assez chaude (sauf *P. vernalis*). Sauf *P. alpina* subsp. *sulphurea*, plantes calcicoles. Ne pas déplacer une fois bien implantées. Multiplication par semis.
P. alpina (Anénome des Alpes), ill. p. 286. subsp. **apiifolia** (syn. *P. a.* subsp. *sulphurea*) forme des touffes. H. 15-30 cm, E. jusqu'à 10 cm. Feuilles duveteuses vertes. Porte au printemps des fleurs dressées jaune pâle, en coupe, suivies de fruits argentés, plumeux.
P. halleri, ill. p. 288. subsp. *grandis* est une plante vivace en touffe. H. et E. 20 cm. Au printemps, souvent avant que ne sortent les feuilles duveteuses vert clair, grandes fleurs dressées en clochette de 5 cm de diamètre, à centre jaune vif.
P. vernalis (Pulsatille du printemps), ill. p. 303.
P. vulgaris, ill. p. 288.

PUNICA (Punicacées)

Genre d'arbres et d'arbustes à feuillage caduc, cultivés pour leurs grandes fleurs estivales rouge vif et leurs fruits jaunes ou orangés, qui ne mûrissent et ne deviennent comestibles que sous climat chaud. Peu rustiques. Demandent une situation abritée, ensoleillée, un sol sec (même pauvre), bien drainé. Multiplication par semis au printemps ou boutures semi-ligneuses en été.
P. granatum (Grenadier commun). Arbuste arrondi. H. et E. 4 m. Peu rustique. Feuilles étroites, oblongues. En été, fleurs rouge vif, en entonnoir, à pétales froissés. Fruits sphériques jaune rougeâtre. À cultiver en région à climat doux contre un mur donnant au sud ou à l'est. var. *nana,* ill. p. 295.

PUSCHKINIA (Liliacées)

Genre de plantes bulbeuses naines ressemblant aux scilles, cultivées pour leur floraison printanière précoce. Rustiques. À cultiver au soleil ou à mi-ombre, en sol humifère et enrichi en sable pour assurer un bon drainage. À planter à l'automne. Multiplication par bulbilles en fin d'été ou par semis à l'automne.
P. libanotica, voir *P. scilloides.*
P. scilloides, syn. *P. libanotica,* ill. p. 361. **'Alba'**, ill. p. 356.

PUYA (Broméliacées)

Genre de plantes vivaces et d'arbustes à feuilles persistantes, étroites, oblongues, en touffe ou groupées au sommet de la tige, cultivés pour leur aspect général. De semi-rustiques à non rustiques (min. 7 °C). Apprécient une lumière vive, un sol bien drainé. Arroser modérément en saison de croissance, très peu le reste de l'année. Multiplication par semis ou rejets au printemps.
P. alpestris, ill. p. 222. Plante vivace à tiges robustes, prostrées, ramifiées. H. jusqu'à 2 m, E. 3 m. Semi-rustique. Chaque tige est couronnée d'une rosette dense de feuilles linéaires arquées, vert vif, charnues, à bord garni de dents acérées, à écailles blanches en dessous. En début d'été, panicules dressées de fleurs tubulaires bleu métallique.
P. chilensis, ill. p. 222. Plante vivace érigée à court tronc lignifié. H. et E. jusqu'à 2 m. Semi-rustique. La tige est couronnée d'une rosette dense de feuilles linéaires arquées, effilées, gris-vert, charnues, à bord hérissé

de dents épineuses recourbées. En été apparaissent des fleurs tubulaires jaune métallique ou jaune verdâtre en panicules dressées, denses.

PYCNOSTACHYS (Labiacées)

Genre de plantes vivaces buissonnantes, cultivées pour leurs bouquets verticillés de fleurs. Non rustiques (min. 15 °C). À cultiver en pleine lumière, dans un mélange terreux fertile, bien drainé. Multiplication en début d'été par boutures de tiges.
P. dawei, ill. p. 195.
P. urticifolia. Plante dressée, vigoureuse, à tiges quadrangulaires. H. 1 m, E. 20-60 cm. Feuilles velues, ovales, dentées, vert moyen, de 10 cm de long. Verticilles de petites fleurs tubulaires bleu vif, groupés en grappes de 10 cm de long, en été.

PYRACANTHA (Rosacées)

Genre d'arbustes à feuillage persistant, épineux, à floraison estivale, appréciés pour leur feuillage (feuilles lancéolées), leurs fleurs et leurs fruits. En général rustiques. Demandent une situation abritée, du soleil ou la mi-ombre, en sol léger et frais. Multiplication par boutures semi-ligneuses en été. Sensibles au feu bactérien.
P. angustifolia. Arbuste dense, buissonnant. H. et E. 3 m. Assez rustique. Feuilles étroites, oblongues, vert foncé au-dessus, gris feutré en dessous. Porte en juin des bouquets de petites fleurs blanches à 5 pétales, suivies à l'automne de fruits sphériques jaune orangé.
P. atalantioides. Vigoureux arbuste en partie érigé, en partie arqué. H. 6 m, E. 4 m. Rustique. Feuilles oblongues, vert foncé brillant. Grands bouquets de petites fleurs blanches à 5 pétales, fin printemps, suivies de fruits rouge cramoisi, sphériques, en début d'automne. **'Aurea',** ill. p. 92.
P. coccinea (Buisson ardent). Arbre dense, buissonnant. H. et E. 5 m. Rustique. En mai-juin, bouquets denses de petites fleurs à 5 pétales, blanches ; feuilles vert vif, rouge foncé ; fruits globuleux rouge vif. **'Lalandei'** a des feuilles plus grandes, des fruits rouge orangé plus gros.
P. 'Golden Charmer' (Buisson ardent Golden Charmer), ill. p. 117.
P. 'Golden Dome' (Buisson ardent Golden Dome), ill. p. 117.
P. 'Mohave'. Vigoureux arbuste buissonnant. H. 4 m, E. 5 m. Rustique. Porte en début d'été des bouquets de petites fleurs blanches à 5 pétales puis des fruits rouge orangé, sphériques.

Feuilles largement ovales, vert foncé.
P. rogersiana. Arbuste aux tiges d'abord érigées puis arquées. H. et E. 3 m. Rustique. Feuilles étroites, oblongues, vert vif, brillant. Bouquets de petites fleurs blanches à 5 pétales en début d'été, suivies de fruits sphériques rouge orangé.
P. × waterei, ill. p. 104.

Pyrethrum 'Brenda', voir
Tanacetum coccineum 'Brenda'.
Pyrethrum roseum, voir
Tanacetum coccineum.

PYROLA ou PIROLA (Pirolacées)
Pyrole, Pirole

Genre de plantes vivaces à feuillage persistant en rosette basale, à floraison printanière et estivale. Rustiques. À planter à mi-ombre, en conditions fraîches, en sol tourbeux ou humifère bien drainé (plantes de sous-bois). Ne pas déplacer une fois implantées (culture difficile). Multiplication par semis à l'automne ou au printemps, ou division au printemps.
P. asarifolia. H. 15-25 cm, E. 15 cm et plus. Feuilles réniformes, coriaces, vert clair vif. Au printemps, grappes de fleurs de rose pâle à foncé.
P. rotundifolia. H. 25 cm, E. 30 cm. Feuilles rondes, coriaces, vert moyen, lustrées. En début d'été, grappes de fleurs blanches parfumées pendantes.

PYROSTEGIA (Bignoniacées)

Genre de plantes grimpantes s'accrochant par des vrilles, à tiges ligneuses et feuillage persistant, cultivées pour leurs fleurs décoratives (corolle tubulaire à lobes réfléchis). Non rustiques (min. 18 °C). À planter au soleil ou en lumière vive, en sol fertile, bien drainé. Arroser régulièrement, moins à température basse. À palisser sur un support. Pratiquer un éclaircissage des tiges après la floraison. Multiplication en été par boutures semi-ligneuses, ou par semis.
P. venusta, ill. p. 176.

PYRUS (Rosacées)
Poirier

Genre d'arbres à feuillage caduc, cultivés pour leur port, leur feuillage, leur floraison printanière en corymbes et leurs fruits la plupart du temps comestibles (poires). Rustiques. Se plaisent en plein soleil, en sol bien drainé. Multiplication des espèces types par semis à l'automne, des cultivars par greffage. De nombreuses espèces et cultivars sont sensibles au feu bactérien.

P. amygdaliformis. Arbre à port étalé. H. 10 m, E. 8 m. Feuilles lancéolées, grises d'abord, puis vertes. Bouquets de fleurs blanches à 5 pétales à la mi-printemps, suivies de petits fruits brun jaunâtre.

P. calleryana. Arbre à branches épineuses. H. et E. 10 m. Feuilles ovales, vert brillant, virant souvent au rouge à l'automne. Porte au début du printemps des fleurs blanches à 5 pétales. Petits fruits brunâtres. **'Bradford'**, E. 10 m, est une variété sans épines. **'Chanticleer'**, ill. p. 48.

P. communis (Poirier commun). **'Beech Hill'** est un arbre à port étroitement conique. H. 10 m, E. 7 m. Feuilles ovales, vert foncé brillant, virant souvent au rouge et à l'orangé en automne. Fleurs blanches à 5 pétales à la mi-printemps quand se développent les feuilles, suivies de petits fruits brunâtres.

P. elaeagrifolia. Arbre à branches érigées épineuses. H. et E. 8 m. Feuilles lancéolées, gris-vert, et bouquets lâches de fleurs blanches à 5 pétales à la mi-printemps. Petits fruits brunâtres.

P. salicifolia. Arbre à port en dôme, à branches souvent retombantes. H. 8 m, E. 4 m. Fleurs blanches à 5 pétales à la mi-printemps. Feuilles grises, lancéolées. Petits fruits brunâtres. **'Pendula' (Poirier pleureur à feuilles de saule)**, ill. p. 64.

Q

Quamoclit coccinea, voir *Ipomaea coccinea.*
Quamoclit lobata, voir *Mina lobata.*
Quamoclit pinnata, voir *Ipomaea quamoclit.*

QUERCUS (Fagacées)
Chêne

Genre d'arbres à feuilles caduques ou persistantes, cultivés pour leur aspect général, leur feuillage et, pour certaines espèces caduques, leurs belles couleurs automnales. Donnent fin printemps/début été des fleurs minuscules suivies par des fruits plus ou moins ovoïdes, les glands. Rustiques (pour la plupart) ou semi-rustiques. Préfèrent le soleil ou la mi-ombre et les sols profonds bien drainés. Sauf indications contraires, supportent le calcaire. Multiplication : semis en automne ou greffage pour les cultivars. Peuvent être atteints, mais en général peu gravement, par l'oïdium et diverses galles.
Q. agrifolia, ill. p. 58.
Q. alba (Chêne blanc d'Amérique), ill. p. 45.
Q. aliena. Espèce à feuilles caduques, à cime étalée. H. 15 m, E. 12 m. Rustique. Grandes feuilles oblongues, lustrées, vert foncé, grossièrement dentées.
Q. alnifolia. Espèce à feuilles persistantes, à cime étalée. H. 6 m, E. 5 m. Assez rustique. Feuilles largement ovales ou arrondies, coriaces, luisantes, vertes sur le dessus, jaune verdâtre sur le dessous.
Q. canariensis (Chêne Zeen), ill. p. 41.
Q. castaneifolia (Chêne à feuilles de châtaignier), ill. p. 43.
Q. cerris (Chêne chevelu, Chêne de Bourgogne). Espèce à croissance rapide, à feuilles caduques, à cime étalée. H. 30 m, E. 25 m. Rustique. Feuilles oblongues, vert foncé, profondément lobées ou dentées. Se plaît notamment dans les terrains calcaires, crayeux, et supporte les sols médiocres. 'Variegata', ill. p. 51.
Q. coccifera (Chêne kermès). Arbre ou arbrisseau à feuillage persistant, très dense. H. et E. 5 m. Rustique. Petites feuilles assez semblables à celles du houx, coriaces, luisantes, vert foncé, bordées de dents épineuses.
Q. coccinea (Chêne écarlate), ill. p. 44. 'Splendens' est une variété à feuilles caduques, à cime globuleuse. H. 20 m, E. 15 m. Rustique. Feuilles oblongues, luisantes, vert clair, à lobes profonds, devenant d'un beau rouge en automne. Préfère les sols acides.
Q. dentata. Arbre à feuilles caduques, à cime étalée, à rameaux épais. H. 15 m, E. 10 m. Rustique. Feuilles oblongues, lobées, vert foncé, de 30 cm de long (ou plus) et de 20 cm de large. Préfère les sols acides.
Q. ellipsoidalis, ill. p. 44.
Q. frainetto (Chêne de Hongrie), ill. p. 43.
Q. garryana, ill. p. 53.
Q. × *heterophylla,* ill. p. 55.
Q. × *hispanica* 'Lucombeana', ill. p. 47.

Q. ilex (Chêne vert, Yeuse). Arbre à feuilles persistantes, à cime globuleuse. H. 25 m, E. 20 m. Assez rustique. Feuilles entières, luisantes, vert foncé dessus et gris blanchâtre dessous. Se plaît dans les sols calcaires, peu profonds, s'adapte bien aux conditions climatiques des zones littorales.
Q. imbricaria. Arbre à feuilles caduques, à cime conique, puis étalée. H. 20 m, E. 15 m. Rustique. Feuilles longues et étroites, jaunâtres à leur apparition, puis vert foncé luisant en été et brun jaunâtre en automne.
Q. laurifolia, ill. p. 43.
Q. macranthera, ill. p. 40.
Q. macrocarpa (Chêne à gros fruits), ill. p. 53.
Q. macrolepis (Chêne Vélani), ill. p. 53.
Q. marilandica, ill. p. 53.
Q. mongolica (Chêne de Mongolie), var. *grosseserrata.* Arbre à feuilles caduques, à cime étalée. H. 20 m, E. 15 m. Rustique. Feuilles oblongues étroites, vert foncé, à lobes dentés.
Q. muehlenbergii, ill. p. 41.
Q. myrsinifolia, ill. p. 47.
Q. nigra, ill. p. 42.
Q. palustris (Chêne des marais), ill. p. 43.
Q. petraea (Chêne sessile, Chêne rouvre). Arbre à feuilles caduques, à cime étalée. H. 30 m, E. 25 m. Rustique. Feuilles oblongues, lobées, luisantes, vert foncé, à pétiole jaune. 'Columna', ill. p. 43.
Q. phellos (Chêne saule), ill. p. 45.
Q. pontica (Chêne d'Arménie, Chêne pontin). Arbre, ou parfois arbuste, à feuilles caduques, à rameaux dressés, épais, à cime plus ou moins ovale. H. 6 m, E. 5 m. Rustique. Grandes feuilles ovales, dentées, luisantes, vert vif devenant jaunes en automne. Arbre calcifuge.
Q. robur (Chêne pédonculé). Arbre à feuilles caduques, à cime étalée, irrégulière. H. et E. 25 m. Rustique. Feuilles allongées, lobées, vert foncé. Apprécie les sols frais. 'Concordia', H. 10 m, est une variété à croissance lente; les jeunes feuilles sont jaune doré, puis deviennent vert jaunâtre dans le courant de l'été; redoute le soleil brûlant. f. *fastigiata,* ill. p. 40.
Q. rubra (Chêne rouge), ill. p. 44. 'Aurea', ill. p. 53.
Q. suber (Chêne-liège), ill. p. 47.
Q. × *turneri,* ill. p. 47.
Q. velutina (Chêne noir, Chêne des teinturiers, Quercitron). Arbre à feuilles caduques, à croissance rapide, à cime étalée. H. 30 m, E. 25 m. Rustique. Grandes feuilles ovales, lobées, luisantes, vert foncé, devenant brun rougeâtre en automne.

QUISQUALIS (Combrétacées)

Genre d'arbustes grimpants, volubiles, à feuilles persistantes ou caduques, cultivés pour leurs fleurs. Non rustiques (min. 10-18 °C). Ont besoin d'un sol humifère, humide mais bien drainé, exposé à la lumière. Multiplication : semis au printemps ou boutures de bois semi-lignifié en été.
Q. indica, ill. p. 169.

R

RAMONDA (Gesnériacées)

Genre de plantes vivaces cultivées pour leurs feuilles persistantes, de forme arrondie, gaufrées, velues en dessous et associées en rosettes, ainsi que pour leurs fleurs. À utiliser dans les jardins de rocaille. Rustiques. Préfèrent l'ombre et un sol humide. Il faut bien les arroser, lorsque, en période de sécheresse, elles commencent à se rabougrir. Multiplication par division, ou par semis.

R. myconi, syn. *R. pyrenaica,* ill. p. 322.
R. nathaliae. Plante formant une rosette basale de petites feuilles vert pâle. H. et E. 10 cm. Fin printemps et début été, inflorescences de petites fleurs aplaties, orientées vers le haut, lavande ou blanches, à anthères jaunes.
R. pyrenaica, voir *R. myconi.*

RANUNCULUS (Renonculacées)
Renoncule

Genre de plantes annuelles ou vivaces à feuillage persistant ou semi-persistant, appréciées pour leur floraison. Il existe des espèces pour le bord des eaux. Beaucoup d'espèces se développent à partir d'une souche racinaire fibreuse ou épaisse ou d'un groupe de tubercules. Certaines sont envahissantes. De rustiques à semi-rustiques. Multiplication par division de souche au printemps ou en automne, ou par semis. On trouve des renoncules pour toutes les situations : certaines aiment le soleil, d'autres l'ombre ; certaines apprécient la sécheresse, d'autres l'humidité.

R. aconitifolius (Bouton d'argent) et **'Flore Pleno',** ill. p. 195.
R. acris 'Flore Pleno' (Bouton d'or, Renoncule âcre 'Flore Pleno'), ill. p. 247.
R. alpestris (Renoncule des Alpes), ill. p. 303.
R. amplexicaulis. Plante vivace dressée. H. 25 cm, E. 10 cm. Rustique. Feuilles étroites et ovales, vert-gris bleuté. En mai-juin, bouquets de fleurs en forme de coupe peu profonde, blanches ou roses, à anthères jaunes. Apprécie un sol riche en humus, et même un sol calcaire.
R. asiaticus (Renoncule des jardins, Renoncule des fleuristes). Forme rouge ill. p. 352, forme jaune ill. p. 353. Aime un sol frais, humifère.
R. bullatus. Plante vivace en touffe, à racines épaisses, fasciculées. H. 8 cm, E. 10 cm. Semi-rustique. Donne en automne des fleurs

parfumées, en forme de coupe peu profonde, jaune vif, au-dessus des feuilles ovales vertes, à surface ridée et se terminant en une pointe finement dentée. À utiliser dans les jardins alpins ou dans les rocailles. Aime les sols secs et chauds.
R. calandrinioides, ill. p. 300.
R. crenatus. Plante vivace, formant une rosette de feuilles semi-persistantes, à racines épaisses et fibreuses. H. et E. 10 cm. Rustique. Feuilles arrondies, dentées. En été, sur de courtes tiges, 1 ou 2 fleurs en forme de coupe peu profonde, blanches. Donne rarement des graines en culture. Convient pour jardins alpins et rocailles.
R. ficaria, syn. *Ficaria ranunculoides* (Ficaire fausse-renoncule). '**Albus**', ill. p. 303. '**Aurantiacus**', ill. p. 313. '**Brazen Hussey**' est vivace, tubéreuse, tapissante. H. 5 cm, E. jusqu'à 20 cm. Rustique. Cultivée pour ses feuilles cordiformes, d'un bronze pourpré, apparaissant au printemps. À la même époque, fleurs en forme de coupe peu profonde, brillantes, jaune soufre, à revers bronzé. Plante, parfois envahissante, pour terrain frais. '**Flore Pleno**', ill. p. 312.
R. gouanii 'Plenus', voir *R. speciosus* 'Plenus'.
R. gramineus, ill. p. 299.
R. lingua (Grande Douve), ill. p. 377. '**Grandiflora**' est une plante vivace, poussant au bord de l'eau. H. 1 m, E. 30 cm. Rustique. Vigoureuses tiges vert rosâtre, portant des feuilles caduques, lancéolées, glauques. Vers la fin du printemps, bouquets de grandes fleurs presque aplaties, jaunes.
R. lyallii. Plante vivace, en touffe, dressée et vigoureuse. H. et E. 80 cm ou plus. Semi-rustique. Feuilles persistantes, de forme arrondie, coriaces, vert foncé, ayant 15 cm ou plus de large. En été, inflorescences de grandes fleurs en forme de coupe peu profonde, blanches. Plante pour climat chaud et sec. Convient bien aux jardins alpins, mais donne rarement des graines en culture.
R. speciosus 'Plenus', syn. *R. gouanii* 'Plenus', ill. p. 247.

RANZANIA (Podophyllacées)

Genre comptant une seule espèce de plante vivace, cultivée pour son aspect inhabituel (feuilles à 2 lobes au sommet des tiges), et pour ses fleurs. Elle est idéale pour les jardins boisés ; rustique. Aime l'ombre ou la mi-ombre et un sol humide, riche en humus. Multiplication par division au printemps ou par semis en automne.
R. japonica. Plante dressée.

H. 45 cm, E. 30 cm. Feuilles à 2 lobes, d'un vert frais. En début d'été, petites bouquets de fleurs inclinées, en forme de coupe peu profonde, mauve pâle.

RAOULIA (Composées)

Genre de plantes vivaces, tapissantes, cultivées pour leur feuillage persistant. Plusieurs espèces conviennent bien aux jardins alpins, d'autres sont plus adaptées aux rocailles. Semi-rustiques. Ont besoin d'une exposition ensoleillée et d'un sol siliceux, sain. Multiplication par semis ou par division au printemps.
R. australis (Carpette argentée), ill. p. 330.
R. haastii, ill. p. 331.
R. hookeri var. *albo-sericea,* ill. p. 329.

REBUTIA (Cactacées)

Genre de cactées dont la forme va de sphérique à columnaire, formant pour la plupart de petites colonies. La floraison a lieu le plus souvent 2 ou 3 ans après le semis : une profusion de fleurs s'épanouissent alors, à la base de la plante. Tiges vertes à nombreuses côtes mamelonnées, portant de fins aiguillons. Non rustiques (min. 5 °C). Demandent du soleil ou un léger ombrage et un sol bien drainé. Faciles à cultiver. Multiplication au printemps ou en été par semis.
R. aureiflora, ill. p. 400.
R. krainziana, ill. p. 394.
R. muscula, ill. p. 400.
R. spegazziniana, ill. p. 395.
R. violaciflora, ill. p. 392.

REHDERODENDRON (Styracacées)

Genre d'arbres à feuillage caduc, à floraison printanière, cultivés pour leurs fleurs et leurs fruits. Rustiques. Ont besoin d'une situation ensoleillée ou semi-ombragée, un peu abritée, et d'un sol fertile, acide, humide et bien drainé. Multiplication par boutures de rameaux semi-aoûtés en été ou par semis en automne.
R. macrocarpum. Arbre étalé. H. 10 m, E. 7 m. Les jeunes pousses sont rouges. Vers la fin du printemps, il porte des bouquets pendants de fleurs en coupe, blanches, teintées de rose, au parfum citronné. Feuilles oblongues, vert foncé, brillantes, à

pointe effilée, à pétiole rouge. En automne, fruits pendants cylindriques, rouges, brunissant par la suite.

REHMANNIA (Scrophulariacées)

Genre de plantes vivaces à floraison printanière ou estivale. De semi-rustiques à non rustiques (min. 5 °C). Ont besoin d'une situation chaude, sèche, ensoleillée et d'un sol léger. Multiplication par semis en hiver ou au printemps, ou par boutures de racines.
R. angulata. Plante dressée. H. 75 cm, E. 45 cm. Non rustique (min. 5 °C). Au printemps et en été, grappes de fleurs tubuleuses bilabiées, rouge pourpré. Feuilles oblongues, poilues, vert moyen, à folioles irrégulièrement dentées, associées par paire.
R. elata, ill. p. 204.

REINWARDTIA (Linacées)

Genre de sous-arbrisseaux ou d'arbustes à feuillage persistant, cultivés pour leurs fleurs. Non rustiques (min. 7-10 °C). Ont besoin d'un plein ensoleillement ou d'un ombrage léger, et d'un sol fertile, bien drainé. Arroser abondamment lorsque la plante est en pleine croissance, modérément le reste du temps. Rabattre sévèrement après la floraison ou cultiver les plantes comme des annuelles en les multipliant, au printemps, par boutures de rameaux hivernés. Attaques d'araignées rouges possibles.
R. indica, syn. *R. trigyna,* ill. p. 138.
R. trigyna, voir *R. indica.*

RESEDA (Résédacées)
Réséda

Genre de plantes annuelles ou bisannuelles. Leurs fleurs très odorantes attirent les abeilles ; elles peuvent être utilisées pour la confection de bouquets. Assez rustiques. À cultiver au soleil et en sol fertile, bien drainé et pas lourd. Multiplication par semis en place au printemps.
R. odorata (Mignonnette, Réséda odorant), ill. p. 263.

RHAMNUS (Rhamnacées)
Nerprun

Genre d'arbres et d'arbustes à

feuilles caduques ou persistantes, à fleurs très discrètes, cultivés pour leur feuillage et leurs fruits. Rustiques. Demandent une situation ensoleillée ou semi-ombragée et un sol sain, fertile. Multiplication des espèces à feuilles caduques par semis, en automne, des espèces à feuillage persistant par boutures de rameaux semi-aoûtés, en été ou par semis en automne.
R. alaternus (Alaterne). Arbuste à feuilles persistantes. **'Argenteovariegata'** est un arbuste touffu. H. et E. 3 m. Feuilles persistantes ovales, coriaces, luisantes, vert grisé, panachées de blanc crème. Du début au milieu de l'été, minuscules fleurs d'un vert jaunâtre, suivies de fruits sphériques rouges, noircissant par la suite.
R. imeretina. Arbuste étalé et aéré. H. 3 m, E. 5 m. Rameaux vigoureux portant de grandes feuilles caduques, larges et oblongues, à nervures saillantes, vert foncé devenant bronze pourpre en automne. En été, petites fleurs vertes. Multiplication également par marcottage.

RHAPHIOLEPIS (Rosacées)

Genre d'arbustes cultivés pour leur feuillage persistant et leurs fleurs. Semi-rustiques. Le plus souvent, ils réussissent le mieux à l'abri d'un mur. Ont besoin de soleil, de chaleur et d'un sol fertile, bien drainé. Multiplication par bouturage en été.
R. × delacouri 'Coates' Crimson'. Arbuste de forme assez arrondie. H. 2 m, E. 2,5 m. Au printemps ou en été, des panicules de fleurs parfumées, en forme d'étoile, rose foncé sont mises en valeur par des feuilles brillantes, ovales, coriaces, vert sombre.
R. indica. Arbuste touffu. H. 1,5 m, E. 2 m. Au printemps ou en début d'été, bouquets de fleurs parfumées, en forme d'étoile, blanches teintées de rose. Feuilles étroites, lancéolées, brillantes, vert sombre.
R. umbellata, ill. p. 128.

RHAPIS (Palmiers)

Genre de palmiers dioïques à feuilles persistantes en forme d'éventail, cultivés pour leur belle allure générale. En été, ils peuvent porter de minuscules fleurs jaunes. Non rustiques (min. 15 °C, rustiques dans le midi et l'ouest de la France). Ont besoin de soleil ou d'un ombrage léger et d'un sol riche en humus, bien drainé. Arroser les plantes en conteneur, abondamment pendant la période de pleine croissance, modérément le reste du temps. Multiplication au printemps, par semis, par drageonnage ou par division. Sensibles aux araignées rouges.
R. excelsa, ill. p. 120.

RHAZYA (Apocynacées)

Genre de plantes vivaces sous-ligneuses à floraison estivale. Rustiques. Ont besoin d'une situation ensoleillée et d'un sol bien drainé. Multiplication par division au printemps ou par semis en automne.
R. orientalis, ill. p. 243.

RHEUM (Polygonacées)

Genre de plantes vivaces, cultivées pour leur feuillage ainsi que pour leur aspect général. Il comprend la rhubarbe comestible et plusieurs espèces ornementales. Certaines sont extrêmement grandes et ont besoin de beaucoup d'espace pour se développer. Rustiques. Préfèrent une exposition ensoleillée ou semi-ombragée et un sol profond, riche, bien drainé. Multiplication par division au printemps ou par semis en automne.
R. alexandrae, ill. p. 213.
R. nobile. Plante en touffe. H. 1,5 m, E. 1m. Feuilles basales d'oblongues à ovales, coriaces, d'un vert moyen, d'environ 60 cm de long. Vers la fin de l'été, longues tiges portant des grappes coniques de petites fleurs recouvertes de grandes bractées crème pâle.
R. palmatum. Plante en touffe. H. et E. 2 m. Feuilles à 5 lobes vert moyen, de 60-75 cm de long. En début d'été, grappes de petites fleurs blanc crème.
'Atrosanguineum', ill. p. 189.

RHIPSALIDOPSIS (Cactacées)

Genre de cactées vivaces, à fleurs printanières en forme de trompette ou de cloche. Assez faciles à cultiver. Non rustiques (min. 16 °C, serre tempérée). Un ombrage partiel et un sol riche, bien drainé, sont recommandés. Bien arroser en été, en respectant des périodes presque sèches entre les arrosages. En hiver, arroser rarement. Multiplication par semis ou boutures de tiges au printemps ou en été.
R. gaertneri (Cactus de Pâques), ill. p. 395.
R. rosea, ill. p. 392.

RHIPSALIS (Cactacées)

Genre de cactées vivaces, épiphytes, présentant des tiges de forme variable, souvent retombantes. Les fleurs sont suivies de baies translucides, sphériques. Non rustiques (min. 16-17 °C, serre tempérée). Ont besoin d'une pleine lumière et d'un sol humifère, léger, bien drainé. En hiver, arroser très légèrement et rarement. Multiplication par semis

ou par boutures de tiges, au printemps ou en été.
R. cereuscula, ill. p. 382.
R. tucumanensis, ill. p. 382.
R. warmingiana, ill. p. 382.

Rhodanthe manglesii, voir **Helipterum manglesii.**

Rhodiola rosea, voir **Sedum roseum.**

Rhodocactus grandifolius, voir **Pereskia grandifolia.**

RHODOCHITON (Scrophulariacées)

Genre comptant une seule espèce de plante grimpante. Le pétiole des feuilles, persistantes, joue le rôle de vrille. Appréciée pour ses fleurs tubuleuses bilabiées. Elle réussit bien, cultivée en annuelle. Peut être plantée sur une clôture, un treillage ou utilisée comme couvre-sol. Non rustique (min. 5 °C). À planter au soleil (sur treillages, colonnes, etc.), dans un sol bien drainé. Multiplication par semis au début du printemps.
R. atrosanguineum, syn. **R. volubile, Maurandia atrosanguineum,** ill. p. 169.
R. volubile, voir **R. atrosanguineum.**

RHODODENDRON (Éricacées)
Rhododendron et Azalée

Genre d'arbustes à feuillage persistant, semi-persistant ou caduc, plantés notamment pour la beauté de leurs fleurs. Il en existe de toutes tailles, du nain prostré au géant (15 m de haut) ayant une forme d'arbre. De rustiques à non rustiques (min. 4-7 °C). La plupart des espèces préfèrent la mi-ombre : cependant beaucoup tolèrent un ensoleillement, mais pas de soleil brûlant. Les rhododendrons ont besoin d'un sol acide, frais ou humide, avec un bon drainage. Comme les plantes s'enracinent plutôt en superficie, on peut les planter peu profondément. Multiplication par marcottage, ou boutures de rameaux aoûtés, en fin d'été (pour certains rhododendrons seulement). On peut également multiplier les espèces types par semis, et les cultivars par greffage. Le jaunissement des feuilles est dû soit à un drainage insuffisant, soit à une plantation trop profonde ou encore à la présence de calcaire dans le sol ou dans l'eau. Charançons et oïdium posent également des problèmes.

Le genre *Rhododendron* est divisé en 2 groupes horticoles. Le groupe des rhododendrons comprend surtout de grands ou moyens arbustes à feuillage persistant ou caduc; celui des azalées regroupe des arbustes souvent de petite taille, à feuilles

caduques, ainsi que des espèces naines à petites feuilles persistantes. Cependant, d'un point de vue botanique, tous appartiennent au même genre *Rhododendron*. Beaucoup d'azalées non rustiques à feuilles persistantes peuvent être cultivées comme plante d'intérieur ou en serre. Toutes les espèces portent de grandes inflorescences de fleurs simples le plus souvent, mais également semi-doubles ou doubles. Il existe également des cas de fleurs, appelés «hose in hose» en anglais, désignant des fleurs dont la corolle et le calice, identiques quant à leur forme et leur couleur, font l'effet de 2 corolles emboîtées l'une dans l'autre. Sauf indication contraire, les plantes mentionnées ci-dessous portent des fleurs simples et des feuilles ovales, d'un vert moyen ou foncé. L'ancien critère pour distinguer azalées (5 étamines par fleur) et rhododendrons (10 étamines ou plus) est devenu très discutable : les hybrides entre eux ont entre 5 et 10 étamines.

R. aberconwayi. Rhododendron à feuillage persistant et à port érigé. H. jusqu'à 2,5 m, E. 1,2 m. Rustique. Petites feuilles larges, lancéolées, rigides, vert sombre. Fleurs blanches, presque aplaties, vers la fin du printemps.
R. albrechtii. Azalée touffue et dressée. H. jusqu'à 3 m, E. 2 m. Rustique. Feuilles caduques spatulées, à l'extrémité des rameaux. Au printemps, bouquets lâches de fleurs en clochette, pourpres ou roses, ponctuées de vert, associées par 3 ou 5.
R. 'Alison Johnstone'. Rhododendron touffu et compact. H. et E. 2 m. Rustique. Joli feuillage persistant, cireux, vert grisé. Au printemps, abondance de délicates fleurs rose pêche, campanulées.
R. 'Angelo'. Rhododendron touffu. H. et E. jusqu'à 4 m. Rustique. Vigoureuses feuilles persistantes. Au milieu de l'été, grandes fleurs blanches, parfumées, en cloche.
R. 'Anna Baldsiefen'. Azalée à port dressé. H. et E. jusqu'à 1 m. Rustique. Bouquets de fleurs printanières roses, en forme d'étoile. Le feuillage caduc prend une belle coloration automnale.
R. arboreum, ill. p. 101. Rhododendron ayant la forme d'un petit arbre. H. 6 m, E. 3 m. Peu rustique. Feuilles persistantes larges, lancéolées, à revers argenté, fauve ou cannelle. Au printemps, denses corymbes de fleurs campanulées, allant du rouge au blanc en passant par le rose.
R. argyrophyllum, ill. p. 100. Rhododendron étalé. H. et E. jusqu'à 5 m. Rustique. Feuilles persistantes oblongues, à revers blanc argenté. Au printemps, bouquets de fleurs campanulées, rose intense, avec parfois des points de couleur plus sombre. Idéal en sous-bois clair.
R. 'Ascot Brilliant'. Rhododendron touffu. H. et E. 3 m. Rustique. Feuilles persistantes larges, ovales. Au printemps, bouquets lâches de

fleurs en entonnoir, cireuses, rouge rosé, à bords plus sombres. Préfère un sous-bois clair.

R. augustinii, ill. p. 101. Rhododendron touffu. H. et E. 3 m. Rustique. Feuilles persistantes vertes, de lancéolées à oblongues. Au printemps, abondance de fleurs en entonnoir, d'un bleu allant de pâle à foncé ou lavande. Fait plus d'effet lorsqu'il est planté en groupe.

R. auriculatum, ill. p. 100. Rhododendron touffu, très ramifié. H. et E. jusqu'à 6 m. Rustique. Grandes feuilles persistantes oblongues, poilues. Vers la fin de l'été, bouquets lâches de 7-15 grandes fleurs blanches, fortement parfumées, tubulaires et plus ou moins en entonnoir. Préfère un sous-bois clair.

R. 'Azuma-kagami', ill. p. 100. Azalée compacte, à feuillage persistant. H. et E. 1,2 m. Rustique. Nombreuses fleurs à calice et corolle emboîtés, rose foncé, au milieu du printemps. Préfère la mi-ombre.

R. 'Beauty of Littleworth', ill. p. 100. Rhododendron arbustif, à port ouvert et aéré et à feuillage persistant. H. et E. 4 m. Rustique. Vers la fin du printemps, gros bouquets coniques de fleurs parfumées en forme d'entonnoir, blanches, ponctuées de cramoisi.

R. 'Blue Diamond'. Azalée dressée. H. et E. jusqu'à 1,5 m. Rustique. Belles petites feuilles persistantes, mettant en valeur, du milieu à la fin du printemps, les fleurs bleu assez vif, en forme d'entonnoir. Aime le plein soleil.

R. 'Blue Peter', ill. p. 101. Rhododendron touffu, à feuillage persistant. H. et E. jusqu'à 4 m. Rustique. En début d'été, vigoureuses fleurs en forme de trompette à bords plissés, bleu lavande et pourpre.

R. calendulaceum. Azalée touffue, à feuilles caduques. H. et E. 2-3 m. Rustique. En début d'été, bouquets de 5-7 fleurs en entonnoir, écarlates ou orange.

R. calophytum, ill. p. 100. Rhododendron très grand. H. et E. jusqu'à 15 m (seulement 10 m en France). Rustique. Au début du printemps, gros bouquets de fleurs campanulées, blanches ou rose pâle, ponctuées de rouge carminé. Grandes feuilles persistantes lancéolées. Aime une situation abritée.

R. calostrotum, ill. p. 101. Azalée compacte. H. jusqu'à 1 m. Rustique. Jolies feuilles persistantes, vert bleuté. Vers la fin du printemps, bouquets de 2-5 fleurs pourpres ou écarlates, en forme de coupe peu profonde.

R. cinnabarinum, ill. p. 101. Rhododendron dressé. H. et E. 1,5-4 m. Rustique. Feuilles semi-persistantes vert bleuté. Vers la fin du printemps, bouquets lâches de fleurs retombantes, tubulées, étroites, cireuses, d'orange à rouge.

R. 'Corneille', ill. p. 100. Azalée touffue. H. et E. 1,5-2,5 m. Rustique. En début d'été, fleurs de couleur crème, teintées de rose à l'extérieur. Son feuillage caduc

est attrayant en automne.

R. 'Curlew', ill. p. 102. Azalée à port compact. H. et E. 30 cm. Rustique. Feuilles persistantes vert terne. Vers la fin du printemps, fleurs relativement grandes, en forme d'entonnoir ouvert, jaunes.

R. 'Cynthia', ill. p. 101. Rhododendron vigoureux, à feuillage persistant. H. et E. jusqu'à 6 m. Rustique. Vers la fin du printemps, bouquets coniques de fleurs campanulées, pourpre magenta, marquées de rouge noirâtre à l'intérieur. Convient aussi bien aux situations lumineuses qu'ombragées.

R. dauricum. Azalée dressée. H. et E. jusqu'à 1,5 m. Rustique. En hiver, bouquets lâches de fleurs en entonnoir, pourpre vif. Feuilles semi-persistantes vertes devenant brun pourpré en conditions gélives.

R. davidsonianum, ill. p. 101. Rhododendron dressé. H. 1,5-4 m. Rustique. Feuilles caduques de lancéolées à oblongues. Vers la fin du printemps, bouquets de fleurs en forme d'entonnoir, de couleur allant du rose pâle au mauve lilacé moyen.

R. decorum. Rhododendron touffu. H. et E. 5 m. Rustique. Feuilles persistantes d'oblongues à lancéolées, vert foncé au-dessus, plus pâle en dessous. En mai, grandes fleurs parfumées, en entonnoir, blanches ou rose pâle, ponctuées de rose ou de vert à l'intérieur.

R. discolor. Grand rhododendron. H. et E. jusqu'à 8 m. Rustique. Feuilles persistantes d'oblongues à ovales. En juin, magnifiques fleurs parfumées en entonnoir, blanches. Idéal en sous-bois clair.

R. 'Elizabeth', ill. p. 101. Rhododendron formant un dôme. H. et E. jusqu'à 1,5 m. Rustique. Feuilles persistantes oblongues. Vers la fin du printemps, grandes fleurs en trompette, d'un rouge éclatant. Se plaît à la lumière vive ou à mi-ombre.

R. 'Elizabeth Lockhart'. Rhododendron nain. H. et E. 60 cm. Rustique. Feuilles persistantes luisantes, vert pourpré, s'assombrissant en hiver. Fleurs printanières rose foncé, campanulées.

R. 'Fabia', ill. p. 102. Rhododendron en dôme. H. et E. 2 m. Rustique. Feuilles persistantes lancéolées. En début d'été, bouquets lâches et aplatis de fleurs en entonnoir, écarlates teintées d'orange.

R. fictolacteum, ill. p. 100. Rhododendron arborescent. H. jusqu'à 13,5 m. Rustique. Grandes feuilles persistantes, vertes sur le dessus, feutrées de marron sur le revers. Au printemps, abondants bouquets de fleurs campanulées, blanches, marquées d'une tache marron pourpré, avec une gorge souvent tachetée.

R. 'Freya', ill. p. 102. Azalée compacte, à port arbustif et à feuillage caduc. H. et E. 1,5 m. Rustique. De la fin du printemps au début de l'été, fleurs parfumées, en entonnoir, orange saumoné teinté de rose.

R. 'Frome', ill. p. 102. Azalée à port arbustif et à feuillage caduc. H. et E. 1,2 m. Rustique. Fleurs printanières, en trompette, jaune safran, à gorge rouge, à pétales plissés, avec un bord ondulé.

R. fulvum, ill. p. 100. Rhododendron touffu. H. et E. 1,5-4 m. Rustique. Feuilles persistantes d'oblongues à ovales, cireuses, vert foncé sur le dessus, feutrées de marron sur le revers. Au début du printemps, abondants bouquets lâches de fleurs campanulées roses, à macule basale rouge foncé, devenant blanches en se fanant.

R. 'George Reynolds', ill. p. 102. Azalée touffue, à feuillage caduc. H. et E. jusqu'à 1,5 m. Rustique. La floraison a lieu au printemps, parfois avant l'apparition des feuilles : les boutons floraux, teintés de rose, donnent de grandes fleurs jaunes, en entonnoir.

R. 'Gloria Mundi', ill. p. 102. Azalée à feuillage caduc et à tiges minces. H. et E. jusqu'à 2 m. Rustique. En début d'été, fleurs parfumées, orangées à bords frangés.

R. 'Glory of Littleworth', ill. p. 102. Hybride touffu, à feuilles persistantes. H. et E. 1,5 m. Rustique. Abondants bouquets compacts de fleurs en cloche, parfumées, blanc crème marqué d'orange, fin printemps-début été. N'est pas facile à cultiver.

R. 'Hatsugiri', ill. p. 101. Azalée compacte, à feuillage persistant. H. et E. 60 cm. Rustique. Nombreuses petites fleurs printanières en forme d'entonnoir, pourpre carminé vif. Fleurit facilement.

R. 'Hawk Crest', ill. p. 102. Rhododendron à port ouvert et aéré. H. et E. 1,5-4 m. Rustique. Feuilles persistantes larges, lancéolées. Vers la fin du printemps, boutons floraux de couleur abricot, donnant des fleurs en cloche, jaune soufre clair, en inflorescences lâches à sommet aplati.

R. 'Hexe'. Azalée d'allure nette, à feuillage persistant. H. et E. 60 cm. Rustique. Fleurit abondamment au printemps. Ses fleurs à calice et corolle emboîtés sont relativement grandes et de couleur cramoisie.

R. 'Hinodegiri', ill. p. 101. Azalée compacte, à feuillage persistant. H. et E. 1,5 m. Rustique. Vers la fin du printemps, abondantes fleurs de petite taille, en entonnoir, cramoisi vif. Se plaît à la lumière ou sous un ombrage léger.

R. 'Hinomayo', ill. p. 101. Azalée compacte, à feuilles persistantes. H. et E. 1,5 m. Rustique. Au printemps, abondantes fleurs de petite taille, en entonnoir, rose clair. Se plaît en situation mi-ensoleillée ou sous un léger ombrage.

R. hippophaeoides, ill. p. 101. Rhododendron buissonnant. H. et E. 1,5 m. Rustique. Feuilles persistantes étroites, lancéolées, vert grisé en dessous. Petites fleurs printanières, en entonnoir, lavande ou lilas. Supporte les sols humides sans excès.

R. 'Homebush', ill. p. 101. Azalée

compacte, à feuilles caduques. H. et E. 1,5 m. Rustique. Vers la fin du printemps, inflorescences, arrondies et compactes, de fleurs en trompette, semi-doubles, rose pourpré, ombrées de rose plus pâle.

R. 'Iro-hayama', ill. p. 101. Azalée compacte, à feuillage persistant. H. et E. jusqu'à 1,5 m. Rustique. Au printemps, abondantes fleurs de petite taille, en entonnoir, blanches, à bords de couleur lavande pâle et œil marron.

R. 'John Cairns', ill. p. 101. Azalée compacte, dressée. H. et E. 1,5-2 m. Rustique. Au printemps, une masse de fleurs en entonnoir, rouge orangé, couvre le feuillage persistant. Se plaît à mi-ombre, ou en situation mi-ensoleillée.

R. kaempferi, ill. p. 101. Azalée érigée, à ramifications diffuses. H. et E. 2,5 m. Rustique. Feuilles semi-persistantes lancéolées. À la fin du printemps et en début d'été, abondantes fleurs en entonnoir, teintées de diverses nuances d'orange ou de rouge.

R. 'Kilimanjaro'. Rhododendron touffu. H. et E. 4 m. Rustique. Larges feuilles caduques lancéolées. Vers la fin du printemps et en début d'été, grands bouquets arrondis de fleurs en cloche ou en entonnoir, à pétales à bords ondulés, rouge marron pourpré, ponctuées de marron chocolat à l'intérieur.

R. 'Kirin', ill. p. 100. Azalée compacte, à feuillage persistant. H. et E. jusqu'à 1,5 m. Rustique. Au printemps, abondantes fleurs à calice et corolle emboîtés, rose foncé nuancé d'un rose argenté délicat. Préfère un léger ombrage.

R. 'Loderi'. Rhododendron à port ouvert et aéré, à feuilles persistantes. H. et E. 4 m. Rustique. Au printemps, gros bouquets de fleurs en trompette, très odorantes, rose tendre le plus souvent, ou parfois rose très pâle ou blanches.

R. lutescens, ill. p. 101. Rhododendron dressé. H. et E. 1,5-3 m. Rustique. Feuilles semi-persistantes d'ovales à lancéolées, rouge bronze à l'état jeune. Au début du printemps, fleurs en entonnoir, jaune soufre. C'est une espèce délicate et élégante qu'il convient de planter en sous-bois clair.

R. luteum (Azalée pontique), ill. p. 102. Azalée à port ouvert et aéré. H. et E. 1,5-2,5 m. Rustique. Feuilles caduques d'oblongues à lancéolées, brun rougeâtre en automne. Au printemps, fleurs jaunes en entonnoir, fortement parfumées.

R. macabeanum, ill. p. 102. Rhododendron ressemblant à un arbre. H. et E. jusqu'à 13,5 m. Rustique. Larges feuilles persistantes, ovales, vert foncé au-dessus, feutrées de gris en dessous. Au début du printemps, grands bouquets de fleurs campanulées jaunes, tachées de pourpre à l'intérieur.

R. 'May Day', ill. p. 101. Rhododendron étalé H. et E. jusqu'à 1,5 m. Rustique.

À la fin du printemps, inflorescences lâches de fleurs écarlates, en entonnoir, se maintenant longtemps; calice pétaloïde. Feuilles persistantes vert frais au-dessus, blanc feutré en dessous.

R. 'Medway', ill. p. 102. Azalée touffue, à port ouvert et aéré, à feuillage caduc. H. et E. 1-2,5 m. Rustique. Vers la fin du printemps, grandes fleurs en trompette, rose pâle, à bords plus sombres et à gorge inondée d'orange, avec des pétales à bord frangé.

R. metternichii. Rhododendron dressé. H. et E. 1,5-4 m. Rustique. Jolies feuilles persistantes oblongues, vert lustré au-dessus, feutrées de brun rougeâtre en dessous. Au printemps, bouquets arrondis de 10-15 fleurs campanulées rouges, souvent finement ponctuées à l'intérieur.

R. 'Moonshine Crescent', ill. p. 102. Rhododendron de forme arrondie. H. 2,5 m, E. 2 m. Rustique. Vers la fin du printemps, inflorescences compactes de fleurs campanulées jaunes. Feuilles persistantes d'oblongues à ovales, vert foncé.

R. moupinense. Rhododendron compact, arrondi. H. et E. jusqu'à 1,5 m. Rustique. Vers la fin de l'hiver et au début du printemps, bouquets lâches de fleurs en entonnoir, roses. Feuilles persistantes luisantes, vert foncé au-dessus, plus pâle en dessous. À planter en situation abritée, les fleurs craignant le gel.

R. 'Mrs G.W. Leak', ill. p. 100. Rhododendron compact, dressé, à feuilles persistantes. H. et E. 4 m. Rustique. Vers la fin du printemps, inflorescences coniques et compactes de fleurs en entonnoir, roses, marquées de marron très foncé et de cramoisi à l'intérieur.

R. nakaharae. Azalée à feuillage persistant. H. et E. 60 cm. Rustique. Feuilles d'oblongues à ovales; pousses poilues. Fleurs en entonnoir, rouge brique sombre, en petits bouquets. Floraison au milieu de l'été. Convient à un jardin de rocaille.

R. 'Narcissiflorum', ill. p. 102. Azalée vigoureuse, compacte. H. et E. 2 m. Rustique. Son feuillage caduc se teinte de bronze en automne. Vers la fin du printemps ou en début d'été, fleurs à calice et corolle emboîtés, jaune pâle, de couleur plus sombre à l'extérieur et au centre, agréablement parfumées.

R. 'Nobleanum', ill. p. 100. Rhododendron arbustif dressé ou arborescent. H. et E. jusqu'à 5 m. Rustique. Feuillage persistant. En fin d'hiver ou au début du printemps, grands bouquets compacts de larges fleurs en entonnoir, rose rouge, roses ou blanches. Sous un climat doux, la floraison se maintient longtemps. À planter en situation abritée.

R. occidentale, ill. p. 100. Azalée touffue. H. et E. 2,5 m. Rustique. Feuilles caduques, brillantes, devenant jaunes ou orange en automne. Du début au milieu de l'été, fleurs en entonnoir parfumées, blanches ou rose pâle, avec une macule basale jaune orangé.

R. orbiculare, ill. p. 100. Rhododendron à port compact. H. et E. jusqu'à 3 m. Rustique. Feuilles persistantes, vert vif, de forme arrondie. Vers la fin du printemps, bouquets lâches de fleurs campanulées, rouge rosé.

R. oreotrophes, ill. p. 101. Rhododendron arbustif dressé ou arborescent. H. et E. jusqu'à 5 m. Rustique. Intéressant feuillage caduc vert grisé. Au printemps, bouquets lâches de 3-10 fleurs en entonnoir large, de couleur variable, mais le plus souvent mauves ou pourpres et ponctuées fréquemment de cramoisi.

R. 'Palestrina', ill. p. 100. Azalée compacte, à feuillage persistant, abondamment florifère. H. et E. jusqu'à 1,2 m. Rustique. Vers la fin du printemps, grandes fleurs en entonnoir bien ouvert, blanches, maculées légèrement de vert. Se plaît sous un ombrage léger.

R. 'Percy Wiseman', ill. p. 100. Rhododendron à feuillage persistant, en dôme compact. H. et E. jusqu'à 2 m. Rustique. Vers la fin du printemps, fleurs en entonnoir bien ouvert, jaune pêche, devenant blanches en se fanant. Supporte le soleil.

R. 'Pink Pearl', ill. p. 101. Rhododendron vigoureux, dressé, ouvert et aéré. H. et E. 4 m ou plus. Rustique. Vers la fin du printemps, son feuillage persistant met en valeur de grands bouquets de fleurs roses, en entonnoir ouvert.

R. 'President Roosevelt', ill. p. 101. Rhododendron étalé, peu ramifié, à croissance lente. H. et E. jusqu'à 2 m. Rustique. Feuilles persistantes vert panaché de jaune. Du milieu à la fin du printemps, fleurs en forme de cloche bien ouverte, rose pâle, s'éclaircissant vers le centre, à bords plissés. Le feuillage de cet hybride a tendance à redevenir vert uni.

R. 'Queen Elizabeth II', ill. p. 101. Rhododendron touffu. H. et E. 1,5-4 m. Rustique. Vers la fin du printemps, bouquets lâches de fleurs en entonnoir, jaune verdâtre. Feuilles persistantes étroites, ovales ou lancéolées, brillantes, vert moyen au-dessus, vert plus pâle en dessous.

R. racemosum, ill. p. 100. Rhododendron dressé, aux branches rigides. H. et E. jusqu'à 2,5 m. Rustique. Fleurit le long des tiges. Bouquets de fleurs printanières, en entonnoir bien ouvert, rose vif. Petites feuilles persistantes larges, ovales, vert terne au-dessus, vert grisâtre en dessous.

R. 'Rosalind', ill. p. 101. Rhododendron vigoureux, à port ouvert et aéré. H. et E. 4 m. Rustique. Feuilles persistantes vert terne. Au printemps, bouquets lâches de larges fleurs roses, en entonnoir.

R. rubiginosum. Rhododendron vigoureux, dressé, bien ramifié. H. 6 m, E. 2,5 m. Rustique.

Feuilles persistantes lancéolées, vert terne au-dessus, brun rougeâtre en dessous. Au milieu du printemps, bouquets lâches de fleurs campanulées, rose lilacé.

R. schlippenbachii, ill. p. 100. Azalée de forme arrondie, ouverte et aérée. H. et E. 2,5 m. Rustique. Feuilles caduques, spatulées, regroupées à l'extrémité des rameaux. Au milieu du printemps, bouquets lâches de 3-6 fleurs roses, presque aplaties. Se plaît en sous-bois clair.

R. 'Seta', ill. p. 100. Azalée érigée, à feuilles persistantes. H. et E. 1,5 m. Rustique. Au début du printemps, bouquets lâches de fleurs rayées de rose vif et de blanc, devenant blanches à leur base en se fanant.

R. 'Seven Stars', ill. p. 100. Rhododendron vigoureux, dense et dressé. H. et E. 3 m. Rustique. Feuillage persistant vert jaunâtre. Fleurit abondamment au printemps : les boutons roses s'épanouissent en grandes fleurs campanulées blanches, inondées de rose pâle, à bords ondulés.

R. 'Silver Moon', ill. p. 100. Azalée large et étalée, à feuilles persistantes. H. et E. 1,5-2,5 m. Rustique. Au printemps, elle est couverte de fleurs en entonnoir blanches, à gorge tachetée de vert pâle, à bords plissés. Préfère la mi-ombre.

R. souliei, ill. p. 100. Rhododendron à port ouvert et aéré. H. et E. 1,5-4 m. Rustique. Feuilles persistantes ovales-arrondies. Vers la fin du printemps, fleurs en coupe peu profonde, rose doux. Préfère la pleine lumière ou un léger ombrage.

R. 'Strawberry Ice', ill. p. 100. Azalée touffue, à feuilles caduques. H. et E. 2,5 m. Rustique. Vers la fin du printemps, les boutons floraux, rose foncé, se déploient en fleurs rose incarnat, nuancé de rose plus foncé en bordure des pétales, et à gorge maculée de jaune foncé.

R. 'Susan', ill. p. 101. Rhododendron buissonnant. H. et E. 1,5-4 m. Rustique. Au printemps, grands bouquets de fleurs en entonnoir bien ouvert, teintées de 2 nuances de bleu mauve, à macule pourpre à l'intérieur. Beau feuillage persistant vert foncé, brillant.

R. sutchuenense, ill. p. 100. Rhododendron arbustif étalé ou arborescent. H. et E. jusqu'à 5 m. Rustique. Grandes feuilles persistantes. Au début du printemps, grands bouquets de larges fleurs en entonnoir, roses, maculées de rose plus sombre à l'intérieur. Se plaît dans un sous-bois clair.

R. thomsonii, ill. p. 101. Rhododendron à végétation aérée, formant une masse arrondie. H. et E. jusqu'à 4 m. Rustique. Feuilles persistantes, cireuses, vert foncé sur le dessus, presque blanchâtres au revers. L'écorce est souvent de couleur fauve. Au printemps, fleurs charnues, campanulées, rouges.

R. 'Vuyk's Scarlet', ill. p. 101. Azalée compacte. H. et E. jusqu'à

60 cm. Rustique. Au printemps, d'abondantes fleurs, assez grandes, en entonnoir bien ouvert, d'un rouge éclatant, à pétales ondulés, recouvrent presque complètement le feuillage persistant, brillant.

R. wardii, ill. p. 101. Rhododendron compact. H. et E. 1,5-4 m. Rustique. Feuilles persistantes arrondies. Vers la fin du printemps, bouquets lâches de fleurs jaune clair, à macule basale cramoisie.

R. williamsianum, ill. p. 100. Rhododendron compact et étalé. H. et E. 1,5 m. Rustique. Feuilles persistantes, bronze à l'état jeune, vert moyen par la suite. Au printemps, bouquets lâches de fleurs campanulées roses. Excellent dans les petits jardins.

R. xanthocodon, ill. p. 101. Rhododendron à port dressé, ouvert et aéré. H. et E. 1,5-4 m. Rustique. Feuilles semi-persistantes vert bleuté à l'état jeune, vert moyen par la suite. Vers la fin du printemps, fleurs campanulées, cireuses, jaunes, en bouquets lâches. Situation abritée souhaitable.

R. yakushimanum, ill. p. 100. Rhododendron en forme de dôme régulier et compact. H. 1 m, E. 1,5 m. Rustique. Feuilles persistantes larges, ovales, argentées à l'état jeune, puis vert très foncé au-dessus et feutrées de marron en dessous. Vers la fin du printemps, fleurs en entonnoir bien ouvert, roses, mouchetées de vert à l'intérieur, blanchissant en se fanant.

R. 'Yellowhammer', ill. p. 102. Rhododendron touffu, érigé, à feuillage persistant. H. et E. jusqu'à 2 m. Rustique. Abondants bouquets de fleurs tubulaires jaune vif, au printemps; il refleurit fréquemment en automne.

R. yunnanense, ill. p. 100. Rhododendron ouvert et aéré. H. et E. 1,5-4 m. Rustique. Au printemps, masses de fleurs en entonnoir, ressemblant à des papillons, rose pâle ou blanches, à gorge ponctuée ou tachetée de couleur plus sombre. Feuillage semi-persistant.

RHODOHYPOXIS (Hypoxidacées)

Genre de plantes vivaces rhizomateuses naines, à floraison printanière, cultivées pour leurs fleurs roses, rouges ou blanches. Rustiques, si pendant la période de dormance hivernale, le milieu reste assez sec. Ont besoin d'un bon ensoleillement; un sol sablonneux et humifère, maintenu très humide en été, est souhaitable. Multiplication au printemps par semis ou par rejetons émis à la base des plantes.

R. baurii. Plante vivace, fleurie au printemps et en début d'été. H. 10 cm, E. 5 cm. Les feuilles étroites, lancéolées, poilues, forment une touffe basale érigée. Des fleurs aplaties blanches, rose pâle ou rouges, de 2 cm de diamètre, se succèdent, portées par des tiges minces. **'Albrighton'** et **'Douglas'**, ill. p. 320. **'Margaret Rose'**, ill. p. 316. var. *platypetala* a des fleurs blanches ou rose très pâle de 2,5 cm de large.

RHODOTHAMNUS (Éricacées)

Genre représenté par une seule espèce d'arbuste semi-prostré, au port ouvert et aéré, à feuilles persistantes, cultivé pour ses fleurs. Convient à un jardin de rocaille. Rustique. A besoin de soleil et d'un sol humifère, bien drainé, acide. Multiplication par semis au printemps ou par boutures de rameaux semi-aoûtés, en été.
R. chamaecistus, ill. p. 292.

RHODOTYPOS (Rosacées)

Genre représenté par une seule espèce d'arbuste à feuilles caduques, planté pour ses fleurs à 4 pétales. Rustique. A besoin d'une exposition ensoleillée (sans excès) ou semi-ombragée et d'un sol fertile et frais. Multiplication par boutures de rameaux semi-lignifiées en été, par semis en automne, ou par division.
R. kerrioides, voir *R. scandens*.
R. scandens, syn. *R. kerrioides*, ill. p. 126.

Rhoeo discolor, voir *Tradescantia spathacea*.
Rhoeo spathacea, voir *Tradescantia spathacea*.

RHOMBOPHYLLUM (Aizoacées)

Genre de plantes vivaces succulentes, tapissantes, formant des rosettes basales de feuilles linéaires ou semi-cylindriques, s'élargissant vers le milieu ou au sommet. La pointe des feuilles est également réfléchie ou incurvée. Non rustiques (min. 5 °C). Ont besoin de soleil et d'un sol très bien drainé. Multiplication par semis ou boutures de tiges au printemps ou en été.
R. rhomboideum, ill. p. 398.

RHUS (Anacardiacées)
Sumac

Genre d'arbres, d'arbustes et de plantes grimpantes sarmenteuses, appréciés pour leur feuillage caduc, divisé, ressemblant à celui du frêne, se teintant de belles couleurs automnales. Certaines espèces portent également de belles grappes de fruits, voyantes. Rustiques. Apprécient le soleil et un sol bien drainé. Multiplication par boutures de rameaux semi-aoûtés en été, par semis en automne ou encore par

boutures de racines en hiver. Sujets à la maladie du corail ou maladie du rouge (due à un champignon du genre *Nectria*).
R. aromatica. Arbuste touffu. H. 1 m, E. 1,5 m. Feuilles vert foncé, à 3 folioles ovales, devenant orange ou pourpre rougeâtre en automne. Minuscules fleurs jaunes avant le feuillage, au milieu du printemps, suivies de fruits rouges sphériques.
R. cotinoides, voir *Cotinus obovatus*.
R. cotinus, voir *Cotinus coggygria*.
R. glabra (Vinaigrier, Sumac à bois glabre), ill. p. 111.
R. × pulvinata. Arbuste dressé, vigoureux. H. et E. 5 m. Rameaux veloutés. Grandes feuilles comportant de 7-15 folioles oblongues, vert foncé, rouge orangé en automne, alors que mûrissent les grappes de fruits ronds, rouge foncé.
R. succedanea. Arbre à port étalé. H. et E. 10 m. En été, denses inflorescences de minuscules fleurs vert-jaune. Grandes feuilles comportant de 9-15 folioles ovales, vert foncé, brillantes, rougissant en automne. Les inflorescences femelles produisent de minuscules fruits sphériques, noirs ou brunâtres.
R. trichocarpa, ill. p. 68.
R. typhina (Sumac de Virginie, Sumac amarante). Arbuste ou arbre à port dressé, ouvert et aéré, drageonnant, dioïque ou polygame. H. 7 m, E. 6 m. Rameaux pubescents, à feuilles vert sombre, à folioles oblongues. Du milieu à la fin de l'été, panicules de minuscules fleurs blanc verdâtre. En automne, le feuillage devient rouge orangé vif : les panicules fructifères se colorent de rouge amarante, alors qu'apparaissent les fruits sphériques, rouge foncé.
'Laciniata' (syn. *R.t.* 'Dissecta'), ill. p. 92.

RIBES (Saxifragacées)
Groseillier

Genre d'arbustes à feuillage caduc ou parfois persistant, à floraison généralement printanière, cultivés pour leurs fruits souvent comestibles (groseilles rouges, groseilles à maquereau, cassis) ainsi que pour leurs fleurs. Rustiques. Ont besoin d'un bon ensoleillement et d'un sol fertile, bien drainé ; *R. laurifolium* s'accommode également de l'ombre. Multiplication par bouturage, marcottage, division ou semis.
R. laurifolium, ill. p. 143.
R. odoratum (Groseillier doré). Arbuste dressé. H. et E. 2 m. Grappes de fleurs parfumées, tubulées, jaune doré, du milieu à la fin du printemps, suivies de fruits pourprés, globuleux. Feuilles caduques arrondies, trilobées, vert vif, se teintant de rouge et de pourpre en automne.
R. sanguineum (Groseillier à fleurs, Groseillier sanguin, Faux-Cassis).
'Brocklebankii', ill. p. 123.

'Pulborough Scarlet', ill. p. 98.
'Tydeman's White', H. et E. 2,5 m, est moins compact et présente des fleurs d'un blanc pur.
R. speciosum. Arbuste touffu, épineux. H. et E. 4 m. Du milieu à la fin du printemps, fleurs étroites pendantes, tubulées, rouges, à longues étamines rouges. Fruits rouges, sphériques. Jeunes pousses rouges et feuilles caduques vert vif, ovales, comportant de 3-5 lobes, brillantes. À palisser sur un mur orienté au sud ou à l'ouest.

RICINUS (Euphorbiacées)
Ricin

Genre représenté par une seule espèce d'arbuste à croissance rapide, ressemblant à un arbre, planté pour son feuillage persistant. Sous un climat froid, on le cultive comme une annuelle. Semi-rustique (rustique dans le midi de la France). A besoin de soleil et d'un sol fertile, bien drainé. Dans les zones exposées, il est parfois nécessaire de le tuteurer. Multiplication par semis sur couche, au début du printemps. Les graines sont toxiques.
R. communis (Ricin commun, Palma Christi), ill. p. 279. **'Impala'**, ill. p. 274.

ROBINIA (Légumineuses)
Robinier

Genre d'arbres et d'arbustes à feuillage caduc, à floraison le plus souvent estivale, cultivés pour leur feuillage et leurs grappes de fleurs papilionacées. Rustiques. Ont besoin d'une exposition ensoleillée. S'accommodent de tous sols, sauf ceux gorgés d'eau. Utiles notamment pour coloniser les sols pauvres et secs. Les branches sont cassantes et peuvent être endommagées par des vents forts. Multiplication par semis, ou drageonnage en automne pour *R. pseudoacacia*.
R. × ambigua 'Decaisneana'. Arbre étalé. H. 15 m, E. 10 m. Feuilles vert sombre, à nombreuses folioles ovales. En début d'été, longues grappes pendantes de fleurs papilionacées roses.
R. hispida (Acacia rose), ill. p. 109.
R. pseudoacacia (Robinier faux-acacia, Acacia blanc). Arbre étalé, à croissance rapide. H. 25 m, E. 15 m. Feuilles comportant de 17-21 folioles ovales, vert sombre. Vers la fin du printemps et en début d'été, grappes denses pendantes de fleurs parfumées blanches. **'Frisia'**, ill. p. 54.
'Umbraculifera', H. et E. 6 m, a une cime dense, arrondie. Fleurs rares.

RODGERSIA (Saxifragacées)

Genre de plantes vivaces,

rhizomateuses, à floraison estivale, idéales près des pièces d'eau. Rustiques. À cultiver au soleil ou à mi-ombre, dans un sol humide, en situation abritée des vents forts, car ceux-ci peuvent endommager le feuillage. Multiplication par division ou par semis.
R. aesculifolia, ill. p. 202.
R. podophylla, ill. p. 201.
R. sambucifolia, ill. p. 201.

ROMNEYA (Papavéracées)

Genre de plantes vivaces à base ligneuse ou de sous-arbrisseaux à feuilles caduques, à floraison estivale. Assez rustiques. Ont besoin d'une situation chaude, ensoleillée, et d'un sol profond, sec, bien drainé. Difficiles à établir, et n'aiment pas être déplacés. Dans les zones froides, les racines doivent être protégées en hiver. Une fois installés, ils peuvent s'étaler rapidement. Multiplication par semis (transplanter les plantules sans perturber les racines) ou par boutures de racines.
R. coulteri, ill. p. 188.
R. 'White Cloud'. Plante vigoureuse et touffue, à base ligneuse. H. et E. 1 m. Tout l'été, grandes fleurs légèrement parfumées, en coupe peu profonde, blanches à étamines dorées, saillantes. Feuilles ovales grises, profondément lobées.

ROMULEA (Iridacées)

Genre de plantes à corme, ressemblant à des crocus, cultivées pour leurs fleurs en entonnoir. Semi-rustiques, à protéger par un paillis en hiver, sauf dans le Midi. Ont besoin de plein soleil et d'un sol sablonneux, bien drainé. Arroser abondamment pendant la période de croissance. Chez beaucoup d'espèces, la partie aérienne disparaît en été : elles ont alors besoin de chaleur et de sécheresse. Multiplication par semis en automne, ou séparation de jeunes bulbes.
R. bulbocodium, ill. p. 360.
R. sabulosa. Plante fleurie au début du printemps. H. 15 cm, E. 5 cm. Feuilles basales érigées, fines et allongées. Les tiges portent de 1-4 fleurs orientées vers le haut, en entonnoir de 4-5 cm de large, rouge vif à centre sombre, s'épanouissant au soleil.

Rooksbya euphorbioides, voir *Lemaireocereus euphorbioides*.

ROSA (Rosacées)
Rosier

Genre d'arbustes à tiges dressées, rampantes ou grimpantes, sarmenteuses, cultivés pour leurs fleurs abondantes, assez souvent parfumées, mais aussi parfois pour leurs «fruits» (ce terme désigne en fait de faux fruits correspondant au développement du réceptacle floral autour des akènes, véritables fruits des rosiers). Feuilles caduques ou semi-persistantes, le plus souvent divisées en 5 ou 7 folioles ovales, à sommet pointu ou arrondi, à bords parfois dentés. Les tiges portent fréquemment des épines. Sauf indication contraire, les rosiers mentionnés ci-dessous sont rustiques. Préfèrent les situations aérées et ensoleillées et les sols fertiles, frais et bien drainés (apprécient particulièrement un sol un peu lourd, notamment argilo-siliceux), mais supportent la plupart des sols, sauf les sols arides et ceux aux caractéristiques extrêmes (très argileux, très calcaire, etc.). Il est souvent utile, pour obtenir des fleurs de grande qualité, de fertiliser le sol avec un engrais complet ou spécial vers la fin de l'hiver ou au début du printemps (fumure d'entretien). Supprimer les fleurs fanées sur tous les rosiers remontants (c'est-à-dire qui fleurissent plus d'une fois par an).

Certains horticulteurs et jardiniers ne taillent pas les rosiers : cela peut tout à fait se concevoir si l'on souhaite obtenir un aspect plus «naturel», à condition de leur laisser un espace suffisant pour se développer. Ainsi, un rosier 'Queen Elizabeth', non taillé, atteindra facilement 3-4 m de haut et une bonne envergure. Cependant, la plupart des horticulteurs et jardiniers préfèrent tailler les rosiers, ce qui permet de les «rajeunir» et de contrôler leur volume, leur forme, leur densité et leur floraison. Les principes de la taille sont les suivants :

1. Les rosiers botaniques et rosiers arbustifs peuvent se contenter d'un éclaircissage périodique quand les rameaux deviennent très denses.

2. Les rosiers buissons et les rosiers greffés sur tige se taillent à la fin de l'hiver, au mois de mars. Cette taille a pour premier but de «rajeunir» le rosier en supprimant les rameaux âgés, moins florifères que les rameaux jeunes. On commence par supprimer le vieux bois; puis on choisit, parmi les rameaux de l'année précédente, des tiges saines, bien constituées et bien réparties, que l'on taille au-dessus d'un nombre d'yeux compris entre 2 et 6, en fonction de la vigueur du rosier et de la vigueur de chaque rameau (tailler long les rameaux vigoureux; tailler court les rameaux peu vigoureux). Bien choisir la direction vers laquelle se dirige le dernier œil conservé sur un rameau : il est préférable que la plupart soient dirigés vers l'extérieur, sinon les tiges font des angles peu élégants, et l'intérieur du rosier devient un fouillis. Les principes qui viennent d'être énoncés concernent avant tout les rosiers remontants. Les rosiers buissons non remontants peuvent être taillés selon la même méthode, mais plus long (tailler les tiges conservées entre 30 et 40 cm de long).

3. Les rosiers grimpants remontants se taillent également en fin d'hiver. On les «rajeunit» en supprimant une partie du vieux bois. Les jeunes rameaux conservés sont un peu raccourcis, puis palissés obliquement ou horizontalement.

4. Les rosiers grimpants non remontants doivent être taillés en juillet après la floraison. On supprime une grande partie du vieux bois (sauf les tiges que l'on veut garder très longues).

En plus de la taille, il faut supprimer très régulièrement les gourmands ou rejets du porte-greffe des rosiers greffés. De plus, il faut souvent effectuer des traitements contre les parasites : pucerons, oïdium, rouille, et maladie des taches noires *(Marsonnina rosae);* traiter dès les premiers symptômes.

La multiplication des rosiers se fait le plus souvent par greffage en écusson à œil dormant en été sur différents porte-greffe *(R. canina, R. laxa, R. multiflora). R. canina* est un bon porte-greffe pour terrain calcaire. On peut également utiliser le bouturage, possible pour certaines variétés (notamment de rosiers de l'île Bourbon, et de rosiers Polyanthas), et le drageonnage pour certains rosiers de type ancien (notamment *R. centifolia* et *R. gallica).*

Les rosiers sont classés en 3 groupes, comprenant chacun différentes catégories, basées plus sur les qualités fonctionnelles de chaque plante (comme le caractère remontant de la floraison) que sur leurs caractéristiques historiques, botaniques ou génétiques. Les fleurs des rosiers présentent différentes formes (illustrées et décrites p. 148). De plus, elles peuvent être simples (de 4-7 pétales), semi-doubles (de 8-14 pétales), doubles (de 15-30 pétales) ou très doubles (plus de 30 pétales).

Espèces de rosiers
Ce groupe désigne les espèces botaniques (ou rosiers sauvages) et certains hybrides entre espèces. Ce sont des arbustes ou des plantes grimpantes, qui ne fleurissent généralement qu'une fois par an, en été surtout. Les fleurs sont, en général, simples ou parfois semi-doubles; elles donnent en automne des «fruits» rouges ou noirs.

Rosiers anciens
Rosiers hybrides Alba (Rose d'York) – grands arbustes (jusqu'à 2 m de haut) très ramifiés. Ils portent, au milieu de l'été, des bouquets regroupant généralement quelques fleurs semi-doubles ou doubles. Feuillage abondant vert terne. Rustiques.
Rosiers de l'île Bourbon – arbustes à port ouvert et aéré; certains sont grimpants. Ils sont remontants. En été-automne, ils portent des fleurs le plus souvent très doubles, associées par 3. À utiliser en bordures ou pour garnir des clôtures, des murs ou des piliers.
Rosiers du Bengale ou rosiers de Chine *(Rosa chinensis* 'semper-

florens') – arbustes peu vigoureux, à floraison remontante, de juin aux gelées. Feuilles à folioles pointues, luisantes. En été-automne, fleurs simples ou doubles, solitaires ou en corymbes de 2-13 fleurs. À utiliser pour les massifs ou en isolé.
Rosiers de Damas *(R. × damascena)* – arbustes à port ouvert. Ils portent, principalement en été, des fleurs odorantes semi-doubles ou doubles, solitaires ou en corymbes de 5-7 fleurs. Conviennent bien aux plantations en bordure. Couleurs des fleurs : de rose pâle à rose vif.
Rosiers de Provins et autres roses galliques – arbustes assez denses et abondamment ramifiés. Feuilles souvent d'un vert terne. En été, fleurs de simples à très doubles, richement colorées, associées souvent par 2 ou 3. À utiliser pour la confection de bordures et de haies.
Rosiers hybrides remontants – vigoureux arbustes, abondamment ramifiés, à floraison remontante. En été-automne, fleurs très doubles, solitaires ou groupées par 3. Feuilles le plus souvent vert olive. Bons pour réaliser des massifs ou des parterres.
Rosiers mousseux – arbustes souvent à port souple. Feuilles généralement vert foncé. En été, fleurs roses ou blanches, doubles ou très doubles, à calice et à pédoncule recouverts d'un tissu mousseux, pittoresque.
Rosiers de Noisette – rosiers arbustifs, à floraison remontante. En été-automne, bouquets regroupant jusqu'à 9 fleurs doubles, le plus souvent parfumées. Feuillage souvent brillant. Ont besoin d'une situation abritée. Se plaisent sur un mur exposé au sud ou à l'ouest. (Certains cultivars sont grimpants.)
Rosiers de Portland – arbustes dressés, remontants, fleurissant en été-automne. Fleurs parfumées semi-doubles, rouges ou roses, solitaires ou regroupées par 3. À utiliser pour des massifs.
Rosiers Cent-feuilles *(Rosa centifolia)* – arbustes vigoureux de 80 cm à 1 m de haut. En été, fleurs parfumées, le plus souvent doubles ou très doubles, solitaires ou réunies par 3. Feuillage souvent vert foncé. À utiliser en bordures.
Rosiers toujours verts *(R. sempervirens)* – rosiers grimpants, à feuillage persistant ou semi-persistant, luisant, vert clair. Vers la fin de l'été, nombreuses fleurs semi-doubles ou très doubles. À utiliser pour jardins «sauvages» ou pour clôtures et pergolas.
Rosiers Thé ou **rosiers à odeur de thé** (issus de *R. odorata)* – arbustes et plantes grimpantes, remontants. En été-automne, fleurs au parfum épicé, à mince pédoncule, à cœur en pointe, semi-doubles ou très doubles, solitaires ou réunies par 3. Feuillage lustré. Assez rustiques, mais ils ont cependant besoin d'une situation abritée. À utiliser pour massifs et bordures.

Rosiers modernes (obtenus depuis le début du siècle).

Rosier arbustes – groupe diversifié de rosiers modernes. La plupart sont remontants. Ils poussent plus en hauteur (de 1 ou 2 m à plusieurs m) que la plupart des rosiers buissons. Leurs fleurs, solitaires ou en bouquets, vont de la forme simple à la forme très double. Floraison en été et/ou en automne. À utiliser pour massifs ou en plantations isolées.
Rosiers buissons à grandes fleurs (notamment hybrides de Thé) – arbustes remontants. En été-automne, fleurs à cœur en pointe le plus souvent, doubles, ayant 8 cm ou plus de diamètre, solitaires surtout en première floraison, ou réunies par 3. Excellents pour parterres, bordures, haies ou fleurs à couper.
Rosiers buissons à fleurs grandes ou moyennes groupées – arbustes remontants. En été-automne, bouquets réunissant de 3-5 ou 6 fleurs de simples à très doubles. Excellents pour parterres, bordures et haies. (Les rosiers Grandiflora et une partie des Floribundas sont dans cette catégorie. Les rosiers Floribunda ont des fleurs de même forme que les hybrides de Thé, mais plus petites.)
Rosiers buissons à fleurs en bouquets – arbustes petits ou moyens (H. 40-60 cm, E. 30-60 cm), à floraison remontante : des bouquets généralement de 3-11 (et parfois 15) fleurs petites ou moyennes, de simples à doubles, se succèdent en été et en automne. À utiliser en parterres, en bordures, en haies ou en pots. On classe dans cette catégorie les Polyanthas (à inflorescence volumineuse de très nombreuses fleurs assez petites ou moyennes) et les Floribundas à fleur petite ou moyenne.
Rosiers miniatures – arbustes remontants, H. jusqu'à 45 cm, E. jusqu'à 40 cm. En été-automne, bouquets généralement de 3-11 minuscules fleurs de simples à très doubles. Feuilles minuscules. À utiliser pour jardins de rocaille, petits espaces et culture en pots.
Rosiers Polyantha – voir rosiers buissons à fleurs en bouquet.
Rosiers couvre-sol – rosiers rampants et étalés. Beaucoup sont remontants. Bouquets comprenant le plus souvent de 3-11 fleurs, de simples à très doubles, en été et/ou en automne. À utiliser pour parterres ou pour couvrir des talus et des murs.
Rosiers grimpants, sarmenteux – rosiers vigoureux. Certains sont remontants : leurs fleurs, de simples à très doubles, solitaires ou en bouquets, s'épanouissent de la fin du printemps à l'automne. Les autres sont non remontants : leurs fleurs, de simples à très doubles, apparaissent le plus souvent en été. À utiliser pour décorer les murs, les clôtures, les pergolas et parfois même les arbres.
Les rosiers sont illustrés aux pages 148 à 162.

R. 'Aimée Vibert', syn. *R.* 'Bouquet de la Mariée'. Rosier de Noisette grimpant, à longues tiges. H. 5 m, E. 3 m. En été-automne, bouquets de fleurs légèrement parfumées, en coupe, très doubles, de rose très pâle à blanches, de 8 cm de diamètre. Feuilles vert foncé, luisantes. Peut être taillé en forme d'arbuste.

R. × alba 'Semi-plena', syn. *R.* 'Alba Semi-plena'. Rosier Alba vigoureux et touffu. H. 2 m, E. 1,5 m. À mi-été, fleurs agréablement parfumées, aplaties, semi-doubles, blanches, de 8 cm de diamètre. Feuillage vert grisâtre. On peut l'utiliser pour des haies.

R. 'Alba Semi-plena', voir *R. × alba* 'Semi-plena'.

R. 'Albéric Barbier', ill. p. 160.

R. 'Albertine', ill. p. 161.

R. 'Alec's Red', ill. p. 156.

R. 'Alexander', syn. *R.* 'Alexandra', ill. p. 156.

R. 'Alexandra', voir *R.* 'Alexander'.

R. 'Alfred de Dalmas', voir *R.* 'Mousseline'.

R. 'Alister Stella Gray', syn. *R.* 'Golden Rambler'. Rosier de Noisette grimpant, à longues et vigoureuses tiges dressées. H. 5 m, E. 3 m. En été-automne, bouquets de fleurs en forme de rosette à quartiers, très doubles, de couleur jaune d'œuf, de 6 cm de diamètre, au parfum musqué. Feuillage vert moyen brillant.

R. 'Aloha'. Rosier grimpant rigide, touffu. H. et E. 2,5 m. Fleurs parfumées, en coupe, très doubles, rose nuancé de rose saumoné, de 9 cm de diamètre, en été-automne. Feuilles vert foncé coriaces. Peut être taillé en forme d'arbuste.

R. 'Alpine Sunset', ill. p. 154.

R. 'Amber Queen', syn. *R.* 'Harroony', ill. p. 157.

R. 'Amruda', voir *R.* 'Red Ace'.

R. 'Angela Rippon', syn. *R.* 'Ocarina', *R.* 'Ocaru', ill. p. 159.

R. 'Angelita', voir *R.* 'Snowball'.

R. 'Anisley Dickson', syn. *R.* 'Dickimono', *R.* 'Dicky', *R.* 'Münchner Kindl', ill. p. 155.

R. 'Anna Ford', syn. *R.* 'Harpiccolo', ill. p. 155.

R. 'Anne Harkness', syn. *R.* 'Harkaramel', ill. p. 158.

R. 'Apothecary's Rose', voir *R. gallica* var. *officinalis*.

R. 'Armada', syn. *R.* 'Haruseful'. Rosier arbuste vigoureux, abondamment ramifié. H. 1,5 m, E. 1,2 m. En été-automne, ramilles chargées de fleurs en coupe, de 8 cm de diamètre, doubles, rose foncé, au parfum épicé. Abondant feuillage vert foncé, brillant.

R. 'Arthur Bell'. Rosier buisson à fleurs en bouquets, dressé. H. 1 m, E. 60 cm. Bouquets de fleurs parfumées, en coupe, doubles, jaunes, de 8 cm de diamètre, en été-automne. Feuillage vert vif.

R. 'Assemblage des Beautés', syn. *R.* 'Rouge Éblouissante'. Rosier de Provins dense et dressé. H. 1,2 m, E. 1 m. En été, fleurs légèrement parfumées, de forme arrondie, très doubles, de 8 cm de diamètre, cramoisies, virant au pourpre avec l'âge, avec un œil vert. Feuilles vert intense.

R. 'Ausmas', voir *R.* 'Graham Thomas'.

R. 'Baby Carnival', voir *R.* 'Baby Masquerade'.

R. 'Baby Gold Star', syn. *R.* 'Estrellita de Oro'. Rosier miniature, de forme irrégulière.

H. 45 cm, E. 40 cm. En été-automne, fleurs en coupe, doubles, de 5 cm de diamètre, jaunes, légèrement parfumées. Petites feuilles vert foncé, luisantes.

R. 'Baby Masquerade', syn. *R.* 'Baby Carnival', ill. p. 159.

R. banksiae, syn. *R. b.* var. *normalis* (Rosier de Banks). Espèce grimpante. H. et E. 10 m. Semi-rustique. À la fin du printemps, denses bouquets de fleurs parfumées aplaties, simples, blanches ou jaunes, de 2,5 cm de diamètre, sur des tiges minces vert clair avec peu d'épines. Petites feuilles vert clair. Peu commun en culture. **'Lutea'**, ill. p. 162.

R. 'Belle Courtisane', voir *R.* 'Königin von Dänemark'.

R. 'Belle de Crécy', ill. p. 152.

R. 'Belle de Londres', voir *R.* 'Compassion'.

R. 'Belle of Portugal', voir *R.* 'Belle Portugaise'.

R. 'Belle Portugaise', syn. *R.* 'Belle of Portugal'. Rosier Thé grimpant, très vigoureux. H. 6 m, E. 3 m. En été, fleurs parfumées, à cœur en pointe, doubles, rose saumoné clair, de 12 cm de diamètre. Grandes feuilles luisantes.

R. 'Bizarre Triomphant', voir *R.* 'Charles de Mills'.

R. 'Blanche Moreau'. Rosier mousseux, à rameaux plutôt souples. H. 1,5 m, E. 1,2 m. En été, fleurs parfumées en coupe, très doubles, blanches, de 10 cm de diamètre, à tissu mousseux brunâtre. Feuilles vert terne.

R. 'Blessings', ill. p. 154.

R. 'Blue Moon', syn. *R.* 'Mainzer Fastnacht', *R.* 'Sissi'. Rosier buisson à grandes fleurs, à port ouvert et aéré. H. 1 m, E. 60 cm. Fleurs parfumées à cœur en pointe, très doubles, couleur lilas, de 10 cm de diamètre, en été-automne. Grandes feuilles vert foncé.

R. 'Bluenette', voir *R.* 'Blue Peter'.

R. 'Blue Peter', syn. *R.* 'Bluenette', *R.* 'Ruiblun'. Rosier buisson miniature. H. 35 cm, E. 30 cm. En été-automne, fleurs légèrement parfumées, en coupe, doubles, pourpres, de 5 cm de diamètre. Petites feuilles abondantes.

R. 'Blue Rambler', voir *R.* 'Veilchenblau'.

R. 'Blush Noisette'. Rosier de Noisette grimpant, bien ramifié, d'allure souple, à tiges lisses. H. 2-4 m, E. 2-2,5 m. En été-automne, bouquets de fleurs en coupe, doubles, de 4 cm de diamètre, d'un rose rougissant, au parfum épicé. Feuilles mates. Peut être taillé en forme d'arbuste.

R. 'Blush Rambler'. Rosier grimpant, vigoureux. H. 3 m, E. 4 m. En été, bouquets de fleurs délicatement parfumées, en coupe, semi-doubles, rose clair, de 4 cm de diamètre. Abondant feuillage brillant. Excellent pour pergolas, arceaux et arbres.

R. 'Bonica 82', syn. *R.* 'Meidonomac', ill. p. 150.

R. 'Boule de Neige', ill. p. 148.

R. 'Bouquet de la Mariée', voir *R.* 'Aimée Vibert'.

R. 'Brass Ring', voir *R.* 'Peek-a-boo'.

R. 'Breath of Life', syn. *R.* 'Harquanne', ill. p. 161.

R. 'Bright Smile', syn. *R.* 'Dicdance', ill. p. 157.

R. californica. Espèce arbustive. H. 2,2 m, E. 2 m. Grande profusion de fleurs parfumées aplaties, simples, rose lilacé, de 4 cm de diamètre, au milieu de l'été et un peu en automne. Petites feuilles vert terne. **'Plena'** (syn. *R. c.* var. *plena*) a des fleurs semi-doubles, d'un rose plus atténué que l'espèce type.

R. 'Camaïeux'. Rosier de Provins touffu, ouvert et aéré. H. 1 m, E. 75 cm. En été, fleurs parfumées, en coupe, semi-doubles, de 8 cm de diamètre, cramoisi pourpré, à raies rose pâle, devenant magenta et lilas en se fanant. Feuillage gris-vert.

R. 'Canary Bird', ill. p. 153.

R. 'Cardinal de Richelieu', ill. p. 152.

R. 'Cardinal Hume', syn. *R.* 'Harregale', ill. p. 152.

R. 'Céleste', syn. *R.* 'Celestial', ill. p. 149.

R. 'Celestial', voir *R.* 'Céleste'.

R. centifolia var. *cristata*, voir *R.* 'Cristata'.

R. × centifolia 'Muscosa', syn. *R.* 'Common Moss', *R.* 'Old Pink Moss'. Vigoureux rosier mousseux d'allure souple. H. 1,5 m, E. 1,2 m. En été, fleurs parfumées de forme arrondie ou en coupe, très doubles, roses, de 8 cm de diamètre, à tissu mousseux. Feuilles vert mat. À planter contre un support.

R. 'Champagne Cocktail', syn. *R.* 'Horflash', ill. p. 156.

R. 'Chapeau de Napoléon', voir *R.* 'Cristata'.

R. 'Chaplin's Pink Companion', ill. p. 161.

R. 'Charles de Mills', syn. *R.* 'Bizarre Triomphant'. Rosier de Provins dressé, à tiges assez lisses et arquées. H. 1,2 m, E. 1 m. Fleurs estivales très parfumées, en forme de rosette à quartiers, très doubles, teintées de pourpre et de rouge, de 10 cm de diamètre. Abondant feuillage vert moyen. Peut être palissé.

R. chinensis 'Mutabilis', ill. p. 151.

R. 'City of London', syn. *R.* 'Harukfore'. Rosier buisson à fleurs en bouquets, de forme arrondie. H. 1 m, E. 75 cm. En été-automne, délicats bouquets de fleurs parfumées, en forme d'urne, doubles, roses, de 8 cm de diamètre. Feuillage vert vif.

R. 'Clarissa', syn. *R.* 'Harprocrustes'. Rosier buisson à fleurs en bouquets, dressé. H. 75 cm, E. 45 cm. En été-automne, ramilles densément couvertes de fleurs légèrement parfumées, en forme d'urne, très doubles, de couleur abricot, de 5 cm de diamètre. Nombreuses petites feuilles brillantes. Excellent pour une haie étroite.

R. 'Climbing Ena Harkness'. Rosier grimpant rigide, ramifié. H. et E. 2,5 m. En été-automne, grandes fleurs parfumées, à cœur en pointe, très doubles, écarlate et cramoisi, sur des tiges inclinées. Feuilles vert moyen.

R. 'Climbing Mrs Sam McGredy'. Rosier grimpant vigoureux, rigide, ramifié. H. et E. 3 m. Feuilles brillantes, d'un vert rougeâtre intense. Grandes fleurs légèrement parfumées, en forme d'urne, très

doubles, rose saumon cuivré, de 11 cm de diamètre, en été et de nouveau, un peu, en automne.

R. 'Cocabest', voir *R.* 'Wee Jock'.

R. 'Cocdestin', voir *R.* 'Remember Me'.

R. 'Colibri 79', syn. *R.* 'Meidanover', ill. p. 160.

R. 'Commandant Beaurepaire', syn. *R.* 'Panachée d'Angers'. Rosier de l'île Bourbon vigoureux, étalé. H. et E. 1,2 m. En été-automne, fleurs parfumées doubles, en coupe, de 10 cm de diamètre, rose rougissant éclaboussé de mauve, de pourpre, de cramoisi et d'écarlate. Feuilles à folioles vert clair, à bords ondulés.

R. 'Common Moss', voir *R. × centifolia* 'Muscosa'.

R. 'Compassion', syn. *R.* 'Belle de Londres'. Rosier grimpant, dressé, abondamment ramifié. H. 3 m, E. 2,5 m. Tiges rougeâtres à feuilles vert foncé, brillantes. En été-automne, abondantes fleurs parfumées, de forme arrondie, doubles, abricot saumoné teinté de rose, de 10 cm de diamètre.

R. 'Complicata', ill. p. 150.

R. 'Comte de Chambord'. Rosier de Portland, vigoureux, érigé. H. 1,2 m, E. 1 m. En été-automne, fleurs parfumées en forme de rosette à quartiers, très doubles, rose teinté de lilas, de 10 cm de diamètre. Abondant feuillage vert clair.

R. 'Congratulations', syn. *R.* 'Korlift', *R.* 'Sylvia'. Rosier buisson à grandes fleurs, dressé et vigoureux. H. 1,2 m, E. 1 m. En été-automne, belles fleurs en forme d'urne, très doubles, rose foncé, de 11 cm de diamètre, sur de longues tiges. Grandes feuilles vert foncé.

R. 'Conrad Ferdinand Meyer', ill. p. 149.

R. 'Constance Spry', ill. p. 150.

R. 'Crested Moss', voir *R.* 'Cristata'.

R. 'Cristata', syn. *R. centifolia* var. *cristata*, *R.* 'Chapeau de Napoléon', *R.* 'Crested Moss'. Rosier mousseux touffu, de forme élancée. H. 1,5 m, E. 1,2 m. En été, fleurs très parfumées, en coupe, très doubles, roses, de 9 cm de diamètre, avec des sépales formant de petites touffes, sur des tiges inclinées. Feuillage vert terne. On peut le palisser.

R. 'Cuisse de Nymphe', voir *R.* 'Great Maiden's Blush'.

R. 'Cuthbert Grant'. Rosier arbuste touffu et vigoureux. H. et E. 1 m. En été-automne, fleurs légèrement parfumées, en coupe, semi-doubles, rouge pourpré foncé, de 12 cm de diamètre. Feuillage brillant. Peut être utilisé en haie.

R. 'Danse du Feu', syn. *R.* 'Spectacular', ill. p. 162.

R. 'Dicdance', voir *R.* 'Bright Smile'.

R. 'Dicdivine', voir *R.* 'Pot o' Gold'.

R. 'Dicgrow', voir *R.* 'Peek-a-boo'.

R. 'Dicjem', voir *R.* 'Freedom'.

R. 'Dicjubell', voir *R.* 'Lovely Lady'.

R. 'Dickimono', voir *R.* 'Anisley Dickson'.

R. 'Dicky', voir *R.* 'Anisley Dickson'.

R. 'Dicmagic', voir *R.* 'Sweet Magic'.

R. 'Doris Tysterman', ill. p. 158.

R. 'Dortmund', ill. p. 162.

R. 'Double Delight', ill. p. 155.
R. 'Dublin Bay', ill. p. 162.
R. 'Duchesse d'Istrie', voir *R.* 'William Lobb'.
R. 'Duftzauber 84', voir *R.* 'Royal William'.
R. 'Du Maître d'École'. Rosier de Provins touffu, étalé. H. 1,2 m, E. 1 m. En été, fleurs parfumées, en forme de rosette à quartiers, très doubles, de carmin à rose clair, de 10 cm de diamètre. Feuillage vert terne.
R. 'Dupontii', ill. p. 149.
R. ecae, ill. p. 152.
R. eglanteria, syn. *R. rubiginosa* (Églantier odorant, Églantine), ill. p. 149.
R. 'Elizabeth Harkness', ill. p. 153.
R. 'Empereur du Maroc', ill. p. 152.
R. 'Escapade', ill. p. 155.
R. 'Estrellita de Oro', voir *R.* 'Baby Gold Star'.
R. 'Everblooming Dr W. van Fleet', voir *R.* 'New Dawn'.
R. 'Fantin-Latour', ill. p. 149.
R. 'Felicia', ill. p. 149.
R. 'Félicité et Perpétue', ill. p. 160.
R. 'Félicité Parmentier'. Rosier Alba vigoureux, compact, dressé. H. 1,2 m, E. 1 m. À mi-été, fleurs parfumées, de cupuliformes à aplaties, très doubles, rose chair pâle, de 6 cm de diamètre. Abondant feuillage vert grisâtre.
R. 'Fellemberg', voir *R.* 'Fellenberg'.
R. 'Fellenberg', syn. *R.* 'Fellemberg'. Rosier du Bengale vigoureux, arbustif. H. 2,5 m, E. 1,2 m. Feuilles vert pourpré. Bouquets de fleurs légèrement parfumées, d'arrondies à cupuliformes, de 5 cm de diamètre, très doubles, dans des nuances de cramoisi clair, en été-automne. On peut les tailler pour les utiliser en massifs ou les palisser comme des plantes grimpantes.
R. filipes 'Kiftsgate', ill. p. 160.
R. 'Fire Princess', ill. p. 159.
R. foetida 'Persiana', syn. *R.* 'Persian Yellow' (**Rosier jaune de Perse**), ill. p. 152.
R. 'Freedom', syn. *R.* 'Dicjem', ill. p. 157.
R. 'Friesia', voir *R.* 'Korresia'.
R. 'Frühlingsmorgen', syn. *R.* 'Spring Morning'. Rosier arbuste ouvert et aéré, abondamment ramifié. H. 2 m, E. 1,5 m. Feuillage vert grisâtre. Vers la fin du printemps, fleurs en coupe, simples, de 12 cm de diamètre, à odeur de foin, roses à centre jaune primevère et à étamines rougeâtres.
R. 'Fryminicot', voir *R.* 'Sweet Dream'.
R. gallica var. *officinalis*, syn. *R. officinalis* (**Rose rouge de Lancaster**). Rosier touffu, de belle allure. H. jusqu'à 80 cm, E. 1 m. En été, fleurs aplaties semi-doubles, rouge rosâtre, de 8 cm de diamètre, moyennement parfumées. **'Versicolor'**, ill. p. 151.
R. 'Gioia', voir *R.* 'Peace'.
R. glauca, syn. *R. rubrifolia*, ill. p. 150.
R. 'Glenfiddich', ill. p. 157.
R. 'Gloire de Dijon', ill. p. 160.
R. 'Gloire des Mousseux'. Rosier mousseux touffu et vigoureux. H. 1,2 m. E. 1 m. Abondant feuillage vert clair. En été, fleurs parfumées, en coupe, de 15 cm de diamètre, très doubles, rose vif pâlissant par la suite, à tissu mousseux vert clair.
R. 'Gloria Dei', voir *R.* 'Peace'.
R. 'Golden Rambler', voir *R.* 'Alister Stella Gray'.
R. 'Golden Showers', ill. p. 162.
R. 'Golden Sunblaze', voir *R.* 'Rise'n Shine'.
R. 'Golden Wings'. Rosier arbuste touffu, étalé. H. 1,1 m, E. 1,3 m. Fleurs parfumées, en coupe, de 12 cm de diamètre, simples, jaune pâle, en été-automne. Feuillage vert clair.
R. 'Goldfinch'. Rosier grimpant vigoureux, à tiges arquées. H. 2,7 m, E. 2 m. En été, fleurs en forme de rosette, de 4 cm de diamètre, légèrement parfumées, doubles, jaune d'œuf, devenant blanches en se fanant. Feuillage abondant vert clair, assez vif.
R. 'Goldsmith', voir *R.* 'Simba'.
R. 'Goldstar'. Rosier buisson à grandes fleurs, dressé, de belle allure. H. 1 m, E. 60 cm. En été-automne, fleurs jaunes, très doubles, en forme d'urne, de 8 cm de diamètre, légèrement parfumées. Feuillage brillant vert foncé.
R. 'Graham Thomas', syn. *R.* 'Ausmas', ill. p. 153.
R. 'Grandpa Dickson', syn. *R.* 'Irish Gold', ill. p. 157.
R. 'Great Maiden's Blush', syn. *R.* 'Cuisse de Nymphe', *R.* 'La Séduisante', ill. p. 149.
R. 'Grouse', syn. *R.* 'Korimro', ill. p. 153.
R. 'Guinée', ill. p. 162.
R. 'Guletta', voir *R.* 'Rugul'.
R. 'Handel', ill. p. 161.
R. 'Harkaramel', voir *R.* 'Anne Harkness'.
R. 'Harlightly', voir *R.* 'Princess Michael of Kent'.
R. 'Harmantelle', voir *R.* 'Mountbatten'.
R. 'Harpiccolo', voir *R.* 'Anna Ford'.
R. 'Harprocrustes', voir *R.* 'Clarissa'.
R. 'Harquanne', voir *R.* 'Breath of Life'.
R. 'Harqueterwife', voir *R.* 'Paul Shirville'.
R. 'Harregale', voir *R.* 'Cardinal Hume'.
R. 'Harroony', voir *R.* 'Amber Queen'.
R. 'Harrowbond', voir *R.* 'Rosemary Harkness'.
R. 'Hartanna', voir *R.* 'Princess Alice'.
R. 'Harukfore', voir *R.* 'City of London'.
R. 'Haruseful', voir *R.* 'Armada'.
R. 'Harvintage', voir *R.* 'Savoy Hotel'.
R. 'Harwanna', voir *R.* 'Jacqueline du Pré'.
R. 'Harwharry', voir *R.* 'Malcolm Sargent'.
R. 'Heartthrob', voir *R.* 'Paul Shirville'.
R. 'Heideröslein', voir *R.* 'Nozomi'.
R. 'Henri Martin', syn. *R.* 'Red Moss', ill. p. 151.
R. 'Honorine de Brabant'. Rosier de l'île Bourbon touffu, vigoureux, étalé. H. et E. 2 m. En été-automne, fleurs parfumées, en forme de rosette à quartiers, doubles, de 10 cm de diamètre,

rose lilacé, marqué de pourpre clair et de cramoisi. Abondant feuillage vert clair.
R. 'Horflash', voir *R.* 'Champagne Cocktail'.
R. 'Hula Girl', ill. p. 159.
R. 'Iceberg', syn. *R.* 'Schneewittchen', ill. p. 153.
R. 'Iced Ginger', ill. p. 154.
R. 'Ingrid Bergman'. Rosier buisson à grandes fleurs, dressé, ramifié. H. 75 cm, E. 60 cm. En été-automne, fleurs légèrement parfumées, en forme d'urne, doubles, rouge sombre, de 11 cm de diamètre. Feuillage coriace, un peu brillant, vert foncé.
R. 'Interall', voir *R.* 'Rosy Cushion'.
R. 'Irish Gold', voir *R.* 'Grandpa Dickson'.
R. 'Ispahan', syn. *R.* 'Pompon des Princes'. Vigoureux rosier de Damas, dense et touffu. H. 1,5 m, E. 1,2 m. Fleurs parfumées, en coupe, doubles, rose clair, de 8 cm de diamètre, de l'été à l'automne. Feuillage vert grisâtre.
R. 'Jacqueline du Pré', syn. *R.* 'Harwanna'. Rosier arbuste à branches vigoureuses, arquées. H. 2 m, E. 1,5 m. En été-automne, fleurs au parfum musqué, en coupe, doubles, de 10 cm de diamètre, blanc ivoire, à pétales festonnés, à étamines rouges. Abondant feuillage brillant.
R. 'Just Joey', ill. p. 158.
R. 'Keepsake', syn. *R.* 'Kormalda', ill. p. 155.
R. 'Königin von Dänemark', syn. *R.* 'Belle Courtisane', ill. p. 150.
R. 'Korbelma', voir *R.* 'Simba'.
R. 'Korimro', voir *R.* 'Grouse'.
R. 'Korlift', voir *R.* 'Congratulations'.
R. 'Kormalda', voir *R.* 'Keepsake'.
R. 'Korpeahn', voir *R.* 'The Times'.
R. 'Korresia', syn. *R.* 'Friesia', ill. p. 157.
R. 'Korzaun', voir *R.* 'Royal William'.
R. 'La Séduisante', voir *R.* 'Great Maiden's Blush'.
R. 'Leggab', voir *R.* 'Pearl Drift'.
R. 'Louise Odier', voir *R.* 'Mme de Stella'. Rosier de l'île Bourbon dressé et élégant. H. 2 m, E. 1,2 m. Feuillage vert grisâtre clair. Fleurs parfumées, en coupe, très doubles, rose intense, de 12 cm de diamètre, en été-automne.
R. 'Lovely Lady', syn. *R.* 'Dicjubell', ill. p. 154.
R. 'Macangel', voir *R.* 'Snowball'.
R. 'Maccarpe', voir *R.* 'Snow Carpet'.
R. 'Macrexy', voir *R.* 'Sexy Rexy'.
R. macrophylla. Espèce vigoureuse. H. 4 m, E. 3 m. En été, fleurs moyennement parfumées, aplaties, simples, rouges, de 5 cm de diamètre, suivies de «fruits» rouges. Tiges rouges et grandes feuilles vert moyen.
R. 'Mactru', voir *R.* 'Trumpeter'.
R. 'Mme Alfred Carrière', ill. p. 160.
R. 'Mme A. Meilland', voir *R.* 'Peace'.
R. 'Mme de Stella', voir *R.* 'Louise Odier'.
R. 'Mme Grégoire Staechelin', syn. *R.* 'Spanish Beauty', ill. p. 161.
R. 'Mme Hardy', ill. p. 148.
R. 'Mme Hébert', voir *R.* 'Président de Sèze'.
R. 'Mme Isaac Pereire', ill. p. 151.

R. 'Mme Pierre Oger'. Rosier de l'île Bourbon d'allure souple. H. 2 m, E. 1,2 m. En été-automne, sur des tiges minces, fleurs agréablement parfumées, en coupe, doubles, de 8 cm de diamètre, roses avec des nuances rose lilacé. Feuillage vert clair.
R. 'Maigold', ill. p. 162.
R. 'Mainzer Fastnacht', voir *R.* 'Blue Moon'.
R. 'Malcolm Sargent', syn. *R.* 'Harwharry'. Rosier buisson à grandes fleurs. H. 1,1 m, E. 1 m. En été-automne, fleurs légèrement parfumées, de forme arrondie, doubles, cramoisi écarlate vif, de 9 cm de diamètre, solitaires ou en bouquets ouverts et aérés. Abondant feuillage vert foncé brillant.
R. 'Maréchal Niel'. Rosier de Noisette vigoureux, étalé. H. 3 m, E. 2 m. Tiges retombantes à feuillage vert intense. Fleurs moyennement parfumées, à cœur en pointe, très doubles, jaune clair, de 10 cm de diamètre, en été-automne.
R. 'Margaret Merrill', ill. p. 153.
R. 'Margaret Hilling', syn. *R.* 'Pink Nevada', ill. p. 150.
R. 'Meidanover', voir *R.* 'Colibri 79'.
R. 'Meidonomac', voir *R.* 'Bonica 82'.
R. 'Meijikitar', voir *R.* 'Orange Sunblaze'.
R. 'Mermaid', ill. p. 162.
R. 'Mountbatten', syn. *R.* 'Harmantelle', ill. p. 157.
R. 'Mousseline', syn. *R.* 'Alfred de Dalmas'. Rosier mousseux buissonnant, à tiges minces. H. et E. 1 m. En été, généralement, fleurs agréablement parfumées, en coupe, très doubles, de 8 cm de diamètre, rose rougissant. Feuillage vert mat.
R. moyesii. Espèce à tiges vigoureuses et arquées. H. 4 m, E. 3 m. En été, fleurs légèrement parfumées, aplaties, de 5 cm de diamètre, simples, écarlate sombre, à étamines jaunes. En automne, «fruits» longs et rouges. Petites feuilles composées de 7-13 folioles, peu abondantes, vert foncé. 'Geranium', ill. p. 151.
R. 'Mrs John Laing', ill. p. 151.
R. 'Münchner Kindl', voir *R.* 'Anisley Dickson'.
R. 'Nevada', ill. p. 149.
R. 'New Dawn', syn. *R.* 'Everblooming Dr van Fleet', ill. p. 161.
R. 'Nozomi', syn. *R.* 'Heideröslein', ill. p. 153.
R. 'Ocarina', voir *R.* 'Angela Rippon'.
R. 'Ocaru', voir *R.* 'Angela Rippon'.
R. officinalis, voir *R. gallica* var. *officinalis*.
R. 'Old Blush China', syn. *R.* 'Parson's Pink China', ill. p. 151.
R. 'Old Pink Moss', voir *R. × centifolia* 'Muscosa'.
R. 'Omar Khayyam'. Rosier de Damas dense et épineux. H. et E. 1 m. En été, fleurs parfumées, en forme de rosette à quartiers, très doubles, rose clair, de 8 cm de diamètre. Feuillage grisâtre, duveteux.
R. 'Opa Potschke', voir

R. 'Precious Platinum'.

R. 'Ophelia'. Rosier buisson à grandes fleurs, dressé, ouvert et aéré. H. 1 m, E. 60 cm. En été-automne, fleurs agréablement parfumées, en forme d'urne, doubles, rose crème, de 10 cm de diamètre, solitaires ou en bouquets. Feuillage vert foncé, peu abondant.

R. 'Orange Sunblaze', syn. R. 'Meijikitar', R. 'Sunblaze', ill. p. 160.

R. 'Panachée d'Angers', voir R. 'Commandant Beaurepaire'.

R. 'Parkson's Pink China', voir R. 'Old Blush China'.

R. 'Pascali'. Rosier buisson à grandes fleurs, dressé. H. 1 m, E. 60 cm. En été-automne, fleurs légèrement parfumées, en forme d'urne, très doubles, blanches, de 9 cm de diamètre. Feuilles vert foncé.

R. 'Paul Shirville', syn. R. 'Harqueterwife', R. 'Heartthrob', ill. p. 155.

R. 'Paul Transon'. Rosier grimpant, à vigoureuses tiges plutôt souples. H. 4 m, E. 1,5 m. En été, fleurs légèrement parfumées, aplaties, doubles, de 8 cm de diamètre, rose saumoné légèrement cuivré, à pétales plissés. Abondant feuillage brillant, vert foncé.

R. 'Paul's Himalayan Musk', voir R. 'Paul's Himalayan Musk Rambler'.

R. 'Paul's Himalayan Musk Rambler', syn. R. 'Paul's Himalayan Musk', R. 'Paul's Himalayan Rambler'. Rosier grimpant, très vigoureux. H. et E. 10 m. Vers la fin de l'été, nombreux grands bouquets de fleurs légèrement parfumées, en forme de rosette, doubles, roses, de 4 cm de diamètre. Tiges épineuses et feuilles retombantes. À utiliser pour garnir des arbres ou dans des jardins «sauvages».

R. 'Paul's Himalayan Rambler', voir R. 'Paul's Himalayan Musk Rambler'.

R. 'Paul's Lemon Pillar', ill. p. 160.

R. 'Peace', syn. R. 'Gioia', R. 'Gloria Dei', R. 'Mme A. Meilland', ill. p. 156.

R. 'Pearl Drift', syn. R. 'Leggab', ill. p. 149.

R. 'Peau Douce'. Rosier buisson à grandes fleurs, arbustif, vigoureux. H. 1,1 m, E. 75 cm. Abondantes fleurs légèrement parfumées, de forme arrondie, très doubles, de 15 cm de diamètre, blanc ivoire à centre jaune citron, en été-automne. Feuillage rougeâtre abondant.

R. 'Peek-a-boo', syn. R. 'Brass Ring', R. 'Dicgrow', ill. p. 154.

R. 'Penelope', ill. p. 148.

R. 'Perle d'Or'. Rosier du Bengale formant un petit arbuste à tiges fines. H. 75 cm, E. 60 cm. En été-automne, petites fleurs légèrement parfumées, en forme d'urne, de 4 cm de diamètre, très doubles, de couleur miel rosé. Feuilles à folioles brillantes, pointues.

R. 'Persian Yellow', voir R. foetida 'Persiana'.

R. 'Piccadilly', ill. p. 158.

R. pimpinellifolia, syn. R. spinosissima (Rosier

pimprenelle), ill. p. 148.

R. 'Pink Bells', syn. R. 'Poulbells', ill. p. 154.

R. 'Pink Favorite'. Rosier buisson à grandes fleurs, touffu et vigoureux. H. 75 cm, E. 60 cm. Abondantes fleurs légèrement parfumées, à cœur en pointe, doubles, rose vif, de 10 cm de diamètre, en été-automne. Feuillage pâle, brillant.

R. 'Pink Grootendorst', ill. p. 150.

R. 'Pink Nevada', voir R. 'Marguerite Hilling'.

R. 'Pink Parfait'. Rosier buisson à fleurs en bouquets, touffu. H. 75 cm, E. 60 cm. En été-automne, abondantes fleurs légèrement parfumées, en forme d'urne, doubles, de 9 cm de diamètre, dans des nuances de rose clair. Feuillage abondant.

R. 'Pink Perpétue', ill. p. 161.

R. 'Pompons des Princes', voir R. 'Ispahan'.

R. 'Pot o'Gold', syn. R. 'Dicdivine', ill. p. 158.

R. 'Poulbells', voir R. 'Pink Bells'.

R. 'Precious Platinum', syn. R. 'Opa Potschke', ill. p. 156.

R. 'Président de Sèze', syn. R. 'Mme Hébert'. Rosier de Provins vigoureux, plutôt ouvert et aéré. H. et E. 1,2 m. Fleurs parfumées, en forme de rosette à quartiers, très doubles, de rose magenta à rose lilacé pâle, de 10 cm de diamètre, en été.

R. primula, ill. p. 152.

R. 'Princess Alice', syn. R. 'Hartanna', R. 'Zonta Rose'. Rosier buisson à fleurs en bouquets, dressé. H. 1,1 m, E. 60 cm. En fin d'été et en automne, ramilles chargées de fleurs légèrement parfumées, de forme arrondie, de 6 cm de diamètre, doubles, jaunes.

R. 'Princess Michael of Kent', syn. R. 'Harlightly'. Rosier buisson à fleurs en bouquets, compact, belle allure. H. 60 cm, E. 50 cm. En été-automne, fleurs agréablement parfumées, de forme arrondie, très doubles, de 9 cm de diamètre, jaunes, solitaires ou en bouquets.

R. 'Queen Elizabeth', ill. p. 154.

R. 'Queen of the Violets', voir R. 'Reine des Violettes'.

R. 'Red Ace', syn. R. 'Amruda', ill. p. 159.

R. 'Red Moss', voir R. 'Henri Martin'.

R. 'Reine des Violettes', syn. R. 'Queen of the Violets'. Rosier hybride remontant vigoureux, étalé. H. et E. 2 m. Feuilles un peu grisâtres. En été-automne, fleurs parfumées, en forme de rosette à quartiers, très doubles, de violettes à pourpres, de 8 cm de diamètre. On peut le palisser.

R. 'Reine Victoria', ill. p. 150.

R. 'Remember Me', syn. R. 'Cocdestin', ill. p. 158.

R. 'Rise'n Shine', syn. R. 'Golden Sunblaze', ill. p. 160.

R. 'Robert le Diable'. Rosier Cent-Feuilles touffu, à tiges souples. H. et E. 1 m. En été, fleurs légèrement parfumées, en forme de pompon, doubles, de 8 cm de diamètre, teintées d'un mélange de pourpre vif et de pourpre terne. Feuilles vert foncé étroites, ovales.

À palisser sur un support bas.

R. 'Rose Gaujard'. Rosier buisson à grandes fleurs, dressé, robuste. H. 1,1 m, E. 75 cm. Abondantes fleurs légèrement parfumées, en forme d'urne, doubles, rouge cerise et rose, de 10 cm de diamètre, en été-automne. Abondant feuillage brillant.

R. 'Rosemary Harkness', syn. R. 'Harrowbond', ill. p. 154.

R. 'Roseraie de l'Haÿ', ill. p. 151.

R. 'Rosy Cushion', syn. R. 'Interall', ill. p. 150.

R. 'Rosy Mantle', ill. p. 161.

R. 'Rouge Éblouissante', voir R. 'Assemblage des Beautés'.

R. 'Royal Dane', voir R. 'Troika'.

R. 'Royal William', syn. R. 'Duftzauber 84', R. 'Korzaun', ill. p. 156.

R. rubiginosa, voir R. eglanteria.

R. rubrifolia, voir R. glauca.

R. rugosa (Rosier rugueux), ill. p. 151. 'Alba' est un hybride de Rosa rugosa, dense et vigoureux. H. et E. 1-2 m. En été-automne, succession de fleurs parfumées, en coupe, simples, blanches, de 9 cm de diamètre, suivies de grands «fruits», en forme de petite tomate. Abondant feuillage coriace, gaufré, brillant.

R. 'Rugul', syn. R. 'Guletta', R. 'Tapis Jaune', ill. p. 156.

R. 'Ruiblun', voir R. 'Blue Peter'.

R. 'Sally Holmes'. Rosier arbuste à tiges rigides, garnies d'épines. H. 2 m, E. 1 m. En été-automne, bouquets de fleurs blanc ivoire, en coupe, simples, de 9 cm de diamètre, légèrement parfumées. Feuillage vert sombre, brillant. Doit être abrité des vents.

R. 'Savoy Hotel', syn. R. 'Harvintage'. Rosier buisson à grandes fleurs, vigoureux. H. 1 m, E. 75 cm. Abondantes fleurs légèrement parfumées, de forme arrondie, très doubles, rose clair, de 10 cm de diamètre, en été-automne. Profusion de feuilles vert sombre.

R. 'Schneewittchen', voir R. 'Iceberg'.

R. 'Sexy Rexy', syn. R. 'Macrexy', ill. p. 154.

R. 'Sheri Anne', ill. p. 159.

R. 'Silver Jubilee', ill. p. 155.

R. 'Simba', syn. R. 'Goldsmith', R. 'Korbelma', ill. p. 157.

R. 'Sissi', voir R. 'Blue Moon'.

R. 'Snowball', syn. R. 'Angelita', R. 'Macangel', ill. p. 159.

R. 'Snow Carpet', syn. R. 'Maccarpe'. Rosier buisson miniature, prostré, rampant. H. 15 cm, E. 50 cm. Fleurs en forme de pompon, très doubles, blanches, de 3 cm de diamètre, surtout en été, un peu en automne. Abondantes petites feuilles luisantes. Bon couvre-sol compact.

R. 'Southampton', syn. R. 'Susan Ann', ill. p. 158.

R. 'Souvenir d'Alphonse Lavallée'. Rosier hybride remontant, à tiges vigoureuses, s'étalant. H. 2,2 m, E. 2 m. Fleurs parfumées, en coupe, doubles, de rouge vin de Bourgogne à rouge foncé pourpré, de 10 cm de diamètre, en été moyen. À cultiver contre un léger support.

R. 'Souvenir de la Malmaison'.

Rosier de l'île Bourbon, dense et étalé. H. et E. 1,5 m. En été-automne, fleurs au parfum épicé, en forme de rosette à quartiers, très doubles, de rose rougissant à blanches, de 12 cm de diamètre. La pluie abîme les fleurs. Grandes feuilles vert foncé.

R. 'Spanish Beauty', voir R. 'Mme Grégoire Staechelin'.

R. 'Spectacular', voir R. 'Danse du Feu'.

R. spinosissima, voir R. pimpinellifolia.

R. 'Spring Morning', voir R. 'Frühlingsmorgen'.

R. 'Stacey Sue', ill. p. 159.

R. 'Sunblaze', voir R. 'Orange Sunblaze'.

R. 'Susan Ann', voir R. 'Southampton'.

R. 'Sweet Dream', syn. R. 'Fryminicot'. Rosier buisson nain à fleurs en bouquets, compact. H. 40 cm, E. 35 cm. Bouquets de fleurs légèrement parfumées, en forme de pompon, très doubles, de couleur pêche abricot, de 6 cm de diamètre, en été-automne. Feuilles petites.

R. 'Sweet Magic', syn. R. 'Dicmagic', ill. p. 158.

R. 'Sylvia', voir R. 'Congratulations'.

R. 'Sympathie'. Rosier grimpant vigoureux, abondamment ramifié. H. 3 m, E. 2,5 m. En été-automne, fleurs légèrement parfumées, en coupe, très doubles, rouge foncé vif, de 8 cm de diamètre, généralement en bouquets. Abondant feuillage vert foncé, brillant.

R. 'Taifun', voir R. 'Typhoon'.

R. 'Tanky', voir R. 'Whisky Mac'.

R. 'Tapis Jaune', voir R. 'Rugul'.

R. 'The Fairy', ill. p. 153.

R. 'The Times', syn. R. 'Korpeahn', ill. p. 156.

R. 'Tour de Malakoff', ill. p. 152.

R. 'Tricolore de Flandres'. Rosier de Provins vigoureux, dressé. H. et E. 1 m. En été, fleurs parfumées, en forme de pompon, très doubles, rose rougissant rayé de rose et de pourpre, de 6 cm de diamètre. Feuillage vert terne.

R. 'Troika', syn. R. 'Royal Dane', ill. p. 158.

R. 'Trumpeter', syn. R. 'Mactru', ill. p. 155.

R. 'Typhoon', syn. R. 'Taifun'. Rosier buisson à grandes fleurs, étalé. H. et E. 75 cm. Abondant feuillage vert foncé, lisse. Nombreuses fleurs parfumées, de forme arrondie, très doubles, rose saumoné, de 10 cm de diamètre, en été-automne.

R. 'Veilchenblau', syn. R. 'Blue Rambler', ill. p. 162.

R. 'Wee Jock', syn. R. 'Cocabest', ill. p. 156.

R. 'Whisky Mac', syn. R. 'Tanky'. Rosier buisson à grandes fleurs, dressé, de belle allure. H. 75 cm, E. 60 cm. Profusion de fleurs parfumées, de forme arrondie, très doubles, de couleur ambrée, de 9 cm de diamètre, en été-automne. Feuillage rougeâtre, sujet à l'oïdium. La partie aérienne peut mourir durant les hivers rigoureux.

R. 'White Cockade'. Rosier grimpant à grandes fleurs, touffu, dressé, à croissance lente.

ROSCOEA

RUTA

H. 2-3 m, E. 1,5 m. En été-automne, fleurs légèrement parfumées, de forme arrondie, bien formées, très doubles, blanches, de 9 cm de diamètre. Peut être taillé en forme d'arbuste.
R. 'William Lobb', syn. *R.* 'Duchesse d'Istrie', ill. p. 152.
R. 'Yvonne Rabier'. Rosier buisson Polyantha, dense et touffu. H. 45 cm, E. 40 cm. En été-automne, fleurs moyennement parfumées, de forme arrondie, doubles, blanc crème, de 5 cm de diamètre. Abondant feuillage vert vif.
R. 'Zéphirine Drouhin', ill. p. 161.
R. 'Zonta Rose', voir *R.* 'Princess Alice'.

ROSCOEA (Zingibéracées)

Genre de plantes à rhizomes, fleuries à la fin de l'été et en début d'automne, apparentées au gingembre. Cultivées pour leurs fleurs. À utiliser en bordures, en jardins de rocaille et en jardins boisés. Rustiques. À planter au soleil ou à l'ombre légère dans un sol frais, riche en humus, humide en été. La partie aérienne disparaît en hiver; un apport de terreau de feuilles ou de compost bien décomposé, en couverture, est alors bénéfique. Multiplication par division au printemps ou par semis en été ou en hiver.
R. cautleoides, ill. p. 365.
R. humeana, ill. p. 365.

ROSMARINUS (Labiacées)
Romarin

Genre d'arbustes cultivés pour leurs fleurs et pour leur feuillage persistant aromatique, pouvant être utilisé en cuisine. Assez rustiques; cependant, dans les zones froides, il est conseillé de les planter contre un mur orienté au sud ou à l'ouest. Ont besoin de soleil et d'un sol bien drainé. Au printemps, rabattre les pieds endommagés par le gel afin d'avoir de nouveaux rejets sains. Les vieilles plantes, dégarnies, peuvent être rabattues sévèrement à la même époque. Tailler après la floraison. Multiplication en été, par boutures de rameaux semi-aoûtés, ou par marcottage.
R. lavandulaceus, voir *R. officinalis* 'Prostatus'.
R. officinalis (Romarin), ill. p. 135.
'Miss Jessopp's Upright' est un arbuste dressé, compact, au feuillage persistant. H. et E. 2 m. Il fleurit du milieu à la fin du printemps et parfois de nouveau en automne. Petites fleurs bilabiées,

bleues; feuilles étroites, oblongues, aromatiques, vert sombre. À utiliser en haies. **'Prostratus'** (syn. *R. lavandulaceus*), H. 15 cm, est l'arbuste prostré le moins rustique. **'Severn Sea'**, H. 1 m, a des branches arquées, portant des fleurs bleu vif.

Rossiglossum grande, voir *Odontoglossum grande.*

RUBUS (Rosacées)
Ronce

Genre d'arbustes et de plantes grimpantes, sarmenteuses et ligneuses à feuilles caduques, semi-persistantes ou persistantes. Certaines espèces sont cultivées uniquement pour leurs fruits comestibles, comme les framboises et les mûres. Celles décrites ici sont cultivées surtout pour leur feuillage, leurs fleurs ou leurs tiges ornementales souvent épineuses : quelques-unes peuvent également avoir des fruits comestibles. Rustiques, peu exigeantes pour le sol et l'exposition. Toutes les espèces ont cependant besoin d'un sol bien drainé. Rabattre les vieilles tiges de *R. biflorus,* de *R. thibetanus,* après la fructification. Multiplication généralement par semis ou boutures de racines, ou drageonnage.
R. 'Benenden', syn. *R.* 'Tridel', ill. p. 104.
R. biflorus, ill. p. 117.
R. deliciosus. Arbuste à rameaux arqués. H. et E. 2,5 m. Tiges non épineuses, à écorce se desquamant, à feuilles caduques, vert foncé, composées de 3-5 folioles ovales larges. Vers la fin du printemps et en début d'été, grandes fleurs blanches, à 5 pétales, ressemblant à des églantines, suivies de petits fruits pourpres, rappelant des framboises.
R. henryi var. **bambusarum**. Plante grimpante sarmenteuse, ligneuse, vigoureuse, à croissance rapide, cultivée surtout pour son beau feuillage persistant. H. jusqu'à 6 m. Feuilles à 3 folioles larges, ovales, feutrées de blanc en dessous. En été, petits bouquets de minuscules fleurs roses.
R. odoratus (Ronce odorante). Arbuste dressé, vigoureux, formant un fourré. H. et E. 2,5 m. Tiges dépourvues d'épines, à écorce qui se desquame. Grandes feuilles caduques, veloutées quand elles sont jeunes, vert foncé, avec 5 larges lobes presque triangulaires. Du début de l'été au début de l'automne, grandes fleurs odorantes, à 5 pétales rose pourpré, suivies de fruits rouges,

aplatis, comestibles.
R. thibetanus, ill. p. 117.
R. tricolor. Arbuste à tiges prostrées et arquées, couvertes de soies rouges. H. 60 cm, E. 2 m. Feuilles persistantes ovales, dentées, vert foncé, brillantes, mettant en valeur au milieu de l'été des fleurs en coupe, à 5 pétales blancs. Les fruits rouges, comestibles, ressemblent à des framboises. Bon couvre-sol.
R. 'Tridel', voir *R.* 'Benenden'.

RUDBECKIA (Composées)

Genre de plantes annuelles, bisannuelles et vivaces, produisant de bonnes fleurs à couper. Rustiques. Se développent bien au soleil ou à mi-ombre et dans des sols humides ou bien drainés. Multiplication par division au printemps pour les vivaces, par semis en automne ou au printemps pour les annuelles.
R. fulgida var. **deamii**. Plante vivace érigée. H. 1 m, E. 60 cm ou plus. Vers la fin de l'été et en automne, capitules jaunes à centre noir, conique. Feuilles étroites, lancéolées, vert moyen. Aime les sols humides. **'Goldsturm'**, ill. p. 215.
R. 'Herbstsonne', ill. p. 194.
R. hirta. Plante bisannuelle, à croissance moyennement rapide, dressée et ramifiée, cultivée en annuelle. H. 30 cm-1 m, E. 30-45 cm. Feuilles lancéolées, vert moyen. Grands capitules ressemblant à des marguerites, jaune foncé, à centre pourpre conique, en été et en automne. Aime le soleil et les sols bien drainés. **'Goldilocks'**, ill. p. 284. **'Irish Eyes'**, H. jusqu'à 75 cm, a des capitules jaunes à centre vert olive, conique. **'Marmelade'** et **'Rustic Dwarf'**, ill. p. 284.
R. laciniata 'Golden Glow'. Plante vivace érigée. H. 2,2 m, E. 1 m. Vers la fin de l'été et en automne, capitules de type marguerite, doubles, jaune d'or à centre vert. Feuilles vert moyen, divisées en folioles lancéolées à bords découpés. Préfère les sols bien drainés. **'Goldquelle'**, ill. p. 191.
R. purpurea, voir *Echinacea purpurea.*

RUELLIA (Acanthacées)

Genre de plantes vivaces, de sous-arbrisseaux et d'arbustes à feuilles persistantes, à floraison voyante. Non rustiques (min. 15 °C). À cultiver en atmosphère humide, sous un ombrage partiel et dans des sols humides et bien drainés.

Multiplication par boutures de tiges ou par semis, au printemps.
R. amoena, voir *R. graecizans.*
R. devosiana, ill. p. 234.
R. graecizans, syn. *R. amoena,* ill. p. 208.

RUSCUS (Liliacées)
Fragon

Genre de sous-arbrisseaux dioïques, formant une touffe, à floraison printanière, cultivés pour leur «feuillage persistant» et leurs fruits. Les feuilles apparentes sont en fait des rameaux aplatis (ou cladodes) sur lesquels les fleurs et les fruits apparaissent. Les vraies feuilles sont minuscules. Excellents pour zones ombragées mais le soleil leur convient aussi. Éviter les sols imbibés d'eau. D'assez rustiques à rustiques. Multiplication par division de touffes au printemps.
R. aculeatus (Petit Houx, Houx frelon). Arbuste érigé, formant un fourré. H. 75 cm, E. 1 m. Rustique. Les cladodes, vert foncé, sont piquants. Au printemps, minuscules fleurs verdâtres, en forme d'étoile, suivies de fruits sphériques, rouge vif.
R. hypoglossum, ill. p. 144.

RUSSELIA (Scrophulariacées)

Genre de plantes ligneuses, parfois sarmenteuses, à feuillage persistant, à fleurs voyantes. Non rustiques (min. 10-15 °C). À cultiver en plein soleil ou sous un ombrage léger, en sol humifère et bien drainé. Multiplication par boutures de tiges ou division au printemps.
R. equisetiformis, syn. *R. juncea* (Plante Corail), ill. p. 209.
R. juncea, voir *R. equisetiformis.*

RUTA (Rutacées)
Rue

Genre de plantes herbacées et de plantes suffrutescentes à floraison estivale, à feuilles persistantes, profondément divisées et aromatiques, cultivées pour leur feuillage et leurs fleurs. Parfois utilisées comme plantes médicinales. Rustiques. Ont besoin de soleil et d'un sol bien drainé. Rabattre jusqu'au vieux bois au printemps. Multiplication par bouturage en été.
R. graveolens (Rue des jardins, Rue fétide). **'Jackman's Blue'**, ill. p. 145.

S

SABAL (Palmiers)

Genre de palmiers de dimensions diverses, cultivés pour leur feuillage persistant (feuilles flabelliformes) et leur allure intéressante. Peu rustiques (en France : plein air toute l'année uniquement sur la Côte d'Azur). Préfèrent le plein soleil et les sols fertiles et bien drainés. Arroser avec modération, très peu en dehors de la période de croissance. Multiplication par semis au printemps. Peuvent être parasités par les araignées rouges.
S. minor, ill. p. 144.

SAGINA (Caryophyllacées)
Sagine

Genre de plantes annuelles ou vivaces naines cultivées pour leur feuillage gazonnant. Excellents couvre-sol. Certaines espèces peuvent être envahissantes. Rustiques. Ont besoin de soleil ou de mi-ombre et d'un sol humide ; craignent la sécheresse et les trop fortes chaleurs. Multiplication : division au printemps ou semis en automne. Peuvent être attaquées par les aphidiens et les araignées rouges.
S. boydii, ill. p. 330.

SAGITTARIA (Alismacées)

Genre de plantes aquatiques vivaces submergées ou poussant au bord de l'eau (ou en marécage) que l'on cultive pour leur feuillage et leurs fleurs. Les feuilles submergées sont étroitement rubanées, les feuilles émergées ont un limbe entier souvent sagitté. De rustiques à non rustiques. Certaines espèces se plaisent uniquement dans des mares ou des étangs, d'autres s'adaptent aux aquariums. Toutes ont besoin d'une bonne et importante luminosité. Éliminer au fur et à mesure le feuillage fané. Multiplication: division au printemps ou en été, ou par éclats des turions (bourgeons écailleux) au printemps.
S. japonica, voir *S. sagittifolia* 'Flore Pleno'.
S. latifolia, ill. p. 372.
S. sagittifolia (Flèche d'eau américaine). Espèce à feuilles caduques poussant au bord de l'eau. H. 45 cm, E. 30 cm. Rustique. Feuilles aériennes dressées, triangulaires, vert assez clair. Donne en été des fleurs à 3 pétales, blanc rosé. Peut pousser dans l'eau jusqu'à 25 cm

de profondeur. 'Flore Pleno' (syn. *S. japonica)* est à fleurs doubles.

SAINTPAULIA (Gesnériacées)
Violette africaine

Genre de plantes vivaces naines, acaules, à feuilles persistantes poussant en rosette étalée, cultivées pour leurs fleurs décoratives ressemblant à des violettes. Non rustiques (min. 18 ºC). Ont besoin d'une température relativement constante, d'une atmosphère humide sans excès, d'une ombre légère et d'un sol fertile. Multiplication par boutures de feuilles en été. Les mouches blanches et les cochenilles peuvent poser des problèmes dans le cas des espèces cultivées à l'intérieur.
S. ionantha (Violette d'Usambara, Violette africaine). Espèce formant souvent de grosses touffes. H. jusqu'à 10 cm, E. 25 cm. Feuilles arrondies, molles, charnues, généralement velues, à long pétiole, vertes sur le dessus, souvent rougeâtres sur la face inférieure. Donne tout au long de l'année des cymes paniculées de 2-8 fleurs à pétales soudés, bleu-violet (2,5 cm de large), poussant au-dessus des feuilles sur de minces pédoncules. Il en existe de nombreuses variétés. Les fleurs peuvent être d'une assez grande diversité de couleurs, allant du blanc ou du rose au rouge foncé ou au bleu, unies ou bicolores, et se présenter sous diverses formes : simples, semi-doubles ou doubles, à pétales plans, plissés ou gaufrés. 'Bright Eyes' (ill. p. 258) a des feuilles vert foncé et des fleurs bleu-violet à centre jaune. 'Colorado' (ill. p. 258) a des feuilles vert foncé et des fleurs simples, plissées, rouge magenta. Les feuilles de 'Delft' (ill. p. 258) sont vert foncé et les fleurs doubles, bleu-violet. 'Fancy Pants' (ill. p. 258) a des fleurs simples, blanches à marges rouges plissées, dressées au-dessus de feuilles vert clair. 'Garden News' (ill. p. 258) a des feuilles vert vif et des fleurs doubles d'un blanc très pur. 'Kristi Marie' (ill. p. 258) a des feuilles vert foncé et des fleurs semi-doubles, rouge pourpre ourlé de blanc. 'Miss Pretty' (ill. p. 258) a des feuilles vert pâle et de grandes fleurs simples, blanches flammées de rose, à pétales gaufrés. 'Pip Squeak' (ill. p. 258), H. jusqu'à 8 cm, E. 10 cm, a des feuilles ovales d'un vert foncé (1-2 cm de long) et des fleurs rose pâle (1 cm de large). 'Porcelain' (ill. p. 258) a des fleurs semi-doubles, blanches ourlées de bleu pourpré alors que les fleurs de 'Rococo Pink' (ill. p. 258) sont doubles et d'un rose iridescent.

SALIX (Salicacées)
Saule

Genre d'arbres et d'arbustes à feuilles caduques, cultivés surtout pour leur port, leur feuillage et leurs chatons. Les chatons mâles sont plus beaux que les femelles ; les uns et les autres sont généralement portés par des plants distincts. Rustiques. La plupart des espèces supportent à peu près tous les types de sols, à condition que ceux-ci soient humides. *S. caprea* et ses variétés poussent également sur des sols secs. Certaines espèces sont cultivées pour les belles couleurs de leurs pousses en hiver. Multiplication : boutures de bois semi-lignifié en été ou de bois sec en hiver. Les maladies fongiques peuvent provoquer des nécroses, notamment chez *S. babylonica* et *S.* 'Chrysocoma'. Les saules peuvent être envahis par divers parasites tels que chenilles et aphidiens.
S. aegyptiaca. Arbre ou arbuste vigoureux et touffu. H. 4 m, E. 5 m. Donne à la fin de l'hiver ou au début du printemps des chatons mâles jaunes qui poussent sur des rameaux dénudés, avant l'apparition des feuilles lancéolées, allongées, vertes.
S. alba (Saule blanc, Saule argenté, Saule vivier). f. *argentea* (syn. var. *sericea, S.a.* 'Sericea') est un arbre drageonnant à croissance rapide, à cime étalée et arrondie. H. 20 m, E. 12 m. Feuilles étroitement lancéolées, gris argenté vif. Au début du printemps, petits chatons vert jaunâtre. 'Britzensis' (syn. *S.a.* 'Chermesina'), H. 25 m, E. 10 m, a des feuilles vertes et des rameaux d'un beau rouge clair. 'Caerulea', H. 25 m, E. 10 m, est un arbre à croissance très rapide, conique, à feuilles longues et étroites, vert bleuâtre. 'Chermesina', voir *S.a.* 'Britzensis'. var. *sericea* et 'Sericea', voir *S.a.* f. *argentea.* 'Tristis', voir *S.* 'Chrysocoma'. var. *vitellina,* ill. p. 48.
S. apoda, ill. p. 303.
S. arbuscula. Arbuste nain, rampant. H. et E. 60 cm ou plus. Se couvre au printemps de feuilles ovales étroites, dentées et de chatons jaunes à poils blancs, parfois teintés de rouge. Convient aux jardins de rocaille.
S. babylonica (Saule pleureur, Saule de Babylone). Arbre à rameaux minces et allongés qui pendent presque jusqu'à terre. H. et E. 15 m. Porte des feuilles étroitement lancéolées, à pointe effilée et, au début du printemps, des chatons vert jaunâtre. Du fait de sa prédisposition aux nécroses, on tend à le remplacer par *S.* 'Chrysocoma'.
S. × boydii, ill. p. 301.

S. caprea (Marsault). Petit arbre ou arbuste touffu. H. 10 m, E. 8 m. Feuilles ovales vert foncé sur le dessus, grisâtres dessous. Les chatons se forment au printemps, avant l'apparition des feuilles ; les femelles sont gris et soyeux, les mâles sont gris avec des anthères jaunes.
S. 'Chrysocoma', syn. *S. alba* 'Tristis', ill. p. 48.
S. daphnoides, ill. p. 48.
S. elaeagnos. Arbuste à feuillage dense. H. 4 m, E. 5 m. Longs et minces rameaux portant des chatons grêles jaunes au printemps, peu avant l'apparition des feuilles. Celles-ci sont longues et étroites, vertes à dessous blanchâtre et deviennent jaunes en automne.
S. fargesii. Arbuste à feuillage claisemé. H. et E. 3 m. Rameaux et bourgeons rouge pourpre en hiver. Minces chatons verts, dressés, apparaissent au printemps en même temps que les feuilles ; celles-ci sont oblongues, luisantes, vertes.
S. fragilis. Petit arbre ou arbuste à cime large et touffue. H. 15 m, E. 12-15 m. Feuilles étroitement lancéolées, luisantes, vertes. Les chatons, qui apparaissent au printemps, sont jaunes sur les plants mâles, verts sur les femelles.
S. gracilistyla. Arbuste touffu. H. 3 m, E. 4 m. Au début du printemps, gros chatons soyeux, gris à anthères rouges, puis jaune vif. Feuilles ovales étroites, soyeuses, grises lorsqu'elles sont jeunes, devenant ensuite vertes, luisantes, glabres.
S. hastata 'Wehrhahnii', ill. p. 121.
S. helvetica, ill. p. 289.
S. herbacea. Petit arbuste rampant. H. 20 cm ou plus. Petites feuilles rondes ou ovales ; au printemps, petits chatons jaunes ou vert jaunâtre. Pour jardins de rocaille. A besoin d'un sol humide.
S. irrorata. Arbuste dressé. H. 3 m, E. 5 m Jeunes rameaux verts, qui deviennent pourpres en hiver, avec une pruine blanche. Les chatons, à anthères rouges, puis jaunes, apparaissent avant les feuilles ; celles-ci sont lancéolées, étroites, luisantes, vertes.
S. lanata, ill. p. 124. 'Stuartii', voir *S.* 'Stuartii'.
S. magnifica. Arbuste à branches clairsemées. H. 6 m, E. 3 m. Au printemps, chatons grêles, très longs, verts, au moment où commencent à pousser de grandes feuilles vert bleuté dont la forme rappelle celles des magnolias.
S. matsudana 'Tortuosa', ill. p. 58.
S. 'Melanostachys' (Saule noir). Arbuste à feuillage étalé, buissonneux. H. 3 m, E. 4 m. Chatons presque noirs, à anthères rouges, qui apparaissent au début du printemps avant les feuilles ; celles-ci sont lancéolées, vert vif.
S. pentandra (Saule laurier). Arbrisseau, puis petit arbre à

feuilles ovales acuminées, luisantes, vertes sur le dessus, blanc bleuté dessous. H. et E. 10 m. Les chatons – mâles jaune vif, femelles gris-vert – apparaissent en fin de printemps lorsque l'arbre est couvert de feuilles.

S. purpurea (Osier rouge). Arbuste touffu, étalé. H. et E. 3 m. Les petits chatons mâles, gris à anthères jaunes, et les chatons femelles encore plus petits apparaissent au printemps sur des rameaux grêles, pourpres virant au gris ensuite, avant l'apparition des feuilles; celles-ci sont oblongues, effilées, vert terne. Tiges utilisées en vannerie fine. **'Nana'** (syn. *S.p.* 'Gracilis'), H. et E. 1,5 m, est nain, dense, et fait de bonnes haies.

S. repens (Saule argenté), ill. p. 124.

S. reticulata (Saule réticulé), ill. p. 310.

S. × rubens 'Basfordiana'. Arbre à feuillage étalé. H. 15 m, E. 10 m. Jeunes rameaux d'hiver d'un beau jaune orangé. Feuilles longues et étroites, vert grisâtre lorsqu'elles sont jeunes, puis vertes et luisantes en été. Chatons vert jaunâtre apparaissant au début du printemps.

S. sachalinensis 'Sekka', syn. *S.s.* 'Setsuka'. Arbuste étalé (il s'agit d'un clone mâle). H. 5 m, E. 7 m. Tiges fasciées. Feuilles lancéolées, luisantes, vert vif. Chatons argentés au début du printemps. Rameaux utiles pour les compositions florales.

S. 'Stuartii', syn. *S. lanata* 'Stuartii'. Arbuste étalé à croissance lente. H. 1 m, E. 2 m. Rameaux d'hiver jaunes. Épais chatons gris-vert se formant au printemps à partir de bourgeons orange, au moment où apparaissent les feuilles ovales, laineuses, grises.

SALPIGLOSSIS (Solanacées)

Genre de plantes annuelles, bisanuelles ou vivaces. Ce sont en général les annuelles que l'on cultive, soit pour donner de la couleur dans des bordures ou massifs, soit comme plantes de serre. Semi-rustiques. À planter au soleil dans des sols bien drainés (craignent l'humidité). Ont souvent besoin de support. Multiplication : par semis sous châssis au début du printemps, ou bien au début de l'automne pour une floraison d'intérieur en hiver. À protéger des aphidiens.

S. sinuata (Salpiglossis à fleurs changeantes). Série Boléro, ensemble de variétés annuelles, ramifiées, à croissance relativement rapide. H. 60 cm, E. 30 cm. Feuilles lancéolées vert pâle. Fleurs en cornet largement évasé, tournées vers l'extérieur, à fines veinures, 5 cm de large (été/début d'automne). Coloris très variés tels que rouge, jaune, orange et bleu. **'Friendship'** a des fleurs tournées vers le haut, de couleurs variées. **'Splash'**, ill. p. 273.

SALVIA (Labiacées)
Sauge

Genre de plantes annuelles ou vivaces, de sous-arbrisseaux ou d'arbrisseaux à feuilles persistantes ou semi-persistantes, cultivés pour leurs grappes de verticilles de fleurs à corolle bilabiée (lèvre supérieure en casque) et leur feuillage aromatique. Les feuilles de certaines espèces sont utilisées comme condiments. De rustiques à non rustiques. Ont besoin de soleil et d'un sol fertile et bien drainé. Multiplication : division au printemps ou boutures de bois tendre à la mi-été pour les espèces vivaces; semis sous châssis en hiver pour les espèces annuelles ou vivaces.

S. argentea (Sauge argentée), ill. p. 201.

S. blepharophylla. Espèce vivace, étalée, à racines charnues. H. et E. 45 cm. Semi-rustique. Feuilles ovales, luisantes, vert foncé. Grappes terminales de fleurs rouge vif à calice pourpré (été/automne).

S. bulleyana. Espèce vivace. H. et E. 60 cm. Rustique. Grappes de fleurs jaunes, à lèvres marron rouge, poussant en été au-dessus d'une touffe basale de feuilles vert foncé, largement ovales, à nervures saillantes.

S. farinacea. **'Alba'** est une variété vivace dressée, à croissance relativement rapide, souvent cultivée en annuelle. H. 1 m, E. 30 cm. Semi-rustique. Feuilles lancéolées vert clair. Porte en été des fleurs blanches. **'Blue Bedder'**, H. 45 cm, a des fleurs bleu-violet foncé. **'Victoria'**, ill. p. 276. Il existe également des formes naines.

S. fulgens, ill. p. 134.

S. grahamii, voir *S. microphylla.*

S. greggii. Sous-arbrisseau dressé à feuilles persistantes. H. jusqu'à 1,20 m, E. jusqu'à 60 cm. Non rustique. Feuilles oblongues, étroites, vert mat. En été, grappes terminales de fleurs rouge-pourpre.

S. haematodes. Espèce vivace en rosette. H. 1 m, E. 45 cm. Rustique. Au début de l'été, fleurs bleu lavande associées en grappes au-dessus de grandes feuilles largement ovales, à marges ondulées, dentées, vert foncé.

S. horminum, ill. p. 275. La **série Art Shades** est un ensemble de formes annuelles ramifiées, à croissance moyennement rapide. H. 45 cm, E. 20 cm. Semi-rustiques. Feuilles ovales vert clair. Grappes de fleurs minuscules disparaissant sous de grandes bractées bleues, roses ou blanches (été/début d'automne). Les bractées de la **série Claryssa** présentent des coloris très variés tels que blanc, rose, pourpre et bleu.

S. involucrata. Espèce vivace, buissonnante, à base ligneuse. H. 60-75 cm ou plus, E. 1 m. Semi-rustique. Porte des feuilles ovales, vert intense et, à la fin de l'été et en automne, des grappes de grandes fleurs rose-pourpre. **'Bethellii'**, ill. p. 193.

S. jurisicii. Espèce vivace en touffe. H. 45 cm, E. 30 cm. Rustique. Tiges portant des feuilles vert clair composées de 4-6 paires de folioles linéaires. Au début de l'été, fleurs bleu violet.

S. leucantha. Sous-arbrisseau dressé, très ramifié, à feuilles persistantes. H. et E. 60 cm ou plus. Peu rustique. Feuilles étroitement lancéolées, finement ridées, vert foncé sur le dessus, la face inférieure couverte de duvet blanc. Donne en fin d'été/automne des grappes terminales de fleurs blanches à calice violet, laineux.

S. microphylla, syn. *S. grahamii.* Arbrisseau dressé, ramifié, à feuilles persistantes. H. et E. 1-1,20 m. Semi-rustique, mais se développe mieux à 5 °C. Feuilles d'ovales à elliptiques, d'un vert plus ou moins foncé. Fleurs rouges se nuançant progressivement de violet, à calice pourpre (été/automne). var. *neurepia*, ill. p. 134.

S. nemorosa, syn. *S. virgato* var. *nemorosa.* Espèce vivace en touffe bien dessinée. H. 1 m, E. 45 cm. Rustique. Feuilles ovales, étroites, vert clair. Donne en été des grappes denses et ramifiées de fleurs bleu-violet. **'East Friesland'** est plus petite (H. 75 cm). **'Lubecca'**, H. 45 cm, est une forme naine. **'May Night'** (syn. *S. × superba* 'May Night'), ill. p. 211.

S. officinalis (Sauge officinale). **'Icterina'**, ill. p. 145. **'Purpurascens'** est un arbrisseau buissonnant à feuilles persistantes. H. 60 cm, E. 1 m. Rustique. Les feuilles oblongues, vert blanchâtre, ont une saveur aromatique utilisée en cuisine. Donne en été des fleurs bleu violacé.

S. patens, ill. p. 243.

S. sclarea (Sauge sclarée, Toutebonne). var. *turkestanica,* ill. p. 243.

S. splendens (Sauge éclatante). Plante vivace touffue, buissonnante, à feuilles persistantes, cultivée en annuelle. H. et E. 30 cm, E. 20-30 cm. Non rustique. Feuilles ovales, dentées, vert assez clair. Fleurs rouge vif en épis denses (été/début d'automne). **'Blaze of Fire'** a de belles fleurs écarlates. Les **séries Carabinière** (ill. p. 263) et **Cleopatra** (saumon, ill. p. 265; violet, ill. p. 275) se présentent en coloris unis ou panachés. **'Fireworks'** a des fleurs striées de rouge et blanc. **'Flare Path'**, ill. p. 272. **'Rodeo'**, H. 20 cm, a des fleurs d'un rouge éclatant.

S. × superba 'May Night', voir *S. nemorosa* 'May Night'.

S. virgata var. nemorosa, voir *S. nemorosa.*

SALVINIA (Salviniacées)

Genre de fougères aquatiques vivaces, à frondes caduques, sauf en conditions tropicales. Utiles pour aquariums tropicaux. Non rustiques (min. 18 °C). Préfèrent l'eau chaude et beaucoup de lumière. Multiplication par séparation des jeunes plants en été.

S. auriculata, ill. p. 375.

SAMBUCUS (Caprifoliacées)
Sureau

Genre d'arbres ou d'arbustes (rarement plantes herbacées vivaces), cultivés surtout pour leur feuillage, caduc, et leurs fruits. Généralement rustiques. Ont besoin de soleil ou de mi-ombre. En général peu exigeants pour le sol. Multiplication : bouturage facile de rameaux en sec, ou de pousses feuillées. Semis pour les espèces types.

S. canadensis. **'Aurea'** est un arbuste dressé de 4 m de H. Feuilles jaune doré, généralement à 7 folioles. Donne en été de grandes cymes de petites fleurs étoilées, blanc crème, suivies de baies rouges. **'Maxima'** porte de très grandes feuilles vert clair et d'énormes inflorescences.

S. nigra (Sureau noir, Sureau commun). **'Aurea'** est un arbuste touffu. H. et E. 6 m. Rameaux subéreux, épais, portant des feuilles jaune doré, généralement composées de 5 folioles ovales. En début d'été, panicules étalées de fleurs étoilées, odorantes, blanc crème, suivies de baies globuleuses noires.

S. racemosa (Sureau à grappes, Sureau rouge). Arbuste touffu. H. et E. 4 m. Feuilles vert clair, généralement composées de 5 folioles ovales. À mi-printemps, panicules coniques de fleurs étoilées jaune verdâtre, suivies de fruits globuleux rouge corail. Apprécie une ombre légère. **'Plumosa'** a des feuilles à folioles finement découpées; c'est aussi le cas de **'Plumosa Aurea'** dont les feuilles passent progressivement du bronze au jaune doré.

SANCHEZIA (Acanthacées)

Genre de sous-arbrisseaux ou de plantes grimpantes, généralement à floraison estivale, cultivés pour leur feuillage persistant et leurs fleurs. Non rustiques (min. 18 °C). Ont besoin d'un bon éclairage et d'un sol fertile et bien drainé. Les sujets en pot doivent être arrosés avec modération lorsqu'ils sont en pleine croissance, très peu le reste du temps. Multiplication par boutures herbacées au printemps ou en été. À protéger des mouches blanches.

S. nobilis, voir *S. speciosa.*

S. speciosa, syn. *S. nobilis,* ill. p.145.

SANDERSONIA (Liliacées)

Genre représenté par une seule espèce, voisine de *Gloriosa*, de plante à racines tubéreuses. Fleurs à corolle urcéolée-campanulée apparaissent en été. Tige érigée, feuilles lancéolées dont certaines

munies d'une vrille pouvant s'accrocher sur un support. Semi-rustique. A besoin d'un endroit abrité, au soleil, et d'un sol bien drainé. Déterrer les tubercules en hiver en climat froid. Multiplication par semis ou plantation de tubercules au printemps.
S. aurantiaca, ill. p. 353.

SANGUINARIA (Papavéracées)

Genre représenté par une seule espèce de plante vivace, rhizomateuse, à floraison printanière. Rustique. À cultiver au soleil ou en mi-ombre, dans un sol riche en humus, humide mais bien drainé. Multiplication : division des rhizomes en été ou semis en automne.
S. canadensis, ill. p. 303.
'Multiplex' (syn. *S. c.* 'Flore Pleno', *S. c.* 'Plena') est un cultivar à rhizomes charnus qui exsudent un latex rouge lorsqu'on les coupe. H. 15 cm, E. 30-45 cm. Au printemps, fleurs éphémères, arrondies, doubles, blanches, faisant leur apparition avant les feuilles grandes, cordiformes, vert grisâtre, à dessous glauque.

SANGUISORBA (Rosacées)

Genre de plantes vivaces, proches des pimprenelles (*Poterium*), cultivées pour leurs élégants épis ou glomérules floraux. Rustiques. Ont besoin de soleil ou d'un sol humide. Multiplication par division au printemps ou semis en automne.
S. canadensis, ill. p. 188.
S. officinalis (Sanguisorbe officinale, Grande Pimprenelle). 'Rubra' (H. 1,20 m, E. 60 cm) donne vers la fin de l'été des glomérules de fleurs rouge sombre au-dessus de feuilles vert glauque, divisées en folioles ovales.

SANSEVIERIA (Agavacées)

Genre de plantes vivaces, rhizomateuses, cultivées pour leurs feuilles persistantes, épaisses, coriaces, raides, qui sont planes ou cylindriques. Non rustiques (min. 18 ºC). Supportent le soleil comme la mi-ombre et poussent sans difficulté dans tous les types de sols pas trop imprégnés d'eau (surtout en hiver). Multiplication : boutures de feuilles ou division de touffes.
S. trifasciata. Espèce sans tige. H. 80 cm, E. variable. Forme un groupe de longues feuilles dressées, rubanées, pointues, raides et charnues, vertes, marquées de bandes longitudinales jaunes. Donne au printemps des épis de petites fleurs tubulaires à 6 lobes, blanc verdâtre, odorantes. 'Golden Hahnii', ill. p. 261. 'Hahnii', ill. p. 259. 'Laurentii', ill. p. 224.

SANTOLINA (Composées)
Santoline

Genre de sous-arbrisseaux (ou parfois plantes vivaces herbacées) à floraison estivale, cultivés pour leurs feuilles persistantes, aromatiques et leurs petites fleurs réunies en capitules terminaux à long pédoncule. En général semi-rustiques. Ont besoin de soleil et de sols légers, très sains. Éclaircir à chaque printemps pour éliminer les vieilles tiges. Multiplication par boutures de bois semi-lignifié en été, ou par éclats.
S. chamaecyparissus (Santoline, Fausse Sanguenitte, Santoline blanche). Sous-arbrisseau rameux, touffu. H. 75 cm, E. 1 m. Les rameaux sont couverts de petites feuilles blanchâtres, étroites, dentées, couvertes d'un duvet argenté. Donne en été des capitules de petites fleurs jaune d'or. Redoute l'humidité en hiver.
S. neapolitana, voir *S. pinnata* subsp. *neapolitana*.
S. pinnata. Se cultive notamment sous la forme de la sous-espèce *neapolitana* (syn. *S. neapolitana*) qui forme des touffes denses, arrondies. H. 75 cm, E. 1 m. Des pédoncules minces portant chacun un capitule terminal jaune citron, se dressent en été au-dessus d'un feuillage plumeux, gris-vert.
subsp. *neapolitana* 'Sulphurea', ill. p. 137.

SANVITALIA (Composées)

Genre de plantes vivaces et annuelles. De semi-rustiques à non rustiques. À cultiver au soleil et dans un sol fertile, bien drainé, léger. Multiplication par semis au printemps.
S. procumbens, ill. p. 280.
'Mandarin Orange', ill. p. 285.

SAPONARIA (Caryophyllacées)
Saponaire

Genre de plantes annuelles et vivaces, parfois à base sous-ligneuse, à floraison estivale, surtout cultivées pour leurs fleurs. Excellentes pour rocailles, bordures et massifs. Rustiques. Ont besoin de soleil et d'un sol bien drainé. Multiplication par semis au printemps.
S. caespitosa, ill. p. 318.
S. ocymoides, ill. p. 318.
S. officinalis (Saponaire officinale). 'Rubra Plena' est une plante vivace dressée. H. 80 cm, E. 30 cm. Feuilles vert tendre, ovales. Donne en été des cymes terminales de fleurs doubles, rouges.
S. × olivana, ill. p. 316.

SARCOCOCCA (Buxacées)

Genre d'arbustes cultivés pour leur feuillage persistant, leur floraison hivernale odoriférante et leurs fruits globuleux ou subglobuleux. Fleurs minuscules dont on ne voit que les anthères. De rustiques à semi-rustiques. Poussent à mi-ombre ou à l'ombre dans un sol fertile, frais. Supportent les sols calcaires. Multiplication par bouturage en été, ou semis en automne.
S. confusa. Arbuste touffu, étalé, dense. H. et E. 1 m. Rustique. Petites feuilles ovales à sommet obtus, luisantes, vert foncé. Donne en hiver de minuscules fleurs blanches parfumées, suivies de fruits noirs brillants.
S. humilis, ill. p. 142.

SARRACENIA (Sarracéniacées)
Sarracène

Genre de plantes vivaces insectivores, à rhizome, sans tige aérienne, dont certaines sont à feuilles persistantes ; leurs feuilles se replient pour former une sorte de long cornet, avec un lobe foliaire faisant office de couvercle. De semi-rustiques à peu rustiques. À cultiver au soleil ou en mi-ombre, dans de la tourbe et de la mousse. À maintenir toujours dans une abondante humidité, sauf en hiver où un environnement frais et légèrement plus sec est préférable. Multiplication par semis au printemps.
S. flava (Sarracène à fleurs jaunes), ill. p. 245.
S. purpurea (Sarracène pourpre). Espèce à courtes feuilles arquées, formant des rosettes. H. 30 cm, E. 30-40 cm. Cornets foliaires renflés, veinés de rouge pourpre, pouvant atteindre 15 cm de long. Donne au printemps des fleurs pourpres à 5 pétales (5 cm de large ou plus), dressées nettement au-dessus des cornets.

SASA (Graminées, Bambusées), voir **BAMBOUS, HERBES, JONCS** et **LAÎCHES.**

S. albomarginata, voir *S. veitchii*.
S. palmata. Bambou à feuillage étalé, persistant. H. 2 m, E. variable. Semi-rustique. Beau feuillage formé de très larges feuilles d'un vert intense, atteignant jusqu'à 40 cm de long. Tiges creuses, rayées irrégulièrement de pourpre, portant un rameau à chaque nœud. Panicules florales rares.
S. veitchii, syn. *S. albomarginata*, ill. p. 180.

SASSAFRAS (Lauracées)

Genre d'arbres à feuilles caduques et fleurs minuscules, cultivés pour leur feuillage ornemental aromatique. Rustiques. Ont besoin

de soleil ou d'une ombre légère et d'un sol profond, fertile et bien drainé, acide de préférence. Multiplication par semis ou drageonnage.
S. albidum, ill. p. 42.

SATUREJA ou SATUREIA (Labiacées)
Sarriette

Genre de plantes annuelles et vivaces et de sous-arbrisseaux à feuilles semi-persistantes, cultivés pour leur feuillage aromatique et leurs fleurs à corolle bilabiée. Conviennent pour rocailles et bordures sèches. Rustiques. Ont besoin de soleil et d'un sol bien drainé. Multiplication : semis en hiver ou au printemps, ou bouturage en été, ou division.
S. montana (Sarriette vivace). Plante buissonnante ou sous-arbrisseau. H. 40 cm, E. 20 cm ou plus. Feuilles de lancéolées à linéaires, aromatiques, vertes ou gris-vert. Donne en été des grappes terminales feuillées de fleurs tubulaires à 2 lèvres, lilas, roses ou lavande. 'Prostrate White', H. 7-15 cm, a des rameaux rampants et des fleurs blanches.

SAUROMATUM (Aracées)

Genre de plantes bulbeuses vivaces, à spathes rubanées dépassant 1 m de long. Non rustiques (min. 5-7 ºC). Ont besoin d'une situation abritée, de mi-ombre, et d'un sol humifère et bien drainé. Arroser abondamment en été. Laisser sécher ou déterrer (en climat froid) pendant la période de repos hivernal. Multiplication par rejetons au printemps.
S. guttatum, voir *S. venosum*.
S. venosum, syn. *S. guttatum*, ill. p. 343.

SAURURUS (Saururacées)

Genre de plantes vivaces rhizomateuses à feuillage caduc des zones humides, marécageuses, ou du bord de l'eau, cultivées pour leurs feuilles cordiformes. Rustiques. Aiment le plein soleil, ou l'ombre. Éliminer les feuilles fanées et diviser parfois les plants pour qu'ils conservent toute leur vigueur. Multiplication par division au printemps.
S. cernuus (Queue de lézard), ill. p. 373.

SAXEGOTHAEA (Podocarpacées), voir **CONIFÈRES.**

S. conspicua. Conifère à feuilles persistantes. H. 12 m, E. 5 m. Semi-rustique. Feuilles linéaires, pointues, courbes ou tordues, vert foncé. Les cônes sont globuleux, charnus, vert glauque.

SAXIFRAGA (Saxifragacées)
Saxifrage

Genre de plantes vivaces ou rarement annuelles ou bisannuelles, dont la plupart sont à feuilles persistantes ou semi-persistantes, souvent en rosette radicale, et qu'on cultive pour leurs fleurs et leur feuillage décoratif. Pour rocailles et massifs ou bordures. De rustiques à semi-rustiques. Multiplication par semis en automne ou boutures de racines en hiver. Selon leur mode de culture, les saxifrages peuvent se répartir en quatre groupes, comme suit :
1. Ont besoin d'être protégées du plein soleil ; un sol humide leur est nécessaire.
2. Ont besoin de mi-ombre et d'un sol bien drainé. Conviennent pour rocailles et éboulis.
3. Dans nos régions, se plaisent bien dans des conteneurs remplis d'une terre pierreuse, bien drainée, à l'abri du plein soleil de la mi-journée. La plupart forment des coussinets très denses qui fleurissent au printemps, en été ou en automne, les pédoncules dépassant à peine les feuilles.
4. Ont besoin d'un plein ensoleillement et d'un sol alcalin, bien drainé. La plupart ont des feuilles de base dures, imprégnées de calcaire (d'où leur nom de « Saxifrages crustacées »).
S. aizoides. Forme des touffes tapissantes de tiges étalées ou semi-dressées. H. 25 cm, E. 30 cm et plus. Rustique. Feuilles ovales, étroites, luisantes, charnues, vert foncé. Donne au printemps et en été des fleurs étoilées jaunes ou orange vif souvent mouchetées de rouge, dressées au sommet de pédoncules de 8 cm en inflorescences pauciflores. Groupe 1.
S. aizoon, voir *S. paniculata.*
S. × apiculata, ill. p. 311. Groupe 2.
S. × arco-valleyi. 'Arco' est à feuillage persistant et forme des coussins très denses. H. et E. 10 cm. Rustique. Donne au début du printemps des fleurs lilas clair, qui dépassent à peine une rosette serrée de feuilles d'oblongues à linéaires. Groupe 3.
S. burseriana, ill. p. 303. Groupe 3.
S. cochlearis. Espèce à petites rosettes de feuilles persistantes. H. 20 cm, E. 25 cm. Rustique. Feuilles grises en forme de cuiller, à marges incrustées de blanc. Donne au début de l'été de courtes panicules de fleurs arrondies, blanches, souvent tachetées de rouge. **'Minor',** H. et E. 12 cm, a des rosettes plus petites et des panicules de fleurs blanches tachetées de rouge. Idéal pour conteneur. Groupe 2.
S. cortusifolia var. **fortunei,** voir *S. fortunei.*
S. cotyledon, ill. p. 292. Groupe 2.
S. 'Cranbourne'. Vivace à feuillage

persistant formant des coussins. H. et E. 12 cm. Rustique. Donne au début du printemps des fleurs solitaires en forme de coupe, lilas pourpré, dépassant à peine une rosette de feuilles linéaires vertes. Groupe 3.
S. cuneifolia (Mignonnette), ill. p. 291. Groupe 1.
S. 'Elizabethae', ill. p. 311. Groupe 2.
S. fortunei, syn. *S. cortusifolia* var. *fortunei.* Espèce à feuilles assez grandes, semi-persistantes. H. et E. 30 cm. Semi-rustique. Feuilles orbiculaires lobées, charnues, vertes ou vert rougeâtre, à dessous rougeâtre. Donne en automne des panicules de minuscules fleurs blanches composées de 5 pétales (dont un ou deux sont plus longs que les autres). Multiplication par division au printemps.
'Rubrifolia' a des pédoncules rouge foncé et des feuilles vert rougeâtre à dessous rouge betterave. Groupe 1.
S. × geum (Saxifrage benoîte), ill. p. 291. Groupe 1.
S. granulata (Saxifrage granulée), ill. p. 286. Groupe 1.
S. grisebachii 'Wisley Variety', ill. p. 307. Groupe 4.
S. 'Hindhead Seedling', ill. p. 311. Groupe 2.
S. hirsuta, ill. p. 287. Groupe 1.
S. 'Jenkinsiae', ill. p. 305. Groupe 2.
S. longifolia. Espèce à rosettes solitaires. H. 20-80 cm, E. 20-25 cm. Rustique. Feuilles longues, étroites, incrustées de calcaire, formant de belles rosettes d'où émerge, au bout de 3-4 ans, une grande panicule inclinée, composée de nombreuses fleurs blanches à 5 pétales (fin printemps/début été). Les rosettes meurent après la floraison ; la multiplication se fait donc par semis au printemps ou en automne. S'hybride facilement avec d'autres espèces proches. Groupe 4.
S. moschata. Espèce à feuillage persistant formant une touffe basse plus ou moins dense. H. et E. 10 cm. Rustique. Rosette de petites feuilles vertes à lobes étroits, parfois entières. Minces pédoncules portant en été de 2-5 fleurs étoilées blanc crème ou jaune. **'Cloth of Gold',** ill. p. 331. Groupe 1.
S. oppositifolia, ill. p. 306. **'Ruth Draper'** est une variété vivace, à feuillage persistant formant un coussinet plus ou moins plat. H. 2,5-5 cm, E. 15 cm. Rustique. Petites feuilles d'oblongues à ovales, vert sombre moucheté de blanc, serrées les unes contre les autres le long de tiges couchées. Grandes fleurs cupulaires rose pourpre, écloses au début du printemps, juste au-dessus des feuilles. Préfère les sols humifères, bien drainés. Groupe 1.
S. paniculata, syn. *S. aizoon.* Espèce à feuilles persistantes en rosettes denses tapissantes. H. 15-30 cm, E. 20 cm. Rustique. En été, panicules de fleurs arrondies, généralement blanches, parfois mouchetées de rouge violacé ou de jaune, à pédoncule dressé au-dessus d'une rosette de feuilles

ovales ou oblongues incrustées de calcaire. Il existe aussi des formes à fleurs jaunes ou rose pâle. Groupe 4.
S. sancta, ill. p. 311. Groupe 2.
S. sarmentosa, voir *S. stolonifera.*
S. scardica, ill. p. 302. Groupe 3.
S. sempervivum, ill. p. 307. Groupe 3.
S. 'Southside Seedling', ill. p. 292. Groupe 4.
S. stolonifera, syn. *S. sarmentosa.* Espèce stolonifère, tapissante, à feuillage persistant. H. et E. 30 cm ou plus. Semi-rustique. Grandes feuilles arrondies, à bord crénelé et denté, à nervures argentées, vert olive sur le dessus, rougeâtres dessous. Donne en été des panicules clairsemées de minuscules fleurs blanches composées de 3 pétales égaux et de 2 plus allongés, portées par de minces pédoncules dressés. Bon couvre-sol. **'Tricolor'** a des feuilles vert et rouge marquées d'argent ; semi-rustique. Groupe 1.
S. stribrnyi, ill. p. 308. Groupe 3.
S. 'Tumbling Waters', ill. p. 287. Groupe 4.
S. 'Valérie Finnis'. Cultivar à feuillage persistant formant un coussinet compact. H. et E. 10 cm. Rustique. Courts pédoncules rouges portant des fleurs en coupe jaune soufre qui se dressent au printemps au-dessus d'une rosette dense de feuilles ovales, vertes. Groupe 3.

SCABIOSA (Dipsacacées)
Scabieuse

Genre de plantes annuelles et vivaces dont certaines sont à feuillage persistant et qui fournissent de jolies fleurs à couper. Rustiques. Préfèrent le soleil et les sols fertiles, bien drainés, légers. Multiplication des espèces vivaces par semis en automne ou par division au printemps ; des annuelles par semis au printemps.
S. atropurpurea (Scabieuse des jardins). Espèce vivace cultivée en annuelle, dressée, touffue, à croissance peu rapide. H. jusqu'à 1 m, E. 30 cm. Feuilles lancéolées, dentées, vert clair. Donne en été/début d'automne des capitules globuleux parfumés, rouge sombre violacé (5 cm de large), portés au sommet de minces pédoncules. Grandes formes (H. 1 m) et formes naines (H. 45 cm) présentent des variétés à fleurs parfumées d'une grande diversité de coloris (bleu, pourpre, rouge, rose, blanc). **Série Cockade,** ill. p. 275.
S. caucasica. 'Clive Greaves', ill. p. 242. **'Floral Queen'** est un cultivar vivace. H. et E. 60 cm. Donne tout au long de l'été de grands capitules bleu-violet, au centre hérissé en pelote d'épingles. Feuilles vert clair, lancéolées à la base de la plante, segmentées le long des tiges. **'Miss Willmott'** a des fleurs d'un blanc crémeux.
S. lucida, ill. p. 295.
S. rumelica, voir *Knautia macedonica.*

SCADOXUS (Amaryllidacées)

Genre de plantes bulbeuses à ombelles denses, généralement globuleuses, de fleurs rouges. Non rustiques (min. 18 °C). Apprécient une ombre partielle et un sol riche en humus et bien drainé. Réduire l'arrosage en hiver lorsque la plante n'est pas en période de croissance active. Multiplication par semis ou par caïeux au printemps.
S. multiflorus, syn. *Haemanthus multiflorus.* Floraison estivale. H. jusqu'à 70 cm, E. 30-45 cm. Feuilles basales, largement lancéolées, semi-dressées. Porte une ombelle sphérique (10-15 cm de large) pouvant être composée d'environ 200 fleurs à pétales étroits. subsp. *katherinae* (syn. *Haemanthus katherinae*), ill. p. 336.

SCHEFFLERA, syn. BRASSAIA, HEPTAPLEURUM (Araliacées)

Genre d'arbres et d'arbrisseaux surtout cultivés pour leur beau feuillage persistant. De semi-rustiques à non rustiques (min. 5 °C). S'accommodent de tous les types de sols fertiles, bien drainés mais qui retiennent l'humidité, ensoleillés ou partiellement ombragés. Arroser largement les sujets en conteneur durant la période de croissance, modérément le reste du temps. Supportent la taille. Multiplication : marcottage aérien au printemps, boutures de bois semi-lignifié en été, ou semis à la fin de l'été pour les espèces types.
S. actinophylla (Arbre ombrelle), ill. p. 57.

SCHIMA (Théacées)

Genre, apparenté à *Camellia,* d'arbres ou d'arbrisseaux cultivés pour leur feuillage persistant et leurs fleurs. Peu rustiques. Préfèrent les sols riches en humus, bien drainés, neutres ou acides et les expositions partiellement ombragées en terrain boisé protégé. Arroser généreusement les sujets en conteneur durant la période de croissance, modérément le reste du temps. Supportent la taille. Multiplication par semis dès que les graines sont à maturité ou par bouture de bois semi-lignifié en été.
S. wallichii. Petit arbre ou arbrisseau robuste, ovoïde. H. 10 m, E. 12 m ou plus. Feuilles d'elliptiques à oblongues, vert foncé veiné de rouge, à dessous vert teinté de rougeâtre (de 10-20 cm de long). Donne à la fin de l'été des fleurs solitaires, en forme de coupe (4 cm de large), parfumées, blanches lorsqu'elles sont écloses, flammées de rouge en bouton.

SCHINUS (Anacardiacées)

Genre d'arbres et d'arbrisseaux dioïques, surtout cultivés pour leur feuillage persistant. Non rustiques (min. 5°C). Aiment la pleine lumière et un sol très bien drainé. Les sujets en conteneur doivent être arrosés avec modération, surtout en hiver. Multiplication : semis au printemps ou boutures de bois semi-lignifié en été.

S. molle (Faux poivrier). Arbre à rameaux retombants, à croissance rapide. H. et E. jusqu'à 10 m. Feuilles divisées en nombreuses folioles étroitement lancéolées, luisantes, vert foncé. De la fin du printemps à l'été, grappes de minuscules fleurs jaunes, suivies de petits fruits rouge rosé.

SCHISANDRA ou SCHIZANDRA (Schisandracées)

Genre de plantes grimpantes, volubiles, sarmenteuses, à feuilles caduques ou persistantes, ligneuses ou subligneuses. Fleurs monoïques ou dioïques ; pour obtenir des fruits, il faut cultiver des plants des deux sexes pour les espèces dioïques. Conviennent pour garnir des murs un peu ombragés et des treillages. Rustiques (sauf *S. marmorata* et *s. coccinea*). À planter au soleil ou en mi-ombre, dans un sol riche, bien drainé, léger. Multiplication : boutures de bois semi-lignifié en été, marcottage, semis.

S. henryi. Espèce à rameaux ailés, à section triangulaire. H. 3-4 m. Feuilles d'ovales à cordiformes, vert lustré. Au printemps, petites fleurs blanches, à nombreux sépales et pétales. Les plants femelles donnent à la fin de l'été des épis pendants (de 5-7 cm de long) de baies rouges comestibles.
S. rubriflora, ill. p. 169.

SCHIZANTHUS (Solanacées)

Genre de plantes annuelles à rameaux d'aspect léger, cultivées pour leurs belles fleurs réunies en cymes terminales. Plantes en pots très appréciées et bonnes fleurs coupées. Semi-rustiques. Se plaisent dans les endroits ensoleillés, abrités et dans les sols fertiles et bien drainés. Pincer les jeunes plants pour favoriser la ramification. Multiplication : semis sous châssis au début du printemps pour une floraison en début d'automne, à la fin de l'été pour les plantes en pots qui fleuriront à la fin de l'hiver ou au printemps. À protéger contre les aphidiens.

S. série Bouquet. Ensemble de formes dressées, touffues, à croissance peu rapide. H. et E. 30 cm. Feuilles coriaces, vert clair. Donnent en été/automne des fleurs rondes, lobées, qui évoquent un peu des orchidées, dans un mélange de couleurs comprenant en particulier du rose, du pourpre et du jaune.
S. Giant Hybrids. Ensemble de formes dressées, touffues, à croissance rapide. H. 60 cm-1,20 m, E. 30 cm. Feuilles pinnatiséquées vert clair. Donnent en été/automne des fleurs arrondies, à corolle lobée, dans un mélange de couleurs comprenant du rose, du pourpre et du jaune.
S. 'Hit Parade', ill. p. 266.
S. série Pansy-flowered. Ensemble de formes dressées, touffues, à croissance moyennement rapide. H. 60 cm-1 m, E. 30 cm. Feuilles pinnatiséquées vert clair. Donnent en été/automne de grandes fleurs bicolores évoquant des pensées, dans des coloris tels que rose, pourpre et jaune.
S. pinnatus, ill. p. 274.

SCHIZOCENTRON, voir HETEROCENTRON.

SCHIZOPETALON ou SCHIZOPETALUM (Crucifères)

Genre de plantes annuelles rameuses. Semi-rustiques. À cultiver au soleil, dans un sol fertile, bien drainé. Multiplication par semis sous châssis au printemps.

S. walkeri. Espèce dressée, légèrement ramifiée, à croissance moyennement rapide. H. 45 cm, E. 20 cm. Feuillage sinueux et denté, vert pâle. En été, fleurs blanches, à odeur d'amande, à pétales profondément découpés, frangés.

SCHIZOPHRAGMA (Saxifragacées)

Genre de plantes grimpantes à tiges ligneuses radicantes, à feuilles caduques. Rustiques. Fleurissent mieux au soleil, mais peuvent pousser contre un mur orienté au nord. Ont besoin d'un sol bien drainé. Les jeunes plants doivent être soutenus. Multiplication : semis au printemps ou boutures de bois vert ou semi-lignifié en été.

S. integrifolium, ill. p. 166.
S. viburnoides, voir *Pileostegia viburnoides.*

SCHIZOSTYLIS (Iridacées)

Genre de plantes vivaces bulbeuses qui donnent de belles fleurs à couper. Semi-rustiques. Ont besoin de soleil, et d'un sol fertile et humide, bien drainé. Les plants prennent rapidement un volume excessif, aussi faut-il les diviser périodiquement (au printemps).

S. coccinea. 'Grandiflora', ill. p. 250. **'Mrs Hegarly'** est une variété vigoureuse. H. 60 cm, E. 25-30 cm. Donne vers la mi-automne des épis de fleurs rose pâle, qui se dressent au-dessus de touffes de feuilles plates, linéaires, vert clair. **'Sunrise',** ill. p. 249. **'Viscountess Byng'** a des fleurs roses qui durent jusqu'à la fin de l'automne.

SCHLUMBERGERA (Cactacées)

Genre de cactées vivaces, ramifiées, à rameaux articulés (articles aplatis) ; pas d'aiguillons. À l'extrémité des segments poussent des fleurs presque régulières entourant des étamines et des stigmates proéminents. Non rustiques (min. 10 °C). Ont besoin d'une ombre partielle et d'un sol riche et bien drainé. Multiplication par boutures de tiges au printemps ou au début de l'été.

S. bridgesii. H. 15 cm, E. 1 m. Segments luisants, verts. Donne au milieu de l'hiver des fleurs rouge violacé.
S. 'Bristol Beauty', ill. p. 395.
S. 'Gold Charm', ill. p. 392.
S. truncata, syn. *Zygocactus truncatus* **(Cactus crabe),** ill. p. 393.

SCHWANTESIA (Aizoacées)

Genre de plantes grasses vivaces, formant des coussins, à feuilles charnues disposées en rosette par paires inégales. Donnent des fleurs jaunes qui ressemblent à des marguerites. Non rustiques (min. 10°C). Ont besoin d'un bon ensoleillement et d'un sol bien drainé. Multiplication : semis ou boutures de tiges au printemps ou en été.

S. ruedebuschii, ill. p. 398.

SCIADOPITYS (Taxodiacées), voir CONIFÈRES.

S. verticillata, ill. p. 78.

SCILLA (Liliacées)
Scille

Genre de plantes bulbeuses pour la plupart à floraison printanière ou estivale, à touffes de feuilles basales le plus souvent linéaires, et à grappes d'assez petites fleurs à 6 tépales égaux, libres et étalés (ou parfois un peu connivents), souvent bleues, mais aussi violettes, roses ou blanches. De rustiques à semi-rustiques. Ont besoin d'un endroit bien dégagé, ensoleillé ou partiellement ombragé et d'un sol bien drainé.

Multiplication : séparation de caïeux, ou semis en automne.
S. adlamii, voir *Ledebouria cooperi.*
S. bifolia. Espèce fleurissant en début de printemps. H. 10-20 cm, E. 7 cm. Rustique. A 2 feuilles basales loriformes, étroites, semi-dressées, s'élargissant au sommet. Chaque hampe florale porte jusqu'à 8 fleurs étoilées, bleu pourpré, roses ou blanches, toutes groupées du même côté de la grappe.
S. campanulata, voir *Hyacinthoides hispanica.*
S. chinensis, voir *S. scilloides.*
S. hispanica, voir *Hyacinthoides hispanica.*
S. litardieri, syn. *S. pratensis.* Espèce fleurissant en début de printemps. H. 10-25 cm, E. 5-8 cm. Rustique. Jusqu'à 5 feuilles basales loriformes étroites, semi-dressées. Chaque hampe florale porte une grappe dense de fleurs étoilées aplaties, violettes (1-1,5 cm de large).
S. mischtschenkoana, syn. *S. tubergeniana,* ill. p. 361.
S. non-scripta, voir *Hyacinthoides non-scriptus.*
S. peruviana (Scille du Pérou), ill. p. 365.
S. pratensis, voir *S. litardieri.*
S. scilloides, syn. *S. chinensis,* ill. p. 354.
S. siberica (Scille de Sibérie). **'Atrocoerulea',** ill. p. 361.
S. tubergienana, voir *S. mischtschenkoana.*
S. violacea, voir *Ledebouria socialis.*

Scindapsus aureus 'Marble Queen', voir *Epipremnum aureum* 'Marble Queen'.
Scindapsus pictus 'Argyraeus', voir *Epipremnum pictum* 'Argyraeus'.

SCIRPUS (Cypéracées), voir BAMBOUS, HERBES, JONCS et LAÎCHES.

Scirpe

S. holoschoenus (Scirpe à tête ronde). **'Variegatus'** est une variété vivace de lieux très humides, marécageux, à feuilles persistantes. H. 1-1,20 m, E. 30 cm. Rustique. Tiges rondes, striées de crème, portant en été des inflorescences sphériques brunes.
S. lacustris (Jonc des chaisiers). subsp. **tabernaemontani 'Zebrinus',** syn. *S. tabernaemontani* 'Zebrinus', ill. p. 180.
S. tabernaemontani 'Zebrinus', voir *S. lacustris* subsp. *tabernaemontani* 'Zebrinus'.

SCOLIOPUS (Liliacées)

Genre représenté par une seule espèce de plante vivace à floraison printanière. Semi-rustique. Se cultive avec divers types d'environnement (rocailles, notamment) pour son élégance et

l'originalité de ses fleurs qui partent directement de bourgeonnements de la souche, très tôt dans la saison. A besoin de soleil ou de mi-ombre et d'un sol humide mais bien drainé. Multiplication par semis de graines fraîches en été ou en automne.
S. bigelovii, ill. p. 304.

Scolopendrium vulgare, voir *Phyllitis scolopendrium*.

SCOPOLIA (Solanacées)

Genre de plantes vivaces érigées à floraison printanière ou automnale. Semi-rustiques. Préfèrent la mi-ombre et les sols fertiles assez secs, et très bien drainés. Multiplication : division au printemps ou semis en automne.
S. carniolica, ill. p. 228.

SCROPHULARIA (Scrophulariacées)
Scrofulaire

Genre de plantes bisannuelles, vivaces (le plus souvent), ou de sous-arbrisseaux dont certains sont à feuilles semi-persistantes ou persistantes. La plupart des espèces sont des mauvaises herbes, mais certaines sont cultivées, notamment celles à feuillage panaché. Rustiques. Supportent n'importe quel type d'environnement, mais se plaisent surtout en mi-ombre et dans les sols humides. Multiplication : division au printemps, ou bouturage en été, pour les sous-arbrisseaux.
S. aquatica 'Variegata', voir *S. auriculata* 'Variegata'.
S. auriculata 'Variegata', syn. *S. aquatica* 'Variegata'. Plante vivace, robuste. H. 60 cm, E. 30 cm ou plus. Belles feuilles ovales, dentées, vert foncé avec des marques crème. Donne en été de minuscules fleurs brunâtres disposées en panicules terminales.

SCUTELLARIA (Labiacées)
Scutellaire

Genre de plantes vivaces à floraison estivale, cultivées pour leurs jolies fleurs tubulaires. De rustiques à non rustiques (min. 7-10 °C). Ont besoin de soleil et d'un sol bien drainé. Multiplication par division de touffes ou semis en automne.
S. indica. Espèce dressée. H. 30 cm, E. 10 cm ou plus. Semi-rustique. Feuilles ovales, dentées, velues. Donne en été des épis compacts de fleurs à longue corolle tubulaire bilabiée, bleu ardoise, parfois blanches. Convient en particulier pour des jardins de rocaille.
S. orientalis, ill. p. 325.

SEDUM (Crassulacées)
Orpin

Genre de plantes annuelles, bisannuelles ou vivaces, parfois sous-ligneuses, à feuilles charnues cylindriques ou aplaties, généralement persistantes ou semi-persistantes, dont certaines espèces sont cultivées pour leurs fleurs régulières (groupées en panicules ou en cymes), dans les jardins de rocaille ou les bordures. De rustiques à non rustiques. Ont besoin de soleil. Peuvent pousser à peu près partout, en sols bien drainés (apprécient peu l'humidité en hiver). Multiplication des espèces vivaces : bouturage, division ou semis en automne ou au printemps. Multiplication des espèces annuelles et bisannuelles : semis sous châssis au début du printemps ou en pleine terre un peu plus tard.
S. acre (Poivre de muraille), ill. p. 324. 'Aureum', ill. p. 325.
S. aizoon. Espèce vivace sous-ligneuse, dressée, dont les tiges meurent en hiver. H. et E. 45 cm. Rustique. Feuilles vert clair, oblongues, lancéolées, charnues, dentées. Donne en été des cymes paniculées de fleurs jaunes en étoile. 'Aurantiacum', ill. p. 248.
S. caeruleum, ill. p. 277.
S. kamtschaticum. Espèce vivace, à feuilles semi-persistantes. H. 20-40 cm, E. 20 cm. Rustique. Feuilles ovales, étroites, dentées dans leur partie supérieure, charnues, vert clair, aplaties. Donne en été et en automne des grappes terminales étalées de fleurs étoilées jaunes flammées d'orange. 'Variegatum', ill. p. 331.
S. lydium, ill. p. 328.
S. obtusatum, ill. p. 328.
S. populifolium. Espèce sous-ligneuse touffue, à feuilles semi-persistantes. H. 30-45 cm, E. 30 cm. Rustique. Donne en été des cymes corymbiformes terminales de fleurs étoilées blanches ou rose pâle. Feuilles planes, larges, ovales, irrégulièrement dentées, charnues, vert clair.
S. reflexum (Orpin réfléchi), ill. p. 299.
S. roseum, syn. *Rhodiola rosea* (Rhodiole rose). Espèce vivace. H. et E. 30 cm. Rustique. Les tiges dressées sont densément entourées de feuilles ovales, dentées, charnues, vert glauque, et portent fin printemps/début d'été des corymbes denses de boutons roses évoluant en petites fleurs étoilées rouge verdâtre. Calcifuge. var. *heterodontum*, ill. p. 249.
S. sempervivoides. Espèce bisannuelle à feuilles persistantes en rosette basale. H. 10-30 cm, E. 5 cm. Semi-rustique. Ses rosettes sont analogues à celles de *Sempervivum*, avec des feuilles obovales, coriaces, vert glauque ; feuilles caulinaires vert rougeâtre. Donne en été des cymes de fleurs étoilées, rouge écarlate. Craint l'humidité de l'hiver.
S. spathulifolium, ill. p. 329. 'Cape

Blanco' (syn. *S. s.* 'Cappa Blanca'), ill. p. 331.
S. spectabile. Espèce vivace. H. et E. 50 cm. Rustique. Feuilles planes, ovales, crénelées, charnues, gris-vert, au-dessus desquelles apparaissent à la fin de l'été des groupes étalés de petites fleurs étoilées roses qui attirent les papillons. 'Brilliant', ill. p. 250.
S. spurium. Espèce rampante, tapissante, vivace, à feuilles semi-persistantes. H. 10 cm ou plus, E. variable. Semi-rustique. Tiges velues sur lesquelles poussent des feuilles spatulées ovales légèrement dentées ou entières. Donne en été des cymes de petites fleurs étoilées, généralement blanches. Les coloris peuvent varier du rose pourpré au pourpre foncé. Bonne plante de rocaille.

SELAGINELLA (Sélaginellacées)
Sélaginelle

Genre de plantes vivaces qui ressemblent souvent un peu à de la mousse et qu'on cultive pour leur feuillage persistant. Plantes souvent gazonnantes, mais parfois grimpantes ou érigées. Non rustiques (min. variant entre 5 et 20 °C). Préfèrent la mi-ombre et ont besoin d'humidité, dans un sol bien drainé, tourbeux (ou terre de bruyère). Éliminer régulièrement le feuillage fané. Multiplication par repiquage d'éclats munis de racines à n'importe quelle saison, ou bouturage.
S. kraussiana (Lycopode des jardiniers). H. 25 cm, E. 30 cm. Tiges ramifiées émettant des racines adventives et portant de petites feuilles en écaille. Parmi les formes naines, il y a 'Aurea' (ill. p. 186) et 'Variegata', dont le feuillage est panaché de jaune crème.
S. martensii, ill. p. 185.

SELENICEREUS (Cactacées)

Genre de cactées en cierge à floraison estivale nocturne, à tiges grimpantes ou rampantes marquées de 4-10 côtes. Fleurs en entonnoir. Non rustiques (min. 17 °C). Ont besoin de soleil ou d'une ombre légère et d'un sol bien drainé. Multiplication : semis ou boutures de tiges au printemps ou en été.
S. grandiflorus, ill. p. 378.

SEMIAQUILEGIA (Ranunculacées)

Genre de plantes vivaces cultivées pour leurs fleurs qui n'ont pas d'éperons, contrairement à celles du genre *Aquilegia* avec lesquelles on les confond parfois. Bonnes plantes pour jardins de rocaille. Rustiques. Préfèrent le soleil et un sol humide mais bien drainé.

Multiplication par semis en automne.
S. ecalcarata, ill. p. 295.

SEMIARUNDINARIA (Graminées), voir BAMBOUS, HERBES, JONCS et LAÎCHES.

S. fastuosa, syn. *Arundinaria fastuosa*, ill. p. 182.

SEMPERVIVUM (Crassulacées)
Joubarbe

Genre de plantes vivaces à rosettes de feuilles persistantes, émettant souvent des rosettes secondaires bulbiformes, à l'extrémité de stolons, cultivées pour leurs feuilles ovales ou oblongues, charnues, entières. Forment des touffes tapissantes qui conviennent particulièrement bien pour jardins de rocaille secs, éboulis et murs. Fleurs en étoile composées de 6-20 pétales étalés. Rustiques. Ont besoin de soleil et d'un sol bien drainant. Mettent plusieurs années avant de fleurir. Les rosettes meurent après la floraison, mais en laissant de nombreux rejets donnant de nouvelles plantes. Multiplication par rejets ou séparation de rosettes.
S. arachnoideum (Joubarbe toile d'araignée), ill. p. 329.
S. ciliosum, ill. p. 329.
S. giuseppii, ill. p. 331.
S. hirtum, voir *Jovibarba hirta*.
S. montanum, ill. p. 330.
S. tectorum (Joubarbe des toits), ill. p. 329.

SENECIO (Composées)
Séneçon

Genre de plantes herbacées annuelles ou vivaces, d'arbustes ou de sous-arbrisseaux, de plantes grimpantes et de plantes grasses à feuilles charnues, cultivés pour leur feuillage et leurs capitules. Les arbustes conviennent particulièrement bien pour les jardins des bords de mer. De rustiques à non rustiques (min. 5-10 °C). Préfèrent généralement le plein soleil et les sols bien drainés (*S. articulatus* et *S. rowleyanus* supportent une ombre légère et ont besoin d'un sol très bien drainé. *S. clivorum* préfère un sol frais ou humide à mi-ombre.) Multiplication des arbustes et espèces grimpantes par boutures de bois semi-lignifié en été, des espèces annuelles par semis au printemps et des espèces vivaces par division au printemps (*S. articulatus* et *S. rowleyanus* par semis ou boutures de tiges au printemps ou en été).
S. articulatus, syn. *Kleinia articulata* (Plante chandelle). Plante grasse vivace à feuillage étalé persistant. H. 50 cm, E. variable. Non rustique. Les tiges

ramifiées, bleutées, marquées de gris, ont des articulations fragiles. Elles portent des feuilles grises, d'arrondies à ovales, crénelées, et des corymbes de petits capitules jaune soufre qui se succèdent du printemps à l'automne.
'Variegatus', ill. p. 383.
S. clivorum **'Desdemona'**, voir *Ligularia dentata* 'Desdemona'.
S. compactus. Arbuste à feuillage dense, persistant. H. 1 m, E. 2 m. Rustique. Jeunes pousses blanches feutrées ; petites feuilles ovales, vert sombre à marges et dessous blancs. Donne en été des fleurs jaune vif en capitules.
S. confusus, ill. p. 175.
S. × *hybridus,* syn. *Cineraria* × *hybrida* (**Cinéraires hybrides** des horticulteurs, issues de *S. cruentus*). Plantes vivaces plus ou moins globuleuses, à croissance assez lente. Certaines formes sont cultivées comme bisannuelles. Semi-rustiques. Feuilles ovales, dentées, d'un vert variable selon les variétés. Donnent en hiver ou au printemps des capitules simples, semi-doubles ou doubles, dans diverses nuances de bleu, de rouge, de rose ou de blanc. **Série Mini-starlet :** H. et E. 15 cm, petits capitules simples. **Série Saucer :** H. 40 cm, E. 30 cm, grands capitules simples. **Série Superb :** H. 40 cm, E. 30 cm, grands capitules simples.
S. macroglossus. Espèce grimpante volubile, à feuilles persistantes, à tige ligneuse. H. 3 m. Non rustique. Feuilles triangulaires, effilées, charnues, luisantes. Grappes peu denses de capitules blancs à centre jaune, à floraison généralement hivernale.
'Variegatus', ill. p. 177.
S. maritima, syn. *Cineraria maritima* (**Cinéraire maritime**). Sous-arbrisseau touffu, à feuillage persistant, souvent cultivé comme annuel, dans les massifs. Croissance moyennement rapide. H. et E. 60 cm. Assez rustique. Feuilles ovales, allongées, pennatiséquées, gris argenté. Donne en été des corymbes de capitules arrondis, jaunes, que beaucoup de gens préfèrent éliminer. **'Silver Dust'**, ill. p. 278.
S. mikanioides. Espèce grimpante sous-ligneuse sarmenteuse, à feuillage persistant. H. 2-3 m. Non rustique. Feuilles charnues comportant de 3-7 lobes rayonnants. À maturité (automne-hiver), corymbes de nombreux petits capitules jaunes.
S. monroi, ill. p. 139.
S. pulcher (**Séneçon de La Plata**), ill. p. 250.
S. reinoldi. Arbuste à port arrondi, à feuillage dense, persistant. H. et E. 1 m. Semi-rustique. Feuilles arrondies, coriaces, luisantes, vertes. Donne en été de très petits capitules jaunes. Dans les régions maritimes tempérées, supporte d'être exposé aux vents chargés de sel.
S. rowleyanus, ill. p. 383.
S. **'Spring Glory'** (**Cinéraire hybride**), ill. p. 276.
S. **'Sunshine'**, ill. p. 138.

SEQUOIA (Taxodiacées), voir **CONIFÈRES.**

S. sempervirens (**Séquoia**). Arbre très vigoureux, conique, à branches légèrement pendantes. H. 40 m en Europe, E. 5-8 m (certains spécimens américains dépassent 100 m de hauteur). Rustique. Écorce épaisse, souple, fibreuse, brun-rouge. Feuilles courtes, en écaille, sur les pousses principales, avec un arrangement en spirale. Feuilles linéaires, de 25 mm de long, planes, disposées en 2 rangs, sur les rameaux situés latéralement. Cônes de globuleux à ovoïdes, verts, puis brun sombre à maturité.

SEQUOIADENDRON (Taxodiacées), voir **CONIFÈRES.**

Appelé communément **Séquoia** de façon un peu abusive.
S. giganteum, ill. p. 74. **'Pendulum'** est un conifère pleureur. H. 10 m, E. 2 m ou plus. Rustique. Écorce épaisse, souple, fibreuse, brun-rouge. Feuilles en aiguille, disposées en spirale, recourbées, gris-vert, s'assombrissant progressivement.

SERAPIAS, voir **ORCHIDÉES.**

S. cordigera. Orchidée terrestre à feuilles caduques. H. 40 cm. Semi-rustique. Donne d'avril à juin des fleurs rougeâtres ou pourpre foncé (de 4 cm de long environ), groupées en épi. Feuilles lancéolées de 15 cm de long. Pousse dans les bois ou les prairies humides. À cultiver à la mi-ombre.

SESLERIA (Graminées), voir **BAMBOUS, HERBES, JONCS et LAÎCHES.**

S. heufleriana. Herbe vivace en touffes. H. 50 cm, E. 30-45 cm. Rustique. Feuilles persistantes vertes, à dessous glauque. Donne au printemps des panicules denses d'épillets pourpres.

SETARIA (Graminées), voir **BAMBOUS, HERBES, JONCS** et **LAÎCHES.**
Sétaire

S. italica (**Millet d'Italie, Millet à grappes**). Herbe annuelle. H. 1,50 m, E. jusqu'à 1 m. Semi-rustique. Feuilles lancéolées vert clair (jusqu'à 45 cm de long). Porte en été/automne des panicules de fleurs blanches, crème, jaunes, rouges, brunes ou presque noires, selon les variétés.

Setcreasea purpurea, voir *Tradescantia pallida.*

SHIBATAEA (Graminées, Bambusées), voir **BAMBOUS, HERBES, JONCS et LAÎCHES.**

S. kumasasa, ill. p. 182.

SHORTIA (Diapensiacées)

Genre de plantes vivaces acaules, rhizomateuses, à floraison printanière, dont les feuilles persistantes ont tendance à devenir rouges en automne/hiver. Rustiques, mais les bourgeons peuvent geler dans les régions où ils ne sont pas protégés par une couche de neige. Difficiles à cultiver si le climat est chaud et sec. Ont besoin d'ombre ou de mi-ombre et d'un sol bien drainé, de préférence siliceux et acide. Multiplication par division ou semis.
S. galacifolia, ill. p. 304.
S. soldanelloides, ill. p. 306. Les fleurs de var. *magna* sont d'un rose uniforme.
S. uniflora **'Grandiflora'**. Plante vivace à feuillage persistant, tapissant. H. 8 cm, E. 20 cm. Feuilles arrondies, cordées, dentées, coriaces, luisantes. Les pédoncules portent au printemps des fleurs rose pâle de 5 cm de large, à 5 pétales crénelés.

SIBIRAEA (Rosacées)

Genre d'arbustes cultivés pour leur feuillage, caduc, et leurs fleurs. Proches des spirées, mais à feuilles entières. Rustiques. Ont besoin de lumière et d'un sol bien drainé. Les sujets en place auront tout à gagner d'être débarrassés après la floraison des vieux rameaux en mauvais état. Multiplication par bouturage.
S. laevigata. Arbuste à port étalé. H. 1,8 m, E. 1,5 m. Feuilles oblongues, étroites, vert glauque. Donne fin printemps/début été des panicules terminales denses de très petites fleurs étoilées, blanches. Croissance lente.

SIDALCEA (Malvacées)
Sidalcée

Genre de plantes vivaces à floraison estivale, cultivées pour les qualités ornementales de leurs fleurs régulières à 5 pétales imbriqués. Assez rustiques. Ont besoin de soleil et d'un sol bien équilibré, assez fertile, et très bien drainé. Multiplication par division au printemps, ou semis.
S. **'Jimmy Whitelet'**, voir *S.* 'Jimmy Whittet'.
S. **'Jimmy Whittet'** ; syn.

S. **'Jimmy Whitelet'**, ill. p. 203.
S. **'Oberon'**. H. 60 cm, E. 45 cm. Feuilles divisées oblongues. En été, grappes de fleurs rose clair.

SILENE (Caryophyllacées)
Silène

Genre de plantes annuelles et vivaces, ou parfois suffrutescentes, dont certaines sont à feuilles persistantes, cultivées pour leurs fleurs (corolle à 5 pétales). De rustiques à semi-rustiques. Préfèrent nettement le soleil et un sol assez fertile et bien drainé. Multiplication : semis. La division de touffes est utilisée pour les vivaces.
S. acaulis, ill. p. 305.
S. alpestris, syn. *Heliosperma alpestris,* ill. p. 313.
S. armeria (**Silène à bouquets**). **'Electra'**, ill. p. 267.
S. coeli-rosa, syn. *Agrostemma coeli-rosa, Lychnis coeli-rosa, Viscaria elegans* (**Coquelourde rose du ciel**), ill. p. 264. **'Rose Angel'**, ill. p. 269.
S. pendula (**Silène de Crète**). Espèce bisannuelle, touffue, à croissance moyennement rapide. H. et E. 20-30 cm. Semi-rustique. Feuilles obovales, velues, vert clair ; au début de l'automne, fleurs roses.
S. schafta, ill. p. 319.
S. vulgaris subsp. *maritima* (**Silène maritime**). **'Flore Pleno'** est une vivace tapissante. H. et E. 20 cm. Rustique. Feuilles lancéolées, gris-vert. Fleurs blanches en cymes à l'extrémité des tiges, en été.

SILPHIUM (Composées)

Genre de plantes vivaces à floraison estivale. Rustiques. Se plaisent au soleil dans les sols fertiles bien drainés. Multiplication : division au printemps ou semis en automne.
S. laciniatum (**Plante boussole**). H. 2,50 m, E. 60 cm. Feuilles vert clair composées de folioles opposées, toujours orientées nord-sud quand elles sont jeunes, quel que soit l'endroit où pousse la plante, d'où ce nom usuel. Donne à la fin de l'été de grandes hampes de capitules jaunes légèrement penchés.

SILYBUM (Composées)

Genre de plantes annuelles et bisannuelles cultivées pour leur beau feuillage. Rustiques. Se plaisent au soleil et dans les sols profonds bien drainés. Multiplication par semis à la fin du printemps ou au début de l'automne.
S. marianum (**Chardon-Marie**), ill. p. 226.

SINARUNDINARIA (Graminées, Bambusées), voir **BAMBOUS, HERBES, JONCS** et **LAÎCHES.**

S. jaunsarensis, voir *Arundinaria anceps.*
S. murielae, voir *Thamnocalamus spathaceus.*
S. nitida, syn. *Arundinaria nitida.* Bambou à feuilles persistantes. H. 6 m, E. variable. Assez rustique. Petites feuilles pointues (de 7 cm × 1 cm environ), vert blanchâtre, à pétiole pourpre foncé, avec plusieurs ramifications à chaque nœud. Les tiges sont souvent pourpres, avec une gaine serrée. Épis floraux insignifiants. Aime l'humidité et une ombre légère.

SINNINGIA (Gesnériacées)

Appelés **Gloxinia,** à tort, dans le commerce horticole. Genre de plantes vivaces à souche tubéreuse, et de sous-arbrisseaux à feuilles caduques et dont les belles fleurs sont généralement écloses en été. Non rustiques (min. 18-20 °C). Ont besoin de beaucoup de lumière, mais sans être directement exposées aux rayons du soleil. Préfèrent les sols tourbeux, humides, mais pas détrempés. Lorsque les feuilles tombent, après la floraison, laisser sécher les tubercules, avant de les entreposer à l'abri du gel. Multiplication : au printemps par semis, ou bien à la fin du printemps ou en été par boutures de tiges ou par boutures de feuilles munies d'une partie du pétiole.
S. 'Red Flicker', ill. p. 237.
S. 'Switzerland', ill. p. 239.

SINOFRANCHETIA (Lardizabalacées)

Genre représenté par une seule espèce de plante grimpante volubile, cultivée surtout pour son beau feuillage caduc. S'utilise pour recouvrir des bâtiments ou de gros arbres. Fleurs mâles et femelles poussent sur des plants distincts. Rustique. Se plaît en mi-ombre ou au soleil, dans les sols moyens bien drainés. Multiplication : boutures de bois semi-lignifié en été.
S. chinensis. H. 9 m. Feuilles à 3 folioles de 7-11 cm de long chacune. Porte en mai des grappes pendantes (jusqu'à 10 cm de long) de petites fleurs blanc terne, suivies en été de baies pourpre clair décoratives, contenant de nombreuses graines.

SINOJACKIA (Styracacées)

Genre d'arbres et d'arbustes à feuilles caduques, cultivés pour leurs fleurs. Rustiques. Ont besoin d'un endroit abrité, ensoleillé ou partiellement ombragé et d'un sol fertile, riche en humus, humide, acide. Multiplication par boutures de bois tendre en été.
S. rehderiana. Arbuste touffu ou arbre à feuillage étalé. H. et E. 6 m. Donne à la fin du printemps et au début de l'été des fleurs blanches à anthères jaunes. Feuilles ovales, vert foncé.

Siphonosmanthus delavayi, voir *Osmanthus delavayi.*

SISYRINCHIUM (Iridacées)

Genre de plantes annuelles et vivaces, à feuilles graminiformes (persistantes chez les vivaces). De rustiques à assez rustiques. Préfèrent le soleil, mais supportent une ombre partielle ; ont besoin d'un sol bien drainé, humide. Multiplication : division au début du printemps ou semis au printemps ou en automne.
S. angustifolium, voir *S. graminoides.*
S. bellum, ill. p. 323.
S. bermudiana, voir *S. graminoides.*
S. californicum. Espèce vivace. H. 30-60 cm, E. 30 cm. Assez rustique. Feuilles vert glauque semi-persistantes, en touffes basales. Fleurs jaune vif veiné de noir, poussant sur des tiges ailées en automne. Préfère les sols assez humides.
S. graminoides, syn. *S. angustifolium, S. bermudiana,* ill. p. 296.
S. striatum, ill. p. 245. **'Aunt May'** (syn. *S. s.* **'Variegatum'**) est une variété vivace à feuilles semi-persistantes. H. 60 cm, E. 30 cm. Rustique. Longues touffes de feuilles étroites, gris vert rayé de crème. Donne en été des fleurs en trompette, réunies dans une spathe herbacée, jaune paille à zébrures pourpres.

SKIMMIA (Rutacées)

Genre d'arbrisseaux et d'arbustes à floraison printanière, cultivés pour leur feuillage aromatique persistant, leurs fleurs et leurs fruits. Pour *S. japonica* et *S. laureola,* il faut des plants mâles et femelles distincts pour obtenir des fruits. Assez rustiques. Apprécient un sol assez fertile et humide ; supportent l'ombre, les climats de bord de mer, et, assez bien, la pollution industrielle, urbaine. Peuvent souffrir de chlorose s'il y a trop de soleil ou si le sol est trop pauvre. Multiplication par boutures de bois semi-lignifié à la fin de l'été ou par semis en automne.
S. japonica, ill. p. 143. **'Fructualbo'** (femelle), ill. p. 141. subsp. **reevesiana** (syn. *S. reevesiana ;* hermaphrodite) et **'Rubella'** (mâle), ill. p. 142.
S. reevesiana, voir *S. japonica* subsp. *reevesiana.*

SMILACINA (Liliacées)

Genre de plantes vivaces. Rustiques. Préfèrent la mi-ombre et les sols riches en humus, humides. Multiplication : division au printemps, ou semis en automne.
S. racemosa, syn. *Wagnera racemosa,* ill. p. 195. Aime les sols acides ou neutres.

SMILAX (Liliacées)

Genre de plantes tubéreuses ou rhizomateuses, vivaces herbacées, ligneuses ou sous-ligneuses, à feuilles caduques ou persistantes, souvent grimpantes (par leurs feuilles équipées de vrilles stipulaires). Fleurs mâles et femelles sur des plants distincts. De rustiques à peu rustiques. Poussent dans n'importe quel type de sol bien drainé, au soleil ou en mi-ombre. Multiplication : division ou semis au printemps, ou bouturage. Fleurs peu décoratives, mais feuillage abondant et intéressant sur le plan esthétique.
S. china. Espèce à feuilles caduques, sous-ligneuse, à tiges grimpantes, parfois épineuses. H. jusqu'à 5 m. Semi-rustique. Feuilles largement ovales ou rondes. Donne en mai des grappes de fleurs vert-jaune et en automne de minuscules baies rouge vif.

SMITHIANTHA (Gesnériacées)

Genre de plantes vivaces buissonnantes, à rhizomes, que l'on cultive pour leurs fleurs. Non rustiques (min. 15 °C). Ont besoin de beaucoup de lumière, mais sans être exposées directement aux rayons du soleil ; se plaisent dans les sols riches en humus et bien drainés. Réduire l'arrosage après la floraison et plus encore en hiver. Multiplication par division des rhizomes au début du printemps.
S. 'Orange King', ill. p. 240.

SMYRNIUM (Ombellifères)
Maceron

Genre de plantes bisannuelles à feuilles découpées. Rustiques. Se plaisent au soleil, dans des sols fertiles et bien drainés. Multiplication par semis en pleine terre en automne ou au printemps.
S. perfoliatum, ill. p. 279.

SOLANDRA (Solanacées)

Genre de plantes grimpantes à feuilles persistantes, à tiges ligneuses, cultivées pour leurs grandes fleurs à corolle en entonnoir à 4 lobes. Peu rustiques (min. 15 °C). Ont besoin de lumière (et même de soleil) et d'un sol fertile et bien drainé. Arroser généreusement lorsque la plante est en pleine croissance, modérément en hiver. Prévoir des supports. Multiplication par boutures à chaud au printemps.
S. maxima, ill. p. 164.

SOLANUM (Solanacées)

Genre de plantes annuelles et vivaces (dont certaines sont à feuillage persistant), d'arbustes et d'arbrisseaux à feuilles caduques, semi-persistantes ou persistantes et d'espèces grimpantes sarmenteuses, cultivés pour leurs fleurs et leurs fruits décoratifs. De rustiques à non rustiques (min. 10 °C). Ont besoin généralement de soleil et d'un sol fertile et bien drainé. Éclaircir au printemps les plantes grimpantes trop touffues. Multiplication : semis au printemps ou boutures semi-ligneuses en été. Araignées rouges, mouches blanches et aphidiens peuvent poser des problèmes.
S. capsicastrum. Sous-arbrisseau à croissance lente, à feuilles persistantes, cultivé comme annuel. H. et E. 60 cm. Semi-rustique. Feuilles lancéolées vert sombre. Donne en été de petites fleurs étoilées, blanches, suivies de fruits ovoïdes, pointus, de rouge à orangé, d'au moins 1 cm de diamètre, qui atteignent leur plein épanouissement en hiver.
S. crispum 'Glasnevin', ill. p. 172.
S. jasminoides. Espèce grimpante ligneuse, sarmenteuse, à feuilles semi-persistantes. H. jusqu'à 6 m. Semi-rustique, à placer contre un mur ensoleillé, au sud ou à l'ouest. Feuilles d'ovales à lancéolées, vert lustré, parfois lobées ou à folioles basales. Donne en été/automne des petites fleurs à 5 pétales, gris bleu clair et en automne de petites baies pourpres. **'Album',** ill. p. 165.
S. pseudocapsicum (**Pommier d'amour, Cerisier d'amour, Oranger de savetier, Cerisier de Jérusalem**). Arbuste touffu, à croissance assez lente, à feuillage persistant. H. et E. 1,20 m. Semi-rustique. Feuilles d'ovales à lancéolées, vert vif. Donne en été des petites fleurs étoilées blanches, suivies de fruits globuleux rouge orangé. Il en existe plusieurs cultivars plus petits : **'Balloon',** ill. p. 285 ; **'Dwarf Red',** H. 35-40 cm, à fruits orange vif ; **'Fancy',** H. 30 cm, à fruits écarlates ; **'Red Giant',** ill. p. 285 ; **'Snowfire',** H. 30 cm, à fruits blancs devenant rouge vif.
S. rantonnettii 'Royal Robe', ill. p. 113.
S. seaforthianum. Espèce grimpante, volubile, à feuilles persistantes, à tiges grêles. H. 3 m. Peu rustique. Feuilles pennatilobées, assez polymorphes. Donne du printemps à l'automne des grappes pendantes de fleurs étoilées mauve violacé à centre

blanc, suivies de petits fruits
orangés.
S. wendlandii, ill. p. 172.

SOLDANELLA (Primulacées)
Soldanelle

Genre de plantes vivaces naines à
feuillage persistant, cultivées pour
leurs fleurs qui apparaissent au
début du printemps (corolle dont
les 5 pétales sont frangés).
Conviennent pour jardins de
rocaille, éboulis, pelouses de
montagne. Rustiques, mais les
boutons floraux qui se forment en
automne peuvent être détruits par
le gel s'ils ne sont pas protégés par
une couche de neige. Ont besoin
d'une ombre partielle et d'un sol riche
en humus, bien drainé,
tourbeux (ou terre de bruyère
tourbeuse). Multiplication : semis
au printemps ou division à la fin
de l'été. Les limaces peuvent s'en
prendre aux boutons floraux.
S. alpina (Soldanelle des Alpes),
ill. p. 308.
S. minima. H. 2,5 cm, E. 10 cm.
Tapisse le sol de petites feuilles
orbiculaires en rosette. Donne au
début du printemps des fleurs
solitaires, tubulaires, bleu pâle ou
blanc pur, à pétales frangés.
S. montana. H. 10 cm, E. 15 cm.
Donne au début du printemps des
tiges florales portant des fleurs bleu
lavande, à pétales frangés. Feuilles
luisantes, réniformes.
S. villosa, ill. p. 308.

SOLEIROLIA (Urticacées)

Genre représenté par une seule
espèce de plante vivace, rampante,
tapissante, à tiges radicantes, à
feuillage souvent persistant. Assez
rustique. Les feuilles peuvent
toutefois être détruites par les
gelées d'hiver, mais il en repousse
dès le printemps suivant. Préfère la
mi-ombre et les sols humides.
Multiplication : division du
printemps à la mi-été.
S. soleirolii, syn. *Helxine soleirolii*,
ill. p. 260.

SOLIDAGO (Composées)

Genre de plantes vivaces à
floraison estivale et automnale,
dont certaines sont tellement
exubérantes qu'elles nuisent au
développement des espèces
voisines dans des massifs ou des
bordures. Rustiques. Apprécient le
soleil ou l'ombre légère, un sol bien
drainé. Multiplication par division
au printemps.
S. 'Goldenmosa' (Verge d'or
'Goldenmosa'), ill. p. 215.
S. 'Laurin' (Verge d'or 'Laurin'),
ill. p. 215.
S. virgaurea ou *virga-aurea* (Verge
d'or). subsp. *minuta*. Espèce naine
touffue. H. et E. 10 cm. Petites
feuilles vertes, lancéolées. En

automne, panicules de petits
capitules jaunes. Pour jardins de
rocaille et éboulis. A besoin
d'ombre et d'un sol humide.

× **SOLIDASTER** (Composées)

Hybride bigénérique *(Solidago ×
Aster)* représenté par une seule
espèce de plante vivace à floraison
printanière. Rustique. Pousse au
soleil ou à la rigueur à l'ombre
dans n'importe quel type de sol
fertile. Multiplication par division
au printemps.
× *S. hybridus*, voir × *S. luteus.*
× *S. luteus*, syn. × *S. hybridus*,
ill. p. 246.

SOLLYA (Pittosporacées)

Genre de sous-arbrisseaux
grimpants à tige volubile, à feuilles
persistantes, cultivés pour leurs
belles fleurs bleues. Peu rustiques.
Poussent au soleil dans les sols bien
drainés, en situation abritée.
Multiplication : semis au
printemps ou bouturage sous cloche.
S. heterophylla, ill. p. 164.

SOPHORA (Légumineuses)

Genre d'arbres et d'arbustes à
feuilles caduques ou persistantes,
cultivés pour leur aspect général,
leur feuillage et leurs grappes de
fleurs papilionacées. D'assez
rustiques à peu rustiques.
Apprécient un bon ensoleillement
(il est conseillé de faire pousser *S.
microphylla* et *S. tetraptera* contre
un mur orienté au sud ou à l'ouest
dans les régions tempérées à climat
doux) et d'un sol fertile et bien
drainé. Multiplication : semis au
printemps ; on peut également
procéder par greffage pour les
cultivars.
S. davidii, syn. *S. viciifolia*,
ill. p. 113.
S. japonica (Sophora du Japon,
Arbre des pagodes). Arbre
vigoureux à cime étalée, arrondie.
H. et E. 20 m. Rustique. Feuilles
caduques vert foncé composées de
7-17 folioles ovales. Les arbres
adultes donnent à la fin de l'été et
en début d'automne de longues
panicules de fleurs blanc crème.
Atteint son plein épanouissement
lorsque les étés sont chauds.
Préfère un sol profond peu ou pas
calcaire. 'Pendula'
a de longs rameaux pleureurs
portant de grandes feuilles vert
foncé. 'Violacea', ill. p. 45.
S. microphylla, syn. *Edwardsia
microphylla*. Arbre à cime étalée.
H. et E. 8 m. Semi-rustique.
Feuilles persistantes vert foncé
composées de nombreuses petites
folioles oblongues. Donne à la fin
du printemps des grappes de fleurs
jaunes.
S. tetraptera, ill. p. 62.
S. viciifolia, voir *S. davidii.*

× **SOPHROLAELIOCATTLEYA**,
voir **ORCHIDÉES**.

× *S.* Hazel Boyd 'Apricot Glow',
ill. p. 255. Orchidée épiphyte, à
feuilles persistantes, pour serre
tempérée. H. 10 cm. Porte au
printemps et au début de l'été des
petites inflorescences orangées
marquées de rouge (9 cm de large).
Feuilles ovales, rigides, de 10 cm
de long. Se plaît dans les endroits
bien éclairés.
× *S.* Trizac 'Purple Emperor',
ill. p. 253. Orchidée épiphyte, à
feuilles persistantes, pour serre
tempérée. H. 10 cm. Donne au
printemps des fleurs rose-pourpre
réunies en petites grappes. Feuilles
ovales, rigides, de 10 cm de long. A
besoin d'un bon éclairement.

SORBARIA (Rosacées)

Genre d'arbustes à feuilles
caduques et floraison estivale,
cultivés pour leurs grandes feuilles
imparipennées et leurs grandes
panicules de petites fleurs
blanches. Rustiques. Préfèrent le
soleil et les sols profonds, frais,
mais sont peu exigeants pour les
autres caractéristiques d'un sol. En
fin d'hiver, éliminer une partie des
pousses les plus anciennes et tailler
éventuellement les autres assez
court. On peut éliminer les
drageons à la base pour éviter une
trop grande extension de la plante.
Multiplication : boutures de bois
tendre en été, division en automne
ou boutures de racines à la fin de
l'hiver.
S. aitchisonii, syn. *Spiraea
aitchisonii*. Arbuste à tiges longues
et étalées. H. et E. 3 m. Les jeunes
pousses sont rouges. Feuilles
composées de 11-23 folioles
étroitement lancéolées, obtuses,
vert brillant. Donne en été des
panicules dressées de petites fleurs
blanches.
S. arborea, syn. *Spirea arborea*.
Arbuste vigoureux à port étalé.
H. et E. 6 m. Feuilles composées
de 13-17 folioles lancéolées,
obtuses, vert foncé. Donne en été
des panicules lâches de fleurs
blanches à 5 pétales arrondis.
S. sorbifolia, syn. *Spirea sorbifolia*,
ill. p. 105.

SORBUS (Rosacées)
Sorbier

Genre d'arbres et d'arbustes à
feuilles caduques, cultivés pour
leur feuillage, leurs petites fleurs à
5 pétales, leurs jolis fruits et, pour
certaines espèces, pour leurs
couleurs automnales. Les feuilles
peuvent être simples ou composées
de folioles. Rustiques. Ont besoin
de soleil ou d'ombre légère (la
plupart des sorbiers à feuilles
entières supportent, de plus, la
mi-ombre) et d'un sol bien drainé,

humide ou tout au moins non aride
et pas trop sec. Multiplication par
semis ou greffage. Sont sujets aux
atteintes de rouille.
S. alnifolia (Sorbier à feuilles
d'aune). Arbre à cime étalée.
H. 10 m, E. 6 m. Feuilles ovales,
dentées, vert clair devenant orange
et rouge en automne. Donne à la
fin du printemps des petites fleurs
blanches en corymbes, suivies de
fruits ovoïdes rouge orangé.
S. americana (Sorbier d'Amérique).
Arbre à cime globuleuse. H. 10 m,
E. 7 m. Feuilles vert clair,
composées de 11-17 folioles ovales,
se nuançant généralement de belles
teintes en automne. Donne au
début de l'été des petites fleurs
blanches, puis des fruits globuleux
rouge corail vif parvenant à
maturité au début de l'automne.
S. aria (Alisier blanc, Alouchier,
Allier). H. 15 m, E. 10 m. Feuilles ovales,
dentées, gris argent quand elles
sont jeunes puis devenant vert
sombre à dessous feutré de blanc.
Donne au printemps des corymbes
de petites fleurs blanches, puis des
fruits globuleux rouges ponctués de
brun. 'Chrysophylla', H. 10 m,
E. 7 m, a des feuilles jaune d'or.
'Decaisneana', voir *S.a.* 'Majestica'.
'Lutescens', ill. p. 51. 'Majestica'
(syn. *S.a.* 'Decaisneana') a des
feuilles jusqu'à 15 cm de long,
argentées et veloutées lorsqu'elles
sont jeunes, et des fruits plus gros.
S. aucuparia (Sorbier des oiseleurs,
Sorbier des oiseaux), ill. p. 54. Les
fruits de 'Rossica Major' (syn. *S. a.*
'Rossica') sont gros et d'un rouge
soutenu. 'Sheerwater Seedling',
E. 4 m, a un port étroit, dressé.
S. cashmiriana, ill. p. 66.
S. commixta, ill. p. 54.
S. cuspidata, ill. p. 50.
S. decora. Arbre à cime étalée.
H. 10 m, E. 8 m. Feuilles
imparipennées composées de
folioles oblongues vert glauque.
Donne à la fin du printemps des
petites fleurs blanches, puis des
fruits globuleux, rouge clair.
S. hupehensis. Arbre à cime étalée.
H. 12 m, E. 8 m. Feuilles
composées de 9-17 folioles
oblongues vert franc devenant
rouge orangé en automne. Donne à
la fin du printemps des bouquets
de petites fleurs blanches, puis des
fruits blanchâtres parfois nuancés
de rose à leur sommet. 'Rosea',
ill. p. 54.
S. insignis. Arbre à branches
érigées. H. 8 m, E. 6 m. Semi-
rustique. Feuilles généralement
composées de 11-15 grandes
folioles oblongues, luisantes, vert
foncé. Donne à la fin du printemps
de grands bouquets de petites
fleurs blanc crème, puis des fruits
globuleux roses.
S. intermedia. Arbre à cime large,
dense. H. et E. 12 m. Larges
feuilles ovales, profondément
lobées, vert brillant. À la fin du
printemps, corymbes de petites
fleurs blanches, puis fruits ovoïdes
rouge orangé.
S. 'Joseph Rock', ill. p. 55.
S. latifolia (Alisier de
Fontainebleau). Arbre à ramure
étalée, évasée. H. 12 m, E. 10 m.
L'écorce s'exfolie. Feuilles larges,

ovales, à lobes aigus, luisantes, vert foncé brillant. Donne à la fin du printemps des petites fleurs blanches groupées en corymbes de 10 cm de diamètre, suivies de fruits globuleux rouge brunâtre.
S. 'Mitchellii', voir *S. thibetica* 'John Mitchell'.
S. pohuashanensis. Arbre à cime étalée. H. 10 m, E. 8 m. Feuilles vertes composées de 11-15 folioles oblongues. Donne à la fin du printemps des petites fleurs blanches, puis des bouquets ramifiés et denses de fruits globuleux rouge orangé.
S. prattii. Arbre à cime étalée. H. et E. 7 m. Feuilles vertes composées de 21-29 folioles oblongues dentées. À la fin du printemps, petites fleurs blanches, puis des groupes pendants de fruits globuleux blancs.
S. reducta, ill. p. 300.
S. sargentiana. Arbre à croissance lente, à cime étalée. H. et E. 9 m. Feuilles vertes composées de 7-11 folioles oblongues qui deviennent rouge éclatant en automne. Petites fleurs blanches à la fin du printemps, puis fruits globuleux rouge écarlate, groupés en bouquets arrondis.
S. scalaris. Arbre élégant à cime largement étalée. H. et E. 10 m. Feuilles composées de 21-33 folioles étroites, oblongues, luisantes, vert foncé, devenant rouges et pourpres en automne. Donne de petites fleurs blanches à la fin du printemps, puis des groupes denses de fruits globuleux rouges.
S. scopulina. Arbuste dressé à croissance lente, à cime étroite pyramidale. H. et E. 5 m. Feuilles vert foncé composées de 11-15 folioles oblongues. Donne des corymbes de petites fleurs blanches fin printemps/début été, puis des fruits globuleux rouge assez vif en automne.
S. thibetica. Arbre à cime conique. H. 20 m, E. 15 m. Grandes feuilles largement ovales, vertes à dessous argenté. Donne à la fin du printemps des corymbes de petites fleurs blanches, puis des fruits globuleux brunâtres. 'John Mitchell' (syn. *S.* 'Mitchelli'), ill. p. 52.
S. × *thuringiaca.* Arbre à cime compacte, largement conique. H. 12 m, E. 8 m. Feuilles ovales vert terne à lobes profonds, avec des folioles basales. Donne à la fin du printemps des petites fleurs blanches, puis des fruits globuleux rouge vif. 'Fastigiata' a des rameaux dressés et une large cime ovale.
S. vilmorinii, ill. p. 66.

SPARAXIS (Iridacées)

Genre de plantes bulbeuses (à petit corme), à floraison printanière, cultivées pour leurs fleurs de couleurs souvent éclatantes (périanthe à tube court, à tépales égaux largement étalés). Semi-rustiques. Ont besoin de soleil et d'un sol bien drainé (le meilleur

sol : terre de bruyère additionnée d'un peu de terre franche). Planter en automne. Laisser sécher les cormes après la floraison. Multiplication par séparation de caïeux à la fin de l'été ou par semis en automne.
S. elegans, syn. *Streptanthera cuprea, S. elegans.* H. 25 cm, E. 12 cm. Feuilles lancéolées, dressées, en touffe basale évasée. Au printemps, grappes de fleurs orange ou blanches, avec un centre jaune entouré d'une bande noir violacé.
S. tricolor, ill. p. 359.

SPARGANIUM (Sparganiacées)
Rubanier

Genre de plantes aquatiques ou de marécages, vivaces, cultivées pour leur feuillage caduc ou semi-persistant (feuilles rubanées). Rustiques. Supportent l'ombre et l'eau froide. Éliminer le feuillage fané et tailler régulièrement pour maîtriser la croissance. Multiplication par division.
S. erectum, syn. *S. ramosum*, ill. p. 375.
S. ramosum, voir *S. erectum.*

SPARMANNIA (Tiliacées)

Genre d'arbres et d'arbustes cultivés pour leurs fleurs blanches réunies en ombelles terminales et pour leur feuillage persistant. Peu rustiques (uniquement sur la Côte d'Azur). Préfèrent les endroits bien éclairés et les sols fertiles et bien drainés. Multiplication par boutures de bois tendre à la fin du printemps ou par semis.
S. africana, ill. p. 87.

SPARTINA (Graminées), voir **BAMBOUS, HERBES, JONCS** et **LAÎCHES.**

S. pectinata 'Aureo Marginata', syn. *S. p.* 'Aureo-variegata', ill. p. 183.

SPARTIUM (Légumineuses)
Genêt d'Espagne

Genre représenté par une seule espèce d'arbrisseau, à très rares feuilles caduques, cultivé pour ses pousses vertes et ses fleurs éclatantes. Assez rustique. A besoin de soleil et apprécie un sol léger bien drainé. Tailler sévèrement en fin d'hiver pour obtenir une plante suffisamment compacte. Multiplication par semis en automne.
S. junceum, ill. p. 115.

SPATHIPHYLLUM (Aracées)

Genre de plantes vivaces acaules, cultivées pour leur feuillage persistant et leurs fleurs groupées sur un spadice de forme cylindrique. Non rustiques (min. 18 °C). Préfèrent une atmosphère humide, un sol riche en humus, humide, et une ombre partielle. Multiplication : division au printemps ou en été, ou semis de graines fraîches.
S. 'Clevelandii'. H. et E. jusqu'à 60 cm. Touffe de feuilles lancéolées, semi-dressées, luisantes, vert clair, longues de 30 cm ou plus. Les fleurs, intermittentes, se composent d'une spathe blanche ovale de 15 cm de long, avec une ligne verte centrale, entourant un spadice blanc odoriférant.
S. floribundum. Espèce à tige courte. H. et E. jusqu'à 30 cm. Touffe de feuilles lancéolées, effilées, à long pétiole, luisantes, vert franc (15 cm de long). Spathe ovale, étroite, blanche (jusqu'à 8 cm de long) entourant un spadice blanc jaunâtre.
S. 'Mauna Loa', ill. p. 255.
S. wallisii, ill. p. 256.

SPATHODEA (Bignoniacées)

Genre d'arbres à feuilles persistantes, cultivés principalement pour leurs fleurs en grappes et leur allure générale. Non rustiques (min. 20 °C). Ont besoin d'un bon éclairage et d'un sol fertile, bien drainé, mais qui retient l'humidité. Les sujets cultivés en conteneur donnent rarement des fleurs. Multiplication : semis au printemps ou bouturage.
S. campanulata, ill. p. 45.

SPHAERALCEA (Malvacées)

Genre de sous-arbrisseaux ou de plantes herbacées vivaces à feuillage caduc sous nos climats, mais persistant dans les régions chaudes. De semi-rustiques à peu rustiques. Ont besoin d'une exposition chaude et ensoleillée, d'un sol léger, fertile et bien drainé. Multiplication : semis ou division au printemps, ou boutures de bois semi-aoûté à la mi-été.
S. ambigua, ill. p. 216.

SPHAEROPTERIS, voir
CYATHEA.

SPIRAEA (Rosacées)
Spirée

Genre d'arbustes et d'arbrisseaux à feuilles caduques, cultivés pour leurs nombreuses petites fleurs et, dans le cas de certaines espèces, pour leur feuillage. Rustiques. Apprécient généralement le soleil et un sol bien drainé ; la plupart des

espèces ne sont pas exigeantes pour les sols, mais celles de la section Spiraria (que l'on reconnaît à leurs inflorescences en panicule) n'aiment pas les sols calcaires et peu profonds. Tailler les spirées à floraison printanière après cette floraison. Les spirées à floraison estivale doivent être rabattues à 15 cm de haut, fin hiver. Multiplication : boutures de bois tendre en été, ou de rameaux sans feuilles en hiver.
S. aitchisonii, voir *Sorbaria atchisonii.*
S. arborea, voir *Sorbaria arborea.*
S. × *arguta.* Arbuste à feuillage dense, caduc. H. et E. 2,50 m. Donne au printemps des bouquets denses de fleurs blanches à 5 pétales. Feuilles oblongues, étroites, vert vif.
S. aruncus, voir *Aruncus dioicus.*
S × *billiardii.* Arbuste à feuillage dense. H. et E. 2,50 m. Donne en été des panicules denses de fleurs roses à 5 pétales. Feuilles d'ovales à lancéolées, dentées, vertes. 'Triumphans' a des panicules denses, coniques de fleurs rose pourpre.
S. × *bumalda*, voir *S. japonica.*
S. canescens, ill. p. 104.
S. douglasii. Vigoureux arbuste à rameaux rougeâtres. H. et E. 2 m. Porte du début à la mi-été des panicules denses, étroites, de fleurs rose pourpre à 5 pétales ; feuilles oblongues, vert clair à dessous blanc grisâtre. Les feuilles de la var. *menziesii*, H. 1 m, sont vertes des deux côtés.
S. japonica, syn. *S.* × *bumalda.* 'Anthony Waterer', 'Goldflame' et 'Little Princess', ill. p. 131.
S. nipponica. Arbuste à port un peu raide, à rameaux dressés ou arqués. H. et E. 2,50 m. Donne en début d'été des bouquets denses de fleurs blanches à 5 pétales. Pousses épaisses, rouges, portant des petites feuilles vertes, ovales ou plus ou moins arrondies. 'Snowmound', ill. p. 107.
S. prunifolia. Arbuste à rameaux arqués. H. et E. 3 m. Porte vers la fin du printemps des ombelles sessiles de fleurs blanches, entourées de feuilles ovales vert vif devenant jaune et orange en automne.
S. sorbifolia, voir *Sorbaria sorbifolia.*
S. thunbergii. Arbuste très rameux à feuillage dense, à rameaux fins, arqués. H. 1,20 m, E. 2 m. Porte en début de printemps de petites ombelles de fleurs blanches à 5 pétales. Feuilles oblongues, étroites, vert pâle.
S. trilobata. Arbuste dense à rameaux fins, arqués. H. et E. 1,20 m. Au début de l'été, ombelles de fleurs blanches à 5 pétales. Feuilles arrondies, vertes, parfois lobées, dentées, à dessous bleu-vert.
S. ulmaria, voir *Filipendula ulmaria.*
S. × *vanhouttei*, ill. p. 122.
S. veitchii. Vigoureux arbuste. H. et E. 3 m. Rameaux arqués, rouges, portant des feuilles oblongues, vertes. Donne à la fin du printemps des corymbes de fleurs blanches à 5 pétales.

SPIRANTHES, voir ORCHIDÉES.

S. cernua, ill. p. 252. Orchidée terrestre. H. 50 cm. Semi-rustique. Inflorescences constituées de délicates fleurs blanches (1 cm de long) à centre jaune pâle (automne). Feuilles étroitement lancéolées, de 5-12 cm de long. A besoin d'un peu d'ombre en été.

SPREKELIA (Amaryllidacées)

Genre de plantes bulbeuses, cultivées pour leurs fleurs décoratives. Rustiques. Ont besoin d'espace, de soleil et d'un sol bien drainé. Tenir au sec en hiver ; arroser au début de la période de croissance, au printemps. Multiplication par bulbilles au début de l'automne.
S. formosissima (Amaryllis Croix Saint-Jacques), ill. p. 343.

STACHYS (Labiacées)
Épiaire

Genre de sous-arbrisseaux et de plantes vivaces à floraison printanière ou estivale, dont certaines espèces sont à feuilles persistantes. De rustiques à non rustiques. Poussent dans tous les sols bien drainés et supportent particulièrement bien les sols pauvres. Les espèces mentionnées ci-dessous préfèrent les expositions aérées et ensoleillées ; d'autres sont des plantes de sous-bois et poussent mieux en mi-ombre. Multiplication par division au printemps.
S. byzantina, syn. *S. lanata, S. olympica* (**Oreille de chat**), ill. p. 260. **'Silver Carpet'** est une variété vivace tapissante. H. 15 cm, E. 60 cm. Rustique. Feuilles ovales, laineuses, grises. Floraisons rares. Très utile comme couvre-sol ou en pourtour de bordures.
S. lanata, voir *S. byzantina.*
S. macrantha. H. et E. 30 cm. Rustique. Feuilles cordiformes, à dents arrondies, froissées, vert tendre. Donne en été des verticilles de grandes fleurs à casque, rose pourpre. **'Superba',** ill. p. 241.
S. officinalis, syn. *Betonica officinalis* (**Bétoine**). Espèce vivace tapissante. H. 60 cm, E. 30-45 cm. Rustique. Donne en été, portés par des tiges robustes, des verticilles de fleurs à casque, tubulaires, pourpres, roses ou blanches, poussant au-dessus d'un tapis de feuilles oblongues, à dents arrondies, vert clair. **'Rosea'** a des fleurs d'un rose plus clair.
S. olympica, voir *S. byzantina.*

STACHYURUS (Stachyuracées)

Genre d'arbustes et d'arbrisseaux à feuillage caduc, cultivés pour leurs fleurs qui s'épanouissent avant les feuilles. De rustiques à semi-rustiques ; les boutons floraux formés en automne résistent généralement aux grands froids. Ont besoin de soleil ou de mi-ombre et d'un sol fertile, sain, bien drainé. Se plaisent contre les murs orientés au sud ou à l'ouest. Multiplication par boutures de bois tendre ou semi-lignifié en été, ou par semis.
S. chinensis. Arbuste à cime étalée, à rameaux arqués. H. 2 m, E. 4 m. Rustique. Donne fin hiver/début printemps des grappes pendantes de petites fleurs en coupe, jaune pâle. Feuilles ovales, vert terne. **'Magpie'** a des feuilles gris-vert bordées de blanc crème.
S. praecox, ill. p. 118.

STAPELIA (Asclépiadacées)

Genre de plantes grasses vivaces, aphylles, dressées, à tiges quadrangulaires charnues. Les fleurs à corolle étalée dégagent généralement une odeur fétide. Non rustiques (min. 15 °C). Ont besoin de soleil ou d'une ombre légère et d'un sol fertile. Multiplication : semis ou bouturage.
S. flavirostris, ill. p. 396.
S. gigantea, ill. p. 396.
S. variegata, ill. p. 396.

STAPHYLEA (Staphyléacées)

Genre d'arbustes et d'arbrisseaux à feuilles caduques et à floraison printanière, cultivés pour leurs fleurs à 5 pétales et 5 sépales pétaloïdes et pour leurs fruits en vessie. Rustiques. Ont besoin de soleil ou de mi-ombre et d'un sol fertile, humide. Multiplication : boutures de bois tendre en été ; ou par semis en automne pour les espèces types.
S. colchica. Arbuste dressé. H. et E. 3,50 m. Au printemps, panicules penchées de fleurs blanches à sépales récurvés et pétales dressés, suivies de fruits renflés, blanc verdâtre. Les feuilles, vert vif, sont composées de 3-5 folioles ovales.
S. holocarpa 'Rosea', ill. p. 85.
S. pinnata (Faux pistachier), ill. p. 84.

Statice suworowii, voir *Limonium suworowii.*

STAUNTONIA (Lardizabalacées)

Genre de plantes grimpantes volubiles, à feuilles persistantes, à tiges ligneuses. Fleurs monoïques. Peu rustiques. Poussent dans n'importe quel sol bien drainé, au soleil ou en mi-ombre. Pour en maîtriser la croissance, tailler en début de printemps. Multiplication : semis au printemps ou boutures de tiges semi-aoûtées en été.
S. hexaphylla. H. jusqu'à 10 m et même plus. Feuilles vert foncé composées de 3-7 folioles ovales de 5-13 cm de long. Au printemps, grappes de petites fleurs cupulaires, parfumées, violet clair, suivies de fruits ovoïdes, charnus, comestibles, pourpres, de 2,5-5 cm de long, produits seulement après un été sec et chaud.

Stenolobium stans, voir *Tecoma stans.*

STENOMESSON (Amaryllidacées)

Genre de plantes bulbeuses cultivées pour leurs ombelles de fleurs tubulaires, souvent pendantes. Non rustiques (min. 5 °C). Ont besoin d'un endroit dégagé, ensoleillé et d'un sol bien drainé. Multiplication par caïeux en automne.
S. coccineum, voir *S. variegatum.*
S. incarnatum, voir *S. variegatum.*
S. variegatum, syn. *S. coccineum, S. incarnatum, S. viridiflorum,* ill. p. 350.
S. viridiflorum, voir *S. variegatum.*

STEPHANANDRA (Rosacées)

Genre d'arbustes à feuilles caduques, à floraison estivale, cultivés pour leur aspect, leur feuillage, leurs coloris d'automne et leurs pousses d'hiver. Rustiques. Ont besoin de soleil ou de mi-ombre et d'un sol fertile, pas trop sec. Multiplication : boutures de bois tendre en été ou division en automne, ou semis.
S. incisa. Arbuste à rameaux arqués. H. 1,50 m, E. 3 m. Feuilles ovales à lobes profonds, dentés, vert vif devenant jaune orangé en automne, tiges devenant d'un beau brun brillant en hiver. Donne au début de l'été des panicules denses de minuscules fleurs blanc verdâtre. **'Crispa',** H. 60 cm, a des feuilles à lobes plus profonds et à marges ondulées.
S. tanakae, ill. p. 108.

STEPHANOTIS (Asclépiadacées)

Genre de plantes ligneuses grimpantes, volubiles, à feuilles persistantes, cultivées pour leurs fleurs cireuses, odorantes. Non rustiques (min. 20° C). Ont besoin d'un sol riche en humus et bien drainé et d'une ombre partielle en été. Arroser modérément, très peu en hiver. Les tiges ont besoin de supports. Au printemps, raccourcir les tiges trop longues ou trop touffues. Multiplication : semis au printemps ou boutures lignifiées, au printemps.
S. floribunda, ill. p. 163.

Sterculia acerifolia, voir *Brachychiton acerifolius.*
Sterculia diversifolia, voir *Brachychiton populneus.*
Sterculia platanifolia, voir *Firmiana simplex.*

STERNBERGIA (Amaryllidacées)

Genre de plantes bulbeuses à floraison printanière ou automnale, cultivées pour leurs grandes fleurs érigées, ovoïdes. Assez rustiques, mais dans les régions un peu froides, mieux vaut les faire pousser au pied d'un mur exposé au soleil pour qu'elles fleurissent convenablement. Ont besoin de chaleur, de soleil et d'un sol bien drainé qui sèche en été. Multiplication par séparation de bulbes en automne.
S. candida, ill. p. 357.
S. lutea, ill. p. 369. **'Sicula',** voir *S. sicula.*
S. sicula, syn. *S. lutea* 'Sicula'. Bulbe à floraison automnale. H. 2,5-7 cm, E. 5-8 cm. Feuilles basales, rubanées, étroites, semi-dressées, vertes avec une raie centrale plus claire, apparaissant après la floraion. Fleurs jaune vif de forme ovoïde, de 2-4 cm de long.

STETSONIA (Cactacées)

Genre représenté par une seule espèce vivace de cactus à gros tronc ramifié. Fleurs en entonnoir, à éclosion nocturne (15 cm de long). A besoin de soleil et d'un sol bien drainé. Multiplication par semis au printemps ou en été.
S. coryne, ill. p. 379.

STEWARTIA, voir **STUARTIA.**

STIGMAPHYLLON (Malpighiacées)

Genre de plantes grimpantes volubiles à feuilles persistantes, à tiges ligneuses, cultivées pour leurs fleurs décoratives. Non rustiques (min. 20 °C). Ont besoin d'un sol léger, fertile et bien drainé, avec de l'ombre en été. Arroser à volonté en pleine période de croissance, beaucoup moins en hiver. Ont besoin de supports. Multiplication par boutures de bois semi-lignifié en été.
S. ciliatum, ill. p. 174.

STIPA (Graminées), voir **BAMBOUS, HERBES, JONCS** et **LAÎCHES.**

S. arundinacea. Espèce vivace à touffes de feuilles persistantes. H. 1,50 m, E. 1,20 m. Semi-rustique. Feuilles vert brunâtre de 30 cm se teintant d'orangé à la fin de l'été. Porte en automne des panicules décoratives d'épis floraux vert violacé.
S. calamagrostis, voir *Achnatherum calamagrostis.*
S. gigantea, ill. p. 181.

STOKESIA (Composées)

Genre représenté par une seule espèce de plante vivace à feuilles persistantes, fleurissant en été et en début d'automne. Rustique, mais craint l'humidité en hiver. A besoin de soleil ou de mi-ombre et d'un sol fertile et bien drainé. Multiplication : division au printemps ou semis en automne.
S. laevis, ill. p. 242. **'Blue Star'**, H. et E. 45 cm, porte en été des capitules solitaires bleus. Rosette de feuilles étroitement lancéolées, vert foncé.

Strangweia spicata, voir *Bellevalia hyacinthoides.*

STRANVAESIA (Rosacées)

Genre d'arbres et d'arbustes à feuilles persistantes, fleurissant en fin de printemps et début d'été, cultivés pour leur feuillage persistant et leurs fruits rouges. Parfois rattachés au genre *Photinia*. De rustiques à semi-rustiques. Se plaisent au soleil ou à la mi-ombre, dans un sol frais et bien drainé. Multiplication par boutures de bois semi-lignifié en été ou par semis en automne.
S. davidiana, ill. p. 67.
S. nussia. Arbre à cime étalée. H. et E. 6 m. Semi-rustique. Feuilles oblongues, obovales, coriaces, luisantes, vert foncé. En juillet, fleurs blanches, en corymbes, à 5 pétales étalés, suivies de fruits piriformes rouge orangé.

STRATIOTES (Hydrocharitacées)

Genre de plantes aquatiques vivaces, submergées, cultivées pour leur feuillage semi-persistant. Rustiques. Ont besoin de beaucoup de lumière. Poussent dans les eaux fraîches. Éclaircir pour éviter le surpeuplement. Multiplication par division de touffe.
S. aloides, ill. p. 373.

STRELITZIA (Musacées)
Oiseau de paradis

Genre de grandes plantes vivaces à feuilles persistantes, cultivées pour leurs belles fleurs. Non rustiques (min. 12 °C en hiver, 18 °C le reste du temps). Se plaisent dans les sols fertiles, bien drainés et bien éclairés, mais à l'abri du soleil brûlant en été. Réduire l'arrosage en hiver. Multiplication : semis ou division de touffes.
S. nicolai, ill. p. 194.
S. reginae, ill. p. 224.

Streptanthera cuprea, voir *Sparaxis elegans.*
Streptanthera elegans, voir *Sparaxis elegans.*

STREPTOCARPUS (Gesnériacées)

Genre de plantes vivaces dont certaines sont à feuilles persistantes, cultivées pour leurs fleurs décoratives. Non rustiques (min. 18 °C). Ont besoin d'une atmosphère humide, d'un sol humifère, humidifié à bon escient, et d'un bon éclairage, mais abrité des rayons du soleil. Arroser sans mouiller les feuilles. Les besoins en arrosages varient selon les espèces : celles à feuille unique doivent être arrosées modérément, ce qui est logique, car elles ne peuvent utiliser et traiter que relativement peu d'eau à la fois. Par contre, celles à feuilles nombreuses peuvent être arrosées plus généreusement, notamment en période de croissance et de floraison. *S. rexii* demande une serre tempérée sèche.
S. caulescens, ill. p. 233.
S. **'Constant Nymph'**, ill. p. 259.
S. **'Nicola'**, ill. p. 257.
S. rexii. Espèce sans tige. H. jusqu'à 25 cm, E. jusqu'à 50 cm. Feuilles oblongues, pubescentes, vert brillant. Nombreuses hampes florifères d'au moins 15 cm de haut, portant tout au long de l'année des fleurs (5 cm de long), bleu pâle rayé de mauve pourpré, strié de sombre.
S. saxorum, ill. p. 241.

STREPTOSOLEN (Solanacées)

Genre représenté par une seule espèce d'arbuste à feuilles persistantes ou semi-persistantes, cultivé pour ses fleurs. Non rustique (min. 10 °C). A besoin d'un bon ensoleillement et d'un sol riche en humus et bien drainé. Arroser à volonté en pleine période de croissance, moins le reste du temps. Multiplication : boutures de jeunes pousses au printemps, ou semis.
S. jamesonii, ill. p. 178.

STROBILANTHES (Acanthacées)

Genre de plantes vivaces et d'arbustes à feuilles persistantes, cultivés pour leurs fleurs. De peu rustiques à non rustiques (min. 15 °C). Préfèrent la mi-ombre. Poussent dans les sols fertiles et bien drainés. Multiplication : semis, boutures de tiges basales ou division au printemps.
S. atropurpureus, ill. p. 220.

STROMBOCACTUS (Cactacées)

Genre de cactées d'hémisphériques à cylindriques, à croissance extrêmement lente. Fleurs en entonnoir de 4 cm de large. Non rustiques (min. 15 °C). Ont besoin de soleil et d'un sol très bien drainé. Difficiles à cultiver, craignent le moindre excès d'humidité. Multiplication : semis ; greffe au printemps ou en été (pour avoir des plantes adultes plus rapidement).
S. disciformis, ill. p. 390.

STRONGYLODON (Légumineuses)

Genre de plantes grimpantes volubiles à feuilles persistantes, à tiges ligneuses, cultivées pour leurs grandes fleurs. Non rustiques (min. 18 °C). Se développent bien dans un sol riche en humus, humide mais bien drainé, avec un peu d'ombre en été. Arroser à volonté en période de croissance, moins le reste du temps. Multiplication : semis ou boutures de tiges en été ou marcottage au printemps.
S. macrobotrys, ill. p. 164.

STUARTIA, syn. STEWARTIA (Théacées)

Genre d'arbres et d'arbustes à feuilles caduques, cultivés pour leurs coloris d'automne et leur écorce qui a tendance à se desquamer. Assez rustiques. Ont besoin de mi-ombre et d'être abrités des vents d'hiver. Préfèrent les sols fertiles, humides mais bien drainés, acides ou neutres. Supportent mal les transplantations. Multiplication : bouturage, ou semis en automne.
S. monadelpha, ill. p. 55.
S. pseudocamellia, ill. p. 51.
S. sinensis. Arbre à cime étalée. H. 10 m, E. 7 m. Rustique. Feuilles ovales, vert clair devenant d'un rouge éclatant en automne. Donne en été des fleurs blanches parfumées en forme de coupe.

STYLOPHORUM (Papavéracées)

Genre de plantes vivaces rhizomateuses fleurissant au printemps ou en début d'été, à longues feuilles profondément lobées. Rustiques. Ont besoin de mi-ombre et d'un sol riche en humus, humide, tourbeux.

Multiplication : division au printemps ou semis en automne.
S. diphyllum, ill. p. 290.

STYRAX (Styracacées)

Genre d'arbres et d'arbustes à floraison estivale, cultivés pour leur feuillage caduc ou persistant et leurs fleurs. De rustiques à non rustiques (min. 7-10 °C). Préfèrent les endroits ensoleillés ou à mi-ombre, abrités, et les sols humides, neutres ou acides. À abriter des vents secs. Multiplication : boutures de bois semi-lignifié en été ou semis en automne.
S. japonica, ill. p. 50.
S. obassia. Arbre à cime arrondie. H. 8 m, E. 7 m. Rustique. Donne au début de l'été de longues grappes de fleurs blanches parfumées. Feuilles larges, arrondies.
S. officinalis, ill. p. 86.
S. wilsonii, ill. p. 106.

Submatucana aurantiaca, voir *Borzicactus aurantiacus.*

SULCOREBUTIA (Cactacées)

Genre de cactées vivaces en boule aplatie, ou cylindriques, formant des colonies, avec des fleurs basales. Non rustiques (min. 15 °C). Ont besoin de soleil ou d'ombre légère et d'un sol bien drainé ; les espèces mentionnées ci-dessous préfèrent une exposition ensoleillée. Multiplication : semis ou boutures de tiges au printemps ou en été.
S. arenacea, ill. p. 400.
S. tiraquensis, ill. p. 394.

SUTHERLANDIA (Légumineuses)

Genre d'arbustes à feuilles persistantes, cultivés pour leurs fleurs papilionacées réunies en grappes et leurs fruits en gousse vésiculeuse. Peu rustiques. Ont besoin de lumière et d'un sol fertile et bien drainé. Arroser généreusement les sujets en conteneur durant la période de croissance, moins le reste du temps. Rabattre sévèrement les rameaux anciens à la fin de l'hiver. Multiplication par semis au printemps ou bouturage. Les araignées rouges peuvent poser des problèmes.
S. frutescens **(Baguenaudier d'Éthiopie),** ill. p. 133.

SWAINSONA (Légumineuses)

Genre de plantes vivaces et de sous-arbrisseaux à feuilles persistantes, cultivés pour leurs fleurs papilionacées. Non rustiques

(min. 8 °C). Ont besoin de pleine lumière ou d'ombre partielle et d'un sol riche en humus, fertile et bien drainé. Arroser généreusement en période de croissance, moins le reste du temps. Multiplication : semis ou bouturage au printemps.
S. galegifolia. Sous-arbrisseau semi-grimpant. H. 1,20 m, E. 60 cm. Feuilles composées de 11-21 folioles étroitement ovales, vertes. Donne en juillet des grappes axillaires de fleurs rouges (chez l'espèce type), roses, pourpres, bleues ou jaunes.

SYMPHORICARPOS
(Caprifoliacées)
Symphorine

Genre d'arbustes à feuilles caduques et minuscules fleurs en cloche, surtout cultivés pour leurs grappes de fruits. Rustiques. Ont besoin de soleil, de mi-ombre ou d'ombre ; peu exigeants pour le sol. Multiplication : boutures de bois tendre en été ou division des touffes.
S. albus. var. **laevigatus** est un vigoureux arbuste, semi-dressé, semi-arqué. H. et E. 2 m. Donne en été des fleurs roses suivies de fruits blancs. Feuilles arrondies, vertes.
S. orbiculatus. Arbuste dense et touffu. H. et E. 2 m. Donne fin été/début automne des fleurs blanc jaunâtre, puis des fruits globuleux rouge violacé. Feuilles ovales vert foncé. **'Foliis Variegatis'** (syn. *S.o.* 'Variegatus'), ill. p. 136.

SYMPHYANDRA
(Campanulacées)

Genre de plantes bisannuelles ou vivaces, proches des campanules, à floraison en fin de printemps et en été. Conviennent pour jardins de rocaille et mixed-border. Rustiques. Apprécient le soleil, surtout *S. pendula,* et un sol léger bien drainé. Multiplication par semis en automne.
S. pendula. Espèce à tiges couchées puis érigées. H. 40 cm,

E. 30 cm. Donne en été des panicules de fleurs en clochette pendantes, blanc crème. Feuilles ovales, velues, vert pâle.
S. wannerii, ill. p. 297.

SYMPHYTUM (Boraginacées)
Consoude

Genre de vigoureuses plantes vivaces convenant surtout pour des jardins d'aspect « sauvage ». Rustiques. Préfèrent la mi-ombre et les sols humides. Multiplication : division au printemps ou semis en automne ; se reproduisent couramment par dissémination spontanée. Pour les cultivars, procéder uniquement par division.
S. caucasicum, ill. p. 197.
S. × plandicum. 'Variegatum', ill. p. 199.

SYMPLOCOS (Symplocacées)

Genre d'arbres et d'arbustes à feuilles caduques ou persistantes dont on ne cultive généralement que l'espèce citée ici, pour ses fleurs et ses fruits, qui peuvent être très abondants lorsque plusieurs plants cohabitent. Ont besoin d'un bon ensoleillement et d'un sol fertile. Multiplication par semis en automne.
S. paniculata, ill. p. 106. Seule espèce rustique du genre.

SYNGONIUM (Aracées)

Genre de plantes grimpantes à base ligneuse, parfois même arbustives, cultivées pour leur feuillage persistant très décoratif. Non rustiques (min. 20 °C, serre chaude humide). Ont besoin d'une ombre partielle et d'un sol riche en humus et bien drainé. Pincer les jeunes pousses pour favoriser leur ramification. Multiplication : boutures de bourgeons ou de sommités en été.
S. podophyllum, ill. p. 178. 'Trileaf Wonder', ill. p. 177.

SYNTHYRIS (Scrophulariacées)

Genre de plantes vivaces à floraison printanière, avec des rhizomes étalés. Conviennent pour jardins de rocaille humides. Rustiques. Préfèrent une ombre partielle et un sol humide. Multiplication à la fin du printemps par semis ou division.
S. reniformis. Espèce à feuilles persistantes. H. 10 cm, E. 15 cm. Feuilles réniformes, dentées, vert foncé. Donne au printemps des grappes denses de petites fleurs bleues.
S. stellata, ill. p. 309.

SYRINGA (Oléacées)
Lilas

Genre de grands arbustes à feuilles caduques, cultivés pour leurs panicules denses de petites fleurs tubulaires parfumées. Rustiques. Ont besoin de soleil et d'un sol profond, fertile, bien drainé, alcalin de préférence. Drageonnent très facilement. Supprimer les branches florales fanées ainsi que les drageons qui poussent autour du pied. Multiplication par boutures de bois tendre en été, ou greffage.
S. 'Belle de Nancy'. Arbuste dressé, puis étalé. H. et E. 5 m. Grandes grappes denses de fleurs tubulaires odorantes, doubles, rose mauve, issues de boutons rouge pourpré (fin printemps). Feuilles cordiformes, vert foncé.
S. × chinensis (Lilas Varin). Arbuste arqué. H. et E. 4 m. Au printemps, grandes panicules de fleurs tubulaires simples, parfumées, violet intense. Feuilles ovales vert foncé. **'Alba'** a des fleurs blanches.
S. 'Congo'. Arbuste dressé, puis étalé. H. et E. 5 m. Donne à la fin du printemps de grandes panicules de fleurs tubulaires simples, parfumées, rouge violacé en bouton, pourpres à maturité. Feuilles cordiformes vert sombre.
S. emodi (Lilas de l'Himalaya). Vigoureux arbuste dressé. H. et E. 4 m. Donne en fin de printemps des panicules étroites,

dressées, de fleurs tubulaires simples, à odeur fade, mauve pâle. Grandes feuilles ovales vert foncé.
S. microphylla. Arbuste touffu à port étalé. H. et E. 2 m. Au début de l'été (et souvent aussi en automne), petites panicules de fleurs tubulaires simples, très parfumées, roses. Feuilles ovales, vert clair **'Superba',** ill. p. 108.
S. × persica (Lilas de Perse), ill. p. 99.
S. × prestoniae 'Isabella'. Vigoureux arbuste dressé. H. et E. 4 m. Grandes panicules dressées de fleurs tubulaires simples, parfumées, mauve pourpre, à intérieur presque blanc (fin de printemps) et grandes feuilles ovales vert foncé.
S. reticulata. Grand arbuste largement conique. H. 10 m, E. 6 m. Porte, au début de l'été, de grandes panicules de fleurs tubulaires simples, parfumées, blanc crème. Feuilles ovales arrondies, vert clair.
S. vulgaris (Lilas commun). Arbuste ou petit arbre, H. jusqu'à 7 m, à feuilles ovales cordiformes, entières. Fleurs très parfumées associées en panicules de 10-12 cm de long. De cette espèce sont issus de très nombreux cultivars, entre autres : **'Blue Hyacinth',** ill. p. 90. **'Charles Joly',** ill. p. 90. **'Esther Staley',** ill. p. 89. **'Mme Antoine Boucher',** ill. p. 90. **'Mme Lemoine',** ill. p. 86. **'Maréchal Foch',** ill. p. 89. **'Primrose',** ill. p. 90.
S. yunnanensis (Lilas de Yunnan), ill. p. 88.

SYZYGIUM (Myrtacées)

Genre d'arbres et d'arbustes à feuilles persistantes, cultivés pour leur aspect général et leur floraison. Non rustiques (plantes d'orangerie). Préfèrent la pleine lumière (mais supportent un peu d'ombre) et un sol fertile et bien drainé. Arroser généreusement les sujets en conteneur durant la période de croissance, moins le reste du temps. Supportent bien la taille. Multiplication par semis au printemps ou boutures de bois aoûté en été.
S. paniculatum, syn. *Eugenia australis, E. paniculata,* ill. p. 54.

T

TABEBUIA (Bignoniacées)

Genre d'arbres à feuilles caduques ou persistantes, à floraison printanière, cultivés pour leurs fleurs et leur feuillages. Non rustiques (plantes de pleine terre en jardin d'hiver). Ont besoin de lumière et d'un sol fertile, bien drainé, pas trop sec. Les sujets en pots fleurissent rarement. Multiplication par semis ou marcottage aérien au printemps, ou par boutures de bois semi-lignifié en été.
T. chrysotricha, ill. p. 69.
T. rosea. Arbre à feuilles persistantes (caduques dans les régions froides), à croissance rapide, à cime ronde. H. et E. 15 m. Feuilles à 5 folioles ovales. Donne au printemps des grappes terminales de fleurs en cornet, roses ou blanches à gorge jaune.

TACCA (Taccacées)

Genre de plantes vivaces rhizomateuses, cespiteuses, cultivées pour leurs grandes feuilles et leurs curieuses fleurs. Non rustiques (min. 18 °C). Ont besoin d'une atmosphère très humide, d'un peu d'ombre et d'un sol tourbeux. Arroser avec parcimonie durant la période de repos hivernal. Multiplication par semis ou par division au printemps.
T. chantrieri. H. et E. 30 cm. Feuilles pétiolées, étroitement oblongues, arquées, de 45 cm de long ou plus. Donne en été des ombelles accompagnées de bractées brun-violet, sur des tiges de 60 cm de long. Fleur pendante, brun pourpré, accompagnée de 4 bractées et de longs appendices filiformes de marron à pourpres.

Tacitus bellus, voir *Graptopetalum bellum.*

Tacsonia van-volxemii, voir *Passiflora antioquiensis.*

TAGETES (Composées)

Genre de plantes annuelles qui fleurissent durant tout l'été et jusqu'aux premières gelées d'automne (fleurs en capitules radiés, jaunes, bruns ou orange). S'utilisent en massifs ou en bordures. Semi-rustiques. Se plaisent au soleil et dans les sols fertiles et bien drainés. Multiplication par semis sous

châssis. À protéger des escargots, des limaces et du *Botrytis.*
T. erecta (**Rose d'Inde**). Espèce dressée, touffue, aromatique, à croissance rapide, à feuilles pennées vert foncé. H. 60-80 cm, H. 30-45 cm, pour les grandes variétés ; variétés moyennes : H. et E. 40-60 cm ; variétés naines : H. 30-40 cm, E. 30-45 cm. Toutes les variétés ont des feuilles profondément divisées, luisantes, aromatiques, vert foncé, et donnent en été et au début de l'automne de gros capitules doubles de 5 cm de large environ.
'**Crackerjack**' (grande), ill. p. 282.
'**Galore**' (moyenne), très grands capitules jaune d'or.
'**Gold Coins**' (grande), ill. p. 280.
Série Inca (grande), capitules d'une ou de plusieurs couleurs dans les nuances de jaune et d'orangé.
Série Jubilee (grande), capitules blancs, jaunes, orange ou crème.
'**Toreador**' (grande), très grands capitules d'un orange éclatant.
T. '**Paprika**', ill. p. 284.
T. patula (**Œillet d'Inde**). Espèce étalée, touffue, à croissance rapide. H. et E. 40-60 cm. Feuilles aromatiques profondément divisées. Donne en été et en début d'automne des capitules simples ou doubles dans des tons de jaune, d'orange, de rouge et d'acajou. Capitules moins gros que ceux des roses d'Inde. **Série Bonita,** H. 25 cm, capitules de couleurs variées. **Série Boy-o-Boy,** H. et E. 15 cm, capitules jaunes, orange ou acajou. '**Cinnabar**', ill. p. 273. '**Honeycomb**', H. 25 cm, E. 20 cm, capitules jaunes et rouge orangé. '**Naughty Marietta**', ill. p. 282. '**Orange Winner**', ill. p. 284. '**Spanish Brocade**', H. et E. 20 cm, grands capitules doubles rouge et or.
T. '**Tangerine Gem**', ill. p. 284.

TALINUM (Portulacacées)

Genre de plantes vivaces ou suffrutescentes à floraison estivale, dont certaines sont à feuillage persistant, cultivées pour leurs panicules de fleurs à 5 pétales, et leurs feuilles charnues. S'utilisent pour jardins de rocaille et éboulis et comme plantes en pots. De rustiques à non rustiques (min. 7 °C). Ont besoin de soleil et d'un sol pas trop sec et bien drainé. Multiplication par semis en automne.
T. okanoganense. Espèce tapissante ou formant des coussinets. H. 4 cm, E. jusqu'à 10 cm. Rustique. Tiges charnues portant des touffes de feuilles cylindriques, charnues, gris-vert, et en été, de minuscules fleurs cupulaires blanches. Excellent couvre-sol pour

talus et éboulis.

TAMARINDUS (Légumineuses)

Genre représenté par une seule espèce d'arbre à feuilles persistantes, cultivé pour ses fruits comestibles, son bel aspect et son ombrage. Non rustique (min. 20 °C). A besoin de beaucoup de lumière et d'un sol bien drainé. Multiplication : semis ou marcottage aérien au printemps.
T. indica (**Tamarinier, Tamarin**). Arbre à cime arrondie. H. et E. jusqu'à 15 m. Les feuilles se composent de 8-20 paires de folioles d'oblongues à elliptiques, vert vif. Donne en été des grappes abondantes de fleurs irrégulières à 5 pétales, jaune pâle veiné de rouge, suivies de longues gousses brunâtres dont la pulpe, à saveur acide, est comestible.

TAMARIX (Tamaricacées)
Tamaris

Genre d'arbustes et de petits arbres à feuilles caduques ou persistantes, cultivés pour leur feuillage et leurs nombreuses grappes de petites fleurs blanches ou roses. Résistent bien aux vents et se plaisent tout particulièrement dans les régions maritimes où ils font de bonnes haies. De rustiques à non rustiques. Ont besoin de soleil et d'un sol frais, mais bien drainé. Multiplication par boutures de bois semi-lignifié en été, ou boutures en sec.
T. gallica (**Tamaris d'Angleterre**). Arbre ou arbuste buissonnant à feuillage caduc. H. 4 m, E. 6 m. Semi-rustique. Jeunes pousses pourpres entourées de feuilles écailleuses vert-bleu ou vertes. En été, grappes minces de petites fleurs roses.
T. pentandra, voir *T. ramosissima.*
T. ramosissima, syn. *T. pentandra,* ill. p. 88.

TANACETUM (Composées)
Tanaisie

Genre de plantes vivaces dont certaines sont à feuilles persistantes, souvent aromatiques, cultivées pour leurs capitules groupés en corymbes ou quelquefois solitaires. Rustiques. À cultiver au soleil, dans un sol fertile, bien drainé. Multiplication par division au printemps.
T. argenteum, syn. *Achillea argentea* (**Tanaisie argentée**), ill. p. 300.

T. coccineum, syn. *Chrysanthemum coccineum, Pyrethrum roseum* (**Pyrèthre**). '**Brenda**', syn. *Pyrethrum* 'Brenda', ill. p. 197. '**Eileen May Robinson**' est un cultivar dressé. H. jusqu'à 75 cm, E. 45 cm. Feuilles légèrement aromatiques, finement découpées (5 cm de long). En été, capitules roses à centre jaune, à longs pédoncules. '**Mrs James Kelway**' a des capitules beiges devenant roses.
T. densum subsp. *amani,* ill. p. 301.
T. haradjanii, syn. *Chrysanthemum haradjanii.* Espèce tapissante à base ligneuse, à racine pivotante. H. et E. 25-40 cm. Feuilles largement lancéolées, très divisées, gris argenté. En été, capitules terminaux jaune vif. Pour jardins de rocaille.

TANAKAEA (Saxifragacées)

Genre représenté par une seule espèce de plante vivace cultivée pour son feuillage étalé, persistant, et pour ses fleurs. Rustique. A besoin d'une ombre partielle et d'un sol bien drainé, tourbeux, sableux. Multiplication par marcottage au printemps. Pour jardins de rocaille.
T. radicans. H. 6-8 cm, E. 20 cm. Feuilles d'étroitement ovales à cordiformes, coriaces, vert moyen ou foncé. En fin de printemps, petites inflorescences de minuscules fleurs blanches étoilées.

TAXODIUM (Taxodiacées), voir **CONIFÈRES.**

T. distichum (**Cyprès chauve**), ill. p. 76.

TAXUS (Taxacées), voir **CONIFÈRES.**
If

T. baccata (**If commun**). Conifère à croissance lente, à cime large. H. 10-15 m, E. 5-10 m. Rustique. Feuilles en aiguilles aplaties, vert foncé. Les plants femelles donnent des arilles rouge vif. Supporte bien la taille. Sauf indications contraires, les variétés suivantes font H. 6-10 m, E. 5-8 m.
'**Adpressa**' est un clone femelle touffu, étalé. '**Aurea**' (ill. p. 83) a un feuillage jaune doré.
'**Dovastoniana**' est un cultivar étalé, à rameaux retombants.
'**Dovastonii Aurea**' (ill. p. 83) est analogue à *T.b.* 'Dovastoniana', mais avec des feuilles à marges jaunes. '**Fastigiata**' (**If d'Irlande**),

H. 5 m et E. 2 m, a un port en colonne, des rameaux dressés, des feuilles vert foncé. '**Fastigiata Aurea**' ressemble à *T.b.* '**Fastigiata**', mais avec des feuilles panachées de jaune. '**Repandens**', H. 60 cm, E. 5 m, est une variété très étalée. '**Semperaurea**' (clone mâle), H. 3 m, E. 5 m, a des rameaux ascendants, avec un feuillage dense, jaune un peu rouillé.
T. **cuspidata** (If du Japon), ill. p. 81. '**Aurescens**' est un conifère nain, à feuillage touffu, étalé. H. 30 cm, E. 1 m. Rustique. Les feuilles en aiguille aplatie sont jaune doré la première année, puis deviennent vert foncé. '**Densa**', H. 1,20 m, E. 6 m, est un clone femelle à feuillage dense.
T. × **media**. Conifère dense à forme très variable. H. et E. 3-6 m. Rustique. Feuilles en aiguille aplatie, étalées de chaque côté de rameaux vert olive. Les feuilles sont rigides, très élargies à la base. Les fruits ressemblent à ceux de *T. baccata*. '**Brownii**', H. 2,50 m, E. 3,50 m, est un clone mâle en colonne large, à feuillage vert foncé. '**Densiformis**', H. 2-3 m, a une cime dense et arrondie, avec de très nombreuses pousses à feuilles vert assez vif. '**Hicksii**', H. jusqu'à 2 m, est un clone femelle à port en colonne large, à rameaux ascendants. '**Hillij**', H. et E. 3 m, a une cime allant de largement conique à globuleuse, avec un feuillage touffu, luisant. '**Wardii**', H. 2 m, E. 6 m, est un clone femelle à cime globuleuse, aplatie.

TECOMA (Bignoniacées)

Genre d'arbustes érigés ou grimpants à feuilles caduques ou persistantes, cultivés pour leurs grappes de fleurs estivales (corolle tubuleuse campanulée). Peu rustiques. Préfèrent les sols bien drainés et la pleine lumière. On peut les tailler chaque année au printemps, pour leur conserver une forme arbustive. Multiplication : semis au printemps ou boutures de bois semi-lignifié en été.
T. **capensis**, voir *Tecomaria capensis*.
T. **grandiflora**, syn. *Bignonia grandiflora, Campsis chinensis*, voir *Campsis grandiflora*.
T. **radicans**, syn. *Bignonia radicans*, voir *Campsis radicans*.
T. **stans**, syn. *Bignonia stans, Stenolobium stans*, ill. p. 68.

TECOMARIA (Bignoniacées)

Genre de plantes grimpantes à feuilles persistantes, cultivées pour leurs fleurs (corolle en entonnoir). Peu rustiques. Ont besoin d'un sol fertile, bien drainé et d'une bonne luminosité. Multiplication par semis au printemps ou boutures de bois semi-lignifié en été, ou marcottage.
T. **capensis**, syn. *Bignonia capensis*,

Tecoma **capensis** (**Chèvrefeuille du Cap**). H. 5 m. Feuilles composées de 5-9 folioles dentées, luisantes, vert foncé. En fin d'été, grappes de fleurs tubulaires rouge orangé, en trompette.

TECOPHILAEA (Haemodoracées)
Crocus du Chili

Genre de plantes bulbeuses à floraison printanière, cultivées pour leurs fleurs ornementales. Assez rustiques (à cultiver sous châssis ou en serre froide en hiver). Ont besoin de soleil et d'un sol léger, fertile, bien drainé. Multiplication par semis ou caïeux en automne.
T. **cyanocrocus**, ill. p. 362.
var. **leichtlinii**, ill. p. 361.

TELLIMA (Saxifragacées)

Genre représenté par une seule espèce de plante vivace à feuilles semi-persistantes, à floraison printanière. Fait un bon couvre-sol et convient particulièrement bien pour des sous-bois clairs. Rustique. Pousse dans tout sol bien drainé. Multiplication : division au printemps ou semis en automne.
T. **grandiflora**. H. et E. 60 cm. Feuilles cordiformes, dentées, velues, vert vif, teintées partiellement de pourpre. Donne à la fin du printemps des grappes de petites fleurs en clochette, frangées, crème. '**Purpurea**', ill. p. 258.

TELOPEA (Protéacées)

Genre d'arbustes à feuilles persistantes, surtout cultivés pour leurs inflorescenes (grappes de fleurs rouges, avec des involucres de bractées colorées). De semi-rustiques à non rustiques. À cultiver en plein soleil ou à mi-ombre, en sol riche en humus, humide mais bien drainé, neutre ou acide. Arroser généreusement les sujets en conteneur lorsqu'ils sont en pleine croissance, avec modération le reste du temps. Multiplication : semis au printemps ou marcottage.
T. **speciosissima**, ill. p. 110.
T. **truncata**, ill. p. 98.

TERNSTROEMIA (Théacées)

Genre d'arbres et d'arbustes à feuilles persistantes, cultivés pour leur aspect général. Semi-rustiques. Ont besoin de soleil ou d'une ombre partielle et d'un sol riche en humus, bien drainé, neutre ou acide. Multiplication par semis ou par boutures de bois semi-lignifié à la fin de l'été.
T. **gymnanthera**. Arbuste à feuillage dense. H. et E. 2 m. Feuilles ovales,

lustrées, d'un vert plus ou moins soutenu. Donne en été des fleurs blanches pendantes, à 5 pétales, solitaires à l'aisselle des feuilles. Petits fruits ronds, rouge vif, en automne. Les feuilles de '**Variegata**' sont marbrées de blanc, avec un bord crème virant au rose en automne.

Testudinaria elephantipes, voir *Dioscorea elephantipes*.

TETRACENTRON (Tétracentracées)

Genre représenté par une seule espèce d'arbre à feuilles caduques, cultivé pour son feuillage et ses chatons (fleurs en épis grêles pendants). Assez rustique. A besoin de soleil ou d'un peu d'ombre et d'un sol fertile et bien drainé. Multiplication par semis en automne, ou bouturage.
T. **sinense**. Arbre étalé à port élégant. H. et E. 20 m. Feuilles cordées ou ovales, finement dentées, vert foncé. Porte en été de longs et minces chatons jaunes.

TETRANEMA (Scrophulariacées)

Genre de plantes vivaces à feuilles oblongues presque radicales, cultivées pour leurs fleurs. Non rustiques (min. 12 °C). À planter dans un endroit bien éclairé, mais à l'abri des rayons du soleil et dans un sol bien drainé. Multiplication par division ou semis au printemps.
T. **mexicanum**, voir *T. roseum*.
T. **roseum**, syn. *T. mexicanum*, ill. p. 259.

TETRAPANAX (Araliacées)

Genre représenté par une seule espèce d'arbuste à floraison automnale, cultivé pour son feuillage persistant. Peu rustique. A besoin d'un plein ensoleillement ou d'une ombre partielle et d'un sol riche en humus, fertile, bien drainé. Multiplication : boutures de racines ou semis au début du printemps.
T. **papyriferus**, syn. *Fatsia papyfera*, ill. p. 94.

TETRASTIGMA (Vitacées)

Genre de plantes grimpantes à vrilles, à tiges ligneuses, cultivées pour leurs feuilles persistantes ornementales. Non rustiques (min. 18 °C). Poussent dans n'importe quel sol fertile et bien drainé, avec un peu d'ombre en été. Arroser à volonté durant la période de croissance active, moins lorsqu'il

fait froid. Multiplication : marcottage au printemps ou boutures de bois semi-lignifié en été.
T. **voinierianum**, syn. *Cissus voinieriana*, ill. p. 178.

TEUCRIUM (Labiacées)
Germandrée

Genre de plantes annuelles ou vivaces et de sous-arbrisseaux à feuilles caduques ou persistantes, cultivés pour leurs fleurs (corolle à tube court, à une seule « lèvre »), leur feuillage (parfois aromatique) et leur aspect général. De rustiques à semi-rustiques. Ont besoin d'un bon ensoleillement et d'un sol bien drainé. Multiplication : des vivaces par semis ou division au printemps, des sous-arbrisseaux par boutures de bois tendre ou semi-lignifié en été.
T. **aroanium**. Sous-arbrisseau très rameux, à feuilles persistantes. H. 4 cm, E. 15 cm. Semi-rustique. Feuilles d'oblongues à ovales, légèrement duveteuses dessus, très velues dessous. Donne en été de petites fleurs mauves. Utile pour rocaille.
T. **polium**, ill. p. 319. Aime les sols chauds, calcaires, rocailleux.

THALICTRUM (Ranunculacées)
Pigamon

Genre de plantes vivaces cultivées pour leurs feuilles composées pennatiséquées et leurs grappes de fleurs apétales, à nombreuses étamines proéminentes et 4 ou 5 sépales colorés qui tombent rapidement. Font de jolies bordures dans des jardins boisés, surtout les variétés de grande taille. Rustiques. À cultiver en ombre légère ou mi-ombre, en sol bien drainé, léger, frais. Multiplication par semis ou division au printemps.
T. **aquilegiifolium**, ill. p. 210.
'**White Cloud**', ill. p. 201.
T. **chelidonii**. H. 1 m, E. 60 cm. Porte des feuilles finement découpées et, en été, des panicules de fleurs mauves à 4 ou 5 sépales.
T. **delavayi**, syn. *T. dipterocarpum*. H. 1 m, E. 60 cm. Feuilles très divisées ; grandes panicules de fleurs dioïques inclinées, lilas, à étamines jaunes proéminentes (mi-été). '**Hewitt's Double**' a des fleurs doubles.
T. **dipterocarpum**, voir *T. delavayi*.
T. **flavum**. H. 1,20 m, E. 60 cm. Feuilles très divisées, bleu-vert, et, vers la mi-été, panicules de fleurs jaune pâle, à pédoncules minces. '**Illuminator**' est un cultivar jaune pâle à feuilles vert vif.
T. **lucidum**, ill. p. 213.
T. **orientale**. Espèce à port étalé. H. 15 cm, E. 20 cm. Feuilles très découpées, à folioles lobées, ovales ou rondes. Porte, à la fin du printemps, de petites fleurs mauves ou violacées à étamines jaunes et grands sépales.

THAMNOCALAMUS (Graminées), voir **BAMBOUS, HERBES, JONCS** et **LAÎCHES**.

T. falconeri, syn. *Arundinaria falconeri.* Bambou à feuilles persistantes. H. 10 m, E. 1 m. Semi-rustique. Tiges brun verdâtre, avec un anneau violacé à chaque nœud. Feuilles de 5-10 cm de long, vert jaunâtre. Épis floraux insignifiants.
T. spathaceus, syn. *Arundinaria murieliae, Sinarundaria murieliae.* H. 4 cm, E. variable. Assez rustique. Cannes d'un beau vert vif lorsqu'elles sont jeunes, devenant vert jaune terne ensuite. Feuilles larges et très longues, vert pomme, effilées à leur extrémité.

THELOCACTUS (Cactacées)

Genre de cactées vivaces, à port allant de sphérique à cylindrique, à tiges tuberculées ou cannelées. Les aréoles de la couronne produisent des fleurs en entonnoir. Non rustiques (min. 14 °C). Ont besoin de soleil et d'un sol bien drainé. Multiplication par semis au printemps ou en été.
T. bicolor, ill. p. 392.

THELYPTERIS (Polypodiacées)

Genre de fougères à feuilles caduques très découpées. Rustiques. Supportent le soleil ou la mi-ombre. À cultiver dans un sol humide ou très humide. Éliminer régulièrement les frondes fanées. Multiplication par division au printemps.
T. hexagonoptera, syn. *Dryopteris hexagonoptera.* H. 45 cm, E. 30 cm. Frondes largement lancéolées, très divisées, à pinnules d'oblongues à triangulaires, dentées, poussant à partir d'une souche traçante. A besoin d'une situation ombragée.
T. oreopteris. H. 60 cm-1 m, E. 30 cm. Produit des frondes très divisées, à pinnules vert moyen, d'oblongues à ovales.
T. palustris, ill. p. 186.

THERMOPSIS (Légumineuses)

Genre de plantes vivaces à floraison printanière ou estivale (fleurs papilionacées). Rustiques. Préfèrent le soleil ou une bonne luminosité et un sol riche et léger, bien drainé. Multiplication : division au printemps ou semis en automne.
T. caroliniana. H. 1,5 m, E. 60 cm. Donne en début d'été des grappes de fleurs jaunes. Les feuilles, glauques, sont divisées en 3 folioles ovales.
T. montana, ill. p. 215.

THEVETIA (Apocynacées)

Genre de petits arbres et d'arbustes à feuilles persistantes, cultivés pour leurs fleurs décoratives (corolle en entonnoir), écloses de l'hiver à l'été. Fruits vénéneux. Non rustiques (min. 18 °C). Ont besoin de lumière et d'un sol bien drainé. Multiplication : semis au printemps ou boutures de bois semi-lignifié en été.
T. neriifolia, voir *T. peruviana.*
T. peruviana, syn. *T. neriifolia* (**Laurier rose à fleurs jaunes**), ill. p. 66.

THLADIANTHA (Cucurbitacées)

Genre de plantes dioïques grimpantes à vrilles, herbacées, à feuilles caduques, cultivées pour leurs fleurs jaunes en clochette et leurs feuilles d'ovales à cordiformes. De rustiques à non rustiques (min. 12 °C). Ont besoin d'être abritées du plein soleil. Sol fertile et bien drainé. Multiplication : semis sous abri vitré au printemps ou division au début du printemps.
T. dubia, ill. p. 174.

THLASPI (Crucifères)

Genre de plantes annuelles ou vivaces, dont certaines sont à feuilles persistantes, cultivées pour leurs fleurs. Conviennent pour talus et éboulis. Rustiques. Ont besoin de soleil et d'un sol humide, mais bien drainé. Multiplication par semis en automne.
T. alpinum. Espèce tapissante. H. 5 cm, E. 10 cm. Petites feuilles persistantes ovales, vert clair. Donne au printemps des grappes ombelliformes de petites fleurs blanches à 4 pétales.
T. macrophyllum, voir *Pachyphragma macrophyllum.*
T. rotundifolium, ill. p. 305.

THUJA (Cupressacées), voir **CONIFÈRES.**
Thuya

Conifères à ramules feuillés aplatis, à petites feuilles squamiformes.
T. koraiensis (**Thuya de Corée**). Conifère élancé, parfois touffu. H. 10 m, E. 5 m. Rustique. Feuilles vertes dessus, presque blanches dessous.
T. occidentalis (**Thuya du Canada**). Espèce à cime pyramidale étroite, à port en colonne. H. 20 m, E. 5 m. Rustique. Écorce brun orangé, feuilles vert foncé, à dessous vert pâle ou grisâtre, dégageant une odeur prononcée. Cônes vert-jaune devenant bruns à maturité. '**Caespitosa**' (ill. p. 82), H. 30 cm, E. 40 cm, est une variété naine

formant un coussin. '**Fastigiata**', H. jusqu'à 15 m, E. jusqu'à 5 m, a une silhouette cylindrique et des rameaux dressés à feuilles vert clair. '**Filiformis**' (ill. p. 83), H. 1,50 m, E. 1,50-2 m, forme une touffe à ramules pendants. '**Hetz Midget**', H. et E. 50 cm, est une forme naine, globuleuse, à feuillage vert bleuté, qui ne pousse que de 2,5 cm par an. '**Holmstrup**', H. 3-4 m, E. 1 m, est une variété conique, dense, à croissance lente, à feuillage d'un vert intense. '**Little Champion**', H. et E. 50 cm ou plus, est une forme naine, globuleuse à maturité, conique à ses débuts, au feuillage devenant brun en hiver. '**Lutea Nana**', H. et E. 2 m, est une forme naine à feuillage jaune doré. '**Rheingold**', H. et E. 4 m, est une variété à croissance lente, au feuillage devenant bronze en hiver. '**Smaragd**', H. 2,50 m, E. 75 cm, est une forme à croissance lente, conique, à rameaux dressés et feuilles vert vif. '**Spiralis**', H. 15 m, E. 3 m, a un port en colonne étroite. '**Techney**' est une variété dense, conique, '**Woodwardii**', H. 2,50 m, E. jusqu'à 5 m, est une forme ovoïde, à croissance très lente, à feuilles vertes.
T. orientalis, syn. *Biota orientalis* (**Thuya d'Orient**). Conifère dense, conique ou columnaire, surtout quand il est jeune. H. 10 m, E. 5 m. Rustique. Branches dressées, rameaux aplatis, dressés, à feuilles vertes, glauques. Cônes ovoïdes, glauques. '**Aurea Nana**' (ill. p. 83), H. et E. 60 cm, est une variété naine à feuillage vert jaune. '**Semperaurea**' (ill. p. 83), H. 3 m, E. 2 m, a un feuillage compact, doré.
T. plicata. Espèce conique à croissance rapide, à branches étalées, ramules feuillés pendants. H. 40 m, E. 5-8 m et plus. Rustique. Écorce s'exfoliant brun-rouge, feuilles luisantes, vertes, aromatiques ; cônes verts devenant bruns à maturité. '**Atrovirens**' a un feuillage vert plus foncé. '**Aurea**' a un feuillage jaune doré. '**Collyer's Gold**' (ill. p. 83), H. jusqu'à 2 m, E. 1 m, est une forme naine à feuillage jaune devenant vert clair en vieillissant. '**Cuprea**', H. et E. 1 m, est un arbuste conique à feuillage de jaune cuivre à crème foncé. '**Hillieri**' (ill. p. 83), H. et E. jusqu'à 1 m, est un arbuste nain à croissance lente, à feuillage vert dense. '**Stoneham Gold**' (ill. p. 83) est une forme naine, conique, au feuillage doré. '**Zebrina**', H. 15 m, a des feuilles zébrées de blanc jaunâtre.

THUJOPSIS (Cupressacées), voir **CONIFÈRES.**

T. dolabrata. Conifère conique ou touffu, très rameux. H. 20 m, E. 10 m. Rustique. Rameaux aplatis, portant des masses de feuilles squamiformes, luisantes,

vert vif sur le dessus, blanc argenté dessous. Petits cônes ovoïdes. '**Variegata**', ill. p. 81.

THUNBERGIA (Acanthacées)
Thunbergie

Genre de plantes vivaces à feuilles généralement persistantes, volubiles ou dressées, à base souvent suffrutescente, cultivées pour leurs fleurs, solitaires ou en grappe terminale. De peu rustiques à non rustiques. À cultiver en sol fertile et bien drainé, avec un bon ensoleillement ou une ombre légère. Arroser généreusement en période de croissance, moins le reste du temps (éviter des conditions humides en hiver). Supports nécessaires. Multiplication : semis au printemps ou boutures de bois tendre ou semi-lignifié en été.
T. alata, ill. p. 174.
T. coccinea. Espèce grimpante, ligneuse à la base ; feuilles ovales, étroites, persistantes. H. 6 m ou plus. Peu rustique. Donne en fin d'hiver des grappes pendantes de fleurs tubulaires rouge vif, à gorge orangée.
T. grandiflora. Espèce grimpante à tige ligneuse. H. 6-10 m. Peu rustique. Feuilles cordiformes persistantes, de 10-20 cm de long. Donne en été des fleurs en cornet, bleu-violet, à gorge jaune pâle.
T. gregorii, ill. p. 175.
T. mysorensis, ill. p. 165.

THYMUS (Labiacées)
Thym

Genre de sous-arbrisseaux nains, rampants, à feuilles persistantes, aromatiques. S'utilisent en bordures, dans des jardins de rocaille, pour agrémenter des dallages. De rustiques à semi-rustiques. Ont besoin de soleil et d'un sol sain, bien drainé. Aiment les zones assez chaudes. Multiplication : semis ou division de touffes.
T. caespititius, ill. p. 315.
T. carnosus, syn. *T. nitidus.* Espèce étalée. H. et E. 20 cm. Semi-rustique. Minuscules feuilles étroitement ovales, aromatiques. Tiges florifères dressées, portant en été de minuscules fleurs bilabiées.
T. × citriodorus '**Aureus**'. Variété étalée. H. 10 cm, E. 25 cm. Assez rustique. Minuscules feuilles jaune doré, de rondes à ovales, très aromatiques lorsqu'on les écrase. Donne en été des épis de petites fleurs bilabiées lilas. '**Silver Queen**' a un feuillage blanc argenté.
T. herba-barona, ill. p. 321.
T. leucotrichus, ill. p. 321.
T. nitidus, voir *T. carnosus.*
T. 'Porlock'. H. 8 cm, E. 20 cm. Rustique. Minces rameaux couverts de petites feuilles rondes ou ovales, très aromatiques. Donne

en été des épis de petites fleurs bilabiées roses.
T. pseudolanuginosus. Sous-arbrisseau très nain, tapissant. H. 5 cm, E. 20 cm ou plus. Rustique. Masse dense de tiges portant de minuscules feuilles aromatiques grises. Donne en été des fleurs bilabiées axillaires, lilas rose.

TIARELLA (Saxifragacées)

Genre de plantes vivaces dont certaines sont à feuilles persistantes, à tiges traçantes. Feuilles radicales trifoliolées ou simples. Excellents couvre-sol. Rustiques. Apprécient surtout l'ombre et préfèrent les sols frais ou humides, bien drainés. Multiplication : division au printemps, ou semis.
T. cordifolia, ill. p. 287.

TIBOUCHINA (Mélastomacées)

Genre de plantes vivaces à feuilles persistantes, d'arbustes et de sous-arbrisseaux parfois sarmenteux, cultivés pour leurs fleurs et leur feuillage souvent ample. Peu rustiques. Préfèrent le soleil, un sol fertile, bien drainé, neutre ou acide. Pincer les jeunes plants pour favoriser leur ramification. Multiplication par bouturage au printemps.
T. semidecandra, voir T. urvilleana.
T. urvilleana, syn. T. semidecandra, ill. p. 90.

TIGRIDIA (Iridacées)

Genre de plantes bulbeuses à floraison estivale, cultivées pour leurs fleurs très colorées, mais éphémères, qui ressemblent à celles des iris, avec 3 grands tépales externes. Semi-rustiques. Apprécient le soleil (mais les fleurs durent plus longtemps à mi-ombre), un sol bien drainé, avec beaucoup d'eau en été, et un endroit aéré. En climat un peu froid, déterrer en automne, puis mettre partiellement à sécher et entreposer dans de la tourbe ou du sable à 8-12 °C. Multiplication par semis au printemps.
T. pavonia (Œil de paon), ill. p. 353.

TILIA (Tiliacées)
Tilleul

Genre d'arbres à feuilles caduques, cultivés pour leurs petites fleurs odorantes, leur feuillage décoratif et leur allure d'ensemble (feuilles acuminées cordiformes). Les fleurs jaunâtres, groupées en cymes dont chacune est accompagnée d'une grande bractée membraneuse, attirent les abeilles. Rustiques.

Apprécient le soleil ou une ombre légère et un sol assez fertile et bien drainé, mais sont peu exigeants. Cependant, certaines espèces redoutent des conditions estivales très sèches. Multiplication des espèces types par semis en automne, des formes sélectionnées et des hybrides par greffage à la fin de l'été, ou par marcottage. Ces arbres sont souvent attaqués par des araignées rouges qui provoquent le dessèchement des feuilles.
T. americana (Tilleul d'Amérique). Arbre étalé. H. 20 m (en Europe), E. 12 m. Grandes feuilles dentées, luisantes, vert assez clair. Petites fleurs blanc jaunâtre (juillet).
T. cordata (Tilleul à petites feuilles, Tilleul des bois). Arbre à port d'ovoïde à étalé. H. 30 m, E. 12 m. Petites feuilles arrondies vert foncé, et petites fleurs blanc jaunâtre (juillet). Apprécie les sols calcaires, les endroits boisés. **'Greenspire',** E. 8 m, est une variété très vigoureuse à cime pyramidale. **'Rancho',** ill. p. 53.
T. × euchlora (Tilleul de Crimée). Arbre étalé dont les basses branches ont tendance à pendre en vieillissant. H. 20 m, E. 10 m. Feuilles lustrées vertes, devenant jaunes en automne. Donne en juillet de petites fleurs blanc jaunâtre.
T. × europaea. Arbre vigoureux, étalé. H. 30 m, E. 15 m. Feuilles vert foncé. Donne en juillet de petites fleurs blanc jaunâtre.
T. henryana. Arbre étalé. H. 15 m, E. 10 m. Feuilles ovales cordiformes, dentées. Donne à la mi-été d'abondantes petites fleurs blanc crème.
T. mongolica (Tilleul de Mongolie, Tilleul à feuille de vigne). Arbre élégant, étalé, touffu. H. 10 m, E. 8 m. Les jeunes pousses sont rougeâtres. Feuilles largement cordiformes, grossièrement dentées, vert foncé brillant devenant jaune en automne. Donne en été de petites fleurs blanc jaunâtre.
T. oliveri, ill. p. 41.
T. petiolaris, ill. p. 42.
T. platyphyllos (Tilleul à grandes feuilles, Tilleul de Hollande). Arbre étalé. H. 30 m, E. 20 m. Feuilles arrondies, molles, à dessus vert vif légèrement pubescent. Petites fleurs blanc jaunâtre (juillet). **'Princes Street'** est une variété dressée, à pousses rouge vif en hiver.
T. tomentosa (Tilleul argenté, Tilleul de Hongrie). Arbre étalé à cime ovoïde. H. 30 m, E. 20 m. Grandes feuilles arrondies à bord denté, vert foncé sur le dessus, argentées dessous. Donne en juillet de petites fleurs blanchâtres, très aromatiques.

TILLANDSIA (Broméliacées)

Genre de plantes vivaces épiphytes ou terrestres, à feuillage persistant, souvent en rosettes, certaines à tiges ramifiées portant des feuilles alternes, cultivées pour leurs fleurs et leur aspect général. Non

rustiques (min. 18 °C). Ont besoin de mi-ombre. À cultiver dans un mélange en proportions égales de terre riche en humus et, soit de sphaigne hachée, soit de copeaux de polystyrène expansé. Arroser modérément en été (eau non calcaire), peu le reste du temps. Multiplication par semis ou division.
T. argentea, ill. p. 222. H. et E. 10-15 cm. Feuilles étroites, presque filiformes, couvertes d'écailles grises, formant des rosettes compactes, presque globuleuses, à base charnue. En été, épis de fleurs rouges.
T. caput-medusae, ill. p. 222. H. et E. 15 cm ou plus. Feuilles lancéolées, canaliculées, ondulées, arquées, réunies en rosettes lâches à base légèrement renflée. En été, épis de fleurs bleu pâle.
T. cyanea, ill. p. 222. H. et E. 25 cm. Forme des rosettes denses de feuilles linéaires, pointues, canaliculées, arquées, généralement vert foncé. En été, épis de fleurs pourpres entourées de bractées roses ou rouges.
T. fasciculata, ill. p. 222. H. et E. 30 cm ou plus. Forme des rosettes denses de feuilles étroites, arquées, vert glauque. En été, panicules d'épis de fleurs bleu violacé, entourées de bractées rougeâtres.
T. lindenii, ill. p. 222. H. et E. 40 cm. Rosettes denses de feuilles linéaires, pointues, canaliculées, arquées, vert clair. En été, épis aplatis de fleurs bleues entourées de bractées carmin à dessous vert.
T. recurvata. H. et E. 10-20 cm. Forme des rosettes allongées de feuilles linéaires, arquées, couvertes d'écailles gris argenté. En été, épis courts, denses, de petites fleurs tubulaires bleu pâle ou vert pâle.
T. stricta, ill. p. 222. Espèce touffue. H. et E. 20-30 cm. Forme des rosettes denses de feuilles étroites, arquées, vert clair, généralement couvertes d'écailles grises. En été, grandes fleurs bleues, entourées de bractées rouge vif.
T. usneoides (Fille de l'air, Barbe de vieillard, Mousse espagnole), ill. p. 222. H. 1 m ou plus, E. 10-20 cm. Tiges grêles, ramifiées, pendantes, portant de petites feuilles linéaires, recourbées, couvertes d'écailles blanc argenté. En été, fleurs insignifiantes jaune verdâtre ou bleu pâle, dissimulées dans le feuillage. Plante épiphyte, pouvant même pousser sur des supports très variés.

TITANOPSIS (Aizoacées)

Genre de plantes vivaces charnues en rosettes basales souvent touffues, composées de 6-8 paires opposées de feuilles charnues, triangulaires (2-3 cm de long), plus étroites à la base qu'à leur extrémité. Non rustiques (min. 18 °C). Ont besoin de soleil et d'un sol bien drainé. Multiplication par

semis au printemps ou en été.
T. calcarea, ill. p. 399.

TITHONIA (Composées)

Genre de remarquables plantes annuelles. Semi-rustiques. À cultiver au soleil dans un sol fertile et bien drainé. Ont besoin de tuteurage. Éliminer régulièrement les fleurs fanées. Multiplication par semis sous châssis à la fin de l'hiver/début du printemps.
T. rotundifolia (Soleil de Californie). 'Torch', ill. p. 284.

TOLMIEA (Saxifragacées)

Genre représenté par une seule espèce de plante vivace, cultivée comme couvre-sol. Rustique. Préfère l'ombre et a besoin d'un sol bien drainé, acide ou neutre. Convient pour jardins frais et ombragés. Multiplication : division au printemps ou semis en automne.
T. menziesii. Espèce à feuillage tapissant, parfois semi-persistant. H. 60 cm, E. 30 cm ou plus. Feuilles vert moyen. Au printemps, grappes de minuscules fleurs tubulaires ou en clochette, pendantes, vert et brun chocolat.

Toona sinensis, voir *Cedrela sinensis.*

TORENIA (Scrophulariacées)

Genre de plantes annuelles ou vivaces. Semi-rustiques. À cultiver en mi-ombre, dans un endroit abrité et dans un sol fertile, frais et bien drainé. Pincer les pousses des jeunes plants pour les faire buissonner. Multiplication par semis sous châssis au début du printemps.
T. fournieri, ill. p. 277.

TORREYA (Taxacées), voir **CONIFÈRES.**

T. california, ill. p. 79.

TOVARA (Polygonacées)

Genre de plantes vivaces cultivées pour leur feuillage. Rustiques. Supportent le soleil ou l'ombre. Ont besoin d'un sol fertile et humide. À protéger du vent qui peut endommager les feuilles. Multiplication : division au printemps ou bouturage à la mi-été.
T. virginiana, syn. *Polygonum virginianum.* **'Painter's Palette',** ill. p. 245.

TOWNSENDIA (Composées)

Genre de plantes vivaces pour rocailles sèches, à feuillage persistant, cultivées pour leurs capitules. Rustiques, mais craignant l'humidité de l'hiver. Ont besoin de soleil. Multiplication par semis en automne.
T. grandiflora, ill. p. 323.

TRACHELIUM, syn. DIOSPHARAE (Campanulacées)

Genre de petites plantes vivaces utilisées pour jardins de rocaille et mixed-borders. De rustiques à semi-rustiques, mais doivent être abritées en hiver, car elles craignent alors l'humidité. À cultiver dans un endroit chaud, ensoleillé, abrité et dans un sol fertile et très bien drainé. (*T. asperuloides* préfère les sols calcaires.) Multiplication par semis au printemps ou boutures herbacées au printemps.
T. asperuloides, ill. p. 323.
T. caeruleum, ill. p. 274.

TRACHELOSPERMUM (Apocynacées)

Genre de plantes grimpantes volubiles, à feuillage persistant, à tiges ligneuses. Fleurs estivales parfumées. Peu rustiques. Poussent dans tous les sols bien drainés, au soleil ou en mi-ombre (mais ombrage léger en été). Multiplication : semis ou boutures de bois semi-lignifié, au printemps.
T. asiaticum. Espèce très ramifiée. H. jusqu'à 6 m. Feuilles ovales, luisantes, vert foncé, de 2,5 cm de long. En été, fleurs tubulaires à corolle en entonnoir, crème devenant jaunes en vieillissant. Follicules doubles de 10-20 cm de long, renfermant des graines à aigrette.
T. jasminoides (Jasmin étoilé), ill. p. 165.

TRACHYCARPUS (Palmiers)

Palmiers à floraison estivale, cultivés pour l'aspect décoratif de leur feuillage et leur aspect général. Relativement rustiques (jusqu'au Val-de-Loire et en général dans la région parisienne). Ont besoin d'un bon ensoleillement et poussent mieux dans les endroits abrités des vents froids, surtout lorsqu'ils sont jeunes. Se plaisent dans un sol fertile et bien drainé. Multiplication par semis en automne ou au printemps.
T. fortunei (Palmier de Chine), ill. p. 57.

TRACHYMENE (Ombellifères)

Genre de plantes annuelles à floraison estivale. Semi-rustiques. À cultiver dans un endroit ensoleillé, abrité, un sol fertile, bien drainé, léger. Multiplication par semis sous châssis au début du printemps.
T. caerulea, syn. *Didiscus caeruleus.* Espèce dressée, ramifiée. H. 45 cm, E. 20 cm. Feuilles profondément divisées, vert clair. Donne en été des ombelles (de 5 cm de large) de minuscules fleurs bleues. Bonnes fleurs à couper.

TRADESCANTIA (Commélinacées)

Genre de plantes vivaces à tiges rampantes ou dressées, dont certaines sont à feuilles persistantes, cultivées pour les qualités ornementales de leurs fleurs ou de leur feuillage. Rusticité, exigences pour le sol et la lumière, sont variables suivant les espèces. Multiplication par bouturage.
T. fluminensis. Espèce à feuilles persistantes, formant des racines au niveau des nœuds. H. 5 cm, E. jusqu'à 60 cm ou plus. Non rustique. Feuilles ovales, charnues (de 4 cm de long), vert foncé lustré, teintées de pourpre en dessous. Donne par intermittence de minuscules fleurs blanches. 'Albovittata' et 'Variegata', ill. p. 256.
T. 'Osprey', ill. p. 233.
T. pallida, syn. *Setcreasea purpurea.* 'Purple Heart', ill. p. 259.
P. pexata, voir *T. sillamontana.*
T. 'Purple Dome', ill p. 241.
T. purpusii, voir *T. zebrina* 'Purpusii'.
T. sillamontana, syn. *T. pexata, T. velutina,* ill. p. 259.
T. spathacea, syn. *Rhoeo discolor, R. spathacea.* Espèce touffue. H. 50 cm, E. 25 cm. Non rustique. Tige courte, portant une rosette de feuilles persistantes lancéolées, charnues (jusqu'à 30 cm de long), vert lustré, à dessous pourpre. Donne tout au long de l'année de minuscules fleurs blanches entourées de bractées foliacées. 'Vittata' a les feuilles rayées longitudinalement de jaune pâle.
T. velutina, voir *T. sillamontana.*
T. zebrina, syn. *Zebrina pendula* (Misère), ill. p. 257. 'Purpusii' (syn. *T. purpusii*) est une espèce traçante ou tapissante, à feuilles persistantes, à croissance vigoureuse. H. 10 cm, E. variable. Feuilles elliptiques, bleu-vert teinté de pourpre ; minuscules fleurs roses. 'Quadricolor' a les feuilles rayées de vert, de rouge et de blanc.

TRAPA (Trapacées)

Genre de plantes aquatiques submergées, à feuilles supérieures en rosette flottante, annuelles, cultivées pour leur feuillage et leurs fleurs. Assez rustiques. Ont besoin de soleil. Multiplication au printemps par semis (laisser tomber quelques-uns de ses fruits dans la pièce d'eau).
T. natans (Châtaigne d'eau, Macre), ill. p. 375.

TRICHOCEREUS (Cactacées)

Genre de cactées cylindriques, parfois intégrées dans le genre *Echinopsis.* À maturité, donnent des fleurs en entonnoir, aromatiques, à floraison nocturne. Culture facile. Non rustiques (min. 12 °C). Ont besoin de soleil et d'un sol bien drainé. Multiplication par semis ou boutures de tiges au printemps ou en été.
T. bridgesii, ill. p. 378.
T. candicans, ill. p. 382.
T. spachianus, ill. p. 379.

TRICHODIADEMA (Aizoacées)

Genre de plantes vivaces charnues, buissonnantes, à feuilles cylindriques ou semi-cylindriques. Non rustiques (min. 10 °C). Ont besoin de soleil et d'un sol bien drainé. Multiplication par semis ou par boutures de tiges au printemps ou en été.
T. densum. Espèce touffue. H. 10 cm, E. 20 cm. Feuilles cylindriques vert pâle de 2 cm de long, terminées par des touffes de poils blancs. Racines et tiges charnues. En été, fleurs terminales rouge cerise de 3 cm de large.
T. mirabile, ill. p. 389.

TRICHOSANTHES (Cucurbitacées)

Genre de plantes annuelles grimpantes, à vrilles, cultivées pour leurs fruits et leur aspect général. Non rustiques (min. 18 °C). Ont besoin d'un bon ensoleillement ou d'une ombre légère et d'un sol humifère. Multiplication par semis au printemps à 20 °C minimum.
T. anguina (Serpent végétal, Patole). Espèce grimpante, de dressée à étalée. Feuilles vert clair de 20 cm de long, d'ovales à presque triangulaires, lobées. En été, fleurs blanches à 5 pétales, de 2,5-5 cm de large ; les fleurs femelles sont solitaires, les mâles en grappes. Fruits cylindriques, comestibles, d'environ 60 cm de long (parfois plus).

Tricuspidaria lanceolata, voir
Crinodendron hookerianum.

TRICYRTIS (Liliacées)

Genre de plantes vivaces

rhizomateuses, fleurissant en fin d'été, ou en automne. Rustiques. À cultiver au soleil, ou à mi-ombre en régions chaudes. Ont besoin d'un sol riche en humus et frais. Multiplication : division au printemps ou semis en automne.
T. formosana, syn. *T. stolonifera,* ill. p. 220.
T. hirta. Espèce dressée. H. 80 cm, E. 45 cm. Donne en fin d'été/début d'automne des grappes de grandes fleurs en clochette ouverte, blanchâtres, mouchetées de pourpre. Les feuilles sont étroitement ovales, velues, vert foncé, embrassantes. var. *alba,* ill. p. 249.
T. stolonifera, voir *T. formosana.*

TRIFOLIUM (Légumineuses)
Trèfle

Genre de plantes annuelles ou vivaces, à feuilles trilobées, semi-persistantes chez certaines espèces, à fleurs en épis ou en têtes globuleuses. Certaines espèces s'utilisent dans des jardins de rocaille, d'autres sont cultivées comme plantes fourragères. Beaucoup sont envahissantes. Rustiques. Ont besoin de soleil et d'un sol bien drainé. Multiplication: division au printemps ou semis en automne. Se reproduisent aussi par dissémination spontanée.
T. repens (Trèfle blanc). 'Purpurascens', ill. p. 328.

TRILLIUM (Liliacées)

Genre de plantes vivaces dont les pétales, les sépales et les feuilles sont verticillés par 3. Excellentes plantes pour jardins boisés, et même pour sols très humides. Rustiques. Se plaisent à mi-ombre, dans un sol fertile et humide, de préférence neutre ou acide. Multiplication: division ou semis.
T. cernuum f. *album,* ill. p. 224.
T. chloropetalum, ill. p. 225.
T. erectum, ill. p. 226.
T. grandiflorum, ill. p. 225. 'Flore Pleno', H. 40 cm, E. 30 cm. Donne au printemps de grandes fleurs doubles, solitaires, blanches devenant roses. Feuilles ovales, larges, vert foncé.
T. nivale. Espèce rhizomateuse fleurissant au début du printemps. H. 7 cm, E. 10 cm. Verticilles de 3 feuilles ovales se formant en même temps que des fleurs blanches à 3 pétales, légèrement pendantes. Difficile à cultiver.
T. ovatum, ill. p. 225.
T. rivale, ill. p. 305.
T. sessile, ill. p. 226.
T. undulatum. H. et E. 20 cm. Fleurs en entonnoir évasé, à sépales verts bordés de rouge et 3 pétales blancs ou roses marqués à la base d'une bande rouge. Fleurissent en solitaires au printemps, très au-dessus des feuilles basales, ovales, larges, vert-bleu.

TRIPETALEIA (Éricacées)

Genre représenté par 2 espèces d'arbustes à feuilles caduques, cultivés pour leurs fleurs à 3 pétales, le plus souvent. Rustiques. Ont besoin de mi-ombre et d'un sol humide, tourbeux, acide ou neutre. Multiplication: boutures semi-herbacées en été ou semis en automne.
T. paniculata. Arbuste dressé. H. et E. 2 m. Donne, de juillet à septembre, des grappes dressées terminales de fleurs blanches parfois teintées de rose. Feuilles lancéolées vertes.

TRISTANIA (Myrtacées)

Genre d'arbres et d'arbustes à feuilles persistantes, cultivés pour leur aspect général et leur feuillage. Petites fleurs blanches ou jaunes, en août et septembre. Sont apparentés à *Eucalyptus*. Peu rustiques. Préfèrent les sols fertiles et bien drainés et la pleine lumière. Multiplication: semis au printemps ou boutures aoûtées en été.
T. conferta. Arbre à croissance rapide, à cime globuleuse. H. et E. 20 m. Feuilles lancéolées, coriaces, vert foncé, luisantes. Donne en été des cymes de fleurs blanches axillaires. **'Variegata'** a des feuilles marquées de crème ou de blanc.

TRITELEIA (Liliacées)

Genre (considéré par certains botanistes comme un sous-genre de *Brodiaea*) de plantes bulbeuses (à cormus), fleurissant en fin de printemps/début d'été, à tiges minces portant généralement des ombelles de fleurs en entonnoir. Feuilles longues, étroites, mourant avant la floraison. De peu rustiques à semi-rustiques. Ont besoin d'un endroit dégagé, abrité, assez chaud, de soleil et d'un sol bien drainé, frais au printemps, mais relativement sec en été. Les parties aériennes disparaissent de la mi-été à la fin de l'hiver. Multiplication par caïeux en automne.
T. hyacinthina, syn. *Brodiaea hyacinthina,* ill. p. 350.
T. ixioides, syn. *Brodiaea ixioides.* Plante bulbeuse fleurissant en début d'été. H. jusqu'à 50 cm, E. 10 cm. Feuilles basales semi-dressées. Ombelles lâches (de 12 cm de large) de fleurs jaunes ou jaune rosé, à nervures pourprées sur chaque tépale.
T. laxa, syn. *Brodiaea laxa,* ill. p. 352.
T. peduncularis, syn. *Brodiaea peduncularis.* Floraison printanière. H. 60 cm, E. 15 cm. Feuilles basales semi-dressées. Ombelles lâches (de 35 cm de

570

large) de fleurs blanches (de 1,5-3 cm de long), parfois légèrement teintées de bleu violacé.

TRITONIA (Iridacées)

Genre de plantes bulbeuses à cormus, portant des feuilles nombreuses, linéaires, généralement arquées, cultivées pour leurs épis floraux colorés, simples ou ramifiés. Semi-rustiques. Ont besoin d'un endroit ensoleillé, abrité et d'un sol bien drainé. Planter les cormus en automne. Laisser sécher lorsque les feuilles commencent à se faner en été (en hiver pour *T. rubrolucens*). Multiplication par semis en automne ou par bulbilles.
T. rosea, voir *T. rubrolucens.*
T. rubrolucens, syn. *T. rosea, Crocosmia rosea,* ill. p. 351.

TROCHODENDRON (Trochodendracées)

Genre représenté par une seule espèce d'arbre à feuilles persistantes, cultivé pour son feuillage. Assez rustique, mais a besoin d'être abrité des vents d'hiver. Apprécie le soleil ou l'ombre et se plaît dans un sol humide bien drainé et fertile ; éviter les sols calcaires, très secs. Multiplication: boutures de bois semi-lignifié en été, ou semis en automne.
T. aralioides, ill. p. 57.

TROLLIUS (Ranunculacées)
Trolle, Boule d'or

Genre de plantes vivaces fleurissant de mai à juillet, qui poussent en abondance à proximité des étangs et des cours d'eau. Feuilles très découpées. Fleurs comportant de 5-15 sépales pétaloïdes ; pétales en petites languettes. Rustiques. Supportent le soleil ou l'ombre. Préfèrent nettement les sols humides ou frais. Multiplication: division au début de l'automne ou semis en été ou en automne.
T. 'Alabaster', ill. p. 229.
T. europaeus (Trolle d'Europe), ill. p. 232. **'Canary Bird',** H. 60 cm, E. 45 cm. Donne au printemps des fleurs globuleuses jaune canari, dominant des feuilles arrondies, profondément divisées, vert clair.
T. 'Goldquelle'. H. 60 cm, E. 45 cm. Au printemps, fleurs globuleuses d'un orange intense, se dressant au-dessus de feuilles vert moyen, très divisées.
T. pumilus, ill. p. 313.
T. yunnanensis. H. 60 cm, E. 30 cm. Feuilles vert assez clair, largement ovales, lobées. Donne à la fin du printemps ou en début d'été des fleurs jaune vif de 4-6 cm de large.

TROPAEOLUM (Tropéolacées)
Capucine

Genre de plantes herbacées annuelles ou vivaces (certaines grimpantes volubiles, ou rampantes), cultivées pour leurs fleurs irrégulières à 5 pétales aux couleurs souvent vives. De semi-rustiques à non rustiques. La plupart des espèces préfèrent le soleil et les sols bien drainés. Multiplication par semis pour toutes ou par les tubercules pour les vivaces tubéreuses. À protéger des pucerons et des chenilles de la piéride du chou.
T. azureum. Espèce à petits tubercules. H. jusqu'à 1,20 m. Non rustique (min. 10 °C). Feuilles de 5 cm de large environ. Donne à la fin de l'été de petites fleurs bleu ciel.
T. canariense, voir *T. peregrinum.*
T. majus (Grande Capucine). **'Alaska',** ill. p. 283. **'Empress of India'** est une variété annuelle à croissance rapide. H. 20 cm, E. 30 cm. Semi-rustique. Feuilles rondes, vert clair. Donne en été des fleurs à éperon, rouge sombre (5 cm de large). **Série Gleam :** semi-rampant, avec des fleurs doubles, d'une seule couleur ou en mélange (rouge, jaune et orangé). **Série Jewel,** ill. p. 285. Les fleurs de **'Peach Melba',** H. jusqu'à 30 cm, sont jaune pâle avec des taches rouges. **Série Whirlybird,** H. jusqu'à 30 cm, a des fleurs simples (une seule ou plusieurs couleurs).
T. peregrinum, syn. *T. canariense* (Capucine des Canaris). Espèce annuelle, grimpante. H. jusqu'à 2 m. Non rustique. Feuilles vert tendre, palmées à 5 lobes. Donne, de l'été aux premiers froids, de petites fleurs jaune soufre à pétales laciniés et éperon courbe.
T. polyphyllum, ill. p. 248.
T. speciosum (Capucine élégante), ill. p. 168.
T. tricolorum ou **tricolor** (Capucine tricolore), ill. p. 163.
T. tuberosum (Capucine tubéreuse), ill. p. 176. **'Ken Aslet',** ill. p. 174.

TSUGA (Pinacées),
voir **CONIFÈRES.**

Conifères à port en général conique, à branches étalées, rameaux souvent retombants ; feuilles linéaires aplaties ; cônes inclinés ou pendants. Supportent l'ombre ; aiment les sols frais.
T. canadensis (Pruche, Tsuga du Canada), ill. p. 79. **'Aurea',** ill. p. 83, est un arbre conique. H. 5 m, E. 3 m. Rustique. Rameaux gris portant des aiguilles jaune doré devenant vert jaunâtre la seconde année ; cônes brun clair. **'Bennett',** H. 1-2 m, E. 2 m, est une forme naine compacte, étalée. f. **pendula** a des branches retombantes et une croissance lente (H. 2 m, E. 3,5 m).
T. caroliniana. Arbre à port conique ou ovale. H. 15 m, E. 5-8 m. Rustique. Aiguilles vert

tendre. Cônes ovoïdes verts devenant bruns. N'atteint pas de grandes proportions en Europe.
T. diversifolia. Arbre à cime large et dense. H. 25 m, E. 12 m. Rustique. Pousses orange portant des aiguilles aplaties, luisantes, vert foncé à dessous marqué de 2 bandes blanches. Cônes petits, brun foncé.
T. heterophylla. Vigoureux arbre conique à branches étalées. H. 40 m, E. 8-10 m. Rustique. Aiguilles aplaties vert jaunâtre, à dessous marqué de blanc argenté. Cônes vert pâle devenant brun foncé.
T. mertensiana. Arbre en cône étroit, à courtes branches horizontales. H. 15 m, E. 3-4 m. Rustique. Aiguilles aplaties bleu-vert ou bleu-gris. Cônes cylindriques brun foncé.
T. sieboldii. Arbre en cône large. H. 15 m, E. 10 m. Rustique. Aiguilles lustrées vertes.

TUBERARIA (Cistacées)

Genre de plantes annuelles. Rustiques. À cultiver au soleil dans n'importe quel sol bien drainé. Multiplication par semis en pleine terre au printemps.
T. guttata, syn. *Helianthemum guttatum.* Espèce dressée, ramifiée, à croissance peu durable. H. et E. 30 cm. Feuilles lancéolées, velues, vert clair. Donne en été des fleurs jaunes, parfois mouchetées de rouge à la base des pétales.

TULBAGHIA (Liliacées)

Genre de plantes vivaces rhizomateuses voisines d'*Allium*, à feuilles semi-persistantes radicales ; fleurs à coronule réunies en ombelles. Peu rustiques. Ont besoin d'un bon ensoleillement et d'un sol bien drainé. Multiplication par semis ou division au printemps.
T. natalensis. H. 12 cm, E. 10 cm. Donne à la mi-été des ombelles de fleurs blanches à coronule jaune, à lobes du périanthe étalés. Feuilles minces, linéaires, vert clair.
T. violacea, ill. p. 240.

TULIPA (Liliacées)
Tulipe

Genre de plantes bulbeuses généralement à floraison printanière, cultivées pour leurs fleurs aux coloris éclatants ou subtils. Chaque bulbe donne quelques feuilles de linéaires à lancéolées, vertes ou gris-vert, poussant sur la tige. Les fleurs simples ont 6 tépales (3 sépales pétaloïdes et 3 pétales, mais dans la suite de cet article, par commodité, et par analogie avec les catalogues, nous appellerons toutes les pièces du périanthe pétales) et 6 étamines ; sauf indication contraire ci-dessous, les fleurs sont solitaires. Et sauf indication contraire, toutes les tulipes sont rustiques. Apprécient le soleil et un sol bien drainé (craignent l'ombre et l'humidité stagnante) ; dans les régions froides et humides, on peut déterrer les bulbes au moment où les feuilles se fanent pour les entreposer dans un endroit sec et les replanter en automne. Multiplication : séparation des caïeux et jeunes bulbes en automne ; semis utilisé parfois pour les espèces types ou, surtout, pour obtenir des hybrides.

En horticulture, on répartit les tulipes en 15 divisions :

Div. 1. Simples hâtives. Fleurs simples, cupulaires, souvent largement ouvertes au soleil, en début de printemps.
Div. 2. Doubles hâtives. Fleurs doubles, largement ouvertes en début et milieu de printemps.
Div. 3. Triomphe. Tiges robustes portant des fleurs généralement simples, d'abord coniques, puis prenant une forme plus arrondie en s'ouvrant à mi-printemps.
Div. 4. Hybrides de Darwin. Grandes fleurs simples de forme variable, à fort pédoncule ; mi-printemps.
Div. 5. Simples tardives. Fleurs simples, de forme variable, mais généralement à pétales pointus ; fin du printemps et tout début d'été.
Div. 6. Fleur de lis. Fleurs simples, tardives ; longs pétales pointus à l'extrémité recourbée
Div. 7. Tulipes frangées. Fleurs dont l'extrémité des pétales est frangée.
Div. 8. Viridiflora. Fleurs simples de forme variable, à pétales partiellement verdâtres ; fin du printemps.
Div. 9. Rembrandt. Comprend notamment d'anciennes variétés, à fleurs rayées, flammées, dentelées, tachées d'autres couleurs ; mi-printemps.
Div. 10. Race perroquet. Fleurs à longs pétales étalés, découpés inégalement et irrégulièrement. Tardives.
Div. 11. Doubles tardives (en forme de pivoine). Fleurs doubles, généralement en coupe ; fin du printemps, généralement.
Div. 12. Hybrides de Kaufmanniana. Fleurs simples, généralement bicolores, s'ouvrant largement au soleil ; début du printemps.
Div. 13. Hybrides de Fosteriana. Grandes fleurs simples s'ouvrant largement au soleil en avril.
Div. 14. Hybrides de Greigii. Grandes fleurs simples apparaissant au milieu et en fin de printemps. Feuilles généralement à marges ondulées et toujours rayées ou mouchetées.
Div. 15. Tulipes diverses. Groupe mélangé d'autres espèces et variétés avec leurs hybrides ; floraison au printemps ou au début de l'été.

T. acuminata (Tulipe cornue, Tulipe turque), ill. p. 345. Div. 15. Fleurit à mi-printemps. H. 45 cm. Fleurs de 7-13 cm, à pétales allongés, étroits, rouge pâle ou jaunes, souvent nuancés de rouge ou de vert à l'extérieur.
T. aitchisonii, voir *T. clusiana*.
T. 'Anchilla'. Div. 12. H. 15 cm. Fleurs roses et rougeâtres à l'extérieur, blanches à l'intérieur, avec un anneau central rouge.
T. 'Angélique', ill. p. 344. Div. 11. H. 40 cm. Fleurs doubles, rose pâle, au parfum délicat. Chaque pétale a des rayures plus pâles et une bordure claire.
T. 'Artist', ill. p. 345. Div. 8. H. 45 cm. Fleurs rose saumon et pourprés à l'extérieur, souvent marquées de vert et de rose vif à l'intérieur.
T. bakeri, voir *T. saxatilis*.
T. 'Balalaika', ill. p. 345. Div. 5. H. 50 cm. Fleurs rouge vif avec une base jaune et des étamines noires.
T. batalinii, ill. p. 345. Div. 15. Fleurit en début de printemps. H. 10-30 cm. Feuilles gris-vert. Fleurs de 2-6 cm de long, à base globuleuse, à larges pétales ovales, jaune pâle, plus sombres à l'intérieur de la base. Plusieurs cultivars sont des hybrides de *T. batalinii* et *T. linifolia*, tels 'Apricot Jewel', à fleurs rouge orangé à l'extérieur, jaunes à l'intérieur ; 'Bright Gem' à fleurs jaunes flammées d'orange.
T. 'Bellona', ill. p. 345. Div. 1. H. 30 cm. Fleurs odorantes, jaune d'or.
T. biflora, syn. *T. polychroma*, ill. p. 344. Div. 15. Fleurit en début de printemps. H. 5-10 cm. Feuilles gris-vert. Les tiges portent de 1-5 fleurs odorantes, blanches à centre jaune, aplaties à la base, de 1,5-3,5 cm de long. Pétales ovales, étroits, flammés à l'extérieur de gris verdâtre ou de rose verdâtre. Pour rocailles.
T. 'Blue Parrot', ill. p. 345. Div. 10. H. 60 cm. Très grandes fleurs violet vif, parfois bronze à l'extérieur, à tige robuste.
T. 'Burgundy Lace'. Div. 7. H. 60 cm. Fleurs d'un rouge vineux à pétales frangés.
T. 'Cape Cod', ill. p. 345. Div. 14. H. 45 cm. Feuilles gris-vert à rayures rougeâtres. Fleurs jaune bronze à base rouge et noir ; pétales bordés de jaune à l'extérieur.
T. 'China Pink', ill. p. 344. Div. 6. H. 55 cm. Fleurs roses à base blanche, à pétales légèrement retroussés.
T. 'Chopin'. Div. 12. H. 20 cm. Feuilles gris-vert mouchetées de brun. Fleurs jaune citron à base noire.
T. 'Clara Butt', ill. p. 344. Div. 5. H. 60 cm. Fleurs rose saumon.
T. clusiana, syn. *T. aitchisonii* (Tulipe de l'Écluse, Tulipe radis), ill. p. 344. Div. 15. Fleurit à mi-printemps. H. jusqu'à 30 cm. Feuilles gris-vert. Chaque tige porte 1 ou 2 fleurs (2-6,5 cm) à base globuleuse. Pétales ovales étroits, blancs à base interne rouge ou pourpre et à base externe rayée de rose. Étamines pourpres. Les fleurs de la var. *chrysantha* (ill. p. 345) sont jaunes, marquées de rouge ou de brun à l'extérieur, avec des étamines jaunes. var. *stellata* a des fleurs blanches à base et étamines jaunes.
T. 'Dawnglow'. Div. 4. H. 60 cm. Fleurs abricot pâle, marquées de rose à l'extérieur et de jaune à l'intérieur. Anthères pourpres.
T. 'Diana', ill. p. 344. Div. 1. H. 30 cm. Grandes fleurs blanc pur sur des tiges robustes.
T. 'Dillenburg', ill. p. 345. Div. 5. H. 65 cm. Fleurs orange brique.
T. 'Dreamboat', ill. p. 345. Div. 14. H. 25 cm. Feuilles gris-vert rayées de brun. Fleurs cupulaires jaune ambre marqué de rouge, à base vert bronze moucheté de rouge.
T. 'Dreaming Maid', ill. p. 345. Div. 3. H. 55 cm. Fleurs à pétales violets ourlés de blanc.
T. eichleri, voir *T. undulatifolia*.
T. 'Estella Rijnveld', ill. p. 344. Div. 10. H. 60 cm. Grandes fleurs rouges striées de blanc avec des touches de vert.
T. fosteriana. Div. 15. Fleurit au début du printemps. H. 20-45 cm. Feuilles gris-vert. Très grandes fleurs, de 4,5-10 cm de long, avec des pétales ovales larges, à extrémité brusquement pointue, rouge vif, avec un centre interne pourpre foncé cerclé de jaune.
T. 'Fringed Elegance'. Div. 7. H. 50 cm. Fleurs jaune pâle moucheté de rose à l'extérieur ; à l'intérieur, la base est tachée de vert bronze. Pétales frangés de jaune, anthères pourpres.
T. 'Garden Party', ill. p. 344. Div. 3. H. 40-45 cm. Fleurs blanches ; les pétales sont bordés de rose à l'extérieur et striés de rose à l'intérieur.
T. 'Gluck', ill. p. 345. Div. 12. H. 15 cm. Feuilles gris-vert tachetées de brun rougeâtre. Pétales rouges, bordés de jaune à l'extérieur et à l'intérieur, avec une base plus sombre.
T. 'Golden Apeldoorn'. Div. 4. H. 50-60 cm. Fleurs jaune d'or avec une base blanche et des anthères noires.
T. 'Gordon Cooper', ill. p. 344. Div. 4. H. 60 cm. Pétales roses à l'extérieur, bordés de rouge, rouges à l'intérieur avec une base bleu et jaune. Anthères noires.
T. greigii. Div. 15. Fleurit en début de printemps. H. 20-45 cm. Tige duveteuse. Feuilles striées ou tachetées de rouge ou de pourpre. Fleurs de 5-10 cm de long à pétales ovales larges, rouges ou jaunes, à centre noir bordé de jaune.
T. 'Greuze', ill. p. 345. Div. 5. H. 65 cm. Fleurs pourpre-violet foncé.
T. hageri, ill. p. 344. Div. 15. Fleurit à mi-printemps. H. 15-30 cm. La tige porte de 1-4 fleurs de 3-6 cm de long, à base aplatie, à pétales ovales, rouge terne nuancé de vert à l'extérieur.
T. 'Heart's Delight'. Div. 2. H. 20-25 cm. Feuilles vertes zébrées de brun-rouge. Fleurs rose rosâtre à pétales bordés de rose pâle ; base jaune à taches rouges.
T. 'Hollywood'. Div. 8. H. 30 cm. Fleurs rouges, nuancées et striées de vert, avec une base jaune.
T. humilis, ill. p. 345. Div. 15. Fleurit en début de printemps et même en fin d'hiver. Espèce variable. H. jusqu'à 20 cm. Feuilles gris-vert. Tige portant généralement 1, parfois 2 ou 3 fleurs magenta rosâtre pâle, de 2-5 cm de long, à base aplatie ; couleur assez variable.
T. kaufmanniana, ill. p. 345, Div. 15. Fleurit en début de printemps. H. 30 cm. Feuilles gris-vert. La tige porte une fleur de 8 cm de long, ressemblant à un nénuphar. Pétales ovales étroits, généralement crème ou jaunes, teinté légèrement de rouge à l'extérieur. On en trouve parfois des formes roses, orange ou rouges.
T. 'Keizerskroon', ill. p. 345. Div. 1. H. 35 cm. Pétales écarlates avec de larges marges jaune vif.
T. linifolia, ill. p. 345. Div. 15. Fleurit en début de printemps. H. 10-30 cm. Espèce variable. Feuilles gris-vert. Fleurs rouges de 2-6 cm de long, à base globuleuse, avec un centre interne pourpre noirâtre, souvent cerclé de crème ou de jaune. Pétales ovales larges.
T. 'Mme Lefèbre', syn. *T.* 'Red Emperor', ill. p. 344. Div. 13. H. 35-40 cm. Très grosses fleurs d'un rouge éclatant.
T. 'Maja', ill. p. 345. Div. 7. H. 50 cm. Fleurs ovoïdes, jaune pâle, à pétales frangés, jaune bronze à la base. Anthères jaunes.
T. 'Margot Fonteyn', ill. p. 345. Div. 3. H. 40-45 cm. Fleurs à pétales rouge vif, bordés de jaune, à base interne jaune.
T. marjolettii, ill. p. 345. Div. 15. Fleurit à la mi-printemps. H. 40-50 cm. Fleurs de 4-6 cm de long, à base globuleuse, à pétales ovales larges, blanc crème marqué de pourpre à l'extérieur.
T. maximowiczii. Div. 15. Fleurit en début de printemps. H. 10-30 cm. Feuilles gris-vert. Fleurs rouge écarlate vif, de 2-6 cm de long, à pétales ovales larges, bordés de blanc, avec un centre noir.
T. 'Monte Carlo'. Div. 2. H. 40 cm. Fleurs doubles, jaunes avec quelques rayures rouges.
T. 'Orange Emperor'. Div. 13. H. 40 cm. Fleurs orange vif, avec une base interne jaune et des anthères noires.
T. 'Orange Triumph'. Div. 11. H. 50 cm. Fleurs doubles, rouge orangé flammé de brun, à pétales bordés de jaune.
T. 'Oranje Nassau', ill. p. 345. Div. 2. H. 25-30 cm. Fleurs doubles rouge sang, flammé de rouge orangé.
T. 'Oratorio'. Div. 14. H. 20 cm. Feuilles gris-vert tachées de brun rougeâtre. Fleurs en coupe évasée, rose vif au-dehors, rose abricot à l'intérieur, avec une base noire.
T. orphanidea, ill. p. 345. Div. 15. Fleurit à la mi-printemps. H. 10-30 cm. Feuilles vertes souvent ourlées de rougeâtre. La tige porte de 1-4 fleurs de 3-6 cm de long, aplaties à la base. Pétales ovales, brun orangé, pétales extérieurs marqués de vert et souvent de pourpre.
T. 'Palestrina', ill. p. 344. Div. 5. H. 45 cm. Grandes fleurs rose saumon nuancé de vert à l'extérieur.
T. 'Peach Blossom', ill. p. 344. Div. 2. H. 25-30 cm. Fleurs doubles, rose argenté flammé

de rose vif.

***T.* 'Plaisir',** ill. p. 345. Div. 14. H. 15-20 cm. Feuilles gris-vert, tachetées de brun-rouge. Fleurs en coupe évasée, rouge rosâtre vif, à pétales bordés de jaune pâle et base noir et jaune.

***T.* polychroma,** voir *T. biflora.*

***T.* 'Prinses Irene',** ill. p. 345. Div. 1. H. 30-35 cm. Fleurs orange strié de pourpre.

***T.* 'Purissima',** syn. *T.* 'White Emperor', ill. p. 344. Div. 13. H. 35-40 cm. Fleurs d'un blanc très pur.

***T.* 'Queen of Night',** ill. p. 345. Div. 5. C'est la plus sombre de toutes les tulipes avec ses fleurs d'un marron foncé presque noir portées par des tiges robustes.

***T.* 'Red Emperor',** voir *T.* 'Mme Lefèbre'.

***T.* 'Red Parrot',** ill. p. 344. Div. 10. H. 60 cm. Grandes fleurs rouge framboise, à forte tige.

***T.* saxatilis,** syn. *T. bakeri,* ill. p. 344. Div. 15. Fleurit au début du printemps. H. 15-45 cm. Semi-rustique. Feuilles vertes, luisantes. Fleurs parfumées de 4-5 cm de long. Pétales ovales, de rose à lilas, avec une base interne jaune.

***T.* 'Shakespeare',** ill. p. 345. Div. 12. H. 12-15 cm. Pétales d'un rouge intense bordés de saumon à l'extérieur, avec un intérieur saumon flammé de rouge et une base jaune.

***T.* sprengeri,** ill. p. 244. Div. 15. Fleurit à la fin du printemps/début de l'été. H. 40-45 cm. et parfois plus. Fleurs de 4,5-6,5cm de long. Pétales ovales étroits, rouge écarlate, les 3 externes à dos jaune chamois. C'est la tulipe la plus tardive.

***T.* 'Spring Green',** ill. p. 344.

Div. 8. H. 35-40 cm. Fleurs blanches à plumetis vert. Anthères vert pâle.

***T.* sylvestris,** ill. p. 345. Div. 15. Fleurit au début du printemps. H. 10-45 cm. Fleurs jaunes généralement solitaires, de 3,5-6,5 cm de long. Pétales ovales étroits, souvent nuancés de vert à l'extérieur.

***T.* tarda,** ill. p. 345. Div. 15. Fleurit en début de printemps. H. jusqu'à 15 cm. Feuilles vertes, luisantes. La hampe florale porte de 1-6 fleurs de 3-4 cm de long, en étoile aplatie. Pétales ovales, blancs avec la moitié intérieure interne jaune et l'extérieur nuancé de vert et parfois de rouge. Excellente pour rocailles et massifs.

***T.* turkestanica,** ill. p. 344. Div. 15. Fleurit en début de printemps. H. 20-30 cm. Tige velue et feuilles gris vert. La tige porte jusqu'à 9 petites fleurs à odeur désagréable, de 1,5-3,5 cm de long. Pétales ovales blancs, flammés de vert et de crème à l'extérieur; centre interne jaune.

***T.* undulatifolia,** syn. *T. eichleri,* ill. p. 345. Div. 15. Fleurit en début de printemps. Tige duveteuse, feuilles gris-vert. Fleurs de 3-8 cm, à base globuleuse. Pétales obovales, larges, pointus, rouges cramoisi, à extérieur rouge plus pâle, avec une tache noire bordée de jaune à la base interne.

***T.* 'Union Jack',** ill. p. 344. Div. 5. H. 60 cm. Pétales blanc ivoire flammé de rouge rosâtre, avec une base blanche bordée de bleu.

***T.* urumiensis,** ill. p. 345. Div. 15. Fleurit en début de printemps. H. 10-20 cm. Feuilles vert légèrement glauque. Donne 1 ou 2 fleurs en forme d'étoile de 4 cm de long. Pétales ovales étroits,

jaunes, marqués de mauve ou de brun rouge à l'extérieur. Convient pour jardins de rocaille.

***T.* violacea,** ill. p. 345. Div. 15. Fleurit en début de printemps. H. jusqu'à 20 cm. Feuilles gris-vert. Fleurs rose violacé de 2-5 cm de long, aplaties à la base avec un centre interne jaune ou noir bleuâtre. Pétales ovales. Pour rocailles ou massifs.

***T.* 'West Point',** ill. p. 345. Div. 6. H. 50 cm. Fleurs jaune primevère à pétales effilés, récurvés.

***T.* 'White Dream',** ill. p. 344. Div. 3. H. 40-45 cm. Fleurs blanches à anthères jaunes.

***T.* 'White Emperor',** voir *T.* 'Purissima'.

***T.* 'White Triumphator',** ill. p. 344. Div. 6. H. 65-70 cm. Fleurs blanches à pétales récurvés.

***T.* whittallii,** ill. p. 345. Div. 15. Fleurit à mi-printemps. H. 30-35 cm. Assez rustique. La tige porte de 1-4 fleurs de 3-6 cm de long. Intérieur des tépales orangé. Extérieur des 3 tépales extérieurs couleur chamois, des 3 tépales intérieurs, orangé.

Tunica saxifraga, voir ***Petrorhagia saxifraga.***

TURRAEA (Méliacées)

Genre d'arbres et d'arbustes à feuilles persistantes, cultivés pour leurs fleurs et leur feuillage. Non rustiques (min. 15 °C). Ont besoin d'un sol fertile et bien drainé. Il peut être nécessaire de pincer les jeunes plants pour favoriser leur ramification. Tailler au besoin

après la floraison. Multiplication : semis au printemps ou boutures de bois semi-lignifié en été.

***T.* obtusifolia,** ill. p. 140.

Tweedia caerulea, voir ***Oxypetalum caeruleum.***

TYLECODON (Crassulacées)

Genre de plantes buissonnantes, à feuilles charnues, à tige très renflée. Non rustiques (min. 10 °C). Se plaisent au soleil, dans les sols très bien drainés. Multiplication: semis ou boutures de tiges en été.

***T.* paniculata,** syn. *Cotyledon paniculata.* H. et E. 2 m. Tiges charnues et rameaux couverts d'un revêtement parcheminé jaune. Feuilles d'oblongues à ovales, charnues, vertes, luisantes. Donne en été des cymes de fleurs tubulaires rouges striées de vert.

***T.* reticulata,** syn. *Cotyledon reticulata,* ill. p. 386.

TYPHA (Typhacées)
Massette

Genre de plantes vivaces des berges des étangs et ruisseaux, stolonifères, cultivées pour les qualités ornementales de leurs épis floraux décoratifs en quenouille. Rustiques. Poussent au soleil ou à l'ombre, en sol très humide. Multiplication au printemps par semis ou division.

***T.* latifolia,** ill. p. 374.

***T.* minima,** ill. p. 375.

U

ULEX (Légumineuses)

Genre d'arbrisseaux touffus, raides, à ramifications vert foncé terminées en aiguillon. Feuilles pour la plupart réduites à un pétiole épineux, quelques-unes parfois à 1 ou 3 folioles. On les cultive dans les jardins pour leur floraison printanière (fleurs papilionacées jaune d'or). Rustiques. Ont besoin d'un bon ensoleillement. Préfèrent les sols pauvres, bien drainés, acides. Tailler chaque année après la floraison pour qu'ils conservent un aspect compact. Les vieux plants peuvent être rabattus au printemps. Multiplication: semis en automne, bouturage.
U. europaeus (**Ajonc commun**), ill. p. 125. **'Flore Pleno'**, H. 1 m, E. 1,20 m, donne d'abondantes fleurs doubles, jaune doré, odorantes, portées par des rameaux vert foncé, couverts de piquants.

ULMUS (Ulmacées)
Orme

Genre d'arbres à feuilles simples caduques ou (rarement) semi-persistantes, cultivés pour leur feuillage et leur port majestueux. Au printemps, fleurs insignifiantes, avant l'apparition des feuilles. Rustiques. Ont besoin de soleil et d'un sol bien drainé. Multiplication: par semis ou greffage. La plupart des espèces sont actuellement menacées de disparition à cause d'une maladie grave, la graphiose de l'orme (due à *Ceratocystis ulmi*). Tant que l'on n'a pas obtenu de cultivars ou de clones réellement résistants à la graphiose, il vaut mieux éviter de planter des ormes en France, surtout en groupes.
U. americana (**Orme d'Amérique, Orme à larges feuilles**). Arbre à port étalé. H. 30 m, E. 17 m. Écorce grise, rameaux retombants. Feuilles ovales vert foncé, rugueuses, dentées.

U. angustifolia var. *cornubiensis*, syn. *U. carpinifolia* var. *cornubiensis* (**Orme de Cornouailles**). Arbre conique à branches ascendantes. H. 20 m, E. 10 m. Feuilles ovales, dentées, luisantes, vert foncé devenant jaune en automne.
U. carpinifolia (**Orme à feuilles de charme**). Arbre à port étalé, à rameaux retombants. H. 30 m, E. 20 m. Petites feuilles ovales, dentées, luisantes, vert foncé devenant jaune en automne. var. *cornubiensis*, voir *U. angustifolia* var. *cornubiensis*. **'Sarniensis'** (**Orme de Jersey**) a des rameaux dressés. H. 30 m, E. 10 m. Petites feuilles ovales vertes, dentées, luisantes. **'Sarniensis Aurea'**, voir *U.* 'Dicksonii'.
U. **'Dicksonii'**, syn. *U. carpinifolia* 'Sarniensis Aurea', *U.* 'Wheatleyi Aurea' (**Orme doré**), ill. p. 54.
U. × *elegantissima* **'Jacqueline Hillier'**. Arbrisseau touffu à croissance lente, utilisé pour faire des haies. H. et E. 2 m. Petites feuilles ovales vert foncé, à texture rude et dents aiguës.
U. glabra (**Orme de montagne, Orme blanc**). Arbre à port étalé, à cime en dôme, à branches étalées arquées ou pendantes à leur extrémité. H. 30 m, E. 25 m. Feuilles ovales dentées, à texture très rugueuse sur le dessus, vert mat. Donne vers le milieu du printemps des groupes de petits fruits ailés. **'Camperdownii'**, ill. p. 65. **'Exoniensis'** (**Orme de montagne fastigié**), H. 15 m, E. 5 m, a un port en colonne, à branches et rameaux dressés, à feuilles vert foncé.
U. × *hollandica* (groupe d'hybrides entre *U. glabra* et *U. carpinifolia*). Arbres vigoureux, à port étalé. H. 30 m, E. 25 m. Feuilles ovales dentées, vert foncé.
U. parvifolia (**Orme de Chine, Orme à petites feuilles**). Arbre à cime arrondie. H. et E. 15 m. Petites feuilles ovales, luisantes, vert vif, persistant généralement pendant la moitié de l'hiver.
U. procera (**Orme commun, Orme d'Angleterre**). Arbre vigoureux, étalé, majestueux, avec une cime en dôme touffu. H. 40 m, E. 15 m. Feuilles ovales larges, dentées,

rugueuses, vert foncé devenant jaune en automne.
U. pumila (**Orme de Sibérie**). Arbre étalé, parfois buissonnant. H. 10 m, E. 12 m. Feuilles étroitement ovales, dentées, vert foncé.
U. **'Wheatleyi Aurea'**, voir *U.* 'Dicksonii'.

UMBELLULARIA (Lauracées)

Genre comptant une espèce d'arbre à floraison printanière, cultivé pour son feuillage persistant, aromatique. Assez peu rustique ; il craint les gelées tardives et doit être abrité des vents froids violents lorsqu'il est jeune. A besoin de soleil et d'un sol fertile, humide, mais bien drainé. Multiplication par semis en automne.
U. californica (**Laurier de Californie**). ill. p. 48.

URCEOLINA (Amaryllidacées)

Genre de plantes bulbeuses fleurissant au printemps ou en fin d'été, cultivées pour leurs ombelles de fleurs à périanthe en forme d'urne. Feuilles radicales. Non rustiques (min. 12° C). Ont besoin de plein soleil et d'un sol bien drainé. Multiplication par semis ou division.
U. peruviana, ill. p. 350.

URSINIA (Composées)

Genre de plantes annuelles, de plantes vivaces et de sous-abrisseaux à feuilles persistantes, surtout cultivés pour leurs capitules d'été et, dans le cas de certaines espèces, pour leur feuillage. D'assez rustiques à non rustiques. Ont besoin de soleil et d'un sol bien drainé. Sous abri vitré, une bonne aération est nécessaire. Multiplication par semis. Les pucerons peuvent

parfois poser des problèmes.
U. anethoides, ill. p. 282.
U. chrysanthemoides. Espèce vivace buissonnante. H. et E. 60 cm ou plus. Non rustique (min. 12° C). Feuilles ovales étroites, vertes, de 5 cm de long, puissamment aromatiques. Donne en été de petits capitules jaunes.
U. sericea. Sous-abrisseau touffu, à feuilles persistantes. H. et E. 45 cm. Non rustique (min. 12 °C). Feuilles découpées en très minces segments argentés. Capitules jaunes de 4 cm de large. Cultivé surtout pour son feuillage.

UTRICULARIA (Lentibulariacées)
Mille-feuille des marais

Genre de plantes vivaces qui sont épiphytes, terrestres, ou aquatiques, à feuilles caduques ou persistantes. Les espèces aquatiques ont des feuilles flottantes laciniées portant des organes en forme d'outre (utricules) qui servent à piéger les petits crustacés, nourriture de ces plantes carnivores. La plupart des espèces cultivées sont flottantes. De rustiques à non rustiques. Fleurs bilabiées. Multiplication par division du feuillage flottant au printemps ou en été.
U. vulgaris. Espèce vivace à feuilles caduques. E. 30 cm. Semi-rustique. Tiges minces portant des feuilles divisées en fines lanières vert bronze, pourvues d'utricules. En été, fleurs renflées jaune d'or. À cultiver dans un étang ou un aquarium d'eau froide.

UVULARIA (Liliacées)

Genre de plantes vivaces rhizomateuses à floraison printanière qui se plaisent dans les sous-bois humides. Rustiques. Ont besoin de mi-ombre et préfèrent les sols légers, frais. Multiplication par division ou semis.
U. grandiflora, ill. p. 229.

V

VACCINIUM (Éricacées)

Genre d'arbustes et d'arbrisseaux drageonnants à feuilles caduques ou persistantes, cultivés pour leur feuillage, leurs couleurs automnales (chez les espèces caduques), leurs fleurs (à corolle campanulée ou urcéolée) et leurs fruits (baies) qui sont souvent comestibles. Rustiques. Ont besoin d'ombre légère ou de mi-ombre et d'un sol frais, bien drainé, tourbeux ou sableux, acide (plantes très calcifuges). Multiplication: boutures de bois semi-lignifié en été ou semis en automne, marcottage ou division de souches.
V. angustifolium. Arbuste à feuilles caduques, généralement cultivé sous la forme dense et touffue de var. **laevifolium,** ill. p. 140.
V. arctostaphylos. Arbrisseau dressé à feuilles caduques. H. 3 m, E. 2 m. Jeunes rameaux brun-rouge et feuilles ovales vert foncé devenant rouge-pourpre en automne. Au début de l'été, grappes étalées de fleurs blanc verdâtre, suivies de fruits globuleux pourpres.
V. corymbosum (Myrtille de jardin), ill. p. 128. **'Pioneer'**, ill. p. 141.
V. glauco-album, ill. p. 144.
V. myrtillus (Myrtillier commun, Myrtille, Airelle, Brimbelle). Sous-arbrisseau traçant à feuilles caduques. H. 20-60 cm, E. 30 cm. Petites feuilles ovales, coriaces, vert clair. Donne au début de l'été des fleurs en grelot pendant, rose pâle, suivies de fruits globuleux, noirs à pruine bleutée, comestibles.
V. nummularia. Sous-arbrisseau prostré à feuilles persistantes. H. 10 cm, E. 20 cm. Tiges minces, couvertes de poils rouge-brun. Feuilles ovales, coriaces, vert foncé. En début d'été, petites grappes aplaties de fleurs en grelot, rouge rosé, suivies de petits fruits globuleux noirs.
V. parvifolium, ill. p. 141.
V. vitis-idaea (Airelle rouge, Vigne du Mont Ida). Sous-arbrisseau rampant à feuilles persistantes. H. 10-20 cm, E. variable. Forme des touffes de feuilles ovales, vert foncé lustré, coriaces. Donne en début d'été des grappes pendantes de fleurs campanulées blanches ou roses, suivies en automne-hiver de fruits rouge foncé, comestibles mais d'un goût médiocre. **'Minus',** ill. p. 306.

VALERIANA (Valérianacées)
Valériane

Genre de plantes vivaces à floraison estivale qui conviennent pour bordures et jardins de rocaille. Rustiques. Ont besoin de soleil ou de mi-ombre, suivant les espèces, et d'un sol bien drainé (certaines espèces de grande taille aiment l'humidité). Multiplication par division en automne.
V. officinalis, ill. p. 202.
V. phu 'Aurea', ill. p. 229.

VALLEA (Éléocarpacées)

Genre représenté par une seule espèce d'arbuste à feuilles persistantes, cultivé pour son aspect général. Semi-rustique. Préfère le plein soleil et les sols riches en humus et bien drainés. Arroser généreusement les sujets en conteneurs lorsqu'ils sont en pleine croissance, avec modération le reste du temps. Multiplication par semis au printemps ou boutures de bois semi-lignifié en été. Les araignées rouges sont des parasites fréquents.
V. stipularis. Arbuste dressé, puis étalé. H. et E. 5 m. Feuilles de lancéolées à rondes, lobées, vert sombre dessus, grises en dessous. Donne au printemps et en été de petites grappes terminales et latérales de fleurs cupulaires à 5 pétales roses.

VALLISNERIA (Hydrocharitacées)

Genre de plantes aquatiques vivaces cultivées pour leur feuillage persistant (feuilles radicales, linéaires, submergées). Conviennent pour étangs et aquariums. Non rustiques (min. 18° C). Ont besoin de soleil ou de lumière vive et d'une eau claire et profonde. Éliminer le feuillage fané et éclaircir les plants en surnombre. Multiplication par division au printemps ou en été.
V. gigantea. Vigoureuse espèce à feuilles submergées. E. variable. Forme rapidement des colonies de longues feuilles rubanées vert brillant. Donne tout au long de l'année des fleurs verdâtres insignifiantes.

VANCOUVERIA (Berbéridacées)

Genre de plantes vivaces (proches d'*Epimedium* mais plus petites), dont certaines sont à feuilles persistantes et qui s'utilisent comme couvre-sol. Rustiques. Préfèrent les endroits frais, partiellement ombragés et les sols humides. Multiplication par division au printemps.
V. chrysantha. Espèce à feuillage persistant. H. 30 cm, E. variable. Feuilles ovales, vert foncé, divisées en folioles losangées à marges épaisses, ondulées. Donne au printemps des petites fleurs jaunes en clochette.
V. hexandra, ill. p. 287.

VANDA, voir ORCHIDÉES.

V. Rothschildiana, ill. p. 254. Orchidée épiphyte pour serre froide ou tempérée. H. 60 cm. Donne deux fois par an, à des périodes variables, des fleurs bleu-violet veinées de sombre (10 cm de large). Feuilles ovales étroites, rigides, de 10-12 cm de long. Se cultive en paniers suspendus. A besoin d'un bon éclairement en été mais le soleil direct est à éviter.

VELTHEIMIA (Liliacées)

Genre de plantes bulbeuses à floraison printanière, portant des grappes denses de fleurs pendantes (à périanthe tubulaire à 6 lobes) et des feuilles en rosette basale. Non rustiques (min. 10° C). Il faut beaucoup de lumière pour que le feuillage soit compact et les fleurs suffisamment colorées. Ont besoin d'une terre franche, légère, bien drainée. Planter seulement les deux tiers du bulbe enterrés. Multiplication par semis ou drageons en automne.
V. bracteata, syn. **V. undulata,** **V. viridifolia,** ill. p. 355.
V. capensis, syn. **V. glauca.** H. 45 cm, E. 30 cm. Rosette basale de feuilles oblongues lancéolées, généralement à marges très ondulées. La tige porte un épi dense de fleurs rouge et jaune de 2-3 cm de long.
V. glauca, voir **V. capensis.**
V. undulata, voir **V. bracteata.**
V. viridifolia, voir **V. bracteata.**

VERATRUM (Liliacées)
Vératre

Genre de plantes vivaces à feuillage ample, idéales pour jardins boisés. Rustiques. Ont besoin de mi-ombre et d'un sol fertile et frais. Multiplication par semis, ou division en automne. Plante toxique.
V. album (Vératre blanc). H. 1,50 m, E. 60 cm. Tiges portant des panicules terminales denses de fleurs vert blanchâtre, en juillet. Feuilles ovales, plissées, vertes.
V. nigrum (Vératre noir), ill. p. 190.

VERBASCUM (Scrophulariacées)
Molène

Genre de plantes vivaces, bisannuelles et de sous-arbrisseaux, généralement à floraison estivale. Rustiques. Supportent la mi-ombre, mais préfèrent les endroits bien dégagés, ensoleillés (sauf **V. phoeniceum** qui préfère la mi-ombre) et les sols bien drainés pas trop humides en hiver. Multiplication: les espèces types par semis ou par boutures de racines en hiver, les variétés sélectionnées par division ou boutures de racines. Certaines espèces se reproduisent par dissémination spontanée.
V. bombyciferum. Espèce bisannuelle dressée. H. 1,2-2 m, E. 60 cm. Feuilles ovales et tiges couvertes de poils argentés. Donne en été des grappes dressées, denses, de fleurs jaunes (corolle à 5 lobes légèrement inégaux).
V. chaixii. Espèce vivace dressée, couverte de poils argentés. H. 1 m, E. 60 cm. En été, minces inflorescences en forme de flèche, jaunes à œil pourpre. Feuilles ovales, dentées, rugueuses.
V. densiflorum, syn.
V. thapsiforme. Espèce vivace dressée, à croissance plutôt lente. H. 1,5 m, E. 60 cm. Rosettes de grandes feuilles ovales, fripées, vert clair, velues. Des tiges velues, feuillées, portent en été des épis de fleurs aplatis à 5 pétales, jaunes.
V. dumulosum, ill. p. 299.
V. 'Gainsborough', ill. p. 213.
V. 'Letitia', ill. p. 298.
V. lychnitis. Espèce bisannuelle dressée, ramifiée, à croissance lente. H. 1 m, E. 60 cm. Feuilles lancéolées gris-vert foncé. Les tiges ramifiées donnent en été des fleurs blanches, aplaties, à 5 pétales.
V. nigrum, ill. p. 215.
V. olympicum, ill. p. 191.
V. thapsiforme, voir **V. densiflorum.**

VERBENA (Verbénacées)
Verveine

Genre de plantes annuelles, bisannuelles, vivaces et suffrutescentes, à floraison estivale et automnale, dont certaines sont à feuilles semi-persistantes. Fleurs à corolle à tube droit ou courbe, divisée en 5 parties sublabiées. De rustiques à non rustiques. Préfèrent le soleil et les sols bien drainés. Multiplication par boutures de tiges à la fin de l'été ou en automne, ou par semis en automne ou au printemps.
V. alpina, voir **V. tenera** var. **mahonettii.**
V. bonariensis, voir **V. patagonica.**

V. chamaedrioides, voir *V. peruviana.*

V. × hybrida (Verveine hybride). 'Amethyst' est un cultivar vivace à croissance lente, cultivé en annuelle. H. et E. 30 cm. Semi-rustique. Feuilles ovales, crénelées, vert plus ou moins clair. Donne en été et au début de l'automne des épis de petites fleurs tubulaires bleues à macule blanche. 'Defiance', ill. p. 272. Série Derby, H. 20 cm, est une forme compacte, d'une grande diversité de coloris: rouge, rose, bleu, mauve, blanc. Les fleurs de 'Madame du Barry' sont rouge carmin. 'Showtime', ill. p. 270. 'Springtime' est un cultivar étalé aux coloris éclatants.

V. patagonica, syn. *V. bonariensis,* ill. p. 190.

V. rigida, syn. *V. venosa* (Verveine rugueuse, Verveine veineuse), ill. p. 241.

V. 'Sissinghurst', ill. p. 237.

V. tenera var. *mahonettii,* syn. *V. alpina.* Espèce vivace étalée à base légèrement ligneuse. H. 8 cm, E. 15 cm. Semi-rustique. Feuilles d'oblongues à ovales, profondément découpées en segments linéaires, dentés, vert clair. Donne en été des épis terminaux de petites fleurs violet rougeâtre à lobes bordés de blanc.

V. venosa, voir *V. rigida.*

VERONICA (Scrophulariacées)
Véronique

Genre de plantes annuelles, vivaces, d'arbustes et de sous-arbrisseaux dont certains sont à feuilles persistantes ou semi-persistantes, cultivés pour leurs fleurs généralement bleues. De rustiques à semi-rustiques. Ont besoin de soleil et d'un sol bien drainé. Multiplication: division au printemps ou en automne pour les vivaces, boutures pour les ligneuses, semis pour les annuelles.

V. austriaca. Espèce vivace dressée ou tapissante. H. et E. 25-50 cm. Rustique. Donne au début de l'été des inflorescences bleu vif. Les feuilles ont des formes variables : d'ovales larges à oblongues étroites, simples ou très découpées. Convient pour plates-bandes et jardins de rocaille. subsp. *teucrium,* syn. *V. teucrium* (Véronique germandrée), ill. p. 298. subsp. *teucrium* 'Royal Blue' a des fleurs bleu roi.

V. cinerea. Espèce vivace étalée, ramifiée, à base ligneuse. H. 10 cm, E. 30 cm. Rustique. Petites feuilles blanc argenté. Tiges florifères prostrées portant au début de l'été des fleurs bleu pâle. Pour jardins de rocaille ensoleillés.

V. exaltata. Élégante espèce vivace dressée. H. 1,20 m, E. 30 cm. Rustique. Donne vers la fin de l'été des épis de fleurs bleu clair portées par une tige entourée de feuilles ovales étroites, vertes.

V. fruticans. Sous-arbrisseau à feuilles caduques. H. 15 cm, E. 30 cm. Rustique. Feuilles ovales, vertes. Donne en été des épis de fleurs bleu vif. Pour jardins de rocaille.

V. gentianoides, ill. p. 243.

V. longifolia. Espèce vivace. H. 60 cm, E. 30 cm ou plus. Rustique. Donne en été de longues grappes terminales de fleurs étoilées à 4 pétales bleu vif, portées par des tiges entourées de feuilles ovales d'étroites à lancéolées, vertes. 'Romiley Purple', ill. p. 210.

V. pectinata. Espèce vivace dense, tapissante, parfois semi-érigée. H. et E. 20 cm. Rustique. Petites feuilles ovales, velues. Donne en été des épis lâches de fleurs de bleu tendre à bleu violet. Pour rocailles et banquettes. 'Rosea', H. 8 cm, a des fleurs rose lilas.

V. perfoliata, syn. *Parahebe perfoliata,* ill. p. 243.

V. prostata (Véronique couchée), ill. p. 297. 'Kapitan' et 'Trehane', ill. p. 297. 'Spode Blue' est une forme vivace, dense, tapissante. H. jusqu'à 30 cm, E. variable. Rustique. Donne au début de l'été des épis dressés de petites fleurs bleues. Feuilles ovales étroites, dentées.

V. spicata (Véronique en épi). Espèce vivace dressée. H. 30 cm, E. 45 cm. Rustique. Donne en été des grappes spiciformes de petites fleurs étoilées bleu vif. Feuilles ovales étroites, dentées, vert clair. subsp. *incana* a des fleurs étoilées bleu clair et des feuilles de linéaires à lancéolées. La plante est abondamment couverte de poils argentés.

V. teucrium, voir *V. austriaca* subsp. *teucrium.*

V. virginica, syn. *Veronicastrum vriginicum.* Espèce vivace dressée. H. 1,20 m, E. 45 cm. Rustique. Donne à la fin de l'été des épis de petites fleurs étoilées bleu pâle ou blanches, portées par des tiges entourées de feuilles étroitement lancéolées, vertes, dentées, verticillées. f. *alba,* ill. p. 202.

Veronicastrum virginicum, voir *Veronica virginica.*

VIBURNUM (Caprifoliacées)
Viorne

Genre d'arbres de petite taille, d'arbustes et d'arbrisseaux à feuilles caduques, parfois persistantes ou semi-persistantes, cultivés pour leur feuillage, parfois leurs coloris d'automne (pour les caducs), leurs fleurs et souvent aussi pour leurs fruits. Rustiques en général. À cultiver au soleil (mais *V. opulus, V. lantana,* et les espèces à feuilles persistantes supportent correctement la mi-ombre), dans un sol profond, fertile, pas trop sec. Multiplication par bouturage ou greffage, par semis pour les espèces types.

V. acerifolium (Viorne à feuilles d'érable), ill. p. 129.

V. betulifolium, ill. p. 116.

V. bitchiuense. Arbuste formant une touffe ouverte. H. et E. 2,50 m. Feuilles caduques ovales, vert foncé. Donne au printemps des cymes arrondies de fleurs tubulaires odorantes, rose pâle, puis des fruits noirs, ovoïdes, aplatis.

V. × bodnantense. 'Dawn', ill. p. 118. 'Deben' est un arbuste dressé. H. 3 m, E. 2 m. Feuilles caduques ovales, dentées, vert foncé, bronze lorsqu'elles sont jeunes. Bouquets terminaux de fleurs tubulaires parfumées, blanches nuancées de rose pâle, de la fin de l'automne au début du printemps lorsque les températures sont clémentes.

V. × burkwoodii. Arbuste à feuilles persistantes. H. et E. 2,50 m. Donne de janvier à mai des cymes arrondies de fleurs tubulaires parfumées, blanches (roses en bouton), au milieu de feuilles ovales, luisantes, vert foncé. 'Anne Russell', H. et E. 1,50 m, est à feuilles caduques, avec des fleurs blanches très odorantes. 'Park Farm Hybrid' a des fleurs blanches très odorantes, roses en bouton, et ses feuilles deviennent rouge vif en automne.

V. × carlcephalum, ill. p. 85.

V. carlesii, ill. p. 122. 'Diana' est un arbuste dense. H. et E. 2 m. Feuilles caduques ovales larges, bronze lorsqu'elles sont jeunes, devenant rouge pourpre en automne. Vers la mi-printemps, boutons rouges donnant naissance à des fleurs tubulaires roses très odorantes.

V. davidii, ill. p. 143.

V. dilatatum. Arbuste dressé à feuilles caduques. H. 3 m, E. 2 m. Feuilles ovales, à dents aiguës, vert sombre devenant rouges en automne. À la fin du printemps, bouquets aplatis de petites fleurs étoilées blanches, suivies de beaux fruits ovoïdes rouge vif. 'Catskill', ill. p. 107.

V. farreri, syn. *V. fragrans,* ill. p. 115. 'Candidissimum' est un arbuste dressé. H. 3 m, E. 2 m. Feuilles caduques ovales, dentées, vert sombre (vert pâle lorsqu'elles sont jeunes). Grappes de fleurs tubulaires parfumées blanches, à la fin de l'automne et durant les périodes tempérées de l'hiver et du début du printemps.

V. foetens, ill. p. 117.

V. fragrans, voir *V. farreri.*

V. grandiflorum. Arbuste dressé d'allure rigide. H. et E. 2 m. Rameaux épais portant des feuilles caduques longues, vert terne, devenant pourpres en automne. Donne en fin d'hiver/début de printemps, des cymes denses de fleurs odorantes roses puis blanches.

V. × juddii, ill. p. 122.

V. lantana (Viorne cotonneuse, Viorne mansienne). Arbuste vigoureux, dressé. H. 4 m, E. 3 m. Feuilles caduques ovales larges, vert foncé, devenant parfois rougeâtres en automne. À la fin du printemps, cymes terminales aplaties de petites fleurs blanc crème, suivies de fruits ovoïdes rouges qui deviennent noirs en mûrissant. Aime la mi-ombre, supporte le calcaire.

V. lentago. Vigoureux arbuste dressé. H. 5 m, E. 3 m. Feuilles caduques ovales, luisantes, vert foncé, devenant rouges et pourpres en automne. Donne à la fin du printemps des cymes terminales aplaties de petites fleurs odorantes, blanc crème, puis des fruits ovoïdes noir bleuté.

V. odoratissimum. Arbuste touffu. H. et E. 5 m. Peu rustique. Feuilles persistantes ovales, coriaces, lustrées, vert foncé. Donne à la fin du printemps des grappes coniques de petites fleurs étoilées, odorantes, blanches, puis des fruits ovoïdes rouges, qui deviennent noirs en mûrissant.

V. opulus (Viorne obier). Vigoureux arbuste touffu. H. et E. 5 m. Feuilles caduques ovales larges, lobées, vertes, devenant rouges en automne. Donne à la fin du printemps des cymes aplaties de fleurs blanches (grandes fleurs stériles sur le pourtour, petites fleurs fertiles au centre de l'inflorescence), puis de gros groupes de fruits globuleux rouge vif. 'Compactum', ill. p. 140. 'Roseum', dont toutes les fleurs sont stériles, est la Boule-de-neige vraie. 'Xanthocarpum' a des fruits jaunes et des feuilles vert clair qui deviennent jaunes en automne.

V. plicatum, syn. *V.p.* f. *plicatum V. tomentosum* var. *plicatum,* (Boule-de-Neige). Arbuste étalé. H. 3 m, E. 4 m. Feuilles caduques ovales, dentées, à nervures épaisses, vert foncé devenant pourpre rougeâtre en automne. Porte à la fin du printemps des inflorescences rondes de grandes fleurs blanches, aplaties, stériles. 'Mariesii', ill. p. 84. 'Nanum Semperflorens' (syn. *V.p.* 'Watanabei', *V. watanabei*), H. 2 m, E. 1,50 m, est une variété à croissance lente, à feuillage dense, qui produit de petites inflorescences presque sans discontinuer depuis la fin du printemps jusqu'au début de l'automne. 'Pink Beauty', ill. p. 97. 'Watanabei', voir *V.p.* 'Nanum Semperflorens'.

V. × pragense, voir *V.* 'Pragense'.

V. 'Pragense', syn. *V. × pragense,* ill. p. 107.

V. rhytidophyllum, ill. p. 86.

V. sargentii. Arbuste touffu. H. et E. 3 m. Feuillage caduc vert clair devenant souvent jaune ou rouge en automne. Donne à la fin du printemps des cymes aplaties de fleurs blanches, puis des fruits globuleux, rouge vif, persistant en hiver.

V. sieboldii. Arbuste dense, arrondi. H. 4 m, E. 6 m. Grandes feuilles caduques d'oblongues à ovales, luisantes, vert clair. Donne à la fin du printemps des cymes de fleurs blanc crème, puis des fruits ovoïdes roses devenant noirs en mûrissant.

V. tinus (Laurier-tin), ill. p. 117.

V. tomentosum var. *plicatum,* voir *V. plicatum.*

V. watanabei, voir *V. plicatum* 'Nanum Semperflorens'.

VINCA (Apocynacées)
Pervenche

Genre de plantes vivaces et de sous-arbrisseaux prostrés à feuilles persistantes, cultivés pour leur feuillage et leurs fleurs tubulaires, à 5 lobes étalés. De rustiques à non rustiques. Font de bons couvre-sol dans les zones ombragées, mais fleurissent bien, également, au soleil. Se plaisent dans tous les sols pas trop secs. Multiplication par bouturage, ou division de l'automne au printemps.

V. difformis. Sous-arbrisseau rampant. H. 30 cm, E. variable. Peu rustique. Tiges grêles, traînantes, portant des feuilles ovales, luisantes, vert foncé. Fleurs solitaires bleu pâle, à la fin de l'automne et au début de l'hiver.

V. major (Grande Pervenche). Espèce à tiges rampantes. Tiges fertiles dressées. H. 45 cm, E. variable. Rustique. Feuilles ovales larges, luisantes, vert foncé. Au printemps et au début de l'été, fleurs bleu vif. subsp. *hirsuta* a des feuilles, des pétioles et des calices bordés de longs poils. 'Variegata', ill. p. 143.

V. minor (Petite Pervenche), ill. p. 144. 'Alba Variegata' est une variété rampante. H. 15 cm, E. variable. Rustique. Forme des tapis étendus de petites feuilles ovales, luisantes, vert foncé bordé de jaune pâle, au-dessus desquelles se dressent à partir de la fin du printemps des fleurs blanches. 'Bowle's White' a de grandes fleurs blanches issues de boutons blanc rosé. 'Gertrude Jeckyll' forme des tapis épais ponctués de nombreuses petites fleurs blanches. 'La Grave' a de grandes fleurs bleu lavande.

V. rosea, syn. *Catharanthus roseus* (Pervenche de Madagascar), ill. p. 128. Non rustique.

VIOLA (Violacées)

Genre (comprenant notamment les Violettes et les Pensées) de plantes annuelles, bisannuelles et vivaces dont certaines sont à feuilles semi-persistantes, et (rarement) de sous-arbrisseaux, cultivés pour leurs fleurs caractéristiques (corolle à 5 pétales). Les espèces bisannuelles et annuelles conviennent notamment pour des bordures et des tapis fleuris de printemps et de début d'été, les espèces vivaces et les sous-arbrisseaux pour des rocailles et des éboulis. De rustiques à semi-rustiques. À cultiver au soleil ou à l'ombre dans un sol bien drainé, mais (sauf indication contraire) assez frais. Multiplication des espèces annuelles et bisannuelles par semis (selon la période de floraison souhaitée) ; des espèces vivaces par division.

V. aetolica, ill. p. 311.

V. 'Azure Blue' (Pensée), voir *V.* × *wittrockiana.*

V. 'Baby Lucia' (Pensée), voir *V.* × *wittrockiana.*

V. biflora (Violette à deux fleurs). Espèce vivace, prostrée. H. 10 cm,

E. 15 cm. Rustique. Tiges florifères grêles dressées portant chacune en été une ou deux petites fleurs jaune vif veiné de brun. Feuilles réniformes vertes. A besoin de mi-ombre. Cultiver en terre de bruyère tourbeuse.

V. calcarata, ill. p. 308.

V. cazorlensis. Espèce vivace touffue à base ligneuse. H. 5 cm, E. 8 cm. Peu rustique. Petites feuilles de linéaires à lancéolées. Donne à la fin du printemps de petites fleurs solitaires roses à pédoncule court, étalées, avec un long éperon. Difficile à cultiver.

V. série Clear Crystal (Pensée), voir *V.* × *wittrockiana.*

V. cornuta, ill. p. 289.

V. série Crystal Bowl (Pensée), voir *V.* × *wittrockiana.*

V. cucullata, voir *V. obliqua.*

V. elatior. Espèce vivace dressée, stolonifère. H. 40 cm. E. 20 cm. Rustique. Feuilles largement lancéolées, dentées. Donne en été de petites fleurs bleu pâle. Préfère la mi-ombre et un sol humide.

V. série Floral Dance (Pensée), voir *V.* × *wittrockiana.*

V. glabella. Espèce vivace. H. 10 cm, E. 20 cm. Rustique. À la fin du printemps, fleurs jaune vif veiné de pourpre sur le pétale inférieur. Feuilles cordiformes, dentées, vert vif. A besoin d'ombre.

V. gracilis. Espèce vivace tapissante (tiges prostrées à leur base puis érigées). H. 30 cm, E. 15 cm ou plus. Rustique. Donne en été des fleurs de couleurs variables. Petites feuilles ovales.

V. 'Haslemere', ill. p. 321.

V. hederacea, syn. *V. reniformis.* Espèce vivace, prostrée. H. 2,5--5 cm, E. variable. Semi-rustique. Minuscules feuilles persistantes rondes. Donne en été des fleurs pourpres ou blanches aplaties, à pédoncule court. Préfère la mi-ombre.

V. 'Huntercombe Purple', ill. p. 322.

V. série Icequeen (Pensée), voir *V.* × *wittrockiana.*

V. série Imperial, 'Sky Blue' et 'Orange Prince' (Pensée), voir *V.* × *wittrockiana.*

V. 'Jackanapes', ill. p. 312.

V. 'Joker' (Pensée), voir *V.* × *wittrockiana.*

V. labradorica 'Purpurea' (Violette), ill. p. 309.

V. 'Love Duet' (Pensée), voir *V.* × *wittrockiana.*

V. lutea. Espèce vivace, tapissante. H. 10 cm, E. 15 cm. Rustique. Petites feuilles d'ovales à lancéolées. Fleurs jaune vif ressemblant à de petites pensées (printemps-été).

V. 'Majestic Giants' (Pensée), voir *V.* × *wittrockiana.*

V. odorata (Violette odorante, Violette). Espèce vivace. H. 7 cm, E. 15 cm ou plus. Rustique. Feuilles semi-persistantes cordiformes, crénelées. Donne à la fin de l'hiver et au début du printemps des fleurs solitaires odorantes violettes. Forme spontanément des colonies.

V. palmata. Espèce vivace étalée. H. 10 cm, E. 15 cm. Rustique. Donne à la fin du printemps des

fleurs mauves à pédoncule court, et des feuilles parfois très lobées. Apprécie les sols secs. Dissémination spontanée abondante.

V. pedata (Violette pied d'oiseau), ill. p. 309. var. *bicolor* est vivace, à rhizome court, dressé. H. 5 cm, E. 8 cm. Rustique. Donne à la fin du printemps des fleurs solitaires à 2 pétales bleus et 3 pétales violets. Feuilles palmatifides divisées en 5-7 (ou plus) segments étroits, finement dentés. Assez difficile à cultiver.

V. 'Queen of the Planets' (Pensée), voir *V.* × *wittrockiana.*

V. 'Redwing' (Pensée), voir *V.* × *wittrockiana.*

V. reniformis, voir *V. hederacea.*

V. 'Roggli Giants' (Pensée), voir *V.* × *wittrockiana.*

V. 'Scarlet Clan' (Pensée), voir *V.* × *wittrockiana.*

V. 'Silver Princess' (Pensée), voir *V.* × *wittrockiana.*

V. 'Super Chalon Giants' (Pensée), voir *V.* × *wittrockiana.*

V. tricolor (Pensée sauvage), ill. p. 309. 'Bowle's Black', ill. p. 310.

V. série Universal (Pensée), voir *V.* × *wittrockiana.*

V. × *wittrockiana* (Pensée). Ensemble de plantes bisannuelles ou vivaces à croissance plus ou moins rapide, généralement cultivées comme annuelles ou bisannuelles. H. 15-20 cm, E. 20 cm. Rustiques. Feuilles ovales, souvent crénelées. Floraison durant tout l'été ou hiver/printemps. Fleurs à 5 pétales, de 2,5-10 cm de large, de couleurs très variées, munies d'un court éperon. Les variétés suivantes sont notamment disponibles :

'Azure Blue' (floraison surtout printanière), ill. p. 277.

'Baby Lucia' (floraison surtout estivale), petites fleurs bleu foncé.

Série Clear Crystal (floraison surtout estivale), coloris divers, généralement clairs (jaune, ill. p. 281).

Série Crystal Bowl (floraison surtout estivale), coloris divers (jaune, ill. p. 281).

Série Floral Dance (floraison surtout hivernale), nombreux coloris (panaché, ill. p. 273; blanc, ill. p. 263).

Série Icequeen (floraison surtout hivernale/début de printemps), coloris divers (jaune, ill. p. 281).

Série Imperial, 'Orange Prince' (floraison surtout estivale), fleurs orange mouchetées de noir.

Série Imperial, 'Sky Blue' (floraison surtout estivale), fleurs bleu ciel avec des taches plus sombres.

'Joker' (floraison surtout estivale), ill. p. 276.

'Love Duet' (floraison surtout estivale), fleurs blanches ou crème, avec des taches d'un rose intense.

'Majestic Giants' (floraison surtout estivale), grandes fleurs, nombreux coloris.

'Queen of the Planets' (floraison surtout estivale), très grandes fleurs multicolores.

'Redwing' (floraison surtout estivale), ill. p. 282.

'Rogglii Giants' (floraison

surtout estivale/automnale), ill. p. 271.

'Scarlet Clan' (floraison surtout estivale), ill. p. 283.

'Silver Princess' (floraison surtout estivale), fleurs blanches à tache rose.

'Super Chalon Giants' (floraison surtout en été/automne), ill. p. 280.

Série Universal (floraison surtout hiver/printemps), divers coloris distincts (abricot, ill. p. 283) ou mélangés.

Viscaria alpina, voir *Lychnis alpina.*

Viscaria elegans, voir *Silene coeli-rosa.*

VITALIANA (Primulacées)

Genre représenté par une seule espèce vivace, à feuilles persistantes, à floraison printanière ou estivale, cultivée pour ses fleurs. Est souvent assimilée au genre *Douglasia.* S'utilise pour jardins de rocaille et éboulis. Rustique. A besoin de soleil et d'un sol léger, perméable, bien drainé. Multiplication : division ou semis en automne.

V. primuliflora, syn. *Douglasia vitaliana,* ill. p. 312.

VITEX (Verbénacées)

Gattilier

Genre d'arbres ou d'arbustes à feuilles persistantes ou caduques, cultivés pour leurs fleurs (corolle tubuleuse, bilabiée). De rustiques à peu rustiques. Ont besoin d'un bon ensoleillement et d'un sol bien drainé léger (supportent le calcaire). Multiplication par boutures de bois semi-lignifié en été ou semis en automne ou au printemps, ou greffage.

V. agnus-castus (Gattilier commun, Agneau chaste, Arbre au poivre). Arbrisseau à feuillage caduc étalé, aromatique (poivré). H. et E. 3 m. Donne au début de l'automne des épis dressés de glomérules de fleurs aromatiques, bleu violet pâle. Les feuilles vert foncé sont divisées en 5 ou 7 folioles étroitement lancéolées.

VITIS (Vitacées)

Genre de plantes grimpantes à vrilles, à feuilles caduques, à tiges ligneuses, cultivées pour leur feuillage et pour leurs fruits (baies), qui se présentent en grappes. De rustiques à semi-rustiques. Préfèrent les sols fertiles, bien drainés, et le soleil. Donnent de meilleurs fruits et de plus belles couleurs d'automne dans les régions chaudes. Multiplication par bouturage ou greffage.

V. aconitifolia, voir *Ampelopsis aconitifolia.*

V. amurensis. Vigoureuse espèce.

H. 6 m. Rustique. Feuilles à 3 ou 5 lobes, de 12-30 cm de long, vertes devenant rouge cramoisi en automne. Donne en été des fleurs insignifiantes, suivies, à la fin de l'été et en automne, de fruits noirs petits.
V. coignetiae, ill. p. 176.
V. davidii. Espèce vigoureuse à tiges portant des épines. H. jusqu'à 8 m ou plus. Assez rustique. Feuilles cordiformes, de 10-25 cm de long, à dessus vert foncé brillant, à dessous glauque devenant cramoisi en automne. Donne en été des fleurs verdâtres, insignifiantes, suivies de petits fruits noirs.
V. henryana, voir *Parthenocissus henryana.*
V. heterophylla, voir *Ampelopsis*

brevipedunculata var. *maximowiczii.*
V. quinquefolia, voir *Parthenocissus quinquefolia.*
V. thompsonii, voir *Parthenocissus thompsonii.*
V. vinifera (Vigne vraie). 'Purpurea', ill. p. 176.

VRIESEA (Broméliacées)

Genre de plantes vivaces épiphytes, à feuillage persistant en rosette, cultivées pour leurs fleurs et leur feuillage décoratif. Non rustiques (min. 20 °C). Ont besoin de mi-ombre et d'un substrat terreux humifère et drainant. Arroser avec modération (eau non

calcaire) durant la saison de croissance, assez peu le reste du temps ; le centre des rosettes peut demeurer rempli d'eau en été. Multiplication par séparation de rejets ou par semis au printemps.
V. fenestralis. Espèce à rosette dense. H. et E. 30-40 cm. Feuilles vert pâle zébré de sombre, largement rubanées, arquées ou recourbées à leur partie supérieure. Donne en été des épis aplatis de fleurs tubulaires vert jaunâtre, à bractées vertes, qui se dressent au-dessus des feuilles.
V. fosteriana. Espèce à rosette dense, en cornet. H. et E. 60 cm ou plus. Feuilles largement rubanées, arquées, de vertes à jaunâtres, zébrées de brun rougeâtre, surtout sur leur face inférieure. Donne en

été/automne des épis aplatis de fleurs tubulaires jaune pâle ou jaune verdâtre, aux extrémités rouge brunâtre.

× **VUYLSTEKEARA,** voir **ORCHIDÉES.**

× *V.* **Cambria 'Lensing Favorite',** ill. p. 253. Orchidée épiphyte à feuilles persistantes, pour serre froide. H. 25 cm. Donne à des saisons variables de longues grappes de fleurs rouge lie-de-vin, largement marquées de blanc (10 cm de large). Feuilles ovales étroites, de 10-15 cm de long. A besoin d'ombre en été.

Wagnera racemosa, voir *Smilacina racemosa.*

WAHLENBERGIA (Campanulacées)

Genre de plantes naines vivaces, à floraison estivale, cultivées pour leurs fleurs en clochette. Semi-rustiques. Ont besoin d'un site abrité, d'une ombre partielle et d'un sol bien drainé, siliceux, frais. Multiplication par semis en automne.
W. albomarginata. H. et E. 15 cm ou plus. Pédoncules grêles portant en été des fleurs solitaires bleues. Feuilles étroites, d'ovales à elliptiques. Pour jardins de rocaille.
W. congesta, syn. *W. saxicola.* Espèce tapissante. H. 7 cm, E. 10 cm. Petites feuilles arrondies vert clair et, en été, fleurs solitaires bleu lavande ou blanches.
W. saxicola, voir *W. congesta.*

WALDSTEINIA (Rosacées)

Genre de plantes rampantes vivaces à feuilles semi-persistantes. Font de bons couvre-sol. Rustiques. Aiment l'ombre et un sol bien drainé, humifère. Multiplication par division au début du printemps, ou semis.
W. ternata, syn. *W. trifolia,* ill. p. 325.
W. trifolia, voir *W. ternata.*

WASHINGTONIA (Palmiers)

Genre de palmiers à feuilles persistantes, cultivés pour leur belle allure. Peu rustiques. À cultiver dans un sol fertile, bien drainé et en plein soleil. Arroser à volonté les sujets en conteneur durant l'été, très peu le reste du temps. Éliminer les feuilles fanées. Multiplication par semis au printemps à une température d'au moins 25 °C.
W. robusta, ill. p. 47.

WATSONIA (Iridacées)

Genre de plantes bulbeuses qui ressemblent aux glaïeuls. Peu rustiques. Ont besoin d'un site dégagé, ensoleillé, de lumière et d'un sol bien drainé. Planter en automne à une profondeur de 10-15 cm ; protéger si nécessaire en hiver avec des fougères sèches, de la tourbe non tassée ou tout autre matériau équivalent s'il y a des risques de gel. Mieux vaut ne pas transplanter les bulbes. Multiplication par semis en automne, ou par séparation de caïeux.
W. ardernei, voir *W. meriana.*
W. beatricis, ill. p. 335.
W. meriana, syn. *W. ardernei.* Espèce à floraison en mai. H. jusqu'à 80 cm, E. 30-45 cm. Feuilles basales et caulinaires, dressées, en forme de glaive. La tige porte un épis lâche de fleurs tubulaires rose saumoné, de 5-6 cm de long, à 6 lobes étalés.
W. pyramidata, ill. p. 335.

WEIGELIA ou WEIGELA (Caprifoliacées)

Genre d'arbustes à feuilles caduques, cultivés pour leurs belles fleurs à corolle tubuleuse campanulée ou infundibuliforme. Rustiques. Préfèrent le soleil et les sols frais. Multiplication par boutures de bois tendre en été.
W. 'Bristol Ruby'. Vigoureux arbuste dressé. H. 2,50 m, E. 2 m. Feuilles ovales, dentées, vert clair. Fleurs rouge rubis s'ouvrant en fin de printemps/début d'été.
W. 'Candida'. Arbuste touffu. H. et E. 2,50 m. Donne en fin de printemps/début d'été des fleurs d'un blanc très pur. Feuilles ovales, dentées, vert vif.
W. florida. Arbuste à rameaux arqués. H. et E. 2,50 m. Donne en mai-juin des fleurs roses ou rouge rosé, à intérieur rose pâle, groupées par 3 ou 4. Feuilles ovales, dentées, vert clair. **'Foliis Purpureis'**, ill. p. 131. **'Variegata'**, ill. p. 128.
W. 'Looymansii Aurea'. Arbuste dressé à croissance faible. H. 1,50 m, E. 1 m. Donne en fin de printemps/début d'été des fleurs roses. Feuilles ovales, dentées, jaune doré, avec une mince bordure rouge. À placer en ombre légère.
W. middendorffiana, ill. p. 136.
W. praecox. Arbuste dressé. H. et E. 2 m. Donne à la fin du printemps des fleurs parfumées, rose carné avec l'intérieur maculé de jaune. Feuilles ovales, dentées, vert vif. **'Variegata'** a des feuilles à larges bordures blanc crème.

WEINMANNIA (Cunoniacées)

Genre d'arbres et d'arbustes cultivés pour leur feuillage persistant, leurs grappes de petites fleurs blanches et leur aspect général. Non rustiques (min. 20 °C). Ont besoin de lumière vive ou de mi-ombre et d'un sol riche en humus, bien drainé mais pas trop sec, de préférence neutre ou acide. Multiplication : semis au printemps ou boutures de bois semi-lignifié en été.
W. trichosperma. Arbre ou arbuste. H. 12 m ou plus, E. 8-10 m. Feuilles luisantes, vert foncé, comportant de 9-19 folioles ovales, dentées. Donne au début de l'été des grappes de minuscules fleurs odorantes blanches.

WELDENIA (Commélinacées)

Genre représenté par une seule espèce de plante vivace, tubéreuse, à floraison estivale, cultivée pour ses fleurs. Semi-rustique. Aime le soleil et un sol caillouteux bien drainé. Mantenir au sec de la fin de l'automne jusqu'à ce que la croissance reprenne à la fin de l'hiver. Multiplication : boutures de racines en hiver ou division au début du printemps.
W. candida, ill. p. 302.

WELWITSCHIA (Welwitschiacées)

Genre représenté par une seule espèce de plante vivace des régions désertiques, à feuilles persistantes, à racine pivotante profonde. Ne porte que 2 très longues feuilles, étalées sur le sol. Non rustique (min 18 °C). Difficile à cultiver car il faut lui recréer les conditions de vie du désert.
W. bainesii, voir *W. mirabilis.*
W. mirabilis, syn. *W. bainesii,* ill. p. 260.

WESTRINGIA (Labiacées)

Genre d'arbustes à feuilles persistantes, cultivés pour leurs fleurs et leur aspect général. Presque semi-rustiques. Ont besoin de soleil, d'un sol bien drainé et de chaleur. Arroser avec modération les sujets en pots, encore moins lorsqu'ils ne sont pas en pleine croissance. Multiplication : semis au printemps ou boutures de bois semi-lignifié à la fin de l'été.
W. fructicosa, syn. *W. rosmariniformis,* ill. p. 126.
W. rosmariniformis, voir *W. fructicosa.*

WIGGINSIA (Cactacées)

Genre de cactées vivaces, à croissance lente, sphériques, s'aplatissant ou s'allongeant avec l'âge ; sont très proches de *Notocactus.* Couronne dense, laineuse, portant des fleurs en entonnoir, jaunes avec des stigmates rouges, auxquelles succèdent de longs fruits rouges, semblables à ceux de *Neoporteria.* Non rustiques (min. 16 °C). Multiplication par semis au printemps ou en été.
W. vorwerkiana, ill. p. 399.

Wilcoxia albiflora, voir *Echinocereus leucanthus.*
Wilcoxia schmollii, voir *Echinocereus schmollii.*

× WILSONARA, voir ORCHIDÉES.

× *W.* Hambuhren Stern 'Cheam', ill. p. 253. Orchidée épiphyte à feuilles persistantes, pour serre froide. H. 25 cm. Porte, à des saisons variables, des épis de fleurs brun rougeâtre à bordure jaune (9 cm de large). Feuilles ovales étroites de 10 cm de long. A besoin d'ombre en été.

WISTARIA ou WISTERIA (Légumineuses)
Glycine

Genre de plantes grimpantes volubiles à feuilles caduques composées, imparipennées, à tige ligneuse, cultivées pour leurs fleurs papilionacées parfumées. S'utilisent pour garnir des murs ou des pergolas. Rustiques. Poussent au soleil de préférence, dans un sol bien drainé. Tailler éventuellement en hiver. Multiplication : greffage, semis, ou marcottage. Les plants issus de semis demandent parfois plusieurs années avant de fleurir et donnent souvent de moins belles fleurs.
W. brachybotrys f. *alba,* voir *W. venusta.*
W. chinensis, voir *W. sinensis.*
W. floribunda (Glycine du Japon). **'Alba'**, ill. p. 165. **'Macrobotrys'** atteint jusqu'à 9 m. Feuilles de 25-35 cm de long comportant de 11-19 folioles ovales. Donne en fin de printemps des grappes pendantes (20-50 cm de long) de fleurs papilionacées, parfumées, lilas teinté de sombre, suivies parfois à la fin de l'été et en automne, de gousses oblongues, veloutées.
W. × *formosa,* ill. p. 173.
W. sinensis, syn. *W. chinensis* (Glycine de Chine), ill. p. 173. **'Alba'**, ill. p. 165. **'Black Dragon'** atteint jusqu'à 9 m. Feuilles de 25-35 cm de long, comportant de 11-19 folioles ovales. Donne en

fin de printemps des grappes (15-30 cm de long) de fleurs papilionacées bleu pourpré. **'Prolific',** H. jusqu'à 30 m, est un cultivar vigoureux portant des grappes denses de fleurs simples lilas ou mauves.
W. venusta, syn. *W. brachybotrys* f. *alba.* Atteint 9 m ou plus. Feuilles de 20-35 cm de long, comportant de 9-13 folioles ovales. Donne au début de l'été des grappes (10-15 cm de long) de fleurs papilionacées, parfumées, blanches. Refleurit parfois un peu en automne. **'Alba plena'** a des fleurs doubles blanches.

WOLFFIA (Lemnacées)

Genre de plantes aquatiques annuelles cultivées surtout à titre de curiosité, car elles comptent parmi les plus petites plantes à fleurs. Conviennent fort bien pour des aquariums d'eau tiède ou chaude. Semi-rustiques. Ont besoin d'un endroit ensoleillé. Éliminer les plantules excédentaires. Multiplication par émission de plantules nouvelles.
W. arrhiza. E. 1 mm (masse verte minuscule). Fleurs insignifiantes, verdâtres, tout au long de l'année.

WOODSIA (Polypodiacées)

Genre de fougères à frondes caduques, qui conviennent pour rocailles. Rustiques. Supportent le soleil ou la mi-ombre. Peuvent être difficiles à cultiver : le sol doit être maintenu constamment humide, mais aéré et le collet des plants doit demeurer au-dessus de la surface du sol pour ne pas pourrir (terre humifère acide). Multiplication par division au début du printemps.
W. alpina. H. et E. 15 cm. Touffes denses de frondes vertes lancéolées, très divisées, à pinnules ovales.
W. ilvensis. H. et E. 15 cm. Frondes largement lancéolées, très divisées, à pinnules oblongues, dentées.

WOODWARDIA (Blechnacées)

Genre de fougères à frondes caduques ou persistantes. Semi-rustiques. Préfèrent la mi-ombre et les sols fibreux, humides, tourbeux. Éliminer régulièrement les frondes fanées. Multiplication par division au printemps.
W. radicans. Vigoureuse espèce étalée. H. 1,80 m, E. 60 cm. Grandes frondes persistantes vertes largement lancéolées, arquées, divisées en pinnules ovales étroites.

WORSLEYA (Amaryllidacées)

Genre représenté par une seule espèce bulbeuse, à floraison hivernale, avec un collet pouvant atteindre 75 cm de haut, couronné d'une touffe de feuilles persistantes et portant une hampe florale de 20-30 cm de long. Non rustique (min. 20°C). A besoin du plein soleil et d'un sol bien drainé. Ne jamais laisser le sol se dessécher complètement. Multiplication par semis au printemps.
W. procera, voir *W. rayneri.*
W. rayneri, syn. *W. procera, Hippeastrum procerum.* H. 1-1,20 m, E. 45-60 cm. Longues feuilles en lanière, fortement arquées. Porte jusqu'à 8 fleurs en entonnoir de 15 cm de long, à pétales à bord ondulé, bleu lilas.

WULFENIA (Scrophulariacées)

Genre de plantes vivaces fleurissant en été ou en fin de printemps. Feuilles persistantes radicales, crénelées. Rustiques. Apprécient une situation fraîche, peu ensoleillée. Multiplication : division au printemps ou semis en automne.
W. amherstiana, ill. p. 296.

XANTHOCERAS (Sapindacées)

Genre représenté par une seule espèce d'arbre ou d'arbuste à feuilles caduques, à floraison printanière, cultivé pour son feuillage et ses fleurs. Rustique. A besoin de soleil et d'un sol bien drainé. Pousse mieux dans les régions où les étés sont chauds. Multiplication : semis en automne, boutures de racines ou drageonnement à la fin de l'hiver.
X. sorbifolium, ill. p. 87.

XANTHORHIZA (Ranunculacées)

Genre représenté par une seule

espèce d'arbuste à feuilles caduques, à floraison printanière, cultivé pour son feuillage et ses fleurs. Rustique. Préfère l'ombre ou la mi-ombre et les sols humides. Multiplication par division en automne.
X. apiifolia, voir *X. simplicissima.*
X. simplicissima, syn. *X. apiifolia.* Arbuste dressé drageonnant. H. 60 cm, E. 1,50 m. Feuilles généralement composées de 3-5 folioles d'ovales à lancéolées, vert vif devenant bronze ou pourpre en automne. Donne vers le début du printemps, au moment de l'apparition des feuilles, des panicules pendantes de très petites fleurs étoilées, pourpre foncé.

XANTHOSOMA (Aracées)

Genre de plantes vivaces à rhizome ou à tiges aériennes épaisses, surtout cultivées pour leur feuillage. Non rustiques (min. 18 ºC). À cultiver dans une ombre partielle et dans un sol riche, humide. Multiplication : division ou boutures de tiges au printemps ou en été.
X. sagittifolium, ill. p. 223.

XERANTHEMUM (Composées)

Genre de plantes annuelles à floraison estivale. Rustiques. À cultiver au soleil, dans un sol fertile léger, et bien drainé. Multiplication par semis en pleine terre au printemps.
X. annuum (Immortelle annuelle). Espèce dressée, à croissance très

rapide, à capitules solitaires. H. 60 cm, E. 45 cm. Feuilles lancéolées, argentées en dessous. Donne en été des capitules parcheminés, pourpres, blancs ou grisâtres. Il en existe des formes doubles qui sont roses, mauves, pourpres ou blanches (ill. p. 269).

XEROPHYLLUM (Liliacées)

Genre d'élégantes plantes vivaces rhizomateuses à floraison estivale. Rustiques. Préfèrent en général le plein soleil et les sols humides, tourbeux. Multiplication par semis en automne.
X. tenax. H. 1-1,20 m, E. 30-60 cm. Donne en été des épis terminaux denses de fleurs étoilées blanches. Feuilles basales linéaires, vert clair.

YUCCA (Agavacées)

Genre de plantes sous-ligneuses ou ligneuses, acaules ou arborescentes, cultivées pour l'aspect original de leurs feuilles persistantes en forme

de glaive et leurs panicules de fleurs campanulées généralement blanches. De rustiques à semi-rustiques. Ont besoin d'un plein ensoleillement et d'un sol bien drainé. Arroser avec modération les sujets en conteneurs, très peu lorsqu'ils ne sont pas en pleine croissance. Supprimer

régulièrement les tiges florales fanées. Multiplication au printemps par semis ou division.
Y. aloifolia, ill. p. 121.
X. flaccida 'Ivory', ill. p. 128.
Y. gloriosa, ill. p. 105. 'Nobilis', H. et E. 2 m, est assez rustique. Tige épaisse, généralement non ramifiée, couronnée par une grosse

touffe de longues feuilles en forme de glaive, bleu-vert, celles de la périphérie semi-pendantes. Donne en été de longues panicules dressées de fleurs blanches teintées de rouge à l'extérieur.
Y. parviflora, voir *Hesperaloe parviflora.*
Y. whipplei, ill. p. 128.

ZANTEDESCHIA (Aracées)

Genre de plantes vivaces rhizomateuses, fleurissant généralement en fin de printemps et en été, à feuillage persistant dans les régions à climat chaud, cultivées pour leur spathe dressée, en entonnoir, enfermant un spadice en forme de massue. De semi-rustiques à non rustiques (min. 16 ºC). Aiment le soleil ou une ombre partielle et un sol frais.
Z. aethiopica pousse aussi en terrain marécageux. Multiplication par séparation de rejets.
Z. aethiopica (Arum d'Éthiopie). 'Crowborough', ill. p. 332. 'Green Goddess', ill. p. 333.
Z. elliottiana, ill. p. 339.
Z. rehmannii. H. 40 cm, E. 30 cm. Non rustique. Feuilles basales

vertes, dressées, sagittées. Hampe florale à spadice jaune entouré d'une spathe rose lilacé de 8 cm de long, à base étroite.

ZANTHOXYLUM (Rutacées)
Clavalier

Genre d'arbres et d'arbustes généralement épineux, à feuilles caduques ou persistantes, imparipennées, cultivés pour leurs fruits, leur feuillage aromatique et leur port. Rustiques. À cultiver au soleil ou en mi-ombre dans un sol de préférence léger. Multiplication : semis en automne ou boutures de racines ou de rameaux semi-lignifiés.
Z. piperitum (Poivrier du Japon), ill. p. 113.

Z. simulans, ill. p. 116.

ZAUSCHNERIA (Onagracées)

Genre de sous-arbrisseaux vivaces cultivés pour leurs fleurs abondantes, axillaires (4 sépales pétaloïdes rouges et 4 pétales rouges), solitaires et pendantes. Semi-rustiques. Ont besoin de soleil et d'un sol bien drainé. Multiplication : semis ou division au printemps.
Z. californica (Fuchsia de Californie). H. et E. 45 cm. Donne en fin d'été/début d'automne des grappes terminales de fleurs tubulaires rouges à mince pédoncule. Feuilles lancéolées vertes. 'Glasnevin', ill. p. 295.
Z. cana. H. 30 cm, E. 45 cm. Feuilles linéaires grises. En été/

début automne, grappes de fleurs écarlates, rappelant des Fuchsia.

ZEA (Graminées), voir
BAMBOUS, HERBES, JONCS et LAÎCHES.
Maïs

Genre représenté par une seule espèce, dont seuls sont cités ici des cultivars ornementaux. Reproduction par semis.
Z. mays 'Gigantea Quadricolor' est une espèce annuelle dressée, à croissance rapide. H. 1-2 m, E. 60 cm. Semi-rustique. Feuilles lancéolées de 60 cm de long, panachées de blanc, jaune pâle et rose. Donne à la mi-été, portées par de longues tiges, des inflorescences plumeuses, soyeuses, de 15 cm de long, auxquelles succèdent des épis cylindriques

jaunes, gainés de vert. **'Gracillima Variegata'**, ill. p. 264. Les épis de **'Japonica Multicolor'** renferment des grains jaunes, rouges, noirs et orange.

Zebrina pendula, voir *Tradescantia zebrina.*

ZELKOVA (Ulmacées)

Genre d'arbres à feuilles caduques, cultivés pour leur aspect décoratif, de préférence en spécimens isolés. Donnent au printemps des fleurs insignifiantes. Rustiques, mais préfèrent les situations abritées. Se plaisent en plein soleil dans un sol profond, fertile, humide mais bien drainé. Multiplication par semis en automne.
Z. abelicea, syn. *Z. cretica.* Arbre à cime étalée, touffue. H. 5 m, E. 7 m. Petites feuilles ovales, luisantes, vert foncé, à dents bien marquées.
Z. carpinifolia. Arbre à tronc court, épais, d'où partent de nombreux rameaux dressés formant une cime ovale, dense. H. 30 m, E. 25 m. Feuilles ovales, à dents aiguës, vert foncé devenant brun orangé en automne.
Z. cretica, voir *Z. abelicea.*
Z. serrata, ill. p. 45.

ZENOBIA (Éricacées)

Genre d'arbustes à feuilles caduques ou semi-persistantes, fleurissant en été ou en fin de printemps, cultivés pour leurs fleurs. Rustiques. Ont besoin de mi-ombre et d'un sol humide, tourbeux, acide. Multiplication par bouturage, semis, ou division.
Z. pulverulenta, ill. p. 106.

ZEPHYRANTHES (Amaryllidacées)

Genre de plantes bulbeuses à fleurs solitaires (périanthe à 6 pièces, en forme d'entonnoir). De semi-rustiques à non rustiques. Ont besoin d'un endroit ensoleillé, abrité et d'un sol bien drainé mais frais. Les plantes en pots ont besoin d'une période sèche et chaude après la chute des feuilles en été. Multiplication par semis ou par caïeux.
Z. candida, ill. p. 366.
Z. carinata, voir *Z. grandiflora.*
Z. citrina. Espèce formant une touffe, fleurissant en fin d'été. H. 15 cm, E. 5-8 cm. Semi-rustique. Feuilles basales linéaires, dressées, vertes. Fleurs en cornet, jaune vif, de 4-5 cm de large.
Z. grandiflora, syn. *Z. carinata, Z. rosea,* ill. p. 354.
Z. rosea, voir *Z. grandiflora.*

ZIGADENUS (Liliacées)

Genre de plantes bulbeuses à floraison estivale, portant des épis de fleurs étoilées à 6 pétales. Semi-rustiques. Ont besoin de soleil ou d'une ombre partielle et d'un sol bien drainé. Arroser copieusement au printemps et en été en période de croissance. Mettre au sec et en repos en hiver. Multiplication par division au début du printemps ou par semis en automne ou au printemps.
Z. fremontii, ill. p. 351.

ZINNIA (Composées)

Genre de plantes annuelles, vivaces ou suffrutescentes, à capitules solitaires vivement colorés dont on fait des bouquets qui durent longtemps. Semi-rustiques. À cultiver au soleil, dans un sol fertile et bien drainé. Multiplication par semis sous châssis au début du printemps.
Z. elegans. Espèce à croissance assez rapide, à tiges dressées. H. 60-75 cm, E. 30 cm. Feuilles engainantes, d'ovales à lancéolées, vert clair. Donne en été/début d'automne des capitules pourpres de 5 cm de large. Il en existe des hybrides de coloris variés : jaunes, rouges, roses, pourpres, blancs, crème.
  'Belvedere Dwarfs', ill. p. 282.
  Série Big Top, H. 60 cm, a de grands capitules doubles de coloris variés.
  'Border Beauty Rose', H. 45 cm, a des capitules doubles roses.
  Hybrides Burpee, ill. p. 285.
  'Envy', ill. p. 279.
  Série Fantastic, H. 20 cm, a des capitules doubles de divers coloris.
  Série Peter Pan, H. 20 cm, a des capitules doubles dans une vaste gamme de couleurs.
  Série Pulcino, H. 30 cm, a des capitules doubles de différents coloris clairs.
  Série Ruffles, mélange de couleurs ill. p. 273, écarlate ill. p. 272.
  Série Sunshine, H. 60 cm, a des capitules doubles qui ressemblent à ceux du dahlia pompon; coloris variés.
  Série Thumbelina, ill. p. 266.
Z. **'Persian Carpet'**. Cultivar touffu à tiges dressées, à croissance assez rapide. H. 40 cm, E. 30 cm. Feuilles lancéolées, velues, vert pâle. Petits capitules doubles de plus de 2,5 cm de large, de coloris variés.

ZIZANIA (Graminées), voir BAMBOUS, HERBES, JONCS et LAÎCHES.

Z. aquatica. Plante vivace herbacée aquatique. H. 3 m, E. 45 cm. Assez rustique. Feuilles vertes et (en été) fleurs vert pâle. A besoin de soleil et peut se cultiver dans 20-25 cm d'eau. Multiplication par semis de graines conservées humides et semées au printemps.

Zygocactus truncatus, voir *Schlumbergera truncata.*

ZYGOPETALUM, voir ORCHIDÉES.

Z. mackayi, ill. p. 254. Orchidée épiphyte à feuilles persistantes, pour serre tempérée. H. 30 cm. Donne en automne des grappes de fleurs de 6 cm de large, vert-jaune taché de brun, à labelle blanc. Feuilles ovales étroites, côtelées, de 30 cm de long. A besoin de mi-ombre en été.
Z. Perrenoudii, ill. p. 254. Orchidée épiphyte à feuilles persistantes pour serre tempérée. H. 30 cm. Donne en hiver des grappes de fleurs odorantes brun foncé, à labelle pourpre violacé. Feuilles ovales étroites, côtelées, de 30 cm de long. A besoin de mi-ombre en été.

Guide du créateur de jardin

Les listes suivantes proposent des plantes susceptibles de bien se développer dans des situations particulières, ou possédant des caractéristiques spécialement intéressantes. Les espèces présentées dans le *Catalogue* sont suivies du numéro de page correspondant. Se référer au *Dictionnaire* si un genre entier ou une espèce absente du catalogue sont recommandés.

Les plantes ne sont pas toujours régulières et prévisibles dans leur façon de se développer, qui dépend notablement du climat et des capacités nutritives du sol, mais également de caractères génétiques. Mais en principe, les plantes indiquées pour les conditions spécifiées devraient s'y développer de façon satisfaisante.

○ – plantes à feuilles persistantes ou semi-persistantes

Plantes pour haies et brise-vent

△ - à croissance modérée ou rapide

Arbres
Alnus cordata, p. 41 △
Arbutus andrachne ○
Arbutus unedo, p. 66 ○
Carpinus betulus
Carpinus betulus 'Fastigiata', p. 72
Crataegus monogyna
Fagus sylvatica, p. 43
Ilex aquifolium ○
Ilex aquifolium 'Argentea Marginata' p. 70 ○
Laurus nobilis ○
Metrosideros excelsa, p. 56 ○ △
Nothofagus dombeyi, p. 47 △
Nothofagus obliqua, p. 42 △
Olea europaea ○
Populus × canadensis 'Robusta', p. 40 △
Prunus lusitanica ○
Syzygium paniculatum, p. 54 ○

Umbellularia californica, p. 48 ○
Zelkova serrata, p. 45

Conifères
Abies grandis, p. 76 ○ △
Cedrus deodara
Cephalotaxus harringtonia ○
Chamaecyparis lawsoniana ○ △
× *Cupressocyparis leylandii*, p. 73 ○ △
Cupressus macrocarpa ○ △
Juniperus communis ○
Larix decidua △
Picea omorika, p. 75 ○ △
Pinus nigra ○
Pinus radiata, p. 76 ○ △
Pseudotsuga menziesii var. *glauca*, p. 74 ○ △
Taxus baccata ○
Thuja plicata et tous les grands Thuya ○ △
Tsuga canadensis, p. 79 ○ △

Arbustes
Berberis darwinii, p. 86 ○
Buxus sempervirens 'Suffruticosa', p. 145 ○
Choisya ternata, p. 95 ○
Codiaeum variegatum, p. 145 ○
Cotoneaster simonsii, p. 116 △
Dodonaea viscosa 'Purpurea', p. 119 ○ △
Duranta repens, p. 118 ○ △
Elaeagnus × ebbingei ○ △
Escallonia 'Langleyensis', p. 110 ○
Euonymus japonicus 'Macrophyllus' ○
Griselinia littoralis ○
Hibiscus rosa-sinensis ○
Lavandula et cvs ○
Leptospermum scoparium et cvs ○ △
Ligustrum ovalifolium, p. 94 ○ △
Lonicera nitida ○
Photinia × fraseri 'Birmingham', p. 85 ○ △
Pittosporum tenuifolium, p. 95 ○ △
Prunus laurocerasus ○
Prunus lusitanica ○
Pyracantha × watereri, p. 104 ○ △
Rosmarinus officinalis et cvs ○
Tamarix ramosissima, p. 88

Roses
Rosa californica △
Rosa 'Céleste', p. 149 △
Rosa 'Felicia', p. 149 △
Rosa gallica var. *officinalis* △
Rosa gallica 'Versicolor', p. 151 △
Rosa glauca, p. 150 △
Rosa 'Great Maiden's Blush', p. 149 △
Rosa 'Marguerite Hilling', p. 150 △

Rosa moyesii 'Geranium', p. 151 △
Rosa 'Nevada', p. 149 △
Rosa 'Penelope', p. 148 △
Rosa rugosa, p. 151 △

Herbes et bambous
Arundo donax △
Cortaderia selloana 'Sunningdale Silver', p. 180 △
Phyllostachys bambusoides, p. 182 ○ △
Semiarundinaria fastuosa, p. 182 △
Sinarundinaria nitida ○
Stipa gigantea, p. 181 ○

Vivaces
Echinops bannaticus, p. 190 △
Eupatorium purpureum, p. 193 △
Helianthus atrorubens 'Monarch'
Macleaya microcarpa 'Coral Plume', p. 189 △
Phormium tenax ○
Rudbeckia laciniata 'Goldquelle', p. 191 △
Veronica virginica f. *alba*, p. 202

Plantes pour le voisinage de la mer

⊙ signale des plantes particulièrement résistantes au voisinage immédiat de la mer, même avec des vents chargés de sable et d'embruns. Les autres plantes de cette liste demandent à être placées avec au moins un peu de recul ou alors à être protégées par des haies de végétaux très résistants qui atténuent les vents chargés d'embruns.

Arbres
Acer pseudoplatanus et cvs ○
Agonis flexuosa, p. 63 ○
Alnus incana, p. 40
Arbutus unedo, p. 66 ○
Crataegus
Elaeagnus angustifolia, p. 90 ⊙
Eucalyptus coccifera, p. 46 ○
Eucalyptus globulus ○
Eucalpytus gunnii, p. 46 ○
Fraxinus excelsior
Hippophae
Ilex aquifolium et cvs, pp. 70-71 ○
Laburnum
Laurus nobilis ○
Morus alba

Phoenix canariensis ○
Populus canescens, p. 40
Quercus ilex ○
Salix alba
Schefflera actinophylla, p. 57 ○
Schinus molle ○
Sorbus aria 'Lutescens', p. 51
Tabebuia chrysotricha, p. 69
Thevetia peruviana, p. 66 ○

Conifères
× *Cupressocyparis leylandii*, p. 73 ○
Cupressus macrocarpa ○
Cupressus sempervirens, p. 77 ○
Pinus nigra subsp. *nigra*, p. 76 ○

Arbustes et sous-arbrisseaux
Agave ○ ⊙
Atriplex ○ ⊙
Aucuba ○
Bupleurum fruticosum, p. 114 ○
Buxus ○
Calluna ○ ⊙
Ceanothus, certains ○
Chamaerops ○ ⊙
Cistus ○
Cotoneaster, certains ○
Chrysanthemum frutescens ○
Duranta repens, p. 118 ○
Elaeagnus pungens 'Maculata', p. 95 ○
Erica ○
Escallonia ○ ⊙
Euonymus japonicus ○ ⊙
Euphorbia characias subsp. p. 124 ○
Fatsia japonica ○
Felicia amelloides 'Santa Anita', p. 136 ○
Fuchsia
Garrya ○
Genista hispanica, p. 138
Griselinia ○
Halimium lasianthum subsp. *formosum*, p. 137 ○
Hebe ○
Hibiscus rosa-sinensis ○
Hippophae rhamnoides, p. 92 ⊙
Lavandula ○
Mahonia ○
Malvaviscus arboreus, p. 89 ○
Myrtus ○
Nerium ○
Olearia ○ ⊙
Phillyrea ○
Photinia, certains ○
Pittosporum ○ ⊙
Potentilla
Pyracantha coccinea 'Lalandei' ○
Rosmarinus officinalis, p. 135 ○
Santolina ○
Senecio ○
Spartium

Tamarix ☉
Ulex
Viburnum tinus, p. 117 ○
Yucca ○

Plantes grimpantes
Antigonon leptopus, p. 167 ○
Bougainvillea glabra,
  p. 172 ○
Eccremocarpus scaber,
  p. 175 ○
Ercilla volubilis ○
Euonymus fortunei
  'Coloratus' ○
Hedera ○ ○
Pandorea jasminoides,
  p. 166 ○
Pyrostegia venusta, p. 176 ○
Schisandra rubriflora, p. 169
Solandra maxima, p. 164 ○
Tropaeolum tuberosum 'Ken
  Aslet', p. 174
Wistaria sinensis, p. 173

Vivaces
Anaphalis margaritacea,
  p. 200
Anchusa azurea 'Loddon
  Royalist', p. 213
Anthurium andraeanum,
  p. 223 ○
Artemisia absinthium
  'Lambrook Silver' ○
Centaurea hypoleuca 'John
  Coutts', p. 236
Echinacea purpurea
Erigeron 'Charity', p. 235
Eryngium variifolium,
  p. 243 ○
Euphorbia griffithii
  'Fireglow', p. 216
Geranium sanguineum,
  p. 294
IRIS, pp. 196-197, certains ○
Kniphofia caulescens,
  p. 221 ○
Lupinus
Peperomia obtusifolia
  'Variegata', p. 261 ○
Phormium tenax ○
Pilea cadierei, p. 256 ○
Romneya coulteri, p. 188
Salvia argentea, p. 201
Senecio × *hybridus* ○
Senecio maritima ○
Tradescantia fluminensis ○

Annuelles et bisannuelles
Antirrhinum majus et cvs
Calendula officinalis, séries et
  cvs
Coreopsis tinctoria, p. 280
Cynoglossum amabile
  'Firmament', p. 278
Dahlia, hybrides Coltness,
  p. 273
Eschscholtzia californica,
  p. 282
Gilia capitata, p. 277
Godetia amoena et séries
Helichrysum bracteatum et
  cvs
Helipterum roseum, p. 265
Impatiens, série Novette ○
Kochia scoparia f.
  trichophylla, p. 279
Limnanthes douglasii, p. 280

Matthiola
Portulaca grandiflora, séries
  et cvs
Tagetes

Plantes de rocaille
Achillea clavennae, p. 313 ○
Aethionema grandiflorum,
  p. 292 ○
Dianthus deltoides ○
Draba aizoides ○
Epilobium glabellum,
  p. 291 ○
Iberis sempervirens, p. 286 ○
Origanum laevigatum, p. 294
Phlox subulata 'Marjory',
  p. 318 ○
Pulsatilla vulgaris, p. 288 ○
Saxifraga paniculata ○
Sedum spathulifolium 'Cape
  Blanco', p. 331 ○
Sempervivum arachnoideum,
  p. 329 ○
Thlaspi rotundifolium, p. 305
Viola cornuta, p. 289

**Plantes à bulbes, cormus ou
  tubercules**
Amaryllis belladonna, p. 342 ○
Canna × *generalis* cvs
Crinum
Crocus
Eucharis grandiflora,
  p. 355 ○
Freesia
Galtonia candicans, p. 332
Hippeastrum
Hyacinthus orientalis et cvs
Hymenocallis
NARCISSES, pp. 348-349
Nerine
Scilla
Sprekelia formosissima,
  p. 343
TULIPES, pp. 344-345
Veltheimia bracteata, p. 355
Zantedeschia aethiopica ○

Arbustes appréciant la protection d'un mur

Acacia pravissima, p. 69 ○
Artemisia arborescens,
  p. 143 ○
Buddleia crispa, p. 111 ○
Ceanothus impressus,
  p. 113 ○
Chaenomeles speciosa
  'Moerloosii', p. 98 ○
Chimonanthus praecox
Daphne odora
  'Aureomarginata', p. 142 ○
Elsholtzia stauntonii, p. 141 ○
Escallonia 'Iveyi', p. 86 ○
Fabiana imbricata 'Violacea',
  p. 113
Feijoa sellowiana, p. 111 ○
Fremontodendron 'California
  Glory', p. 91 ○
Garrya elliptica; p. 93 ○
Jasminum mesnyi, p. 165 ○
Lagerstroemia indica, p. 64
Leptospermum scoparium
  'Red Damask', p. 99 ○

Lonicera fragrantissima
Melianthus major ○
Olearia × *scilloniensis* ○
Pyracantha atalantioides
  'Aurea', p. 92 ○
Robinia hispida, p. 109
Rosa banksiae 'Lutea',
  p. 162 ○
Rosa 'Mermaid', p. 162 ○
Rosmarinus officinalis,
  p. 135 ○
Salvia involucrata 'Bethellii',
  p. 193
Solanum crispum 'Glasnevin',
  p. 172 ○
Tibouchina urvilleana, p. 90
Viburnum foetens, p. 117

Plantes couvrant rapidement le sol (ou un support, pour les grimpantes)

Arbustes
Ceanothus thyrsiflorus var.
  repens, p. 136 ○
Hypericum calycinum,
  p. 138 ○
Lantana camara ○

Plantes grimpantes
Hedera helix (petits cvs) ○
Hydrangea anomala subsp.
  petiolaris, p. 166
Lonicera japonica cvs ○
*Trachelospermum
  asiaticum* ○
*Trachelospermum
  jasminoides*, p. 165 ○

Fougères
Polystichum aculeatum ○
Polystichum setiferum,
  p. 185 ○

Vivaces
Alchemilla mollis, p. 245 ○
anthemis punctata subsp.
  cupaniana, p. 233 ○
Euphorbia amygdaloides
  subsp. *robbiae*, p. 228 ○
Galeobdolon argentatum ○
Geranium macrorrhizum,
  p. 236 ○
Heterocentron elegans,
  p. 241 ○
Lamium maculatum et cvs ○
Osteospermum jucundum,
  p. 236 ○
Pulmonaria (la plupart),
  plusieurs ○
Stachys byzantina, p. 260 ○
Symphytum × *uplandicum*
  'Variegatum', p. 199

Annuelles et bisannuelles
Lathyrus odoratus 'Bijou',
  p. 268
Portulaca grandiflora, séries
  et cvs
Sanvitalia procumbens, p. 280
Tropaeolum majus, séries et
  cvs

Plantes de rocaille
Arabis caucasica et cvs ○
Aubrietia ○
Campanula poscharskyana,
  p. 321
Helianthemum ○
Phlox douglasii cvs ○
Phlox subulata ○
Phuopsis stylosa, p. 292 ○
Polygonum affine et cvs
Polygonum vacciniifolium,
  p. 327 ○
Saxifraga stolonifera ○
Tiarella cordifolia, p. 287 ○
Waldsteinia ○

Plantes couvre-sol pour endroits ombragés ou mi-ombragés

P : végétaux supportant
l'ombre complète

Arbustes
Daphne laureola var. *philippi*,
  p. 124 ○ P
Epigaea ○
Euonymus fortunei
  'Kewensis' ○
Gaultheria shallon,
  p. 130 ○ P
Leucothoe fontanesiana ○
Mahonia repens ○ P
Pachysandra terminalis,
  p. 328 ○
Ruscus hypoglossum,
  p. 144 ○ P
Sarcococca humilis,
  p. 142 ○ P
Vinca minor, p. 144 ○ P

Plantes grimpantes
Asteranthera ovata ○
Berberidopsis corallina,
  p. 169 ○
Epipremnum aureum 'Marble
  Queen', p. 177 ○
Hedera colchica 'Dentata',
  p. 179 ○
Hydrangea anomala subsp.
  petiolaris, p. 166

Fougères
Adiantum venustum, p. 187 ○
Blechnum penna-marina ○
Polypodium vulgare, p. 187 ○
Polystichum setiferum,
  p. 185 ○

Vivaces
Alchemilla mollis, p. 245
Asarum caudatum ○
Aspidistra elatior ○
Bergenia cordifolia
  'Purpurea', p. 226 ○
Brunnera macrophylla ○
Euphorbia amygdaloides
  subsp. *robbiae*, p. 228 ○
Galeobdolon argentatum ○
Geranium macrorrhizum,
  p. 236 ○
Hosta fortunei 'Albopicta',
  p. 244

Pellionia daveauana, p. 259 ○
Plectranthus oertendahlii ○
Pulmonaria saccharata, p. 228 ○
Tellima grandiflora 'Purpurea', p. 258 ○
Tolmiea menziesii ○
Tradescantia fluminensis 'Variegata', p. 256 ○
Waldsteinia ternata, p. 325 ○

Plantes de rocaille
Asarina procumbens, p. 324 ○
Brunella grandiflora, p. 321 ○
Cardamine trifolia, p. 302 ○
Mitchella repens ○
Saxifraga stolonifera ○
Tiarella cordifolia, p. 287 ○

Plantes couvre-sol pour endroits ensoleillés

Conifères
Juniperus communis 'Prostrata' ○
Juniperus sabina var. *tamariscifolia*, p. 82 ○
Juniperus squamata 'Blue Carpet' ○
Microbiota decussata, p. 82 ○
Picea abies 'Inversa' ○

Arbustes
Arctostaphylos uva-ursi, p. 328 ○
Calluna vulgaris 'White Lawn' ○
Ceanothus thyrsiflorus var. *repens*, p. 136 ○
Cotoneaster microphyllus var. *cochleatus* ○
Cotoneaster 'Skogholm' ○
Erica carnea 'Springwood White', p. 146 ○
Hebe pinguifolia 'Pagei', p. 291 ○
Hypericum calycinum, p. 138 ○
Lantana montevidensis, p. 135 ○
Leiophyllum buxifolium ○
Rosmarinus officinalis 'Prostratus' ○
Salix repens, p. 124 ○
Stephanandra incisa 'Crispa'

Plantes grimpantes
Anredera cordifolia ○
Campsis radicans
Clematis armandii, p. 170 ○
Clematis rehderiana, p. 171 ○
Clematis tangutica, p. 171 ○
Decumaria sinensis ○
Hardenbergia comptoniana, p. 164 ○
Hibbertia scandens ○
Kennedia rubicunda, p. 163 ○
Lathyrus latifolius, p. 169 ○
Lonicera japonica 'Halliana', p. 173 ○
Parthenocissus tricuspidata, p. 176
Pyrostegia venusta, p. 176 ○
Trachelospermum asiaticum ○

Vitis coignetiae, p. 176 ○
Vitis davidii

Vivaces
Anthemis punctata subsp. *cupaniana*, p. 233 ○
Centaurea montana, p. 241 ○
Euphorbia polychroma, p. 232 ○
Geranium sanguineum, p. 294 ○
Heterocentron elegans, p. 241 ○
Lamium maculatum, p. 226 ○
Lysimachia punctata, p. 214 ○
Nepeta × *faassenii*, p. 242 ○
Osteospermum jucundum, p. 236 ○
Peltiphyllum peltatum, p. 197
Phlomis russeliana, p. 214 ○
Rheum palmatum 'Atrosanguineum', p. 189 ○
Stachys buzantina, p. 260 ○

Annuelles et bisannuelles
Toutes celles qui s'étalent.

Plantes de rocaille
Acaena microphylla, p. 329 ○
Arabis caucasica 'Variegata', p. 302 ○
Armeria maritima 'Vindictive', p. 320 ○
Aubrietia et cvs ○
Aurinia saxatilis, p. 290 ○
Campanula poscharskyana, p. 321 ○
Dianthus gratianopolitanus, p. 317 ○
Dryas octopetala, p. 315 ○
Helianthemum 'Ben More', p. 294 ○
Hypericum olympicum ○
Iberis sempervirens, p. 286 ○
Lithodora diffusa 'Heavenly Blue', p. 297 ○
Nierembergia repens, p. 314 ○
Phlox douglasii 'Crackerjack', p. 319 ○
Phuopsis stylosa, p. 292 ○
Polygonum affine et cvs ○
Veronica prostrata 'Kapitan', p. 297

Plantes pour intervalles de dallage et pour fissures et poches de terre dans les murs

Annuelles et bisannuelles (pas pour murs)
Ageratum houstonianum (petits cvs)
Ionopsidium acaule
Limnanthes douglasii, p. 280
Lobelia erinus et cvs
Lobularia maritima
Malcolmia maritima, p. 267
Nemophila maculata, p. 263
Nemophila menziesii, p. 277
Portulaca grandiflora, séries et cvs

Plantes de rocaille
Acaena microphylla, p. 329 ○
Aethionema 'Warley Rose', p. 316 ○

Alyssum montanum ○
Aubrietia ○
Campanula poscharskyana, p. 321 ○
Dianthus deltoides ○
Erinus alpinus, p. 306 ○
Gypsophila repens et cvs ○
Helianthemum ○
Hypericum olympicum
Lithodora diffusa 'Heavenly Blue', p. 297 ○
Parahebe lyallii ○
Phlox douglasii et cvs ○
Ramonda myconi (pour murs seulement), p. 322 ○
Saxifraga cotyledon, p. 292 ○
Sedum spathulifolium 'Cape blanco', p. 331 ○
Sempervivum montanum, p. 330 ○

Plantes pour l'ombre ou la mi-ombre sèche

Conifères
Taxus baccata 'Adpressa' ○

Arbustes
Buxus sempervirens ○
Daphne laureola ○ P
Elaeagnus × *ebbingei* ○ P
Gaultheria shallon, p. 130 ○ P
Hypericum × *inodorum* 'Elstead', p. 138
Ilex aquifolium, p. 70 ○ P
Lonicera pileata, p. 144 ○ P
Mahonia aquifolium, p. 125 ○ P
Ruscus ○ P
Viburnum rhytidophyllum, p. 86 ○
Vinca major ○ P
Vinca minor, p. 144 ○ P

Plantes grimpantes
Berberidopsis corallina, p. 169 ○
Epipremnum aureum 'Marble Queen', p. 177 ○
Hedera canariensis ○
Lapageria rosea, p. 168 ○
Lonicera japonica 'Halliana', p. 173 ○
Philodendron scandens, p. 178 ○

Fougères supportant une certaine sécheresse de l'air et une relative sécheresse du sol
Cyrtomium falcatum, p. 185 ○
Microlepia strigosa, p. 184 ○
Nephrolepis exaltata, p. 186 ○
Phyllitis scolopendrium, p. 187 ○
Polypodium vulgare, p. 187 ○ P
Pteris cretica, p. 185 ○

Vivaces
Alchemilla mollis, p. 245 ○
Galeobdolon argentatum ○
Iris foetidissima ○

Kohleria digitaliflora, p. 204 ○
Tellima grandiflora ○
Tolmiea menziesii ○
Tradescantia zebrina 'Quadricolor' ○

Plantes à bulbes, cormus ou tubercules
Clivia miniata, p. 350 ○
Hyacinthoides hispanica, p. 346
Hyacinthoides non-scriptus, p. 346

Plantes pour l'ombre ou la mi-ombre humide

Arbustes
Clethra arborea ○
Crataegus laevigata 'Punicea'
Kalmia latifolia, p. 109 ○
Lindera benzoin, p. 99 ○
Neillia thibetica, p. 108 ○
Paeonia lutea var. *ludlowii*, p. 199
Paeonia suffruticosa 'Rock's Variety', p. 198
Pieris formosa var. *forrestii* 'Wakehurst', p. 110 ○
Pittosporum eugenioides ○
Prunus laurocerasus ○ P
RHODODENDRONS, pp. 100-102, la plupart ○
Salix magnifica
Skimmia japonica, p. 143 ○
Viburnum 'Pragense', p. 107 ○

Plantes grimpantes
Akebia quinata, p. 164 parfois ○
Asteranthera ovata ○
Decumaria sinensis ○
Dioscorea discolor, p. 177 ○
Humulus lupulus 'Aureus', p. 164 ○
Hydrangea anomala subsp. *petiolaris*, p. 166 ○
Pileostegia viburnoides, p. 166 ○
Schizophragma integrifolium, p. 166 ○
Smilax china
Thunbergia mysorensis, p. 165 ○
Trachelospermum jasminoides, p. 165 ○

Fougères
Athyrium nipponicum, p. 187 P
Cyathea australis, p. 72 ○
Dicksonia antarctica, p. 184 ○ P
Dryopteris goldiana P
Lunathyrium japonicum ○
Lygodium japonicum ○
Matteuccia struthiopteris, p. 186
Onoclea sensibilis, p. 186 ○
Osmunda regalis, p. 186 P
Polystichum munitum, p. 184 ○
Woodwardia radicans ○

Vivaces
Actaea pachypoda, p. 217
Anemone × hybrida et cvs
Anthurium scherzerianum, p. 258 ○
Aruncus dioicus, p. 188
Begonia rex et ses hybrides ○
Bergenia ○
Calathea zebrina, p. 223 ○
Cardamine pentaphyllos, p. 227
Convallaria majalis, p. 225
Dichorisandra reginae, p. 211 ○
Helleborus orientalis, pp. 256, 257, 258 ○
HOSTAS, p. 244
Kirengeshoma palmata, p. 221
Polygonatum × hybridum, p. 197
PRIMEVÈRES (beaucoup), pp. 230-231
Ruellia devosiana, p. 234 ○
Trillium grandiflorum, p. 225 P
Uvularia grandiflora, p. 229
Vancouveria hexandra, p. 287

Plantes à bulbes, cormus ou tubercules
Arisaema
Arisarum proboscideum
Arum italicum 'Pictum', p. 363
Camassia leichtlinii, p. 332
Galanthus elwesii, p. 369
Galanthus nivalis et cvs
Galanthus plicatus
Leucojum aestivum, p. 332
Leucojum vernum, p. 356
Narcissus cyclamineus, p. 349

Plantes pour sols sableux

Arbres
Acacia dealbata, p. 56 ○
Acer negundo
Agonis flexuosa, p. 63 ○
Betula pendula 'Dalecarlica', p. 47
Castanea sativa
Celtis australis, p. 41
Cercis siliquastrum, p. 61
Eucalyptus ficifolia ○
Gleditsia triacanthos
Melia azedarach, p. 49
Nothofagus obliqua, p. 42
Phoenix canariensis ○
Quercus ilex ○
Schinus molle ○

Conifères
Abies grandis, p. 76 ○
× Cupressocyparis leylandii et cvs ○
Cupressus glabra ○
Juniperus ○
Larix decidua
Pinus pinaster, p. 75 ○
Pinus radiata, p. 76 ○
Pseudotsuga menziesii var. glauca, p. 74 ○
Thuja occidentalis et cvs ○

Arbustes
Berberis empetrifolia, p. 125 ○
Calluna vulgaris et cvs ○
Ceanothus thyrsiflorus ○
Cistus ○
Cytisus scoparius
Erica arborea var. alpina, p. 146 ○
Erica cinerea et cvs ○
Genista tinctoria, p. 125
Hakea lissosperma ○
Lavandula ○
Pernettya mucronata et cvs ○
Physocarpus opulifolius
Rosa pimpinellifolia, p. 148
Rosmarinus officinalis et cvs ○
Spartium junceum, p. 115
Ulex europaeus, p. 125
Yucca gloriosa, p. 105 ○

Plantes grimpantes
Adlumia fungosa
Anredera cordifolia ○
Bomarea andimarcana ○
Clianthus puniceus, p. 163 ○
Kennedia rubicunda, p. 163 ○
Merremia tuberosa ○
Petrea volubilis, p. 164 ○
Streptosolen jamesonii, p. 178 ○
Solanum wendlandii, p. 172 ○
Tropaeolum tricolorum, p. 163 ○
Vitis vinifera 'Purpurea', p. 176

Vivaces
Acanthus spinosus, p. 210 ○
Aphelandra squarrosa 'Louisae', p. 215 ○
Artemisia ludoviciana var. albula, p. 223
Asphodeline lutea, p. 199
Bilbergia nutans, p. 222 ○
Centranthus ruber, p. 207
Cryptanthus zonatus ○
Echinops sphaerocephalus, p. 188
Eryngium tripartitum, p. 212
Foeniculum vulgare 'Purpureum'
Gaillardia × grandiflora et cvs
Limonium latifolium 'Blue Cloud', p. 242
Nepeta × faassenii, p. 242
Origanum vulgare 'Aureum', p. 245
Papaver orientale
PÉLARGONIUMS, pp. 206-207 ○
Romneya coulteri, p. 188
Ruellia devosiana, p. 234 ○
Sansevieria trifasciata 'Laurentii', p. 224 ○
Strelitzia reginae, p. 224 ○

Annuelles et bisannuelles
Anchusa capensis et cvs
Antirrhinum majus et cvs
Brachycome iberidifolia, p. 278

Chrysanthemum segetum, p. 281
Cleome hassleriana
Coreopsis tinctoria, p. 280
Exacum affine, p. 275 ○
Helichrysum bracteatum, série Monstrosum, p. 284
Impatiens, série Novette ○
Limnanthes douglasii, p. 280
Limonium sinuatum, p. 266
Linaria maroccana 'Fairy Lights', p. 274
Lobularia maritima
Mentzelia lindleyi, p. 280
Papaver rhoeas, série Shirley, pp. 266, 272
Portulaca grandiflora, séries et cvs
Schizanthus
Tagetes
Verbena × hybrida, séries et cvs

Plantes de rocaille
Acaena caesiiglauca, p. 330 ○
Achillea × kellereri, p. 315 ○
Aethionema 'Warley Rose', p. 316 ○
Arabis ferdinandi-coburgii 'Variegata', p. 328 ○
Arenaria montana, p. 314
Armeria juniperifolia, p. 305 ○
Cytisus × beanii, p. 289 ○
Dianthus deltoides ○
Gypsophila repens ○
Helianthemum ○
Iberis saxatilis, p. 314 ○
Linum suffruticosum subsp. salsoloides
Phlox bifida, p. 321 ○
Saponaria ocymoides, p. 318 ○
Sedum ○
Sempervivum ○

Plantes à bulbes, cormus ou tubercules
Babiana rubro-cyanea, p. 360 ○
Brodiaea coronaria
Crocus
Freesia
IRIS (bulbeux), pp. 196-197
Ixia
Muscari
Narcissus tazetta et Div. 8
Ornithogalum
Scilla
Tigridia pavonia, p. 353
Zephyranthes

Cactées et plantes grasses
Toutes.

Plantes pour sols argileux

☐ supporte un sol peu drainant ; les autres ont besoin d'un drainage raisonnable.

Arbres
Acer negundo
Acer platanoides

Aesculus
Alnus glutinosa ☐
Betula alba
Cercis siliquastrum, p. 61
Drimys winteri, p. 51 ○
Fagus fastigiata
Fraxinus
Juglans nigra, p. 42
Laburnum × watereri 'Vossii', p. 65
Liquidambar styraciflua, p. 44
Malus (beaucoup)
Melaleuca quinquenervia ○
Oxydendrum arboreum, p. 50
Populus ☐
Prunus
Pterocarya fraxinifolia ☐
Quercus, certains ○
Salix
Sorbus aria
Tilia × euchlora

Conifères

☒ pour sols argileux drainés, neutres ou un peu acides

Abies ○☒
Chamaecyparis ○☒
Cryptomeria ○ ☐
Juniperus ○☒
Larix ☒
Metasequoia ○ ☐
Pinus ○ ☒
Toxadium distichum ☐
Thuya ○ ☒

Arbustes
Acer palmatum
Aronia arbutifolia, p. 97 ☐
Berberis × stenophylla, p. 103 ○
Berberis wilsoniae
CAMELLIA, pp. 96-97 ○
Choysia ternata, p. 95 ○
Cornus ☐
Corylus
Cotoneaster ○
Cytisus scoparius ○
Daphne mezereum, p. 142 ○
Escallonia
Forsythia
Garrya elliptica, p. 93 ○
Hydrangea
Hypericum patulum ○
Ilex ○
Kerria
Laurus nobilis ○
Lavatera olbia
Ledum groenlandicum, p. 122 ○ ☐
Magnolia (ajouter du sable au sol, bien drainer)
Mahonia
Osmanthus delavayi, p. 84 ○
Philadelphus
Pieris japonica, p. 84 ○
RHODODENDRONS, pp. 100-102
Ribes sanguineum (acceptable)
Rosa
Salix caprea ☐
Salix purpurea ☐
Sambucus racemosa

Spartium junceum, p. 115
Tetrapanax papyriferus,
 p. 94 ○
Viburnum lentago
Viburnum opulus
Weigelia

Plantes grimpantes
Celastrus scandens
Humulus lupulus 'Aureus',
 p. 164
Rosa filipes 'Kiftgate',
 p. 160
Vitis coignetiae, p. 176

Fougères
Matteuccia struthiopteris,
 p. 186 □
Onoclea sensibilis, p. 186 □
Osmunda regalis, p. 186 □
Thelypteris palustris, p. 186
 □
Woodwardia radicans ○ □

Vivaces
Acanthus
Achillea 'Coronation Gold',
 p. 215
Achillea filipendulina
Althaea
Anchusa
Anémones du Japon
Aruncus dioicus, p. 188 □
Aster
Bergenia ○
Campanula persicifolia et cvs
Chrysanthemum (espèces
 rustiques)
Coreopsis auriculata
Coreopsis verticillata, p. 248
Cyperus papyrus, p. 181 ○ □
Delphinium elatum
Dianthus (avec soins
 particuliers, en les
 surveillant bien)
Digitalis
Echinops ritro
Eremurus
Filipendula ulmaria 'Aurea',
 p. 245 □
Gentiana sino-ornata, p. 327
Geranium
Gunnera manicata, p. 190 □
Helenium
Helianthus
Heliopsis
Helonias bullata ○ □
Hemerocallis
HOSTA, p. 244
Houttuynia cordata
 'Chamaeleon', p. 373 □
Inula
Iris germanica
Iris laevigata, p. 197 □
Kniphofia
Lupinus
Lychnis chalcedonica, p. 216
Lythrum □
Monarda
Peltiphyllum peltatum,
 p. 197 □
PIVOINES (herbacées),
 pp. 198-199
Primula florindae, p. 231 □
Primula japonica □
Primula vulgaris, p. 231
Rudbeckia

Scrophularia auriculata
 'Variegata' □
Senecio
Solidago
Spiraea aruncus, p. 188
Thalictrum flavum
Trollius □
Viola cornuta, p. 289

**Plantes à bulbes, cormus ou
 tubercules**
Allium albo-pilosum, p. 352
Endymion
Galanthus
Hyacinthus (ajouter un peu
 de sable au sol)
Lilium candidum, p. 338
Lilium martagon, p. 338
Muscari
NARCISSES (la plupart),
 pp. 348-349

Plantes aquatiques
Butomus umbellatus,
 p. 374 □
Caltha palustris, p. 377 □
Lysichiton americanus,
 p. 377 □
Pontederia cordata, p. 374 □
Ranunculus lingua, p. 377 □
Sagittaria latifolia, p. 372 □

Plantes pour terrains calcaires

Arbres
Acer
Aesculus
Ailanthus
Alnus
Betula
Broussonetia
Carpinus
Celtis
Cercis siliquastrum, p. 61
Corylus
Crataegus
Fagus
Fraxinus ornus, p. 49
Gleditsia
Ilex aquifolium et cvs,
 pp. 70-71 ○
Juglans
Laburnum
Malus
Morus
Paulownia
Phillyrea latifolia ○
Populus
Prunus
Quercus
Robinia pseudoacacia 'Frisia',
 p. 54
Sophora
Sorbus
Tilia
Zelkova

Conifères
Calocedrus decurrens, p. 78 ○
Cedrus libani, p. 75 ○
Chamaecyparis lawsoniana et
 cvs ○
× Cupressocyparis leylandii

et cvs ○
Cupressus glabra ○
Juniperus communis ○
Juniperus × media ○
Picea omorika, p. 75 ○
Pinus mugo ○
Pinus nigra ○
Taxus baccata et cvs ○
Thuja occidentalis ○
Thuja orientalis et cvs ○
Thuja plicata et cvs ○

Arbustes et sous-arbrisseaux
Amelanchier
Baccharis ○
Berberis, certains ○
Buddleia
Bupleurum ○
Buxus ○
Campsis
Caragana
Caryopteris
Ceanothus ○
Cistus ○
Cotoneaster ○
Deutzia
Elaeagnus, certains ○
Euonymus
Genista
Forsythia
Helianthemum
Hibiscus
Hypericum
Jasminum
Kerria
Laurus ○
Lavandula ○
Ligustrum
Malus sargentii, p. 84
Malus sieboldii, p. 97
Nerium oleander, p. 88 ○
Philadelphus
Phlomis fruticosa, p. 138 ○
Polygonum
Potentilla (espèces arbustives
 ou sous-ligneuses)
Rhamnus
Rhus
Ribes
Rosa rugosa, p. 151
Rosmarinus ○
Sambucus
Santolina
Sorbaria
Spartium
Spiraea
Symphoricarpus
Syringa
Viburnum
Vitex agnus-castus
Xanthoceras
Yucca

Plantes grimpantes
Campsis × tagliabuana
 'Mme Galen', p. 175
Celastrus orbiculatus
CLÉMATITES (sol peu
 calcaire) pp. 170-171,
 certaines ○
LIERRE, p. 179
Lonicera, certains ○
Parthenocissus
Passiflora caerulea, p. 172 ○
Rosa 'Albéric Barbier',
 p. 160
Rosa 'Albertine', p. 161 ○

Rosa banksiae 'Lutea',
 p. 162 ○
Wistaria sinensis, p. 173

Fougères
Dryopteris filix-mas, p. 184
Phyllitis scolopendrium,
 p. 187
Polypodium vulgare
 'Cornubiense', p. 186 ○
Polystichum setiferum,
 p. 185 ○

Vivaces
Acanthus spinosus, p. 210
Achillea filipendulina 'Gold
 Plate', p. 215
Bergenia ○
Doronicum
Eryngium, certains ○
Gypsophila paniculata cvs
Helenium
IRIS (la plupart), pp. 196-
 197, certains ○
Salvia nemorosa
Scabiosa caucasica 'Clive
 Greaves', p. 242
Sidalcea
Verbascum ○
Veronica spicata (sol un peu
 ou moyennement calcaire)

Annuelles et bisannuelles
Ageratum houstonianum et
 cvs
Calendula officinalis, séries et
 cvs
Callistephus chinensis, séries
 et cvs
Cheiranthus cheiri, séries et
 cvs ○
Gomphrena globosa, p. 275
Humea elegans, p. 274
Lavatera trimestris 'Silver
 Cup', p. 268
Limonium sinuatum, p. 266
Lobularia maritima
Matthiola
Salvia horminum, p. 275
Tagetes
Ursinia anthemoides, p. 282
Xeranthemum annuum
Zinnia

Plantes de rocaille
Aethionema ○
Alyssum ○
Campanula (la plupart des
 espèces naines pour
 rocaille), certaines ○
Chrysanthemum hosmariense,
 p. 286 ○
Dianthus (la plupart des
 espèces naines pour
 rocaille) ○
Draba ○
Erysimum helveticum,
 p. 313 ○
Gypsophila repens ○
Helianthemum ○
Leontopodium alpinum,
 p. 286
Origanum dictamnus ○
Papaver burseri
Saponaria ocymoides, p. 318
Saxifraga (la plupart) ○
Thymus caespititius, p. 315 ○

Veronica (toutes les espèces de rocaille), certaines ○

Plantes à bulbes, cormus ou tubercules
Babiana
Chionodoxa
Colchicum
Crinum × powellii, p. 333
Crocus
GLAÏEULS, p. 334
Leucocoryne ixioides, p. 346
Lilium regale, p. 338
Muscari
NARCISSES, pp. 348-349
Scilla
TULIPES, pp. 344-345
Zephyranthes

Plantes pour terrains neutres ou acides

Arbres
Acer negundo et cvs
Ailanthus altissima
Arbutus ○
Betula
Castanea
Cercis
Embothrium ○
Gleditsia
Ilex aquifolium, p. 70 ○
Populus alba, p. 39
Populus canescens, p. 40
Populus tremula
Robinia
Stuartia
Styrax japonica, p. 50
Ulmus pumila

Conifères
Abies ○
Cupressus glabra ○
Juniperus ○
Picea (la plupart), ○
Pinus ○
Pseudolarix amabilis, p. 79
Pseudotsuga ○
Sciadopitys verticillata, p. 78 ○
Tsuga heterophylla ○

Arbustes
Acer ginnala, p. 68
Berberis
BRUYÈRES (la plupart), pp. 146-147 ○
CAMELLIAS, pp. 96-97 ○
Caragana arborescens
Cistus ○
Colutea arborescens, p. 114
Cotoneaster ○
Desfontainea spinosa, p. 111 ○
Elaeagnus angustifolia, p. 90
Epacris impressa, p. 123 ○
Ephedra ○
Genista ○
Hakea ○
Helianthemum ○
Hibiscus ○
Ilex crenata
Indigofera

Kerria japonica
Leucothoe ○
Lonicera
Lycium barbarum
Pernettya ○
Philesia magellanica ○
Pieris ○
Physocarpus opulifolius
RHODODENDRONS, pp. 100-102, certains ○
Rosa pimpinellifolia, p. 148
Salix caprea
Salix repens, p. 124
Styrax officinalis, p. 86
Tamarix
Telopea speciosissima, p. 110 ○
Ulex
Vaccinium, la plupart ○
Viburnum lentago
Zenobia pulverulenta, p. 106

Plantes grimpantes
Agapetes (plusieurs) ○
Asteranthera ovata ○
Berberidopsis corallina, p. 169 ○
Mitraria coccinea, p. 164 ○

Vivaces
Cypripedium reginae, p. 252 ○
Drosera ○
Nepenthes ○
Sarracenia flava, p. 245 ○
Trillium
Uvularia

Plantes de rocaille
Arctostaphylos ○
Cassiope ○
Cyananthus ○
Epigaea ○
Galax urceolata, p. 291 ○
Gentiana sino-ornata, p. 327 ○
Leucothoe keiskei ○
Lithodora diffusa ○
Mitchella repens ○
Ourisia ○
Pernettya ○
Phyllodoce ○
Pieris nana ○
Shortia ○
Vaccinium, la plupart ○

Plantes à graines ou fruits décoratifs

Arbres
Arbutus ○
Cornus kousa
Cotoneaster frigidus
Crataegus (la plupart)
HOUX (la plupart), pp. 70-71, la plupart ○
Koelreuteria paniculata, p. 65
Magnolia, certains ○
Malus (la plupart)
Schinus molle ○
Sorbus (la plupart)

Conifères
Abies (certains) ○
Cedrus (certains) ○

Picea (certains) ○
Pinus (certains) ○

Arbustes
Aucuba japonica, p. 120 ○
Berberis (la plupart), certains ○
Callicarpa bodinieri
Cotoneaster (la plupart), certains ○
Decaisnea fargesii, p. 90
Euonymus (beaucoup), certains ○
Hippophae rhamnoides, p. 92
Hypericum × inodorum 'Elstead', p. 138
Pernettya mucronata et cvs ○
Pyracantha ○
ROSES (la plupart), pp. 148-162, certaines ○
Sambucus racemosa
Skimmia (certains) ○
Symphoricarpos
Viburnum (plusieurs), certains ○

Plantes grimpantes
Actinidia chinensis
Akebia, parfois ○
Cardiospermum halicacabum
Celastrus orbiculatus
Clematis orientalis
Holboellia coriacea ○
ROSES (un certain nombre), pp. 148-162, certaines ○
Trichosanthes anguina
Tropaeolum speciosum, p. 168

Vivaces
Actaea
Clintonia borealis
Disporum hookeri
Iris foetidissima ○
Ophiopogon ○
Physalis alkekengi
Phytolacca
Podophyllum

Annuelles et bisannuelles
Briza maxima
Capsicum annuum et cvs
Coix lacryma-jobi, p. 182
Lagurus ovatus, p. 180
Lunaria annua, p. 269
Martynia annua, p. 264
Nigella damascena et cvs
Zea mays

Plantes de rocaille
Acaena microphylla, p. 329 ○
Cornus canadensis, p. 314 ○
Dryas octopetala, p. 315 ○
Gaultheria (la plupart) ○
Maianthemum
Mitchella repens ○
Nertera granadensis, p. 327 ○
Pulsatilla (la plupart)

Plantes à bulbes, cormus ou tubercules
Allium christophii, p. 352

Arisaema triphyllum, p. 352
Arum italicum 'Pictum', p. 363
Cardiocrinum giganteum, p. 333

Plantes aquatiques
Nelumbo
Nuphar lutea, p. 377

Plantes à feuillage aromatique

Arbres
Agonis flexuosa, p. 63 ○
Eucalyptus ○
Laurus nobilis ○
Populus balsamifera
Populus trichocarpa
Sassafras albidum, p. 42
Umbellularia california, p. 48 ○

Conifères
Calocedrus decurrens, p. 78 ○
Chamaecyparis ○
Cupressus ○
Juniperus ○
Pseudotsuga menziessi ○
Thuja (la plupart) ○

Arbustes
Aloysia triphylla, p. 111 ○
Artemisia abrotanum, p. 144 ·
Choisya ternata, p. 95 ○
Elsholtzia stauntonii, p. 141 ○
Hyssopus officinalis, p. 136 ○
Lavandula ○
Lindera
Myrtus communis, p. 97 ○
PÉLARGONIUMS (à feuillage aromatique), pp. 206-207 ○
Prostanthera ○
Rhododendron rubiginosum ○
Rosmarinus officinalis, p. 135 ○
Salvia officinalis et cvs ○

Vivaces
Artemisia absinthium 'Lambrook Silver' ○
Chamaemelum nobile ○
Chrysanthemum parthenium, p. 263 ○
Geranium macrorrhizum, p. 236 ○
Houttuynia cordata 'Chamaeleon', p. 373 ○
Mentha, certaines ○
Monarda didyma
Myrrhis odorata, p. 201 ○
Origanum vulgare
Perovskia atriplicifolia

Plantes de rocaille
Mentha requienii ○
Origanum laevigatum, p. 294
Satureja montana
Thymus ○

587

Plantes à fleurs parfumées

Arbres
Bauhinia variegata, p. 69
Clethra arborea ○
Drimys winteri, p. 51 ○
Magnolia grandiflora ○
Magnolia kobus, p. 48
Malus hupehensis, p. 48
Pittosporum tenuifolium,
  p. 95 ○
Pittosporum undulatum ○
Robinia pseudoacacia
Styrax japonica, p. 50 ○
Tilia × *euchlora*

Arbustes
Buddleia davidii et cvs
Chimonanthus praecox
Choisya ternata, p. 95 ○
Cytisus battandieri, p. 91 ○
Daphne (beaucoup),
  la plupart ○
Hamamelis mollis
Lonicera fragrantissima
Magnolia stellata, p. 97
Osmanthus ○
Philadelphus (beaucoup)
ROSES (beaucoup), pp. 148-
  162, certaines ○
Sarcococca ○
Syringa (beaucoup)
Viburnum (beaucoup),
  certains ○

Plantes grimpantes
Clematis montana 'Elizabeth'
Hoya carnosa, p. 166 ○
Jasminum (beaucoup), la
  plupart ○
Lathyrus odoratus
Lonicera (beaucoup),
  certains ○
Mandevilla laxa
ROSES (beaucoup), pp. 160-
  162, certaines ○
Stephanotis floribunda,
  p. 163 ○
Trachelospermum ○
Wistaria

Vivaces
Convallaria majalis, p. 225
Cosmos atrosanguineus, p. 208
Crambe cordifolia, p. 188
Hedychium gardnerianum,
  p. 194
Hosta plantaginea, p. 244
Iris unguicularis ○
Nicotiana sylvestris, p. 188
ŒILLETS (la plupart),
  pp. 238-239 ○
Petasites fragrans ○
Primula elatior, p. 231
Primula veris, p. 231
Tulbaghia natalensis ○
Verbena × *hybrida* 'Defiance',
  p. 272 ○

Annuelles et bisannuelles
Centaurea moschata, p. 279
Cheiranthus cheiri, séries et
  cvs ○

Exacum affine, p. 275 ○
Lathyrus odoratus et cvs
Lobularia maritima
Matthiola incana
Nicotiana alata, p. 200
Reseda odorata, p. 263
Scabiosa atropurpurea

Plantes de rocaille
Alyssum montanum ○
Dianthus (la plupart) ○
Erysimum helveticum,
  p. 313 ○
Papaver nudicaule
Primula auricula
Viola odorata ○

Plantes à bulbes, cormus ou tubercules
Arisaema candidissimum,
  p. 364
Chlidanthus fragrans, p. 365
Crocus angustifolius
Cyclamen persicum, p. 370
Cyclamen repandum
Eucharis grandiflora, p. 355 ○
Hymenocallis
LIS (plusieurs), p. 338
Narcissus jonquilla et Div. 7
  hybrides
Narcissus tazetta et Div. 8
  hybrides
Ornithogalum arabicum,
  p. 351
Polianthes tuberosa

Fleurs à couper

Arbustes
Calluna vulgaris (grands cvs) ○
Camellia japonica et cvs ○
Erica ○
Forsythia
Hamamelis mollis
Lonicera fragrantissima
Philadelphus
ROSES (certaines), pp. 148-
  162, certaines ○
Salix caprea
Syringa et cvs
Turraea obtusifolia, p. 140 ○

Vivaces
Anaphalis
Anchusa azurea
Anemone × *hybrida* et cvs
Astrantia major, p. 234
Cattleya (la plupart)
CHRYSANTHÈMES, pp. 218-
  219
Cymbidium (la plupart) ○
DELPHINIUMS (la plupart),
  p. 192
Helleborus niger, p. 257
ŒILLETS, pp. 238-239 ○
Phalaenopsis (la plupart) ○
Phlox paniculata et cvs
Rudbeckia (la plupart)
Strelitzia reginae, p. 224 ○

Annuelles et bisannuelles
Amaranthus caudatus, p. 270
Callistephus chinensis, séries et
  cvs

Centaurea cyanus et cvs
Centaurea moschata, p. 279
Cosmos, série Bright Lights
Gaillardia pulchella
  'Lollipops', p. 282
Gypsophila elegans, p. 262
Helipterum roseum, p. 265
Lathyrus odoratus et cvs
Limonium sinuatum, p. 266
Matthiola et cvs
Moluccella laevis, p. 279
Xeranthemum annuum
Zinnia elegans (grands
  hybrides)

Plantes à bulbes, cormus ou tubercules
Allium (les plus grands)
Alstroemeria
DAHLIAS, pp. 340-341
GLAÏEULS, p. 334
LIS, p. 334
NARCISSES, pp. 348-349
Nerine bowdenii, p. 354
Ornithogalum thyrsoides,
  p. 351
Polianthes tuberosa
TULIPES, pp. 344-345
Zantedeschia aethiopica ○

Fleurs à faire sécher

Arbres
Acacia dealbata, p. 56 ○
Acacia longifolia ○
Syringa et cvs

Arbustes
Acacia (la plupart) ○
Calluna vulgaris et cvs ○
Cassinia ○
Fothergilla major, p. 95
Garrya elliptica, p. 93 ○
Helichrysum (la plupart) ○
Holodiscus discolor, p. 87
Lavandula ○
Rosmarinus officinalis et cvs ○

Vivaces
Achillea, certaines ○
Artemisia (plusieurs),
  certaines ○
Astilbe (la plupart)
Catananche caerulea 'Major',
  p. 242
Echinops
Eryngium, certains ○
Eupatorium (certains)
Gypsophila paniculata 'Bristol
  Fairy', p. 200
Limonium (la plupart)
Lythrum
Rodgersia
Solidago (la plupart)
Typha

Annuelles et bisannuelles
Amaranthus caudatus, p. 270
Centaurea cyanus
Gilia capitata, p. 277
Gomphrena globosa, p. 275
Gypsophila elegans, p. 262

Helichrysum bracteatum, série
  Monstrosum, p. 284
Helipterum
Limonium sinuatum, p. 266
Moluccella laevis, p. 279
Onopordum acanthium, p. 266
Salvia horminum et séries
Scabiosa atropurpurea
Xeranthemum annuum

Plantes rampantes ou retombantes pour murs ou paniers suspendus

Conifères
Juniperus horizontalis et cvs ○
Juniperus squamata 'Blue
  Carpet' ○
Microbiota decussata, p. 82 ○

Arbustes
Ceanothus thyrsiflorus var.
  repens, p. 136 ○
Cotoneaster microphyllus ○
Hebe pinguifolia 'Pagei',
  p. 291 ○
Helichrysum petiolare,
  p. 143 ○
Leptospermum humifusum,
  p. 128 ○
Salix repens, p. 124

Vivaces
Campanula isophylla ○
Columnea (la plupart) ○
Cyanotis kewensis ○
Episcia cupreata, p. 257 ○
Lotus berthelotii, p. 240 ○
Pelargonium peltatum et
  cvs ○
Pellionia daveauana, p. 259 ○
Ruellia devosiana, p. 234 ○
Tradescantia fluminensis et cvs
  ○
Tradescantia zebrina, p. 257 ○

Annuelles et bisannuelles
Limnanthes douglasii, p. 280
Lobelia erinus et cvs
Nemophila maculata, p. 263
Nolana paradoxa
Petunia, série Cascade
Petunia, série Jamboree
Portulaca grandiflora, séries et
  cvs
Sanvitalia procumbens, p. 280
Tropaeolum majus, séries et
  cvs

Plantes de rocaille
Arabis caucasica ○
Cytisus × *beanii*, p. 289
Euphorbia myrsinites, p. 311 ○
Gypsophila repens ○
Lithodora diffusa et cvs ○
Lysimachia nummularia
  'Aurea', p. 326 ○
Oenothera missouriensis,
  p. 325
Othonnopsis cheirifolia,
  p. 298 ○

Parahebe catarractae, p. 296 ○
Parochetus communis,
  p. 324 ○
Phlox subulata ○
Polygonum vacciniifolium,
  p. 327 ○
Pterocephalus perennis subsp.
  perennis, p. 320 ○
Saxifraga stolonifera ○

Plantes à mettre en pot ou jardinière

Arbres
Acer negundo
Cordyline australis et cvs ○
Crataegus laevigata et cvs
Eucalyptus (les jeunes) ○
Ficus (la plupart) ○
Ilex aquifolium et cvs ○
Jacaranda mimosifolia, p. 52
Laurus nobilis ○
Malus (petites espèces et cvs)
Melia azederach, p. 49
Olea europaea ○
Phoenix canariensis ○
Prunus (petites espèces et cvs)
Sorbus (petites espèces et cvs)
Washingtonia ○

Conifères
Toutes les petites espèces et
  petits cvs des genres suivants
Abies ○
Chamaecyparis ○
Juniperus ○
Picea ○
Pinus ○
Thuja ○
Thujopsis ○

Arbustes
Buxus sempervirens et cvs ○
Catharanthus roseus, p. 128 ○
Erica ○
FUCHSIAS, pp. 132-133 ○
Hebe ○
Hydrangea macrophylla et cvs ○
Lavandula ○
Myrtus communis, p. 97 ○
Pittosporum ○
RHODODENDRONS (la
  plupart), pp. 100-102, la
  plupart ○
ROSES (la plupart), pp. 148-
  162, certaines ○
Santolina ○
Senecio (espèces arbustives et
  sous-arbustives) ○
Spiraea
Viburnum tinus, p. 117 ○

Plantes grimpantes
Cissus antarctica, p. 178 ○
CLÉMATITES (petits cvs),
  pp. 170-171, certaines ○
Cobaea scandens, p. 172 ○
Eccremocarpus scaber,
  p. 175 ○
Hedera helix et cvs ○
Ipomaea, plusieurs ○
Jasminum (espèces
  grimpantes), certains ○

Lathyrus (espèces grimpantes)
Lonicera (espèces grimpantes),
  certains ○
Mandevilla ○
Passiflora ○
Stephanotis floribunda,
  p. 163 ○
Tropaeolum (espèces
  grimpantes)

Fougères
Adiantum (la plupart) ○
Athyrium nipponicum, p. 187 ○
Phyllitis scolopendrium
  'Crispum', p. 187 ○
Polypodium vulgare
  'Cornubiense', p. 186 ○
Polystichum setiferum
  'Densum', p. 187 ○

Vivaces
Agapanthus
Bergenia ○
Geranium, certains ○
Geum
Hemerocallis
HOSTAS, p. 244
Phormium ○
PRIMEVÈRES, pp. 230-231
Pulmonaria, certaines ○
Rudbeckia fulgida
  'Goldsturm', p. 215 ○
Salvia (beaucoup)
Stachys, certaines ○
Verbena, certaines ○
Veronica spicata

Annuelles et bisannuelles
Ageratum
Browallia speciosa, p. 223 ○
Calendula officinalis, séries et
  cvs
Callistephus chinensis, séries et
  cvs
Coleus blumei, séries et cvs ○
Impatiens, série Novette ○
Kochia scoparia f. *trichophylla*,
  p. 279 ○
Lobelia erinus et cvs ○
Nemesia strumosa et séries
Petunia
Salpiglossis sinuata, séries et
  cvs
Tagetes
Viola × *wittrockiana*

Plantes de rocaille
Presque toutes les plantes de
  rocaille peuvent être
  recommandées, mais
  surtout :
Campanula (beaucoup),
  certaines ○
Dianthus (beaucoup) ○
Geranium (plusieurs),
  certains ○
Hebe ○
Helianthemum ○
Iberis sempervirens, p. 286 ○
Penstemon (beaucoup),
  certains ○
Phlox (plusieurs) ○
Polygonum affine
Primula auricula et hybrides

Saponaria ocymoides, p. 318 ○
Saxifraga (beaucoup) ○
Silene schafta, p. 319

Plantes à bulbes, cormus ou tubercules
Presque toutes peuvent
  convenir, mais surtout les
  suivantes :
Begonia × *tuberhybrida*
  hybrides
Crinum
Crocus
Hyacinthus orientalis et cvs ○
LIS (la plupart), p. 338
NARCISSES, pp. 348-349
TULIPES, pp. 344-345
Zantedeschia aethiopica
  'Crowborough', p. 332 ○

Plantes aquatiques
En pot ou conteneur spécial,
  étanche
Aponogeton distachyos, p. 373
Eichhornia crassipes,
  p. 374 ○
Menyanthes trifoliata, p. 372 ○
Nelumbo nucifera et cvs
Pontederia cordata, p. 374 ○
NÉNUPHARS (petits),
  p. 376

Plantes architecturales (de forme nette et caractéristique)

Arbres
Cordyline ○
Dracaena draco, p. 72 ○
Eucalyptus (beaucoup) ○
Jacaranda mimosifolia, p. 52
Kalopanax pictus, p. 53
Magnolia (plusieurs),
  certains ○
Paulownia tomentosa, p. 49
Phoenix canariensis ○
Trachycarpus fortunei,
  p. 57 ○
Trochodendron aralioides,
  p. 57 ○
Washingtonia ○

Conifères
Abies ○
Araucaria ○
Calocedrus decurrens, p. 78 ○
Cedrus ○
Juniperus × *media*
  'Pfitzeriana', p. 83 ○
Metasequoia glyptostroboides,
  p. 74
Picea ○
Pseudolarix amabilis, p. 79
Sciadopitys verticillata,
  p. 78 ○
Sequoia sempervirens ○
Sequoiadendron giganteum,
  p. 74 ○
Taxodium distichum, p. 76
Tsuga heterophylla ○

Arbustes
Aesculus parviflora, p. 88
Brachyglottis repanda,
  p. 95 ○
Cycas revoluta, p. 120 ○
Daphniphyllum macropodum,
  p. 86 ○
Eriobotrya japonica ○
Fatsia japonica et *F.j.*
  'Variegata', p. 119 ○
Mahonia (la plupart) ○
Protea ○
Rhus typhina et *R.t.*
  'Laciniata', p. 92 ○
Yucca ○

Plantes grimpantes
Epipremnum aureum 'Marble
  Queen', p. 177 ○
Hedera colchica 'Dentata',
  p. 179 ○
Monstera deliciosa, p. 178 ○
Schizophragma integrifolium,
  p. 166 ○
Vitis coignetiae, p. 176

Fougères
Cyathea australis, p. 72 ○
Dicksonia antarctica,
  p. 184 ○
Matteuccia struthiopteris,
  p. 186
Phyllitis scolopendrium
  'Crispum', p. 187 ○
Platycerium bifurcatum,
  p. 184 ○
Polystichum munitum,
  p. 184 ○
Woodwardia radicans ○

Vivaces
Acanthus spinosus, p. 210
Angelica archangelica, p. 190
Berkheya macrocephala,
  p. 215
Crambe cordifolia, p. 188
Cynara cardunculus, p. 190
Echinops bannaticus, p. 190
Ensete ventricosum, p. 195 ○
Gunnera manicata, p. 190
Heliconia ○
Ligularia (la plupart)
Macleaya
Meconopsis (la plupart),
  plusieurs ○
Peltiphyllum peltatum, p. 197 ○
Phormium tenax et cvs ○
Rodgersia

Annuelles et bisannuelles
Amaranthus tricolor et cvs ○
Helianthus annuus et cvs ○
Humea elegans, p. 274 ○
Onopordum acanthium,
  p. 266 ○
Silybum marianum, p. 266 ○
Verbascum densiflorum ○

Plantes à bulbes, cormus ou tubercules
Arisaema (la plupart)
Arum creticum, p. 347
Begonia rex et hybrides ○

Begonia × *tuberhybrida* hybrides
Canna × *generalis* cvs
Dracunculus vulgaris, p. 336
GLAÏEULS (la plupart), p. 334
Sauromatum venosum, p. 343
Zantedeschia aethiopica ○

Plantes aquatiques

Colocasia esculenta et cvs ○
Eichhornia crassipes, p. 374 ○
Lysichiton americanus, p. 377
Nelumbo nucifera et cvs
Orontium aquaticum, p. 377
Sagittaria

Cactées et plantes grasses

La plupart des grandes espèces, notamment les suivantes :
Aeonium tabuliforme, p. 398 ○
Aloe (la plupart) ○
Carnegiea gigantea, p. 378 ○
Cereus (la plupart) ○
Cyphostemma juttae, p. 380 ○
Opuntia (la plupart) ○

Plantes résistant bien à la pollution urbaine ou industrielle

Arbres

Acer (beaucoup d'entre eux, mais pas les Érables du Japon)
Aesculus
Ailanthus altissima
Alnus cordata, p. 41
Alnus glutinosa et cvs

Alnus incana et cvs
Amelanchier
Betula papyrifera, p. 46
Betula pendula et cvs
Carpinus betulus et cvs
Catalpa bignonioides, p. 51
Crataegus (la plupart)
Davidia involucrata, p. 50
Eucalyptus (la plupart) ○
Fagus
Fraxinus
Ginkgo biloba, p. 75
Ilex aquifolium et cvs ○
+ *Laburnocytisus adamii*
Laburnum
Ligustrum lucidum et cvs ○
Liriodendron tulipifera et cvs
Magnolia acuminata
Magnolia denudata
Magnolia kobus, p. 48
Magnolia × *loebneri* et cvs
Magnolia × *soulangeana* et cvs
Malus
Mespilus germanica, p. 58
Morus nigra
Platanus
Populus (la plupart)
Prunus avium, p. 45
Prunus cerasifera et cvs
Pterocarya
Pyrus (la plupart)
Quercus × *hispanica*
Quercus ilex ○
Quercus × *turneri*, p. 47
Rhus (la plupart)
Robinia pseudoacacia et cvs
Salix (la plupart)
Sorbus aria
Sorbus aucuparia, p. 54

Conifères

Fitzroya cupressoides, p. 78 ○
Metasequoia glyptostroboides
Taxus baccata et cvs ○
Taxus cuspidata et cvs ○

Taxus × *media* et cvs ○
Torreya californica ○

Arbustes

Acanthopanax
Amelanchier
Aralia elata
Arbutus unedo et cvs ○
Aucunba japonica et cvs ○
Berberis
Buddleia davidii et cvs
Buxus sempervirens et cvs ○
Ceratostigma willmottianum, p. 141
Chaenomeles
Cistus ○
Colutea arborescens, p. 114
Colutea × *media*, p. 115
Cornus alba et cvs
Cotoneaster (la plupart) ○
Cytisus (la plupart)
Daphne mezereum, p. 142
Elaeagnus × *ebbingei*
Elaeagnus pungens et cvs
Escallonia
Euonymus fortunei et cvs ○
Eunomymus japonicus et cvs ○
Fatsia japonica ○
Forsythia
Garrya ○
Genista (beaucoup)
Hibiscus sinosyriacus
Hibiscus syriacus
Hydrangea macrophylla
Hypericum
Ilex aquifolium et cvs ○
Kerria japonica, p. 99
Leycesteria formosa
Ligustrum japonicum ○
Ligustrum ovalifolium, p. 94 ○
Lonicera pileata, p. 144 ○
Lycium
Magnolia grandiflora et cvs ○

Magnolia × *soulangeana* et cvs
Magnolia stellata
Mahonia aquifolium, p. 125
Mahonia japonica, p. 119 ○
Mahonia lomariifolia ○
Mahonia × *media*
Osmanthus ○
× *Osmarea burkwoodii*, p. 84 ○
Pernettya mucronata et cvs ○
Philadelphus
Phillyrea ○
Physocarpus
Prunus laurocerasus et cvs ○
Pyracantha
Rhododendron luteum, p. 102
Rhodotypos scandens, p. 126
Rhus glabra, p. 111
Rhus typhina
Ribes
ROSES (beaucoup), pp. 148-162
Sambucus nigra
Senecio monroi, p. 139 ○
Skimmia japonica et cvs ○
Sorbaria
Spartium junceum, p. 115
Spiraea
Staphylea
Stranvaesia davidiana, p. 67 ○
Symphoricarpos
Syringa
Tamarix petrandra, p. 88
Ulex
Viburnum
Vinca major et cvs ○
Vinca minor et cvs ○
Weigelia florida et cvs

Plantes grimpantes

Ampelopsis (la plupart)
Hedera ○
Parthenocissus

Glossaire

Les termes en gras renvoient à d'autres entrées.

A

Acaule (adj.) : sans tige, ou presque; les entre-nœuds étant très petits (comme chez la pâquerette), la tige n'est pas apparente, et les insertions de feuilles sont groupées tout près de la surface du sol.

Accrescent (adj.) : se dit d'une partie d'une fleur continuant à croître après le début de la floraison.

Aciculaire (adj.) : se dit d'une feuille mince et très allongée, comme une aiguille.

Acuminé (adj.) : dont le sommet se termine brusquement en pointe.

Adventive (racine) (adj.) : racine poussant sur un organe qui ordinairement n'en porte pas (p. ex. sur une tige).

Aigrette (n. f.) : touffe, en forme d'aigrette, de poils très doux et souples surmontant certaines graines ou certains fruits.

Ailé (adj.) : se dit d'un organe portant une excroissance en forme d'aile.

Akène (n. m.) : fruit sec indéhiscent, à péricarpe non adhérent à la graine.

Alcalin (adj.) : se dit de la réaction d'un sol dont le pH est supérieur à 7. Le sol acide a un pH inférieur à 7, le sol neutre a un pH 7.

Aoûté (adj.) : se dit d'un rameau jeune qui s'est lignifié en cours d'été.

Aphylle (adj.) : dépourvu de feuilles.

Aréole (n. f.) : zone arrondie entourant un orifice. Chez les cactées sans feuilles, il s'agit d'un organe spécial (comprenant un bourgeon, un «œil», caractéristique de cette famille, portant souvent des groupes de glandes, d'aiguillons et de poils, et donnant naissance à des tiges ou des fleurs).

Arille (n. f.) : tégument charnu entourant en grande partie la graine, comme chez l'if. Cela ressemble à un fruit, mais ce n'est pas un fruit. (Un fruit véritable résulte de la transformation de l'ovaire après la fécondation.)

Article (n. m.) : partie d'organe comprise entre 2 étranglements ou 2 articulations.

Art topiaire (sens moderne du terme) (adj.) : méthode de culture et de taille, visant à donner à des végétaux des formes géométriques, figuratives, ou abstraites. Les ifs et les buis se prêtent facilement à ce jeu. Il s'agit d'obtenir une sculpture végétale.

Auricule (n. f.) : groupe de primevères (*Primula auricula* et ses hybrides avec *Primula rubra*).

Auriculé (adj.) : portant 2 formations foliacées latérales, appelées oreillettes.

B

Bacciforme (adj.) : en forme de baie.

Bifide (adj.) : séparé ou fendu assez profondément en 2 parties (p. ex. les feuilles de *Bauhinia*).

Bouture à chaud : bouture cultivée à la chaleur (entre 2° et 25° C).

Bouture à l'écusson, syn. de bouture d'œil.

Bouture d'œil : bouture constituée d'un petit morceau de tige portant un «œil» (un bourgeon).

Bouture à talon : bouture de tige se terminant à sa base par un empattement (un empattement est la partie basale plus ou moins élargie par laquelle un rameau est inséré sur un rameau principal, une branche ou un tronc).

Bractée (n. f.) : feuilles modifiées accompagnant souvent les fleurs. Parfois, elles sont grandes; parfois, elles sont très colorées (p. ex. chez les *Poinsettias*).

Bulbe (n. m.) : **1** (sens biologique strict) – organe (généralement souterrain ou partiellement enterré, et de forme le plus souvent gobuleuse) constitué d'un plateau (qui est une tige très courte, à entre-nœuds très courts) portant des feuilles transformées entièrement ou partiellement, renflées et charnues, et un bourgeon plus ou moins central. Un bulbe est un organe de protection pour le bourgeon et il contient des réserves nutritives dans les tissus charnus. Suivant le type de transformation des feuilles, le bulbe est tuniqué (comme chez le narcisse ou l'oignon, où les feuilles ont une forme de tunique, surtout renflée à la base; à l'extérieur, des tuniques minces et sèches entourent et protègent le bulbe), ou écailleux (comme chez la tulipe ou le lis, où les feuilles sont en forme d'écailles charnues).

2 (dans le commerce horticole) – bulbes et **cormus**. Dans cette encyclopédie, nous utilisons le terme de plante bulbeuse pour les plantes à bulbes ou à cormus. Dans tous les cas où il s'agit d'un cormus, cela est précisé ensuite.

C

Caïeu (n. m.) : petit bulbe formé à la suite de la croissance d'un bourgeon à l'intérieur d'un bulbe; le bulbe initial est ainsi fragmenté en un ou plusieurs caïeux qui se séparent.

Calice (n. m.) : enveloppe extérieure des fleurs, formée par les sépales.

Calcicole (adj.) : se plaisant en sol calcaire.

Calcifuge (adj.) : ne supportant pas les sols calcaires.

Canaliculé (adj.) : creusé longitudinalement d'un canal en forme de gouttière (se dit notamment pour certains pétioles) ou marqué de rainures longitudinales.

Carpelle (n. m.) : ensemble de pièces (ovaire, **style** et **stigmate**) qui constituent le **pistil** lorsqu'il est réduit à un corps unique.

Caulescent (adj.) : possédant une tige bien développée avec des entre-nœuds bien apparents (contrairement aux plantes acaules).

Caulinaire (adj.) : en rapport avec la tige, ou, pour les feuilles, attaché à la tige (contrairement aux feuilles radicales, attachées à la souche, juste au-dessus du sol).

Capitule (n. m.) : inflorescence formée de fleurs assez petites ou très petites, **sessiles** (ou presque), portées par un support élargi (le réceptacle) sur lequel elles sont serrées. P. ex. : les scabieuses, et l'ensemble de la famille des Composées.

Cascade (chrysanthème) : catégorie de chrysanthèmes rustiques d'origine japonaise, à nombreux petits **capitules** simples ou semi-doubles, à cœur jaune. Leurs tiges sont longues et souples. En obligeant la tige principale à pousser à 45° par rapport à l'axe du pot, et ses ramifications secondaires à pousser dans un même plan, on obtient un tapis, que l'on peut ensuite placer en cascade. En pratique, pendant la période de culture, c'est le pot qui est maintenu incliné à 45° par rapport à la verticale, et le tapis de tiges, feuilles et fleurs pousse horizontalement, avant d'être placé dans sa position pendante, en cascade, à la floraison ou un peu avant.

Céphalium (n. m.) : formation tomenteuse ou «laineuse» à peu près cylindrique, se développant sur le sommet de certaines cactacées, à l'endroit d'où partent les groupes de fleurs.

Cespiteux (adj.) : croissant en petites touffes, gazonnant.

Charnu (adj.) : se dit d'un fruit dont la ou les graines sont contenues dans une masse de consistance charnue (contrairement aux fruits secs). Ces fruits charnus sont des drupes (à graine enfermée dans un noyau contenu dans la masse charnue) ou des baies (dont les graines, appelées pépins, sont directement situées dans la masse charnue). Pour les feuilles, ou les tiges, le mot charnu (synonyme dans ce cas de crassulescent) désigne l'état des organes des plantes «grasses» (épaissis et contenant un suc riche en eau).

Cladodes (n. m.) : petits rameaux verts ayant tout à fait l'aspect et la fonction de feuilles. Leur forme peut être aplatie (comme chez les *Ruscus*), linéaire (comme chez *Asparagus sprengeri*) ou filiformes (comme chez *Asparagus plumosus*). Dans certains cas, comme chez les *Ruscus,* les cladodes portent directement des fleurs et des fruits, ce que de vraies feuilles ne font jamais.

Clone (n. m.) : groupe de plantes issues de multiplication végétative à partir d'un seul individu de départ. Le patrimoine génétique de ces individus est rigoureusement le même, sauf dans le cas où des mutations génétiques interviennent (ce qui est rare et n'a d'incidence sur le plan décoratif que si elles ont un effet significatif dans ce domaine). Les plantes d'un clone sont donc comme des jumeaux vrais. Cela est justifié pour obtenir des fruits comestibles d'une espèce donnée (toutes les variétés de pommes, poires, etc. des vergers sont des clones), ou des arbres d'une couleur ou d'un port vraiment particuliers et réguliers. Par contre il est fatigant, plat et un peu artificiel d'abuser de ces clones, surtout pour les végétaux très colorés ou à port très caractéristique. Quand dans une ville avec ses jardins privés ou publics, on peut voir 7000 exemplaires du même forsythia, 4000 du même pyracantha, une lassitude plus ou moins consciente se produit dans le public. Donc il ne faut pas hésiter, pour une partie des végétaux d'un jardin, à utiliser une multiplication par graines obtenues spontanément. Par exemple, des pêchers, des pyracanthas, des cotoneasters reproduits par graine, se ressembleront, dans une espèce donnée, comme des frères ou des cousins, et non comme des frères jumeaux; beaucoup de jardiniers britanniques utilisent abondamment ce procédé. Les clones sont donc valables pour obtenir des résultats précis, avec des couleurs ou des ports à caractères

très marqués (p. ex. des pyracanthas à fruits d'un orange très vif), utilisables pour des points focaux ou des effets de stricte répétition. Mais quelques végétaux issus de graines apporteront, pour les zones de liaison, les bosquets, les massifs d'arbustes ou de vivaces, un fondu, une vie, un «naturel» dans les couleurs et les formes, dignes des meilleurs peintres, au lieu de la vulgarité d'un jardin composé d'un patchwork de clones voyants disposés de façon maladroite.

Conceptacle (n. m.) : réceptacle ou poche où sont réunis des organes sexuels.

Cordé (ou cordiforme) (adj.) : en forme de cœur.

Columnaire (ou colonnaire) (adj.) : en forme de colonne.

Coréens (chrysanthèmes) : catégorie de chrysanthèmes rustiques à petits **capitules** simples étagés sur des tiges nombreuses et ramifiées, d'allure rigide mais assez élégante.

Cormus (ou corme, ou bulbe solide) (n. m.) : organe ressemblant extérieurement à un vrai **bulbe,** mais formé d'une tige renflée, charnue, globuleuse, portant des feuilles transformées en écailles ou en tuniques généralement minces. Un cormus est généralement souterrain ou partiellement enterré.

Corymbe (n. m.) : inflorescence définie avec un axe principal terminé par une fleur; les **pédicelles** ne partent pas du même point (contrairement à l'ombelle). Il peut être simple, ou composé (les ramifications latérales se ramifient à leur tour). Comme dans une **ombelle,** mais contrairement à une **cyme,** la fleur terminale de l'axe principal fleurit la dernière.

Cryptogames (adj.) : se dit de plantes dont les organes de reproduction sont cachés (champignons, fougères).

Cupulaire (ou cupuliforme) (adj.) : en forme de coupe.

Cyme (n. f.) : inflorescence définie (son axe ou ses axes principaux sont terminés par une fleur) se ramifiant au-dessous de chaque fleur terminale. La cyme peut être unipare (avec un axe unique portant un seul petit rameau à chaque point de ramification. Si l'axe d'une cyme unipare, au lieu d'être presque droit, est courbé comme une queue de scorpion, la cyme est dite **scorpioïde.** Si les petits rameaux sur les axes de l'inflorescence sont disposés par paires opposées à chaque ramification, il s'agit d'une cyme bipare.

D

Décombant (adj.) : retombant du fait de son propre poids.

Déhiscent (adj.) : se dit d'un fruit s'ouvrant à maturité, contrairement au fruit indéhiscent.

Demi-herbacé (adj.) : chez les végétaux ligneux, se dit d'une tige ou d'un rameau dans lequel le processus de lignification (constitution du bois, avec notamment synthèse et fixation d'une substance organique spéciale, la lignine) est réalisé à moitié : la tige est alors plus raide qu'une tige herbacée, mais encore nettement plus souple qu'une tige entièrement lignifiée.

Diffus (adj.) : se dit du port d'un végétal dont les tiges et rameaux s'étalent d'une façon lâche, lui donnant une allure floue, désordonnée.

Dioïque (adj.) : se dit de plantes dont une partie des individus ne porte que des fleurs mâles et une autre partie ne porte que des fleurs femelles. Il y a donc des plantes mâles et des plantes femelles.

Distique (adj.) : se dit d'organes disposés en deux rangées opposées, ou sur deux côtés opposés, le long d'une tige. Il peut s'agir par exemple de feuilles, de tiges secondaires, ou des fleurs d'un épi.

Drageonnage (ou drageonnement) (n. m.) : utilisation de drageons séparés d'une plante pour la multiplication végétative. Un drageon est une tige adventive se formant spontanément sur les racines de certaines espèces végétales, dites drageonnantes (p. ex. les peupliers d'Italie, *Populus nigra* 'Italica').

Drupacé (adj.) : ayant l'aspect d'une **drupe.**

Drupe (n. f.) : voir charnu.

E

Ensiforme (adj.) : en forme d'épée.

Entier (adj.) : se dit de pétales ou de feuilles dont les bords sont unis, sans crénelures ni dents.

Épillet (n. m.) : petit épi.

Épiphyte (adj.) : plante croissant sur d'autres végétaux en les utilisant comme support, pour l'ensemble de la plante, sans parasitisme (p. ex. certaines orchidées poussant sur des arbres).

F

Falciforme (adj.) : en forme de lame de faux ou de faucille.

Fasciculé (adj.) : arrangé ou disposé en faisceau.

Fascié (adj.) : se dit d'une partie de tige aplatie, semblant comprimée.

Feuillé (adj.) : muni de feuilles.

Feuillu (adj.) : portant des feuilles.

Flabelliforme (adj.) : en forme d'éventail.

Fleuron (n. m.) : petites fleurs à corolle en tube formant la partie centrale (le disque) du capitule des plantes de la famille des Composées – (comme chez les pâquerettes), ou parfois même l'ensemble du capitule.

Foliacé (adj.) : ayant la texture ou l'aspect d'une feuille.

Follicule (n. m.) : fruit sec déhiscent s'ouvrant par une longue fente, et ayant pour origine un seul **carpelle** (ex. magnolia).

Frais (adj.) : se dit d'un sol assez humide, par opposition au sol sec, humide ou détrempé.

Frutescent (adj.) : à tige ligneuse.

G

Gaine foliaire (n. f.) : se dit de la base de certaines feuilles, quand elle forme une gaine (ou un fourreau) enveloppant la tige (p. ex. chez les Graminées).

Galbule (n. m.) : fructification sphérique de certains conifères; à maturité, les écailles des fleurs femelles s'épaississent, deviennent charnues, et donnent alors un galbule, ou fausse baie, comme chez les genévriers.

Gamopétale (adj.) : à pétales soudés.

Glochide (n. f.) : aiguillons portant des pointes retournées (un peu en hameçon). Lorsque ces aiguillons sont barbelés et spécialement fragiles, on les désigne par le terme **sétule.**

Glomérule (n. m.) : inflorescence en forme de petit amas compact, de petite «tête» globuleuse, comme chez les «mimosas» *(Acacia dealbata* et *Acacia baileyana).*

Glumes (n. f.) : **bractées** extérieures accompagnant les **épillets** des graminées. Elles entourent les glumelles (bractées intérieures plus petites situées immédiatement au voisinage de l'épillet).

Graminiforme (adj.) : se dit de feuilles en forme de feuilles de graminées (feuilles simples, en forme de ruban).

H

Hasté (adj.) : en forme de fer de lance.

Hibernacle (n. m.) : **1.** – nom donné par Linné à tous les organes capables de

protéger de jeunes pousses en hiver (bourgeons résistants au froid, bulbes, cormus, etc.).

2. (utilisé dans cette encyclopédie) – pour les plantes aquatiques, bourgeon résistant au froid, se détachant spontanément et capable de produire une nouvelle plante après l'hiver.

Humifère (adj.) : contenant de l'humus en proportion significative.

Hybride (n. m.) : produit du croisement entre 2 espèces ou 2 genres botaniquement différents.

I

Imparipenné (adj.) : se dit d'une feuille composée **pennée** terminée par une foliole; les folioles sont disposées par paires opposées le long de l'axe, sauf la foliole terminale, solitaire. Le nombre total de folioles est donc impair.

Incurvé (adj.) : courbé vers l'intérieur.

Indéhiscent (adj.) : se dit d'un fruit qui ne s'ouvre pas à maturité.

Inerme (adj.) : sans épines.

Infundibuliforme (adj.) : se dit d'une corolle **gamopétale** (à pétales soudés) en forme d'entonnoir évasé, comme p. ex. la corolle des liserons.

Involucre (n. m.) : un involucre de bractées est un ensemble de bractées disposées en groupe rapproché (souvent plus ou moins verticillé) à la base d'une fleur, d'une **ombelle** ou d'un **capitule.**

Irrégulier (adj.) : pour les fleurs, se dit de celles à symétrie par rapport à un plan.

L

Labelle (n. m.) : l'une des 3 divisions de la partie interne du **périanthe** des orchidées : elle diffère des 2 autres au moins par sa taille et sa forme, et elle est la plupart du temps antérieure et dirigée vers le bas.

Ligule (n. m.) : **1.** – petite languette membraneuse située à la base du limbe foliaire des graminées.
2. – corolle des demi-fleurons entourant le **capitule** de beaucoup de Composées. Cette corolle s'étale, souvent longuement, d'un seul côté, vers l'extérieur du capitule, formant un des rayons des fleurs de type marguerite. Ces fleurs ligulées de l'extérieur du capitule sont donc très différentes des fleurs tubulées à corolle peu développée de l'intérieur du capitule.

Limbe (n. m.) : partie principale, élargie

et étalée, d'une feuille, d'un **sépale** ou d'un pétale.

Ligulé (adj.) : en forme de **ligule.** Chez une partie des Composées, les fleurs tubulées forment un disque central, entouré d'un ou de plusieurs rangs de fleurs ligulées (dont la corolle est fendue d'un côté et s'étale en formant une languette), comme par exemple chez les fleurs périphériques d'un capitule de pâquerette.

Loriforme (adj.) : en forme de courroie.

M

«Mist-system» : système automatique permettant d'humidifier régulièrement par une brumisation d'eau la partie aérienne de boutures non encore racinées, dès qu'elles risquent de se dessécher. Système utile pour des boutures feuillées à feuilles fines très sensibles à la déshydratation.

Monoïque (adj.) : se dit d'une plante portant à la fois des fleurs uniquement mâles et d'autres fleurs uniquement femelles.

Monocarpique (adj.) : se dit de plantes fructifiant une seule fois et mourant ensuite.

Monospécifique (adj.) : se dit d'un genre ne comprenant qu'une seule espèce.

Mulch (n. m.) : mot anglais synonyme de paillis au sens large du terme (c'est-à-dire litière protectrice de paille, de feuilles, ou matériaux végétaux ne pourrissant pas facilement, disposés au pied de végétaux fragiles, notamment en période froide, ou pour éviter la déshydratation rapide d'un sol).

O

Obovale (adj.) : presque ovale, avec une partie plus large vers l'extrémité (donc plutôt de forme ovoïde qu'ovale).

Œilleton (n. m.) : petit rejet apparaissant spontanément sur la souche de certains végétaux, et pouvant servir à les propager végétativement.

Ombelle (n. f.) : sorte d'inflorescence constituée par des fleurs dont les **pédicelles** ou les **pédoncules** partent d'un même point et rayonnent en forme de parasol.

P

Palmatilobé (adj.) : se dit d'une feuille découpée en lobes peu profonds (n'atteignant pas la moitié du limbe) et disposés en éventail, un peu comme la palme d'un canard (p. ex. *Acer platanoides*).

Palmatiséqué (adj.) : se dit d'une feuille lobée dont les lobes, disposés en éventail, sont découpés jusqu'au point d'attache de la feuille sur le pétiole.

Palmé (adj.) : en forme de palme.

Panicule (n. f.) : grappe composée de forme générale pyramidale.

Papilionacé (adj.) : se dit des corolles de certaines Légumineuses, du type de celle du pois : corolle irrégulière, à symétrie bilatérale, à 5 pétales inégaux (1 carène, 2 ailes, 1 étendard).

Paripenné (adj.) : se dit d'une feuille composée pennée constituée de folioles groupées par paires opposées le long d'un axe, et ne possédant pas de foliole terminale solitaire. Le nombre total de folioles est donc pair.

Pauciflore (adj.) : portant un petit nombre de fleurs.

Pectiné (adj.) : en forme de peigne; constitué de segments étroits (feuilles en aiguille, ou folioles linéaires) disposés comme des dents de peigne.

Pédicelle (n. m.) : petite portion de tige portant une fleur, dans les inflorescences.

Pédoncule (n. m.) : portion de tige portant une fleur solitaire.

Pelté (adj.) : se dit d'une feuille en forme de bouclier (p. ex. la feuille de capucine). Le point de jonction du pétiole et du limbe foliaire se trouve nettement à l'intérieur de la face inférieure du limbe.

Pennatifide (adj.) : se dit d'une feuille à nervure centrale médiane, découpée des deux côtés à une profondeur moyenne, de façon rappelant une feuille pennée. Voir croquis p. 33.

Pennatilobé (adj.) : se dit d'une feuille penninervée (à nervures secondaires prenant naissance en plusieurs points de chaque côté de la nervure principale médiane) qui est également lobée.

Pennatiséqué (adj.) : se dit d'une feuille à nervure centrale médiane, découpée sur le même principe qu'une feuille pennatifide, mais plus profondément, les découpures atteignant la nervure médiane.

Penne (n. f.) : longue plume de l'aile ou de la queue des oiseaux.

Penné (adj.) : se dit d'une feuille composée dont les folioles sont disposées de chaque côté d'un axe, comme les barbes d'une penne.

Périanthe (n. m.) : ensemble formé par le calice et la corolle.

Péricarpe (n. m.) : paroi du fruit.

Pétaloïde (adj.) : semblable à un pétale.

Pétiole (n. m.) : support d'une feuille (appelé familièrement «queue») de forme généralement rétrécie et allongée, la reliant à la tige; certaines feuilles en sont dépourvues : insérées directement sur la tige, on les qualifie de **sessiles.**

Phyllodes (n. f.) : feuilles dont le **limbe** ne se développe pas, et dont le **pétiole,** en partie aplati et élargi, prend l'allure et les fonctions d'une feuille complète.

Pièces pétaloïdes : organes ayant l'aspect et le rôle de pétales (pétales vrais, mais aussi **sépales** pétaloïdes, et étamines transformées en pièces pétaloïdes).

Pinné (adj.) : synonyme de **penné.**

Pinnule (n. f.) : chez les fougères, division d'une fronde pennatiséquée.

Pistil (n. m.) : c'est l'organe femelle des fleurs, composé de l'ovaire et supportant le **style.**

Pneumatophore (n. m.) : excroissance aérienne apparaissant chez certaines espèces d'arbres quand elles poussent à proximité immédiate des eaux ou en sol saturé d'eau (p. ex. chez les cyprès chauves). Les pneumatophores permettent aux racines de respirer correctement.

R

Racème (n. m.) : synonyme de grappe.

Rachis (n. m.) : **1.** – axe central des feuilles composées **pennées.**
2. – axe principal central des grappes, **cymes** unipares, **corymbes** ou épis.

Racine pivotante : racine se développant essentiellement en un pivot (partie racinaire principale, forte, s'enfonçant profondément et presque verticalement dans le sol).

Radicant (adj.) : émettant des racines (p. ex. tiges de lierre).

Rameux (adj.) : possédant de nombreux rameaux.

Ramille (n. f.) : ramifications les plus fines d'un arbre ou d'un arbuste.

Ramule (n. m.) : chez les conifères, jeune pousse de l'année.

Récurvé (adj.) : recourbé, avec la concavité tournée vers l'extérieur (contraire d'incurvé).

Réfléchi (adj.) : se dit d'organes dont la courbure donne à leur extrémité une orientation opposée à celle de leur base

(ex. : pétales réfléchis du lis martagon).

Régulier (adj.) : pour les fleurs, se dit de celles possédant une symétrie axiale.

Remontant (adj.) : qui fleurit une deuxième fois pendant une période annuelle de végétation.

Révoluté (adj.) : dont les bords sont enroulés vers le dehors et le dessous.

Rhizome (n. m.) : tige à croissance souterraine ou à ras de terre, et portant des racines.

Rhizomateux (adj.) : émettant des rhizomes.

Rotacé (adj.) : en forme de roue.

S

Sagitté (adj.) : ayant la forme (triangulaire à base échancrée) de l'extrémité d'une flèche.

Samare (n. f.) : fruit sec indéhiscent (à une ou deux graines) dont le **péricarpe** est prolongé en lame membraneuse en forme d'aile (p. ex. érables).

Samaroïde (adj.) : se dit d'un fruit ailé, qui, sans être exactement une **samare,** a une apparence très proche.

Saprophyte (n. m. et adj.) : végétal dont le mode de nutrition utilise les matières organiques des restes morts d'organismes précédemment vivants (éventuellement en cours de décomposition), ou les déchets organiques d'autres êtres vivants (excréments, etc.).

Sarmenteux (adj.) : à tiges allongées, flexueuses, ligneuses (p. ex. la vigne).

Scarieux (adj.) : ayant l'apparence et la consistance d'un papier épais et sec, ou d'un parchemin mince, c'est-à-dire membraneux, sec, et souvent quelque peu translucide.

Scorpioïde (adj.) : courbé ou enroulé comme la queue d'un scorpion.

Sépale (n. m.) : pièce du **calice,** souvent verte (mais parfois colorée et semblable à un pétale).

Sessile (adj.) : sans **pétiole** (pour une feuille) ou sans **pédoncule** ou **pédicelle** (pour une fleur).

Sétule (n. f.) : aiguillon barbelé (notamment chez certaines cactées).

Spadice (n. m.) : épi de fleurs enveloppé (au moins au départ) par une formation en cornet dissymétrique appelée **spathe,** comme chez les arums.

Spathe (n. f.) : voir **spadice.**

Spiciforme (grappe) (adj.) : dont les fleurs ont des **pédicelles** tellement courts qu'elle ressemble à un épi.

Sporange (n. m) : chez les plantes **cryptogames, conceptacle** en forme de capsule contenant les **spores.**

Spores (n. f.) : organe de multiplication des plantes **cryptogames.**

Squamiforme (adj.) : en forme d'écaille.

Standard : mot du jargon horticole désignant le résultat d'un procédé de culture et de taille appliqué à certains arbustes et certaines plantes poussant naturellement en touffe. En sélectionnant une tige et en supprimant progressivement les bourgeons jusqu'à une hauteur choisie (souvent comprise entre 80 cm et 1 m), on forme une sorte de tronc en haut duquel on laisse se développer les ramifications pour obtenir une masse plus ou moins globuleuse. Ce procédé s'utilise notamment pour les fuchsias et les anthémis.

Stigmate (n. m.) : partie supérieure terminale du **pistil** par où les grains de pollen s'échappent au moment de la reproduction.

Stipe (n. m.) : tige, le plus souvent cylindrique, des palmiers.

Stipules (n. f.) : petits organes foliacés situés à la base de certaines feuilles.

Stipulaire (adj.) : qui se rapporte aux stipules.

Stolon (n. m.) : tige rampant près du sol où elle s'enracine et bourgeonne en plusieurs endroits en formant ainsi des plantules.

Stolonifère (adj.) : capable d'émettre des stolons.

Stratifié (adj.) : se dit de graines disposées par couches superposées disposées dans du sable ou de la terre. Cette méthode est utilisée pour des graines dures, longues à faire germer, qui de cette manière se conservent bien et sont préparées à bien germer.

Strobile (n. m.) : nom du cône ligneux et de forme globuleuse, caractéristique de certains conifères de la famille des Cupressacées (notamment les *Cupressus*).

Style (n. m.) : petite colonne portant le **stigmate.**

Subdistique (adj.) : presque **distique.**

Subéreux (adj.) : liégeux, fait de liège.

Sublabié (adj.) : presque labié.

Subsessile (adj.) : presque sessile.

Succulent (adj.) : à tissus charnus gonflés de sucs (liquides riches en eau et en substances minérales et organiques) et capables de retenir l'eau en cas de sécheresse. Les plantes succulentes sont appelées souvent de façon abusive «plantes grasses».

Suffrutescent (adj.) : plante de petite taille à tiges en grande partie lignifiées (ex. : bruyères).

T

Tépale (n. m.) : dans le cas de fleurs à sépales pétaloïdes (ayant tout à fait le rôle et l'apparence de pétales), se dit de chaque pièce du **périanthe,** qu'elle soit biologiquement un **sépale** ou un pétale (p. ex. chez les tulipes).

Thyrse (n. m.) : grappe ou panicule de fleurs dont les **pédicelles** sont plus longs vers le milieu ou près du tiers inférieur qu'aux deux extrémités, lui donnant la forme générale d'une pomme de pin un peu globuleuse.

Trigénérique (adj.) : se dit d'un **hybride** comptant 3 genres différents parmi ses géniteurs.

Tubercule (n. m.) : renflement de la tige, de la racine ou du rhizome qui contient des réserves nutritives.

Tubéreux (adj.) : qui se renfle pour former un **tubercule.**

Tuniqué (adj.) : couvert de tuniques (feuilles modifiées protectrices), comme un bulbe d'oignon.

Turion (n. m.) : pousse souterraine prenant naissance directement sur la souche chez certaines plantes comme l'asperge.

U V X Z

Urcéolé (adj.) : se dit d'une corolle à pétales soudés, en forme de grelot.

Verticille (n. m.) : ensemble d'organes (branches, fleurs ou feuilles), groupés par plus de 2 au même niveau d'une tige.

Verticillé (adj.) : disposé en **verticille.**

Volubile (adj.) : qui s'enroule spontanément sur un support.

Xérophile (adj.) : qui apprécie les conditions et les endroits secs.

Zygomorphe (adj.) : qui présente une symétrie bilatérale.

Index des noms communs

B

C

D

E

F

G

H

I

M

N

Q

R

S

Y

Remerciements

1	4	7	10
2	5	8	11
3	6	9	12

Les éditeurs remercient toutes les sociétés et personnes dont le nom apparaît dans la liste ci-dessous, de les avoir autorisés à reproduire les illustrations mentionnées, qui se trouvent, pour la plupart d'entre elles, dans le *Catalogue des Plantes*. Ces illustrations sont toutes référencées par deux ou plusieurs numéros : le premier indique la page, le (ou les) autre(s) indiquent la position de l'illustration dans la page. C'est la position de la légende de la photo qui détermine le numéro de l'illustration, suivant la grille de lecture ci-contre. Le même principe de numérotation – étendu de 1 à 42 – est également utilisé pour référencer les illustrations des « pages spéciales ». Toutes les illustrations de l'ouvrage sont numérotées dans l'ordre de la grille ci-contre.

Alpine Garden Society Slide Library: 288/4-9, 294/3, 297/11, 304/3, 305/10, 313/9-10, 315/12, 318/6, 319/5, 323/5, 328/3, 332/5, 335/6, 364/1.
Heather Angel: 374/12.
A-Z Botanical Collection Ltd: 51/6, 130/11, 143/9, 160/6, 162/10, 176/11, 196/29, 217/9, 239/22, 278/5, 287/6, 314/2, 373/2-10, 374/6.
Gillian Beckett: 87/3, 91/2-3, 100/21, 108/4, 118/5, 122/4, 123/7, 125/12, 136/12, 139/1, 142/11, 177/6, 185/4, 187/10, 209/4, 210/6, 213/12, 215/2, 221/7, 231/12, 244/19, 245/5, 247/3, 264/1, 288/5, 294/11, 296/12, 300/2, 301/1, 303/1, 307/11, 308/12, 313/1, 314/8-9, 317/6, 318/1, 321/10, 323/2, 325/3, 329/1, 337/7, 343/9-10, 346/10, 347/3, 349/7, 352/1, 353/9, 360/6, 361/1, 362/6-7, 363/1, 364/7, 369/9-10, 373/3-7, 372/6, 374/7-9.
Kenneth A. Beckett: 49/10, 164/8, 306/2, 308/4.
Patrick Booth/John Thirkell: 192/26-37-38.
Christopher Brickell: 62/4, 72/1, 98/8-10, 100/17, 101/4-25, 102/6, 103/1, 110/12, 115/4, 116/1-5, 133/22, 164/1, 376/35.
H. Brierley: 213/35.
Pat Brindley: 104/4, 166/12, 168/7, 173/4, 187/4, 196/38, 199/2, 251/19, 264/2, 265/4-7-9, 266/11, 268/7-11-12, 270/9, 272/3-12, 273/4, 275/7, 276/3-4, 277/9, 280/2-8, 281/6, 285/3, 334/5, 344/21-34, 345/8-22-26-28-31, 359/1, 374/8, 375/11.
Brinsley Burbidge: 167/12.
G.E. Cassidy: 196/3-32, 197/13-19.
Eric Crichton: 17/2, 25/1, 39/11, 44/6, 45/2, 66/1, 69/3, 71/25, 111/3, 125/9, 136/3, 145/11, 173/1, 187/9, 196/6-14-26, 197/24, 203/1, 214/1-6, 236/10, 239/25, 264/10, 268/6, 282/7, 289/8, 294/10, 295/1, 297/9, 298/3, 309/1, 315/3, 319/1, 322/12, 323/3, 327/3, 332/4, 334/19, 341/10, 344/16, 350/11, 351/1, 360/7, 376/31.

Philip Damp: 340/36, 341/6-40.
Raymond Evison: 170/27-28-33, 171/13-14-16-25-35-41.
Valerie Finnis: 294/7.
Ron & Christine Foord: 230/11.
John Glover: 98/9, 102/24, 126/8, 208/6, 242/8, 371/3.
Derek Gould: 84/11, 92/11, 102/4, 103/4, 113/6, 118/6, 121/6, 125/10, 138/2, 164/5, 166/7, 176/6, 195/7, 201/4, 202/2-3-7, 208/1, 212/12, 216/8-10, 225/12, 230/34, 234/6, 237/1, 245/3, 278/11, 285/6, 287/2, 299/7, 326/7, 330/4, 333/3, 345/20, 347/8, 349/10, 357/9, 373/7.
Diana Grenfell: 244/5-7-12-18-21-31-38.
R. Henley: 196/10-28.
Jerry Harpur: 2.
G. Herklots: 100/21.
Terry Hewitt: 378/9, 392/2, 394/2, 400/1.
Muriel Hodgman: 293/11, 299/10, 323/12, 325/1.
Hortico: 349/19.
Photos Horticultural: 193/12, 196/7, 234/3, 273/1, 279/5, 354/2.
Mike Ireland: 307/2, 314/3, 317/7, 359/4.
Andrew Lawson: 338/6-10-22-38.
Sidney Linnegar: 196/3-10-28-32-36, 197/13-19.
Brian Mathew: 337/3, 346/11, 350/1-4, 352/7, 353/4-8, 354/3, 357/5, 363/11.
S. & O. Matthews Photography: 119/7.
Royal Botanic Gardens, Kew: 12/1.
Royal Horticultural Society, Lyndley Library: 10: Curtis's Botanical Magazine CBM, lxxv (1849), T.4458; 11/1: CBM, cxvix (1923), T.9004; 11/2: R.J. Thronton: *A New Illustration of the Sexual System of Carolus Von Linnaeus* (1807); 12/2: CBM, cliv (1928), T.9241; 13: Edwards's Botanical Register, xx (1835), T.1686; 37: CBM, cl (1924), T.9036; 401: CBM, vii (1794), T.252.

A.D. Schilling: 56,8 (cartouche), 63/11, 100/4, 134/8, 137/9.
Arthur Smith: 334/26-38-42.
Harry Smith Collection: 39/12, 43/6, 44/3-4, 45/4-10, 46/7, 51/9, 54/3, 55/6-8, 56/9, 62/6, 63/6, 64/1-6, 65/3-12, 66/2-6-7, 67/5, 69/4-6, 75/1, 76/3-12, 78/9, 80/8-12, 81/6, 83/33, 84/7, 85/1-7-10, 87/1-7, 89/6, 90/6, 91/1, 92/1-7, 93/6, 94/9, 97/12-14-23, 98/12, 99/1, 100/20-22-27-32-35, 101/16, 102/7, 103/2, 109/4, 110/9, 111/5, 113/8, 114/7, 115/2-5-12, 116/10, 117/2, 118/1, 119/11, 122/7, 123/3-6, 126/12, 128/6, 132/25-39, 133/17, 135/8-10, 138/10, 139/3, 140/6, 141/5-6-12, 145/7, 160/8, 162/4-5-6, 163/7, 164/10, 165/3, 166/1-9, 167/3-9, 168/1-5-6, 169/2-3-7, 175/2-9, 176/8-10, 177/2-3, 178/12, 179/26, 188/3, 190/9, 192/14-25-28-31-35-40, 193/9, 194/1-5, 196/37, 204/11, 213/6, 221/3, 223/4, 225/8, 226/7, 227/1-4, 228/8, 231/1-4-18, 232/12, 237/7, 239/24, 240/12, 242/12, 243/9, 244/16-17, 248/6, 249/1, 263/10-12, 264/4, 265/8, 270/12, 271/3, 273/7-11, 274/4, 275/4-5-6-8, 276/12, 278/3-4-6-7, 282/10, 283/1-3, 284/9, 285/1-8-9, 287/1-5, 289/2-10, 292/6, 296/9, 297/6, 300/1-4-7, 304/5-12, 305/9, 306/11, 308/10, 309/9-11, 311/6-7-8-10, 312/7, 313/2, 315/5-9, 321/12, 322/8, 323/1-7, 326/8-9, 327/8-12, 328/4, 331/6, 332/12, 334/11-16-28-33-35-37, 335/2-3, 336/12, 337/6, 338-7-11-12-13-29-30-31-40, 339/6-12, 342/1-6-11, 345/4-14-38, 346/4-7, 347/6, 351/4, 352/4-11, 353/2-5, 354/9, 355/1-11-12, 356/4, 357/6, 358/6, 359/3, 360/3-4-10, 361/4-10, 363/6-9, 364/3, 365/4-8-10, 366/12, 367/2-7, 368/6-10, 370/2-11, 371/4-7-10, 373/3-4-12, 375/7-10, 376/9, 387/5, 395/10.
Thompson & Morgan: 272/2, 275/9, 279/6.
Unwins Seeds Ltd: 266/12, 270/6, 272/10-11, 275/10-11, 276/1, 280/1, 284/3-6.
Jack Wemyss-Cooke: 231/13-14-35.
John Wright: 132/3, 133/15.